Standard Textbook

# 標準口腔外科学

第5版

**監修**
内山　健志　東京歯科大学名誉教授
近藤　壽郎　前・日本大学松戸歯学部教授／
　　　　　　前・鶴見大学歯学部客員教授

**編集**
片倉　　朗　東京歯科大学教授・口腔病態外科学講座
中嶋　正博　大阪歯科大学特任教授・顎口腔外科学／
　　　　　　大阪歯科大学附属病院　病院長
里見　貴史　日本歯科大学生命歯学部主任教授・
　　　　　　口腔外科学講座

医学書院

**標準口腔外科学**

| 発　行 | 1985年11月1日　第1版第1刷 |
|---|---|
| | 1993年3月1日　第1版第5刷 |
| | 1994年10月15日　第2版第1刷 |
| | 2002年7月15日　第2版第6刷 |
| | 2004年8月15日　第3版第1刷 |
| | 2015年4月1日　第3版第8刷 |
| | 2015年12月15日　第4版第1刷 |
| | 2022年6月1日　第4版第4刷 |
| | 2024年3月31日　第5版第1刷Ⓒ |

監　修　内山健志・近藤壽郎
　　　　うちやまたけし　こんどうとしろう

編　集　片倉　朗・中嶋正博・里見貴史
　　　　かたくら あきら　なかじままさひろ　さとみたかふみ

発行者　株式会社　医学書院
　　　　代表取締役　金原　俊
　　　　〒113-8719　東京都文京区本郷 1-28-23
　　　　電話　03-3817-5600（社内案内）

印刷・製本　アイワード

本書の複製権・翻訳権・上映権・譲渡権・貸与権・公衆送信権（送信可能化権を含む）は株式会社医学書院が保有します．

ISBN978-4-260-05374-7

本書を無断で複製する行為（複写，スキャン，デジタルデータ化など）は，「私的使用のための複製」など著作権法上の限られた例外を除き禁じられています．大学，病院，診療所，企業などにおいて，業務上使用する目的（診療，研究活動を含む）で上記の行為を行うことは，その使用範囲が内部的であっても，私的使用には該当せず，違法です．また私的使用に該当する場合であっても，代行業者等の第三者に依頼して上記の行為を行うことは違法となります．

[JCOPY]〈出版者著作権管理機構　委託出版物〉
本書の無断複製は著作権法上での例外を除き禁じられています．複製される場合は，そのつど事前に，出版者著作権管理機構（電話 03-5244-5088，FAX 03-5244-5089，info@jcopy.or.jp）の許諾を得てください．

**執筆**（執筆順）

|  |  |
|---|---|
| 片倉　朗 | 東京歯科大学教授・口腔病態外科学講座 |
| 菅原　圭亮 | 東京歯科大学准教授・口腔病態外科学講座 |
| 後藤多津子 | 東京歯科大学主任教授・歯科放射線学講座 |
| 松坂　賢一 | 東京歯科大学教授・病理学講座 |
| 山本　信治 | 明海大学歯学部教授・病態診断治療学講座口腔顎顔面外科学分野 |
| 宮坂　孝弘 | 日本歯科大学生命歯学部准教授・口腔外科学講座 |
| 里見　貴史 | 日本歯科大学生命歯学部主任教授・口腔外科学講座 |
| 小林真左子 | 日本歯科大学生命歯学部准教授・口腔外科学講座 |
| 笠原　清弘 | 東京歯科大学准教授・口腔病態外科学講座 |
| 竹島　浩 | 明海大学歯学部教授・病態診断治療学講座高齢者歯科学分野 |
| 松浦　信幸 | 東京歯科大学教授・オーラルメディシン・病院歯科学講座 |
| 吉田　秀児 | 東京歯科大学講師・口腔顎顔面外科学講座 |
| 髙野　正行 | 東京歯科大学客員教授・口腔顎顔面外科学講座 |
| 渡邊　章 | 東京歯科大学准教授・口腔顎顔面外科学講座 |
| 内山　健志 | 東京歯科大学名誉教授 |
| 髙田　訓 | 奥羽大学歯学部教授・口腔外科学講座 |
| 夏目　長門 | 愛知学院大学歯学部教授・口腔先天異常学研究室 |
| 竹信　俊彦 | 大阪歯科大学主任教授・口腔外科学第二講座 |
| 吉岡　泉 | 九州歯科大学教授・口腔内科学分野 |
| 松野　智宣 | 日本歯科大学附属病院教授・口腔外科 |
| 濱田　良樹 | 鶴見大学歯学部教授・口腔顎顔面外科学講座 |
| 江口　貴紀 | 鶴見大学歯学部助教・口腔顎顔面外科学講座 |
| 管野　貴浩 | 島根大学学術研究院医学・看護学系医学部教授・歯科口腔外科学講座 |
| 成田　真人 | 東京歯科大学講師・口腔顎顔面外科学講座 |
| 久保田英朗 | 久保田歯科口腔外科医院　院長／佐賀大学医学部臨床教授 |
| 安部　貴大 | 神奈川歯科大学歯学部教授・臨床科学系口腔外科学講座口腔外科学分野 |
| 小林　正治 | 新潟大学大学院医歯学総合研究科教授・顎顔面再建学講座組織再建口腔外科学分野 |
| 志茂　剛 | 北海道医療大学歯学部教授・生体機能・病態学系組織再建口腔外科学分野 |
| 代田　達夫 | 昭和大学歯学部教授・口腔外科学講座顎顔面口腔外科学部門 |
| 村松　泰徳 | 朝日大学歯学部教授・口腔病態医療学講座口腔外科学分野 |
| 野村　武史 | 東京歯科大学教授・口腔腫瘍外科学講座 |
| 長尾　徹 | 前・愛知学院大学歯学部教授・顎顔面外科学講座 |
| 後藤　満雄 | 愛知学院大学歯学部主任教授・顎顔面外科学講座 |
| 柴原　孝彦 | 東京歯科大学名誉教授／客員教授 |
| 辻　要 | 大阪歯科大学講師・口腔外科学第一講座 |
| 井関　富雄 | 大阪歯科大学教授・口腔外科学第一講座 |
| 永易　裕樹 | 北海道医療大学歯学部教授・生体機能・病態学系顎顔面口腔外科学分野 |
| 土生　学 | 九州歯科大学講師・生体機能学講座顎顔面口腔外科学分野 |
| 冨永　和宏 | 九州歯科大学名誉教授 |
| 平木　昭光 | 福岡歯科大学教授・口腔腫瘍学分野 |
| 光藤　健司 | 横浜市立大学大学院医学研究科教授・顎顔面口腔機能制御学 |
| 三浦　雅彦 | 東京医科歯科大学大学院医歯学総合研究科教授・歯科放射線診断・治療学分野 |
| 里村　一人 | 鶴見大学歯学部教授・口腔内科学講座 |
| 戸田　麗子 | 鶴見大学歯学部学内講師・口腔内科学講座 |
| 山内　健介 | 東北大学大学院歯学研究科教授・顎顔面口腔再建外科学分野 |
| 近藤　壽郎 | 前・日本大学教授・松戸歯学部顎顔面外科学講座／前・鶴見大学客員教授・歯学部歯科医学教育学講座 |
| 依田　哲也 | 東京医科歯科大学大学院教授・顎顔面外科学分野 |
| 窪　寛仁 | 大阪歯科大学講師・口腔外科学第二講座 |
| 中嶋　正博 | 大阪歯科大学特任教授・顎口腔外科学／大阪歯科大学附属病院　病院長 |
| 林　勝彦 | 東京慈恵会医科大学附属病院教授・歯科口腔外科 |
| 芳澤　享子 | 松本歯科大学歯学部教授・口腔顎顔面外科学講座 |
| 中村　誠司 | 九州大学大学院歯学研究院特任教授／九州大学名誉教授 |
| 川野真太郎 | 九州大学大学院歯学研究院教授・口腔顎顔面病態学講座顎顔面腫瘍制御学分野 |
| 岩渕　博史 | 国際医療福祉大学病院教授・歯科口腔外科 |
| 田中　彰 | 日本歯科大学新潟生命歯学部教授・口腔外科学講座 |
| 森　良之 | 自治医科大学附属さいたま医療センター教授・総合医学第2講座歯科口腔外科 |
| 尾田誠一郎 | 自治医科大学附属病院病院助教・歯科口腔外科・矯正歯科 |
| 小川　隆 | 東京医科大学八王子医療センター臨床教授・歯科口腔外科 |
| 池邉　哲郎 | 福岡歯科大学教授・口腔・顎顔面外科学講座口腔外科学分野 |

| | | |
|---|---|---|
| 日比　英晴 | 名古屋大学大学院医学系研究科教授・頭頸部感覚器外科学講座 | |
| 近津　大地 | 東京医科大学主任教授・口腔外科学分野 | |
| 澁井　武夫 | 日本歯科大学生命歯学部教授・口腔外科学講座 | |
| 西山　明宏 | 東京歯科大学講師・口腔病態外科学講座 | |
| 福田　謙一 | 東京歯科大学教授・口腔健康科学講座 | |
| 砂田　勝久 | 日本歯科大学生命歯学部教授・歯科麻酔学講座 | |
| 山田　浩之 | 岩手医科大学歯学部教授・口腔顎顔面再建学講座口腔外科学分野 | |
| 飯田　征二 | 岡山大学学術研究院医歯薬学域教授・顎口腔再建外科学分野 | |
| 佐藤　一道 | 国際医療福祉大学医学部准教授・歯科・口腔外科学 | |
| 岡本　俊宏 | 東京女子医科大学教授/基幹分野長・歯科口腔外科学講座　顎口腔外科学分野 | |
| 米原　啓之 | 日本大学歯学部教授・口腔外科学第Ⅱ講座 | |
| 柳井　智恵 | 日本歯科大学附属病院教授・口腔インプラント診療科 | |
| 河奈　裕正 | 神奈川歯科大学教授・歯科インプラント学講座　顎・口腔インプラント学分野 | |
| 戸谷　収二 | 日本歯科大学新潟病院教授・口腔外科 | |
| 石崎　憲 | 国際医療福祉大学医学部教授・歯科・口腔外科学 | |
| 中島　純子 | 東京歯科大学准教授・オーラルメディシン・病院歯科学講座 | |
| 野間　弘康 | 東京歯科大学名誉教授 | |

# 第5版 序

『標準口腔外科学』は，東北歯科大学（現 奥羽大学）学長であった故村瀬正雄教授の起案によるものです．当時の全国の私立歯科大学・歯学部において教育に携わり，かつ口腔外科の臨床で活躍の先生方により1985年11月に初版が発刊されました．その後，本書は特に歯学生を対象とした口腔外科学の教科書として利用されることを目的に，変化する疾患概念や診断・治療を反映し，順調に版を重ねてきました．このたび初版からの編集の基本原則を踏襲しつつ，現状に合わせて内容を一新し，第5版を発刊することになりました．

初版から約40年の間にわが国は超高齢社会となり，医療の中で歯科が担う目的と領域は，医療と社会や患者との関わり方とともに大きく変化しました．現在，わが国の医療は健康長寿の延伸を目的として展開され，この点は現在の歯学教育にも反映されています．口腔外科でも，顎顔面口腔領域の疾患概念の変化，WHOなどによる疾患分類の変更，さまざまな診療ガイドラインの発刊など，大きな動きを迎えています．また，検査をはじめとした診断学，手術を中心とした治療学も，新たな機器・材料・IT技術により格段に変化しました．これらの変化を受け歯学教育では，2025年には歯科医師法改正に基づく公的共用試験の実施と，2027年には共用試験合格が歯科医師国家試験の受験資格の要件となります．それらに呼応するように2023年に歯学教育モデル・コア・カリキュラムが，2024年には新たな歯科医師国家試験出題基準がとりまとめられました．

第5版ではこの動向に即して，新たな歯学教育モデル・コア・カリキュラムと歯科医師国家試験出題基準に記載されている内容を確実に網羅するように全面的に第4版の構成を見直し，それらに則った章・項目・細目立てと記述内容を綿密に検討し，さらにこれまで本書をご利用いただいた先生方，学生諸君に見直すべき内容をヒアリングしました．それらを反映させ，歯学部・医学部で口腔外科学の教育を担当されている教授を中心に，学修者を育てる立場からご執筆いただきました．特に本改訂では，外傷領域を強化し，全身疾患との関連や臨床推論の考え方についても追記し，巻末に先天異常症候群，検査項目を一覧としています．

本書は日本の歯学教育において，口腔外科学のまさしく「標準」となる内容に仕上げられています．歯学生にとって臨床実習を経て卒業までに必要な口腔外科学の知識を学修しやすいように，多くの図表・写真を用いて，詳細かつ明解に記載されています．すでに臨床の場で活躍中の専門医にも，知識の確認に利用いただけるように配慮しています．本書を利用して口腔外科の十分な知識と素養を身に付けた歯学生が，歯科医師となって臨床の場で活躍してくれることを心から期待しています．

最後に，本書で学ぶ口腔外科疾患における最良の診断・治療・手術を目指すためには，各領域の専門医と常に協力し，適切な指示や対診を仰ぐ，必要に応じて手術支援を要請する，などを心掛ける必要があることを付け加えます．

　2024年1月吉日

片倉　朗・中嶋正博・里見貴史

## 初版の序

　本書の発行は，前東北歯科大学学長・故村瀬正雄教授のご発案によるものである．村瀬先生は歯科大学の在学生諸君にとって適当な口腔外科学の教科書がないことから，私ども4名に編集を命ぜられ，第1回の編集委員会には先生みずからご出席をいただき，種々，貴重なご意見を賜った．

　本書は現在，全国の私立歯科大学において教壇に立たれ，かつ口腔外科臨床の第一線で活躍されておられる先生方を中心に分担執筆をお願いした．しかし種々の事情により，当初の計画よりも発行がたいへん遅延してしまった．これはひとえに編集者一同の責任であり，著者の先生方ならびにお世話をいただいた医学書院の皆様方に深くお詫びする次第である．

　口腔外科の範囲はきわめて広く，学ぶべき疾患はおびただしい数にのぼる．しかも，この分野における最近の進歩は誠にめざましく，新しい情報が絶え間なく提供されている．したがって，口腔外科学は学生諸君にとって理解および把握のもっとも困難な科目であるように思われる．

　先にも述べたごとく，本書の主目的は歯科大学卒前学生の教科書とすることである．そのため本書は歯学教授要綱にもられた項目をすべて網羅しており，厚生省編による歯科医師国家試験基準にも十分に対応しうるものである．また，口腔外科学の内容を学生諸君が安易に把握できるように，その構成および配列には十分な検討を加えて改変をはかり，斬新なものとした．

　本書では大部分のセクションを総論と各論とにわけて記載した．とくに総論において，解剖学，病理学，薬理学，微生物学など関連する基礎科目について最小限必要な知識を獲得できるように配慮した．これによって各論に記載される各種疾患の理解が一層容易になるものと信じている．

　各論ではとくに各種疾患の成り立ちと症状の関係，さらに診断・治療法などを理解させるようにはかった．また最新の情報も数多くもり込むことにつとめたが，膨大な情報をすべて詳細に述べることは不可能であるため，多少偏っても重点的なとらえ方で記述した．なお解説には簡明な文章を用いることに心掛け，読みやすさを求めた．さらに的確な理解が得られるように，著者らが臨床においてみずから経験した代表的な写真をできるかぎり多く挿入した．

　以上述べたごとき特徴から，本書は学生諸君の教科書としてばかりではなく，一般歯科臨床に携っておられる方々や口腔外科を専攻しておられる方々にとっても，口腔外科的知識の整理統合に役立つであろう．また，日本口腔外科学会認定医制度認定試験にも対応できるものと考えている．

本書のいたらない点はすべて編集者に帰せられるべきものである．今後，御叱正・御批判をいただいて，より一層充実したものにしていきたいと念願している次第である．

　1985年9月

高橋庄二郎・園山　昇・河合　幹・高井　宏

# 目次

## 第1章 口腔外科診断法 .................. 1

- **A** 診断総論 ──────片倉 朗 1
- **B** 主要症候 ────菅原圭亮・片倉 朗 5
- **C** 検査法 ──────14
  - ① 画像検査 ────後藤多津子 14
  - ② 口腔診療のための一般的検体検査──松坂賢一 20

## 第2章 口腔外科手術総論 .................. 30

- **A** 感染予防対策 ──────山本信治 30
- **B** 無菌法（滅菌法および消毒法）──────31
- **C** 基本的な手術器具の取り扱い
  ──────宮坂孝弘・里見貴史 37
- **D** 基本手術手技 ────小林真左子・里見貴史 45

## 第3章 外科的侵襲の病態生理と患者管理 .................. 56

- **A** 侵襲と生体反応 ────笠原清弘・片倉 朗 56
- **B** 患者の評価および管理 ──────60
  - ① 口腔の評価 ──────竹島 浩 60
  - ② 術前の患者評価 ──────61
  - ③ 周術期管理・有病者の管理 ──────64
  - ④ 術後管理と合併症への対応 ──松浦信幸 67
- **C** 栄養管理 ──────松浦信幸 70
- **D** 救急蘇生法 ──────72
- **E** リスクマネジメントと医療安全
  ──────吉田秀児・高野正行 80

## 第4章 先天異常および発育異常 .................. 86

### 総論 ──────渡邊 章・内山健志

- **A** 頭頸部の発生 ──────86
- **B** 先天異常および発育異常 ──────89
- **C** 先天異常の成因による分類 ──────89
- **D** 先天奇形の分類 ──────91
- **E** 裂奇形の成因 ──────92
- **F** 裂奇形の発症機序 ──────94

### 各論

- **A** 歯の異常 ──────髙田 訓 94
- **B** 口腔顔面軟組織の異常 ──────101
- **C** 口唇裂・口蓋裂 ────渡邊 章・内山健志 106
- **D** 顔面裂 ──────吉田秀児・渡邊 章 120
- **E** 顎顔面・口腔領域に徴候をみる症候群
  ──────夏目長門 121
- **F** 顎顔面の変形および発育異常 ──────133
  - ① 顎変形症の定義と成因 ────竹信俊彦 133
  - ② 顎変形症にみられる障害 ──────133
  - ③ 顎変形症の分類 ──────134
  - ④ 顎変形症の診断と治療 ────高野正行 136
  - ⑤ 顎矯正手術の種類と特徴 ──────140
    - A. 上顎の手術 ──────140
    - B. 下顎の手術 ──────144
    - C. 顎骨延長術 ──────吉岡 泉 148
  - ⑥ 合併症とその対策 ──────吉岡 泉 151

## 第5章 損傷 .................. 155

### 総論 ──────松野智宣・里見貴史

- **A** 損傷の種類 ──────155
- **B** 創傷 ──────157

### 各論

- **A** 歯の外傷 ──────濱田良樹・江口貴紀 160
- **B** 骨折 ──────162
  - ① 歯槽部骨折 ──────162
  - ② 下顎骨骨折 ──────里見貴史 162
  - ③ 上顎骨骨折 ──────167
  - ④ 頬骨骨折 ──────169
  - ⑤ その他の骨折 ──────171

## 第6章 骨折の治療・骨接合術
- ❻ 骨折の治療・骨接合術 ──────── 濱田良樹・江口貴紀 173
- Ⓒ 口腔・顔面軟組織の損傷 ──────── 管野貴浩 176
- Ⓓ 合併損傷 ──────── 184
- Ⓔ 小児の軟組織・硬組織損傷 ──────── 成田真人 189

## 第6章 炎症
192

### 総論
- Ⓐ 炎症の原因 ──────── 久保田英朗 192
- Ⓑ 炎症の経過とそのメカニズム ──────── 192
- Ⓒ 炎症の過程と組織変化 ──────── 194
- Ⓓ 炎症の分類 ──────── 195
  - ❶ 急性炎症と慢性炎症 ──────── 195
  - ❷ 急性炎症 ──────── 久保田英朗・内山健志 195
  - ❸ 慢性炎症 ──────── 久保田英朗 198
- Ⓔ 感染症 ──────── 安部貴大 198
- Ⓕ アレルギーと自己免疫 ──────── 200
- Ⓖ 臨床症状と診断 ──────── 202
- Ⓗ 炎症の治療 ──────── 203

### 各論
- Ⓐ 歯性感染症 ──────── 小林正治 204
- Ⓑ 肉芽腫性炎 ──────── 志茂 剛 216
- Ⓒ 顔面口腔領域に症状がみられる感染症 ──────── 安部貴大 221

## 第7章 囊胞
224

### 総論 ──────── 代田達夫
- Ⓐ 囊胞の概念と定義 ──────── 224
- Ⓑ 囊胞の分類 ──────── 224
- Ⓒ 一般的症状と診断 ──────── 224

### 各論
- Ⓐ 発育性囊胞 ──────── 代田達夫 225
- Ⓑ 炎症性囊胞 ──────── 229
- Ⓒ 偽囊胞 ──────── 231
- Ⓓ その他 ──────── 233
- Ⓔ 顎・口腔領域の非歯原性囊胞 ──────── 村松泰徳 233
- Ⓕ 軟組織に発生する囊胞 ──────── 237

## 第8章 腫瘍および腫瘍類似疾患
243

### 総論
- Ⓐ 腫瘍の概論・定義 ──────── 野村武史 243
- Ⓑ 悪性腫瘍の疫学 ──────── 250
- Ⓒ 口腔癌の分類 ──────── 252
- Ⓓ 発癌（病因）──────── 長尾 徹・後藤満雄 253
- Ⓔ 口腔潜在的悪性疾患の概念 ──────── 256
- Ⓕ 病態（症状）──────── 柴原孝彦 257
- Ⓖ 診断と治療方針 ──────── 259

### 各論
- Ⓐ 歯原性腫瘍 ──────── 辻 要・井関富雄 261
- Ⓑ 良性腫瘍 ──────── 永易裕樹 272
- Ⓒ 悪性腫瘍 ──────── 279
  - ❶ 癌腫 ──────── 土生 学・冨永和宏 279
  - ❷ 肉腫 ──────── 平木昭光 288
  - ❸ 口腔粘膜悪性黒色腫 ──────── 光藤健司 292
  - ❹ 口腔への転移性癌，原発不明癌 ──────── 293
  - ❺ 口腔癌の治療 ──────── 野村武史 294
  - ❻ 薬物療法 ──────── 光藤健司 308
  - ❼ 放射線治療 ──────── 三浦雅彦 310
- Ⓓ 口腔潜在的悪性疾患 ──────── 里村一人・戸田麗子 314
- Ⓔ 腫瘍類似疾患 ──────── 山内健介 318

## 第9章 顎関節疾患
326

### 総論 ──────── 近藤壽郎
- Ⓐ 顎関節の解剖構造 ──────── 326

### 各論
- Ⓐ 顎関節の先天異常・発育異常 ──────── 依田哲也 330
- Ⓑ 顎関節の外傷 ──────── 331
- Ⓒ 顎関節の炎症 ──────── 333
- Ⓓ 顎関節腫瘍および腫瘍類似疾患 ──────── 334
- Ⓔ 顎関節強直症 ──────── 335
- Ⓕ 顎関節の自己免疫疾患 ──────── 336
- Ⓖ 顎関節の代謝性疾患 ──────── 337
- Ⓗ その他の顎関節疾患 ──────── 338
- Ⓘ 咀嚼筋の疾患 ──────── 338
- Ⓙ 顎関節症 ──────── 窪 寛仁・中嶋正博 338

## 第10章 唾液腺疾患
351

### 総論　　　　　　　　　　　　　　　　林　勝彦
- ❶ 大唾液腺 ――― 351
- ❷ 小唾液腺 ――― 352

### 各論
- Ⓐ 形態および機能異常 ――― 林　勝彦　353
- Ⓑ 炎症性疾患 ――― 芳澤享子　358
- Ⓒ 異物 ――― 359
- Ⓓ 嚢胞 ――― 360
- Ⓔ 唾液腺腫瘍 ――― 中村誠司・川野真太郎　362
- Ⓕ 腫瘍類似病変・その他の病変 ――― 367

## 第11章 口腔粘膜疾患
374

### 総論　　　　　　　　　　　　里村一人・戸田麗子
- Ⓐ 口腔粘膜の構造と機能 ――― 374
- Ⓑ 口腔粘膜疾患の分類 ――― 375

### 各論
- Ⓐ 発育異常 ――― 岩渕博史　375
- Ⓑ 細菌感染症 ――― 377
- Ⓒ ウイルス感染症 ――― 里村一人・戸田麗子　379
- Ⓓ 角化異常症 ――― 383
- Ⓔ アレルギーと関連する口腔粘膜異常 ――― 384
- Ⓕ 自己免疫に関連する口腔粘膜異常 ――― 田中　彰　386
- Ⓖ 色素沈着異常 ――― 森　良之・尾田誠一郎　396
- Ⓗ 口腔症状を呈する内分泌障害，代謝障害 ――― 397
- Ⓘ 栄養障害 ――― 399
- Ⓙ 薬物，その他の障害による粘膜疾患 ――― 399
- Ⓚ 血液疾患，その他の全身疾患と関連する粘膜異常 ――― 小川　隆　401

## 第12章 口腔に症状を現す血液疾患および止血機構の障害
407

### 総論　　　　　　　　　　　　　　　池邉哲郎
- Ⓐ 血液と疾患 ――― 407
- Ⓑ 造血幹細胞と血球分化 ――― 407
- Ⓒ 血液疾患の検査 ――― 410
- Ⓓ 出血性素因と止血機序 ――― 410
- Ⓔ 出血性素因の検査 ――― 411
- Ⓕ 抗血栓薬 ――― 413
- Ⓖ 観血的治療時の留意点 ――― 414

### 各論
- Ⓐ 赤血球系疾患 ――― 日比英晴　414
- Ⓑ 白血球系疾患 ――― 418
- Ⓒ 造血系腫瘍 ――― 419
- Ⓓ 止血機構の障害 ――― 近津大地　423

## 第13章 神経疾患
430

### 総論
- Ⓐ 歯・口腔・顎顔面に分布する神経と機能 ――― 瀧井武夫　430
- Ⓑ 中枢ならびに末梢神経疾患（障害） ――― 西山明宏・片倉　朗　433
- Ⓒ 中枢性ならびに末梢性疾患の診断（神経痛，神経麻痺，神経けいれん） ――― 435
- Ⓓ 末梢性神経疾患の治療（外科療法，薬物療法，理学療法） ――― 436
  - ❶ 外科的療法 ――― 436
  - ❷ 薬物療法 ――― 福田謙一　437
  - ❸ 理学療法 ――― 438
- Ⓔ 末梢神経疾患の治療（星状神経節ブロック；SGB） ――― 砂田勝久　438
- Ⓕ 神経障害性疼痛の診断と治療 ――― 福田謙一　441
- Ⓖ その他の神経疾患 ――― 444

### 各論
- Ⓐ 神経痛 ――― 山田浩之　444
- Ⓑ 神経麻痺 ――― 447
- Ⓒ 神経けいれん ――― 飯田征二　451
- Ⓓ その他の神経疾患 ――― 453
- Ⓔ 神経障害性疼痛の診断と治療 ――― 454

## 第14章 口腔・顎顔面疾患の手術とその他の治療
458

- Ⓐ 口腔・顎顔面疾患の手術 ――― 458
  - ❶ 抜歯術 ――― 菅原圭亮　458
  - ❷ 歯根尖切除術 ――― 469
  - ❸ 歯の移植術と再植術 ――― 佐藤一道　471

❹ 補綴のための手術　　　　　　岡本俊宏　474
❺ 形成手術・再建手術　　　　　　米原啓之　478
Ⓑ インプラント概論　　　　　　　　　　　488
❶ インプラント治療の概要　　　　柳井智恵　488
❷ 診療と患者選択　　　　　　　　　　　　489
❸ 術式　　　　　　　　　　　　　　　　　490
❹ インプラント関連手術　　　　　松野智宣　491
❺ インプラントを用いた再建　　　河奈裕正　497
❻ 併発症　　　　　　　　　　　　　　　　501
Ⓒ 口腔・顎顔面疾患のその他の治療　　　　504
❶ 薬物療法　　　　　　　　　　　戸谷収二　504
❷ 理学療法　　　　　　　　　　　福田謙一　507
❸ レーザー療法　　　　　　　　　片倉　朗　510
❹ 凍結療法　　　　　　　　　　　髙野正行　512
❺ 顎顔面補綴　　　　　　　　　　石崎　憲　512

❻ 口腔健康・機能管理　　　中島純子・松浦信幸　514
Ⓓ 再生医療　　　　　　　　　　　日比英晴　517

## 第15章　口腔外科の歴史と展望
　　　　　　　　　　　　　　　　野間弘康　524
Ⓐ 口腔外科の歴史　　　　　　　　　　　　524
Ⓑ 口腔外科医療の概念の変遷と今後の展望　526

■ 主な先天異常症候群　　　　　　　　　　528
■ 主な検査項目　　　　　　　　　　　　　531
■ 和文索引　　　　　　　　　　　　　　　537
■ 欧文索引　　　　　　　　　　　　　　　554

# 第1章 口腔外科診断法

 診断総論

## 1 診断の定義と成立過程

　診断（diagnosis）とは，一般的には医師・歯科医師が患者の病状を診察，検査して行う医学・医療的判断で，病状の改善や治療のための示唆・勧告・指示を含む．医師・歯科医師が患者の病態や異常な状態を正確に把握し，これに基づいて適切な治療を施すための客観的根拠を得ることである．また診断は病名を決定するだけでなく，局所の重症度の判定や経時的に変化する病態や病期を把握するとともに，全身的な状態を評価することも含まれる．適切な治療は正しい診断がなければあり得ないので，診断は医療を行う基本で，医学・歯学の根幹であるといえる．診断は診察を行って実施される．

　診察は，最初に医療面接により主訴と病歴を聴取し，次いで視診や触診などの診察を行って，局所と全身の状況，つまり現症を把握する．前者は患者側の訴えである自覚的事項で，後者は所見をとる医療者側の他覚的事項である．

　医療面接はプライバシーに配慮した環境で行い，主訴を聞くことから始まるが，患者が診療室に入る際の歩き方，姿勢や座り方も医療情報になるので見逃してはならない．患者と対面したとき，医療者は最初に自己紹介をするとともに，患者に氏名や生年月日を自ら言ってもらい本人確認をする．その後，医療面接，診察，各種の検査を進め，それらの結果を総合的に判断して診断に至り，病名が決定する．この過程を臨床推論という．

　診断は，治療方針に加えて治療の効果，治療による合併症を含めた予後の推定まで含まれる．診察・診断を的確に遂行するためには，後述する症候学，検査学を同時に学ぶ必要がある．

## 2 口腔外科診断の特徴

　口腔外科での診断は，基本的手順は医科を含めたいずれの診療科とも本質的に違いはない．しかし，口腔の解剖学的，生理学的な特徴の理解が必要である．口腔は，歯，歯周組織，顎骨，それに付着する咀嚼筋，舌，頬，口唇，唾液腺などから構成されており，組織，臓器は三叉神経を主とする密な神経支配を受け，口腔内は排泄管を介して絶えず唾液が分泌されている．口腔は消化器官であるが，後下方に位置する呼吸器官とともに共鳴腔として気道の一部となり，発声・構音器官としての役割も担っている．また摂食・咀嚼，味覚など多彩な機能を有している．これらの機能は下顎骨，咀嚼筋，顎関節などが関与する顎運動，口唇の運動，舌の運動，軟口蓋の鼻咽腔閉鎖運動などが関与している．

　口腔外科領域の診断の特徴やその留意点は，以下の7点である．

① 新生児から高齢者まで幅広い年齢層の疾患を扱うため，加齢変化に対応した知識が必要である．
② 口腔の疾患は，程度の差はあるが顎口腔の機能障害が併存する．
③ 口腔顎顔面領域の化膿性炎症の大部分は，歯や歯周組織が関与する（歯原性）．
④ 取り扱う疾患では，外科的治療以外にも，薬物治療や理学療法などで治療する場合がある．
⑤ 全身的疾患の部分症状が口腔に現れていることがある．

⑥ 顎口腔疾患の病変の多くが肉眼で視認することが可能で，ほかの臓器の疾患と比べて触診や生検がしやすい．
⑦ 口腔外科で扱う疾患は，病変部や術野が気道に近接しているので，気道閉塞による窒息などに対するすみやかな対応が求められる．

## 3 診察法（診察の手順）・臨床推論

### A 医療面接による病歴の聴取

病歴は主訴，現病歴，生活歴，既往歴，家族歴からなっている．医療面接によってそれらを聴取するが，医療者側からの一方的な質問にならないように心がける．患者が話しやすいようにリラックスできてプライバシーが保護できる環境の中で，傾聴的・共感的態度を心がけて行う．小児や知的障害のある患者では，本人からの情報に加えて，保護者などの家族や介護者からも聴き取りを行う．

#### 1 ● 主訴 chief complaint

患者が受診する動機となった身体の異常で，「今日はどうして受診されましたか」などの問いかけに対して患者が答えた内容が主訴であり，基本的には患者が答えた言葉をそのまま記録する．主訴の部位は病変の存在位置を示し，また主症状のことが多い．しかし，訴えている症状が原因となる病態と直接的に関連しない場合もあるので，ほかの訴えも聞いておく必要がある．

#### 2 ● 現病歴 history of present illness

主訴となっている症状やそれに関わる変化の発症から現在までの経過をいう．その間に行われた対応とそれに対する反応も含められる．患者は直近で受診動機となった症状を話すことが多いので，それ以前にも同様の症状がなかったかを聞いて確認し，もしあればその時期が現病歴の最初となり，診療録の記載もその時点から行う．受診前に患者自身で行った対応，ほかの医療機関で行われた治療とその経過も含まれる．「今の症状が，いつから，どのあたりに，どういう具合で始まり，どのように現在に至ったか」を時系列に記載する．

#### 3 ● 既往歴 past medical history

生まれてから現在に至るまでの，すでに確定している疾患の情報を記録する．基本的には時系列で記載するが，数が多い場合は臓器別・診療科別に整理したほうが把握しやすい．現時点で活動性のある疾患は，病状や治療内容（内服薬などの用量・用法も明記），かかりつけ医なども記載する．過去に治癒した疾患は，発症時期と治癒時期，後遺症の有無などを併記する．輸血歴，アレルギー歴，妊娠・出産歴も記載する．特に循環器疾患，血管疾患，糖尿病，癌などの疾患はその治療と服薬内容について聴取する．血液抗凝固薬，骨吸収抑制薬，副腎皮質ホルモン製剤については詳細を記録する．これらの内容は疾患の診断や治療方針の決定に際して重要な情報である．

#### 4 ● 生活歴 social history

嗜好品（飲酒・喫煙など），生活習慣（食事・運動，排泄状況など）を記録する．必要に応じて社会歴（仕事，交友関係，生活環境，居住地や住居の状態など）も記録する．喫煙と飲酒は口腔粘膜疾患のリスク因子となるので，必ず記録すべきである．高齢者では生活習慣，生活環境，住居の状態などが診断や治療方針の検討に必要となることが多い．職業，交友関係，生活環境，居住地などは感染症などの診断に必要な情報となる．

#### 5 ● 家族歴 family history

遺伝性疾患や体質に関わる疾患，ウイルス性肝炎の垂直感染のような家族性の疾患などが疑われる場合には聴取する．家族の疾患歴は疑う疾患によって，血縁者（遺伝性疾患），同居者（生活習慣病），職場などの濃厚接触者（感染症）など聴取する範囲を広げる．

### B 身体所見の診察法

患者の身体の異常や病態を視診，触診，打診，聴診などの診察によって客観的に把握し，身体所見として記録する．一般に患者が自覚的に表現したものを症状（symptom），医療者が他覚的に患者の異常を認めたものを徴候（sign）と呼び，両者をあわせて症候としている．歯科臨床であっても全身の外観から行う．身体全体の所見を通して重症度や緊急性の有無，口腔症状と全身疾患との関連

性を推測することができる．

### 1 ● 全身の外観

体格，栄養状態，入室時の姿勢や歩行状態を観察する．体格はBMIが22になるときの体重を標準体重として，18.5未満を「低体重（やせ）」，18.5以上25未満を「普通体重」，25以上を「肥満」として評価する．体格は栄養状態に影響されるため，両者をあわせ栄養アセスメントとなる．「肥満」でないか，「るい痩（やせ）」でないか，「浮腫」はないかを観察する．浮腫は低栄養や心不全の重要な症候であり，下肢の状態を診察して評価する．体重の増減，食欲の有無も確認する．入室時の姿勢や歩行状態から，脊柱の彎曲・麻痺・けいれん・振戦などの有無を観察する．これにより脳血管疾患やパーキンソン病などの神経疾患の症候がないかを把握することができる．

### 2 ● 意識状態・精神状態・認知機能

意識がある状態（意識清明）とは，まず「覚醒」していること，加えて周囲を「認識」できる状態である．また，開眼，言葉，動作などで外界からの刺激や情報に「反応」できることも必要である．緊急性がある場合，意識障害のレベルは日本昏睡スケール（Japan Coma Scale；JCS）を用いて評価する．精神状態，認知機能は患者の全般的な外観，行動，異常または奇異な知覚（妄想，幻覚）など，気分，ならびに認知能力（注意力，見当識，記憶力）の評価を通じて，その時点での精神能力を評価する．見当識は「自分の名前」，「今日の日付」，「現在いる場所の名前」の3項目を確認して評価することが一般的である．

### 3 ● バイタルサイン

バイタルサインには，血圧，心拍，呼吸，体温，意識レベル，静脈圧，パルスオキシメトリ〔経皮的毛細管酸素飽和度（$SpO_2$）〕，尿量がある．特に血圧，心拍，呼吸の確認は，初診時ばかりでなく，その後の治療の方針を決めるうえで重要な評価項目である．成人の正常体温は一般に腋窩で測定するが，直腸ではこれより0.5℃高く，口腔（舌下）はその中間である．疾病があると一般的に高くなる．変動するパターンを熱型といい，日差が1℃以内の稽留熱，1℃以上の弛張熱，発熱期と無熱期が交互に現れる間欠熱，発熱があるときとないときを繰り返す波状熱（不規則），周期熱（周期的）がある．

### 4 ● 顔貌と皮膚

顔貌は局所としてだけではなく，全身状態とも関連し，苦痛，苦悶，抑うつ状態の顔貌，仮面様顔貌，満月様顔貌などがある．皮膚の観察では，特に顔貌の皮膚が全身との関連で重要で，蒼白，チアノーゼ，異常紅潮，黄疸，乾燥，異常な色素沈着がないかを観察する．

## C 口腔・顎顔面の診察

口腔・顎顔面の診察は，医療者が経験から習得した診察技能による主観的評価で進められる．最近は検査機器を用いて所見を数値化した客観的評価が進んでいる．口腔領域では粘膜疾患の蛍光観察装置，咬合圧検査，音声の周波数分析，ガスクロマトグラフィーによる臭いの分析などがある．

### 1 ● 視診 inspection

医療者の目でみることによって患者の外見に現れる徴候を，解剖学的部位とともに客観的に把握する．局所的な異常や病変の形態や性状だけでなく，患者の呼吸状態や表情などの視覚情報も含まれる．

### 2 ● 触診 palpation

主に手指で口腔・頭頸部を触れて診察を行う．一定の圧力を加えると正常とは異なった組織の可動性や硬さを触知し，患者が疼痛などを感じることがある．腫脹，腫瘤，硬結などの範囲，硬軟，波動，捻髪音，羊皮紙様感，熱感，圧痛，拍動，さらに可動性，癒着，異物など周囲組織との関係について多くの情報を手指で探ることができる．
腫瘍性病変の診察，化膿性炎症における腫脹の診察，頸部リンパ節の診察，唾液腺の診察などで行われる．

### 3 ● 打診 percussion

身体のある部分を叩いて，その感覚を識別しながら音を聴いて性状を判断する方法である．主に胸壁，腹部の診察で行われるが，歯科では器具で歯を打診して，音の変化や刺激の方向による疼痛

（水平打診痛・垂直打診痛）の有無を確認する．

### 4 聴診 auscultation

患者の体内で起こる振動や音響を聴診器で聴いて異常を探る．また患者の発する音声を医療者が聴覚的に分析する．呼吸音，嚥下時の咽頭部・舌根部の通過音，顎関節部の雑音，鼻咽腔閉鎖機能の障害による開鼻声，口蓋裂患者の異常構音などがある．

### 5 嗅診 smelling test

患者の呼気や根管内からの滲出物や化膿性炎症の膿汁を嗅いで病態を予測する場合に行う．化膿性炎症では特徴的な嫌気臭により，嫌気環境や起炎菌として嫌気性菌の関わりを判定する．

### 6 口腔・顎顔面の診察による局所所見

前述の診察により口腔・顎顔面（頭頸部）における病変の存在する部位と他覚的症状を記載する．口腔の領域は，その定義から口唇，口角，歯列弓側方の口腔前庭，小帯，耳下腺乳頭，歯，歯列・咬合状態，歯肉，歯周組織，歯槽部，後臼歯部，歯列弓内方の固有口腔，舌下小丘，口底，固有口腔，舌，舌乳頭，舌分界溝，頰，上顎結節，硬口蓋，軟口蓋，口蓋舌弓，口峡，などである．

顎顔面では，オトガイ，下顎角，耳下腺咬筋部，下顎枝後縁，顎関節，人中，白唇，鼻唇溝，眼窩下部，鼻橋，鼻前庭，顎下部などの異常を把握する．さらに鼻咽腔，咽頭，口蓋扁桃，喉頭蓋，外鼻，鼻腔，前頸部・側頸部・胸鎖乳突筋部などの頸部，耳介後部，乳様突起部，側頭部などの隣接臓器まで病変の存在する部位を把握して他覚的症状を記載する．耳下腺・外耳道・咽頭・副鼻腔・頭蓋底など隣接臓器に症状が及ぶ場合は専門医に対診し，診断と治療の協調を図る．

口腔顎顔面領域における現症の把握に際して重要な他覚的症状（→p.6）には，疼痛（圧痛，打診痛を含む），関連痛，熱感，腫脹，腫瘤，膨隆，水疱，びらん・潰瘍，粘膜色調，皮膚色調，色素沈着，白斑，紅斑，出血，排膿，硬度（硬軟），波動，羊皮紙様感，浸潤・硬結，壊死，腐骨，知覚異常，神経麻痺・けいれん，開口障害，捻髪音，咀嚼障害，嚥下障害，構音障害などがある．腫瘍や炎症性病変では，口腔・顎顔面領域の所属

**表1-1 医療法1条の4**

| 2 医師，歯科医師，薬剤師，看護師その他の医療の担い手は，医療を提供するに当たり，適切な説明を行い，医療を受ける者の理解を得るよう努めなければならない． |
|---|

リンパ節であるオトガイ下リンパ節，顎下リンパ節，頸部リンパ節の触診を行い，大きさ，硬度，圧痛，移動性（周囲組織との癒着）などを確認する．

### D 臨床推論

臨床推論とは，医師や歯科医師が診断や治療を決定するための思考プロセスのことで，症状や所見から可能性のある診断を思い浮かべる過程である．

疾患の診断は，医療面接や検査から得られたさまざまな情報，また発生しているさまざまな所見について，知識や経験に基づいて解釈や分析を行い，その病態を理解する思考の過程を経て至るものである．臨床推論では情報から想定される病態を思考し，診断となる疾患を導き出すプロセスを重視する．鑑別診断（現在の疾患を診断するにあたり，可能性がある複数の疾患を比較しながら合理的に特定すること）を想定することが目標になる．口腔外科に限らず医療の現場では常にこの思考過程によって対応することになる．

臨床診断は，医療面接と身体診察を行い，臨床推論を立て，画像検査や検体検査を実施し，それらを総合的に評価して得られた結果であり，これにより適切な治療を開始することができる．医療面接と身体所見の診察を適切かつ丁寧に行うことで，的確な臨床診断に結び付く多くの情報が得られる．

## 4 インフォームド・コンセント
informed consent；IC

「医師・歯科医師と患者との十分な情報を得た（伝えられた）うえでの合意」を意味し，簡潔にいうと医師・歯科医師が説明を行い，患者に同意を得ることである．医師・歯科医師をはじめとする医療従事者は，あらゆる医療行為について，患者からインフォームド・コンセントを得る責任がある（表1-1）．インフォームド・コンセントはもと

表1-2 SOAPの記載事項

| | | |
|---|---|---|
| **S** : Subject（主観的情報） | 患者の主訴，現病歴，既往歴を記載する．主訴は患者自身の表現を記載する． |
| **O** : Object（客観的情報） | 診察により得られた口腔内・顔貌所見，画像・検体検査を記載する． |
| **A** : Assessment（評価） | S，Oからの臨床推論を含めた患者評価とその根拠，ならびにプロブレムリスト（行うべきことや診療上の問題点）を記載する． |
| **P** : Plan（計画） | Aに基づいて，いつ，誰が，どのように何を行うか今後の治療計画を具体的に記載する． |

もと「説明と同意」と訳されていたが，「ヘルシンキ宣言」の後，「患者の権利宣言」などを経てその定義が変化した．医療従事者からの「説明」を受けた後に，患者や家族が「理解」や「納得」をし，次いでそれに「同意」をする前に医療従事者とともに「選択」を行うという過程が含まれる．

インフォームド・コンセントは医療行為（投薬・手術・検査など），成功率や予後，それに伴う副作用・後遺症・リスク，費用，代替治療などの内容について患者や家族が説明を受け，その内容を十分に理解したうえで患者が自らの自由意志に基づいて医療従事者と方針に同意することである．このとき，説明を受けたうえで同意だけでなく治療を拒否することも含まれる．未成年者の場合は保護者，意識障害や認知症などで意思の疎通ができない場合は家族などの代理人，生命の危機が及ぶなど緊急の場合は推定同意のうえ事後に説明を行って本人や家族から同意を得る．

インフォームド・コンセントの内容は診療録に必ず記録しなければならない．

## 5 診療録（カルテ）の書き方とその他の文書

歯科医師法第23条には，「歯科医師は，診療をしたときは，遅滞なく診療に関する事項を診療録に記載しなければならない」，「2 前項の診療録であって，病院又は診療所に勤務する歯科医師のした診療に関するものは，その病院又は診療所の管理者において，その他の診療に関するものは，その歯科医師において，五年間これを保存しなければならない」とある．診療録は行った医療行為について，その患者に関連するほかのすべての医療スタッフが理解できるように記載する．また，直接医療に関わらない第三者にも，行われた医療の内容を客観的に評価できるように記載して

おくべきある．診療録には患者に対して行われた医療行為のすべてが記載されていなければならず，またそれが客観的に確認される際には最も信頼性が高い記録媒体として扱われる．したがって，先に述べた臨床推論の過程と臨床診断，ならびにその結果から行ったインフォームド・コンセントとそれに基づいて行った診察の過程をわかりやすく記載することが基本となる．

診療録は，一般的には問題志向型診療記録「SOAP」の形式で記載する．「SOAP」とは，「Subject（主観的情報）」，「Object（客観的情報）」，「Assessment（評価）」，「Plan（計画）」のことを指す．この4つの項目をそれぞれ時系列に沿って記載する方法で，今日の医療現場で広く使用される記録方法である．それぞれの項目に合った内容を箇条書きでわかりやすく記載することを基本とする（表1-2）．

この記載方法による患者情報が医療スタッフ間で共有されやすくなり，また医療安全の向上と効率的な診療にもつながる．

現病歴，既往歴などについてさらに詳細な情報が必要な場合は，その主治医あるいは医療機関宛ての診療情報提供書を作成し，文書で必要とする情報を照会する．プロブレムリストで診断や治療計画にあたって必要な情報を整理したうえで，現在の病状，治療内容，予後などを問い合わせる．返信された内容は要約して「SOAP」の「A」の項目に記載するとともに，先方からの返事である診療情報提供書は診療録とあわせて保管する．

## B 主要症候
sign and symptom

身体上に現れる現象の中で，健常者と異なる所見を症候という．診察によって得られた症候を情

**表 1-3 痛みの定義 2020 日本語訳（日本疼痛学会）**

「実際の組織損傷もしくは組織損傷が起こりうる状態に付随する，あるいはそれに似た，感覚かつ情動の不快な体験」
付記
・痛みは常に個人的な経験であり，生物学的，心理的，社会的要因によって様々な程度で影響を受けます．
・痛みと侵害受容は異なる現象です．感覚ニューロンの活動だけから痛みの存在を推測することはできません．
・個人は人生での経験を通じて，痛みの概念を学びます．
・痛みを経験しているという人の訴えは重んじられるべきです．
・痛みは，通常，適応的な役割を果たしますが，その一方で，身体機能や社会的および心理的な健康に悪影響を及ぼすこともあります．
・言葉による表出は，痛みを表すいくつかの行動の1つにすぎません．コミュニケーションが不可能であることは，ヒトあるいはヒト以外の動物が痛みを経験している可能性を否定するものではありません．

報源として，疾病の有無またはその状態を診断する．症候には患者自身が認識している自覚症状（symptom）と，医療者など第三者が認知できる他覚症状（sign）とがある．疾病と症候は密接な関係にあり，多くの場合，疾病には症候があり，症候があれば疾病が存在する可能性がある．しかし，ある時点では，症候を現さない疾病もあれば，症候が自他覚的に認識されても疾病の本態がわからないこともある．

症候の原因となる疾病が明らかであれば，その疾病の原因となる病態を根絶することで症候の消失を図る．これを根本的治療という．しかし，時には症候に対応する疾病を明確に鑑別できないこともある．その場合，必要に応じて顕在している症候の軽快化を目的に治療を行う．これを対症療法という．

# 1 疼痛

国際疼痛学会では，痛みを「実際の組織損傷もしくは組織損傷が起こりうる状態に付随する，あるいはそれに似た，感覚かつ情動の不快な体験」と定義している．近年，疼痛科学研究の発展と医療を含めた社会に有益な定義に改める必要があるとされ，2020年に刷新された（表1-3）．

痛みは自覚症状であり，その程度や状態を客観的に表現することが難しい．医療者は，痛みの発生様式，時間経過，性質，強さなどを言語化し，記録として表現しなくてはならない．表現方法としては，患者の訴える痛みを比喩など（切るような，刺すような，シクシクする，締めつけるような，鋭い，鈍い）によって記載する．疼痛の強さは，激痛，中等度痛，軽度痛などと具体的に表現する．また疼痛部位や範囲は，神経支配領域と照合して診察を進める．

## A 疼痛の伝導路

口腔・顎・顔面領域の表層の知覚は大部分が三叉神経（第Ⅰ枝：眼神経，第Ⅱ枝：上顎神経，第Ⅲ枝：下顎神経）によって支配される．耳介周囲の一部は顔面神経の中間神経，顎下部から頸部にかけては上部頸神経（第Ⅱ〜Ⅴ頸神経）によって支配される．口腔内の前方は三叉神経，後方から咽頭部にかけては舌咽神経，さらに後方の咽・喉部は迷走神経によって支配される．

これらの神経終末には侵害受容器があり，その周囲の組織に侵害刺激が加わるとインパルスを発する．侵害受容器が受けた侵害刺激情報を最初に伝える一次ニューロンは双極性神経細胞であり，細胞体は末梢神経節（三叉神経：三叉神経節，顔面神経：膝神経節，舌咽神経・迷走神経：上神経節・下神経節，脊髄神経：後根の脊髄神経節）に存在する．2つの神経線維（突起）のうち一方は末梢へ伸びて侵害刺激を受容し，他方は中枢側へと向かい，二次ニューロンとシナプス結合する．

顎顔面口腔領域の知覚の主体をなす三叉神経に関しては（図1-1），三叉神経一次ニューロンの細胞体は三叉神経節中にある．中枢側へ向かう神経線維（突起）は三叉神経節を出て橋へ入り，三叉神経感覚核に終わる枝と三叉神経脊髄路核へ下行する枝に分かれる．三叉神経脊髄路核は吻側亜核，中間亜核および尾側亜核の3部に分けられるが，痛みを中継するニューロンの多くは尾側亜核に局在している．シナプスで中継された二次ニューロンは対側の網様体中に枝を出しながら視床および中脳へと向かう．視床で中枢知覚ニューロンの神経細胞に中継され，最終的に大脳皮質へ伝えられる．大脳皮質では伝えられた刺激によって痛みの

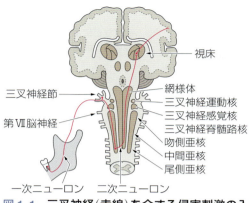

**図 1-1** 三叉神経（赤線）を介する侵害刺激の入力経路

種類，程度を評価し，過去の経験などを反映した疼痛反応を引き起こす．また刺激の一部は大脳辺縁系や視床下部などにある情動中枢にも伝えられる．

## B 疼痛の種類

### 1 体性痛 somatic pain

侵害刺激インパルスの伝達には大きく2種類ある．A-δ線維が関与して鋭い痛みとして感じられ，局在が明確で早く伝達される痛みを一次痛という．侵害刺激インパルスの伝達にC線維が関与して鈍い痛みとして感じられ，局在が不明確で遅く伝達される痛みのことを二次痛という．

さらに，刺激部位によって表在痛（superficial pain）と深部痛（deep pain）に分けられる．表在痛は皮膚，粘膜などの刺激によって生じる痛みで，一次痛の特徴である刺すような鋭い局在性の明らかな痛みとなる．深部痛は二次痛に属するものであり，骨，骨膜，関節，腱などへの侵害刺激によって生じ，鈍い局在性の不明確な痛みとなる．深部痛を起こす疾患には歯の疾患，上顎洞および顎骨内の疾患，顎関節および咀嚼筋群に由来する障害などがある．

急性痛（acute pain）は，外傷や急性炎症性疾患などによるものであり，患者の不安などの心理的負荷によっても影響を受ける．慢性痛（chronic pain）とは，長期にわたる耐えがたい疼痛体験であり，複雑な身体的，行動的，心理社会問題を含むものである．

### 2 関連痛 referred pain

内臓や深部組織に対する侵害刺激が，皮膚などの体表に異所性投射して本来の侵害部位と異なる部位に生じる痛みである．歯髄や歯周組織に由来する関連痛は，原因歯の部位に応じ，眼窩上部から鼻翼下外側部（上顎前歯由来），眼窩下方（上顎小臼歯由来），耳下腺咬筋部から耳介後部（上顎大臼歯由来），口角下外側（下顎前歯由来），耳介後方・胸鎖乳突筋停止部（下顎小・大臼歯由来）にみられる．その他，顔面痛，頭痛，顎関節痛および肩こりとして発現し，四肢など全身の各部位に投射されることもある．

### 3 神経生理学的な痛みの分類（図 1-2）

#### a 侵害受容性疼痛 nociceptive pain

侵害受容性疼痛は組織の損傷により生じる痛みである．末梢神経遠位端にある侵害受容器の活性化，つまり痛みを伝える末梢神経の興奮により生じる疼痛である．組織の損傷や損傷を引き起こすような強い刺激を侵害刺激といい，日常生活でわれわれがよく経験する痛みの大半がこの侵害受容器の興奮というメカニズムで引き起こされる．変形性関節症などにおいては侵害受容性疼痛を生じるが，変性した組織に引き起こされる炎症部位などに物理的負荷がかかることで治癒できない状態になるため，慢性的に痛みが存在する病態に陥る（慢性痛）ことも多い．

#### b 神経障害性疼痛 neuropathic pain

神経系の一次的な損傷やその機能異常が原因となる，もしくはそれによって惹起される疼痛と定義される．外傷や変性および感染によって神経線維が障害された後に，侵害刺激なしに支配領域に一致して疼痛が発現する．特徴的症状としては灼熱痛，アロディニア，痛覚過敏などがある．これらの症状がさらに血管運動障害や発汗異常を伴って長く持続する場合を複合性局所疼痛症候群（CRPS）という．

#### c 痛覚変調性疼痛 nociplastic pain

侵害受容器を活性化するような神経の損傷やその周囲の組織へのダメージ，神経伝導路の異常がないにもかかわらず，痛みの知覚異常・機能の変化によって生じる痛みである．つまり，侵害受容性疼痛を惹起する組織の損傷も，神経障害性疼痛を引き起こすような末梢や中枢の神経の損傷もな

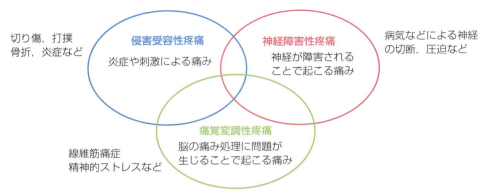

図 1-2　神経生理学的な痛みの分類

い場合に生じる疼痛である．線維筋痛症や過敏性腸症候群などの疾患が挙げられる．

### C 疼痛の診断

主訴，現病歴，既往歴，疼痛部位，発現様式，ほかの臨床症状との関連性などを総合して診断するが，疼痛以外の臨床症状がはっきりしない場合や，痛みの強さが経時変化する場合などでは診断が難しい．また疼痛感覚の強さは，必ずしも原因疾患による侵害刺激の強さによって決まるものではなく，疼痛感覚の感じ方，すなわち疼痛閾値（pain threshold）によって変化する．閾値は個人差が大きく，環境や状況によっても異なることから，患者の疼痛の程度や範囲を一律に診断することはできない．疼痛は主観的体験であり，評価には種々の方法が用いられる．代表的な評価方法としては，主観的評価方法の視覚的アナログ尺度（visual analogue scale；VAS）やフェイススケール，多面的評価法のマギル疼痛質問票（McGill pain questionnaire；MPQ）などがある．

## 2 腫脹と腫瘤
swelling and mass

### A 概念

身体表面または触診可能な臓器が病的に増大した状態を腫脹または膨隆という．両者の間に厳密な区別はないが，一般的に腫脹は腫れ，膨隆は膨らみを意味する．形態学的に腫脹は身体の表面がび漫性に腫れあがることを，膨隆は身体の局所が当該部の深部から盛り上がることをいう．

腫瘤（mass）はこぶを意味する語で，身体の表面に突出した塊，または深部組織に及ぶ限局性の塊状病変として触れるものをいう．

### B 原因・分類

#### 1 反応性腫脹

外傷や感染症などの外的刺激に対する生体反応により，当該組織，臓器の容積が増大した状態で，原因が除去されれば縮小し，元の状態に戻るものをいう．炎症に伴う組織中への炎症性細胞浸潤，血漿やリンパ液の滲出，および充血や毛細血管拡張などがこれにあたる．

#### 2 実質性腫脹

実質組織の容積の増大では，細胞などの構成要素の大きさが増加する場合を肥大，細胞などの数の増加を過形成と定義するが，両者が混在することも多い．原因が除去されてもただちに縮小して元に戻ることは少ない．腫瘍や慢性炎症では，構成する細胞と細胞外基質の性質が変化しつつ各要素が増大する．

#### 3 貯留性腫脹

組織内または体腔内に分泌液，滲出液，血液，リンパ液および膿などが貯留して容積が増大したもので，囊胞性病変，血腫，血管腫，リンパ管腫，膿瘍などがある．

## C 腫脹および腫瘤の視診
inspection of swelling or mass

腫脹の診断にあたっては，まず問診によって臨床経過，誘因などを聴取し，次に腫脹の部位，大きさ，形態，色調，表面の性質などの視診所見，疼痛の有無，硬さ，触感，周囲との関係などの診察を行う．腫脹の発生時期，発生時の大きさや現在に至るまでの経過に関する問診から，腫脹増大の速度や症状の変化を知り，その疾患の性格をおおむね推定する．例えば年単位の緩慢な増大であれば良性腫瘍などが考えられ，週単位の比較的速い増大であれば悪性腫瘍や慢性炎症を疑い，日単位の腫脹増大は急性炎症をまず想起する．

腫脹の部位および範囲の表現は，解剖学的な用語が主に用いられるが，腫脹の発症部位が口腔内か口腔外か，軟組織か硬組織かによって疾病が推察される．また顎骨および歯槽骨，舌，唾液腺，リンパ節などにおける臓器特異的な疾患の存在も考えて鑑別疾患を絞り込む．病変の形状や色調については，反対側の同部位の所見を対照することが基本となる．また腫脹が片側性か両側性か，単発性か多発性かは重要な所見であり，両側性あるいは多発性に腫脹がみられる場合，特に神経，血管，リンパ管の走行に沿って出現している場合などでは，全身的な疾患が背景に存在するのを疑う必要がある．また，両側対称性に腫脹がみられる場合では，健康な正常組織である可能性も念頭に置く．

### 1 腫脹の大きさ

大きさは，疾患を診断するうえで重要な情報である．長径と短径を「○×○ mm/mm」の単位で記載する．また，表 1-4 のように，米粒大，鶏卵大などの大きさを表す用語によって表現する場合もある．

### 2 腫脹の色調変化

腫脹や腫瘤が口腔粘膜や皮膚の表層付近に存在する場合，その色調に変化が現れることがある．色を表現する用語としては，赤色，白色，黄色，赤紫色，青紫色，茶色，褐色，黒色などがある．

び漫性赤色病変は血管透過性の増強，毛細血管の拡張によるものであり，発赤と表現する場合もある．限局性赤色病変には表層の粘膜および皮膚表層の剝離，破損，および粘膜下の血液の貯留がある．白色病変には粘膜表層の角化亢進によるもの，および苔状物（カンジダ症など），壊死物質および菌塊などの付着によるものがある．

青紫色を呈するものには粘膜下の血液または粘液の貯留，血管腫，紫斑，粘液囊胞などがある．黄色病変は粘膜下の脂肪，リンパ液の貯留によるもので脂肪腫，異所性皮脂腺の Fordyce 斑，リンパ組織，リンパ管腫，囊胞，膿瘍などがある．

褐色および黒色を呈するものには，内性色素沈着（メラニン，胆色素，血鉄素など）と外来性色素（重金属，アマルガム刺青，異物，細菌など）がある．腫脹・腫瘤にメラニン色素沈着を示す疾患には色素性母斑，悪性黒色腫などがある．

### 3 腫脹の境界

腫脹の周囲との境界が明瞭あるいは不明瞭かも重要な情報である．囊胞や良性腫瘍などのように被膜を有する病変は境界が明瞭で，炎症や悪性腫瘍などのように細胞が周囲に浸潤している病変では境界が不明瞭となることが多い．

## D 腫瘍および腫瘤の触診
palpation of swelling or mass

病変の一部に接触したときの「触った感じ」を触診所見と呼び，病変を構成している組織成分によってさまざまである．腫瘍性病変では腫瘍実質

表 1-4　腫脹の大きさの表現（長径）

| | |
|---|---|
| 粟粒大 | 1 mm |
| 帽針頭大 | 3〜4 mm |
| 米粒大 | 3〜5 mm |
| 小豆大 | 4〜6 mm |
| 大豆大 | 7 mm |
| 小指頭大 | 15 mm |
| 示指頭大 | 17 mm |
| 拇指頭大 | 20 mm |
| 雀卵大 | 20 mm |
| 鳩卵大 | 40 mm |
| 鶏卵大 | 60 mm |
| 手拳大 | 90 mm |
| 小児頭大 | 200 mm |

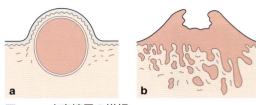

図 1-3　病変境界の様相
a：境界明瞭，b：境界不明瞭

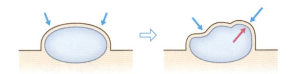

図 1-4　波動：水平双指診
手指で触って診察する

細胞と間質成分の比率により多様性がある．炎症性病変では蜂窩織炎期または膿瘍形成期といった病期の違いで触診所見が変化する．また囊胞性病変では，内容液の性状と発生部位により触診所見が異なる．

病変の硬さの表現は，骨，歯などの硬さを標準とした硬固なものと，皮膚，筋肉などの軟組織の硬さを目安とした柔軟なもの，およびその中間の強靱あるいは弾力性のあるものに大別される．具体的には骨様硬，歯牙様硬，軟骨様硬，板状硬，弾性硬，弾性軟，および泥状軟などと表現する．

腫脹および腫瘤の理学所見には，硬さのほかに病変周囲との境界（図 1-3），可動性，硬結，波動，圧縮性，捏形性，拍動性，羊皮紙様感，握雪感，局所熱感などがある．波動（fluctuation）は組織内に液体が貯留している病変で，触れて感じるものである．病変部に左右の示指を軽く押し当てて一方の指で圧を加えると，もう一方の指先端に突き上げられるような圧を感じる（双指診，図1-4）．羊皮紙様感（parchment crackling）は薄いペットボトルを指で押したときの「ペコペコ」という感触で，顎骨囊胞や囊胞形成性腫瘍などで内部が空洞化し，骨が菲薄化したときにみられる特徴的な所見である．また，痛みに関しても重要である．自発痛，運動痛，圧痛の有無も鑑別診断上重要な所見である．一般に炎症性の疾患では疼痛が強いが，腫瘍，囊胞では無痛性のことが多い．

## ❸ けいれんと麻痺
convulsion and paralysis, palsy

けいれんとは，骨格筋の発作性，不随意性の収縮をいう．麻痺とは中枢性，末梢性に神経機能の低下・喪失が生じ，知覚または運動機能の障害・脱出した状態をいう．

### Ⓐ けいれん
convulsion, spasm

けいれんには 2 種類が存在する．特定の筋群が持続的に収縮する場合を強直性けいれん，特定の筋とその拮抗筋の収縮が交互に反復する場合を間代性けいれんという．発症様式によって大脳性，脳幹/脊髄性，末梢運動神経性，および骨格筋性に分類される．口腔領域でみられるけいれんには，間代性けいれんとしての下顎の不随意的運動，顔面チックがある．強直性けいれんとして強度の開口障害（破傷風，てんかんなど）がある．

### Ⓑ 運動麻痺
motor paralysis

単一の神経または神経根に支配された部位の運動麻痺を単麻痺という．これは大脳皮質の限局性の障害または末梢神経疾患でみられることが多い．片麻痺とは，いわゆる半身不随の状態で，顔面，上下肢の一側性の麻痺をいう．両（側）麻痺は左右両側に対称性に現れる運動麻痺で，顔面筋両麻痺，咬筋両麻痺がある．脊髄疾患による下肢の両麻痺は対麻痺ともいう．個々の筋または筋群に限局した麻痺を局在性麻痺または孤立性筋麻痺という．臨床的症状から筋緊張の低下，筋の変性萎縮，および腱反射の消失を伴う麻痺を弛緩性麻痺と呼ぶ．また，筋緊張の増加，病的反射および腱反射の亢進を伴う運動麻痺を痙性麻痺という．

麻痺の程度によって，完全麻痺と不完全麻痺に分けられる．運動経路の障害部位によって上位運動ニューロン障害と下位運動ニューロン障害とに分けられる．前者は大脳皮質運動神経細胞から錐体路を通り脊髄前角細胞あるいは脳神経核に至る経路の中枢に障害を受けたもので，中枢性麻痺ともいう．通常は痙性麻痺として現れる．後者は脊

髄前角細胞あるいは脳神経核から末梢神経運動線維に至る経路の障害で，末梢神経麻痺ともいう．通常は弛緩性麻痺として現れる．口腔，顎顔面領域では中枢性麻痺および末梢神経麻痺ともに出現する．三叉神経第3枝の運動成分の障害により顎運動の不全が生じる．顔面神経の障害では顔面表情筋の運動麻痺が生じる．舌咽神経，迷走神経，および顔面神経の一部の障害では，軟口蓋および咽頭の運動麻痺を生じる．舌下神経の障害は舌運動麻痺を生じる．

### C 知覚麻痺 sensory paralysis

知覚麻痺とは，知覚の脱出あるいは鈍麻（obtundation）を意味する．知覚麻痺は障害された部位によって末梢性，脊髄神経後根性，中枢神経性および心因性に分類される．口腔領域の知覚麻痺は三叉神経知覚枝の支配領域の皮膚および口腔粘膜に出現する．下顎埋伏智歯抜歯の際にも生じる下唇や舌知覚麻痺がある．顔面神経および舌咽神経の障害は味覚異常，味覚障害として現れる．

## 4 発疹・粘膜疹 eruption, enanthem

皮膚および粘膜表層に現れる病的変化を総称して発疹または粘膜疹という．一次的に発生する発疹を原発疹という．原発疹に継続して現れるものを続発疹という．前者には色調変化が主体の斑（macule, spot）および表層の隆起として現れる丘疹，結節，および腫瘤がある．

### A 色調の変化：斑 macule, spot

限局性の皮膚・粘膜の色の変化で，表面の隆起を伴わない．その色調から紅斑，紫斑，色素斑（色素沈着）および白斑に分けられる．

#### 1 紅斑 erythema

紅色の斑で真皮下層または粘膜下の血管拡張と充血による．ガラス板で圧迫すると紅色調は消退する．特殊なものとして浮腫を伴う浮腫性紅斑，周囲に滲むように二重の輪（標的状）のようにみえる滲出性紅斑がある．アフタでみられる紅暈も紅斑の一種と考えられる．

#### 2 紫斑 purpura

紫紅色の斑で真皮乳頭下および毛細血管の出血で，圧迫による色調消退はない．大きさにより直径3mm以下を点状出血，3mm以上20mm以下を斑状出血，それ以上を血腫という．

#### 3 色素斑・色素沈着 pigmented macule

皮膚・粘膜における種々の色調変化を色素斑という．沈着する物質によって褐色，青色，黄色などがある．メラニン，ヘモジデリン，カロチンまたは薬物や異物（刺青，金属など）によって色素斑となる．歯科用金属の歯肉内への迷入を外来性色素沈着という．Addison病，Peutz-Jeghers症候群，McCune-Albright症候群，von Recklinghausen病などの全身疾患の一症状として色素沈着を認めることがある．

#### 4 白斑 white spot

口腔粘膜では角化の亢進によって白斑が形成されることが多い．皮膚ではメラニン色素の脱出によって白斑が生じる．

### B 表面の隆起 elevation

#### 1 丘疹 papule

限局性で触知しうる表層の隆起性変化で直径10mm以下のものをいう．

#### 2 結節 node

充実性の限局性隆起で直径10～30mm程度のものをいう．

#### 3 腫瘤 mass

30mm以上の大きさの充実性隆起を腫瘤という．

#### 4 水疱，小水疱 bulla, vesicle

透明な水様性の内容を有する表層隆起で直径5mm以上のものを水疱，5mm未満の大きさのものを小水疱という．血液が内容となる場合は血疱と呼ぶ．水疱が剝離すると不定形の境界明瞭な潰瘍となる．水疱から潰瘍を形成する病変として

は天疱瘡，類天疱瘡が挙げられる．小水疱の表層粘膜が破れると紅暈を伴った浅い小円形潰瘍，すなわちアフタ性潰瘍となる．小水疱からアフタ性潰瘍に変化する病変には，アフタ性口内炎のほか，ウイルス性口内炎である単純疱疹，帯状疱疹，ヘルパンギーナ，手足口病などがある．

### 5 ● 膿疱 pustule
膿疱とは水疱の内容が膿からなり，白黄色にみえる場合をいう．無菌性膿疱と感染性膿疱がある．

### 6 ● 囊胞 cyst
囊胞は真皮内に存在する膜構造で囲まれた瘤状病変で，内容は角質，液体などであり，口腔粘膜では唾液を貯留した粘液囊胞がある．

## 5 皮膚・粘膜面の欠損 defect

表皮や粘膜の一部脱落により欠損が生じた状態であり，その深さによってびらんと潰瘍に分類される．

### A びらん erosion
表皮基底層または粘膜固有層に及ぶ組織の小欠損で，一般に紅色を呈し漿液滲出によって湿潤している．瘢痕を残さず治癒する．

### B 潰瘍 ulcer
皮下組織ないし粘膜下結合組織に達する組織欠損である．その後，肉芽組織によって修復され瘢痕化して治癒する．口腔粘膜に現れる潰瘍は，臨床経過から短時間で生じ消退する急性潰瘍，長期にわたって存在する慢性潰瘍，および出現と消退を繰り返す再発性潰瘍がある．潰瘍の発症は口腔内全般にわたるが，特に口唇，舌，および咽頭は好発部位といえる．潰瘍が単独で現れる場合を単発性，複数同時に現れるものを多発性という．潰瘍の形によって，浅い潰瘍，深い潰瘍，小潰瘍，大潰瘍，円形の潰瘍，および不定形の潰瘍などと表現する．潰瘍表面は，偽膜，分泌物，壊死物質，豚脂様物質などの被苔物が存在することが多

い．潰瘍周囲が紅暈を伴うか，または硬結を伴うか否かなどは重要な所見となる．また無痛性か潰瘍面に接触痛があるか，自発痛があるかも診断に重要である．

口腔粘膜潰瘍の原因としては，口内炎によるもの，皮膚疾患の一部分症として現れるもの，ウイルスまたは細菌感染によるもの，特異性炎によるもの，外傷によるもの，腫瘍性のもの，および薬物反応によるものなどがある．悪性腫瘍の潰瘍は周囲の硬結と膨隆が特徴である．

### C アフタ aphtha
紅暈に囲まれ，偽膜に覆われた境界明瞭な小円形潰瘍で，強い接触痛を生じる．

## 6 皮膚・粘膜の萎縮 atrophy

皮膚・粘膜が菲薄になった状態で，粘膜が萎縮するとび漫性の赤色病変となることが多い．赤い平らな舌が代表的な変化で，ビタミンC欠乏症，ペラグラ（ナイアシン欠乏症），鉄欠乏性貧血（Plummer-Vinson症候群），悪性貧血，およびSjögren症候群などでみられる．

## 7 壊死 necrosis

軟組織や硬組織にかかわらず生体組織，細胞が局所的に死ぬこと，または死んでいる状態を壊死という．病理組織学的に凝固壊死，液化（融解）壊死，壊疽に分けられる．壊死巣に対する排除または修復機転としては，組織融解後の吸収，肉芽組織による置換，器質化，瘢痕化，および被包・分画などの経過をとる．壊疽（gangrene）は，壊死部に細菌感染が合併し，腐敗性変化を伴って灰色，褐色，黒色を呈し悪臭を放つ状態をいう．

壊死の主因は組織への血行障害であり，その誘因としては物理的障害（温度，外力，電気，放射線など），化学的障害（腐食剤，毒物，毒素など），神経性障害（血管運動神経障害），感染症［Vincent（ワ［ヴァ］ンサン）感染症，スピロヘータ感染症，劇症型A群溶血性レンサ球菌感染症，

急性壊死性筋膜炎，ガス産生菌によるガス壊疽など］が挙げられる．

口腔に関連する壊死には粘膜，皮膚および皮下組織などの軟組織の壊死と歯槽骨・顎骨の壊死がある．前者には壊死性潰瘍性歯肉口内炎（Vincent口内炎），壊疽性口内炎（水癌），壊死性筋膜炎，壊死性唾液腺化生などがある．後者には放射線性骨壊死，薬剤関連顎骨壊死（medication-related osteonecrosis of the jaw；MRONJ）などがある．

口腔，顎顔面の手術においては，設計や操作によって血流の障害をきたしたり，血行の再開が図れず，組織の壊死を生じることがある．

## 8 膿瘍 abscess

細菌性，非細菌性の誘因による限局性化膿性炎により，局所組織が融解して膿を蓄積し腔を形成した状態を膿瘍という．通常，膿瘍形成には段階があり，起炎菌と白血球浸潤がび漫性に広がる蜂窩織炎期を経て，限局した膿瘍形成に至る膿瘍形成期へと移行する．

## 9 瘻 fistula

組織内部の病巣あるいは空隙から粘膜または皮膚面へ連絡する一定の長さをもった組織欠損を瘻といい，その開口部を瘻孔，連絡している管状の部分を瘻管という．先天異常による先天性瘻，また化膿性炎による膿瘍形成，外傷や手術によるもの（唾液瘻，口腔上顎洞瘻など）を後天性瘻という．歯が原因で口腔内に形成されるものを内歯瘻，皮膚側に形成されるものを外歯瘻という．

## 10 開口障害 trismus

下顎の開口運動は，直接的には顎関節と顎運動に関連する開閉口筋群とそれらを制御する支配神経の影響下にある．また間接的には頰部，口唇をはじめとする口腔軟組織の影響も受ける．一般的に開口障害とは，下顎の垂直的運動の障害を指すが，下顎の前方推進運動，側方運動の障害要素も包含される．臨床的には，開口障害は「口が開かない」という単純な事象としてとらえられるが，その発生部位や原因によって多様性がある．また，開口障害の出現は顎関節の疾患，下顎運動に関与する筋群の疾患，炎症性疾患，腫瘍性疾患，および神経系疾患の潜在を暗示するとともに，疾病の臨床的経過をも示唆する重要な理学的所見である．

開口障害の診断は上下切歯間の開口距離の計測によって判断する場合が多く，一般的に自発開口域35 mm以下の状態を開口障害と診断する．努力開口または他動的開口時に開口域が増加する場合を軟性開口障害といい，関節円板転位障害，炎症性ないし腫瘍性疾患にみられる．これに対して強制的に開口させても開口域が増加しない場合を硬性開口障害といい，顎関節強直性，神経疾患による開口障害，瘢痕性開口障害および悪性腫瘍の浸潤性増殖などでみられる．正面からみた開口路は，健常者では直線状であるが，一方の顎関節に運動障害の主因をなす疾患が存在する場合，患側の滑走運動障害により切歯路が正中から患側に偏位する．

### A 関節性開口障害

顎関節症（顎関節痛障害，顎関節円板障害，変形性関節症）によるものがある．炎症性開口障害として，外傷性関節炎，化膿性顎関節炎，関節リウマチ，痛風関節炎などがある．顎関節腫瘍および腫瘍類似性疾患（骨軟骨腫，滑膜軟骨腫症，下顎頭肥大，下顎頭過形成，悪性腫瘍など）も開口障害を生じる．外傷性開口障害には関節包内骨折，下顎関節突起部骨折などがある．強直性開口障害としては線維性強直症および骨性強直症がある．

### B 非関節性開口障害

咀嚼筋など関連筋群に起因する筋性開口障害には，顎関節症（咀嚼筋障害），筋萎縮，筋炎，線維性筋拘縮，咀嚼筋腱・腱膜過形成症などがある．炎症性開口障害として智歯周囲炎をはじめ顎骨炎，顎骨周囲炎，翼突下顎隙や咀嚼筋間隙への炎症波及，および顎放線菌症などがある．腫瘍性開口障害として，上顎歯肉癌または上顎洞癌の後方進展，上・中咽頭部悪性腫瘍，咀嚼筋間隙部腫瘍

が考えられる．外傷性開口障害としては関節突起部骨折，下顎骨骨折，上顎骨骨折，頬骨・頬骨弓骨折などがある．瘢痕性開口障害は，外傷または手術による頬部，口峡部，口唇部などの粘膜下の瘢痕による．また放射線治療による場合もある．機械的な障害によるものとしては，筋突起過長症がある．神経性開口障害としては，三叉神経咀嚼筋枝のけいれん（破傷風，てんかんなど）がある．

## 11 閉口障害
difficulty in closing mouth

上下唇が閉鎖できないか，または上下の歯列が咬合接触できない状態をいう．閉口障害では開口障害を伴っているか否かの診断が重要である．通常，顎関節に原因がある場合では開口障害と合併し，非関節性の場合には開口障害を伴わない．

### A 炎症性閉口障害

外傷性または化膿性顎関節炎による関節包内浮腫または貯留により閉口障害が生じる．口唇炎，口唇部裂傷，口唇腫脹により上下唇を接触できない状態では閉口障害となる．

### B 腫瘍性閉口障害

顎関節腫瘍，口腔内悪性腫瘍，舌血管腫，舌リンパ管腫，口唇腫瘍の増大などがある．口底部囊胞，顎骨囊胞など囊胞性疾患によっても閉口障害が現れる．

### C 外傷性閉口障害

顎関節脱臼，外傷性顎関節炎，関節突起部骨折，下顎骨骨折などがある．

### D 瘢痕性閉口障害

熱傷などによるオトガイ部，頸部の瘢痕によって閉口できなくなる．

### E 神経性閉口障害

中枢性運動神経麻痺，顔面神経麻痺，三叉神経咀嚼筋枝麻痺などがある．

## C 検査法

### 1 画像検査
diagnostic imaging

#### A エックス線撮影

初診時の診断および硬組織が関わる疾患の経過観察に有用である．

**1 口内法エックス線撮影** intraoral radiography
歯と歯周組織の描出に優れている．

a 平行法または二等分法（図 1-5a）
適応は，歯およびその周囲歯槽骨が目的となる場合であり，根尖性歯周炎，歯槽骨吸収，歯が原因または歯に影響が及んでいる炎症，囊胞，腫瘍，外傷，異形成，骨系統疾患などが挙げられる．

b 咬翼法（図 1-5b）
上下顎の歯冠部および歯槽頂が 1 枚の画像に描出される．適応は，隣接面齲蝕および歯槽頂部の骨吸収である．

c 咬合法（図 1-5c）
咬合型エックス線検出器を上下の歯列で軽く咬んだ状態で撮影する．適応は，過剰埋伏歯，囊胞，腫瘍などで平行法や二等分法よりも広範囲を描出したいときや，頬舌的な膨隆，骨折，骨膜反応を診断したいときなどである．また唾石症の診断にも用いられる．

**2 パノラマエックス線撮影**（図 1-5d）
panoramic radiography
歯および口腔顎顔面領域の総覧的な画像を得られる．患者のまわりを検出器とエックス線線源が移動しながら撮像されるため，障害陰影に注意して読影する．

**3 顔面頭蓋部エックス線撮影**（図 1-6a）

a 頭部後前方向エックス線撮影
postero-anterior projection；P-A 投影法
適応は，頭部全体，あるいは広範囲な顔面骨の正面像を観察する場合である．外傷，系統疾患，顔面頭蓋部の疾患とその進展などを観察できる．しかし，顎骨の正中付近は頸椎と，顎関節は側頭

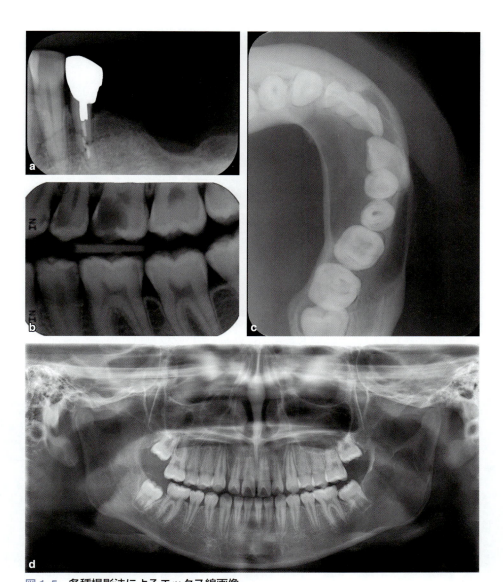

図 1-5　各種撮影法によるエックス線画像
a〜c：口内法（a：平行法または二等分法，b：咬翼法，c：咬合法），d：パノラマエックス線画像

骨と重なるために明瞭な像を得ることができない．

**b　Waters 法エックス線撮影（図 1-6b）**
　Waters' projection

　適応は，副鼻腔の病変を疑う場合である．上顎洞の形態変化やエックス線透過性の変化が病態を表す．

**c　頭部エックス線規格撮影（図 1-6c）**
　cephalometric radiography, cephalography

　焦点-被写体-フィルム間距離を規格化しているため，角度や拡大率が一定となる．そのため経時的な比較や，個人の計測値と集団の計測値を比較するなどが可能となる．

**d　顎関節パノラマ 4 分割撮影（図 1-6d）**

　パノラマエックス線装置に顎関節撮影モードが備えられているものが普及している．咬頭嵌合位，最大開口位で撮影することが多いが，安静位，治療顎位などで撮影することもできる．

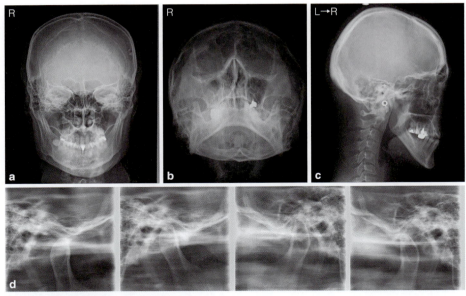

**図 1-6　顔面頭蓋部エックス線画像**
a：頭部後前方向エックス線画像（P-A 投影法），b：Waters 法エックス線画像（Waters' projection），
c：頭部エックス線規格画像，d：顎関節パノラマ 4 分割エックス線画像

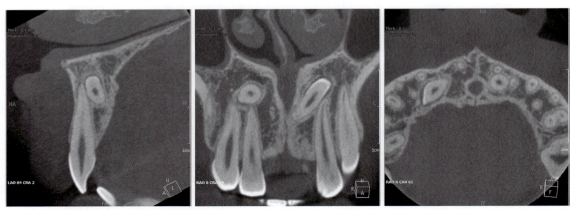

**図 1-7　歯科用コーンビーム CT（CBCT）**

## B　特殊画像検査

### 1　歯科用コーンビーム CT（CBCT）（図 1-7）

　歯科領域の診断に特化した 3 次元断層画像を得られる．適応は硬組織疾患で，例えば，歯の破折，歯内・歯周疾患，インプラント術前診断などである．撮影目的に応じ，歯科医師が照射野を選択することが大切で，小さな照射野で撮影された場合は，画像解像度が高く，また被曝線量も低い．欠点は，軟組織の情報は得られないこと，目

---

**NOTE**

**CT 開発への日本人の功績**
　歯科用 CBCT の基礎原理，開発ともに，日本人が生み出したのである．また，医科用 CT 開発に対し 1979 年ノーベル医学生理学賞は欧米の研究者に贈られたが，基礎概念を 1950 年代に世界に先駆けて提唱したのは日本人である．

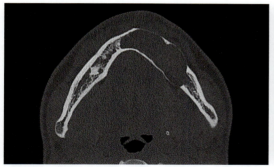
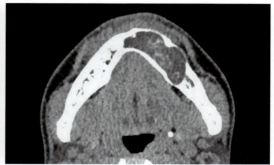

図 1-8　CT

的の近接歯の金属のみならず，目的歯，または近隣の歯の根管充填剤によるアーチファクトが診断の妨げとなること，3次元立体構築画像も正確な描出ができない場合があることである．硬組織を対象に作られている歯科用 CBCT は，画像の輝度（白灰黒）が不安定であり後述の CT 値はなく，濃度を定量的に求めることはできない．

### 2　コンピュータ断層撮影

computed tomography；CT（図 1-8，9）

#### a　CT とは

人体を通過する際のエックス線の減弱をコンピュータで計算して断層像を構築する．硬組織と軟組織を3次元的に読影できる．多方向から連続的に，すなわち3次元的に読影できるため，デンタルやパノラマエックス線画像ではわからなかった情報，例えば顎骨の頰舌的膨隆や，軟組織の様子などを診ることができる．適応症例としては，嚢胞，腫瘍，炎症，外傷，インプラント術前など，あらゆる病態が挙げられる．

#### b　CT と被曝

CT は，単純エックス線画像では診断できなかった場合に考慮されるものであることに留意する．

CT は単純エックス線撮影より格段にエックス線被曝量が大きいので，放射線防護の原則を十分に考慮し有効に活用することが大切である．人体への害が小さいほかの画像検査で診断ができないかを常に検討する．なお，診断目的に応じ，CT の撮像範囲，スライス厚，線量を工夫することで被曝を低減できる．

臨床診断，病変の範囲，撮像の目的，手術日，

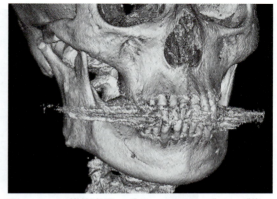

図 1-9　3D 構築表示　ボリュームレンダリング像

病理診断結果，手術所見などを，適切に紹介状や画像診断申し込み依頼書に記載し，放射線科とよくコミュニケーションをとることは，病態診断はもちろん，被曝低減のためにも大切である．

#### c　CT 像読影のための知識

水を基準（0 HU）として組織特有の値を示す CT 値は，定量評価を可能とし，診断にあたり非常に有用である．例えば，腫瘍の CT 値がおよそ 60 HU の場合，嚢胞ではなく腫瘍を疑う．CT 値はコンピュータ上で自分で計測することができる．

### 3　磁気共鳴画像検査（診断）

magnetic resonance imaging；MRI

解剖学的構造，病態診断はもとより，代謝や機能などの評価にも用いられるようになっている．詳細な質的診断や顔面深部，そして後方部への病変の進展に際し有用である．顎関節疾患，血管系疾患，唾液腺疾患，嚢胞，腫瘍，炎症，骨系統疾患などさまざまな症例に適応される（図 1-10）．

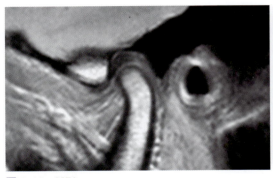
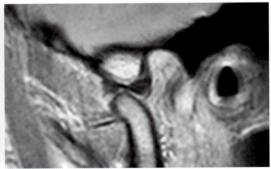

図 1-10　MRI

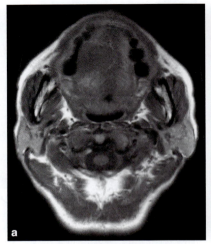
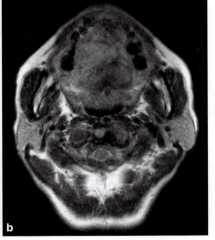

図 1-11　MRI の基本的撮像法
a：T1 強調像，b：T2 強調像

### a　基本的な注意事項

　MRI 装置内には常に静磁場が存在するので，撮像中に限らず，検査室内に金属物を持ち込むことはできない．心臓ペースメーカー，人工内耳，コンタクトレンズ，義歯やベルトのバックル，下着などにも注意が必要である（最近の心臓ペースメーカーには MRI 対応のものもある）．化粧や髪染めパウダーも画像の乱れや装置の故障につながる．またキャッシュカードなど磁気で情報を記録するものは検査後使用できなくなる可能性がある．
　患者は，MRI 装置の寝台に仰向けに横たわり，検査部位に合わせてコイルを設定する．その姿勢で狭い装置内に入り身動きがとれないままおよそ 20～60 分間程度の撮像となるため，腰痛症や閉所恐怖症などに配慮する．

### b　読影のための基礎知識
・MRI の適応症と基本的撮像法

　適応症と撮像方法は多岐にわたる．顎関節症ではプロトン密度強調像と T2 強調像の組み合わせが，その他では，T1 強調像と T2 強調像の組み合わせ（図 1-11）が主となる．悪性腫瘍など血流が増大している症例では，造影剤を静脈から注射し，造影 MRI を追加することがある．
　また病変に応じて T1 強調像，T2 強調像，造影後の T1 強調像（造影 T1 強調像）に脂肪抑制法が併用されることも多い．脂肪抑制法を用いることにより，T1 強調像では出血成分や造影された腫瘍が，また T2 強調像では水分を含む腫瘍，炎症，浮腫などが周囲よりも高信号に描出され，病変の存在や範囲を同定しやすくなる．ただし脂肪

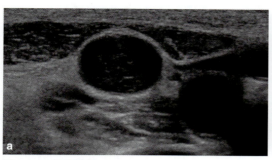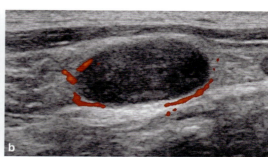

図 1-12　超音波像
a：B モード超音波像，b：ドプラモード超音波像

抑制の手法にも数種類あり，長所と欠点があるため症例に応じ適切な手法を選択することが大切である．また，脂肪抑制画像は，場合によっては本来の信号強度よりも白く描出される．舌癌など病変部位と組織型がわかっており進展範囲を見やすくする目的では適しているが，病変の病理組織型が不明で信号強度を診断所見に用いたい症例では注意が必要である．

- 読影のポイント

病変の部位，大きさ，形態，境界，辺縁，濃度，内部，そして周囲構造への影響についての所見を読み取る．病変や正常組織の信号強度は T1 強調像，T2 強調像において異なる点に留意する．また，歯科臨床において造影を行った症例では，一般的に造影後の T1 強調像における信号強度を造影前の信号強度と比較し，「造影効果を認める，認めない」と表現する（図 1-11）．

### 4　超音波検査（図 1-12）

ultrasonography；US

生体内に超音波を発信すると臓器や組織から反射（エコー）が返ってくる性質を医療に利用した検査法である．皮膚に当てたプローブが超音波を送受信し，解剖構造や組織性状の観察，病態診断を行う．ただし硬組織では超音波のかなりの部分が反射されるため，硬組織の内部（深部）は画像が描出されない．そのため適応は軟組織が中心である．リアルタイムに画像が得られ，被曝がないため，必要に応じ検査を繰り返し行うことができ，患者は痛みを感じることがないなど多くの利点をもつが，診断には術者の熟練を要する．

適応は，舌癌や頸部リンパ節転移などをはじめとした頭頸部におけるさまざまな軟組織の病態診断である．他方，超音波ガイド下の膿瘍切開や穿刺吸引細胞診，手術で使用する血管皮弁のための血管描出などにも有用である．また B モードにおける画像に加え，ドプラモードによる血流診断，エラストグラフィによる病変の硬さの診断も可能である．

### 5　核医学検査（図 1-13）

nuclear medicine examination

核医学とは非密封の放射性同位元素（radioactive isotope；RI）を使用して，画像検査，生化学検査，そして治療を行う臨床医学の一分野のことである．画像検査のうち，口腔外科領域においてシンチグラフィは，軟組織，硬組織（骨転移を含む）ともに減少しており，PET に置き換わってきているため，ここでは PET 検査について述べる．PET とは，Positron Emission Tomography（ポジトロンエミッション断層撮影）の略で，陽電子（ポジトロン）を放出する放射性医薬品を用いる．癌の診断や，脳・心臓の生理的な機能を断層画像として表示する撮影法で，CT や MRI と組み合わせるため PET/CT または PET/MRI と表記される．

診断目的に応じて，放射性医薬品を使用する．例えば，$^{18}$F を用いて放射性医薬品である $^{18}$F-フルオロデオキシグルコース（FDG）を作製し検査に用いると，$^{18}$F-FDG は悪性腫瘍のようにグルコースを多く消費する病変に集積する．その位置，体積，集積の強さにより頭頸部そして全身の病態診断を行う．欠点としては，$^{18}$F-FDG は悪性の病変のみならず，歯周炎などの炎症や良性腫瘍にも集積し，グルコースを多く消費する臓器に生理的集

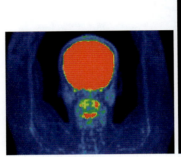
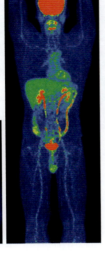

図 1-13　FDG-PET 像

積を認めるので読影診断時に注意が必要である．悪性腫瘍に特異的に集積する放射性医薬品の発展と利用が期待される．

### 6 ● interventional radiology；IVR

IVR とは，画像診断のための検査技術を治療に応用する診療分野で，診断と同時に低侵襲治療が可能である．口腔外科領域における適応例として，①癌や血管腫を栄養している血管を血管造影によって確認し，閉塞させて治療する．②超選択的動注化学療法（superselective intra-arterial infusion）では，口腔癌の栄養動脈を血管造影で診断し，造影用カテーテルをそのまま利用して抗がん薬を注入する．舌の機能温存が可能な低侵襲治療である．

### 7 ● 造影検査　contrast examination

造影検査には，唾液腺造影，顎関節腔造影，嚥下造影，血管造影などもあり，検査ごとに造影剤も手技も異なる点に注意する．ここでは，CT，MRI について解説する．

CT や MRI では造影しなくても軟組織は描出されるが，病変をより明瞭に描出する場合や病変の血行動態を観察する場合に造影剤を使用する．口腔外科領域の CT や MRI では，静脈に造影剤を注入する．血管外へ漏出してしまうと，患者に侵襲を与えることとなるうえに，十分な造影効果が得られず診断の支障となるため，血管確保を確実に行う．

CT では，ヨード系造影剤を使用し，被曝低減の観点から，単純 CT を省略して造影後の CT のみを撮像する．MRI では，ガドリニウム造影剤を用いる．ガドリニウム造影剤は，T1 を短縮させ高信号（白く見える）となるため，頭頸部では一般的に，造影剤注入後に T1 強調像を追加撮影する．

造影剤は異物であり，有害事象が起こる可能性を常に認識し，患者にとって造影検査の利点が大きい場合のみに施行する．そして事前の問診，検査，同意書の取得を確実に行う．

造影剤の有害事象の症状には，皮膚症状，呼吸器症状，消化器症状，循環器症状，アレルギー様症状，アナフィラキシーなどがある．ガドリニウム造影剤に特異的なものとしては，腎性全身性線維症（nephrogenic systemic fibrosis）がある．

有害事象は約 70％が造影剤投与中，投与後 5 分以内に発生するので，患者をよく観察する．画像診断科や医師と連携し，安全な検査を心がけることが大切である．

## 2　口腔診療のための一般的検体検査

### A 血液学的検査
hematology test

#### 1 ● 赤血球沈降速度

抗凝固剤（クエン酸ナトリウム）を加えた血液（抗凝固剤：血液＝1：4）をガラス管（血沈管）に入れて垂直に立てておくと赤血球が少しずつ沈降する（図 1-14）．沈降する速さを赤血球沈降速度（血沈，赤沈）という．1 時間後の状態を mm 単位で計測するが，基準値よりも多い場合には亢進，少ない場合には遅延という．グロブリンやフィブリノゲンが増加する炎症や膠原病，心筋梗塞や悪性腫瘍などの組織破壊性病変，貧血の場合には亢進する．一方，フィブリノゲンが減少する播種性血管内凝固症候群（DIC）やアルブミンが減少するネフローゼ症候群，真性多血症では遅延する．

### 2 全血球計算

血算，血球検査ともいい，赤血球，白血球，血小板に関連する検査である．全血に抗凝固剤（EDTA）を混ぜたものを用い，$1\,\mu L$（$1\,mm^3$）あたりの数を計算する．

#### a 赤血球検査

赤血球数とともに，ヘモグロビン量，ヘマトクリットを測定する．また，これらの値から平均赤血球恒数である平均赤血球容積（MCV），平均赤血球ヘモグロビン量（MCH），平均赤血球ヘモグロビン濃度（MCHC）を算出する．赤血球数またはヘモグロビン量が低下した状態を貧血，増加した状態を多血症（赤血球増多症）といい，特に貧血は原因によって臨床的な対応が異なるため，MCV，MCH，MCHC（表 1-5）から赤血球1つあたりの大きさとヘモグロビンの状態を検索し，小球性低色素性貧血（鉄欠乏性貧血やサラセミア），正球性正色素性貧血（溶血性貧血，再生不良性貧血，急性出血，腎性貧血），大球性正（高）色素性貧血（悪性貧血，葉酸欠乏性貧血）の鑑別を行う．

#### b 白血球検査

白血球は顆粒球（好中球，好酸球，好塩基球）と無顆粒球（リンパ球，単球）から構成され，これらの細胞の総和が白血球数であり，各細胞の割合を白血球分画として測定する．白血球数は，急性感染症，外傷，溶血，急性心筋梗塞，白血病，悪性腫瘍などの際に増加し，無顆粒球症や薬物アレルギー，血液疾患（再生不良性貧血や白血病，骨髄異形成症候群など），膠原病，肝硬変症，抗がん薬投与，放射線障害，AIDS などで減少する．

白血球分画では好中球（桿状核好中球，分葉核好中球），好酸球，好塩基球，リンパ球，単球の割合を示し，基準値からの増減により病変を推測することができる（表 1-6）．

#### c 血小板検査

血小板は一次止血に関連し，血小板数とともに血小板機能が重要である．詳しくは第12章（→p.407）を参照のこと．

### B 生化学的検査

#### 1 血清タンパク

a 血清総タンパク（TP）：アルブミンとグロブリンで構成される．

図 1-14 赤血球沈降速度

b アルブミン：血清タンパクの 60〜70% を占めており，血漿膠質浸透圧の維持や物質の運搬に携わっている．肝で合成されるため，肝機能にも依存し，栄養状態の指標としても用いられる．

c グロブリン：$\alpha 1$，$\alpha 2$，$\beta$，$\gamma$ と電気泳動によって分けられ，$\gamma$ は免疫グロブリンを反映する．

d A/G 比：アルブミンとグロブリンの比で，アルブミンの減少あるいはグロブリンの増加で基準値を下回る．アルブミン減少により栄養不良を，グロブリン増加で疾患の存在を反映するため，全身状態を簡易に評価するのに用いられる．

#### 2 血清酵素

本来，生体細胞内で働いている酵素が，細胞障害あるいは産生亢進によって血液中に出現したものをいう．

#### a 肝細胞傷害を反映する酵素

アスパラギン酸アミノトランスフェラーゼ（AST），アラニンアミノトランスフェラーゼ（ALT），乳酸脱水素酵素〔LD（LDH）〕があるが，ほかの臓器にも存在する．ALT は肝特異度が高いが，AST は心筋梗塞，LD は筋疾患においても高値を示す．

表 1-5　平均赤血球恒数

| 平均赤血球恒数 | 計算式 | 意味 |
| --- | --- | --- |
| MCV(fL) | $\dfrac{Ht(\%)}{RBC(\times 10^6)} \times 10$ | 赤血球1つあたりの容積(大きさ)<br>小球性，正球性，大球性に分けられる |
| MCH(pg) | $\dfrac{Hb(g/dL)}{RBC(\times 10^6)} \times 10$ | 赤血球1つあたりのヘモグロビン量<br>低色素性，正色素性，高色素性に分けられる |
| MCHC(%) | $\dfrac{Hb(g/dL)}{Ht(\%)} \times 100$ | 一定容積の赤血球に占めるヘモグロビン濃度<br>低色素性，正色素性，高色素性に分けられる |

fL：$10^{-15}$ L，pg：$10^{12}$ g

表 1-6　白血球分画における各白血球の増減と推測できる病変

| 白血球 | 増加する病変 | 減少する病変 |
| --- | --- | --- |
| 好中球 | 細菌感染，熱傷，心筋梗塞，慢性骨髄性白血病 | ウイルス感染症，顆粒球減少症，急性白血病，再生不良性貧血，放射線障害 |
| 好酸球 | アレルギー，寄生虫感染 | 再生不良性貧血，重症感染症 |
| 好塩基球 | アレルギー | |
| リンパ球 | ウイルス感染症，慢性リンパ性白血病 | 急性感染症初期，悪性リンパ腫，全身性エリテマトーデス |
| 単球 | 単球性白血病，肉芽腫性炎 | |

#### b 胆汁うっ滞を反映する酵素

アルカリホスファターゼ(ALP)，γ-GT(γ-GTP)が用いられる．ALT は肝型のほか，骨芽細胞に由来する骨型，胎盤型，小腸型もあり，それぞれ骨疾患，妊娠，肝硬変などでも高値を示す．また，γ-GTP は腎，肝，膵にも多く，胆汁うっ滞のほか，習慣飲酒，アルコール性肝障害の際にも高値を示す．

#### c 膵の逸脱酵素

膵外分泌腺の障害によりアミラーゼ(AMY)，リパーゼ，エラスターゼⅠが血中に増加する．このうちアミラーゼが膵障害マーカーとしてよく用いられる．アミラーゼは唾液腺にも存在するため，膵疾患を特定するには膵型アミラーゼを測定する必要がある．

#### d 筋の逸脱酵素

クレアチンキナーゼ(CK)は筋疾患を疑われる場合には必須の検査項目である．骨格筋に多く存在するため，横紋筋壊死や筋ジストロフィ，多発性筋炎などで上昇する．また，運動や筋肉内注射でも上昇することもある．CK は BB，MM，MB の3種類のアイソザイムがあり，CK-BB は脳や平滑筋に，CK-MB は心筋，CK-MM は骨格筋に多い．

### 3　糖代謝
#### a 空腹時血糖値(FBS)

高値を示す場合には，まず糖尿病が疑われる．ほかの疾患としては甲状腺機能亢進症や褐色細胞腫(副腎髄質の腫瘍)，Cushing 症候群などでも上昇する．一方，Addison 病(副腎皮質機能低下症)や下垂体前葉機能低下症，血糖降下薬の過剰服用，インスリン薬の過剰投与の場合には血糖値が低値を示す．

#### b ヘモグロビンA1c(HbA1c，グリコヘモグロビン，糖化ヘモグロビン)

HbA1c は赤血球が骨髄から末梢血中に流れ出した後に接したグルコース濃度に比例して増加する．赤血球の寿命が約120日であることから，採血時からさかのぼって1~2か月間の血中グルコース濃度を反映する．

#### c 75g 経口ブドウ糖負荷試験(75g OGTT)

糖尿病が疑われる患者に75g ブドウ糖水溶液を摂取してもらう検査で，摂取前の空腹時血糖値と接種後30分，60分，90分，120分の血糖値を計測する．判定基準を表 1-7 に示すが，随時血糖値が200mg/dL 以上および HbA1c が6.5% 以上の場合も糖尿病型とする．

表1-7 75g経口ブドウ糖負荷試験の判定基準

| 空腹時血糖値 | | 2時間後の血糖値 | 判定 |
|---|---|---|---|
| 110 mg/dL 未満 | かつ | 140 mg/dL 未満 | 正常型 |
| いずれにも属さないもの | | | 境界型 |
| 126 mg/dL 以上 | かつ/または | 200 mg/dL 以上 | 糖尿病型 |

表1-8 脂質異常症スクリーニングのための基準値(空腹時)

| 項目 | 検査値 | 診断 |
|---|---|---|
| LDL コレステロール | 140 mg/dL 以上 | 高 LDL コレステロール血症 |
| | 120〜139 mg/dL | 境界域高 LDL コレステロール血症 |
| HDL コレステロール | 40 mg/dL 未満 | 低 HDL コレステロール血症 |
| トリグリセリド | 150 mg/dL 以上 | 高 TG 血症 |
| non-HDL コレステロール | 170 mg/dL 以上 | 高 non-HDL コレステロール血症 |
| | 150〜169 mg/dL | 境界域高 non-HDL コレステロール血症 |

### 4 脂質代謝

血中にはトリグリセリド(TG),コレステロール,リン脂質,遊離脂肪酸などの脂質が存在する.脂質食物から摂取された脂質の大部分は TG である.脂質はリポタンパク(カイロミクロン,VLDL,IDL,LDL,HDL)と結合した形で血中に存在する.このうち,LDL は末梢の細胞にコレステロールを提供し,HDL は血中のコレステロールを肝臓に運ぶ役割を担っている.脂質異常症スクリーニングのための基準値を示す(表1-8).

### 5 胆汁排泄関連検査

胆汁はビリルビンと胆汁酸が含まれている.寿命を終えたあるいは破壊された赤血球中の間接ビリルビンが肝臓に運ばれてグルクロン酸抱合によって直接ビリルビンになり,胆嚢に貯蔵され,適時十二指腸乳頭から排泄される.肝内胆管や胆管から漏れ出て血液中に入り込んだものを測定するが,血中ビリルビン濃度が上昇すると黄疸をきたす.間接ビリルビンが増えている場合には溶血亢進(肝前性黄疸),直接ビリルビンが増えている場合には肝疾患(肝性黄疸)あるいは胆管閉塞による(肝後性黄疸)と考えられる.肝前性黄疸の場合には,尿中ビリルビンは陰性である(尿検査→p.26).

### 6 窒素化合物

#### a 尿酸(UA)

尿酸は核酸構成成分であるプリン体の最終代謝産物であり,通常は尿中および胆汁に混ざって排泄される.高尿酸血症は体内における産生過剰,腎臓からの排泄低下,これらの混合によって生じ,結晶化した尿酸が関節などに沈着して炎症を引き起こす痛風を発症しやすくなる.尿酸値が 9 mg/dL 以上で痛風発症リスクが高くなる.

#### b アンモニア

アンモニアの大部分は肝の尿素回路によって尿素に変換され,尿中に排泄される.高度の肝障害や腎機能障害により血中アンモニア濃度が高くなった状態では高アンモニア血症となり,脳症を引き起こす.

#### c 血液尿素窒素(BUN)(→p.24)
#### d 血清クレアチニン(Cr)(→p.24)

### 7 骨代謝

骨代謝は骨吸収と骨形成のバランスにより保たれている.骨代謝マーカーは骨粗鬆症の予知や骨折リスクの評価,骨折および手術の予後推測に用いられる.

骨吸収マーカーには酒石酸抵抗性酸性ホスファターゼ 5b 分画(TRACP-5b),Ⅰ型コラーゲン架橋 N-テロペプチド(NTx),尿中デオキシピリジノリン(Dpd)がある.

骨形成マーカーには骨型アルカリホスファターゼ(BAP)，低カルボキシル化オステオカルシン(ucOC)，インタクトI型プロコラーゲン-N-プロペプチド(intact P I NP)がある．

## 8 腎機能検査
### a 血液尿素窒素(BUN)
尿素はタンパクの代謝産物で，尿から排泄されるため，残存する血液中の尿素を調べることで腎機能の評価に用いられる．腎炎や腎不全のほか，心不全，脱水，発熱，貧血，消化管出血の際にも高値を示す．

### b 血清クレアチニン(Cr)
Cr は横紋筋の収縮エネルギー源であるクレアチンの最終代謝産物である．通常，Cr は腎臓で濾過されるため，腎機能が低下すると血清 Cr 濃度が上昇する．BUN と比較して腎機能特異度が高い．

### c BUN/Cr 比
BUN/Cr 比の基準値は 10 であるが，上回ると消化管出血や脱水，高タンパク食摂取などの腎外性要因が考えられ，10 未満の場合には腎機能低下などの腎性要因が考えられる．

### d クレアチニンクリアランス(CCr)
CCr は一定時間に尿中に排泄される Cr を供給する血液量のことで，尿 Cr 濃度×尿量/血清 Cr 濃度で求められる．スクリーニングとして推算 CCr を以下の式で求めることもある．

男性：(140 −年齢)×体重/(72×血清 Cr 値)
女性：0.85×(140 −年齢)×体重/(72×血清 Cr 値)

### e 推算糸球体濾過量(eGFR)
糸球体濾過量(GFR)は尿素や Cr，尿酸などの物質が血液から濾過される量である．正確な濾過量を測定するにはイヌリンを投与して求める必要があるが，推算 GFR(eGFR)は血清 Cr 値もしくは血清シスタチン C 値を用いて性別と年齢から算出することができる．これにより慢性腎臓病(CKD)の重症度を評価することができる．

## 9 電解質検査
### a $Na^+$
細胞外液中の陽イオンの 90％を占め，血清 $Na^+$ は血漿浸透圧の維持に重要なイオンである．嘔吐や発汗，熱中症，尿崩症，原発性アルドステロン症，Cushing 症候群では高値を示し，心不全や肝硬変症，ネフローゼ症候群，Addison 病では低値を示す．

### b $K^+$
細胞内液中の陽イオンの大部分を占め，血清 $K^+$ は心筋，骨格筋，神経機能の維持に重要で，高カリウム血症では不整脈が現れる．

### c $Ca^{2+}$
生体に存在する最も多い無機物で，細胞機能の維持や神経伝達などの生命維持に不可欠なものである．副甲状腺疾患や甲状腺疾患，副腎不全，骨代謝異常，悪性腫瘍の骨転移を疑う場合に検査を行う．

### d その他の電解質
$Mg^{2+}$，$Cl^-$，$HCO_3^-$，$HPO_4^{2-}$ なども電解質バランスで重要である．

## 10 鉄代謝
フェリチンは鉄と結合する鉄貯蔵に関連するタンパクで，血清フェリチンは鉄欠乏の状態を反映する．トランスフェリンは鉄と結合しうるタンパクで，骨髄中の赤芽球への鉄の受け渡しを担っている．トランスフェリンの約 1/3 が鉄と結合しており，結合していない部分を不飽和鉄結合能(UIBC)という．また，血清鉄と UIBC を合わせたものが総鉄結合能(TIBC)である．鉄欠乏性貧血の場合には，血清鉄，フェリチンが低下し，トランスフェリン，TIBC，UIBC が増加する．

## 11 心筋マーカー・ストレスマーカー
心筋梗塞などの急性冠症候群患者では，心電図とともにトロポニン T，トロポニン I，CK-MB が特異性が高く，AST も上昇する．また，心筋ストレスマーカーとして，心不全の診断や重症度判定，治療経過把握のために脳性ナトリウム利尿ペプチド(BNP)と N 末端プロ脳性ナトリウム利尿ペプチド(NT-proBNP)が有用である．

## C 止血機能検査
止血機能には一次止血機能，二次止血機能，線維素溶解系の検査がある．詳しくは第 12 章（→p.407）を参照のこと．

## 1 ● 一次止血機能検査
血小板数，血小板機能（粘着能），毛細血管抵抗性試験（陰圧法，陽圧法），出血時間

## 2 ● 二次止血機能検査
プロトロンビン時間（PT），活性化部分トロンボプラスチン時間（APTT），PT-INR

## 3 ● 線維素溶解系の検査
FDP，D ダイマー

## D 免疫血清学的検査

### 1 ● 炎症

#### a CRP（C 反応性タンパク）
急性相応タンパクで，生体内で組織壊死などの障害に対していち早く上昇する．炎症の発生に対して数時間で数百倍のタンパク濃度上昇を示し，炎症の消退に伴って 24〜48 時間を半減期としてすみやかに減少する．悪性腫瘍などに継発する炎症においても上昇する．名称の由来は，肺炎双球菌の C 多糖体と沈降反応を示すタンパクとして発見されたためである．

#### b プロカルシトニン
甲状腺ホルモンであるカルシトニンの前駆体であるが，重症細菌感染症において，菌体の毒素などにより炎症性サイトカインが産生され，その刺激を受けて多臓器からプロカルシトニンが産生され，血中に放出される．細菌性感染の鑑別および重症度判定に有効である．

### 2 ● 自己抗体

#### a リウマトイド因子
IgG の Fc 領域に対する自己抗体で，膠原病では最も高頻度に検出され，関節リウマチでは約 80％に陽性を示す．

#### b 抗核抗体
全身性エリテマトーデス（SLE）などの膠原病で検出される，細胞核と反応する自己抗体の総称である．SLE，全身性強皮症，皮膚筋炎/多発性筋炎，Sjögren 症候群の 5 疾患は，抗核抗体の陽性率が高い．

#### c 抗 SS-A/Ro 抗体，抗 SS-B/La 抗体
眼および口腔の乾燥を症状とする膠原病で陽性率が高い抗体である．抗 SS-A/Ro 抗体は，Sjögren 症候群患者の 50〜70％，SLE では 40〜60％，抗 SS-B/La 抗体は，Sjögren 症候群患者の 30〜40％，SLE では 10〜20％の陽性率である．

#### d 抗甲状腺抗体
自己免疫性甲状腺疾患における自己抗体である．Basedow 病，橋本病などで上昇する．抗 TSH（甲状腺刺激ホルモン）抗体や抗 TSH レセプター抗体の存在も検査する．

#### e 抗赤血球抗体
溶血性疾患の中で，自己免疫性溶血性貧血では自己の赤血球に対する自己抗体，血液型不適合妊娠や血液型不適合輸血では同種抗体が産生される．赤血球に結合している自己抗体を調べる直接 Coombs 検査と，血清中の同種抗体の存在を調べる間接 Coombs 検査がある．

### 3 ● 腫瘍マーカー

#### a αフェトプロテイン（AFP）
原発性肝細胞癌のマーカーである．

#### b CEA
大腸癌，膵癌，胆道癌，肺腺癌で陽性率が高いマーカーである．

#### c CA19-9
膵癌で陽性率が高く，胆管癌や胆嚢癌でも陽性率が高いマーカーである．

#### d SCC
扁平上皮癌のマーカーである．口腔扁平上皮癌のほか，肺扁平上皮癌，子宮頸癌のマーカーとしても有用である．

#### e CA125
卵巣癌で高い陽性率を示すマーカーである．

#### f PSA
前立腺癌のマーカーである．

### 4 ● 輸血，移植関連検査

#### a ABO 式
オモテ試験は患者の赤血球表面抗原を調べる検査であり，患者の赤血球と試薬（抗 A 血清，抗 B 血清）を用いる．抗 A 血清は薄い青色，抗 B 血清は薄い黄色に着色してある．ウラ試験は，患者の血清内の抗体を調べる検査であり，抗 A 抗体を含んでいれば B 型もしくは O 型，抗 B 抗体を含んでいれば A 型もしくは O 型，抗 A 抗体および抗 B 抗体両者を含んでいれば O 型，どちらも含

んでいなければ AB 型である．

#### b　Rh 式
赤血球表面抗原 A, B のほかに Rh 抗原として C, c, D, E, e 抗原がある．このうち D 抗原の抗原性が高く輸血時には一致させる必要がある．D 抗原が存在していれば Rh 陽性(＋), 存在していなければ Rh 陰性(−)と判定される．Rh は rhesus monkey の赤血球に対して抗体認識するヒト赤血球抗原として発見された．

#### c　不規則抗体
ABO 式，Rh 式で認識される抗原以外にも赤血球表面には抗原が存在する．不規則抗体は抗 A 抗体，抗 B 抗体以外の赤血球の抗原に対する抗体の総称で，輸血血清に A, B, D 抗原以外の抗体が存在すると溶血を起こしてしまう．

#### d　交差適合試験（クロスマッチ）
患者の血液と輸血血液は ABO 式，Rh 式をともに一致させるが，不規則抗体による不適合がないことを確認する検査である．通常，患者血清と輸血血液の赤血球との反応をみる主試験が行われる．

#### e　ヒト白血球抗原（HLA）
臓器移植，造血幹細胞移植において，患者（レシピエント）と提供者（ドナー）の適合性決定に際して重要な抗原である．

### E　尿検査
尿一般検査には pH，比重，タンパク，尿糖，ケトン体，ビリルビン，ウロビリノゲン，潜血，亜硝酸塩，白血球について尿試験紙を用いて検査する．

#### 1　尿 pH
アルカリ性でアルカローシス，尿路感染症が疑われ，酸性でアシドーシス，飢餓状態，発熱，脱水の可能性を示唆する．

#### 2　尿比重
高い場合には糖尿病，脱水，ネフローゼ症候群が疑われ，低い場合には尿崩症，急性腎不全が疑われる．

#### 3　尿タンパク
陽性の場合糸球体腎炎，ネフローゼ症候群，IgA 腎症などが疑われる．

#### 4　尿糖
糖尿病が進行もしくはコントロール不良の場合に出現し，血糖値が 160〜180 mg/dL 以上で陽性となる．

#### 5　ケトン体
アセトン，アセト酢酸，$\beta$-ヒドロキシ酪酸の総称で，血中ケトン体の増加を反映する．糖代謝不良により脂質がエネルギー源として使用された際の産物で，糖尿病，飢餓状態で陽性となる．

#### 6　ビリルビン
直接ビリルビンが血中に増加する肝性黄疸，肝後性黄疸の際に尿中ビリルビンが陽性となる．間接ビリルビンが血中に増加する肝前性黄疸（溶血亢進）の際には陰性である．

#### 7　ウロビリノゲン
十二指腸乳頭から排泄された直接ビリルビンは腸内細菌によってウロビリノゲンになる．ウロビリノゲンは便中に排泄もしくは腸管で吸収され，一部が尿から排泄される．正常では弱陽性(±)であるが，胆道閉塞などの肝後性黄疸の場合には陰性(−)を示す．一方，肝炎や肝硬変症などの肝性黄疸や溶血亢進の肝前性黄疸の場合には陽性(＋)となる．

#### 8　潜血
腎疾患，腎・尿路系腫瘍，腎・尿路結石，膀胱炎，白血病などの際に陽性となる．

#### 9　亜硝酸
尿路感染症の場合には陽性となる．

#### 10　白血球
尿路感染症の際に陽性となる．

### F　病理検査
病理検査には細胞診，組織診がある．細胞診は細胞の形態と細胞集塊から腫瘍性病変か否かを判定するものである．組織診は生検，術中迅速診断，手術材料診断がある．

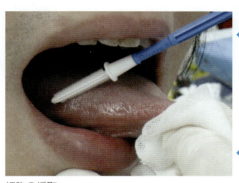
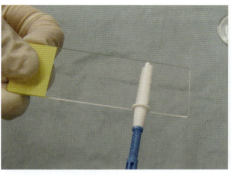
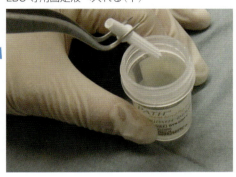

細胞の採取

プレパラートへの塗布（上）
あるいは
LBC専用固定液へ入れる（下）

図1-15　細胞診の採取と検体の処理

## 1 細胞診

### a 採取，検体の処理

口腔扁平上皮癌など病変が表面に露出している場合には，歯間ブラシや細胞診用ブラシを用いて擦過し細胞を採取する（擦過細胞診）．病変が粘膜下に存在する病変は，針を刺し吸引して細胞を採取する（穿刺吸引細胞診）．時として，生検や手術摘出材料診断時に採取した組織片をプレパラートに捺印する方法もある（捺印細胞診）．

採取した細胞を直接プレパラートに塗抹して，プレパラートごと95％エタノールで固定する方法と，専用の固定液中に細胞を浮遊させることによって固定する液状化細胞診（liquid based cytology；LBC）という方法がある（図1-15）．通常，組織から採取された細胞の場合にはPapanicolaou染色を行う．白血病など血液細胞を検体とする場合にはMay-Giemsa染色を用いる．そのほか，過ヨウ素酸シッフ（PAS）染色，免疫細胞化学染色なども行われることがある．

### b 判定と解釈

口腔細胞診の場合には陽性，擬陽性，陰性の判定方法のほか，PapanicolaouのClass分類あるいは／および新報告様式が用いられる．

**Papanicolaou（パパニコロウ）のClass分類**

Class Ⅰ：異型細胞を認めない
Class Ⅱ：異型細胞を認めるが，悪性ではない
Class Ⅲ：悪性の疑いのある異型細胞を認めるが，悪性判定できない
Class Ⅳ：悪性の疑いがきわめて高い異型細胞を認める
Class Ⅴ：悪性と断定できる高度の異型細胞を認める

**新報告様式**

（まず検体の適・否の判定）
NILM：正常および反応性あるいは上皮内病変や悪性腫瘍性変化がない
LSIL（OLSIL）：低異型度上皮内腫瘍性病変あるいは上皮異型性相当

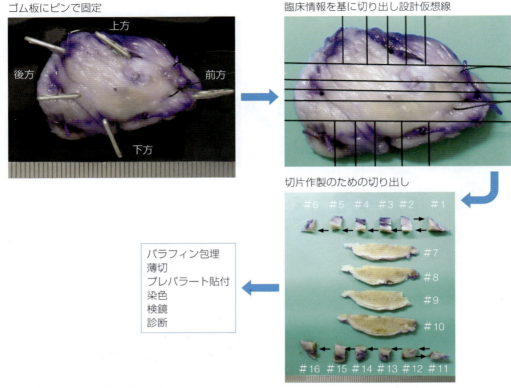

図 1-16　手術材料検体の処理

HSIL（OHSIL）：高異型度上皮内腫瘍性病変あるいは上皮異型性相当
SCC：扁平上皮癌
INF：鑑別困難，細胞学的に腫瘍性あるいは非腫瘍性と断定しがたい

## 2　組織診

### a　生検 biopsy

病変の一部を採取して診断するものである．口腔粘膜上皮の悪性腫瘍や上皮内病変が疑われる場合は，第一に肉眼的に最も悪そうな部分を正常と思われる部位を含め採取し，第二に末梢側から採取する．また，粘膜下の病変の場合には粘膜を切開して病変を露出させ一部採取する方法もある．小さい病変の場合には，病変部をすべて切除して検体とする場合もある（切除生検）．採取後ただちに10～30％のホルマリンに固定する．

### b　術中迅速病理診断

ゲフリールともいい，手術中に行われる組織診である．切除後の生体に腫瘍が残存していないかを確認する場合や，生検が行えなかった場合の病変部の診断も行われる．また，リンパ節転移の有無を確認することもある．採取後，凍結，薄切切片を作製し，短時間で病理組織診断を行う．通常の組織標本に比べて精度は劣るが，手術中の治療方針決定に重要な意義がある．

### c　手術材料診断

手術によって切除されたものを検体として，確定診断と病変の特徴，進行度などの評価を行う．検体を10～30％ホルマリンによって固定するが，検体が大きい場合にはゴム板やコルク板などにピンでとめ，上下左右前後などの方向がわかるようにしておく必要がある（図1-16）．悪性腫瘍の場合には組織型，悪性度，腫瘍の範囲，腫瘍の厚さ，深達度，切除断端部の腫瘍の有無，脈管侵襲やリンパ節転移の有無，そのほか間質反応や副病変なども詳細に観察して，予後，経過観察に役立たせる．

●文献

1) 岡野友宏，他（編）：歯科放射線学．第6版．医歯薬出版，2018．
2) 代居　敬，他（監修）：歯科衛生士テキスト―わかりやすい歯科放射線学．第3版．学建書院，2017．
3) 全国歯科衛生士教育協議会（監修）：歯科衛生士教本，歯科放射線．医歯薬出版，2009．
4) 日本顎関節学会（編）：顎関節症．永末書店，2018．
5) 尾尻博也：頭頸部の臨床画像診断学．南江堂，2021．
6) Whaites E, et al：Essentials of Dental Radiography and Radiology, 6th ed. Elsevier, 2020.
7) Panoramic Tomography, University of Toronto https://iits.dentistry.utoronto.ca/theory-panoramic-tomography（2024年2月閲覧），https://dpes.dentistry.utoronto.ca（2024年2月閲覧）

# 第2章 口腔外科手術総論

## A 感染予防対策

### 1 院内感染

#### A 院内感染とは

院内感染とは病院というさまざまな疾病が集中している特殊環境における，微生物による感染症である．高齢者，癌，臓器移植，大手術後，化学療法中の患者など，免疫力の減弱した易感染者が，平素は無害な病原体（日和見病原体）により感染を生じる日和見感染症が重要な院内感染症となる．

#### B 院内感染の発症原因

感染症の発生を事前に防止することと，発生した感染症をさらに拡大しないように管理することを感染制御という．院内感染の主な発生原因を表2-1に示す．

### 2 院内感染防止対策（インフェクション・コントロール）

#### A 標準予防策

標準予防策〔スタンダードプレコーション，standard precautions, 1996, CDC（Centers for Disease Control and Prevention；米国疾病管理予防センター）〕とは，すべての患者の①血液，②唾液などの体液（汗は除く），分泌物，排泄物，③傷のある皮膚および粘膜を感染性ありとして取り扱う考えである．具体策として，手洗いを最も重視し，グローブ，マスク，フェイスシールド，個人防護具の使用を徹底することが基本となっている．

#### B 個人防護服（図2-1）

PPE（personal protective equipment；個人防護具）は患者や医療従事者を感染や汚染から守るた

#### 表2-1 院内感染の発生原因

① 感染に対し抵抗力の減弱している患者の増加
② 感染に対し抵抗力を低下させる治療法や検査法
③ 正常な防御機構の障害
④ 化学療法剤，特に広域抗菌薬の濃厚長期使用
⑤ 病室の構造と同室の問題
⑥ 病院内外での問題
⑦ 病原微生物の多様化と微生物への認識
⑧ 消毒法や滅菌法の選択と院内清潔の問題
⑨ 院内感染防止対策の不適切な管理の問題

〔鄭　漢忠：院内感染（医療施設内感染）．榎本昭二（監修）：最新口腔外科学，第5版．pp489-490，医歯薬出版，2017より〕

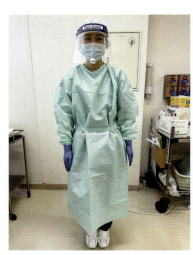

図2-1　個人防護服

め，患者の血液・体液・分泌物・排泄物などをすべて感染源とみなし，感染症の有無にかかわらず，常に使用を徹底する必要がある．

## B 無菌法（滅菌法および消毒法）

### 1 手術者・手術野の消毒

#### A 手指の滅菌・消毒

手指などの皮膚には2種類の微生物が存在する．大腸菌などのグラム陰性菌や黄色ブドウ球菌などのグラム陽性菌を含む通過菌叢と，皮膚のヒダや皮脂腺などの深部に常在している常在菌叢である．通過菌叢は周囲の環境により外界から皮膚に付着したもので，日常の手洗いにより比較的容易に除去可能である．一方，常在菌叢は皮膚の深部に常在・増殖しているため，消毒液を用いた手洗いによっても完全に除去することは不可能である．したがって，手術時手洗いの目標は，通過菌叢を殺菌除去し，常在菌叢をできるだけ減少させ，術中に感染させないことである．図2-2に細菌の除去の程度による手洗い法を示す．

#### 1 日常手洗い

日常生活において行う手洗いで，トイレ後などに行う簡易な手洗い（通過菌叢の一部を除去）である．

#### 2 衛生的手洗い

医療処置前後に行う手洗いで，手指を介した接触感染を予防することが目的（すべての通過菌叢を除去）である．

#### 3 手術時手洗い

手術などの侵襲的な手技の前に行われる手洗いで，術中感染予防が目的（通過菌叢と常在菌叢を可能な限り除去）である．爪，指先，拇指，指のつけ根に洗い残しが起こりやすい（図2-3）．

#### B 手指消毒の実際

##### 1 ヒューブリンガー変法（ブラシ法）

従来のスクラブ剤（抗菌石鹸）とブラシを用いた手洗い法である．ブラシによる皮膚損傷が問題と

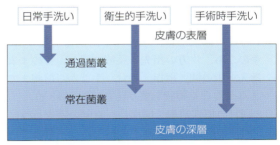

図2-2 皮膚の菌層と手洗い法

図2-3 手洗いで注意を要する部位

なる．

### 2 ツーステージ法
　ブラシを用いず(爪周囲のみ柔らかいブラシを使用する)，スクラブ剤でもみ洗いを行い，速乾性手指消毒剤で消毒する手洗い法である．広く普及している．

### 3 ウォーターレス法(ラビング法)
　普通石鹸による手洗いと速乾性手指消毒剤のみで行う手洗い法である．スクラブ剤を使用する方法と消毒効果に差がなく，滅菌タオルを使用する必要もない．短時間で消毒が可能で効果の持続時間も長いことから，現在の手洗いの主流となっている．

#### a　ウォーターレス法(ラビング法)の手順（図2-4）
① 指先から前腕，肘上まで普通石鹸(非抗菌石鹸)を用いて流水で十分に洗浄する(図2-4a〜i)．
② 非滅菌ペーパータオルで水分を拭き取り，乾燥したことを確認する(図2-4j)．
③ 1回目の擦式消毒：速乾性手指消毒剤を3 mL手のひら，片方の指先を薬液に浸し，そのまま指先，指の間，拇指，手背，手首から前腕までまんべんなく薬液を擦り込む(図2-4k〜r)．
④ 2回目の擦式消毒：同様に反対側の手を行う．
⑤ 3回目の擦式消毒：両手の指先から手首まで再度擦り込む．
⑥ 全手指消毒時間は4〜5分，薬液が完全に乾燥した後，手を肩より高い位置に保ち，術衣，手袋の順に着用する．

## C ガウン(手術着)テクニック(図2-5)
　ガウンテクニックとは滅菌ガウンを汚染することなく着用する方法のことである．手袋を先に着用するオープン法と，最後に着用するクローズド法がある．
① 両サイドにあるスリットに両手を入れ，ガウンを体から離して完全に広げる．手と前腕をアームホールと袖に通し，肩の高さに保つ(図2-5a, b)．
② クローズド法の場合，手首が袖に隠れるように手を通す(図2-5c)．
③ 介助者は肩までガウンを引っ張る．クローズド法の場合，手首が袖に隠れるように手を通す(図2-5d)．
④ 介助者が持っているベルトカードから外側ベルトを引き出して(図2-5e)，左手で持っている他方の外側ベルトと結ぶ(図2-5f)．

## D 滅菌ゴム手袋の着用(図2-6)
① 滅菌ゴム手袋(以下，手袋)は装着しやすいように左右別々に分けられ，さらに腕側で折り返されている(図2-6a, b)．
② 手袋はまず左手から装着する．右手で手袋の折り返し部分(すなわち皮膚側)を把持して装着する．決して手袋の外面に触れてはいけない(図2-6c)．
③ 左手の装着が終わったら，折り返し部分はそのままにしておく(図2-6d)．
④ 右手の装着．まず左手を右手袋の折り返し部分に入れる．左手に装着した手袋が右手の皮膚に触れないよう注意して装着する(図2-6e, f)．
⑤ 装着後，そのまま右手袋の折り返し部分を伸展する(図2-6g, h)．
⑥ 最後に右手で左手袋の折り返し部分を伸展させ，左右の指を組み合わせて指先のたるみなどをとり適合させる(図2-6i, j)．

### 1 滅菌ゴム手袋選択のポイント
　医療現場で用いられる代表的な手袋の素材には，ラテックス(天然ゴム)，ニトリル(合成ゴム)，PVC(ポリ塩化ビニル)が頻用されている．クロロプレン，ポリエチレンなどもある．最近，PVCにニトリルを配合したハイブリッド手袋が開発され，PVC手袋以上の伸縮性や装着感の向上が確認されている．主な手袋の素材別に，その特徴と用途を表2-2(→p.36)にまとめた．PVCなどのいわゆるビニル手袋は，汚染リスクの少ない，短時間の作業に使用が推奨されている．また，同一操作を行った後の手袋のリーク率(破損や透過などを示す)は，ラテックスが0〜4%，ニトリルが1〜3%と低いのに対し，ビニル手袋は26〜61%と高いとの報告もある．

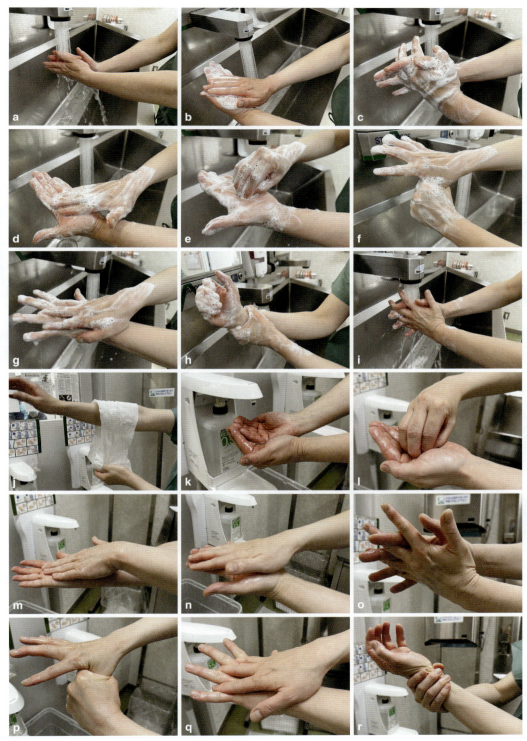

**図 2-4　ウォーターレス法（ラビング法）の手順**
a：流水で手全体と手首の汚れを落とす．b：石鹸を泡立て手掌を洗う．c：両手の指の間．d：両指先．e：両爪先．f：両拇指．g：両手背．h：両前腕．i：流水でよくすすぐ．j：非滅菌ペーパータオルを2枚とり手首にかけ，タオルの両端をつかんで肘関節に向かって拭き上げる．k：速乾性手指消毒剤を手にとる．l：指先を薬液に浸し指先を消毒．m：指先．n：両手掌．o：両指の間．p：拇指．q：手背．r：手首から前腕．

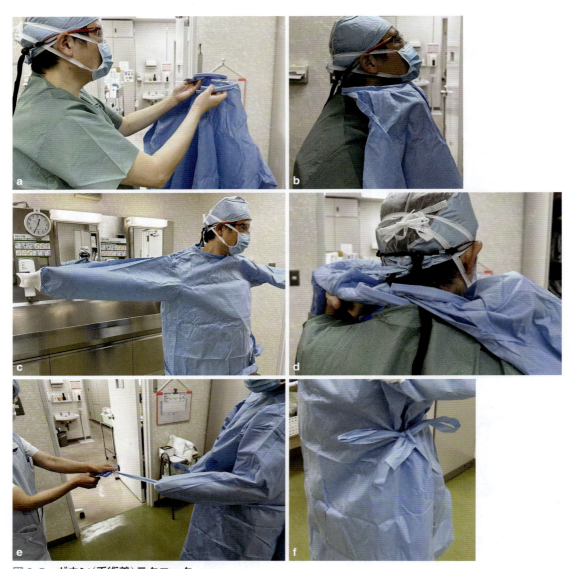

**図 2-5　ガウン（手術着）テクニック**
a, b：両サイドにあるスリットに両手を入れ，ガウンを体から離して完全に広げる．手と前腕をアームホールと袖に通し，肩の高さに保つ．
c：クローズド法の場合，手首が袖に隠れるように手を通す．
d：介助者は肩までガウンを引っ張る．
e, f：介助者が持っているベルトカードから外側ベルトを引き出して，左手で持っている他方の外側ベルトと結ぶ．

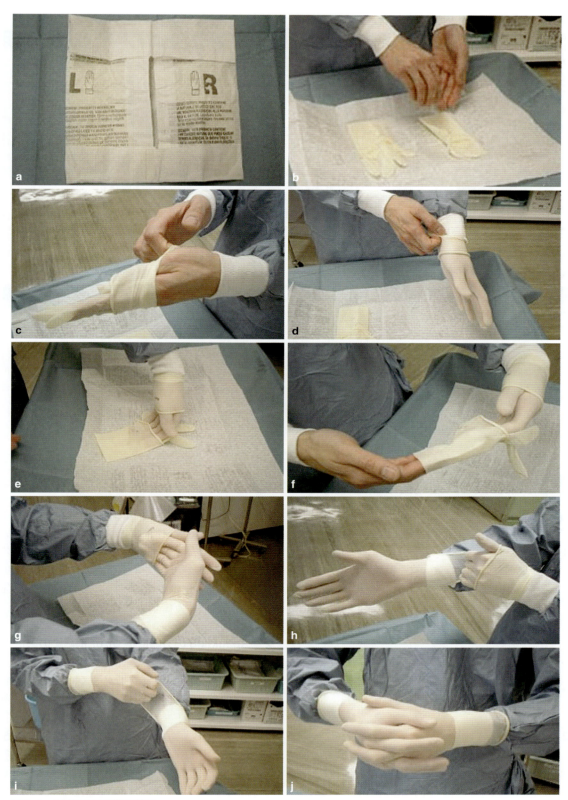

図 2-6 滅菌ゴム手袋の着用

### 表 2-2 手袋の素材による特性と用途

| 種類 | ラテックス | ニトリル | ハイブリッド | PVC | ポリエチレン |
|---|---|---|---|---|---|
| バリア性 | ◎ | ◎ | ◎ | ○ | △ |
| 強度 | ◎ | ◎〜○ | ◎〜○ | ○ | △ |
| 伸縮性 | ◎ | ○ | ○ | △ | × |
| 作業性 | ◎ | ◎〜○ | ◎〜○ | ○ | △ |
| 経済性 | ○ | △ | △ | ◎ | ◎ |
| 使用例 | ・指先の巧緻性が求められる手技(採血)<br>・注射処置 | ・ラテックスアレルギー対策<br>・指先の巧緻性が求められる手技(採血)<br>・注射処置 | ・ラテックスアレルギー対策<br>・指先の巧緻性が求められる手技(採血)<br>・注射処置 | ・ラテックスアレルギー対策<br>・汚染リスクが少ない短時間の作業 | ・指先の巧緻性が求められない作業 |

〔職業感染制御研究会:医療従事者のための使い捨て非滅菌手袋の適正使用に関する手引き(初版).2021 より改変〕

### 表 2-3 滅菌方法・温度・時間・対象器具

| 滅菌方法 | 温度 | 時間 | 対象器具・備考 |
|---|---|---|---|
| 乾熱滅菌(加熱)<br>ガス式・電気式 | 160℃〜180℃ | 1〜4 時間 | ガラス器具,金属など |
| 高圧蒸気滅菌(加熱)<br>オートクレーブ | 115℃<br>121℃(2気圧)<br>126℃<br>134℃ | 30 分<br>20 分<br>15 分<br>10 分 | 高温高圧に耐えられる器具(鋼製手術器具)など短時間,低コストなどから一般的 |
| ガス滅菌(化学)<br>酸化エチレンガス(EOG) | 約 60℃ | 1 日<br>(ガス抜きに半日) | 耐熱性のないプラスチック,ゴム製品など滅菌後残留有毒ガスの除去に時間がかかる |
| 過酸化水素低温プラズマ滅菌(化学) | 約 50℃ | 25〜60 分 | ガス滅菌に代わりプラスチック製品など |

## 2 手術器具と周辺機器の滅菌・消毒

### A 消毒法の分類

#### 1 ● 滅菌とは

滅菌とは,すべての微生物を殺滅または除去することである.

- 物理的滅菌法:① 乾熱滅菌(ガス式・電気式),② 高圧蒸気滅菌(オートクレーブ),③ 放射線滅菌がある.
- 化学的滅菌法:① ガス滅菌〔酸化エチレンガス(EOG)〕,② 過酸化水素低温プラズマ滅菌,③ 過酸化水素蒸気滅菌がある(表 2-3).

#### 2 ● 消毒とは

消毒とは,生存する微生物の数を減らすことである.
消毒法には,① 煮沸消毒,② 薬液消毒がある.

### B 器具の滅菌・消毒

#### 1 ● Spaulding(スポルディング)の分類

手術器具や医療材料は,その感染源としてのリスクを考慮した Spaulding の分類を用いる.① クリティカル,② セミクリティカル,③ ノンクリティカルの 3 つのカテゴリーに分け,適切な洗浄,消毒,滅菌方法を決定している(表 2-4).

#### 2 ● Spaulding の分類に基づいた消毒薬の選択
(表 2-5)

① 高水準消毒薬:最も効果が強く,細菌芽胞や B 型肝炎ウイルスを含め,ほぼすべての微生物に有効である.
② 中水準消毒薬:細菌芽胞には効果が期待できないが,結核菌,細菌,真菌に対して有効である.ほとんどのウイルス(B 型肝炎ウイルスを除く)を不活化する.
③ 低水準消毒薬:一般細菌には有効であるが,

表 2-4　Spauldingの分類

| 器具の分類 | 定義 | 処理法 | 例 |
| --- | --- | --- | --- |
| クリティカル | 無菌組織や血管内に接触するもの（直接体内に挿入あるいは刺入するもの） | 滅菌 | 手術器具，埋め込み器具，カテーテル，術中使用用超音波プローブ |
| セミクリティカル | 粘膜または損傷皮膚に接触するもの | 高水準消毒<br>中水準消毒 | 呼吸器や麻酔関連器具，内視鏡，喉頭鏡，膀胱鏡 |
| ノンクリティカル | 正常な皮膚に接触するが，粘膜には接触しないもの | 低水準消毒<br>洗浄 | ベッド用便器，血圧計用マンシェット，コンピュータ，ベッド，リネン，食器 |

表 2-5　Spauldingの分類に基づいた消毒薬の分類

| 消毒薬水準 | 消毒薬 | 対象となる病原体の例 |
| --- | --- | --- |
| 高水準消毒薬 | ・グルタラール<br>・フタラール<br>・過酢酸製剤 | 細菌芽胞，ウイルス，結核菌，真菌，一般細菌 |
| 中水準消毒薬 | ・次亜塩素酸ナトリウム<br>・ポビドンヨード<br>・消毒用エタノール<br>・フェノール系薬剤 | 細菌芽胞（次亜塩素酸ナトリウムのみ有効），ウイルス（消毒用エタノールは効果が得られにくい），結核菌，真菌，一般細菌 |
| 低水準消毒薬 | ・第4級アンモニウム（ベンザルコニウム塩化物，ベンゼトニウム塩化物）<br>・クロルヘキシジングルコン酸塩<br>・両性界面活性剤（アルキルジアミノエチルグリシン塩酸塩） | 真菌，一般細菌 |

細菌芽胞，結核菌，ウイルスには無効である．

## 基本的な手術器具の取り扱い

### 1　基本器材・器具

#### A　局所麻酔用注射器・注射針
injection syringe and needle

　浸潤麻酔や伝達麻酔はカートリッジ式の注射器を用いる（図2-7，8）．針を装着する部分は，ロック式やねじ込み式で外れにくい構造になっている．伝達麻酔用カートリッジ式注射器は内筒をひいて注射器内を陰圧にできる．この操作で針先が血管に刺入している場合は注射器内に血液が流入するため，麻酔薬が直接血管内に注入されるのを防ぐことができる．注入速度や注入圧をコンピュータ制御する電動注射器も普及している．
　針はディスポーザブル（単回使用）で，カートリッジ式注射器には歯科用ディスポーザブル注射針を装着する．浸潤麻酔では30～33 G（ゲージ）針，伝達麻酔では27～30 G針を用いることが多い．針先には，組織に刺入しやすく疼痛が軽減するようにベベルカットが施されている．浸潤麻酔時には針刺し事故防止のため，歯科用ミラーを用いて軟組織を排除することが重要である．注射針のカット面は骨膜側に向け，骨膜を傷つけないように針を進める．

#### B　メス，手術刀
scalpel

　構造は刃部と柄部に分かれる．刃を着脱する際の切創事故を防止するために着脱器具がある（図2-9）．また，柄の部分を含めてディスポーザブルのメスも普及している（図2-10）．

##### 1　メスの種類と用途
① 円刃刀（えんじんとう）
　皮膚切開には大きめのNo.10，口腔粘膜切開にはNo.15を用いることが多い（図2-9a，b）．
② 尖刃刀（せんじんとう）
　No.11は，皮下膿瘍や歯肉膿瘍などの切開消炎術では穿刺するように刺入させて用いる．また，

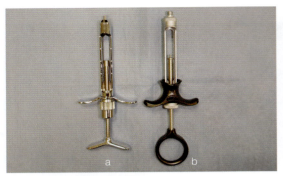

図 2-7　局所麻酔用注射筒
a：1.8 mL 用カートリッジ用シリンジ注射器，b：伝達麻酔用カートリッジ用シリンジ注射器

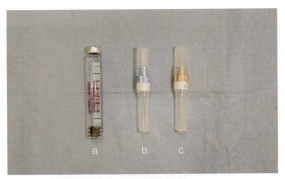

図 2-8　局所麻酔用注射筒と注射針
a：1.8 mL 用麻酔薬カートリッジ，b：30 G，c：27 G

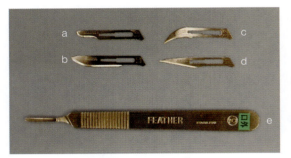

図 2-9　メス刃の種類とメスホルダー
a：No.15（小円刃刀），b：No.10（円刃刀），c：No.12（彎刃刀），d：No.11（尖刃刀），e：メスホルダー

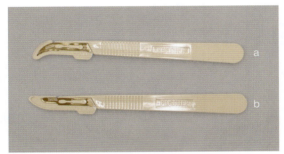

図 2-10　ディスポーザブルメス
a：No.12，b：No.15

先が尖っているので形成術や繊細な切開にも適している（図 2-9d）．

③ 彎刃刀

メスの先端から彎曲内側に刃が付いている．口蓋側歯肉や前歯部舌側，口腔上顎洞瘻や鼻口腔瘻孔の閉鎖，口蓋裂手術に No.12 メスを用いることがある（図 2-9c）．抜歯時に環状靱帯を切除する際は，メスが彎曲しているので先端の位置や角度に注意して操作する必要がある．

④ その他

電気メスは高周波電流で切開や凝固を行う．モノポーラ型とバイポーラ型の 2 種類がある．モノポーラ型は用途に応じたチップがある．バイポーラ型はピンセット形状の先端で組織を把持して使用する．繊細な部分での止血凝固に用いることが多い．いずれも心電図モニターの波形が乱れる場合があるので注意が必要である．また，対極板を使用するモノポーラ型ではメスと対極板との間を体内通電するためペースメーカーを使用している場合は注意する．

レーザーを使用した器具では，切開や凝固を目的とした Nd：YAG レーザーや $CO_2$ レーザーが普及している．そのほかに除痛を目的とした He-Ne（ヘリウムネオン）レーザーや半導体レーザーなどがある．

## 2　メスの持ち方（図 2-11）

① ペンホルダー式把持法（執筆法）

鉛筆やペンの持ち方と同じである．繊細な操作を要する口腔粘膜の切開や顔面の形成術はこの把持法が適している．

② テーブルナイフ式把持法（卓刀把持法）

指示指を柄の背にあてがう把持法である．広い術野でやや強い力を要する皮膚切開に適している．

③ バイオリン弓式把持法（胡弓把持法）

バイオリンの弓を持つように柄を挟む把持法である．No.10 の大きめの円刃刀で皮膚切開を行う場合に適している．

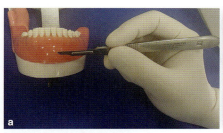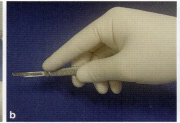

図 2-11　メスの持ち方
a：ペンホルダー式把持法（口腔内の切開では最も基本的な持ち方），b：テーブルナイフ式把持法，c：バイオリン弓式把持法

## C 剪刀・ハサミ

先端形状が彎曲している彎剪刀，まっすぐな真剪刀があり，それぞれに先端が鋭いものと鈍的なもの，刃が薄いものや厚いものがある．また，長さや大きさも豊富で種々の用途に応じた種類がある．

### 1 剪刀の種類と用途（図 2-12）

#### ① Cooper（クーパー）剪刀
一般的には雑剪と呼ばれることが多い，刃部に厚みがあり幅も広い．大きな組織の切離や剥離に用いられるが，ガーゼの切離や糸切りにも使用される．

#### ② Metzenbaum（メッツェンバウム）剪刀
通常「メッツェン」と略して呼ばれることが多い．刃部は Cooper 剪刀より厚みがなく薄い．細かい組織の切離や剥離に用いられる．

#### ③ Mayo（メイヨー）剪刀
刃部は Cooper 剪刀より剪刀が細かく，Metzenbaum 剪刀より厚みがあってやや短い．小さく頑丈な形状のため，比較的硬い組織を切るのに適している．

#### ④ 抜糸バサミ
先端が丸みを帯び，口腔内で抜糸操作を操作する際に組織を傷つけにくい．

#### ⑤ マイクロサージェリー用歯肉剪刀（Castroviejo）
マイクロサージェリーで用いられ，繊細な組織の切離に使用する．

#### ⑥ 金冠バサミ
矯正用のバンドや既製クラウンを切るためのハサミであるが，一般的なニッパーと同様に顎間固定や歯牙結紮用の金属ワイヤーの切断に用いられることが多い．

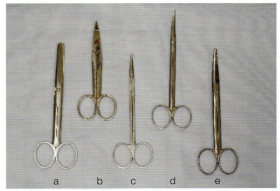

図 2-12　剪刀・ハサミ
a：Cooper 剪刀（雑剪），b：金冠バサミ，c：小さい Mayo 剪刀，d：Metzenbaum 剪刀，e：Mayo 剪刀

### 2 剪刀の持ち方（図 2-13）

拇指と環指を柄の穴に入れ，中指の第一関節を環指の入った指輪の柄部との接合部にかけ，小指もその指輪に添える．示指を軽く屈曲し，剪刀の関節部分に添えることにより剪刀の先がぶれず切開や剥離の方向が安定する．

## D 摂子・ピンセット（図 2-14）
forceps, tweezers

長さや太さ，バネの強さや先端の形状，滑り止めの有無などが用途に応じた種々のピンセットが考案されているが，大きく無鉤型と有鉤型に大別される．

#### ① 無鉤型ピンセット
デンタルピンセットや Lucae（ルーツェ）型ピンセットは柄から先端の間で屈曲しているため，視野を確保しながら薬品やガーゼ，ワッテなどを目的部位に到達させやすい．柄が直線的なものは，

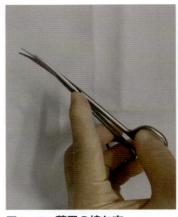
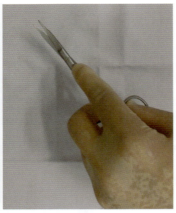
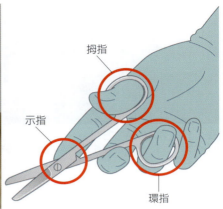

図 2-13　剪刀の持ち方

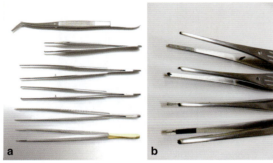

図 2-14　摂子・ピンセット
a：上からデンタルピンセット，Adson（アドソン）ピンセット，McIndoe（マッカンド）無鉤ピンセット，McIndoe 有鉤ピンセット，DeBakey（ドベイキー）ピンセット，チップ付き DeBakey ピンセット
b：上から先端形状が，無鉤，有鉤，DeBakey，チップ付き DeBakey

長さや幅，バネの強さが異なるので，用途だけでなく手への馴染み方や使いやすさを考えて使用する．また，先端の把持力が低下した場合は先端チップを交換できるものもある．

#### ② 有鉤型ピンセット

組織の把持を強くするために先端に爪が付いている．2 つの爪の間に 1 つの爪が咬み合うタイプが多く用いられるが，数個の爪が交互に咬み合うものもある．

### E 持針器，把針器（図 2-15，16）
### needle holder

針を把持して組織を縫合するために用いられる．用途に応じてさまざまな大きさや長さがある．おおむね Mathew 型持針器と Hegar（ヘガール）型持針器に大別される．いずれも針の把持力が低下した場合に先端チップを交換できるものがある．また，器械縫合の際に糸が持針器に引っかからないよう，柄から把持部までスムーズな形状になっている．

Mathew 型は柄の内側に戻しバネがあり，柄の端にはストッパーが付いている．口腔内の縫合に用いられることが多い．

Hegar 型は指を入れる穴と柄の中央部にストッパーが付いているが，戻しバネはない．皮膚の瘢痕修正術か口唇形成術などの繊細な縫合で用いられることが多い．

### F 縫合針（図 2-17，18）
### suture needle

針の形状は直針と曲針，J 針（いわゆる釣り針）がある．針先の断面の形状が円形のものを丸針，断面が三角形のものを角針という．針の長さや大きさ，彎曲度（強弱）は縫合部の形態や深さに応じて選択する．口腔内の小手術や抜歯後の口腔内粘膜の縫合には強彎針（1/2 円針）や弱彎針（3/8 円針）の丸針を用い，皮膚縫合には強彎角針を用いることが多い．硬く厚みがある粘膜には角針を用いる．J 針は口腔粘膜の縫合に用いると有用な こ

C. 基本的な手術器具の取り扱い ● 41

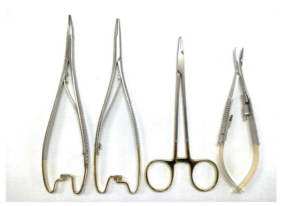

図 2-15　持針器，把針器
左から丹下持針器，Mathew 型持針器，Hegar 型持針器，Castroviejo（カストロビューホ）持針器

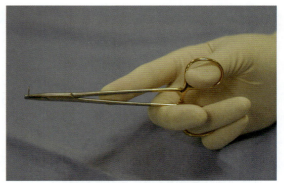

図 2-16　持針器（Hegar 型持針器）の持ち方
拇指，環指で把持し，示指で関節部付近を支持する（これは剪刀や止血鉗子類でも同様である）．

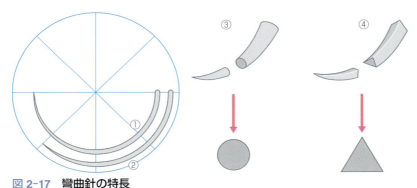

図 2-17　彎曲針の特長
① 強彎針（1/2 円針），② 弱彎針（3/8 円針），③ 丸針とその断面，④ 角針とその断面

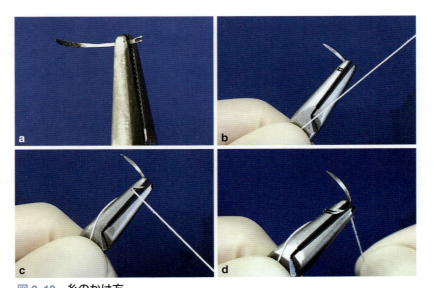

図 2-18　糸のかけ方
a：持針器で縫合針の先端から 3/4 あたりの部分を，持針器の先端で把持する．弾機孔部を把持しない．b：右手で糸を緊張させる．c：弾機孔の上部に糸を引っかけて手前に引く．d：縫合針の弾機孔部に糸を折り返し，糸の長，短の割合は約 7：3 とする．

表 2-6　縫合糸の用途と太さ

| 縫合の種類 | 縫合糸の太さ，種類 | 特徴 |
| --- | --- | --- |
| 口腔粘膜の縫合 | 3-0〜5-0　非吸収性ブレイドタイプ | 縫合しやすくゆるみにくい |
| 顔面皮膚の縫合 | 5-0〜7-0　非吸収性モノフィラメントタイプ | 感染しづらく組織親和性が高い |
| 血管吻合，神経縫合 | 9-0〜11-0 | |
| 筋肉縫合 | 4-0〜6-0　吸収性ブレイドタイプ | 持続的抗張力と組織の可動性に適する |
| 真皮縫合 | 4-0〜8-0　白色または透明の糸 | 皮膚表面からみえづらい |

とがある．また，粘膜や筋肉などの脆弱な組織の縫合には丸針を使用する．直針は唇舌的，頰舌的に歯肉を貫通させやすく，Wassmund 法や Neumann 法により形成された弁を閉鎖するのに便利である．

## G 縫合糸
suture

性質は非吸収性と吸収性，素材は天然素材と合成素材，形態はブレイドタイプ（編糸）とモノフィラメント（単糸）がある．

### 1 非吸収性糸と吸収性糸

非吸収性糸は組織に残存するため，結び目が組織外にある場合は抜糸を要する．血管縫合や動静脈の結紮止血，さらに緊張の強い創の閉鎖に対し結紮力を維持させるために組織内で結んで残存させる場合がある．

吸収糸は生分解性ポリマーが用いられているため体内で吸収される．抜糸の必要はなく，筋肉縫合や深部組織の縫合に用いられるが，吸収分解時に生体内で炎症反応を惹起することがある．また，乳児や小児など抜糸が困難な患者に用いる場合もある．

### 2 天然素材と合成素材

天然素材の絹糸（シルク）は動物由来であり，異種タンパクのためアレルギー抗原として認識されることがあり，使用は減少傾向にある．

合成素材の非吸収性糸にはナイロンやポリエステル，ポリプロピレンなどがある．いずれも組織親和性が高く抗張力も強い．吸収糸にはポリグリコール酸（polyglycolic acid；PGA）やポリ乳酸，ポリグラクチンなどがある．吸収分解による結紮のゆるみや炎症反応などの問題に対してさまざまな生分解性ポリマーが開発され，種々の合成素材を組み合わせて糸が作られている．

### 3 ブレイドタイプとモノフィラメントタイプ

ブレイドタイプは細かい線維をより合わせて1本の糸を形成している．結紮力が強く，口腔領域で使用頻度の高い絹糸はブレイドタイプである．糸の感触が軟らかく，縫合しやすくゆるみにくいのが特徴であるが，汚染しやすい．

モノフィラメントタイプは1本の糸で合成素材から作られている．網目がないため細菌の侵入や汚染物質が付着しにくく感染しにくいが，糸が硬く滑りやすいため結紮力が弱くゆるみやすい．

### 4 用途と太さ（表 2-6）

口腔粘膜の縫合には縫合しやすくゆるみにくい 3-0〜5-0 の非吸収性ブレイドタイプ（絹糸など）を用いる．感染しにくく組織親和性が高い非吸収性モノフィラメントタイプの 5-0〜7-0 は顔面皮膚の縫合，9-0〜11-0 は血管吻合や神経縫合に用いられる．持続的抗張力と組織に可動性がある筋肉縫合には 4-0〜6-0 の吸収性ブレイドタイプを用いる．真皮縫合は皮膚表面から見えないように 4-0〜8-0 の白色または透明の糸を使用する．

### 5 抜糸（図 2-19）

抜糸は一般的に口腔粘膜では 5〜7 日，皮膚では 7〜10 日後に行う．創部を消毒し，剪刀およびピンセットを正しく把持する．

ピンセットで縫合糸の一端を把持し，結び目を確認して糸を創内より引き上げ，粘膜面あるいは皮膚面の直上で糸を切り，抜き取る．創が開く方向に糸を引かないことが重要である．創部を確認し終了する．

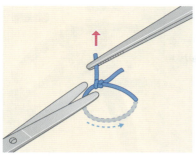

図 2-19 抜糸
摂子で糸を創内より引き上げ，創の直上で切る．

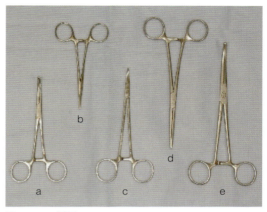

図 2-20 鉗子
a：小さい Péan 鉗子，b：小さいモスキート鉗子，c：モスキート鉗子，d：Kelly 鉗子，e：Péan 鉗子

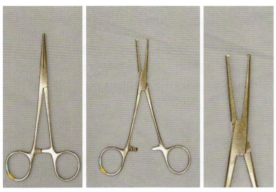

図 2-21 Kocher 鉗子

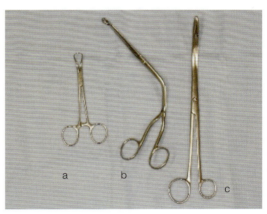

図 2-22 その他の鉗子
a：布鉗子，b：Magill 鉗子，c：麦粒鉗子

## H 鉗子（図 2-20〜22）
### clamp, forceps

　組織を把持して牽引したり，血管を挟んで止血したりするための器具である．組織を鈍的に剝離する際にも用いられる．先端が直や曲，大きさ，先端の形状など，用途に応じてさまざまである．

### 1 組織に用いる鉗子（図 2-21）

　先端が長く彎曲した Kelly（ケリー）鉗子は，頸部郭清術や腫瘍切除の際に組織を大きく挟んで把持したり筋束をまとめて把持したりするのに便利である．小型の鉗子であるモスキート鉗子は，小動脈から出血を止めたり繊細な組織を剝離したりするのに用いられる．無鉤の Péan（ペアン）鉗子は Kelly 鉗子よりやや小さく，組織の把持や剝離に適した大きさで，使用頻度も高い．先端に鉤が付いている Kocher（コッヘル）鉗子は，強い把持力をもっている．

### 2 その他の鉗子（図 2-22）

　麦粒鉗子は滅菌，消毒された器具や器材を準備する際に用いる．柄の部分は未滅菌の不潔域で使用し，器具や器材を把持する麦粒形状の先端は滅菌された清潔域で使用する．布鉗子は術野を覆う布やドレープを把持し固定する．そのほかに挿管チューブを把持するための Magill（マギル）鉗子やさまざまな処置に万能な鋭匙鉗子がある．

### 3 抜歯鉗子（→p.460）

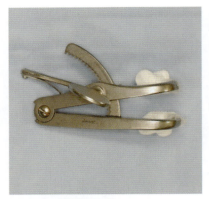

図 2-23　万能開口器

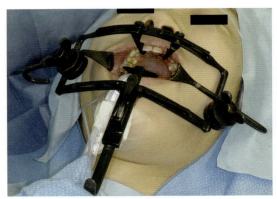

図 2-24　Dingman 式開口器
〔東京歯科大学　渡邊　章先生　提供〕

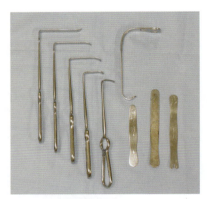

図 2-25　扁平鉤など
左から大きさの異なる扁平鉤5本，舌圧子，大きさの異なる脳ベラ

## I 開口器（図 2-23，24）
mouth gag, mouth speculum, mouth opener

開口を維持する器具で上下歯列間に装着して使用する．上下前歯の間に装着する Jennings 鉗子は乳幼児に用いられることが多い．上下臼歯の間に装着する開口器にはバイトブロックや万能開口器がある．また，Heister（ハイステル）開口器は開口量が少ない状態でも上下臼歯間に挿入してネジで徐々に開口させることができ，開口訓練にも使用されている．口蓋裂の手術や軟口蓋腫瘍の手術では Dingman（ディングマン）式や Davis 式，鬼塚式などの開口器があり，開口と同時に舌や口唇，頰粘膜を広げて術野を確保できる．術中に組織を牽引している糸を把持するためのコイルが開口器のまわりに付与されているものもある．

## J 鉤
retractor

組織を牽引，圧排して術野を確保するための器具である．扁平型と爪型に分類される．術野の大きさや深さ，牽引する組織の大小，深浅，強さや厚みによって使い分ける必要がある．

### 1 扁平鉤（図 2-25）

L 字形の Langenbeck 扁平鉤は組織を大きく強い力で牽引することができる．デンタルミラーは口唇や頰粘膜，舌を圧排するのに便利である．舌圧子には種々の形があり，舌の圧排に用いられる．脳ベラは組織形態に合わせて屈曲させて使用することができる．

### 2 爪型鉤（図 2-26）

組織を引っかけて持ち上げるタイプの鉤である．爪が1本の単爪から複数の爪を持つ鉤まである．先端が鋭いものと鈍的なものがあり，さまざまな大きさがある．

## K 骨切削器具

### 1 骨ノミ（図 2-27）

骨ノミはマレットと対で使用する．先端形状は両刃，片刃，溝刃，丸型，平型などがある．骨隆起の除去や抜歯などの小手術では刃幅が3〜4 mm の片刃を用いることが多い．両刃や刃幅が10 mm 以上のものは顎骨の切除や離断，顎変形症の手術などに用いる．

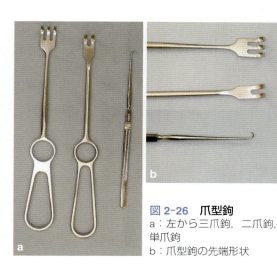

図 2-26　爪型鉤
a：左から三爪鉤，二爪鉤，単爪鉤
b：爪型鉤の先端形状

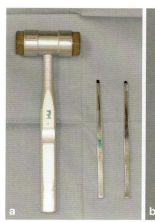

図 2-27　骨ノミ
a：マレットと骨ノミ，b：大きさの異なる両刃平ノミ

### 2　切削バー，切削機器

　歯科用のタービンやエンジンは，歯を抜去する際，歯冠や歯根を分割したり，周囲の歯槽骨を削除したりするために用いられる．骨隆起，歯根尖切除術でも使用される．振動や超音波で硬組織を切削する機器が普及している．超音波切削機器は，骨組織のみ切削し軟組織を傷つけにくく，組織の硬さや形態，用途に応じてさまざまなチップが開発されている．顎変形症手術や顎骨切除術，上顎洞粘膜挙上術，歯槽堤分割術，下顎管周囲の骨皮質除去術などで使用される．

## D　基本手術手技

###  切開・切離

　切開とは，特に目的の臓器に到達するためにメスや剪刀を用いて切り開くことである．切離とは，目的の部位で切り離し別々のものに分ける操作のことである．生体に切開を加える目的は，病変に達し，病巣を切離・除去し治癒させること，欠損部の機能的・審美的再建を行うことにある．術後の良好な創傷治癒のためには，切開法から抜糸，テーピング法までの一連の手技すべてが重要な要素であり，損傷をできるだけ起こさない愛護的な操作を心がける必要がある．

###  メスの使用法

　切開創の治癒に伴って認める瘢痕形成は機能的，審美的障害をきたすため，切開は術野の確保と血流と整容的な面から考慮されなければならない．切開の際には，皮膚や粘膜は適度な緊張を保持する必要があり，介助者が指や鉤で適度に伸展させるとよい．メスの角度は，皮膚・粘膜に対して原則的には垂直に当て，丁寧で的確なメスの運行を心がける（図 2-28）．斜めに切開すると血流が悪くなる．

　電気メスによる切開は，一般に脂肪層や筋肉などが対象となる．通電させて高周波電流によって組織を蒸散させて止血を加えながら切開する．通電する接触点が小さい針型の電気メス先のほうが組織の損傷は少ない．誤って周囲組織に接触すると熱傷となり，周辺組織を損傷させ瘢痕の原因となるため注意が必要である．

　その他，エナジーデバイスとして，超音波振動を用いた超音波凝固切開装置や，バイポーラ型電気メスを応用した血管や組織をシーリングした後に切離することができる高周波焼灼装置（ベッセルシーリングデバイス）などが汎用されている．症例に応じた切開・切離器具を選択することで，出血を軽減し，手術時間を短縮することができる．

### Ｂ 皮膚の切開

　顎顔面，頸部領域は衣類で隠すことができない

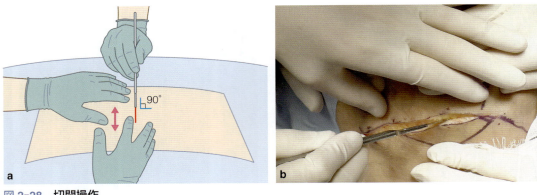

図 2-28 切開操作
a：皮膚の伸展とメスの適切な角度．b：皮膚切開の例（介助者は，切開部の皮膚に緊張を施す）

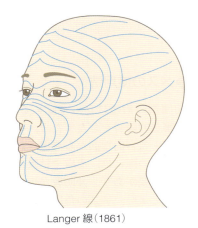
Langer 線（1861）

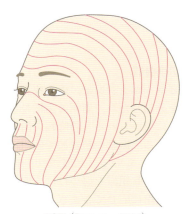
RSTL（Borges，1984）

図 2-29 Langer 線と RSTL

ため，術後の瘢痕形成は患者に与える心理的影響が大きく，皮膚の切開は治癒後の瘢痕が最小限になるよう格段の配慮が必要である．皮膚の厚さや弾性は，人種差，年齢差，個体差，部位差などがあり一様ではないので注意する．

### 1 切開のデザイン ①

原則として病巣部に最短距離で安全に到達し，良好な術野が展開できる切開部位と切開方法を選択する．主要な血管，神経，筋肉の走行を考慮し，できる限り損傷を避けなければならない．特に顔面神経の損傷は不可逆的な顔面変形，顔面表情筋の麻痺を生じ，審美面・機能面から患者への心理的影響は非常に大きい．近年，口腔外科領域においても内視鏡などを応用した低侵襲の小切開が選択されることがあるが，手術手技が困難となるため，出血や創縁の挫滅などのリスクが高くなる．

### 2 切開のデザイン ②

皮膚割線（しわに沿ったライン）を意識した方向に切開を加えるのが基本である．顔面の場合では，表情筋でしわを作らせて，しわを確認してから切開線をデザインする．しわが明瞭な場合にはしわ線に一致させ，Langer（ランガー）線や RSTL（relaxed skin tension line）も参考にデザインする（図 2-29）．RSTL を横切る切開線は，目立つ瘢痕となりやすい．しかし，目的部位や術野の深さ，手術内容によっては必ずしもその限りではなく，良好な術野を展開できる手術が可能となる最適な切開デザインを優先する．再手術などで同一部位の皮膚切開が数回にわたって術野となる場

合，2回目以降の手術では初回手術の影響で瘢痕部の血流が乏しく，壊死や治癒遅延を起こしやすいため，血流確保にも留意したデザインが必要である．

### 3 マーキング

塩化メチルロザニリン（ピオクタニンブルー）や皮膚マーカーを用い，皮膚面上に切開予定線を描記する．赤唇部の切開や皮膚の長い切開の場合には，切開線を挟んで両側に，針を用いて点状に色素液を刺入し目印をつけておくと縫合時に役立つ．しかし近年，色素による生体為害性も議論されており，無害なマーキング用色素の開発が期待される．

### 4 局所麻酔，局所止血薬の注射

通常，局所止血薬（アドレナリンなど）が添加されている局所麻酔薬を切開する部位の真皮から皮下にかけて浸潤させる．アドレナリン液注射は，局所麻酔効果延長と止血，術中出血量軽減効果をもち，切開時の正確なメスの運行の一助となる．局所麻酔後は局所が膨隆伸展され正確なデザインが不可能となるため，局所アドレナリン注射はデザイン後に行う．

### 5 切開操作

切開予定線の皮膚面に垂直にメスの刃を当てて引く．皮下の神経，血管を損傷しないように，まず表層を切開し，止血を加えながら均等な深さになるよう層ごとに切開を進める．皮下組織の切開は，切開創の大きさに応じた鉤を用いて創縁を圧排・開創し，明視野の下に神経，血管を避けながら深部の切開・剥離を進める．術中の出血は視野を不明確にし，手術の進行を妨げるだけでなく，血腫を生じ，瘢痕形成を助長するので，止血は先行して確実に行う．

### C 口腔粘膜の切開

口腔内の粘膜の切開では皮膚の切開に比べて瘢痕が目立ちにくい．しかし，周囲組織の解剖を熟知し，病変部に容易に到達できる部位を選択し，歯肉退縮や血流に配慮する必要がある．粘膜弁や粘膜骨膜弁は，弁の血行を考慮し，基底部の広い台形状の弁を設定する．歯槽部の切開では，病変の位置や大きさ，残存歯の補綴状況により，Partsch（パルチェ）切開，Pichler（ピヒラー）切開，Wassmund（Neumann-Peter）切開などが選択される．口底や口腔前庭部では歯肉溝あるいは歯肉頰移行部に沿った切開，舌では矢状方向の切開が基本となる．口蓋部では大口蓋孔からの大口蓋神経血管束，下顎臼歯部ではオトガイ孔からのオトガイ神経血管束，口底部ではWharton（ワルトン）管や舌神経，舌下動静脈などを損傷しないように注意する．

## 2 止血

観血的処置により組織の離断があると必然的に出血を伴う．止血処置が不確実であると，手術時の視野を妨げ，手術の進行に著しい障害となる．術後の出血は局所の腫脹，血腫の形成の原因となり，創傷治癒が遅延する．血腫は異物として感染や創離開の原因となり，器質化すると血腫自体が瘢痕となる場合もある．

さらに，短時間に1L以上の大量出血が生じると，血圧は低下し，意識の喪失がみられ，出血性ショックに陥り生命に危険が及ぶ．手術にあたっては，出血を未然に防ぎ，出血量を少なくする工夫を行い，出血の際には，冷静な判断ですみやかに確実かつ合理的な止血法を選択する．

### A 出血の種類

止血処置を行うには，出血の部位と性状を的確に把握する必要がある．出血は破綻した血管により，動脈性，静脈性，毛細血管性に分類される．動脈性出血は鮮紅色で拍動性に噴出し，自然止血は期待できないため，確実な結紮による永久止血を必要とする．静脈性出血は暗赤色で，持続的に流出する．細い静脈からの出血は圧迫のみでも止血可能であるが，太い静脈は結紮を必要とする．毛細血管性出血は湧出性で，出血性素因がなければ圧迫で止血可能であることが多い．

### B 一時的止血法

一時的に止血を図る最初に試みる方法である．これのみで永久的止血効果のある方法もあるが，一時的止血法の後，永久的止血法を必要とする場合も多い．

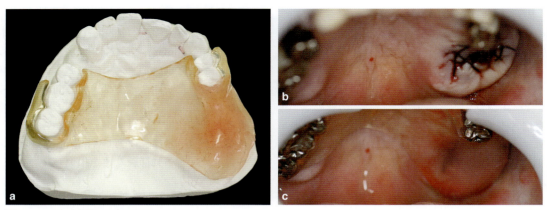

図 2-30　止血用シーネ
a：止血シーネの作製．b：抜歯窩に局所止血剤を填塞して緊密に縫合．c：創部にaの止血シーネを装着したところ

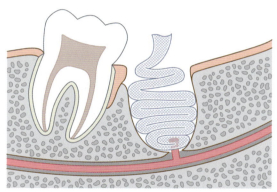

図 2-31　タンポンガーゼ塞栓による止血

## 1 ● 指圧法

出血部より離れた部位で，血管を指で圧迫し，血流を遮断する方法である．動脈性出血の場合には出血部の中枢側を，静脈性の出血の場合には末梢側を止血するのが通例である．口腔内からの出血では，同側の外頸動脈を顎下部で圧迫すると有効である場合がある．

## 2 ● 圧迫法

出血している部位に直接滅菌ガーゼなどを当て，直接強く圧迫する方法で，小血管からの出血に対応できる．体表では手指や包帯，テーピングを用い，口腔内の場合には咬合や手指により持続的な圧迫を行う．抜歯窩からの出血にはガーゼを抜歯窩に当て強く噛ませて圧迫するが，止血シーネや歯周パックを併用するとより効果的である（図2-30）．

## 3 ● 塞栓法（タンポナーデ）

深い創腔からの出血に対して，滅菌ガーゼを創腔内に硬く詰め込み圧迫させる方法で，吸収性材料を用いると永久的止血法となりうる．口腔外科領域では，抜歯窩や副腔形成部などに滅菌ガーゼ，酸化セルロース，ゼラチンなどを挿入する（図2-31）．ガーゼにアドレナリンなどの止血剤を浸して用いると，止血効果はより増大する．挿入されたガーゼは，数日後，止血効果を確かめながら除去していくが，創面から再度出血が生じるおそれがあるため慎重に行う．

## 4 ● 緊縛法（ターニケット法）

上下肢からの出血に対してや遊離皮弁の採取のときに用いられる．出血部に近い中枢側の部分を止血帯（ターニケット）などで強く圧迫し，血行を一時的に遮断する方法である．血流遮断許容時間は1〜1時間半程度である．頭頸部では，頸動脈を締めることになるため用いられない．

## ● 永久的止血法

出血部位が明らかで，器具の到達使用が可能である場合には確実な永久的止血法を行う．洗浄によって血餅を除去し，出血点を確実に同定し，止血操作を加える．不完全な止血があれば，止血処理を繰り返す．

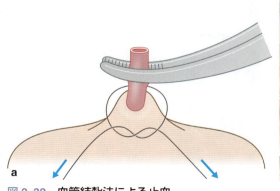
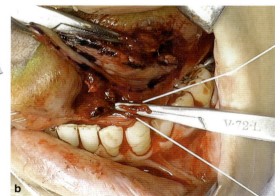

図2-32 血管結紮法による止血
a：血管結紮法のシェーマ，b：血管結紮法の例

### 1 血管圧挫法

小血管からのみの出血に対して用いられる方法で，止血鉗子でしばらく把持していることにより血管に強圧が加わり挫滅することで止血が得られる．

### 2 血管結紮法

剖出した血管を，周囲組織に損傷を与えないように止血鉗子を用いて把持し，先端に縫合糸をかけて結紮する（図2-32）．血管のみを露出させ結紮し，ほかの組織を巻き込まないことが重要である．動脈を結紮する場合は，縫合糸が脱落しないよう血管に縫合糸を通し，固定した後に結紮を行う二重結紮が確実である．

### 3 周囲結紮法（括約結紮法，集束結紮法）

出血点が明らかであっても血管の断端部が止血鉗子で十分に把持できない場合，出血部を中心としてその周囲組織を止血鉗子で把持し結紮，あるいは周囲組織に縫合糸を通し縫合・結紮する．

### 4 側壁結紮法

大きな血管，特に静脈の側壁や，時に末梢動脈の一部が損傷されたような場合には，止血鉗子で出血部の側壁をなるべく小さく把持し，結紮する．

### 5 電気凝固法

結紮では止められない実質性臓器からの出血や，び漫性の粘膜からの出血などで，出血部を焼灼・凝固させ止血を図る方法である．動脈性出血

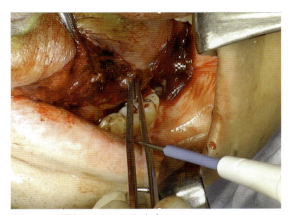

図2-33 電気メスによる止血

には，かえって血管を損傷するため効果はない．通常，電気メスを出血部に直接電極を当てて止血するか，出血部に把持している止血鉗子やピンセットに電極を接触させて止血を行う（図2-33）．出血点以外のほかの組織に損傷を与えないよう正確に小さな出血点を把持することが重要である．また，通電中は止血鉗子により他部位に熱損傷を与えないよう配慮する．

### 6 創縁縫合法

出血している創縁を緊密に縫合し止血させる方法で，大きな血管からの出血でなければだいたい止血し，口腔粘膜損傷からの出血に有効である．術後の内出血には注意が必要である．

## D 骨出血に対する止血法

口腔外科領域では骨内部の骨髄からの出血に遭遇し，しばしば止血に困難をきたす．

骨止血ノミや鋭匙などで出血部血管周囲の骨質を挫滅，破壊し，止血を図る挫滅法がある．また，出血部に他部位から採取した小骨片を打ち込んで栓塞する方法，骨髄止血材（骨蠟）を骨面の出血部に塗りつけるように挿入し止血を図る栓塞法がある．骨髄止血材は異物であるため，感染の原因や骨癒合遅延につながる可能性があり，注意を要する．電気凝固法も用いることができる．

図 2-34 持続陰圧ドレーン
〔東京歯科大学 渡邊 章先生 提供〕

## E 止血剤

止血剤には，局所的に用いられるものと全身的に用いられるものがあり，ほかの止血法との併用が必要とされる場合が多い．

### 1 局所的止血剤

#### a アドレナリン

血液収縮作用を期待する．アドレナリン10万～20万倍希釈溶液を術野に注射したり，ガーゼに浸して局所を圧迫したりする．アドレナリンの効果がなくなると，血管が拡張し，再出血の可能性がある．

#### b 酸化セルロース，吸収性ゼラチンスポンジ，キトサン

酸化セルロース，吸収性ゼラチンスポンジ，キトサンなどが用いられる．直接出血部位へ塡入し，圧迫する．血液を吸収し，粘稠性を増し凝固を促進させる．

#### c トロンビン製剤

血液中のフィブリノゲンに作用して，フィブリンに変え凝固を起こす．ヒト血液を原料としているため，感染症の可能性が否定できない．

#### d フィブリン糊（フィブリン製剤）

組織接着剤でもあるフィブリン糊（フィブリン製剤）は，ヒト由来のフィブリノゲン，凝固第XIII因子，トロンビン，カルシウムからなる血液製剤である．組織接着・閉鎖作用を有し，止血以外にも，粘膜の縫合部補強などに使用される．

### 2 全身的止血剤

血管強化薬，抗プラスミン薬（トラネキサム酸）などが頻用されてきたが，その効果は不確実で，口腔外科領域では局所の出血制御のほうがはるかに重要である．出血性素因の欠乏に対しては，血液凝固因子（第VIII，IX因子）の投与や血小板輸血，ビタミンK製剤などが止血に著効する．血液凝固促進剤の不用意な使用は，血栓形成などの合併症を誘発する危険もあり，注意を要する．

## 3 縫合

縫合は，手術，外傷による皮膚，粘膜，筋肉，血管，神経，骨，臓器などの組織損傷を縫い合わせる手法である．縫合により創縁を緊密に密着させて一次治癒を目指す．表皮が内転（内反）すると癒合せず，段差を形成するため，創縁と創縁を密着させて縫合する．また，粘膜，皮膚ともに断端の良好な血流が鍵であり，皮膚断端の縫合糸による過度な緊縛は，血流を妨げるので注意を要する．緊張が過ぎると創縁が壊死し，壊死組織の下で肉芽形成，表皮形成が行われ二次治癒となる（図 5-6，→p.159）．また，皮下に死腔ができると，滲出液や血液が貯留するため感染の機会が増える．皮下に死腔が認められる場合には，開放型ドレーン（ペンローズドレーン）や持続陰圧ドレーンを使用して，滲出液や血液が貯留するのを予防する（図 2-34）．

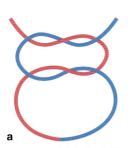 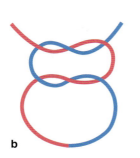 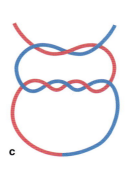 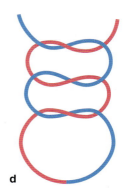

**図 2-35　糸結びの種類**
a：女結び（たて結び），b：男結び（こま結び），c：外科結び，d：三重結び

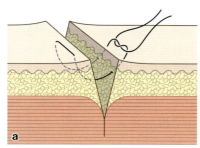 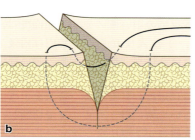

**図 2-36　マットレス縫合**
a：水平マットレス縫合
b：垂直マットレス縫合

## Ⓐ 糸結びの手技

### 1 ● 糸結びの種類（図 2-35）

**a　女結び（たて結び）**
第1結節と第2結節を同じ方向に繰り返す方法で，結びやすいがほどけやすい．

**b　男結び（こま結び）**
第1結節と第2結節を逆方向に結ぶ方法で，結び目がほどけにくく，最も頻用される．

**c　外科結び**
第1回目の結節を作るときに糸を2回交差させて結ぶ方法で，結節部はゆるみにくい．ナイロン糸などの合成糸を使用するときに使用する．

**d　三重結び**
結節のゆるみを防ぐために男結び（こま結び）に加えてさらに1回の結び目を作って縫合する．

### 2 ● 結紮法

**a　用手結紮**
手指による結紮で，片手結びと両手結びがある．

**b　器械縫合**
持針器による器械結紮がある．

## Ⓑ 縫合の種類

### 1 ● 単純縫合
最も多く用いられる．1針ごとに結節を作って組織を縫う方法である．

### 2 ● マットレス縫合
創面が広いとき，ところどころに創縁を引き寄せて接合させ，結節縫合の補強と死腔の防止，また創縁の隆起を作るために用いる．水平マットレス縫合と垂直マットレス縫合がある（図 2-36）．

### 3 ● 連続縫合
1本の糸で創の一端を結節縫合した後，連続して縫い，創の最後で結節縫合をする．

**a　単純連続縫合**
最も簡単で短時間の操作で行えるが，細い創縁の接合は不確実であり，皮膚縫合には適さない．

### b 連続かがり縫合

比較的よく行われる方法で，単純結節縫合に比べて所要時間が短く，比較的創縁の接合もよい手技である．

### c 連続埋没縫合

皮膚面に縫合痕を残さないように真皮層を連続して縫い，両端の糸は外に出しておく方法で，抜糸も一端を引き抜くことで簡単にできるが，手技には熟練を要する．

## C 各組織の縫合

### 1 皮膚の縫合

皮膚創縁部の挫滅，圧挫創を認める場合は，正常組織（血流のよい組織）が露出するまで創縁のデブリードマンを行う．真皮は組織反応の細いモノフィラメントの合成糸を用い，手技表皮から5 mm くらいの深層で永久埋没縫合を行う．真皮縫合により，皮膚を外反させ適切に接合させることができる．表皮縫合は浅く創縁に過度の緊張を起こさないように3 mm間隔くらいで密に縫う．皮下真皮どうしを内縫いする真皮縫合が丁寧になされた縫合創は，表皮縫合を必要とせず，皮膚接合用テープや連続縫合だけでよい場合がある．

### 2 口腔粘膜の縫合

口腔粘膜は軽度の創縁の段差であれば，自然と修復されることも多く，皮膚縫合に比較すると，審美性は要求されにくい．しかし，歯肉，頰粘膜，口底部など，縫合時に創縁の上皮が内反し陥入しやすいため，十分に粘膜を伸展させ，創面の接合を正確にすることが重要である．可動性粘膜側から針を刺入し，不動性粘膜側に針を進める操作が基本である．

### 3 筋肉の縫合

顔面の筋肉は，咀嚼筋を除き表情筋および頸部の広頸筋は薄い皮筋であり，筋層を丁寧に接合させ，筋肉と皮膚とが瘢痕性癒着しないように結節縫合を行う．顔面神経の走行に注意する．下顎骨の開閉口筋ではマットレス縫合をする．

### 4 神経の縫合

神経の断裂の際，あるいは神経内瘢痕のために生理的機能が障害された場合，再接合や神経移植などを手術用顕微鏡下（マイクロサージェリー）で行う．神経上膜縫合，神経周膜縫合，神経線維束縫合がある．

### 5 血管の縫合

術中の血管損傷，皮弁を用いた再建などで，血管を吻合して血行の再開を図る．一般に直径3 mm 以下の血管吻合を微小血管吻合といい，顎顔面領域の再建では，遊離皮弁の微小血管を手術用顕微鏡下で吻合して移植する．血管の切断，移植では端端吻合や端側吻合，大静脈の連結には側側吻合を行う．

## D 抜糸

顔面では，術後4～5日で漸次，抜糸する．口腔内は術後7日程度での抜糸を目安とするが，緊張の強い部位は2週後に抜糸することもある．抜糸の手技は，汚染されていない組織内にあった縫合糸を引き上げて，汚染されていない部分をハサミで切断し，引き抜く．

# 4 形成的手技

## A 局所皮弁形成術

病巣切除後や瘢痕の修正などで単純に縫縮ができない場合，局所皮弁法での修復を考慮する．局所皮弁には伸展皮弁，回転皮弁，横転皮弁がある．

### 1 減張切開

口腔上顎洞瘻の閉鎖や顎裂部骨移植などの欠損部に対して粘膜骨膜弁を利用して閉鎖する際に用いる．粘膜骨膜弁を延長したい方向に引っ張り，歯肉頰移行部の骨膜をメスなどで切開を加えて弁を延長する．

### 2 Z 形成術

Z形成術は，組織にZ字型の切開を加え2枚の三角弁を形成し，それぞれの三角弁を入れ替えることで延長効果を得ることができる．Z形成術の基本型は，三角の頂点が60度を示すもので最も自然な皮弁の交換ができる．延長効果，ジグザグ効果，面形状修正効果がある．瘢痕修正や口唇修正術，口蓋形成術，小帯形成術などに対して用

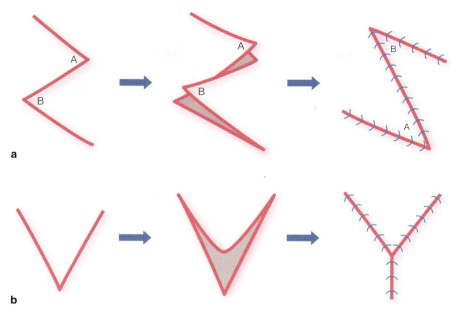

図 2-37　局所皮弁形成術
a：Z 形成術，b：V-Y 形成術

いる（図 2-37a）．

### 3 ● V-Y 形成術

小帯形成術などに用いられる．V 字型の切開を加え，剥離した後に Y 字型に縫合することにより延長を図る方法である（図 2-37b）．

## B 縫合創の処置（ドレッシング）

医療材料で創傷を被覆することをドレッシングという．手術終了時の状態のままで創部を安静に保ち順調な治癒を得るため，内部組織，創縁の軟部組織を圧迫，乾燥などの物理的刺激から保護する．組織が乾燥すると，乾燥した部位は表面が壊死し，創傷治癒が遅延するため，創縁部をガーゼ，創傷被覆材などで保護する（図 2-38）．

創の状態によってドレッシング材を使い分ける．滲出液が多くみられる場合には，滅菌ガーゼ，滲出液が少量の場合にはフィルムドレッシング，ハイドロコロイド材，吸収材付きフィルムドレッシングが使用される．滲出液や感染の徴候がない一次縫合創にはフィルムドレッシングが選択される．創傷被覆材で閉鎖ウェットドレッシング（湿潤閉鎖療法）とした場合には，毎日交換する必

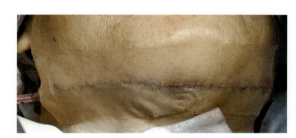

図 2-38　ハイドロコロイド創傷被覆材

要はない．感染や縫合部の壊死などを早期発見し対応するため，縫合部は毎日観察し，血腫や排膿を認めた場合には，洗浄やドレナージを行う．

## C 縫合糸に代わる閉鎖法

皮膚縫合による刺入痕をつけたくない場合，正確な皮下縫合，真皮縫合の後，表皮縫合の代わりに皮膚接合用テープを使用する．外力などによる創縁のずれを防ぎ，緊張を緩和し，創傷の安静を保つのが目的である．小児の場合も縫合や抜糸の必要がなく，患者の苦痛が少ないため考慮される．テープは縫合創に対して直角の向きで，傷の中央に貼付する（図 2-39）．

また，全身状態が悪い患者や手術時間短縮のた

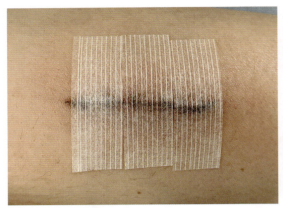

図 2-39 皮膚接合用テープ

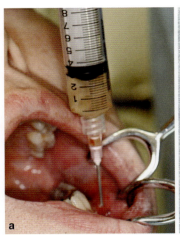

図 2-40 試験穿刺
a：穿刺の例，b：嫌気ポーター（炭酸ガス入りの培地）

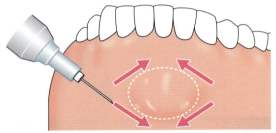

図 2-41 菱形麻酔
膿瘍腔内に針は刺入せず，周囲に浸潤麻酔する．

め，ステイプラー（医療用ホッチキス）を使用することがある．特に腹部や背部などの真皮の厚い皮膚や頭部に適応される．顔面の場合，縫合された創は，瘢痕が残ることがあるため，できる限りステイプラーの使用を避けることが望ましい．

## 5 ドレナージ

歯性感染による歯槽部，顎骨の化膿性骨膜炎，顎骨周囲の組織隙膿瘍，上顎洞炎などに対する消炎処置として，膿瘍切開とドレナージを行う．ドレナージとは，膿だけでなく，血液，分泌液などを体外へ誘導，排出する処置の総称でもある．

### A 器具・材料

一般小外科手術に必要な器具や材料のほか，滅菌覆布，膿盆，鉤，排膿後の膿瘍腔を洗浄するための注射シリンジ，洗浄針なども用意する．ドレナージには各種のドレーンが必要である．試験穿刺では膿の形成を確認するとともに，採取した膿汁は原因菌の同定と抗菌薬の感受性試験のため，炭酸ガスが充填された培養瓶（嫌気ポーター）を用いる（図 2-40）．

### B 麻酔法

術野の消毒の後，局所麻酔を行う．炎症巣への局所浸潤麻酔は十分な効果が得られない場合が多い．深部膿瘍がある場合には，全層にわたる浸潤麻酔は不可能であるので，ある深さまで麻酔し，切開後さらに疼痛があれば浅く浸潤麻酔を追加して行う．菱形麻酔を行い，膿瘍腔に注射液を注入し，炎症を拡大させないように注意する（図 2-41）．重度感染症で，膿瘍が深部にあり，出血や呼吸困難のリスクがある場合には，全身麻酔を選択するが，開口障害により気管挿管が困難なことが多く，気管切開も考慮する．

### C 口腔外膿瘍切開

審美性を考慮し，皮膚切開の基本に従うが，顔面神経の走行，血管，唾液腺管の走行に注意し確実に膿瘍腔に達することができる切開線を設定する．特に側咽頭隙膿瘍など深部膿瘍に対しては，内頸動静脈，舌咽神経，迷走神経，副神経，舌下神経などを傷つけないよう注意する．皮膚をメスで切開し，止血鉗子などで皮下組織や筋組織を鈍的に剝離し圧排しながら膿瘍腔に到達する．排膿を確認後は排膿路を確保するため，膿瘍腔全体を

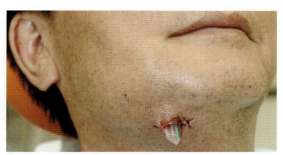
図 2-42　顎下膿瘍切開とドレナージ

開放する(図 2-42).

### D 口腔内膿瘍切開

　膿瘍に最短距離で到達できる部位に切開を加える．神経，血管，唾液腺導管などを損傷しないよう注意し，原則的には歯列弓に沿った切開を行う．歯槽部の骨膜下膿瘍では，骨膜まで切開し，骨膜起子で骨膜と骨の間の膿瘍腔を開放する．顎骨周囲の組織隙膿瘍では，粘膜切開後に骨膜剝離子や止血鉗子で鈍的に膿瘍腔に達し，さらに膿瘍腔全体を開放する．口底部は舌側歯槽粘膜と口底粘膜の移行部の粘膜表層に切開を加え，直下の舌下腺や血管，神経を損傷しないように止血鉗子などを用いて鈍的に膿瘍腔を開放する．

### E 排膿

　膿瘍腔開放後は，膿瘍腔を生理食塩水でよく洗浄する．排膿路を確保し，持続的な排膿を促すためにドレーンを挿入，留置する(ドレナージ，図 2-42)．ドレーンには，リボンガーゼ，ペンローズドレーン，持続吸引チューブなどが用いられる．口腔外切開の場合，さらにドレーンから排出する膿を吸収するためのガーゼを貼付する．ドレーン留置後は術後処置として，ドレーン挿入部から生理食塩水などで洗浄を続ける．長期間のドレーン留置は，逆に細菌の侵入門戸となりうるため，排膿が止まった段階でドレーンは早期に抜去する．

### ●文献

1) 榎本昭二：院内感染(医療施設内感染)．榎本昭二(監修)：最新口腔外科学，第 5 版．pp489-490，医歯薬出版，2017．
2) 栗田賢一，覚道健治：手術総論．池邉哲郎(編)：SIMPLE TEXT 口腔外科の疾患と治療，第 6 版．pp369-373，永末書店，2023．
3) 野間弘康：消毒・滅菌法．日本口腔外科学会(編)：イラストでみる口腔外科手術，第 1 巻．pp86-92，クインテッセンス出版，2010．
4) 職業感染制御研究会：医療従事者のための使い捨て非滅菌手袋の適正使用に関する手引き(初版)．2021．http://jrgoicp.umin.ac.jp/ppewg/im/ppeguide_glove_v1.pdf(2024 年 2 月閲覧)
5) Rego A, Roley L：In-use barrier integrity of gloves：latex and nitrile superior to vinyl. Am J Infect Control 27：405-410, 1999.
6) 山根源之，他：滅菌と消毒，医療廃棄物処理．片倉朗(編)：口腔内科学，第 3 版．p198，永末書店，2023．
7) 戸塚靖則，髙戸　毅：器具・器材の滅菌・消毒．戸塚靖則(監修)：口腔科学．p302，朝倉書店，2013．

# 第3章 外科的侵襲の病態生理と患者管理

## A 侵襲と生体反応

　侵襲とは，生体の内部環境の恒常性（ホメオスタシス）を乱す可能性のある外部刺激を指す．侵襲には外科手術，麻酔，外傷，出血，感染，疼痛，および脱水などが含まれ，さらに不安や恐怖などの精神的要因も加わる．生体反応とは防御反応とほぼ同義であり，生体に侵襲が加えられた場合，内部環境の恒常性維持を図ろうとする反応をいう．すなわち生体恒常性を自ら回復しようとする働きの総称である．

　生命危機をきたす大量出血でも，リスクの少ない精神的刺激であっても，生体の恒常性維持のために働く機構や臓器系統はほぼ同様であり，生体反応は非特異的なものといえる．ただし，反応の強さは侵襲の大きさとほぼ比例する．すなわち侵襲が大きければ反応も強く長期間持続する．なお，生理的調節機構の範囲内で復元できる程度の外部刺激は侵襲とは呼ばない．

　局所的な外科的侵襲とは，切開や剥離または組織の圧迫などによる医原的損傷ともいえる．局所的な外科的侵襲では，切開部での細胞破壊産物やそれに対する各種細胞の反応，血液凝固過程から生じるタンパク質などの拡散によって炎症過程の開始，免疫系の発動，出血に対する止血・凝固機転と治癒機転の発動などが自動的に惹起される．

　全身的な生体反応の主な要目は，視床下部への刺激によって発現する神経内分泌反応で，これにより循環機能が亢進し，代謝も大きく変化する．筋組織でタンパクの異化が進む一方で，肝ではグルコースと急性相反応物質（急性相反応タンパク：C反応性タンパク，フィブリノゲン，補体など→p.58）の合成が進む（図3-1）．病原菌や異物の侵入に対しては，抗原刺激を受けてサイトカインを介して免疫系が活性化し，これら外来異物を排除する．血管の破綻や血管壁への刺激に対しては，血液凝固系が活性化される．

　生体反応それ自体が生体に対して不利益をもたらす場合もある．すなわち生体反応は状況により，生命維持に必須でない臓器の機能や体構成要素をむしろ犠牲にして，生命維持に直接関与する臓器機能を優先的に維持する傾向が認められる．体構成成分の動員，直接生命維持に関与しない臓器への血液供給の減少など，犠牲を伴う．したがって，侵襲に対し必要以上に強力な反応が発現すると過剰な犠牲を強いる結果となり，生体にとって相対的に不利な状態となる．臨床の場ではこのような変化を予防するために，まず適切な術前管理，術中操作，術後管理によって生体に加わる侵襲を軽減し，無用で過剰な生体反応の抑制を図ることが肝要であり，次いで過剰な生体反応を抑制する治療手段を講じることが大切である．

### 1 侵襲に対する生体反応

#### A 神経内分泌系の反応

　神経内分泌反応の中枢をなすのは視床下部である．末梢神経がとらえたほとんどすべての信号は視床下部に伝えられる．精神的荷重や衝撃も，また大脳から視床下部へと伝えられる．視床下部は血液-脳関門が欠如しているので，血中成分の変化，すなわち水分，電解質，ホルモンおよび血糖などの変化を直接感知する．つまり，視床下部は脳に備えられた全身の情報を収集するセンターであり，生命活動を常時監視するセキュリティシステムといえる．視床下部は収集された情報をもと

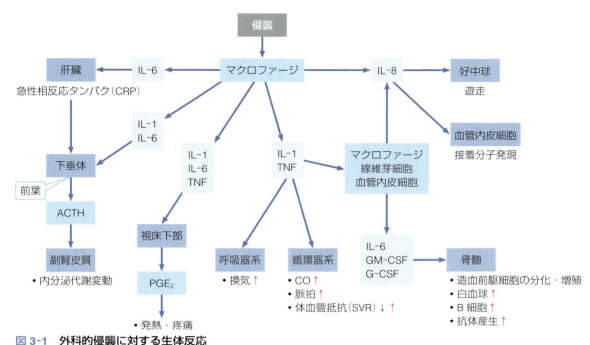

**図 3-1　外科的侵襲に対する生体反応**
手術侵襲に伴う組織破壊により，サイトカイン誘発反応と神経内分泌系とによる相互の生体反応が生じる．

に，神経内分泌反応に関与する各内分泌腺の分泌を刺激あるいは抑制し，各ホルモンの奏効臓器に作用して内分泌反応を発現させる．代謝に関連する神経内分泌反応としては，各細胞に十分なエネルギーが行き渡るように，大量のグルコースを送り，生体防御に必要な急性相反応物質やアルブミンが産生される．また，視床下部は代謝の亢進を支えるために，循環器系の心，血管，循環血液量を中心に調整し，侵襲に対して抵抗しやすい態勢を整え，すでに損傷を受けている場合は修復に有利な状態を整える．

### 1 ● ACTH-グルココルチコイド系

ACTH（副腎皮質刺激ホルモン）-グルココルチコイド（糖質コルチコイド）系は神経内分泌反応の中でも特に重要で，侵襲に伴う刺激の多くはACTHやグルココルチコイドの分泌を亢進させる．下垂体前葉で分泌されたACTHは血流により副腎皮質に運ばれ，副腎皮質を刺激してグルココルチコイドの分泌を促す．グルココルチコイドは主として糖代謝に関与しているが，脂肪代謝，タンパク代謝にも関与し，グルコースの新生，脂肪分解，タンパク分解を亢進し，侵襲の刺激の大

きさに比例して相当量が分泌される．健常者であれば通常，大きな侵襲に対してもグルココルチコイドの分泌不足をまねくことはない．しかし，疾患の治療のため長期にわたり副腎皮質ステロイド薬が投与された患者では，フィードバック反応により，副腎の機能が低下していることが多い．不用意な外科的侵襲は，恒常性を維持するためのグルココルチコイドの消費により不足を生じ，その結果，生命予後を危うくすることもある（副腎クリーゼ）．

### 2 ● アドレナリン，ノルアドレナリン

交感神経緊張亢進によるアドレナリンやノルアドレナリンの分泌亢進もまた神経内分泌反応の中心をなす．交感神経系を制御する神経細胞体は視床下部の全域に散在するが，解剖学的には視床下部の後方に位置している．視床下部後方から発せられた神経興奮は脊髄の自律神経路を下降し交感神経へ伝達され，内臓神経を介して副腎髄質へ伝えられる．いずれもその前駆物質はドパミンであり，ドパミン，ノルアドレナリン，アドレナリンの順で生成される．ノルアドレナリン，アドレナリンは侵襲下の循環を制御するとともに代謝にも

影響を及ぼす．

### a 循環器系への効果

ノルアドレナリンは血管収縮性の$\alpha$作用が強く，アドレナリンは心拍促進性の$\beta$作用が強い．両者とも$\alpha \cdot \beta$の両作用を有し，心拍出量増加，血管収縮により血圧上昇，脾・静脈系中にプールされている血液の動員，細胞間液の血中への動員などの作用がある．また，血流再配分により臓器血流量を変えることによって，間接的に各臓器の機能をコントロールしている．

### b 代謝系への効果

グリコーゲン，タンパク，脂肪などの分解を亢進し，コルチゾールの存在下でグルコース新生を促進し，グルカゴンの分泌を亢進させ，インスリンの分泌と作用を抑制する．

## B 手術侵襲に対する生体反応（図3-1）

炎症は，外来性または内因性の傷害性侵襲に対する，局所あるいは全身における防衛反応であるが，ここでは「手術侵襲」に対する生体反応について解説する．

### 1 サイトカイン誘発反応

外科手術の切開部位においては，当該組織の細胞から細胞内の構成タンパク質が遊出し，それらが周辺のマクロファージを刺激し，炎症性サイトカインを放出させる．局所で産生された炎症性サイトカインは血中を流れ，脳の視床下部に至り，全身的な生体反応を引き起こす．視床下部への刺激において重要な役割を果たすサイトカインはインターロイキン-1（IL-1）とIL-6である．IL-1は神経内分泌反応を活性化する副腎皮質刺激ホルモン放出ホルモン（CHR）を視床下部から分泌させる．また IL-1は，腫瘍壊死因子-$\alpha$（TNF-$\alpha$）とともに，プロスタグランジン E2（PGE2）を介して視床下部の体温調節中枢に作用し，発熱を引き起こして免疫能を高める．IL-6はBリンパ球を刺激し抗体産生も促進する．

また，手術による組織の損傷部位においては，マクロファージや肥満細胞から放出されたサイトカインによって，血管内皮細胞は化学走化性因子である IL-8やケモカインを産生する．これらの影響によって血管内を流れている好中球が受傷部位において血管内皮細胞に接着し，最終的には血管内皮細胞の間隙を透過して血管外へと遊走する．組織中に移行した好中球は高い運動能と貪食能を有しており，損傷部の異物，細菌などを貪食し，エラスターゼ，カテプシンGなどの殺菌性酵素とともにハイドロキシラジカル，一酸化窒素などのフリーラジカルを産生することで外来病原菌の除去を行う．しかし活性化が過剰となると，これらのフリーラジカルが局所の組織障害を助長する．

### 2 急性相反応物質（タンパク）

一方，炎症性サイトカインである IL-6は，肝臓において急性相反応物質〔急性相反応タンパク（CRP，血清アミロイドA，$\alpha$1酸性糖タンパク，$\alpha$1プロテアーゼインヒビター，フィブリノゲン，ハプトグロビンなど）〕の合成も誘導する．これらの急性相反応物質は，生体防御，創傷治癒などに関与する．

## C 水・電解質代謝

手術侵襲により，術中から術後2～4日では，水，Naの体内貯留傾向が現れ，尿量，尿中Na量は減少する．この水とNaの体内への保持は，術中から増加するADH，アルドステロンによるもので，細胞外液量の増加は侵襲時の循環維持機構の1つである．一方，細胞内の主要なイオンであるKは骨格筋の崩壊や損傷部の細胞からの遊出によって，組織液，血液に移行するため尿中排出が増加する．このような水・電解質代謝の変動は，ADH，アルドステロンの分泌が減少する術後3～4日目には正常に向かい，尿量，尿中Naの排泄増加とK排出減少が起こる．ほかの電解質の変動については，ClはNaに類似した変動を示し，Mg，PはKに似た変動を示す．

## D エネルギー代謝

外科的侵襲時においては，一般にエネルギー消費量は安静時消費量よりも亢進する．これに対して，侵襲時，特に術後は食事制限をすることが多く，通常，熱量供給は不足する．この供給量の不足は内因性エネルギー源の燃焼，すなわち体組織の異化によって補われるが，侵襲時には内分泌系の変動も加わって特有の代謝変動が生じる．

侵襲下の内因性エネルギー源としては，まず肝，次いで筋のグリコーゲンが消費されたのち，

タンパク，脂肪の分解に移行する．これら三大栄養素の生体内保有量と消費可能量を比較すると，肝，筋の貯蔵グリコーゲンは300〜400 gにすぎず，侵襲開始後半日ほどで消費される．タンパクは保有量は多いが，その多くは重要な生体機能に関わり，その異化には限界がある．これに対し脂肪は保有量が多く，熱効率にも優れ，分解によって容易に血中に動員される．また大量喪失にあっても生体は耐えうる．したがって，特に長期にわたって持続する侵襲においては，貯蔵脂肪がエネルギー源として重要となる．

### E 止血・凝固および線溶（→p.410）

## 2 侵襲と生体反応の経過

### A 高サイトカイン血症
hypercytokinemia

抜歯・歯根端切除術などの小手術にはじまり，顎変形症・悪性腫瘍の手術に代表される大手術に至るまで，口腔外科領域の手術は多岐にわたる．これらは程度の差こそあれ，すべて侵襲を伴う治療であり，生体に必ずなんらかの影響を与える行為である．

術式が正しく施行されても，術後の合併症により患者の経過が不良となるようでは，その手術が成功したとはいいがたい．術後合併症には，創の感染・癒合不全・皮弁壊死，さらには肺炎などの臓器不全も含まれる．

手術を成功に導くには，これら術後合併症の可能性を事前に予測し，それに合わせた適切な周術期管理によって，未然に有害事象を回避することが肝要となる．特に大手術後は血中のIL-6などが急激に上昇するため，高サイトカイン血症から継発する"サイトカインストーム"だけは，何としても避けなくてはならない．

ここでは，術後合併症の発生を予測する概念について，国際的な指標であるsystemic inflammatory response syndrome（SIRS；全身性炎症反応症候群）について述べる．

### 1 全身性炎症反応症候群（SIRS）

米国胸部疾患学会およびCritical Care Medi-

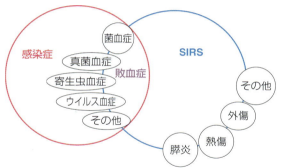

**図3-2　SIRS，感染症，敗血症（sepsis）の関係**
感染症が疑われるSIRSは敗血症と呼ばれる．

cine学会は，1991年（論文は1992年）に合同consensus conferenceにおいて，SIRSの概念を提唱した．SIRSは感染症のほか，外傷，熱傷，手術侵襲など，種々の原因により惹起される．この概念の導入により，従来やや曖昧であった敗血症（sepsis）の定義についても，「感染に起因したSIRS」という明確なものとなった（図3-2）．

近年，SIRSはその簡便な診断基準により，術後合併症や臓器不全の発生を予測するWarning Sign（警告信号）として解釈され，これを予防するうえで高い臨床的意義をもつとされている．さらに臓器障害を発症するハイリスクなSIRSを選別するために，SIRSの持続期間とその転帰との関係についても医学的根拠が示されている．当初，手術侵襲とSIRSとの関連についての報告は消化器外科からのものが主であった．しかし，臓器不全の発現頻度こそ低いが，口腔外科手術においても術後の創感染や，肺炎などの合併症に難渋することはまれではない．このような背景からその後，消化管の入口である口腔外科領域でもSIRSに関する検討が行われた．それによると，口腔癌手術（頸部郭清術を伴う症例）や，顎矯正手術（Le Fort I型骨切り術と下顎枝矢状分割術の同時施行症例）といった大手術において，陽性率35〜50％で術後SIRSが発生することが明らかとなっている．これは消化器外科領域でのSIRS陽性率（胃切除：73.0％，食道癌手術：67.0％，大腸切除：54.1％，胆石症手術：37.5％）とほぼ同等である．さらに消化器外科領域と同様に，口腔外科手術においても，術後合併症（肺炎，創感染，移植組織の壊死など）の発生率はSIRS陽性患者のほ

### 表3-1 SIRSの診断基準と定義

以下の**2項目以上**を満たす場合＝SIRS
- 体温：38℃以上，または36℃以下
- 脈拍：90回/分以上
- 呼吸数：20回/分以上，または$PaCO_2<32$ Torr
- 白血球数：12,000/μL以上，または4,000/μL以下または10％以上の未熟好中球

→これらの徴候はすべてサイトカインの過剰産生で発現

うが有意に高いことが周知されている．

## 2 SIRSの診断基準

SIRSは侵襲によって全身的な炎症反応が惹起された状態を意味しており，具体的には診断基準に示す条件のうち2つ以上を満たす場合と定義されている（表3-1）．SIRSの判定に必要な項目はそのほとんどが，術後日常的にバイタルサインとしてベッドサイドで記録している項目である．従来はこれらを直観的にとらえ，感染をはじめとする種々の術後合併症を経験的に予測していたにすぎなかった．SIRSという概念の導入によって，同じチェック項目でありながらよりシステマティックに手術侵襲の大小を把握したり，術後合併症を予測したりすることが可能となり，臨床上きわめて有用な指標となっている．

## 3 SIRSの病態

手術などの侵襲によって内分泌系，あるいは代謝系にはさまざまな変化が生じる．SIRSの診断基準に挙げられている項目は，すべてサイトカインの投与により再現される．体温上昇はIL-1，IL-6，頻脈はIL-1，TNF-α，白血球の増加はG-CSF，GM-CSF，IL-6などである．したがってSIRSはサイトカインが過剰に産生されることによって生じる病態（＝高サイトカイン血症）である（表3-1）．さらに，これらの神経内分泌反応に加えて，侵襲に伴って起こるサイトカイン誘発反応は，炎症反応の中心的役割を果たすものと考えられている．近年では，新型コロナウイルス感染症が，特に手術後や基礎疾患を有する患者において重症化するのは免疫の暴走，すなわち"サイトカインストーム"が背景にあることが注目されたが，これはまさにSIRSの病態である．

生体に手術侵襲が加わると，炎症性サイトカインであるTNF-α，IL-1β，IL-6，IL-8などが増加し，それとほぼ一致して抗炎症性サイトカインのIL-4，IL-10なども上昇する．なかでもIL-6は測定感度などの点から，術後の血中で検出しやすいという理由により，SIRSのマーカーとして多く用いられている．具体的には，術後SIRS群では血中IL-6が有意に高いこと，SIRS群死亡例ではIL-6の高値が持続すること，IL-6は手術侵襲の大小をよく反映することなどが明らかになっている．

## 4 SIRS患者の管理

SIRS状態ではfirst attack（手術侵襲）の結果誘導されたサイトカインによって，好中球の血管内皮細胞への付着や重要臓器への集積が生じている．この状況下でsecond attack（主として感染）によって再度サイトカインが放出されると，易刺激性となっている好中球が臓器を攻撃し，その機能を障害する．したがって術後合併症や臓器不全を予防するためには，SIRS持続期間を可及的に短縮し，second attackにより生体破壊が生じやすい状態から早期に離脱させることが肝要である．

さらに，患者が術後SIRSの状態に至るのを未然に防ぐためには，どのような手術手技を行えばよいかを考える必要がある．SIRS患者群と非SIRS患者群との比較を行ったところ，消化器外科・口腔外科の領域を問わず，SIRS患者群の手術時間のほうが有意に長いことが示されている（年齢，出血量については有意差なし）．すなわち，手術時間が長いほどSIRS発生率は上昇し，それに伴って術後合併症のリスクも高まることがわかる．したがって，手際よく短時間で手術を終了させることは，術後合併症の発生を防ぐうえで重要なファクターといえる．侵襲学の見地からも，無用に手術が長時間に及ぶことは避けるべきである．

# B 患者の評価および管理

## 1 口腔の評価

口唇，舌，歯，顎骨，顎関節，歯肉，頰粘膜，口蓋（硬口蓋，軟口蓋），口蓋垂，口腔底，唾液腺

開口部，扁桃腺などの形態，大きさ，左右対称性，発赤，腫脹，疼痛（自発痛，圧痛など），病変（腫瘍，潰瘍など）の有無を評価する．また開口量や歯の萌出状態，上下顎歯の咬合時の状況（咬合痛を含む）についても把握する．

　口腔粘膜は変化しやすいため病的状態（水疱，びらん・潰瘍，アフタ，紅斑，白斑，黄色斑，紫斑，血腫，出血，貧血，膿疱，腫脹・腫瘤・ポリープ，黒色や褐色などの色素異常，乾燥，萎縮，偽膜，剝離など）と正常状態を鑑別する．さらに口腔衛生状態（舌苔付着程度など），口腔乾燥，味覚異常，運動異常，摂食・嚥下障害についても評価する．全身疾患の口腔症状，血液疾患，自己免疫疾患などに関連する場合もあり，口腔領域だけでなく全身との関連から他科との医療連携を要することも考慮する．

## Ⓐ 口腔機能管理

　口腔健康管理の概念として，歯科医療従事者が行う口腔衛生管理と口腔機能管理に大別され，他領域の医療者，介護者，患者本人，保護者などが行う口腔ケアも含まれる．口腔機能管理は口腔の機能（咀嚼，嚥下，発音，感覚，唾液分泌など）が維持され，全身的に健康な状態を保つことが必要とされる．

　特に周術期においては，歯では残存歯の状態（数，治療の有無，動揺度など）を診察し，治療の必要性だけでなく，気管挿管時の喉頭展開操作による歯の損傷など有害事象を予防することに努める．必要に応じて修復治療，動揺歯固定，抜歯処置を行う．また摂食・嚥下障害に対しては食事の状況・環境（姿勢や体位，介助の有無など），食事の状態（形状，粘稠度，摂取エネルギーなど）についても評価し，誤嚥や低栄養のリスク予防に努める．特にがん化学療法や放射線治療では感染や合併症を起こしやすいため，口腔ケアや嚥下訓練，義歯や口腔内装置の清掃などにより感染源を除去・低減することが重要である．終末期では唾液分泌低下していることが多いため，清潔維持とともに保湿に努める．

# ② 術前の患者評価

## Ⓐ 病歴

### 1 ● 医療面接による病歴の聴取

　まず，医療面接による病歴の聴取を行う（→p.2）．

　手術前の患者評価では，現病歴とともに服用している薬を含めた全身的な既往歴の聴取が重要である．聴取した内容の中で，手術の内容とその侵襲，治療のために投与する薬の影響や相乗・相互作用など，問題となる点を抽出し，あらかじめその対応も考慮して手術計画，周術期管理の計画を立てる．ビスホスホネートや抗 RANKL 抗体などの骨吸収抑制薬は口腔外科手術による顎骨壊死を，抗血栓薬（抗血小板薬，表 3-2），抗凝固薬（表 3-3）は止血困難を，経口避妊薬は血栓症を起こすことがあるので，特に注意が必要である．

### 2 ● 身体所見

　患者の外観や体格に関する観察が含まれる．例えば，患者の姿勢や歩行，顔色，表情，体重の変化やバイタルサインなどを評価する．次に，頭部や顔面の形状，頭蓋骨の変形，目や耳の異常，口腔や歯の健康状態などを観察する．また，胸部の形状や運動能力，筋力，顎関節の可動域などや神経系の状態を評価する．例えば，脳神経の機能，反射の評価，感覚の異常の評価なども含まれる．

## Ⓑ 臨床検査

### 1 ● スクリーニング検査

　症状が現れていない患者に対して，疾病や機能の異常を見つける目的で行う検査をスクリーニング検査という．予測する疾病の罹患や発症の予測，その結果により診断のための追加検査の必要性を判断する材料となる．

#### a 血液検査

　血液学的検査では，① 赤血球沈降速度，② 血球検査（赤血球数，ヘモグロビン濃度，ヘマトクリット値，赤血球恒数，白血球数，血小板数），③ 凝固・線溶系検査（出血時間，PT，PT-INR，APTT，血漿フィブリノゲン），④ 輸血関連検査（血液型，交差適合試験）検査を行う．

　生化学検査では，① 酵素・アイソザイム〔AST

### 表3-2 抗血小板薬

- 血小板の凝集を阻害することで，白色血栓を作らないようにする薬剤

種類
① トロンボキサン，プロスタグランジンに関与するもの
1. COX-1阻害：バファリン®81mg，アスピリンなど
2. プロスタグランジン製剤：リマプロスト　アルファデクスなど
3. 魚油：エパデール®など
4. トロンボキサン合成酵素阻害薬
② cAMP，Caイオン濃度に関与するもの
1. チエノピリジン誘導体：パナルジン®，プラビックス®，チクロピジンなど
2. PDE3阻害：プレタール®など
3. 5-セロトニン受容体2拮抗薬：アンプラーグ®など
③ 最近の抗血小板薬
プラスグレル（エフィエント®），チカグレロル（ブリリンタ®）

### 表3-3 抗凝固薬

- 血液を固まらせないようにする医薬品（抗血栓治療薬）のうち，凝固系に対して作用するもの

種類
① 経口の抗凝固薬
　ビタミンK拮抗薬：ワルファリンカリウム（ワーファリン）
② 直接経口抗凝固薬（DOAC）：
　抗トロンビン薬：ダビガトラン（プラザキサ®）
　Xa阻害薬：リバーロキサバン（イグザレルト®），アピキサバン（エリキュース®），エドキサバン（リクシアナ®）
③ 注射用製剤
　ヘパリン類：
　　未分画ヘパリン（ノボ・ヘパリン，カプロシンなど）
　　低分子量ヘパリンおよび類似薬：ダルテパリン（フラグミン®，ヘパクロン®），エノキサパリン（クレキサン®），ダナパロイド（オルガラン®）
　合成抗トロンビン薬：アルガトロバン（スロンノン®，ノバスタン®，アルガトロバン注射液）
　合成Xa阻害薬：フォンダパリヌクス（アリクストラ®）

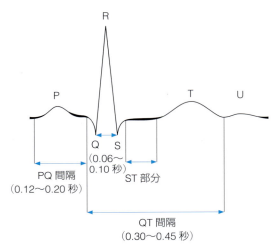

図3-3　心電図波形と部分の名称

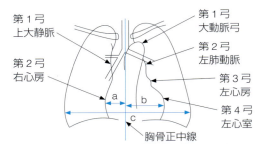

図3-4　胸部エックス線写真正面像と心胸郭比
心胸郭比（CTR）＝（a＋b：心横径）/（c：胸郭横径）×100（％）
CTR≦50％が正常

(GOT)，ALT(GPT)，乳酸脱水素酵素(LD)，アルカリホスファターゼ(ALP)，γ-GTP，コリンエステラーゼ(ChE)，クレアチンキナーゼ(CK)，心筋トロポニンT，脳性ナトリウム利尿ペプチド(BNP)〕，② 含窒素成分〔尿素窒素(UN)，クレアチニン(Cr)，尿酸(UA)〕，③ 糖代謝関連〔血糖，空腹時血糖，ブドウ糖負荷試験(75gOGTT)〕，HbA1c，④ 電解質・酸塩基平衡(Na，K，Cl，Ca)の検査を行う．

#### b　尿検査

正常な尿の色調は混濁がなく淡黄色〜淡黄褐色で，尿量は健康成人で500〜1,600mL/日である．pHは通常弱酸性（基準値6.0〜6.5）で，尿糖が陽性の場合，血糖値は180〜200mg/dL以上である．

#### c　心電図検査

心電図とは心臓の収縮で生じる心筋の活動電位を記録したもので，不整脈，心筋梗塞，狭心症，心室肥大などが診断できる．波形はP，Q，R，S，T，U波がある．P波は心房の興奮（脱分極），PQ間隔は房室伝導時間，QRS波は心室の脱分極，ST部分は心室興奮の極期，T波は心室筋の再分極を示す（図3-3）．

#### d　胸部エックス線写真

胸部エックス線写真での読影項目として，胸郭の形態・大きさ，心陰影の大きさ，肋骨の形態・間隔，肺野の明るさ・異常陰影，肺門陰影，肺紋

理，気管の太さ・位置，横隔膜の位置などがある（図3-4）．

心臓と胸郭との比（心胸郭比：CTR）が50％以上の場合には心拡大を疑う．

## 2 特殊検査
### a 呼吸検査

呼吸機能検査としてスパイロメトリがある．スパイロメトリとは呼吸時の呼気量と吸気量を測定する検査法であり，その結果の記録をスパイログラムという（図3-5）．呼吸の各位相で分画したものを肺気量分画という．健常者の1回換気量は400〜500 mLである．

### b 心機能検査

心機能の検査として胸部エックス線写真，負荷心電図，ホルター心電図，心臓超音波検査（心エコー検査）が挙げられる．

心電図では不整脈，心筋梗塞，狭心症，心室肥大などが診断できる．負荷心電図は，安静時心電図でST-T異常がみられた場合，および潜在性の虚血性心疾患を疑う場合に運動負荷試験を行い評価する．ホルター心電図は，短時間の心電図では異常がみられないが，不整脈，狭心症などを疑う場合に，24時間の心電図の記録を行う．心臓超音波検査（心エコー検査）は，心房や心室の大きさや壁の厚さ，弁の形態や動きなどがわかる．左心駆出率が測定でき，健常者の基準値は60〜80％，50％以下で心疾患の可能性がある．

### c 糖代謝機能検査

血糖の指標として，グリコヘモグロビン（HbA1c），空腹時血糖値，食後2時間血糖値がある．正常値はHbA1c＜6.9％，空腹時血糖＜130 mg/dL，食後2時間血糖値＜180 mg/dLである．血糖値50 mg/dLで低血糖となる．

### d 甲状腺機能検査

甲状腺機能亢進症ではサイロキシン（T4）やトリヨードサイロニン（T3）の分泌が促進するため，それぞれの遊離型が活性を有する．血液中の遊離型サイロキシン（FT4）と遊離型トリヨードサイロニン（FT3）を測定する．

### e 肝機能検査

肝機能検査として，ICG検査（インドシアニン・グリーン試験）がある．ICGは緑色の色素であり，肝臓でのみ取り込まれるため，排出の各過程の評

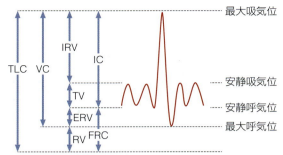

**図3-5 呼吸機能検査曲線（スパイロメトリ；肺気量分画）**

TLC（全肺気量），VC（肺活量）＝予備呼気量＋最大吸気量，TV（1回換気量）＝最大呼気量－1回換気量，ERV（予備呼気量）＝肺活量－最大吸気量，RV（残気量）＝全肺気量－肺活量，FRC（機能的残気量）＝予備呼気量＋残気量，肺活量→成人男性約3,500 mL成人女性約2,500 mL，安静1回換気量→約500 mL，死腔の容積→約150 mL，予備呼気量→約1,500〜3,000 mL，予備呼気量→約1,100〜1,500 mL，残気量→約1,000〜1,200 mL，安静1回換気量→約500 mL，機能的残気量→安静呼気後の肺内に残っている空気量（予備呼気量＋残気量），成人男子肺活量→3,500〜4,000 mL，1秒率基準値→70％以上，予備吸気量→安静吸息後の努力吸気量

価が可能である．基準値は血中停滞率10％以下（15分値）である．

### f 腎機能検査

腎機能検査として，クレアチニン・クリアランス（CCr）が挙げられる．CCrとはクレアチニンの排出能力を表すものであり，基準値は91〜130 mL/分である．CCrから糸球体濾過率（eGFR）を求めることができる．

### g 血液凝固機能

血液凝固機能の検査には，出血時間，PT，PT-INR，APTT，血漿フィブリノゲンが挙げられる．

出血時間は耳朶を穿刺して測定するDuke法（基準値1〜3分），前腕を穿刺して測定するIvy方法（基準値1〜5分）がある．

凝固異常のスクリーニング検査として，PT（プロトロンビン時間）とAPTT（活性化部分トロンボプラスチン時間）を組み合わせて行う．PTの国際標準比としてPT-INRを指標に用いる．基準値はPT 11〜13秒，APTT 27〜40秒，PT-INR 0.9〜1.1である．

# 3 周術期管理・有病者の管理

## A 循環器系に問題がある患者

　周術期とは，手術が決定した外来から入院，麻酔・手術，術後回復，退院・社会復帰までの，患者の手術中だけでなく手術の前後を含めた一連の期間のことをいう．病院では安全な手術の実施のために周術期管理チームを編成して行われる．また，周術期外来を設けている病院も多く，手術が決定した時点から診療を担当する医師・歯科医師と多職種（麻酔科医・歯科麻酔科医・看護師・薬剤師・臨床工学技士・理学療法士・管理栄養士など）が入院・手術前から計画的に介入する．これらにより，手術前の休止薬（抗血栓薬・経口避妊薬など）の指示もれや検査の不備による手術延期の防止・術後の疼痛対策・早期離床，リハビリテーションによる術後合併症減少などの効果が期待される．

### 1 高血圧症

　収縮期血圧 140 mmHg 以上または拡張期血圧 90 mmHg 以上を高血圧といい，高血圧が持続するものを高血圧症という．血圧＝心拍出量×末梢血管抵抗である．高血圧の患者は治療による侵襲や麻酔薬によって循環動態が不安定になりやすく，血圧の変動で心筋虚血や血栓症を起こしやすい．そのため，血圧 180/110 mmHg 以上であれば緊急性のない外科処置は，延期の検討も必要である．

### 2 虚血性心疾患

　心筋の酸素需要量が酸素供給量を上回ると，心筋虚血となる．虚血性心疾患には，狭心症，心筋梗塞がある．狭心症は一過性の心筋虚血であり，心筋梗塞は血栓により閉塞が起こり，その部分領域への血流が遮断され心筋が壊死した状態である．
　狭心症は，安静時の心電図は正常だが，発作時には ST が低下する．発作時にはニトログリセリンの舌下投与を行う．狭心症の重症度は CCS（Canadian Cardiovascular Society）の分類で判断する（表 3-4）．
　心筋梗塞は，安静時でも心電図の波形異常を認めることがあり，発作時には ST が上昇する．急性心筋梗塞には専門医のもと血栓溶解薬の投与，経皮冠動脈形成術（PCI），冠動脈バイパス術（CABG）などが適応される．最終発作から 6 か月以内の口腔外科処置は避け，抗凝固薬を服用している場合には，出血傾向に注意し，伝達麻酔は避ける．
　心不全の評価には，New York Heart Association（NYHA）の分類がよく用いられる．Ⅲ度以上の患者に口腔外科処置を行う場合には，生体モニターと人員が整った施設で対応することが望ましい（表 3-5）．

表 3-4　狭心症の重症度分類（CCS）

| Class | |
|---|---|
| Ⅰ | 狭心症症状が日常の身体活動，例えば通常の歩行や階段昇降などでは起こらないが，仕事，レクリエーションの活動が激しいか，急速，または長引いたときに生じる |
| Ⅱ | 日常の身体活動がわずかながら制限される．急いで歩いたり，階段を上ったり，上り坂を歩いたり，食後や寒冷，強風や精神的ストレスがあるとき，起床後 2 時間以内の歩行あるいは階段昇降で発作が起こる．通常の状態で 2 ブロック（200m）の平地歩行や 1 階分をこえる階段を上れない |
| Ⅲ | 日常の身体活動は著しく制限される．ふつうの速さ，状態で 1～2 ブロック以上の平地歩行や 1 階分の階段上昇で発作が起こる |
| Ⅳ | いかなる動作も症状なしにはできない．安静時にも症状が出現する |

〔Lucian C：Letter：Grading of angina pectoris. Circulation 54：522-523, 1976 より〕

表 3-5　ニューヨーク心臓協会（NYHA）の心不全分類

| NYHA Class | 定義 |
|---|---|
| Ⅰ | 心疾患はあるが身体活動に制限はない．日常的な身体活動で疲労，動悸，呼吸困難あるいは狭心痛を生じない． |
| Ⅱ | 軽度の身体活動の制限がある．安静時には無症状．日常的な身体活動で疲労，動悸，呼吸困難あるいは狭心痛を生じる． |
| Ⅲ | 高度な身体活動の制限がある．安静時には無症状．日常的な身体活動以下の労作で疲労，動悸，呼吸困難あるいは狭心痛を生じる． |
| Ⅳ | 心疾患のため，いかなる身体活動も制限される．心不全症状や狭心痛が安静時にも存在する．わずかな労作でこれらの症状は増悪する |

表3-6 成人におけるIEの基礎心疾患別リスクと、歯科口腔外科手技に際する予防的抗菌薬投与の推奨とエビデンスレベル

| IEリスク | 推奨クラス | エビデンスレベル |
|---|---|---|
| 1. 高度リスク群(感染しやすく,重症化しやすい患者)<br>・生体弁,機械弁による人工弁置換術患者,弁輪リング装着例<br>・IEの既往を有する患者<br>・複雑性チアノーゼ性先天性心疾患(単心室,完全大血管転位,ファロー四徴症)<br>・体循環系と肺循環系の短絡造設術を実施した患者 | I | B |
| 2. 中等度リスク群(必ずしも重篤とならないが,心内膜炎発症の可能性が高い患者) | | |
| ・ほとんどの先天性心疾患[*1]<br>・後天性弁膜症[*2]<br>・閉塞性肥大型心筋症<br>・弁逆流を伴う僧帽弁逸脱 | IIa | C |
| ・人工ペースメーカ,植込み型除細動器などのデバイス植込み患者<br>・長期にわたる中心静脈カテーテル留置患者 | IIb | C |

エビデンス評価の詳細は「CQ4:高リスク心疾患患者に対する歯科処置に際して抗菌薬投与はIE予防のために必要か?」参照
[*1] 単独の心房中隔欠損症(二次孔型)を除く
[*2] 逆流を伴わない僧帽弁狭窄症ではIEのリスクは低い
IE:感染性心内膜炎
〔日本循環器学会.感染性心内膜炎の予防と治療に関するガイドライン(2017年改訂版).https://www.j-circ.or.jp/cms/wp-content/uploads/2020/02/JCS2017_nakatani_h.pdf.2024年2月閲覧〕

表3-7 Hugh-Jones分類

| | |
|---|---|
| I度 | 息切れを感じない,もしくは同年齢の健常者と同様に仕事ができ,歩行,登山あるいは階段の昇降も健常者と同様に可能である |
| II度 | 同年齢の健常者と同様に歩くことに支障ないが,坂や階段は同様に上れない者 |
| III度 | 50m以上休まずに歩けるが1kmも歩けない,あるいは平地でも健常者なみに歩くことができないが,自己のペースなら1km以上歩ける者 |
| IV度 | 50m以上歩くのに一休みしなければ歩けない者 |
| V度 | 話したり,着物を脱ぐのにも息切れがして,そのため屋外に出られない者 |

〔Fletcher CM:The clinical diagnosis of pulmonary emphysema;an experimental study. Proc R Soc Med 45:577-584, 1952〕

### 3 心臓弁膜症

心臓の弁の機能障害を心臓弁膜症という.弁の開口が悪く血流が妨げられる状態を「狭窄」,弁の閉鎖が悪く血流の逆流がみられる状態を「閉鎖不全」という.

心臓弁膜症は感染性心内膜炎の原因となりやすいため,外科処置(抜歯,歯周外科手術,インプラント手術,スケーリング,感染根管処置など)を行う際,抗菌薬の予防投与が推奨されている(表3-6).

### 4 ペースメーカー

ペースメーカーとは,心臓が自力で規則正しいリズムの拍出ができない場合や高度の徐脈で使用される.適応は完全房室ブロック,高度房室ブロック,洞機能不全症候群などが挙げられる.電気メスの使用には注意が必要である.

## B 呼吸器系に問題がある患者

### 1 肺

慢性閉塞性肺疾患(chronic obstructive pulmonary disease;COPD)とは,喫煙などによる有害物質の吸入により発症する肺の炎症性疾患である.症状は,労作時の呼吸困難,息切れ,慢性の咳,痰などが挙げられる.歯科治療は臥位を避け,座位あるいは半座位で,パルスオキシメーター装着下で行う.

### 2 気管支

気管支喘息とは,気道の閉塞性疾患である.症状は,発作性の咳,喘鳴,呼吸困難などが挙げられる.また,気管の収縮と気道過敏性が亢進し,1秒率が低下する閉塞性換気障害である.I型アレルギーに分類され,炎症によりヒスタミンやセロトニンの遊離が生じる.非ステロイド性抗炎症薬(NSAIDs)やアセトアミノフェンはアスピリン喘息を誘発する可能性があるため注意する.

### 3 リスク患者の同定

基本的な呼吸機能の評価にはHugh-Jones(ヒュー・ジョーンズ)分類(表3-7)が有用である.Hugh-Jones分類は障害の程度がI度からV度にかけて重度になり,III度以上の場合には外科処置後の呼吸器合併症の発症が高くなるため注意

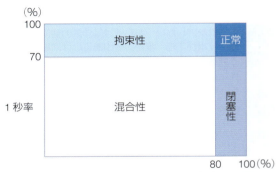

図 3-6　スパイロメトリによる肺換気障害の分類

表 3-8　Child-Pugh 分類

| スコア | 1 | 2 | 3 |
|---|---|---|---|
| 肝性脳症 | なし | 軽度（Ⅰ～Ⅱ度） | ときどき昏睡（Ⅲ度以上） |
| 腹水 | なし | 少量 | 中等度 |
| 血清ビリルビン値（mg/dL） | <2 | 2～3 | >3 |
| 血清アルブミン値（g/dL） | >3.5 | 2.8～3.5 | <2.8 |
| プロトロンビン活性値（%） | >70 | 40～70 | <40 |

各スコアの合計で診断．Grade A：5～6 点，Grade B：7～9 点，Grade C：10～15 点

が必要である．
　また，スパイロメトリは換気障害が評価でき，1 秒率が 70％未満の場合を閉塞性換気障害という（図 3-6）．

### C 腎機能に問題がある患者

　腎機能評価には CCr，推算糸球体濾過量（値）（estimated glomerular filtration rate；eGFR）を用いる．
　腎機能障害は急性腎障害（acute kidney injury；AKI）と慢性腎臓病（chronic kidney disease；CKD）に分けられる．腎機能障害の場合には，腎機能に影響する薬剤は避けるか減量して使用する．主な症状は，易感染性，低タンパク血症，ネフローゼ，糸球体腎炎，高血圧，高カリウム血症，不整脈，貧血，骨代謝障害などが挙げられる．透析患者の場合，観血的処置は透析翌日に行う．

### D 肝機能に問題がある患者

　肝機能の評価には ALT，AST といった肝細胞逸脱酵素の数値を用いる．肝予備能の評価には Child-Pugh（チャイルド・ピュー）分類（表 3-8）を用いる．
　肝機能障害には，急性肝機能障害と慢性肝機能障害に分けられる．急性肝機能障害にはウイルス性肝炎や薬物性肝炎があり，症状としては代謝機能低下，合成機能低下，排泄機能低下などが挙げられる．慢性肝機能障害には慢性肝炎や肝硬変があり，症状としては，出血傾向，易感染性，創傷治癒不全，薬剤の作用増強，薬剤代謝の低下，全身性浮腫などが挙げられる．

### E 内分泌機能に問題がある患者

#### 1 糖尿病

　糖尿病とはインスリンの不足と末梢組織での糖利用が低下する代謝性の疾患である．1 型糖尿病と 2 型糖尿病があり，1 型はインスリン依存型で 2 型はインスリン非依存型である．症状は，口渇，多飲，多尿，体重減少，易感染性，易出血性，創傷治癒遅延などが挙げられる．外科処置は空腹時を避け，コントロール不良患者へのアドレナリンの使用は避ける．

#### 2 甲状腺疾患

　甲状腺ホルモンの分泌量により，分泌過剰を甲状腺機能亢進症，分泌低下を甲状腺機能低下症という．甲状腺機能亢進症（Basedow 病）は Merseburg（メルゼブルク）の 3 徴候（頻脈，眼球突出，び漫性甲状腺腫）を特徴とする．外科処置の際の交換刺激を伴うストレスにより，甲状腺クリーゼが生じることがあり，その際の症状は高体温，頻脈，高血圧，また意識レベルの変化に注意する．アドレナリン，ヨードの使用は避ける．甲状腺機能低下症は甲状腺の機能が低下し，基礎代謝が低下した状態であり，慢性甲状腺炎（橋本病），クレチン病などがある．

#### 3 副腎皮質疾患

　副腎皮質機能障害には Cushing（クッシング）症候群，副腎皮質機能低下症に Addison（アジソン）病がある．Cushing 症候群は副腎皮質ホルモンの分泌が過剰な状態であり，肥満，多毛症，満月様

顔貌，糖尿病，高血圧などを呈する．Addison病は副腎皮質刺激ホルモンの分泌が低下した状態であり，血中コルチゾール，アルドステロン減少に伴い全身倦怠感，低血糖，低血圧を呈し，副腎皮質刺激ホルモン分泌低下に伴いメラニン色素の沈着を呈する．急な副腎皮質機能の低下により副腎クリーゼを生じることがあるため，外科処置の際にはステロイドカバーを検討する．

### F 消化器系に問題がある患者

消化器は消化管（口腔，咽頭，食道，胃，十二指腸，小腸，大腸，直腸，肛門），肝臓，胆囊，膵臓，唾液腺からなる．投薬の際，NSAIDsには消化管粘膜出血，潰瘍の副作用があるため，胃粘膜障害や胃障害に注意が必要である．

## 4 術後管理と合併症への対応

術後の患者管理は，手術部位以外に循環器系，呼吸器系の管理はもちろん，手術直後はモニタ監視下に患者の全身状態を把握し，偶発症発症の予防にも注意を払う必要がある．術後の回復室では，意識レベル，脈拍，血圧，呼吸状態（SpO$_2$），体温といったバイタルサインの継続的な観察と評価を行う．観察間隔は基本的に術直後から1時間までは15分ごと，それ以降は30分〜1時間ごとにチェックするが，患者の状態に合わせて随時調整するべきである．その他の観察項目として，疼痛，呼吸音，腸音，悪心の有無，創部の状態，ドレーン類などがある．

### A 呼吸器系合併症

口腔外科手術の場合，その多くは術野と気道が同一であることから，術前に呼吸器障害のない症例においても低酸素血症，肺炎，気道閉塞などの術後呼吸器合併症を発症する可能性がある．術後回復室で患者が完全覚醒するまでは，酸素マスクによる酸素投与，胸部聴診，パルスオキシメトリによるモニタリングを実施する．

#### 1 低酸素血症

全身麻酔薬，筋弛緩薬の遷延や麻薬による呼吸抑制，シバリング（術後の震え）による酸素消費量増加，浮腫による気道狭窄，低換気，無気肺，気道閉塞などによって発症する．喘鳴，異常呼吸，チアノーゼなどを認める場合，すでに低酸素血症に陥っている可能性が高いため，早急な原因探索と対応が必要である．低酸素血症の重篤化は，肺動脈圧を上昇させ心不全をきたす可能性があるため，高齢者や心臓に基礎疾患がある患者では注意が必要である．

#### 2 低換気

全身麻酔薬や麻薬による呼吸抑制，意識レベルの低下，気道狭窄，疼痛，肥満などによる分時換気量の低下によって高炭酸ガス血症（呼吸性アルカローシス）を生じる．高炭酸ガス血症の長期化は，中枢神経系の抑制による傾眠や昏睡をきたし（CO$_2$ナルコーシス），CO$_2$刺激による換気応答を低下させる．このときの呼吸応答は低酸素による刺激のみとなっているため，その状態で高濃度酸素を吸入させると呼吸刺激がなくなり，逆に低換気状態または呼吸停止を生じさせる．

#### 3 気道閉塞

口腔外科領域では，術後の創部出血，舌や口底の浮腫，手術に伴う形態的・機能的変化などによって気道閉塞を生じやすい．また，全身麻酔薬や麻薬の影響による呼吸抑制と舌根沈下，反回神経麻痺や粘稠な分泌物などによっても生じる．上気道閉塞では，吸気時に甲状軟骨や気管が下方に牽引され，胸骨上窩が陥凹するトラキアルタグ（気管タグ）や胸腹部の協調運動が障害される奇異呼吸を認める．上気道閉塞を生じた場合，すみやかな閉塞の解除，または，通常の気道確保が困難な場合は，外科的緊急気道確保を行う（→p.78）．

#### 4 誤嚥性肺炎

術後の口腔内の形態的・機能的変化によって，一過性の咀嚼・嚥下障害をきたし，誤嚥性肺炎を生じることがある．特に胃内容物の誤嚥によって生じる急性の化学性肺炎であるMendelson（メンデルソン）症候群は，pHの低い胃酸と消化酵素により，肺組織の間質性変化を生じさせる重篤な肺炎を示す．合併症として急性呼吸窮迫症候群（acute respiratory distress syndrome；ARDS）を発症することが多いため，注意が必要である．致死率も50％と高い．

## 5 呼吸器合併症の予防

　高齢者，呼吸器疾患患者，肥満，喫煙者は，術後の呼吸器合併症を発症するリスクが高いため，必要に応じて術前から呼吸訓練を実施することが望ましい．患者が喫煙者の場合には，術前から禁煙指導を行うべきである．術前の禁煙期間は長期であるほうが効果は大きく，予定手術では，術前4週間以上の禁煙期間を設けることが強く推奨されているが，緊急性の高い手術においては，禁煙期間を確保するための手術延期は行うべきではない．

　一般的に全身麻酔後は肺活量が低下し，無気肺を生じやすいため，ギャッチアップにより上体を15〜30度起こして肺を膨らみやすくさせる．術後に創部痛などで喀痰が困難な場合には，疼痛コントロールと痛みの少ない咳嗽法の指導，去痰剤の加湿吸入，痰の吸引を行う．また，早期離床も呼吸器合併症の予防に効果的である．

## B 循環器系合併症

### 1 血圧上昇（異常高血圧）

　手術侵襲に伴うカテコールアミン濃度の上昇，創部痛，過度の輸液・輸血，高炭酸ガス血症，低酸素血症，高血圧の既往などが原因となる．高血圧状態が続くと，心筋の酸素消費量増加による心筋虚血，心不全，脳血管障害，術後出血などの原因となるため，血圧上昇に対する原因探索と適切な血圧コントロールが必要である．

### 2 血圧低下

　出血などによる循環血液量の減少，全身麻酔薬の遷延，末梢血管拡張，心不全，薬物アレルギー，急激な体位変換，人工呼吸器による陽圧換気などで生じる．心機能に注意しながら細胞外液量の補正と尿量を確認し，原因に対する治療を行う．

### 3 心筋虚血

　基礎疾患に高血圧症，糖尿病，脂質異常症，高齢者，虚血性心疾患の既往のある患者では発症のリスクが高いため注意が必要である．頻脈や高血圧による心筋酸素消費量の増加に起因した心筋酸素需給のアンバランス，冠血流量低下などによって心筋虚血が生じる．胸痛，心電図上でのST変化，不整脈などを認め，心筋虚血を疑う場合には，12誘導心電図検査を実施・解析し，必要に応じて酸素と冠血管拡張薬の投与を行う．症状に改善が認められない場合には，すみやかに循環器専門医のいる高次医療機関へ搬送する．

## C 神経系合併症

### 1 せん妄，不穏

　手術ストレス，薬物の使用，慣れない入院環境などによって発症する意識，認知機能，知覚，注意が障害される病態である．せん妄は一過性で，術後比較的早期（数時間〜数日以内）に認められることが多い．意識障害としては，清明度の低下，昏睡，周囲認識の低下を生じる．認知機能障害では，記憶障害，言語障害，見当識障害などを生じる．知覚障害としては，錯覚，幻覚，妄想，誤解などを生じる．せん妄では，患者による気管チューブの自己抜管，輸液チューブやカテーテルなどの自己抜去に至ることがあるため，入院中のストレス緩和，睡眠・覚醒リズムの改善，チューブ類の固定法と管理の工夫，注意深い観察などを行う．高齢，認知障害，抑うつ状態，不眠，疼痛などもせん妄のリスク因子である．

### 2 脳血管障害

　脳血流は通常，自動調節能により平均動脈圧50〜150 mmHgの範囲では一定に保たれるが，慢性高血圧症患者ではこの予備力の範囲，特に下限が高値方向にシフトしているため，低血圧で脳虚血，異常高血圧で脳血管の破綻をきたす可能性がある．術後に患者の意識レベル，左右瞳孔の大きさ，対光反射，発語などに異常がないか，四肢の感覚・運動に麻痺がないかを確認する．異常を認める場合にはすみやかに脳神経外科専門医のいる高次医療機関へ搬送する．

### 3 術後認知機能障害

　術後認知機能障害（postoperative cognitive dysfunction；POCD）は，全身麻酔手術後に生じる長期的な脳機能障害である．術後高次脳機能障害とも呼ばれ，記憶障害，失語，失行，失認，半側空間無視，遂行機能障害などを生じる．通常，POCDは可逆的と考えられているが，長期化する症例も存在する．術後3か月のPOCD発生率

は10〜15％で高齢者に多い．長期化するPOCDは，患者のQOLを低下させ，死亡率増加にも関連することから，患者予後に影響を与える重大な術後合併症の1つである．

### D 腎関連合併症

全身麻酔手術後は体液バランスが大きく変化し，特に循環血液量は出血，不感蒸泄，手術侵襲に伴う細胞外サードスペースへの水分移行で減少する．腎不全などの合併症予防のため，術後の尿量は0.5〜1 mL/kg/時以上を確保できるように管理する必要がある．尿量が0.5 mL/kg/時以下に減少することを乏尿，1日あたりの尿量が100 mL以下に減少することを無尿という．

術後尿量減少の原因として，腎前性（循環血液量減少，低血圧など），腎性（急性尿細管壊死，急性進行性糸球体腎炎，麻酔薬の影響など），腎後性（導尿カテーテルの屈曲，尿路閉塞など）に分類される．術後に尿量減少を認める場合には，導尿カテーテル屈曲の有無の確認と十分な輸液が行われているかを確認する．それでも尿量に改善が認められない場合には，利尿薬の使用を検討する．

### E 静脈血栓塞栓症（VTE）

深部静脈血栓症（DVT）と肺血栓塞栓症（PTE）は，静脈系で形成された血栓が右心から肺動脈へと入り，血管を閉塞（塞栓）させる一連の病態であることから，静脈血栓塞栓症（VTE）と総称される．VTE発症のリスク因子には，VTEの既往，長期臥床，肥満，高齢，妊娠，下肢静脈瘤，下肢の麻痺，経口避妊薬の内服などがある（表3-9）．発症リスクに応じて可及的早期の離床と身体運動，弾性ストッキング着用，下肢に巻いたカフに空気を間欠的に送入して下肢を圧迫マッサージする間欠的空気圧迫法（フットポンプ），低用量未分画ヘパリンや用量調節ワルファリンカリウムによる抗凝固療法を適用して発症を予防する．

### F 糖尿病

手術による外科的侵襲が加わることで，炎症性サイトカインの放出と交感神経系が賦活化され，アドレナリン，グルカゴン，コルチゾールなどのストレスホルモンが放出される．これらは，抗インスリン作用をもつとともに末梢性のインスリン

**表3-9 VTEの付加的な危険因子の強度**

| 危険因子の強度 | 危険因子 |
|---|---|
| 弱い | 肥満<br>エストロゲン治療<br>下肢静脈瘤 |
| 中等度 | 高齢<br>長期臥床<br>うっ血性心不全<br>呼吸不全<br>悪性疾患<br>中心静脈カテーテル留置<br>癌化学療法<br>重症感染症 |
| 強い | VTEの既往<br>血栓性素因<br>下肢麻痺<br>ギプスによる下肢固定 |

血栓性素因：アンチトロンビン欠乏症，プロテインC欠乏症，プロテインS欠乏症，抗リン脂質抗体症候群など
〔日本循環器学会．肺血栓塞栓症および深部静脈血栓症の診断，治療，予防に関するガイドライン（2017年改訂版）．https://www.j-circ.or.jp/cms/wp-content/uploads/2020/02/JCS2017_ito_h.pdf．2024年2月閲覧〕

抵抗性を亢進させる．また，肝臓での糖の合成やグリコーゲンの分解促進，インスリン分泌の低下を引き起こし，血糖値を上昇させる．通常，術後の高血糖状態は自然に適正化されるが，基礎疾患として糖尿病が併存している場合，術後感染や創傷治癒不全などの合併症を引き起こす可能性があるため，周術期を通して厳格な血糖コントロールが必要である．

#### 1 ● 1型糖尿病

インスリンの絶対的欠乏が病態であるため，インスリン自己注射が不可欠である．経口摂取あるいは経管栄養が可能となるまでは血糖管理が必要となる．普段の中間型インスリン量の半量を手術当日朝と術後の2回に分けて投与し，ブドウ糖輸液を行いながら定期的に血糖値をチェックし，必要に応じて速効型のインスリンを追加投与する．

#### 2 ● 2型糖尿病

インスリンの分泌低下が主体なもの，または，インスリンの抵抗性が主体でインスリンの相対的不足を伴う病態である．基本的に食事療法のみでコントロールされている患者の場合，血糖コントロールは特に必要ない．経口血糖降下薬を内服中

の患者では，手術の前日に投与を中止する．術後経口摂取が開始されるまでは，インスリンによる血糖管理を行い，経口摂取可能になりしだい，経口血糖降下薬を再開する．インスリン注射を行っている患者では，原則としてグルコースの点滴静注とともに，速効性インスリンの静脈投与を行う．

### 3 術後血糖管理

術後の定期的な血糖値，酸塩基平衡，電解質，尿糖などの観察を行う．現在の米国糖尿病学会（American Diabetes Association；ADA）では，周術期の血糖コントロールは，140（144）〜180 mg/dL を推奨目標血糖としている．

## G 局所の術後管理

### 1 ドレーンの管理

能動ドレーン（持続吸引ドレーン）は，陰圧をかけて排液を行うため，ドレナージ効果が高く，排液の逆行性感染を生じにくい利点がある．排液の性状，色調，量について経時的に観察を行う．排液の色調は，術直後から 24 時間程度は赤色であるが，次第に血清成分が多くなるため黄色透明に変化する．排液量が 100 mL/時を超える場合には，術後出血の可能性があるため，創を開放して止血処置を検討する．排液に独特な臭気と色（膿）を認める場合には創部感染を疑う．

### 2 後出血

頭頸部手術では，後出血による血腫形成や腫脹によって気道狭窄や上気道閉塞を起こすことがある．出血に伴う気道トラブルは急速に発症するため，術後数日間は呼吸管理に注意が必要である．出血部位が特定でき，気道に問題がない場合には，ただちに止血処置を行う．気道の狭窄や閉塞を認め，エアウェイを用いた気道確保や気管挿管が困難な場合には，躊躇せずに外科的緊急気道確保を行う（→p.78）．後出血に対しては，出血量に相当する輸液管理を行うが，血液検査の結果を参考に必要に応じて輸血も検討する．

### 3 術後感染

術後の手術部位感染（surgical site infection；SSI）は，重篤化すると敗血症を発症し，患者の予後に重大な影響を与える．患者に糖尿病，栄養不良，免疫力低下などがある場合は，SSI のリスクが高い．また，創部の止血不備，血腫や死腔の存在，創部の汚染などもリスク因子となる．術後 4〜5 日以降から創部の腫脹や発赤，疼痛，発熱などの臨床所見が認められる場合には術後感染を疑う．血液生化学検査での炎症マーカーの異常値，CT や MRI による画像検査での膿瘍形成を認める場合には，感染部の切開，排膿，ドレナージを施行し，別の抗菌薬の投与を検討する．また，採取された膿から細菌培養検査を行い，起因菌の同定と感受性の高い抗菌薬に変更する．

##  栄養管理

### 1 周術期の栄養管理

手術は治療を目的として意図的に生体に侵襲を加える治療であるが，生体はこの物理的侵襲に対して恒常性（ホメオスタシス）を維持するために，さまざまな生体反応を引き起こす．この生体反応は，局所で産生されるサイトカイン系，視床下部-下垂体-副腎皮質系，自律神経系（交感神経-副腎髄質系）で形成され，各種臓器や代謝に変化を生じさせる．生体反応による恒常性維持，または，創傷治癒に必要なエネルギー源は，肝臓でのグリコーゲン分解，筋タンパク分解によるアミノ酸からの糖新生と脂肪の分解によって供給されるため，術中，術後においても適切な栄養管理がなされない場合，生体機能の維持に問題を生じることとなる．

口腔外科手術の多くは予定手術であるため，患者の術前栄養評価，周術期栄養管理には時間的余裕があることが多い．しかし，疾患，特に口腔癌の治療においては，化学療法，放射線療法に起因する口腔粘膜炎や食欲不振により，術前から経口摂取が不十分または不可能な状態であり，患者が低栄養状態に陥っていることもある．また，術野が口腔であるため，術後しばらくの間，患者は経口摂取困難や嚥下障害の状況が続くことも多い．周術期における栄養状態不良（低栄養状態）は，手術侵襲によるエネルギー源の減少，タンパク質の減少，免疫力低下などと相まって，さまざまな術後合併症，創傷治癒不全，予後不良などを惹起す

る可能性が高く，適切な栄養管理が必要となる．

### A 術前・術後の栄養管理

健常成人を対象とした手術では，多くの場合，術前の栄養状態に問題はなく，特別な管理を必要とすることは少ないが，口腔癌患者の場合，がん性疼痛，摂食嚥下障害，口腔粘膜炎，悪液質による食欲不振や吸収障害などが原因で栄養不良に陥りやすいため，術前からの評価と栄養管理が必要である．術前に栄養不良がなく，早期に経口摂取の開始が可能である患者の場合，術後の栄養管理を必要としない．しかし，術前の栄養不良，併存疾患による臓器機能低下，術後合併症による栄養摂取困難，サルコペニア，フレイルを認める患者の場合，可能な限り早期に栄養療法を開始する．

ただし過栄養状態では，酸素消費量が増大し，肝臓での脂肪合成を促進させることで免疫機能が抑制されるため，避けなくてはならない．また，術直後は，ストレスによる肝臓での糖新生によって，通常のグルコース産生が2倍となるため，血糖値のモニタリングなども必要である．術前の評価で低栄養リスクがある場合には，1～2週間の栄養管理を行い，栄養状態の回復を待って手術を計画する．

### 2 栄養状態の評価法

患者の栄養状態の評価には，術前の病態・病状を十分理解して評価を行う．また，栄養療法が適切かつ効果的に行われているかを判断するためにも，栄養評価は必要不可欠である．栄養評価は，複数の栄養に関する指標，臨床指標などを組み合わせて多角的に実施する．実際には，病歴，栄養歴，理学的所見，身体計測値，臨床検査データなどを活用して評価を行う（表3-10）．

### 3 栄養の補給法（栄養剤投与経路の選択）

術前・術後における栄養療法には，経腸栄養と経静脈栄養に分類される．腸の機能が残存していて，腸管での消化・吸収が可能である場合には，経口摂取，経腸栄養の選択が基本となる．経腸栄養は経静脈栄養に比べて消化管本来の生理的な栄養の消化吸収機能で，腸管粘膜の恒常性と腸管免

**表3-10 栄養評価のための項目**

- 病歴
  現病歴，既往歴，手術歴，内服薬，社会経済的状況など
- 栄養歴
  食欲・食事内容・摂取量の変化，体重変化，消化器症状，嗜好，食物アレルギーなど
- 身体診察
  浮腫，腹水，特定の栄養素欠乏に関連した所見など
- 身体計測
  身長，体重，BMI，上腕周囲長，上腕三頭筋部皮下脂肪厚，上腕筋囲長，握力，筋力など
- 生化学検査
  アルブミン，RTP（rapid turnover protein），トランスフェリン，トランスサイレチン，レチノール結合タンパク（RBP），肝機能検査，腎機能検査など
- 生体電気インピーダンス法（BIA），エックス線骨密度検査（DEXA）
- 間接熱量測定
- 身体機能評価
  呼吸機能，嚥下機能，ADLなど

〔日本静脈経腸栄養学会（編）：静脈経腸栄養ガイドライン第3版．p7，照林社，2013より〕

疫系の機能も維持される．経腸栄養が不可能な場合や，経腸栄養のみでは必要な栄養量を投与できない場合に経静脈栄養が適応となる．

口腔外科領域手術の術後では，経口摂取が困難な場合が多いため，経鼻胃管栄養が選択されることが多い．経鼻胃管栄養療法では，胃管の気管内への誤挿入，胃管先端による消化管穿孔，嚥下障害による誤嚥，嘔吐，胃管の汚染による誤嚥性肺炎や中耳炎の発症，胃管からの薬剤投与時の目詰まり，鼻翼固定部の圧迫壊死などの合併症に注意が必要である．

### 4 経腸栄養剤の種類

経腸栄養剤は，消化管が機能している場合には経口または経管的に，糖質，タンパク質，脂質，電解質，ビタミンおよび微量元素などの栄養素を栄養管理目的に胃や小腸に投与する．経腸栄養の特徴として，①消化管を利用する生理的な投与方法である，②高カロリー（1.0 kcal/mL以上）の投与が可能，③管理が比較的容易，④代謝上の合併症が少ない，⑤腸管の機能を維持でき，バクテリアルトランスロケーションの抑制が可能，⑥経済的，が挙げられる．経腸栄養剤の種類には，組成により半消化態栄養剤，消化態栄養剤，

成分栄養剤に分類される（表3-11）．

## D 救急蘇生法

　歯科医療従事者であっても緊急時対応，特に救急蘇生法の知識や技能の修得は必要不可欠である．『救急蘇生ガイドライン』は国際標準化を目的とし，国際蘇生連絡委員会（International Liaison Committee on Resuscitation；ILCOR）において科学的根拠に基づいて5年ごとに改訂作業が行われている．わが国でも日本蘇生協議会（Japan Resuscitation Council；JRC）が参加し，『JRC蘇生ガイドライン』を5年ごとに公表している．常に最新のガイドラインを確認し，質の高い救急蘇生法が実施できるように，定期的な講習会やトレーニングを受けることが，安全な医療の確保と提供するためには重要である．

　また，口腔外科領域では，頭頸部の外傷や炎症，術後の浮腫，出血などによって上気道閉塞を起こすことも決してまれではない．常に上気道閉塞のリスクがあることを念頭に置き，患者評価法と緊急時対応法を知っておくべきである．

### 1 バイタルサイン

　バイタルサイン（vital signs）とは，バイタル「生命」，サイン「徴候」とも訳され，人間が生きている証となるものを指す．一般的には，「意識レベル」「脈拍」「血圧」「呼吸」「体温」の5項目を基本とするが，これに「尿量」を加えることもある．バイタルサインの観察は簡便かつ迅速に患者の容態を把握することが可能であるが，一度の測定のみで評価するのではなく，数分おきの経時的な測定を行って，患者の状態に変化がないかを観察することも重要である．

#### A 意識レベル

　短時間で簡便に意識障害と意識レベルの評価が行えるJapan Coma Scale（JCS，表3-12）やGlasgow Coma Scale（GCS）が日常的に用いられている．JCSは「Ⅰ：刺激しないでも覚醒している」，「Ⅱ：刺激で覚醒するが，刺激をやめると眠り込む」，「Ⅲ：刺激しても覚醒しない」の3つに分類され，さらにそれぞれ3段階に評価することから3-3-9度方式と呼ばれる．なお，意識が清明である場合には「0」と表現する．数字の桁が大きいほど重症である．

#### B 脈拍

　脈拍の触知は，一般的に橈骨動脈が用いられるが（図3-7），ショック状態などで血圧が低い場合（収縮期血圧60 mmHg以下）などでは，触知が困難であるため，総頸動脈で行う．成人の場合，60回/分以下が徐脈，100回/分以上が頻脈である．

#### C 血圧

　血圧とは，心臓から拍出された血液が血管壁にか

表3-11　経腸栄養剤の種類と特徴

| | | 半消化態栄養剤 | 消化態栄養剤 | 成分栄養剤 |
|---|---|---|---|---|
| 栄養成分 | 窒素源 | タンパク質，ポリペプチド | アミノ酸，ジペプチド，トリペプチド | アミノ酸 |
| | 糖質 | デキストリン | デキストリン | デキストリン |
| | 脂質含有量 | 20～30% | 25% | 1～2% |
| | 繊維成分 | 水溶性，不溶性繊維の添加あり | 無添加 | 無添加 |
| | 消化 | 必要 | 一部必要 | 一部必要 |
| | 吸収 | 必要 | 必要 | 必要 |
| 性状 | 残渣 | 少ない | きわめて少ない | きわめて少ない |
| | 浸透圧 | 比較的低い | 高い | 高い |
| | 味・香り | 比較的良好 | 不良 | 不良 |
| | 商品名 | ラコール®NF，エンシュア・リキッド®，アミノレバン®EN | ツインライン®NF | エレンタール®，エレンタール®P，ヘパンED® |

かる圧のことで，血圧を規定する因子は，心拍出量（心拍数×一回拍出量），全末梢（血管）抵抗，循環血液量，血液の粘性，血管の弾性の5つである．血圧の正常値は，診療室血圧で140 mmHg/90 mmHg未満，家庭血圧で135 mmHg/85 mmHg未満である．一般的には，収縮期血圧が90 mmHg未満，もしくは通常血圧より30 mmHg以上低下した場合にショック状態と診断される．

### D 呼吸

バイタルサインにおける呼吸の評価では，呼吸数，呼吸の深さ（換気量），呼吸リズム（パターン），呼吸音を観察する．健常成人の正常呼吸では，呼吸数12〜20回/分，1回換気量400〜500 mLで，規則正しいリズムで繰り返される．正常とは異なる呼吸リズムを認める場合（表3-13），心不全，電解質異常，中枢性疾患が疑わ れる．気道に狭窄がある場合には，笛声音，いびき音，喘鳴などを聴取する．

### E 体温

正常基準値は36.0〜37.0℃であるが，個人差が大きく計測の時間帯によっても変化する（早朝から夕方にかけて上昇）．臨床的には35.0℃以下が低体温，37.5℃以上が発熱である．体温と脈拍には相関があり，体温が約0.55℃上昇すると脈拍は約10回/分増加する．

## 2 一次救命処置
basic life support；BLS

一次救命処置（BLS）とは，突然発症した心停止，あるいは心停止に至る可能性が高い気道閉塞（窒息）や呼吸停止の傷病者に対して，専門的な医療機器（AED以外）や薬品を使用することなく，その場に居合わせた人が救急隊や医師が到着するまでの間に，傷病者の呼吸と循環をサポートする救命処置である．BLSはアルゴリズムに従って行われる．BLSアルゴリズムは，一般市民があ

表3-12　Japan Coma Scale（JCS，3-3-9度方式）

| I：刺激しなくても覚醒している | |
|---|---|
| 0 | 清明である |
| 1 | だいたい清明であるが，今ひとつはっきりしない |
| 2 | 見当識障害がある |
| 3 | 自分の名前，生年月日が言えない |
| II：刺激で覚醒するが，刺激をやめると眠り込む | |
| 10 | 普通の呼びかけで容易に開眼する |
| 20 | 大きな声または身体を揺さぶることにより開眼する |
| 30 | 痛み刺激を加えつつ呼びかけを繰り返すと，かろうじて開眼する |
| III：刺激しても覚醒しない | |
| 100 | 痛み刺激に対し，払いのけるような動作をする |
| 200 | 痛み刺激で少し手足を動かしたり，顔をしかめる |
| 300 | 痛み刺激に全く反応しない |

数字の桁が大きいほど重症

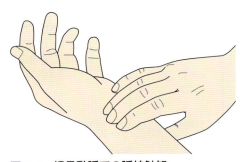

図3-7　橈骨動脈での脈拍触知
指3本（示指，中指，環指）を揃え寝かせて，橈骨動脈相当部に軽く当てる．

表3-13　呼吸リズムの異常と原因

| | 型 | 特徴 | 原因疾患 |
|---|---|---|---|
| Kussmaul呼吸 | 〜〜〜 | 連続した大きく深い呼吸 | 糖尿病性ケトアシドーシス，尿毒症など |
| Cheyne-Stokes呼吸 | 〜〜〜 | 呼吸の深さと回数が規則的に漸減し，無呼吸期と交互に出現する | 重症心不全，脳出血，低酸素血症など |
| Biot呼吸 | 〜〜〜 | 無呼吸と同じ深さの呼吸が交互に出現する | 脳炎，脳外傷，髄膜炎など |

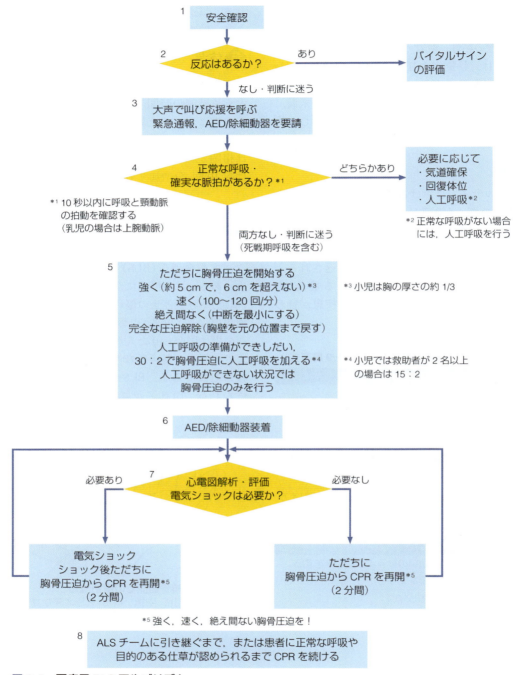

図 3-8　医療用 BLS アルゴリズム
〔日本蘇生協議会（監修）：JRC 蘇生ガイドライン 2020．p.51，医学書院，2021 より〕

らゆる年齢層の傷病者に対応する場合を想定して，内容の理解が容易で実施しやすいように作成されている．医療施設内で心肺停止を疑う傷病者に遭遇した医療従事者は，専用に作成された「医療用 BLS アルゴリズム」（図 3-8）に従って開始する．これには，胸骨圧迫と人工呼吸を組み合わせた心肺蘇生（cardiopulmonary resuscitation；CPR），マニュアルまたは自動除細動器（automated exter-

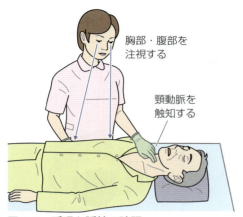

**図 3-9　呼吸と脈拍の確認**
胸部と腹部の動きを確認しながら頸動脈の触知をして呼吸と脈拍の有無を10秒以内に同時に評価する．

**図 3-10　回復体位**
上側の手を顎の下に入れ，頭部を後屈させる．顎先を軽く前に出して気道を確保する．上側の脚を屈曲させて倒れないようにする．

nal defibrillator；AED)による電気ショック，窒息に対する気道異物の除去が含まれる．

##  医療用 BLS アルゴリズム（図 3-8）

### 1 ● 安全の確認
傷病者と救助者の安全を確保するために，BLSを実施する場が安全であるかの確認を行う．

### 2 ● 反応の確認
傷病者の顔色，体動，呼吸などに異常がないかどうか見ながら，呼びかけに反応があるかを確認する．反応がない場合，または判断に迷う場合には心停止を疑う．反応がある場合には，バイタルサインの評価を行う．

### 3 ● 緊急通報
心停止を疑った場合，大声で応援を求め，AEDと緊急通報の要請を行う．

### 4 ● 心停止の評価
10秒以内に胸部と腹部の動きを注視して呼吸を確認し，頸動脈を触知して脈拍の有無を同時に評価する（図 3-9）．正常な呼吸と脈拍が確認できない場合（死戦期呼吸を含む），あるいは判断に迷う場合には，ただちにCPRを開始する．正常な呼吸と脈拍を触知する場合には，気道確保を行って回復体位（図 3-10）を保ち，ALS（二次救命処置）チームの到着を待つ．

### 5 ● 胸骨圧迫と人工呼吸：CPR
CPRは胸骨圧迫から開始する．胸骨圧迫は，胸骨の下半分（胸の真ん中）を約5 cmの深さで圧迫（ただし6 cmを超えない）し，1分間あたり100〜120回のテンポで絶え間なく圧迫する（図 3-11）．胸骨圧迫の後，胸壁が元の位置に戻るまで解除する．

人工呼吸は，感染防護可能なポケットマスク（図 3-12）またはバッグバルブマスク（BVM）を使用する（図 3-13）．準備ができしだい，1回1秒かけて胸が上がる程度の人工呼吸を2回行う．胸骨圧迫と人工呼吸の比率は30：2で実施する．

### 6 ● AED/除細動器の装着
除細動器が到着しだい，パッドを装着する．AEDまたは手動式除細動器いずれを使用する場合でも，心電図解析と評価が行われるまでは胸骨圧迫を継続する．

### 7 ● 心電図解析と評価
AEDを使用する場合，音声メッセージに従って操作する．心電図解析で電気ショックが必要な場合，患者に誰も触れていないかを確認してからショックボタンを押す．ショック後は，ただちに胸骨圧迫からCPRを再開する．心電図解析でショックが必要ない場合もただちに胸骨圧迫からCPRを再開する．

### 8 ● CPRの継続
CPRは，ALSチームに引き継ぐまで，または患者に正常な呼吸や目的ある仕草が認められるまで行う．

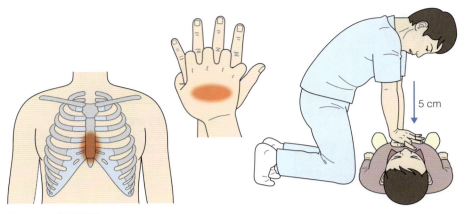

**図 3-11 胸骨圧迫**
胸骨の下半分の位置で約 5 cm の深さで圧迫(ただし 6 cm を超えない).1 分間に 100〜120 回のテンポで絶え間なく圧迫する.胸骨圧迫の後,胸壁が元の位置に完全に戻るまで圧迫を解除する.

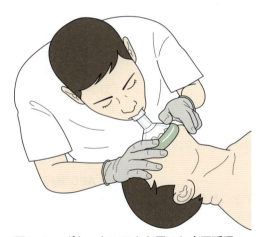

**図 3-12 ポケットマスクを用いた人工呼吸**

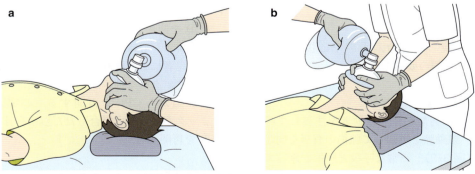

**図 3-13 バッグバルブマスクを用いた人工呼吸(a:1 人法,b:2 人法)**

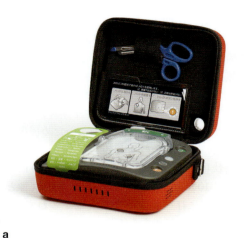
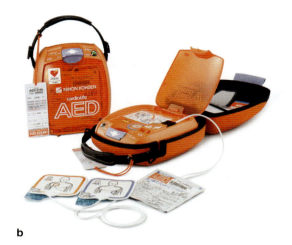

図 3-14　**AED の種類**
a：手動電源タイプ（フィリップス），b：自動電源タイプ（日本光電）

## 3 自動体外式除細動器
automated external defibrillator；AED

AEDは自動的に心電図を計測・解析し，電気ショックの適応の有無を判定して電気ショックを与え（除細動），心臓のリズムを正常に戻す機能を備えている．

成人における突然の心停止の多くは心室細動（ventricular fibrillation；VF）が原因であり，致死性不整脈とも呼ばれる重篤な不整脈である．心筋梗塞，心筋症，重度の心不全，心室頻拍などの心疾患がある場合に発症しやすい．VFに対する唯一の治療法が電気的除細動である．心停止から除細動までの時間と救命率は反比例の関係にあり，除細動が1分遅れるごとに救命率は7〜10%ずつ低下する．心停止から10分間何もしない場合の救命率は限りなく0%に近くなるため，一刻も早い除細動と心肺蘇生が重要である．

AEDには，手動で電源を入れるタイプと蓋を開けると自動で電源が入るタイプがある（図3-14）．どちらも電源を入れるとただちに音声アナウンスがスタートする．パッドの貼る部位はパッドに図示されているのでそれに従う（図3-15）．傷病者が埋め込み型心臓ペースメーカーを使用している場合，パッドの位置をペースメーカー本体から離れた位置に貼付する（図3-16）．また，傷病者が女性でAEDを使用する場合には，必ずしも服をすべて脱がす必要はなく，パッ

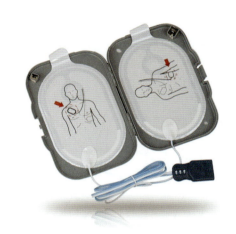

図 3-15　**AED パッド（フィリップス）**

ドを貼る位置の服と下着をずらして貼ることで対応し（図3-17），パッドを貼ることに対して躊躇してはならない．パッド装着後，ただちに心電図解析が始まるので，解析中は傷病者から離れてAEDが正しい解析を行えるようにする．ショックが必要な場合には，周囲の救助者が傷病者に触れていないことを必ず声に出して確認してからショックボタンを押す．心電図解析は2分ごとに行われるため，それまではCPRを継続する．

### A オートショック AED（図3-18）

オートショックAEDは，電気ショックボタンをなくすことで，ボタン操作を減らし，ショック

までの時間短縮と救助者の精神的な負担を軽減することを目的としており，心電図解析後，必要に応じてAEDが自動でショックを実施する．

## 4 緊急気道確保

口腔外科領域では，顔面外傷（骨折），歯性炎症の拡大による口底蜂窩織炎，腫瘍性病変，術後出血，術後浮腫，気道異物などにより，上気道の狭窄や閉塞を起こすことも決してめずらしくはない．上気道狭窄や閉塞への対応の遅れは，患者が致命的状態に陥る可能性が高いため，緊急気道確保の方法について熟知しておく必要がある．

### A 輪状甲状膜の解剖と輪状甲状膜穿刺

術後に気道閉塞が強く疑われる場合には，術前または術直後に気管切開術を施行して気道の確保を行う．緊急時の気道閉塞に対しては，通常のマスク換気，声門上デバイスなど（図3-19）を用いた気道確保が困難な場合，外科的気道確保法として輪状甲状膜穿刺が選択される．輪状甲状膜が緊急気道確保に選択される理由として，①体表面から気管までの距離が最も短く，②体表面からのオリエンテーションがつけやすく，③穿刺する部位付近に血管や神経が少ないため損傷のリスクが低いことが挙げられる．

輪状甲状膜は上甲状切痕より15～20 mm下方で，縦10 mm，横25～30 mmの甲状軟骨と輪状軟骨の間に存在する靭帯で皮下からわずか7 mm以内の浅層に存在する（図3-20）．上甲状腺動脈から分枝した上甲状腺動脈輪状甲状枝が輪状甲状膜

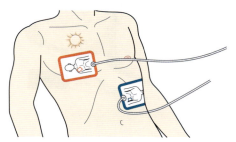

**図3-16　心臓ペースメーカー埋め込み傷病者へのパッド貼付位置**
ペースメーカー本体の埋め込み位置（皮膚の出っ張り）から離れた位置にパッドを貼付する．

**図3-17　女性傷病者に対するパッド貼付方法**
パッドを貼る位置の服と下着をずらして貼付する．金属の装飾品や下着のワイヤーは，パッドに触れないように貼付する．

**図3-18　オートショックAED（日本光電）**

**図3-19　声門上デバイス**
a：LMA® Supreme™ Airway（テレフレックスメディカルジャパン株式会社）
この画像はテレフレックス社の許可を得て掲載しています．
©2024年 Teleflex Intercorporated. 無断複写・転載を禁じます．
b：インターサージカル i-gel（Intersurgical Ltd.）

浅層を左右側から正中に向かって走行しているため，穿刺時に損傷しないように注意が必要である．輪状甲状膜の解剖学的オリエンテーションをつけ，正中周囲が最も血管が少ないため，正中に輪状甲状膜穿刺キット(図3-21)を用いて穿刺を行う．

## 5 窒息の解除

気道異物による窒息はただちに除去できれば死亡に至る可能性が低い病態であるが，対応が遅れると死に至る重篤な気道閉塞である．典型的な徴候として万国共通の窒息のサイン(図3-22：universal choking sign)，呼吸困難，弱く力のない咳，チアノーゼなどを認める．歯科治療中でも補綴物，印象材，ロール綿などによる発症のリスクがある．

窒息の解除は意識がある場合とない場合で異なる．患者に意識がある場合には，ただちに応援の要請を行い，患者にこれから助けるための処置(喉に詰まったものを除去)を行うことを伝える．まずは，背部叩打法を行い異物の除去を試みる．それでも除去できない場合に腹部突き上げ法を行う．背部叩打法は，患者の左右肩甲骨の中央(背中の真ん中)を手掌基部で力強く連続して叩く方法である(図3-23)．腹部突き上げ法は，患者の背後に立ち，腕を患者のウエスト付近に抱え込むように回し，一方の手で握りこぶしを患者の臍の位置で作り，もう一方の手で握りこぶしを握り，すばやく手前上方に向かって圧迫するように突き上げる(図3-24)．デンタルチェアー上で行う場合には患者を仰臥位にし，腹部を内上方にすばやく突き上げる(図3-25)．どちらの方法も異物が除去できるか，患者の意識がなくなるまで行う．腹部突き上げ法は，内臓損傷など致死的な合併症発症のリスクが高いため，実施後は医師の診察が必要である．

患者に意識がない場合には，ただちにCPRを開始するが，応援とAEDの要請がまだの場合，至急それらを要請する．脈拍の有無にかかわらずCPRが必要であるため，脈拍の確認は行わず，胸骨圧迫からCPRを開始する．口腔内に異物が確認できる場合には，用手的除去を試みてもよい．

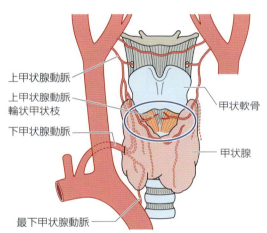

**図 3-20　輪状甲状膜周囲の解剖**

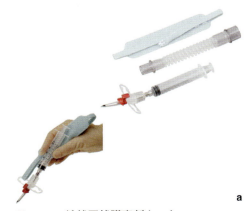

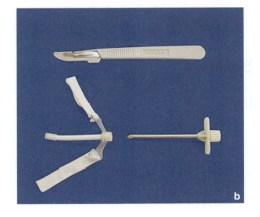

**図 3-21　輪状甲状膜穿刺キット**
a：クイックトラック™(スミスメディカル・ジャパン株式会社)
b：トラヘルパー(株式会社トップ)

図 3-22 万国共通の窒息のサイン

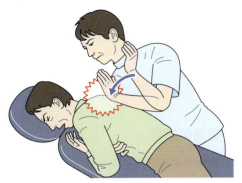

図 3-23 背部叩打法

図 3-24 腹部突き上げ法

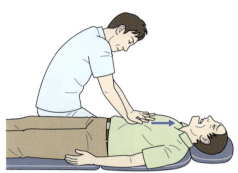

図 3-25 腹部突き上げ法（デンタルチェアー上で行う場合）

##  リスクマネジメントと医療安全

### 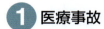 医療事故

#### Ⓐ 用語の定義

　今日における医療事故に関わる用語は，2004年に施行された医療法施行規則の一部を改正する省令などに基づいて定義されている．その中で重要なことは，インシデント，アクシデント，ヒヤリ・ハットである．基本的に，医療上生じた出来事のすべてがインシデントであり，アクシデントおよびヒヤリ・ハットはその一部となる（図 3-26）．

　つまりインシデントとは，医療上で患者に起こった，もしくは起こりそうになった好ましくない事象のすべてである．

　アクシデントとは，有害事象ともいわれ，ごく軽度の傷から死亡まで，患者にわずかでも障害が生じたものすべてである．そのため，偶発症，併発症，医薬品による副作用や医療材料・機械による不具合，不可抗力による事象などが含まれる．

　ヒヤリ・ハットとは，①医療行為は行われなかったが，もし行っていれば患者になんらかの傷害や被害を与えたと予想されるもの，あるいは，②医療行為が実際に行われたにもかかわらず，患者に傷害や被害を与えず，その後の観察を必要としなかったもの，と定義され，いわゆるニアミスとほぼ同じ概念となる．

#### Ⓑ 医療事故の原因

　医療では，なんらかの健康障害を抱えた患者に

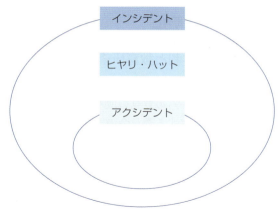

図 3-26 インシデントの定義

表 3-14 口腔外科に関連する医療事故

| 処置，医療行為 | 医療事故の種類 | 原因 |
| --- | --- | --- |
| 手術 | 窒息・ショック | 出血 |
| 上下左右同様の処置 | 誤抜歯 | 部位の間違い |
| 狭い口腔内での処置 | 針刺し，裂傷，誤飲・誤嚥 | 器具の出し入れ材料などの操作の誤り |
| 検査，処方依頼 | 誤指示 | 指示内容の未確認 |
| 薬剤を使用した処置 | 誤投与，誤使用 | 投与量の間違い，アレルギーの未確認 |
| 飛散を伴う処置，観血的処置全般 | 感染 | 個人防護具の未装着，誤操作 |
| 治療説明 | 説明不足 | ラポールの形成不足，情報共有不足 |

必要な処置を施さなければならない．外科系である歯科医療行為を行えば，必然的に身体に侵襲を加えることが多い．最近では，医療技術の進歩とともに高度で複雑な医療の提供が可能になり，患者へ従来以上の利益提供が可能になった反面，新たなリスクを発生させる可能性も高くなっている．そのため無意識のうちにヒューマンエラーのリスクも高くなり，それが医療事故に直結することが多い．医療事故が発生した場合に，第一に調査すべきなのはその原因である．医療機器であればプログラムの変更などでエラーを予防することもできるが，医療において最終判断するのは人間である．そのためエラーがいつ，どこで，どのように起こったか，関わった医療従事者，処置の手順など事故の詳細を時系列に沿って把握することが，具体的な対策と予防策につながっていく．

### C 対策の考え方

大前提となるのは医療従事者の考え方を把握することである．患者に望ましくない事象(インシデント)が発生した際には，前項に示したように事故の詳細をまず当事者から聴取し，時系列に沿って把握する．次に，その事象に至るまでの個人の考え方ややり方に何かしらの誤りがなかったかを見つけ出す．しかし，必ずしも個人に依存する問題だけではないので，治療システムや病院環境などの問題がなかったかなど，追究をすべき事項は多岐にわたる．それら1つひとつを詳細に把握し分析して，同じ事象が発生しないようにする対策を立案することができる．

## 2 医療安全対策

### A 歯科医療事故の背景と特異性

歯科医療の目的は，口腔内や口腔周囲の障害からの回復やQOL(Quality of Life)の向上を支援することにある．口腔外科の診療では必然的に身体に侵襲を加える治療が多い．また，最近では治療自体も高度な技術を必要とし，さらに複雑化してきている．そのような環境からエラーを誘発する要因が多く存在している．加えてわが国では欧米諸国に比べて歯科医師1人あたりの担当患者が比較的多いとされ，特に口腔外科では観血的処置を限られた時間の中で多く行って，患者との信頼関係を保つ必要がある．

口腔外科での処置や医療行為と，それに関連する医療事故を表3-14にまとめる．臨床経験が多ければ，1つひとつの処置での危険性に気づくことが多くなる．しかし，臨床経験が十分でなくても自分以外に生じた事象を情報共有することにより，それが自分の経験と同様になりうる．

### B 安全対策管理

#### 1 リスクマネジメント

医療事故の対策で重要となるのはリスクマネジメントである．これは，「リスクは常に存在する」こと，また同時に「適切な管理によってリスク許容範囲にまで減らすことができる」との考えが基本となる．

現在すべての医療機関において安全管理体制を整備することとなっており，病院管理者(病院長また院長)に以下のことが義務づけられている．
① 医療安全管理のための指針の整備
② 医療安全管理のための委員会の開催
③ 医療安全管理のための職員研修会の実施
④ 医療機関における事故報告などの安全確保を目的とした改善のための方策を講じること

安全な医療を提供していくためには，患者を中心において，治療者(医師，歯科医師)，看護・検査技師など(看護師，歯科衛生士，薬剤師，放射線技師，検査技師など)とシステム運営者(事務，給食，施設内管理に関わる職員など)が互いに協調して取り組まなければならない．

## 2 システムアプローチ

医療安全に関する要因は以下の3つである．
① 構造がどのように機能するか
② 労働環境が業務工程をどの程度中断させるか
③ 職員が仕事を正しく実行するか否か

これらのバランスが崩れた際に，医療事故の発生率が高まる．この3つの要因について安全な医療システムを構築することで，医療安全の質が高まる．以下，それぞれの要因について解説する．

構造については，生命の安全管理，有害物質の管理，治安の管理が必要である．これには，消防訓練の遵守状況(病院全体)，放射線許容レベルの遵守状況，安全のための医療機器や薬剤の保守計画の遵守状況などが含まれる．

労働環境については，人事管理，人員配置，コミュニケーション(連携)などである．これには，職員の健康診断受診状況，看護職員配置割合，部署ごとの連携欠落状況などが含まれる．

職員については，事前事後の評価が必要である．事前では，職員の技能・能力・訓練・医療安全に関わる情報管理状況を評価する．また，事後では，同様のアクシデント発生状況，発端となった医療行為の手順，本人の能力を評価する．特に，個人の能力だけでなく，施設や労働環境の情報も重要な要因となりうる．

これらの要因を定期的に収集，分析していくことで医療安全管理体制が整備される．

## 3 医療事故防止

### A チェック体制と教育研修

医療安全管理で重要なことは，組織の安全管理に関する各部門からの意見の取りまとめや，安全対策の方針を決定する委員会の設置などである．各部門の意見は，各部門から選出されたリスクマネージャーにより報告内容を取りまとめて定期的に(月1回程度)リスクマネジメント委員会で情報共有を行い，提出された改善策などの再検討を行う．さらに病院の医療安全管理委員長(副病院長など)を筆頭とした医療安全管理委員会(月1回程度)に報告をし，情報共有と職員へのフィードバックを行う．また対応が困難な事象については，第三者機関である医療事故審議委員会で審理して迅速な協議と対応を行う(図3-27)．

### B 医療事故防止マニュアル

医療事故防止にはマニュアルの存在が不可欠である．すべての職員に徹底させるにはこのマニュアルにおいて指針や対応を示す必要がある．厚生労働省のリスクマネジメントスタンダードマニュアル作成委員会からこのマニュアルの指針が示されている(表3-15)．また，変更などがあれば一定期間ごとに，マニュアルの見直しも必要となる．

口腔外科においても，ある一定の標準化をすることで少しでも医療事故の発生を減らす努力が必要となる．標準化で必要なことは，医療行為などの作業手順の統一化，入院時診療計画(クリニカルパス)活用の推進，採用する物品の保管や配置などの統一化である．

医療行為などの作業手順の統一化では，医療従事者が行う診療，看護，その他の各種医療行為などについて可能な限り作業手順をまとめる必要がある．医療従事者にこの作業手順を徹底させることで安全性を高めることができる．

クリニカルパス活用の推進については，職員どうしの連携促進が主な目的である．例えば患者の入院に関わる医療従事者が相談して策定したクリニカルパスは，関係するすべての者が共通の認識をもつことで，医療の質の向上や安全性の向上に寄与する点が大きい．また，患者側も入院中の診療過程を容易に理解することができ，インフォー

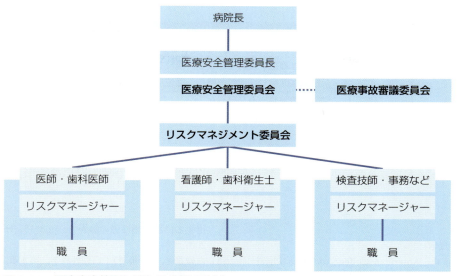

図 3-27 医療安全管理に関わる病院の体制

ムド・コンセントの確立に寄与できる利点もある．
　採用する物品の保管や配置などの統一化は，日常診療・業務のみならず，緊急時においても誤りを防止し，安全上重要なことである．

### C 報告制度

　病院内で発生したインシデントは，積極的に報告するように医療従事者に通達する必要がある．そのため，「些細なことであれば報告しなくてもいいのでは？」という考えではなく，インシデント報告をいつでも報告できて受けられる体制，また受けたら迅速に対応できる体制になっていることが重要である．また，表 3-16 のような患者影響度分類を行って再発防止に役立てるようにする．
　インシデントが起こった際には，リスクマネージャーにすみやかに報告し，診療録や看護記録にしっかりと詳細を残すようにすること，患者への影響度が高かった（縫合を必要とするものや機能的，審美的な障害が出ているなど）事象は，写真などで資料を残すことなどを医療従事者に徹底させる．

### D 再発防止

　リスクマネージャーは，個々の事象について客観的に判断し，委員会などで協議のうえで新たな改善策を策定したり，病院全体への情報共有を

表 3-15 医療事故防止マニュアルの指針

| ① 医療事故防止のための施設内体制の整備：施設内に公示 |
| ② 医療事故防止対策委員会の設置および所掌事務 |
| ③ インシデント事例の報告体制 |
| ④ 医療事故の報告体制 |
| ⑤ 医療事故発生時の対応 |
| ⑥ その他，医療事故の防止に関すること |

行ったり，必要があれば再調査を行ったりする．もちろんヒヤリ・ハットもそれに関連したアクシデントにつながる可能性があるため，しっかりと精査したうえでその対応策も策定する必要がある．これらの対応策や改善策は，必要があれば定期的にマニュアルに組み込み，再発を防止する必要がある．また，早急に情報共有が必要であれば，職員研修で通達，診療室や病院内に啓発書類として掲示するのも効果的である．マニュアルの遵守については，定期的にチェックする必要があるため，職員研修の際に e-learning を行うことや，リスクマネージャーによる院内巡視などを行うことなどが重要である．

表 3-16　患者影響度分類

| レベル | 傷害の継続性 | 傷害の程度 | 内容 |
|---|---|---|---|
| 5 | 死亡 | | 死亡（原疾患の自然経過によるものを除く） |
| 4b | 永続的 | 中等度〜高度 | 永続的な障害や後遺症が残り，優位な機能障害や審美上の問題を伴う |
| 4a | | 軽度〜中等度 | 永続的な障害や後遺症が残り，優位な機能障害や審美上の問題は伴わない |
| 3b | 一過性 | 高度 | 濃厚な処置や治療を要した |
| 3a | | 中等度 | 簡単な処置や治療を要した |
| 2 | | 軽度 | 処置や治療は行わなかった |
| 1 | なし | | 患者への実害はなかった |
| 0 | ― | | エラーや医薬品・医療機器の不具合がみられたが，患者には実施されなかった |

● 文献

[A．侵襲と生体反応]

1) Members of the American College of Chest Physicians/Society of Critical Care Medicine Consensus Conference Committee：Definitions for sepsis and organ failure and guidelines for the use of innovative therapies in sepsis. Crit Care Med 20：864-874, 1992.
2) 小川道雄：新・侵襲とサイトカイン，生体防御と生体破壊という諸刃の剣．pp69-71, メジカルセンス, 1999.
3) Takesue Y, et al：Prediction for the development of postoperative infections in the operation of esophageal cancer compared with gastric surgery. Hiroshima J Med Sci 47：109-113, 1998.
4) 北村伸哉，他：臓器不全発症 high risk 症例の early warning としての systemic inflammatory response syndrome(SIRS)検討．日本外科感染症研究 7：13-19, 1995.
5) Yajima Y, et al：Systemic inflammatory response syndrome and postoperative complications after oral cancer surgery. Bull Tokyo Dent Coll 41：187-194, 2000.
6) 笠原清弘，他：口腔癌頸部郭清術症例における SIRS の発現と術後合併症との関係．口腔腫瘍 14：79-87, 2002.
7) Kasahara K, et al：Systemic inflammatory response syndrome and postoperative complications after orthognathic surgery. Bull Tokyo Dent Coll 50：41-50, 2009.
8) 菅原圭亮，他：高齢者の口腔癌頸部郭清症例における全身性炎症反応症候群の検討．老年歯学 25：11-18, 2010.

[B．患者の評価および管理]

1) 佐々木次郎(監修)：若い歯科医と研修医のための口腔外科はじめましょう．pp20-21, デンタルダイヤモンド社, 2002.
2) 山根源之，草間幹夫(編著)：最新チェアーサイドで活用する口腔粘膜疾患の診かた．pp8-18, HYORON, 2007.
3) 白砂兼光，他(編著)：口腔外科学，第 4 版．医歯薬出版, 2022.
4) 榎本昭二，他(監修)：最新口腔外科学，第 5 版．医歯薬出版, 2017.
5) 日本有病者歯科医療学会(編)：有病者歯科学，第 2 版．p232, pp282-285, 永末書店, 2021.
6) Marx RE：Pamidronate (Aredia) and zoledronate (Zometa) induced avascular necrosis of the jaws：a growing epidemic. J Oral Maxillofac Surg 61：1115-1117, 2003.
7) Ruggiero SL, et al：Osteonecrosis of the jaws associated with the use of bisphosphonates：a review of 63 cases. J Oral Maxillofac Surg 62：527-534, 2004.
8) 顎骨壊死検討委員会：薬剤関連顎骨壊死の病態と管理：顎骨壊死検討委員会ポジションペーパー 2023
9) Ruggiero SL, et al：American Association of Oral and Maxillofacial Surgeons position paper on medication-related osteonecrosis of the jaw—2014 update. J Oral Maxillofac Surg 72：1938-1956, 2014.
10) Yoneda T, et al：Antiresorptive agent-related osteonecrosis of the jaw：Position Paper 2017 of the Japanese Allied Committee on Osteonecrosis of the Jaw. J Bone Miner Metab 35：6-19, 2017.
11) 日本有病者歯科医療学会，日本口腔外科学会，日本老年歯科医学会(編)：抗血栓療法患者の抜歯に関するガイドライン 2020 年版．学術社, 2020.
12) 低用量経口避妊薬，低用量エストロゲン・プロゲストーゲン配合剤のガイドライン作成小委員会：ガイドライン(案)平成 27 年 3 月
13) 日本産科婦人科学会(編)：OC・LEP ガイドライン, 2015 年度版．日本産科婦人科学会, 2015.
14) Weed LL：Medical Records, Medical Education, and Patient Care：the Problem oriented Record as a Basic Tool, Case Western Reserve University, 1969.
15) Weed LL：The problem oriented record as a basic tool

in medical education, patient care and clinical research. Ann Clin Res 3：131-134, 1971.
16) Hurst JW, Walker HK, eds：The Problem-Oriented System, Medcom Press, 1972.
17) 高林克日己：Ⅱ．Problem list：POS/POMR について，現状の患者プロブレムリスト　1．POMR(problem-oriented medical record)問題志向型診療録．日内会誌 106：2529-2534, 2017.
18) Mendelson CL：The aspiration of stomach contents into the lungs during obstetric anesthesia. Am J Obstet Gynecol 52：191-205, 1946.
19) Cameron JL, et al：Aspiration pneumonia. Clinical outcome following documented aspiration. Arch Surg 106：49-52, 1973.
20) 日本麻酔学会(編)：周術期禁煙プラクティカルガイド．p13-14, 2021.
21) 北川雄一：高齢手術患者における術後せん妄．日外科系連合会誌 38：28-35, 2013.
22) Crosby G, Culley DJ：Surgery and anesthesia：healing the body but harming the brain? Anesth Analg 112：999-1001, 2011.
23) 日本循環器学会：肺血栓塞栓症および深部静脈血栓症の診断，治療，予防に関するガイドライン(2017年改訂版)．p70, 2018. https://www.j-circ.or.jp/cms/wp-content/uploads/2017/09/JCS2017_ito_h.pdf (2024年2月閲覧)

［C．栄養管理］
1) 日本静脈経腸栄養学会(編)：静脈経腸栄養ガイドライン 第3版．p6-23, 照林社, 2013.
2) 松井亮太：術後回復を促進させる術前環境の適正化．術前栄養介入による術前環境の適正化．外科と代謝・栄養 55：190-195, 2021.
3) Weimann A, et al：ESPEN guideline：Clinical nutrition in surgery. Clin Nutr 36：623-650, 2017.
4) Fearon KCH, et al：Enhanced recovery after surgery：a consensus review of clinical care for patients undergoing colon resection. Clin Nutr 24：466-477, 2005.
5) Faintuch J, Faintuch JJ：Cardiovascular effects of arginine and nitric oxide. Rev Hosp Clin Fac Med Sao Paulo 50：334-338, 1995.
6) Barbul A, et al：Arginine enhances wound healing and lymphocyte immune response in human. Surgery 108：331-336, 1990.
7) Ziegler TR, et al：Glutamine supplemented nutrition support：saving nitrogen and saving money? Clin Nutr 19：375-377, 2000.
8) 浦　英樹，他：ω-3系脂肪酸による細胞性免疫能の賦活効果に関する検討．外科と代謝栄養 36：11-17, 2002.

［D．救急蘇生法］
1) 日本高血圧学会高血圧治療ガイドライン作成委員会(編)：高血圧治療ガイドライン2019．p18, ライフサイエンス出版, 2019.
2) Cunha BA：The clinical significance of fever patterns. Infect Dis Clin North Am 10：33-44, 1996.
3) 日本蘇生協議会(監修)：JRC蘇生ガイドライン2020．p51, 医学書院, 2021.
4) スミスメディカル・ジャパン：いざというときの外科的気道確保手技．2009.
5) 野村岳志：麻酔科医に必要な気道確保のポイントと教育　緊急気道確保：器具と外科的処置　②輪状甲状膜穿刺(切開)．日臨麻会誌 34：613-621, 2014.

［E．リスクマネジメントと医療安全］
1) 歯科医療情報推進機構：改訂 歯科医療安全管理の手引き．pp8-83, 自由工房, 2014.
2) 海野雅浩，他(編)：一から学ぶ歯科医療安全管理．pp2-57, 医歯薬出版, 2005.
3) 東京都病院協会診療情報管理委員会(監訳)：よくわかる医療安全ガイドブック．pp2-67, 学研マーケティング, 2008.

# 第4章 先天異常および発育異常

## 総論

### A 頭頸部の発生

　受精後4〜8週目は胚子期という．この時期にすべての主要な器官の初期発生が起こり，胚子期の末までの過程でこれらの器官の分化が進み，形が変化する重要な時期である．この時期に催奇形性物質にさらされると先天異常を起こす危険性がある．

　まず，胎生4週の胚子の咽頭部の側壁に，左右4対ほどのアーチ状の膨らみ（第一〜第四鰓）が形成される．この4つの鰓弓には，骨格，筋，神経，血管の4つの要素が存在して頭頸部が作られる．第一鰓弓は三叉神経支配領域，第二鰓弓は顔面神経領域，第三鰓弓は舌咽神経支配領域，第四鰓弓は迷走神経支配領域の組織を形成する（図4-1）．

#### 1 顔面の発生

　主に第一鰓弓から顔面を構成する上顎隆起（① 顔面，② 下顎・顎関節，③ 口蓋の発生学的に隆起，または**突起**という）と下顎隆起が形成され，胎生4週後半には前頭鼻隆起（前頭部，鼻根部，鼻中隔などを構成）の下部の鼻窩の内方に内側鼻隆起，下方に外側鼻隆起（鼻翼と外鼻外側部を構成）が出現する．胎生5週頃，口窩周囲には，上方は前頭鼻隆起（鼻背，鼻尖，人中，上唇正中部，切歯骨を構成），左右は一対の上顎隆起〔頰部上半分，上唇外側部（人中以外）を構成〕，下方は一対の下顎隆起（頰部下半分，下唇部，下顎骨を構成）が囲む．

　胎生6〜7週にかけて左右の内側鼻隆起が癒合

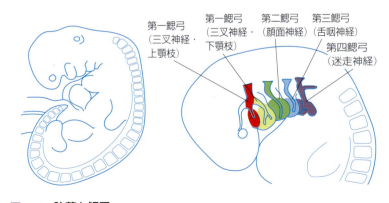

**図4-1　胎芽と鰓弓**
第一鰓弓は三叉神経領域，第二鰓弓は顔面神経領域，第三鰓弓は舌咽神経領域，第四鰓弓は迷走神経領域の組織を形成する．第五・六鰓弓は，消失する．

して，各々の側の内側鼻隆起と上顎隆起が癒合し，上唇が形成される．外側鼻隆起は，上唇の形成に直接的には関与しない．さらに上顎隆起の側方では，下顎隆起とも癒合し頬部を形成し，口裂の幅を決定する．この顔面を構成する上顎隆起，下顎隆起，内側鼻隆起，外側鼻隆起の4つの隆起は，口腔顔面裂を理解するうえで重要である（図4-2, 3）．

## 2 下顎・顎関節の発生

下顎の形成は，胎生4週頃に左右の下顎隆起が正中で癒合を開始する．下顎骨の形成に大きく関与しているのは第一鰓弓の軟骨要素であるメッケル軟骨で，胎生7週頃に左右の耳を形成する領域から下顎正中部に向かって伸びるが，正中部で癒合することなく左右2本の棒状の軟骨として存在する．そして，下顎神経は舌神経と下歯槽神経に分岐しメッケル軟骨に沿って形成される（図4-4）．

下顎骨の大部分は膜内骨化として形成される．胎生6週頃に筋突起，関節突起に二次的に生じた軟骨の軟骨内骨化により形成される．胎生16週以降で下顎窩と下顎頭からなる顎関節が発達すると，メッケル軟骨は退化し，蝶下顎靭帯や耳小骨を形成していく．

## 3 舌および舌小帯の発生

胎生4週後半に第一鰓弓の腹側正中部に正中舌隆起（無対舌結節）が形成される．胎生5週前半に無対舌結節の両側に2つの外側舌隆起が急速に増大して無対舌結節を覆い隠し，舌体が形成される．そして，左右の外側舌隆起の癒合部位は舌正中溝となる．胎生5〜6週に第三・四鰓弓前方部の腹側正中部にある鰓下隆起の増殖により，鰓下隆起が結合節を覆い前方の舌体部と癒合して舌根を形成する．舌尖まで付着している舌小帯は，出生後も退縮を継続し，舌の可動域が増える（図4-5）．

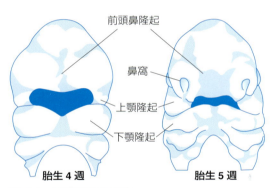
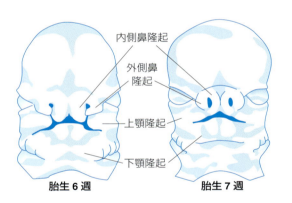

図 4-2　正常顔面の発生

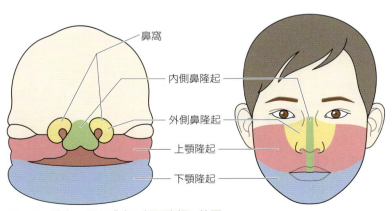

図 4-3　胎生6週と成人の顔面隆起の位置

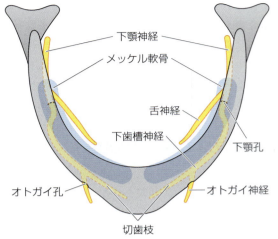

図 4-4 **下顎骨と神経の発生**

## 4 口蓋の発生

口蓋は，胎生6週頃から始まり内側鼻隆起由来の一次口蓋と上顎隆起由来の二次口蓋が癒合する．まず，内側鼻隆起の癒合により顎間部の一次口蓋が形成(上唇の人中部，上顎4切歯，切歯孔前方の口蓋)される．同時に上顎隆起の内面から外側口蓋隆起が伸びはじめ舌の両側で下内方へ突出する．胎生7週頃に下顎が下方に成長し，舌の上方で外側口蓋隆起が水平位をとるように向きを変える．左右の口蓋隆起が鼻中隔と癒合し，二次口蓋(切歯孔後方の硬口蓋，軟口蓋，口蓋垂)を形成する．胎生12週頃に口蓋の形成が完了し，鼻腔と口腔を隔てる(図4-6, 7)．

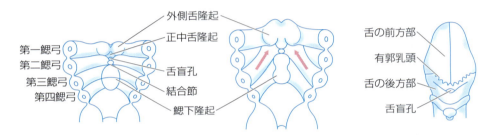

図 4-5 **舌の発生**
第一鰓弓より発達した外側舌隆起より舌の前方2/3が形成され，舌の後方1/3は，第三および第四鰓弓の間葉組織から発生した鰓下隆起から形成される．

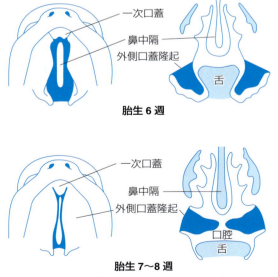

図 4-6 **口蓋の発生**
外側口蓋隆起は舌の外側で矢状位をとっているが，胎生7〜8週頃に外側口蓋隆起は舌の上で水平位となり，左右の隆起と鼻中隔が癒合する．

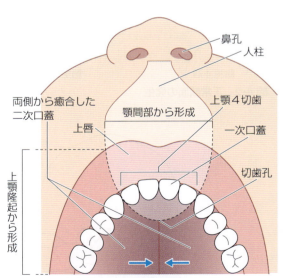

図 4-7 **一次口蓋，二次口蓋の構成する要素**
顎間部から，上唇，上顎4切歯が配列する部分や一次口蓋が形成される．

## ⑤ 歯の発生

エナメル質は外胚葉に由来し，そのほかの組織は周囲の間葉組織と神経堤細胞由来の外胚葉性間葉組織から分化する．胎生6週頃になると歯堤が作られ，10個の歯蕾が間葉に向かって成長し乳歯となる．胎生10週頃に永久歯の歯蕾が最深部から出現する．外胚葉性間葉組織が歯蕾に陥入するにつれ，歯蕾は帽状を呈し，エナメル器を形成する．

エナメル器が分化するにつれて釣鐘状を呈するようになり，歯乳頭内の間葉組織は分化して象牙芽細胞となり象牙質を形成する．エナメル器の歯乳頭に面する内エナメル上皮細胞は，象牙芽細胞の分化誘導によってエナメル芽細胞に分化し，象牙質の上にエナメル質を産生する．

## ⑥ 唾液腺の発生

唾液腺は，胎生6週頃に原始口腔から発生した充実性の上皮芽が，神経堤由来の間葉組織内で棍棒状に分化して形成される．胎生10週頃に細胞索は管腔化し，導管となり末端は腺房となる．耳下腺，顎下腺，舌下腺の順に出現する．

## ⑦ 口腔前庭と口唇小帯の発生

胎生12週頃には，口蓋の形成は完成する．口蓋口唇小帯は上顎結節と口蓋乳頭を連結する形で口腔前庭をまたいで存在する．口腔前庭は胎生12週以降で歯槽堤が発育して高くなり形成される．その後，口腔前庭をまたいで口蓋口唇小帯が分断されて口蓋乳頭と上唇小帯に分かれる．

## B 先天異常および発育異常

### ① 先天異常
congenital anomaly

先天異常とは，出生前の器官の発生・発育の途中になんらかの原因があり，出生後間もなく，あるいは生後1年以内に発見される形態的異常や機能的異常のことである．この形態的異常を先天奇形（congenital malformation）といい，口唇裂・口蓋裂のような外表奇形と，心臓疾患のような内臓奇形に分けられる．最近では，先天的に複数の器官系統に先天異常がある疾患の総称として先天異常（malformation）症候群と呼び，単一部位に先天異常がある疾患と区別される．

「奇形」の用語は，差別的な意味を有し，患者や家族の尊厳を傷つけるおそれがあるので，臨床の現場では「奇形」と表現せず，口唇裂・口蓋裂や心室中隔欠損などのように直接病名で呼ぶなどの配慮が必要である．本書では学術用語の観点からのみ，「奇形」という用語を用いる．先天性の機能異常は先天代謝異常，神経・筋疾患，内分泌疾患，血液疾患，免疫異常などの疾患がある．しかし，出生時には発見されず，症状の発現やさまざまな検査の結果などで発見されることが多い．

### ② 発育異常
developmental anomaly

発育異常とは，原因が出生前にあっても出生時には現れず，生後ある期間を経て異常が明らかになり発見される疾病である．例えば，歯の萌出異常は萌出時期に，下顎前突症のような顎骨の形態異常は思春期から青年期にかけて著しく認められる．すなわち，成長発育に伴って徐々に異常が明らかになってくるので，発育異常と呼ばれている．

上記の先天異常，発育異常の原因は不明のことが多く，遺伝要因，環境要因などが関与している．今後は新たな疾患概念や定義が確立され，成因によって分類されることが予測される．

## C 先天異常の成因による分類

### ① 染色体異常症（図4-8）
chromosome abnormality

染色体の異常は，性染色体を含むすべての染色体で起こり，減数分裂の際の染色体不分離やDNA鎖切断修復の際に異常を示す．また，染色体の数的異常と構造異常がある．染色体異常の種類によっては，出生前の胚や胎児の段階で死に至る．出生後に，知的障害，低身長，けいれん発作，心疾患，口蓋裂などで確認されることもある．

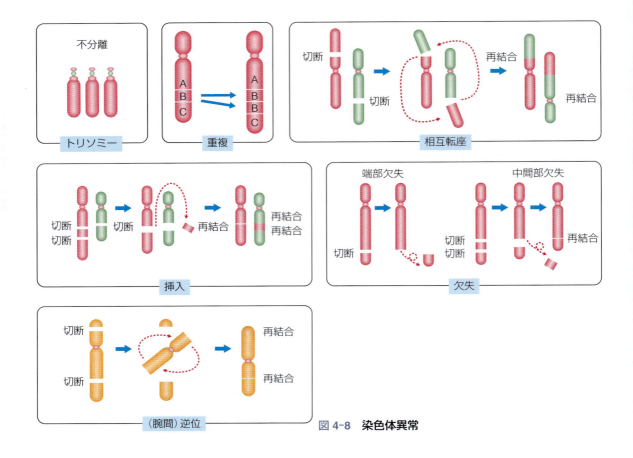

図 4-8 染色体異常

　数的異常には，1対2本の相同染色体の1本が欠けて1本になるモノソミーや，2本になるテトラソミー，1本過剰になり3本になるトリソミーがある．トリソミーには，21トリソミーのDown症候群，18トリソミーのEdwards症候群などがある．

　構造異常には，染色体の一部で起こる欠失，重複，挿入，一部または全体が別の染色体と誤って結合する相互転座，染色体に2か所の切断が起こりその断片が反対向きに再構成されてしまう逆位などがある．

## 2 単一遺伝子病
### single gene disorders

　単一遺伝子病とは，1つの遺伝子の異常（欠失，置換，挿入などの突然変異）が原因で起こる疾患をいう（図 4-9）．おおむねメンデルの法則に従って遺伝することからメンデル遺伝病とも呼ばれている．遺伝様式から以下の5種に分類される．

① 常染色体顕性（優性）遺伝病：Apert症候群，Marfan症候群，軟骨無形成症
② 常染色体潜性（劣性）遺伝病：フェニルケトン尿症
③ X連鎖顕性（優性）遺伝病：色素失調症，ビタミンD抵抗性くる病
④ X連鎖潜性（劣性）遺伝病：血友病A・B
⑤ Y連鎖遺伝病：Y染色体による不妊症

## 3 多因子遺伝病
### multifactorial disorders

　なんらかの遺伝性素因が予測されるものの，メンデル遺伝様式には従わず，非メンデル遺伝ともいわれている．また，さまざまな遺伝子の変異やDNAのメチル化などによる遺伝子の発現抑制など遺伝子が原因となっているばかりではなく，環境因子との相互作用による遺伝である（図 4-9）．本態性高血圧や糖尿病などの生活習慣病や口唇

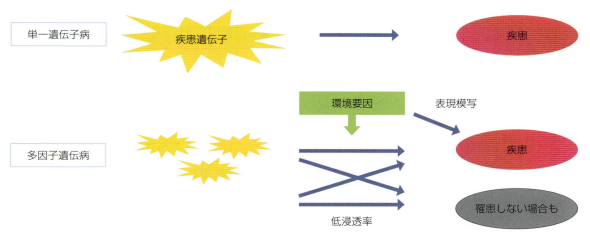

**図 4-9　単一遺伝子病と多因子遺伝病**

裂・口蓋裂，先天性心疾患，多指症などの単発で起こる形態的異常などが挙げられる．

### 4 胎内の環境要因

妊娠中の母体に外的，内的要因が原因となり先天異常が発現する（→p.92）．

## D 先天奇形の分類

### 1 数・性状の分類

#### A 大奇形
major anomaly

大奇形とは放置すると医学的，社会的に損失を伴うため治療が必要な形態異常のことである．口唇裂・口蓋裂や先天性心疾患などがある．

#### B 小奇形
minor anomaly

小奇形とは医学上問題になることは少なく，日常生活を送るうえでも支障をきたさないような軽微な形態異常をいう．言語障害のない口蓋垂裂，高い口蓋，軽微な小帯付着異常などの形態異常を示す口腔疾患の原因に，先天異常が挙げられると従来の成書に散見されるが，多くは小奇形のカテゴリーである．大奇形と小奇形とは明瞭な境界はなく正規分布することも考えられる．小奇形は，頭頸部や四肢の末梢に多く，症候群や隠れた大奇形の発見に役立つ．新生児では少なくとも1つの小奇形が発見されるのは20%程度である．しかし，誰しもが成人になるまでに形態的，機能的のなんらかの小奇形を有しているといわれている．

### 2 発生のメカニズム

#### A 胎生時期の器官形成と影響 (図4-10)

胎児への薬物の影響は，妊娠時期による違いがある．妊娠初期では催奇形性，妊娠中期・末期では胎児毒性が問題となる．

#### B 催奇形性（妊娠初期）

催奇形性とは，胎児の奇形（形態異常）を生じさせる性質のことで，薬物，化学物質，放射線，ウイルスなどの環境要因が影響している．

催奇形性が問題となるのは，胎生4〜15週の妊娠初期である．この時期は器官形成期であり，奇形を生じる可能性が高い．妊娠初期の中でも，催奇形性の危険性が最も高いのは，臨界期（critical period）または絶対過敏期と呼ばれる胎生4〜7週である．

臨界期以前の妊娠初期では影響が胎児に全く残らないか，流産するかのいずれかになるため，胎児奇形の可能性はほぼないとされている．

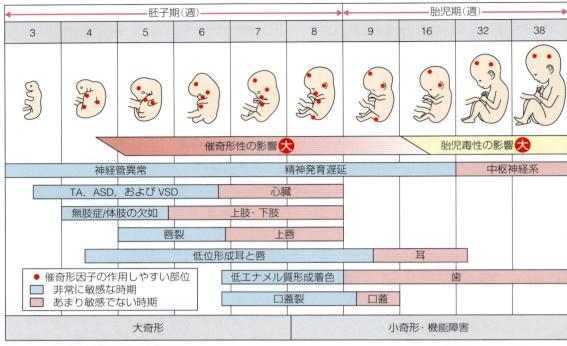

**図 4-10　胎生期の器官形成と影響**
TA＝動脈幹，ASD＝心房中隔欠損，VSD＝心室中隔欠損

### C 胎児毒性（妊娠中期以降）

　胎児毒性とは，胎児の臓器機能や発育そのものを障害する性質のことである．胎生16週を過ぎると薬物による奇形は起こらなくなり，むしろ胎児毒性の影響が強くなり，臓器の機能異常や発育不全をきたす可能性が高くなる．臓器障害としては，NSAIDsによる動脈管収縮・狭窄・閉鎖や，ACE（アンジオテンシン変換酵素）阻害薬・ARB（アンジオテンシン受容体拮抗薬）による腎機能障害などが挙げられ，羊水の減少のように子宮内環境を悪化させてしまう．

## E 裂奇形の成因

### 1 遺伝要因

　口唇裂・口蓋裂の発症に遺伝要因が関与しているとされる理由には以下の事実がある．
① 口唇裂・口蓋裂の多発する家系が存在する家系内集積性がある．
② 口唇裂・口蓋裂患者の子どもが本症を発生する割合（罹患危険率）が一般集団よりも高率である．
③ 同胞の罹患危険率と一般集団の罹患危険率の比を $\lambda s$ と称し，多因子遺伝病の遺伝因子の関与を表す値としてしばしば用いられる．日本人の症候性でない口唇裂・口蓋裂の $\lambda s$ は5〜10で，遺伝性が関与している．マウスなどの動物実験で，現在30以上の関連遺伝子が挙げられている．しかし，ヒトを対象に遺伝子解析を行った際，変異が認められないことや人種間で異なることなどがある．次世代シークエンサーを用いた解析によりエピゲノム異常など今までとらえられなかった遺伝子の構造異常などが焦点にされている．今後も新たな研究成果が出てくることが期待される．

### 2 環境要因（表4-1）

　環境要因とは，妊娠初期の母体の環境と子宮内の胎児を取り巻く環境である．各臓器や器官は，胎生4〜15週に作られる．この形態形成の過程は，外的要因つまり催奇形因子の影響を最も受け

表 4-1 裂奇形の環境要因

| 薬物・化学物質 | 睡眠薬(サリドマイド), 抗てんかん薬(フェニトイン), 副腎皮質ホルモン製剤, 抗悪性腫瘍薬, 解熱鎮痛薬, 抗アレルギー薬, 免疫抑制薬など |
|---|---|
| 物理的要因 | 放射線, 低酸素, 高温, 子宮内圧の変化, 胎児の異常体位 |
| 感染 | ウイルス：風疹ウイルス, 麻疹ウイルス, 水痘ウイルスなど<br>細菌：梅毒など<br>原虫類：トキソプラズマなど |
| 両親, 母体の状態 | 糖尿病, 甲状腺異常, 栄養障害, 喫煙, 貧血, 飲酒, ビタミン異常摂取(欠乏：ビタミン A, $B_1$, $B_2$, $B_6$, $B_{12}$, D, E, 葉酸　過剰：ビタミン A, D) |

やすい(→p.91).

外的要因となる環境因子には，母体外から直接胎児に作用する物理的因子(放射線，子宮内圧など)のほかに，母体の胎盤を介して通過する薬物，化学物質，病原体，代謝障害などがある．

### A 物理的因子

羊膜破綻などによる影響や，子宮内圧の上昇や胎児の異常体位により顔面に圧迫が加わり，発症する．放射線は，動物実験において組織障害を引き起こし，裂奇形の発症が証明されている．

### B 薬物，化学物質

妊娠中に内服した睡眠薬サリドマイドにより顔面裂や四肢低形成などを示す．また，抗てんかん薬の服用によっては30％程度に知的障害や顔面奇形を認め，副腎皮質ホルモン製剤や解熱鎮痛薬などの多量投与によっても発症する．

### C 感染

母体がウイルス，細菌などの感染症に罹患すると，病原体が胎盤を通過し胎児も感染する．その結果，種々の先天異常をまねくことがあり，それらの疾患の総称をそれぞれの頭文字をとってTORCH 症候群とよんでいる．

　　Toxoplasmosis(トキソプラズマ症)
　　Other(その他：コクサッキーウイルス，EB ウイルス，水痘・帯状疱疹ウイルスなど)
　　Rubella(風疹)
　　Cytomegalovirus(サイトメガロウイルス)
　　Herpes simplex virus(単純ヘルペスウイルス)

### D 母体の状態

高年齢での出産は，先天異常の出現率を統計上

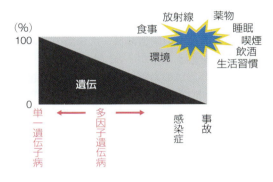

図 4-11　遺伝要因と環境要因
多くの疾患の成因は，遺伝要因と環境要因の関わりの程度によって説明できる．遺伝子の異常のみで発症する単一遺伝子病，環境要因のみが関与しているものは交通事故などが挙げられる．そして，高血圧や糖尿病，先天性疾患，多指症，口唇裂・口蓋裂などの多因子遺伝病は，その中間に位置する．

有意に高くしている．また，母体の栄養状態，ストレスによる副腎皮質ホルモンの分泌変動，糖尿病によるインスリンの分泌変動，ビタミンの異常摂取，アルコール，タバコなどが関与する．

### ❸ 遺伝要因と環境要因の複合
(図 4-11)

多くの口唇裂・口蓋裂の口腔顔面裂の成因は，いくつかの遺伝要因と環境要因が複雑に働き，これらの発症要因の総和がある閾値以下であれば正常形質を示し，一定の限界を超えると病的形質を示す多因子遺伝病(multifactorial disorders)として考えられている．しかし，遺伝要因(変異遺伝子の数や種類)や環境要因がどの程度関与しているのか不明な点が多く，さまざまな分野で研究が進められている．

## F 裂奇形の発症機序

### 1 口唇裂・口蓋裂の発症機序(図4-3, 7)

胎生4週頃に上顎隆起，下顎隆起，内側鼻隆起，外側鼻隆起の4つの隆起が癒合し，顔面を形成する．その際に上顎突起と内側鼻突起の癒合や発育不全により披裂が残存し，口唇裂となる．胎生6週頃に一次口蓋と二次口蓋の癒合が始まり口蓋が形成されるが，その際に前方部の顎堤に癒合，発育不全がみられると披裂が残存して顎裂となる．口唇も前方の歯槽部は一次口蓋のため，口唇裂は顎裂を伴うことが多い．

二次口蓋の形成の過程で，左右の口蓋隆起の癒合不全により不完全口蓋裂が生じる．披裂の程度によって，口蓋垂裂，軟口蓋裂，硬軟口蓋裂となる．一次口蓋と二次口蓋の両方の組織全体に癒合不全が起こった場合は，唇顎口蓋裂(完全口蓋裂)となる．

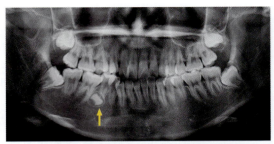

図 4-12　埋伏過剰歯(右側下顎第二小臼歯根尖部：矢印)

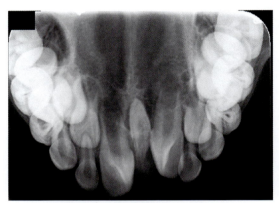

図 4-13　上顎正中部の過剰歯

# 各論

## A 歯の異常

### 1 歯数の異常

#### A 過剰歯

正常な歯種の数以外に存在する歯のことで，口腔内に萌出する場合と萌出しない場合がある．歯胚の過形成や異常な分裂により生じるとされ，進化の過程で失われてきた歯が過剰歯として発生するといわれている．

女性より男性に多く，好発部位は上顎前歯部，次いで上顎臼歯部，下顎臼歯部である．正常な歯列の中に萌出する歯もあるが，歯胚の位置や方向によって埋伏したまま，あるいは異所に萌出する場合もある(図4-12)．最も多い上顎正中過剰歯は，中切歯間で切歯管に接する位置に出現し，正中離開や歯列不正，永久歯の萌出障害の原因になる(図4-13)．形状は矮小歯や円錐歯，歯根の彎曲などを呈し，2本以上存在する場合もある(図4-14)．上顎臼歯部では第二，第三大臼歯の頬側に萌出する臼傍歯または副臼歯，下顎では第三大臼歯の遠心に臼後歯として存在することが多い．

ほかの歯に影響を及ぼさない場合は経過観察するが，隣在歯の歯根吸収や萌出障害，歯列不正の原因となる場合は抜歯する．

#### B 先天欠如

歯胚が存在しないか，歯胚の異常で歯が発生せず，先天的に正常歯数が揃っていない状態である．部分的に歯が欠如している場合は，一部無歯症あるいは部分無歯症といい，すべての歯が欠如している場合は全部性無歯症あるいは完全無歯症という．少数歯の欠如は生活や食習慣の変化に伴う退化現象とされ，多数歯の欠如は遺伝，Down症候群，鎖骨頭蓋異骨症，骨形成不全症，先天性

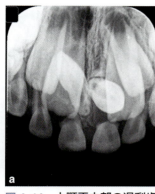
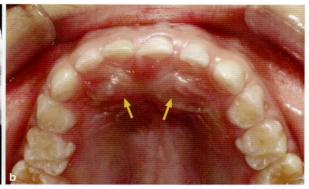

図 4-14　上顎正中部の過剰歯
a：2本埋伏している
b：過剰歯による口蓋の異常な隆起（矢印）

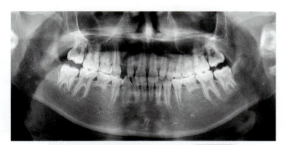

図 4-15　先天欠如（$\overline{854|58}$ および $\overline{85|58}$ の欠如）

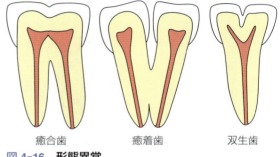

癒合歯　　癒着歯　　双生歯

図 4-16　形態異常

外胚葉異形成症などのほか，妊娠中の栄養障害，先天性梅毒や風疹，歯の発育中の栄養障害，外傷，感染，内分泌疾患，薬物の副作用などの要因が考えられる．男性より女性に多く，上下顎第三大臼歯，上顎側切歯，下顎中切歯，上下顎小臼歯に多い．欠如部位は義歯やデンタルインプラントにより補う場合がある．後続永久歯が欠如し，乳歯が晩期残存する場合は，可及的に乳歯を保存する（図 4-15）．

## 2　形態の異常

### A　癒合歯，癒着歯，双生歯（図 4-16）

癒合歯は2本以上の歯がエナメル質と象牙質あるいは象牙質とセメント質で結合し，歯髄腔が連絡している．歯根部の歯髄は共有するが，歯冠部の歯髄は独立することが多い．好発部位は下顎乳中切歯と乳側切歯，下顎乳側切歯と乳大歯，下顎中切歯と側切歯，下顎側切歯と犬歯である（図 4-17，18）．

癒着歯は2本以上の歯がセメント質で結合し，歯髄の連絡はみられない．好発部位は上顎第二大臼歯と埋伏第三大臼歯である．

双生歯は歯胚が不完全に分離して発育したもので，まれに正常歯と過剰歯が発育過程中に結合することがある．好発部位は上顎前歯部，上顎臼歯部，下顎前歯部および下顎小臼歯部である．

### B　異常結節

歯冠部に生じた突起状の異常形態である．
切歯結節や犬歯結節は，切歯や犬歯の基底結節が異常に発達したものである．
中心結節や弓倉結節は，臼歯の咬合平面中央部に円錐状あるいは棒状に生じた結節で，下顎第二小臼歯に好発する（図 4-19）．結節内には歯髄腔が存在し，破折すると急性の歯髄炎や化膿性炎，根尖性歯周炎，顎炎の原因となる．破折や露髄の

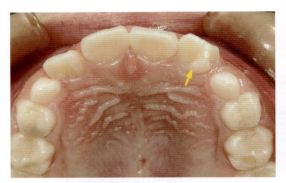

図4-17　癒合歯（矢印）

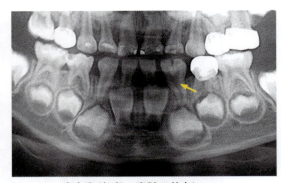

図4-18　癒合歯（矢印：歯髄の共有）

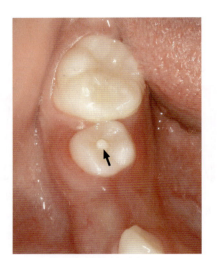

図4-19　中心結節（矢印）

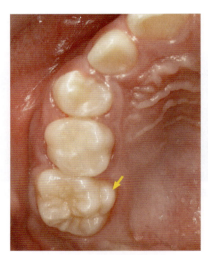

図4-20　Carabelli結節（矢印）

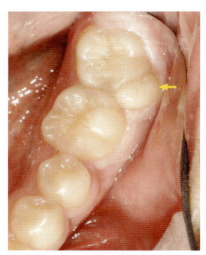

図4-21　臼傍結節（矢印）

可能性がある場合は，修復処置や歯髄処置を行う．

臼歯の異常結節としては，上顎大臼歯の近心舌側咬頭の舌側にできるCarabelli結節（図4-20），上下顎第三大臼歯の遠心面に生じる臼後結節，臼歯の近心頰側咬頭の頰側面に生じる臼傍結節（図4-21）などがある．

### C 歯内歯

歯冠部のエナメル質と象牙質が歯髄腔側へ深く嵌入した形態異常である．上顎側切歯に多く，嵌入部は不潔域になりやすく齲蝕を生じやすい．

### D 矮小歯，円錐歯

歯の平均的な解剖学的大きさより異常に小さい歯を矮小歯といい，正常な形態のまま小さい場合もあるが，多くは歯頸部より切端や咬合面が小さ

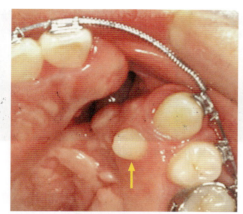

図4-22 左側口唇口蓋裂患者にみられた円錐形の矮小歯(矢印:|2)

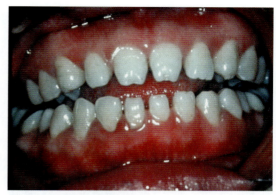

図4-23 Hutchinson歯
〔東京歯科大学 内山健志先生 提供〕

く、円錐や栓状、蕾状の形態をとる。好発部位は上顎側切歯や第三大臼歯で、前者は円錐歯、後者は蕾状歯となることが多い(図4-22)。また、多くの過剰歯は円錐状の矮小歯となる傾向が強い。

### E 巨大歯

歯の平均的な解剖学的大きさより異常に大きい歯をいう。永久歯に多く、乳歯ではほとんどみられない。上下顎中切歯、側切歯、下顎第三大臼歯に発生するとされるが、正常な歯が単独で巨大歯となるのはまれで、癒合歯や癒着歯、双生歯、過剰歯、歯牙腫との鑑別が必要である。

### F Hutchinson歯、Fournier歯

晩発性(遅発性)先天梅毒の歯に発生する特徴的な歯の形態不全である。Hutchinson(ハッチンソン)歯は、乳歯では少なく、永久歯の上顎中切歯に多くみられる。切端中央部の形成障害により半月状の実質欠損がみられ、歯冠はやや小さく、先端に向かって細くなり、切端隅角は鈍角で丸みを帯びた樽状形態を呈する(図4-23)。大臼歯に発生した場合はFournier(フルニエ)歯、またはMoon歯、桑実状臼歯とも呼ばれ、歯冠が小さく、咬頭が萎縮し、咬合面が顆粒状の凹凸を呈する。

Hutchinson歯、角膜実質炎および第Ⅷ脳神経の異常による内耳性難聴をHutchinson 3徴候といい、晩発性先天梅毒の診断価値が高い。

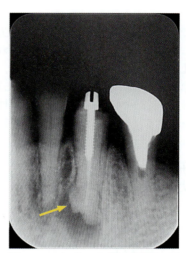

図4-24 セメント質の肥厚に伴う歯根肥大(矢印)

### G 歯根の異常
(歯根彎曲、歯根肥大、タウロドント)

歯根彎曲は、歯根形成期の外傷や歯根周囲組織の病的変化、歯胚の方向異常、隣在歯や隣接病変からの圧力などで生じる。上顎中切歯や上下顎小臼歯にみられる。

歯根肥大は、歯根への慢性的刺激や過大な咬合力によるセメント質の剝離や肥大、生理的な加齢変化によるセメント質の肥厚などによる(図4-24)。第三大臼歯では歯根彎曲と同じ要因で歯冠幅より歯根幅が広がっている場合がある。

タウロドントは、長軸方向に歯髄腔が長く、歯頸部のくびれがない円柱状または寸胴状で歯根が

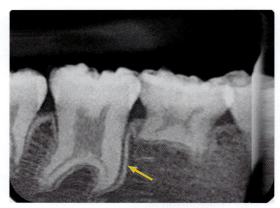

図 4-25　タウロドント（下顎右側第一大臼歯：矢印）

図 4-26　歯のフッ素症（斑状歯）

太い歯である．歯根が複数の歯では，根尖部だけが分岐した形態となり，台状根とも呼ばれる．下顎第一乳臼歯に多く，次いで第二乳臼歯，第一大臼歯，第二大臼歯にもみられる（図 4-25）．エナメル質形成不全，Down 症候群，外胚葉性疾患，Klinefelter（クラインフェルター）症候群に関与するとされる．

### H エナメル滴（異所性エナメル質），エナメル突起

エナメル滴（異所性エナメル質）は，歯根表面のように本来エナメル質が存在しない部分に形成されたエナメル質の突起をいう．球状や類円形に突出することが多く，エナメル真珠やエナメル腫ともいわれる．上下顎大臼歯の歯根分岐部に好発し，乳歯や永久前歯ではみられない．エナメル滴の中には，象牙質や歯髄腔をも有するものもある．

エナメル突起は，歯頸部のセメント-エナメル境から歯根分岐部方向へ突出したエナメル質の突起をいう．上下顎大臼歯の頰側にみられる．

## 3 構造の異常

### A 歯のフッ素症（斑状歯）

フッ化物に由来する慢性中毒の 1 つで，斑状歯と呼ばれることが多い．エナメル質の形成期に過剰量（1〜2 ppm 以上）のフッ化物を長期間摂取した場合にエナメル質の減形成や石灰化不全を生じる．左右歯列の歯面に対称性に白濁や褐色の斑状着色がみられ，水平の縞模様状を呈する．健全歯面との境界は不鮮明で，小さな白い斑点として現れる軽度なものから，歯全体が白濁や褐色斑を呈するもの，歯の発育不全を呈する重度のものまである（図 4-26）．

### B エナメル質形成不全（Turner の歯，エナメル質減形成症）

遺伝要因やフッ素以外の原因として，母体の栄養障害（カルシウム，リン，ビタミン A，ビタミン D）や代謝障害，ウイルス感染，薬物などがある．出生後は，幼少時の発熱や感染症，内分泌異常や代謝障害，栄養障害，血漿カルシウム低下が原因で発生する．症状は左右対称に現れることが多く，歯面の白濁や褐色着色を呈する（図 4-27）．

Turner の歯は，乳歯の根尖性歯周炎が形成途中の後継永久歯胚に波及し，永久歯のエナメル質減形成を起こしたものである．エナメル質が薄い状態，くぼみや穴がある場合，茶色や黄色，白濁などの着色がみられる場合もある．下顎第二乳臼歯の根尖病巣を要因として下顎第二小臼歯に生じることが多い．

乳歯のエナメル質減形成は，母体の栄養不足や早産，表皮水疱症や副甲状腺機能低下症，くる病が要因になっている場合がある．乳歯にも永久歯にもエナメル質減形成が生じている場合は，遺伝性エナメル質形成不全であることが多い．

### C 象牙質形成不全（象牙質異形成症）

Ⅰ型コラーゲンの遺伝子変異やほかの遺伝子異常に伴う骨形成不全症の口腔症状として現れることが多い．まれに歯の象牙質のみに形成不全が発生することがある．象牙質形成不全は乳歯も永久歯も発症し，象牙質からエナメル質が剝離し，著しい咬耗がみられることが多い．歯根は細くて短

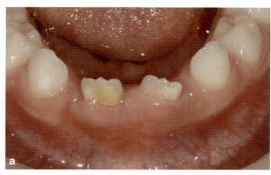
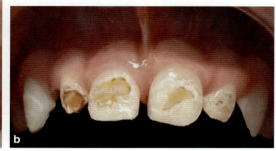

図 4-27　エナメル質形成不全
a：下顎中切歯，b：上顎乳側切歯および中切歯

く，歯髄腔は早期に狭窄して閉鎖するため，知覚過敏や露髄が生じることは少ない．歯冠はオパール様で，琥珀色を呈する．

## 4 萌出の異常

### A 異所萌出

本来の萌出位置と違った部位に萌出した歯である．先天的な歯胚の位置異常，顎骨内病変，萌出スペースの不足や乳歯の晩期残存，乳歯の齲蝕や早期脱落に伴う後続永久歯の位置異常などが原因で生じる（図 4-28）．第一大臼歯や前歯にみられることが多い．まれに鼻腔内や上顎洞内に萌出する歯もある（図 4-29）．

萌出角度や萌出位置の異常として，捻転歯，転位歯，傾斜歯，逆性歯と表現する場合がある．捻転歯は歯の長軸を中心に歯が回転（翼状捻転）した状態で，上顎中切歯に左右対称に生じることが多い．転位歯は正常歯列から偏位して萌出した歯で，上顎犬歯の唇側転位や上下顎小臼歯の舌側転位はしばしばみられる．傾斜歯は歯軸が著しく傾斜して萌出した歯で，上顎犬歯や上下顎小臼歯にみられる．逆性歯は反対方向に萌出した歯で，上顎前歯部の過剰歯や上顎小臼歯にみられる．

### B 埋伏歯

標準的な歯の萌出時期を経過しても歯冠の全部ないしは一部が口腔粘膜下や顎骨内に埋まっている歯である．全身的には，鎖骨頭蓋異骨症（図4-30），Down症候群，先天性外肺葉形成不全，

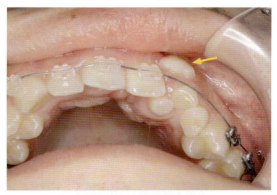

図 4-28　上顎左側犬歯の唇側転位（矢印）
BC が晩期残存し，2 の矮小歯は口蓋側に萌出している．
〔奥羽大学歯学部成長発育歯学講座小児歯科学分野　島村和宏先生　提供〕

くる病，先天性梅毒，内分泌疾患，遺伝などによる．局所的には，歯胚の位置異常，方向異常，被覆粘膜の肥厚，骨の硬化，歯根の彎曲，腫瘍や嚢胞などの顎骨内疾患，萌出スペースの不足，炎症性疾患に伴う萌出歯の周辺組織との癒着，乳歯の晩期残存，過剰歯や歯牙腫などによる．乳歯より永久歯に好発し，特に上下顎第三大臼歯（智歯）に多く，次いで上顎中切歯および犬歯，上下顎小臼歯にもみられる（図 4-31）．また，上顎切歯部には過剰歯が埋伏することが多い．

歯が口腔内に全く見えていない状態を完全埋伏歯，一部でも露出していれば不完全埋伏歯である．不完全埋伏歯の周囲は食片が嵌入しやすく，清掃不良に伴う歯冠周囲炎や隣在歯の齲蝕を生じやすい．また，隣在歯の歯根吸収や歯列不正をもたらす（図 4-32）．特に下顎第三大臼歯は智歯周囲炎（pericoronitis）を生じやすく，顎炎や蜂窩織

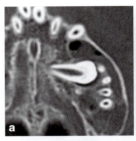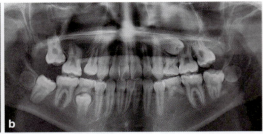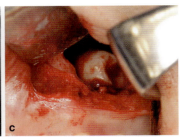

図 4-29　上顎洞内への異所萌出
a：CT，b：パノラマエックス線写真，c：上顎洞前壁を開窓して歯を抜去

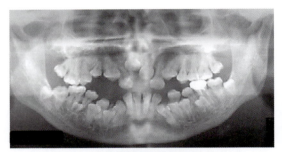

図 4-30　多数歯の埋伏（鎖骨頭蓋異骨症）

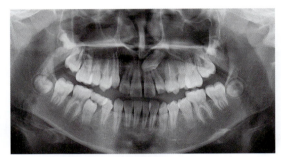

図 4-31　埋伏歯（左側上顎犬歯）

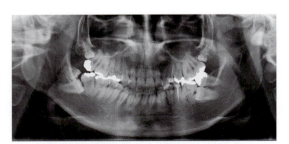

図 4-32　両側の下顎第二大臼歯の水平埋伏
第三大臼歯の重積がみられる．

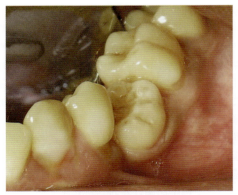

図 4-33　左側下顎第二乳臼歯の低位

炎の原因になることも多い．

　種々の障害がみられる埋伏歯は抜去する．埋伏している歯を歯列に戻す場合は開窓して牽引し，矯正的に萌出させることがある．口腔外科処置の中で下顎第三大臼歯の抜去術は最も多い観血的処置であるが，パノラマエックス線写真における埋伏歯の歯軸の方向（Winter 分類）や埋伏状況（Pell-Gregory 分類），下顎管との位置関係などを十分に把握して抜歯を行う必要がある．

### C 低位歯，高位歯

　咬合平面に達していない歯を低位歯（図 4-33）といい，咬合平面を超えて萌出している歯を高位歯という．頻度が高いのは下顎第一乳臼歯，下顎第二乳臼歯にみられる低位乳歯である．原因の多くは乳歯の骨性癒着である．低位歯は清掃不良になりやすく齲蝕リスクも高いが，齲蝕治療が難しい場合が多い．乳歯の早期喪失と同様，隣在歯の傾斜や後続永久歯の異所萌出，対合歯挺出（高位歯）の要因になる．

　咬合関係や成長発育を考慮しながら，歯冠修復

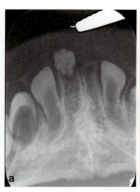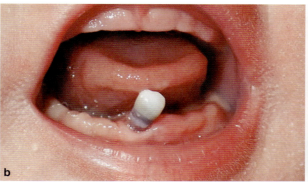

図 4-34 先天歯
a：エックス線画像，b：口腔内写真，c：抜去歯
〔寿泉堂綜合病院歯科口腔外科 提供〕

や補綴，抜歯や矯正治療を検討するが，低位歯の抜歯は難抜歯になることが多い．

### D 早期萌出乳歯（新生児歯，先天歯）

乳歯は，生後 6〜8 か月頃に下顎乳中切歯から萌出し始めるが，その時期より萌出が早ければ早期萌出歯という．出生時すでに萌出している歯を出産歯，生後 1 か月以内の新生児期に萌出した場合は新生児歯といい，これらの早期萌出歯を総称して先天歯という．好発部位は下顎正中部で，歯胚や歯周組織の異常，内分泌異常，遺伝的要因などが考えられ，口唇口蓋裂児の出現頻度はやや高いとされている．早期萌出歯が本来の乳歯か，過剰歯かの判断はほかの歯の萌出を待つか，エックス線画像で確認する（図 4-34）．

早期萌出歯は，授乳時の母親の乳頭部咬傷やそれに伴う感染症の原因となる．また，舌下面に歯による褥瘡性潰瘍（Riga-Fede 病）を形成することがある．正常な乳歯の場合は骨植がよいため，削合して萌出を待つことがある．過剰歯や歯の形成が不十分な乳歯の場合は，自然脱落や誤飲，誤嚥，歯肉炎などの可能性もあるため抜歯する．

### E 萌出遅延

遅延の明確な定義はないが，通常の萌出時期を一定期間過ぎても萌出しない歯を萌出遅延という．ただし，過剰歯や歯牙腫，囊胞などの原因により萌出していない場合は埋伏歯とされ，萌出遅延といわない場合が多い．エックス線画像で歯の位置や歯数を確認し，萌出障害の要因がないかを確認する．来院の経緯として，乳歯列期は下顎前歯部，小児期は上顎中切歯，上顎犬歯，下顎大臼歯，青年期以降では上下顎第二・三大臼歯の萌出遅延を主訴とする場合が多い．萌出を促す場合は開窓術，歯肉切除，歯の牽引などを行う．

局所要因は歯の位置や方向の異常，形成不全，萌出力不足，被覆歯肉の肥厚，骨質の緻密化などが挙げられ，全身的要因には鎖骨頭蓋異骨症，（カルシウム）代謝障害，ビタミン D 欠乏症（くる病），内分泌障害，先天梅毒などが挙げられる．

## B 口腔顔面軟組織の異常

### 1 口唇・頰部の異常

#### A 巨大唇

口唇組織が肥大した状態で，巨唇や大唇症ともいう．上下口唇ともに肥大するが，上唇もしくは下唇のみに発症することもある．血管腫やリンパ管腫に伴い腫瘍性に肥大することが多い．そのほかに口唇腺の肥大，ムコ多糖類の沈着，Quincke（クインケ）浮腫により肥大する（図 4-35）．肉芽腫性口唇炎による巨大唇は Melkersson-Rosenthal（メルカーソン・ロゼンタール）症候群の一症候の場合がある．

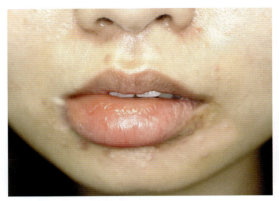

図 4-35　Quincke 浮腫

### B 二重唇

赤唇と口腔粘膜との境界に水平方向のヒダが形成されて口唇が二重にみえる．口唇癖により意識的に形成できるものや，微笑に伴い一過性に二重唇になる場合がある．上唇にみられることが多く，必要に応じて外科的切除を行う．

### C 小口症

両口角間の口裂幅が狭く，口が小さい状態である．先天性異常症候群の一症候の場合もあるが，熱傷や電気傷，先天性表皮水疱症に伴って生じる後天的な口角周囲の瘢痕によるものが多い．歯科治療が困難になるため口角形成術や口裂の拡大術を行う．

### D 咬筋肥大症

片側または両側の咬筋が慢性的に肥大した状態で，耳介から下顎角部の膨隆がみられる．原因は明らかではないが，異常咬合習癖や歯ぎしりが要因とされる．片側性に発生することが多く，顔貌の変形や非対称などの審美的な主訴が多い（図4-36）．病的要素や機能的不具合は少ないが，顎関節症を併発している場合がある．治療にあたり，耳下腺炎や腫瘍性病変と鑑別する必要がある．強い咬合を軽減させるために咬合習慣の是正，補綴物の修正などにより機能的平衡を保つ．咬筋肥大が著しく物理的に改善を要する場合は，咬筋の一部切除や下顎角の切除も検討する．近年はボツリヌス菌療法による咬筋の咬合力軽減の報告も散見される．

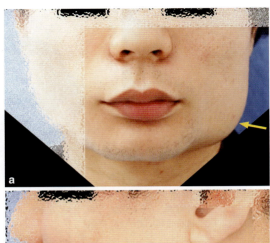

図 4-36　咬筋肥大症（矢印：左側）
a：正面写真，b：側面写真

### E その他

先天性下唇瘻，Fordyce 斑は第 11 章「口腔粘膜疾患」に記載する（→p.374）．

## 2 舌・口腔底の異常

### A Riga-Fede（リガ・フェーデ）病

下顎正中部の早期萌出歯に伴う舌下面の褥瘡性潰瘍である．哺乳期では吸啜時舌下面や舌小帯と早期萌出歯の先端との摩擦による．表面は灰白色で類円形を呈し，長期化すると線維性肉芽組織の増殖を認めることがある．原因歯の抜去か削合を行い，舌下面への刺激を除去する（図 4-37）．

### B 巨舌症

大きな舌で大舌症ともいうが，口腔内に収まらず上下口唇が閉鎖できないほど口腔外に舌が突出した状態である．筋性，腫瘍性，慢性炎症性，代

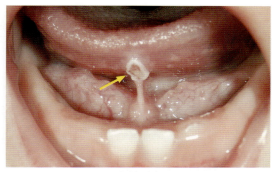

図 4-37　Riga-Fede 病（矢印）

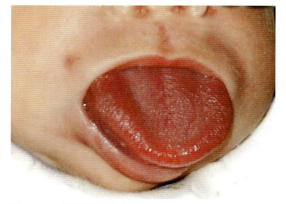

図 4-38　先天的巨舌症

謝異常などの要因がある．
　筋性の巨舌症は，先天的には Beckwith-Wiedemann（ベックウィズ・ウイーデマン）症候群や Down 症候群の一症候としてみられ，上気道閉鎖や哺乳障害を惹起する（図 4-38）．後天的には甲状腺機能低下症や下垂体機能亢進症により筋性の肥大がみられる（図 4-39）．腫瘍性には血管腫，リンパ管腫，神経線維腫による巨舌症があり，咬傷に伴い炎症性に腫大する場合がある．慢性炎症性には結核，梅毒，Hansen（ハンセン）病，サルコイドーシスなどによるものがある．代謝異常にはアミロイドーシス，ムコ多糖症，血管運動性浮腫などで巨舌症を呈する．
　腫瘍性や慢性炎症性，代謝異常による巨舌症は腫瘍切除や原因療法により舌の縮小を図るが，筋性巨舌症の場合は舌縮小術の適応となる．上気道閉鎖や哺乳障害が著しい場合は気管切開や経鼻経管栄養管理で対応する．また，巨舌に伴い開口症や顎変形症をきたすことも多く，外科的矯正手術の適応となる．

### C 小舌症・無舌症

　舌本体が小さい，または舌が存在しない状態である．きわめてまれな疾患で胎生期の舌結節形成期の発育異常によって小舌症や無舌症となる．誤嚥や嚥下障害，構音障害をきたし，新生児死亡例も多い．舌がないために小下顎や下顎歯列弓の狭窄，舌下腺や顎下腺の肥大が起こる．顔面裂の正中下顎裂では小舌症を併発する場合がある．

### D 舌裂（分裂舌）・分葉舌

　舌尖正中部の裂溝や舌辺縁の裂溝により，舌が

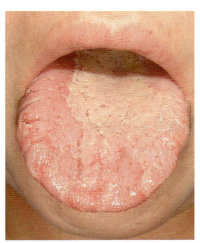

図 4-39　後天的巨舌症（筋性巨舌症）

分裂あるいは分葉状を呈した状態である．胎生期の外側舌結節の癒合不全で生じる．正中下顎裂や顔面口腔・顔面・指趾症候群（OFD 症候群）の一症候としてみられる．13 トリソミー〔Patau（パトー）症候群〕や第一第二鰓弓症候群，Goldenhar（ゴールデンハー）症候群では半側舌低形成による分葉舌をみることがある．機能的に問題はないが，審美的な訴えにより形成術を行う．

### E 舌甲状腺（結節）・異所性甲状腺

　胎生期における甲状腺原基の下行異常により舌盲孔付近に甲状腺が半球状隆起に残存した状態である．大きい場合は嚥下障害をきたすので，甲状腺舌管や本来の甲状腺との関連に注意しながら摘出あるいは移動させる．

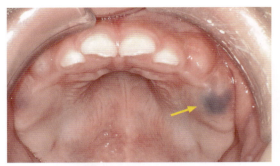

図 4-40　萌出囊胞(矢印)

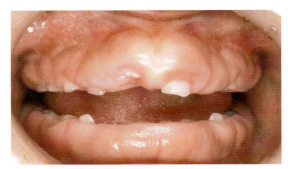

図 4-41　歯肉線維腫症

### F その他

舌扁桃肥大，溝状舌，正中菱形舌炎，地図状舌は第 11 章「口腔粘膜疾患」に記載する(→p.374)．

## 3 歯肉・口蓋の異常

### A 萌出囊胞(萌出血腫)

萌出中の歯冠周囲に生じる歯原性囊胞で，含歯性囊胞の一種である．萌出囊胞は，顎骨内に発症する含歯性囊胞とは異なり，歯槽堤粘膜直下に発症するため，歯槽堤粘膜がドーム状に膨隆する．膨隆部分は透明感のある暗青紫色を呈し，弾性軟で，波動を触知することもある(図 4-40)．囊胞の上皮は含歯性囊胞と同様，非角化性重層扁平上皮で，囊胞腔内に血液の貯留を認める場合は，粘膜下血腫に似た所見を示す．乳歯の萌出時にも，永久歯の萌出時にも出現することがあるが，上顎乳臼歯に多い．治療方針は，自潰して歯が自然に萌出することが多いため，経過観察する．歯が萌出しない場合は開窓して萌出を促す．

### B 幼児の歯肉囊胞(歯堤囊胞)，上皮真珠，Epstein 真珠，Bohn 結節

新生児の歯槽部や歯肉，硬軟口蓋境界部に生じる小さな真珠様の小結節である．歯胚形成後に消退する歯堤の上皮，あるいは口蓋突起癒合部の上皮遺残が角化上皮細胞巣となり出現する．大きさは 1～5 mm 程度，白色ないし黄白色を呈し，数個の結節が集合する場合もある．生後 6 か月ほどで自然消失する．

### C 歯肉線維腫症

全顎にわたり歯肉が線維性増殖をきたす非炎症性の疾患である．遺伝性のものが多く遺伝性歯肉過形成症，歯肉象皮症ともいう．歯肉増殖が著しく歯冠が覆われると上下歯肉が接し，閉口障害や咀嚼障害をきたす場合がある(図 4-41)．病理組織学的には上皮の肥厚と角化亢進がみられコラーゲン線維の著明な増殖がみられる．歯肉切除により審美的な形態を修正する．

### D 歯肉肥厚・歯肉増殖

内分泌疾患や血液疾患，代謝異常により歯肉がび漫性に肥大，あるいは増殖した状態である．薬物性では降圧薬(ニフェジピン)，抗けいれん薬(フェニトイン)，免疫抑制薬(シクロスポリン)が原因で生じる．特にフェニトインはてんかんの治療薬として長期服用することが多く，患者の約 50％に歯肉増殖が発症する．

### E Bednar(ベドナー)アフタ

乳児の哺乳瓶吸啜により硬口蓋粘膜に表在性で左右対称性に形成される外傷性潰瘍である．玩具や食器などの機械的刺激で生じることもある．
浅い不定形の潰瘍で表面は灰白色の偽膜で覆われているが，痛みにより哺乳を拒否することがある．哺乳を維持し，脱水に気をつけながら，刺激を避け清潔に保つことで治癒する．感染がある場合は，抗菌薬の軟膏を局所塗布することもある．

### F 高口蓋

開口時に硬口蓋の一部がみえないほど鼻腔側方

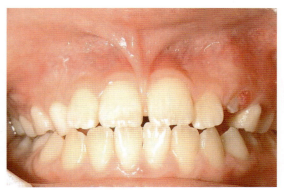
図4-42 上唇小帯付着異常
上唇小帯が中切歯間に及び，正中離開がみられる．

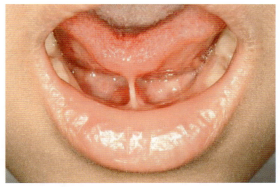
図4-43 舌強直症
舌の可動域が制限され舌の挙上と突出が制限されている．

向に高く，深い形状を示す．上顎臼歯部歯列弓の狭窄やV字歯列を伴うと硬口蓋正中部も細く狭い形状となる．Down症候群，Crouzon（クルーゾン）症候群，Apert（アペール）症候群，Marfan（マルファン）症候群，猫鳴き症候群など多くの症候群でみられる．

### G 軟口蓋形成不全

片側あるいは両側の軟口蓋諸筋群の形成不全や軟口蓋粘膜部の形態異常である．口蓋帆挙筋や口蓋咽頭筋の機能低下により鼻咽腔閉鎖不全を呈することがある．また，正中部口蓋骨の癒合不全がある場合は粘膜下口蓋裂や口蓋垂裂，片側性の形成不全の場合は口蓋垂の健側偏位がみられる．第一第二鰓弓症候群やGoldenhar症候群，Treacher Collins（トリチャーコリンズ）症候群にみられることが多い．

## 4 小帯の異常

### A 上唇小帯，下唇小帯の付着異常

歯肉の高位に口唇の小帯が付着した状態である（図4-42）．下唇より上唇に多い．歯の萌出とともに小帯は低位になるが，萌出後も歯槽頂や切歯乳頭付近に位置する場合がある．機能的な影響は少ないが，食渣による齲蝕誘発や審美的な訴え，正中離開の原因となる場合は切除や延長術を行う．

### B 頰小帯の付着異常

頰粘膜から犬歯小臼歯部の歯肉に高位に小帯が付着した状態である．欠損補綴やインプラント治療では，義歯の安定や義歯床による外傷予防，付着歯肉の幅を獲得し十分な自浄作用を得るために小帯切除術や口腔前庭拡張術を行う．

### C 舌小帯の付着異常，舌強直症

口腔底から舌下面に付着する小帯が舌尖に近い位置で付着した状態である．舌側歯肉から舌尖の近い距離で小帯が付着すると舌の運動が著しく制限されるため舌強直症と呼ばれる（図4-43）．乳幼児期では哺乳障害や嚥下障害，小児期ではタ行やラ行などの構音障害をきたす場合がある．障害がある場合は早期に舌小帯切除術や舌小帯延長術を行う．

### D その他

口腔・顔面・指趾症候群（OFD症候群）の一症候として，口腔内に多数の肥厚した異常小帯がみられる．

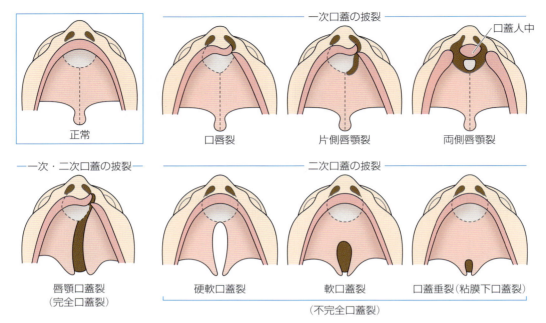

図 4-44　口唇裂・口蓋裂の分類

## C 口唇裂・口蓋裂

### 1 口唇裂・口蓋裂の分類（図 4-44）

口唇裂・口蓋裂は，発生学の観点から一次口蓋の披裂が口唇裂と顎裂，二次口蓋の披裂が不完全口蓋裂（口蓋裂単独）に分けられる．また，一次口蓋から二次口蓋にわたり披裂があるものを唇顎口蓋裂（完全口蓋裂）という．

#### A 口唇裂（唇裂）（図 4-45a～c）

口唇裂は，披裂が左右どちらか一方にみられる片側口唇裂と，左右両側にみられる両側口唇裂がある．また，披裂が外鼻孔に達しているか否かで完全，不完全口唇裂と臨床的に診断する．

#### B 唇顎裂（図 4-45d）

唇顎裂は，一次口蓋の癒合不全により発症し，口唇だけでなく歯槽部まで披裂が及ぶものをいう．

#### C 口蓋裂（不完全口蓋裂）

二次口蓋のみの癒合不全により発症し，不完全口蓋裂とも呼ばれる．披裂が硬口蓋と軟口蓋に及ぶものを硬軟口蓋裂，披裂が軟口蓋のみのものを軟口蓋裂（図 4-46a），披裂が口蓋垂のみのものを口蓋垂裂といい，粘膜下口蓋裂の一症状として現れることが多い．不完全口蓋裂は，症候群の一部症状としてみられることがあり，ほかの症状の診察が必要となる．

#### D 粘膜下口蓋裂（図 4-46b）

軟口蓋の一層の粘膜だけで結合し，口蓋帆挙筋の走行異常を粘膜下口蓋裂という．粘膜下口蓋裂の特徴的な所見は，① 口蓋垂裂，② 後鼻棘の V 字状の骨欠損，③ 軟口蓋正中部粘膜の透過性亢進（骨欠損と口蓋帆挙筋の走行異常が原因）の 3 つあり，Calnan（カルナン）の 3 徴候と呼ぶ．視診では明らかな披裂がみられないことから，学童期になって言語障害を指摘され，鼻咽腔閉鎖機能不全と診断される場合もある．

#### E 唇顎口蓋裂（完全口蓋裂）（図 4-47）

一次口蓋から二次口蓋にわたる癒合不全により生じる．口蓋裂は完全口蓋裂である．披裂は，口唇，歯槽部，口蓋と連続してみられる．口唇裂と口蓋裂のそれぞれに種々の程度の披裂がみられ，片側性，両側性に分類される．口蓋の両側性の癒

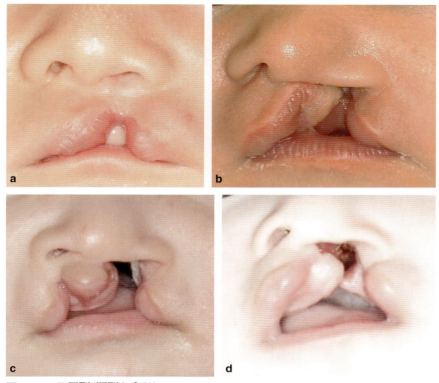

**図 4-45　口唇裂（顎裂を含む）**
a：左側不完全口唇裂，b：左側完全口唇裂，c：両側口唇裂（右側：不完全，左側：完全），d：左側唇顎裂

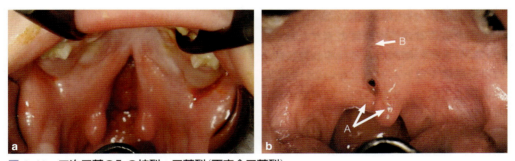

**図 4-46　二次口蓋のみの披裂：口蓋裂（不完全口蓋裂）**
a：軟口蓋裂，b：粘膜下口蓋裂〔A：口蓋垂裂（口蓋垂が2つに分かれている），B：粘膜の透過性がある〕

合不全では，顎裂が両側性にみられ鼻中隔が露出している．

## 2　口唇裂・口蓋裂の発症頻度

### A　発症頻度

わが国において約550人に1人の割合で発症し，外表奇形では最も多い．また，人種により異なりコーカシアン（コーカソイド）は800人に1人，アフリカン（ネグロイド）は約2,000人に1人に発

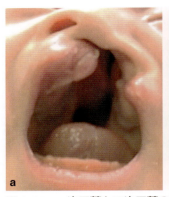
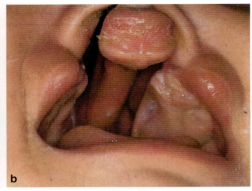

**図 4-47　一次口蓋と二次口蓋の披裂：唇顎口蓋裂（完全口蓋裂）**
a：左側唇顎口蓋裂，b：両側唇顎口蓋裂

生し，日本人を含む東アジア人（モンゴロイド）に多く発症する．家族内の発現率は，両親のいずれか一方が罹患している場合，その子どもが発症する確率が2〜4％で，同胞内で本症が発現する割合は1〜2％である．

### B 臨床統計

① 裂型は，唇顎口蓋裂が最も多く，次に唇顎裂で，口蓋裂が最も少ない．
② 性差では，口唇裂，唇顎口蓋裂は男性に多く，口蓋裂は女性が男性より約1.5倍多い．
③ 左右差は，左側が多い．片側口唇裂は，両側口唇裂より4倍多い．これらを比にすると，左側：右側：両側＝5：3：2である．
④ 程度は，完全裂のほうが不完全裂よりも多い．
⑤ 左側完全唇顎口蓋裂が最も多い．

## 3 口唇裂・口蓋裂の臨床症状

### A 口唇裂（唇裂）

#### 1 片側口唇裂（図 4-48）

上唇および外鼻が左右非対称で，上唇の片側に披裂が存在するため，健側の人中ならびに人中稜は認められるが，患側では消失している．患側の披裂内側の患側キューピッド弓頂点は上方に偏位し，皮膚赤唇移行部の皮膚粘膜隆起が消失している．一方，外鼻は，健側の鼻翼および鼻孔形態は比較的正常形態を保つが，患側の鼻尖と鼻柱は健側に偏位するので患側鼻翼と外鼻孔は扁平化す

る．また，患側鼻翼基部は外下方への偏位がみられる．

顎裂部で歯槽突起の連続性が途絶え，披裂内側の歯槽部断端（large segment）は前方に突出し，披裂外側の歯槽部断端（small segment）に段差（alveolar collapse）を生じる．これらの形態変化は不完全裂より完全裂のほうが著しい．

#### 2 両側口唇裂（図 4-49）

上唇が中間唇（正中唇，人中唇）と両側側方唇の3部位に分かれており，歯槽突起も3つに分かれている．中間唇のキューピッド弓，人中稜，人中の陥凹が消失している．中間唇と顎間骨が前方に突出している．外鼻は，鼻柱の短小化および両側鼻翼基部の外側偏位がみられ，鼻尖と両側外鼻孔の扁平化を認める．また，前歯部口腔前庭の付着歯肉の高径が短い．これらの形態変化は不完全裂より完全裂のほうが著しい．

#### 3 口蓋裂（図 4-50）

硬口蓋から軟口蓋にわたる披裂により口腔と鼻腔さらに鼻咽腔上方部が交通している．後方では，口蓋垂が左右2つに分かれている．片側完全口蓋裂の鼻中隔は強く傾斜し，両側完全口蓋裂では，鼻中隔下方端が口腔に露出している．軟口蓋の発育は一般的に悪く，大きな鼻咽腔を呈する．

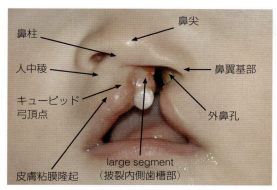

図 4-48　片側口唇裂の各部名称

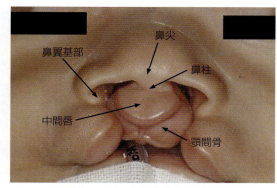

図 4-49　両側口唇裂の各部名称

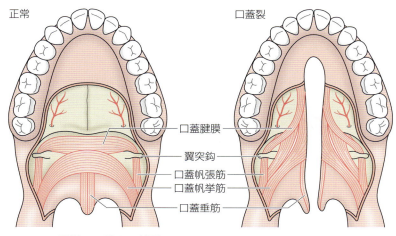

図 4-50　正常の口蓋と口蓋裂

## 4 口唇裂・口蓋裂の障害および継発症

### A 出生直後の障害

　口唇裂では，赤唇から白唇部に存在する披裂によって外鼻や口唇の形態異常に基づく美的障害が挙げられる．唇顎口蓋裂では哺乳時に乳首を口蓋（哺乳窩）に圧迫することや口腔内を陰圧にすることができず哺乳障害を認める．また，口蓋裂では直接咽頭部が露出するため咽頭炎，誤嚥による気管支炎などの呼吸器疾患，鼻中隔彎曲による鼻炎，耳管開口部の位置異常や狭窄による滲出性中耳炎などの耳鼻咽喉科疾患が合併症として挙げられる．

### B 口唇裂の一次手術後（口唇形成術）の障害・継発症

　口唇裂の一次手術後に手術部の瘢痕や変形が残ることがあり，美的障害が挙げられる．また，口唇を閉じる際の上唇の過緊張，口唇運動不全，口腔前庭狭小などが挙げられる．顎裂が存在する場合には，隣在歯の捻転，側切歯の先天欠如による歯列不正などによりブラッシングが困難となり，齲蝕や歯周組織の疾患を伴うことがある．

### C 口蓋裂の一次手術後（口蓋形成術）の障害・継発症

　口蓋裂の一次手術後になんらかの影響によって残遺しうる障害は大別して3つである．①鼻咽腔閉鎖不全による言語障害（口蓋裂言語），②鼻口腔瘻，③上顎劣成長など顎発育障害，不正咬合などである．

　鼻口腔瘻は，口蓋形成術後に披裂部付近に残遺した瘻孔ないし穿孔である（図 4-51）．比較的大きな鼻口瘻孔では，飲食物が鼻腔内に流出する．

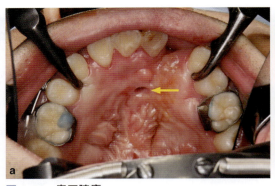
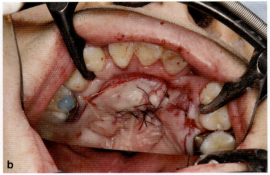

図 4-51 鼻口腔瘻
a：前方部の鼻口腔瘻（矢印），b：瘻孔閉鎖術（口蓋弁），術野はDingman開口器で維持している．

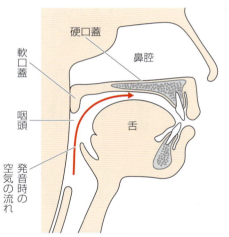
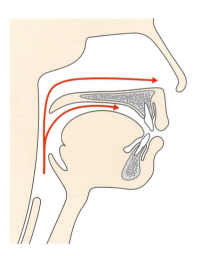

図 4-52 鼻咽腔閉鎖不全
左：正常な鼻咽腔閉鎖運動，右：鼻咽腔閉鎖不全

## 1 鼻咽腔閉鎖不全（図4-52）

鼻咽腔閉鎖機能になんらかの異常や障害があると，口腔内圧を十分に生成することができない．その結果，呼気を音響エネルギーとして変換できずに通鼻音以外の音声に異常をきたす．母音の開鼻声と子音の鼻音化である．

## 2 口蓋裂言語

口蓋裂言語とは，鼻咽腔閉鎖不全に基づく開鼻声と，それに起因する学習障害としての構音異常からなる．異常構音は，誤った構音操作が習慣として固定された子音の歪みである．代表的なものは声門破裂音，咽頭摩擦音，咽頭破裂音，側音化構音，口蓋化構音などである．一般的に構音する部位，すなわち構音点は後方に移動する．

# 5 口唇裂・口蓋裂の治療

## A チーム医療による一貫治療（図4-53）

口唇裂・口蓋裂の障害は多岐にわたり，出生直後から顎発育の終了する成人まで一貫した方針に基づく専門各科によるチーム医療が求められる．

口唇裂・口蓋裂の治療チームは施設により異なるが，口腔外科医，矯正歯科医，歯科麻酔科医，小児歯科医，歯科補綴科医，歯科インプラント科医，摂食嚥下リハビリテーション科医，歯科臨床各科の歯科衛生士，形成外科医，産婦人科医，小児科医，耳鼻咽喉科医，言語聴覚士，臨床心理士，臨床遺伝科医，看護師，栄養士，ケースワーカーなどで構成され，互いに尊重し連携するチー

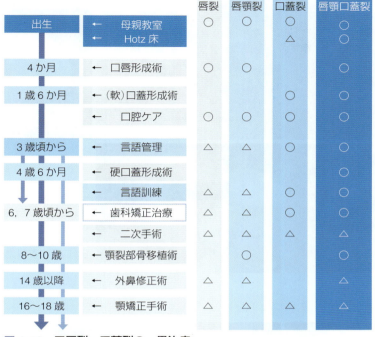

**図 4-53 口唇裂・口蓋裂の一貫治療**
○：処置を行う，△：必要があれば行う．

ム医療が望ましい．

## B 術前治療

口唇裂・口蓋裂患者の出生から手術までは，出生直後の家族カウンセリング，哺乳障害の管理，および術前顎矯正による術前治療が施される．

治療を円滑に進めるには，両親の協力が不可欠である．両親にはとまどいや不安があり，心理状況についても把握する必要がある．

最近では，外表奇形であるがゆえに唇顎口蓋裂の40％以上が出生前診断によって発見され，出生前に両親が来院し説明をする機会が増えた．母親，家族へ正しい情報提供，精神的ケアが重要である．

### 1 ● 小児科によるスクリーニング

口唇裂・口蓋裂に加えてほかの先天異常が合併する頻度は，唇顎口蓋裂で2～5％程度，口蓋裂では約10％ともいわれている．合併する外表奇形では手足の異常が多く，内臓奇形では心疾患が多い．口蓋裂の約80％以上が耳管の調節が弱く，滲出性中耳炎を併発する．小児科や耳鼻咽喉科などの専門家による診察は必須であり，先天異常スクリーニングが重要である．

### 2 ● 哺乳管理　術前顎矯正

生後間もない時期から口唇裂の一次手術を行うまでの間，唇顎口蓋裂患児にみられる哺乳障害に対してHotz（ホッツ）床が有効である．このHotz床は，チューリッヒ大学歯学部の唇顎口蓋裂の一貫治療で使用されている口蓋床である．出生後すぐに装着し，①口腔機能を正常化し，②哺乳の改善および③顎発育誘導を行う．

軟性レジンと硬性レジンとで構成され，鼻腔側と口腔側に隔たりを作り，逆流防止弁付きの哺乳瓶などを併用することにより哺乳が容易になる（図4-54）．また，Hotz床の内面を削合することにより顎発育を誘導する機能もあり，口唇裂・口蓋裂の一次手術の難易度が低くなる（図4-55）．口唇形成術の術後には口唇の筋形成や瘢痕による上顎歯槽部への圧迫により顎堤が偏位することを防ぐ目的もある．1歳6か月の口蓋形成術まで成長に合わせて何回か再作製し，調整する．ほかには術前鼻歯槽形成として鼻軟骨周囲軟組織の形態

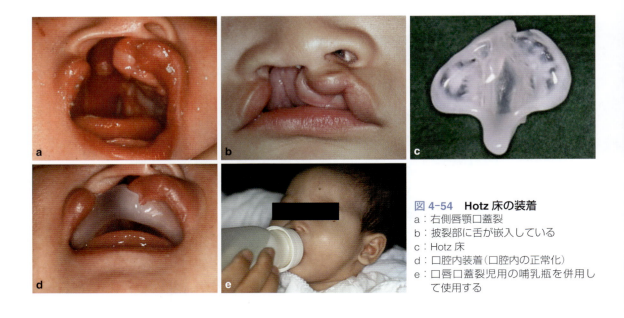

図 4-54　Hotz 床の装着
a：右側唇顎口蓋裂
b：披裂部に舌が嵌入している
c：Hotz 床
d：口腔内装着（口腔内の正常化）
e：口唇口蓋裂児用の哺乳瓶を併用して使用する

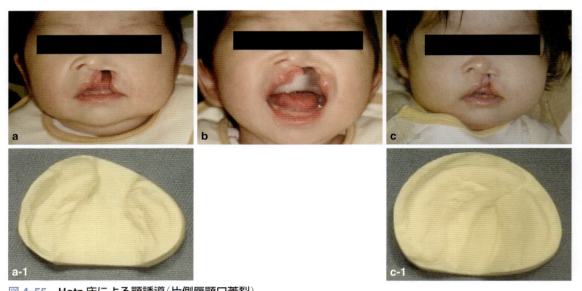

図 4-55　Hotz 床による顎誘導（片側唇顎口蓋裂）
a：生後 16 日顔貌，a-1：生後 16 日上顎模型，b：Hotz 床装着，c：生後 4 か月顔貌，c-1：生後 4 か月上顎模型

改善を目的として PNAM（presurgical nasoalveolar molding）を用いている施設がある．

### C 口唇裂の一次手術（口唇形成術）

　口唇裂初回手術の目的は，「披裂により変形した口唇および外鼻を正常に近い状態に形態と機能を回復する」である．手術時期は，施設により若干の違いがあるが，生後 2〜4 か月頃である．一般的に哺乳運動によって，口輪筋の発達から組織量が増加することにより組織が明瞭になり，歯槽弓の成長が旺盛な時期の生後 3 か月頃に設定する．これは，体重が 5 kg を超え，首がすわる時期で周術期・術後管理の安全性も増すなどの医療安全上の利点がある．

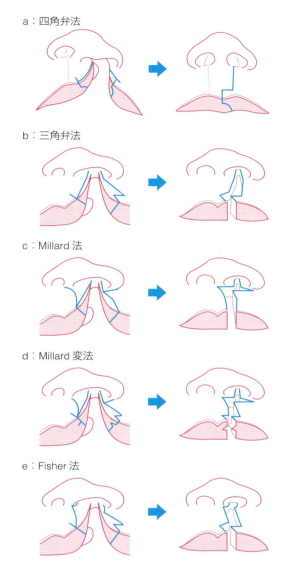

a：四角弁法
b：三角弁法
c：Millard 法
d：Millard 変法
e：Fisher 法

図 4-56　口唇形成術（片側）

## 1 ● 片側性口唇裂一次手術（図 4-56）

手術法は，長い歴史の中でいくつも考案され，改良されてきた．代表的なものとして四角弁法，三角弁法，rotation advancement 法などが挙げられる．

四角弁法は，Le Mesurier（ル・ムズリエ）法があり，患側に作られた四角形の弁で白唇の伸展と赤唇の正中結節を作る方法である．最近ではあまり用いないが，両側唇裂の際に応用されることがある．

三角弁法として Tennison（テニソン）法，Randall（ランダル）法，Cronin 法などがあり，正中側披裂の赤唇-白唇移行部に横切開を加えて短縮した口唇長の延長を図り，患側の外側唇にデザインした三角弁を挿入し，左右の口唇長が等しくなるようにする方法である．赤唇-白唇移行部に三角弁がみられるのが特徴である．

Rotation advancement 法は，Millard（ミラード）法とも呼ばれ，正中唇の鼻柱基部を横断してキューピッド弓に至る弧状切開によってキューピッド弓を下方に rotation し，そこに生じた組織欠損に合わせて患側の外側唇に設計した大きな皮弁を移動挿入する方法である．弧状切開が人中の位置に相当する点や三角弁のように術中に複雑な計測を用いず術者の感覚を用いるなどの利点を有する．しかし，Millard 法の原理ではキューピッド弓の下方への rotation 不足や患側の鼻孔サイズが小さくなるなどの問題もある．現在では，Millard 法と三角弁を併せた Millard 変法なども考案されている．

最近では，解剖学的構造を利用した Fisher 法が考案された．白唇部の切開に加え，鼻腔底，外鼻，赤唇-白唇移行部に横切開を加え短縮して口唇長の延長を図り，外側唇にデザインした三角弁を左右の口唇長を延長させて形成する．Millard 法と三角弁法と比べると定点が多く複雑であるが，より自然な形態にすることができる．それぞれの術式には特徴があり，病状や術者の方針によって選択される．

## 2 ● 両側性口唇裂一次手術（図 4-57）

両側性口唇裂の一次手術は，一度に両側の口唇裂を形成する 1 回法と，二度に分けて形成する 2 回法がある．

1 回法は披裂縁に沿って直線的に切開し，両側の口唇を縫合する Manchester 法（直線法），片側口唇裂に対する rotation advancement 法を両側に応用した両側 Millard 法，Le Mesurier 法，Mulliken 法が挙げられる．口輪筋を再建し，正中唇の下方に外側唇から四角弁を含む組織を移動させ，白唇や正中結節部の組織欠損を補う方法である．

2 回法は，片側口唇裂に用いられる三角弁法などを両側に適応するものである．対称な形のよいキューピッド弓が形成できず，左右の口輪筋の結

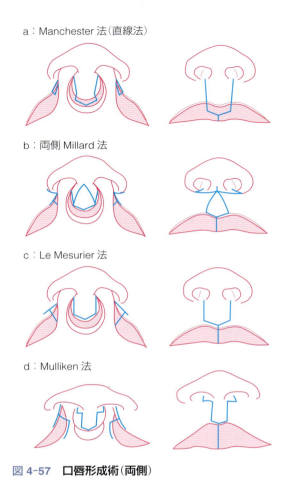

a：Manchester 法（直線法）
b：両側 Millard 法
c：Le Mesurier 法
d：Mulliken 法

図 4-57　口唇形成術（両側）

合が不可能で，術後に顎間骨が突出しやすい．

### D 口蓋裂一次手術（口蓋形成術）（図 4-58）

口蓋形成術の目的は，「良好な鼻咽腔閉鎖機能と歯列弓を持つ口蓋を形成し正常な言語を獲得する」である．つまり，披裂を閉鎖し口腔と鼻腔を遮断し，軟口蓋の筋肉の再建を行い咀嚼や言語などの機能を整えることである．

手術時期は，正常言語の獲得を考慮するとできるだけ早期に口蓋閉鎖が望まれる．しかし，口蓋形成術の侵襲や瘢痕による上顎の発育抑制を起こす点から顎発育を考慮すると，できるだけ遅らせるべきではある．この二律背反に対して国内外を問わず度々議論となっている．一般的に言語発達が急速に進む前の 1 歳 6 か月頃に口蓋裂一次手術を行うのがよいとされている．

口蓋裂一次手術は，von Langenbeck（フォン・ランゲンベック）によって歯列に沿う側方減張切開と硬口蓋部の粘膜骨膜弁で口蓋裂を閉鎖する方法が考案された．その後，鼻咽腔閉鎖機能を確実に獲得する方法として，Wardill（ワーディル）らの口蓋後方移動術（push back 法）に発展し，現在の口蓋裂一次手術の基本手技となっている．口蓋後方移動術の基本術式は，口蓋粘膜骨膜弁を口蓋骨後縁から剝離し，後内方へ移動させ，披裂により 2 つに分かれている口蓋帆挙筋を含む口蓋筋の筋輪形成を行い，かつ組織の後方移動（push back）により動きがよい，長い軟口蓋を形成する．本法は，鼻咽腔閉鎖機能の獲得が良好である利点をもつが，口蓋骨前方に生じる手術創の瘢痕拘縮により顎発育異常が生じる欠点がある．

また，硬口蓋部の組織剝離範囲を極力抑え，軟口蓋部の口腔側と鼻腔側に互いに向きの違う Z 形成術を行って口蓋筋を重ね合わせることで軟口蓋の延長を図る Furlow（ファーロー）法（double opposing Z-plasty）がある．

一方，披裂が大きい場合には，顎発育の障害を避けるために 2 段階で口蓋閉鎖を行う 2 段階口蓋形成術（図 4-59）がある．まず，1 歳頃に軟口蓋のみを骨膜上でアプローチして閉鎖し，硬口蓋部の瘻孔を閉鎖床で閉鎖し，4〜5 歳頃に硬口蓋部を完全閉鎖する方法である．2 段階法による口蓋形成術は，上顎骨の骨膜を剝離せずに，口蓋粘膜と口蓋筋のみを後方移動させる粘膜弁法〔Perko（ペルコ）法〕や Furlow 法を用いる．

### E 口腔衛生管理

口唇裂・口蓋裂の幼児は，口腔内に披裂，術後の瘢痕や口唇の緊張，歯列不正などによって歯の清掃が困難なことがある．口蓋裂の一次手術後から歯科衛生士による歯の清掃指導が重要となる．まずは，患児が両親の膝の上に座り，両親に対しての指導から始まる．

### F 口蓋裂言語に対する治療

言語の問題として，①鼻咽腔閉鎖機能不全による開鼻声，②誤った構音操作による異常構音，③滲出性中耳炎による聴力障害がある．口蓋裂手術によって良好な鼻咽腔閉鎖機能が獲得されたかどうかは，患者の言語に大きな影響を与える．

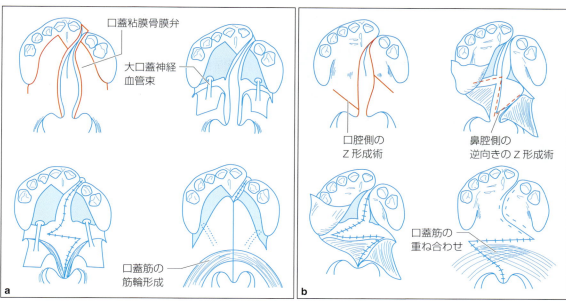

図 4-58 口蓋形成術
a：口蓋後方移動術（push back 法），b：Furlow 法（double opposing Z-plasty）

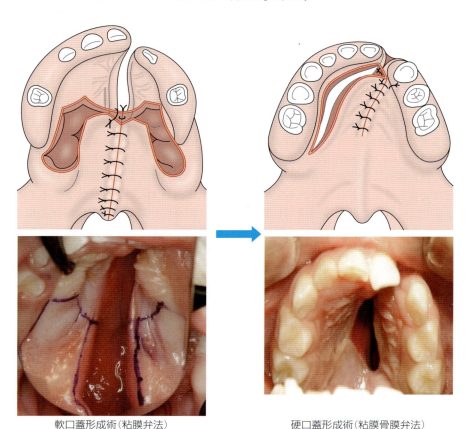

図 4-59 顎発育を考慮した口蓋形成術，2 段階口蓋形成術（Perko 法）
2 段階口蓋形成術（Perko 法）として 1 歳 6 か月時に軟口蓋形成術（粘膜弁法），5 歳頃に硬口蓋形成術（粘膜骨膜弁法）を行う．

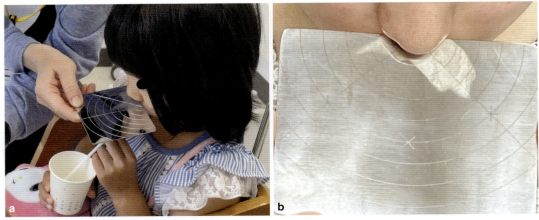

図 4-60　鼻息鏡を用いた呼気鼻漏出検査
a：ストローで口腔から呼気を出しながら鼻息鏡で呼気鼻漏を確認する．
b：鼻息鏡の一部が呼気鼻漏により曇る．曇る範囲を記録する．

口蓋裂術後の言語管理は，言語聴覚士によって鼻咽腔閉鎖機能の評価や賦活訓練，ならびに異常構音に対し構音訓練が行われる．

口蓋裂手術後の鼻咽腔閉鎖機能訓練では，ブローイング（吹き出し）訓練を行いながら，鼻腔と口腔の閉鎖機能を賦活化する．4歳前後になるとさまざまな検査が可能になるので，鼻咽腔閉鎖機能検査を行う．開鼻声や異常構音の聴覚判定，ブローイング検査，鼻息鏡を用いた呼気鼻漏出検査（図4-60），エックス線撮影（セファロ），機器（ナゾメータ）による開鼻性度検査，鼻咽腔ファイバー検査などがある．

口蓋裂患者の異常構音は，口蓋裂術後の鼻咽腔閉鎖機能障害による弱音化，さらに機能不全の代償として現れる声門破裂音や咽頭摩擦音，咽頭破裂音などがある．声門破裂音は，発話時に呼気流が鼻腔へ漏れると口腔内圧が十分に高まらないことから，声門付近で声を産生するもので，「カ」行，「タ」行，「パ」行などの子音が母音に置き換わるものである．また，鼻咽腔閉鎖機能にかかわらず，歯槽弓の変形や瘻孔などの影響により，構音点が後方に移動する口蓋化構音，側方に移動する側音化構音なども観察される．

### G スピーチエイドと咽頭弁移植術

鼻咽腔閉鎖機能不全に対して，非観血的治療として口腔内装置を使用した治療と観血的治療による方法がある．

非観血的治療には，スピーチエイド，パラタルリフトの装置を用いる．スピーチエイドは，口蓋プレート，ワイヤー，バルブからなり，軟口蓋が短い患者に機能的に鼻咽腔のスペースをバルブで閉鎖する（図4-61）．パラタルリフトは，軟口蓋が長く動きの悪い症例に対して軟口蓋の挙上を補助する（図4-62）．

観血的治療には，咽頭弁移植術がある（図4-63）．咽頭後壁の組織を軟口蓋の裏面に張り付けて鼻咽腔の隙間を狭くする方法で，最も効果的に鼻咽腔の閉鎖が得られる．また，再度，口蓋形成術を併用する再口蓋形成術を同時に行うこともある．併発症として咽頭弁が細くなり鼻咽腔閉鎖不全が再発することや，大きすぎる咽頭弁の場合には閉鼻声や睡眠時無呼吸症候群などを引き起こす危険性があるので注意が必要である．

### H 矯正歯科とのチーム医療

口唇裂・口蓋裂術後患者の矯正歯科治療の主体は，歯列の改善，上顎側方拡大，上下顎咬合関係の改善である．口唇裂・口蓋裂における歯科矯正治療は，2期に分けられる．7～8歳頃の混合歯列前期の1期目では部分治療が，11～13歳の混合歯列期後期ないし永久歯列期の2期目では本格矯正治療が行われる．また，上顎の発育不全や手術侵襲における発育抑制で，歯科矯正治療のみでは十分に改善が見込めない重篤な顔面変形を伴う場合には，顎矯正手術を併用した外科矯正治療を行う．

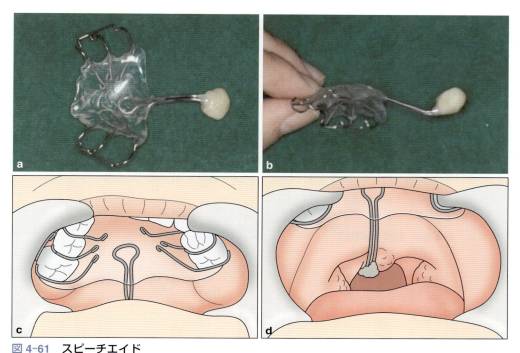

図 4-61　スピーチエイド
a：上方からの写真，b：側方からの写真，c：スピーチエイド装着安静時，d：スピーチエイド装着「ア」発声時

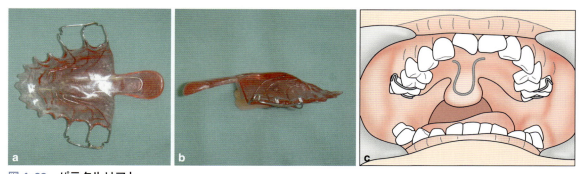

図 4-62　パラタルリフト
a：上方からの写真，b：側方からの写真，c：パラタルリフト「ア」発声時

## 顎裂部骨移植術（図 4-64）

　顎裂部骨移植術は，1 歳以前に口唇形成術と同時に行う一次顎裂部骨移植術と，9 歳頃に犬歯の萌出のタイミングで行う二次顎裂部骨移植術に分けられる．目的は，①顎裂部の骨性連続を保ち，②骨移植後に同部への犬歯の萌出を誘導し（図 4-65），連続した歯槽弓を形成し，③歯科矯正治療の安定化を図る．④鼻口腔瘻の閉鎖とともに，⑤鼻翼基部を挙上することによる顔面の形態を改善させる，ことである．

　最近では，一次顎裂部骨移植術として生後 3～6 か月時の口唇形成術時に顎裂閉鎖を行う歯肉骨膜形成術（gingivoperiostplasty；GPP）が積極的に行われている．この術式は，顎裂部骨移植術の侵襲の軽減や回避できる術式として注目されている．

　一般的に行われている二次顎裂部骨移植術は，犬歯萌出前の Hellman の歯齢ⅢB の 8～11 歳時

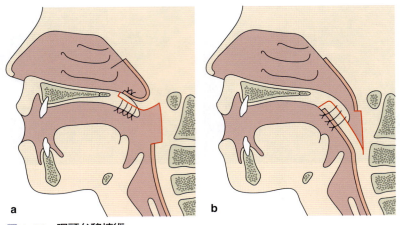

**図 4-63　咽頭弁移植術**
a：上茎法，b：下茎法

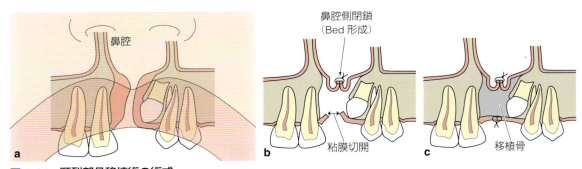

**図 4-64　顎裂部骨移植術の術式**
a：手術前，b：鼻腔側の閉鎖，c：移植骨と口腔側の閉鎖

期に，鼻腔側の完全閉鎖を行った後に腸骨から採取した海綿骨細片または人工骨と併用し顎裂部に移植する方法である．口腔側は側方歯肉弁(Lateral gingival flap)や口唇粘膜弁(Burian flap)で閉鎖する．その後，矯正歯科で犬歯の誘導を行う（図 4-66）．

### J　顎矯正手術と顎骨延長術

　口唇裂・口蓋裂は，上顎骨の前下方への成長抑制による上顎劣成長による仮性下顎前突を伴うことがあるため，Le Fort(ルフォー) I 型骨切り術による上顎骨前方移動術が適応となる．また，変形と咬合が重度であれば，下顎骨後方移動術の下顎枝矢状分割法を併用し，上下顎移動術を行う．顎裂部の骨欠損が著しい場合には，顎矯正手術と顎裂部骨移植術を併用する．両側裂の顎間骨の偏位が著しい場合には顎間骨整位術を行う．口蓋手術を施行した後に生じた強固な瘢痕組織や，口蓋骨の変形による血管の走行異常などにより，一般的な上顎骨前方移動術よりはるかに手術難易度は高くなる．前方に移動量が多い症例や瘢痕組織で困難な場合には，顎骨組織そのものを延長させる仮骨延長術を利用する場合がある．また，上顎骨前方移動による鼻咽腔閉鎖機能不全への影響を考慮した上顎骨前方部延長術(maxillary anterior segmental distraction osteogenesis；MASDO) を選択することもある．口唇裂・口蓋裂によって生じた顎顔面の変形に対する治療は，骨格である顎矯正手術を最初に行い，その後に軟組織の上唇や外鼻の修正を行うのが原則である（図 4-67）．

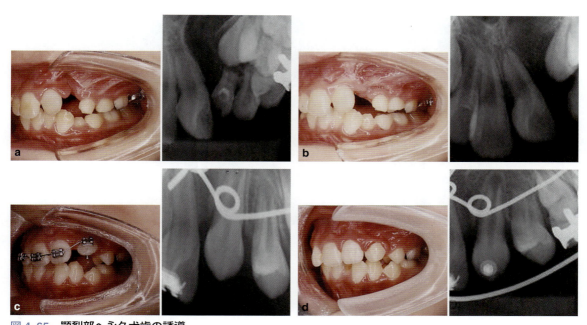

図 4-65　顎裂部へ永久犬歯の誘導
a：顎裂部骨移植術前，b：顎裂部骨移植術直後，c：永久犬歯誘導，d：完了

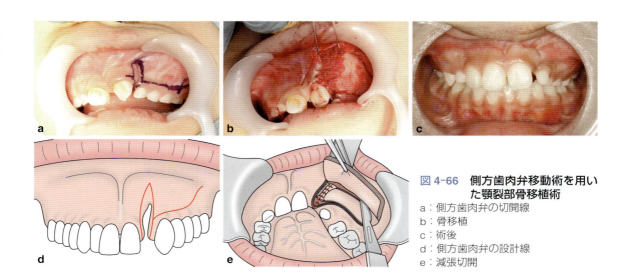

図 4-66　側方歯肉弁移動術を用いた顎裂部骨移植術
a：側方歯肉弁の切開線
b：骨移植
c：術後
d：側方歯肉弁の設計線
e：減張切開

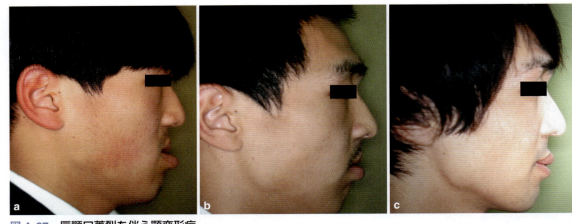

図 4-67　唇顎口蓋裂を伴う顎変形症
a：上顎劣成長による上下顎不均衡，b：上下顎移動術後，c：唇弁反転術(Abbe)を用いた上唇外鼻修正術後

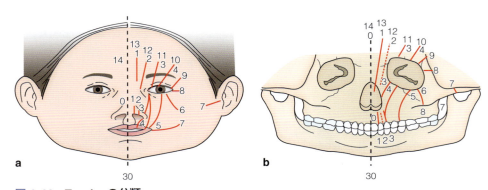

図 4-68　Tessier の分類
1976 年に Paul Tessier が顔面裂を骨および軟組織で裂型分類をした．0 から 14 および 30 の番号が付けられている．

## D 顔面裂(facial cleft)

### 1 顔面裂の分類

顔面裂，横顔裂，斜顔裂，正中上唇裂を代表とした正中顔面裂に分類される．これらの顔面裂は発生頻度がきわめて低く，臨床の場面では出会うことが少ない．顔面裂は，発生時における顔面の諸隆起の癒合不全などにより発生する．これらの顔面裂は，症候群の一症状として発症することもあるため，口腔内のみならず他部位の診察が重要である．特に口腔内では，口蓋裂が併発することもあるため注意が必要である．

正中顔面裂には，正中上唇裂，正中鼻裂，両眼隔離，正中下唇・下顎裂があるが，本項では正中上唇裂について後述する．

顔面裂において発生部位による Tessier(テシエ)の分類(図 4-68)がよく用いられる．

### 2 横顔裂
transverse or lateral facial cleft

Tessier の分類：7

横顔裂とは，口角から耳珠前方ないし耳前に向かって頰部をほぼ水平に走る披裂で，上顎隆起と下顎隆起の癒合不全や，胎生期溝を消失させるための中胚葉移動，あるいは癒合の失敗により発症する．各種顔面裂の中では，やや頻度が高いといわれている．横顔裂では，外耳の奇形や副耳ない

しは耳珠前方の肉柱，小窩ないし瘻，下顎骨の低形成などを伴うことが多く，上顎骨や頬骨形成不全を示すこともある．また，第一第二鰓弓症候群（Goldenhar症候群を含む）やTreacher Collins症候群の一症状として認められる．治療法は，披裂に伴う分離した口輪筋の結合を図ったのちに，皮膚部でZ形成術を行う．顎顔面変形を有する場合は，顎発育終了後に顎矯正手術を行う．

### 3 斜顔裂
oblique facial cleft

Tessierの分類：3, 4, 5

斜顔裂とは，口裂から鼻部もしくは頬部を通って眼瞼，眼窩に向かって斜走する披裂で，上顎隆起と外側鼻隆起，さらに内側鼻隆起との癒合不全，あるいはその間の胎生期溝を消失させるための中胚葉移動，あるいは癒合の失敗により発症する．片側性と両側性のどちらも存在する．治療法は，Z形成やzigzag形成を行ったうえで，advancement flapを併用して行われる．

### 4 正中上唇裂
median cleft of the upper lip

Tessierの分類：0, 14

正中上唇裂は，前頭鼻隆起への中胚葉の移動ないしは，癒合の失敗によるものである．主として顎間骨の有無によって真性と仮性に分けられている．真性の場合，裂鼻，両眼隔離，鼻柱の幅径増大ないし溝形成，上唇小帯の分裂，正中歯槽部の切痕，両側上顎中切歯の離開，不完全口蓋裂などが併発する．仮性の場合，両眼接近を認め顔面正中部の組織欠損と前脳の発育障害を認める．顔面奇形が高度なものほど脳の障害が重症であるとされ，一般的に全前脳胞症と呼ばれ，5型に分類されている．治療法は，軽度な正中上唇裂であれば単純な修正術や欠損部への骨移植のみだが，上唇正中に重度の披裂を認める場合は，Abbe法による上唇再建，10歳頃に開頭を併用する両眼隔離症手術と外鼻形成術を行う．さらに顎発育終了後，顎矯正手術を行う．

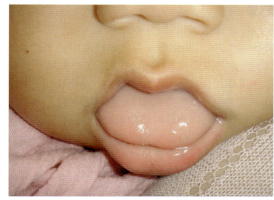

図4-69 Beckwith-Wiedemann症候群
〔東京歯科大学 渡邊 章先生 提供〕

## E 顎顔面・口腔領域に徴候をみる症候群

### 1 主として口腔に症状がみられる遺伝性疾患

#### A Beckwith-Wiedemann（ベックウィズ・ウイーデマン）症候群（図4-69）

**疫学**

出生頻度約1/13,700との報告があり，国内推定患者数は200人以上である．男女比は1：1とされる．大部分は孤発例であり，家族例は15%程度である．

**発生機序**

原因遺伝子座は11番染色体短腕15.5領域（11p15.5）にあり，原因の約2/3はこの領域の刷り込み（imprinting）異常（メチル化異常）である．11p15.5には2つの刷り込みドメイン，$KIP2/LIT1$ドメインと$IGF2/H19$ドメインがあり，それぞれ刷り込み調節領域により周辺の刷り込み遺伝子の発現が制御されている．本症候群はそれらの異常によって$IGF2$の発現異常が誘発されることにより発症すると考えられている．遺伝子刷り込みの異常により発現が上昇した$IGF2$の機能が胎児期の細胞増殖の促進であることから，胎児が巨大児として成長すると考えられる．メチル化異常が生じる原因は未解明である．

### 症状

巨舌，腹壁欠損（臍帯ヘルニア，腹直筋離開，臍ヘルニア），胎生期からの過成長が3主徴であるが，3主徴すべてを示す症例は半数以下である．臍帯脱出(E)・巨舌(M)・巨体(G)の3主徴の頭文字を合わせてEMG症候群とも呼ばれる．3主徴のほかに，耳の奇形（耳垂の線状溝，耳輪後縁の小窩），腹腔内臓器腫大，新生児期低血糖，片側肥大，火焔状母斑の症状がみられる．約15％の症例で肝芽腫，横紋筋肉腫，Wilms腫瘍などの胎児性腫瘍が発生する．一般に症状は新生児期には顕著であるが年齢とともに消退し，予後はよい．知的障害は通常認めない．

### 治療

根本的な治療方法はなく，対症療法を行う．巨舌，臍帯ヘルニアについては，必要に応じて舌縮小術やヘルニア根治術などの外科的手術を行う．低血糖についてはグルコース補充，胎児性腫瘍については定期的なスクリーニングを行い，腫瘍が生じた場合は化学療法および外科的切除を行う．脚長の左右差が生じた場合は，脚延長術を施行することがある．

## B Marfan（マルファン）症候群

### 疫学

出生頻度約1/5,000とされる．

### 発生機序

常染色体顕性（優性）遺伝である．約75％は両親のいずれかの罹患，約25％は突然変異で起こる．原因遺伝子として*FBN1*，*TGFBR1*，*TGFBR2*が判明しており，それ以外の未解明の原因遺伝子もあるとみられる．細胞骨格の構成物質であるフィブリリン1(FBN1)の異常により全身の結合組織が脆弱になるとともに，形質転換増殖因子TGFβの過剰活性化が脆弱化に関与しているとされる．

### 症状

大動脈，骨格，眼，肺，皮膚，硬膜などの全身の結合組織が脆弱になることにより，大動脈瘤や大動脈解離，高身長，側彎などの骨格変異，水晶体亜脱臼，自然気胸などをきたす．歯肉の組織も弱いため，重症の歯周病になりやすい傾向がある．歯周病菌が心臓の血管狭窄を起こし，血管破裂の原因となることがある．また叢生，下顎前突，高口蓋が生じやすく，歯列不正を発症しやすい．

### 治療

大動脈瘤，大動脈解離，水晶体亜脱臼，重度の側彎，漏斗胸などは手術で治療する．大動脈瘤，大動脈解離に対しては，降圧ならびに心拍数減少の目的でβブロッカーによる薬物療法，TGFβ抑制作用のあるアンジオテンシン受容体拮抗薬の投与が行われる．

## C Papillon-Lefèvre（パピヨン・ルフェーブル）症候群

### 疫学

100万人に1～4人の割合で発症する．

### 発生機序

常染色体潜性（劣性）遺伝性疾患である．ジペプチジルペプチダーゼI(DPPI)としても知られる酵素カテプシンC(CTSC)をコードする*CTSC*遺伝子の変異によって発症する．

### 症状

掌蹠（手掌と足底）を含む四肢末端の潮紅と過角化，若年性歯周囲炎を特徴とし，歯周病，易感染症状を示す．乳歯萌出直後より歯周病を発症し，歯槽骨の高度の吸収により歯の動揺，脱落を生じる．永久歯も萌出後同様の経過をたどり，無歯顎となる．

### 治療

皮膚病変にはエトレチナート内服が有効とされる．また早期に診断がついた症例では，歯牙の脱落予防を目的として入念な歯周ケアが試みられ，一定の成果が挙げられているが，根本的治療はいまだ確立されていない．

## D 骨形成不全症

### 疫学

発生頻度は2～3万人に1人とされる．

### 発生機序

常染色体顕性遺伝のものと常染色体潜性遺伝のものがある．症例の90％以上はI型コラーゲンの遺伝子（*COL1A1*，*COL1A2*）の変異による質的あるいは量的異常が原因とされるが，I型コラーゲン遺伝子に異常を認めない症例も存在する．その他の遺伝子として*FKBP10*，*LEPRE1*，*CRTAP*，*PPIB*，*SERPINH1*，*SERPINF1*，*BMP1*などの異

常が報告されている．

#### 症状

　全身の骨脆弱性による易骨折性や進行性の骨変形に加え，さまざまな程度の結合組織症状を示す．長管骨の骨脆弱性と脊椎骨の変形に加え，成長障害，青色強膜，歯牙（象牙質）形成不全，難聴，関節皮膚の過伸展，心臓弁の異常による心不全などを示すことがある．骨脆弱性は成人後も継続し，妊娠・出産や加齢に関係した悪化が知られる．ただし重症度はさまざまで，生まれてすぐに死亡する周産期致死型もあれば，生涯にわたり明らかな症状がなく偶然発見される軽症例もある．

#### 治療

　骨折頻度の減少を目的としてビスホスホネート製剤投与，骨折した際に観血的骨整復術，四肢変形に対して骨切り術，長管骨の骨折変形予防を目的とした髄内釘挿入，脊柱変形に対する矯正固定手術などが行われる．その他，歯牙（象牙質）形成不全とこれに伴う咬合異常に対する歯科的管理，難聴に対する内科的・外科的治療，心臓弁の異常による心機能低下に対する内科的・外科的治療などが行われる．

### E 先天性外胚葉形成不全〈先天性外胚葉異形成症〉

#### 疫学

　低汗性外胚葉形成不全症（hypohidrotic ectodermal dysplasia；HED）の出生頻度は10万人あたり21.9人，X連鎖低汗性外胚葉形成不全症（X-linked hypohidrotic ectodermal dysplasia；XLHED）の出生頻度は10万人あたり15.8人との報告がある（デンマークの統計）．日本国内では2015年現在で21家系の無汗性外胚葉形成不全症が確認されている．

#### 発生機序

　X連鎖潜性遺伝，常染色体顕性遺伝，常染色体潜性遺伝の形式を示すものがあり，複数の責任遺伝子が同定されている．X連鎖潜性遺伝性の本症の責任遺伝子はXq12-q13.1に局在するectodysplasin A（EDA）である．EDA遺伝子はスプライシングによりEDA-A1やEDA-A2などの複数のアイソフォームを生成し，そのうちEDA-A1が毛包・汗腺および歯牙の発生に最も重要であるとされる．常染色体遺伝性の本症は2q13に局在するEDA receptor（EDAR；別名DL）遺伝子または1q42.3に局在するEDAR-associated death domain（EDARADD）遺伝子の変異によって発症する．EDARはEDA-A1の受容体であり，EDA-A1によって刺激を受けたEDARがEDARADDと結合し，TNF receptor-associated factor 6（TRAF6）などを介して下流のシグナル伝達系が活性化され，その結果，多くの遺伝子の発現が調節される．すなわちEDA-A1，EDARおよびEDARADDは外胚葉の形成に重要なシグナル伝達系（EDARシグナル）の主要構成分子であり，いずれの遺伝子に変異が生じても同様の臨床像となる．

#### 症状

　外胚葉形成不全症（ectodermal dysplasia）は毛髪，歯牙，爪，汗腺などの外胚葉組織の形成不全を特徴とする先天性疾患の総称である．欠損する組織の組み合わせにより170以上の病型に分類される．その代表的疾患であるHEDは歯牙の欠損，粗な毛髪，発汗不全を示す．

#### 治療

　治療は対症療法が中心となる．歯の異常に対しては歯科矯正や義歯・インプラントなどによる歯科治療を行う．ドライアイには目薬による乾燥対策を行う．免疫不全を伴うHEDの感染症に対しては抗菌薬や抗ウイルス薬，抗真菌薬などを用いるが，重篤化する場合には造血幹細胞移植が行われることもある．

### F 低ホスファターゼ症

#### 疫学

　日本国内の患者数は100〜200人とされる．

#### 発生機序

　多くは常染色体潜性の遺伝形式をとるが，常染色体顕性遺伝のものもある．組織非特異的アルカリホスファターゼの欠損によるとされる．アルカリホスファターゼ（ALP）をコードするALPL遺伝子は第1染色体の短腕の1p36.12に位置する．本症の原因となる変異は約300か所確認されており，本症の患者ではALPの組織非特異的アイソザイム（TNSALP）をコードする領域に1ないし2つの病的変異が存在する．低ホスファターゼ症の原因となるALPL遺伝子の変異は約300確認されている．

### 症状

すべての病型に共通して未分画血清アルカリホスファターゼ(ALP)活性の減少がみられる．血清と骨アルカリホスファターゼの活性低下により，骨や歯の石灰化が不完全となることを特徴とする．臨床症状は，胎児期から骨の石灰化がみられず死産となる重症例から成人後期で生じる下腿の病的骨折という軽症例まで幅が広く，6つの病型に分類されている．歯科に関する症状では，歯根が残った状態での特徴的な乳歯の早期脱落や重症の齲蝕が認められ，永久歯でも早期脱落や抜歯，重症の齲蝕が認められることがある．乳歯の早期脱落により歯槽骨の消失が生じることがある．

### 治療

対症療法が中心となる．定期的な歯科診療を1歳から開始する．変形性関節症・骨痛・骨軟化症に対しては非ステロイド性抗炎症薬(NSAIDs)の投与，偽骨折および疲労骨折に対しては内固定術を行う．その他，周産期型(重症型)では酵素補充療法や家族への支援，乳児型や小児型では酵素補充療法，呼吸管理，高カルシウム血症/尿症の治療，けいれん発作に対してビタミン$B_6$治療，頭蓋骨癒合症への治療が行われる．ビスホスホネートや過剰なビタミンD投与は避けるべきである．

## 2 主として頭蓋・顎顔面に症状がみられる遺伝性疾患

### A Crouzon(クルーゾン)症候群

#### 疫学

欧米の報告では出生頻度は約6万人に1人とされる．日本での年間発症数は20～30人と推定されている．

#### 発生機序

常染色体顕性遺伝疾患であるが，孤発例も少なくない．主に線維芽細胞増殖因子受容体2(FGFR2)の遺伝子である*FGFR2*(染色体上の位置10q26.13)の変異が原因である．主たる変異部位はFGFR2のIgⅢa/cドメインであるが，詳細な発生機序は未解明である．

#### 症状

頭蓋・顔面骨縫合早期癒合に顔面・上顎骨などの先天性形成不全を合併する症候群性頭蓋骨縫合早期癒合症の代表的疾患である．頭蓋の頭蓋縫合早期癒合による水頭症，小脳扁桃下垂に加え，顔面では眼球突出，中顔面骨低形成による上顎骨低形成，上気道閉塞，後鼻孔狭窄/閉塞，巨舌，外耳道狭窄/閉鎖，伝音性難聴，頸部では脊髄空洞症，軸椎脱臼，頸椎癒合，喉頭気管奇形など多彩な症状を呈し，個人差がきわめて大きい．高頻度に精神運動発達遅滞を伴う．

#### 治療

対症療法である外科的治療が中心となる．乳幼児期から成人期まで複数回の手術を要する．主な手術は，頭蓋形成術，V-Pシャント術，後頭下減圧術，気管切開術，顔面形成術，後鼻孔狭窄/閉塞開放術，環軸椎固定術，口蓋形成術などである．中顔面骨低形成に対する延長術は，可能であれば学童期以降まで待つのが望ましいとされる．

### B Treacher Collins(トリチャーコリンズ)症候群(図4-70)

#### 疫学

出生頻度約1/50,000．性差はない．

#### 発生機序

胎生初期の第一・第二鰓弓由来の器官の発育不全により生じる．ほとんどは常染色体顕性遺伝形式を示すが，家族歴のある本症の一部(約1%)は常染色体潜性遺伝形式をとる．患者の60%は新規突然変異である．複数の原因遺伝子が知られており，78～93%を占める*TCOF1*(染色体上の位置5q32)のほか，*POLR1C*(6p21.1)，*POLR1D*(13q12.2)，*POLR1B*(2q14.1)などの変異が原因とされる．また*EFTUD2*のハプロ不全は本症候群類縁の小頭症を伴う下顎顔面異形成症の原因として知られる．

#### 症状

両側対称性の上下顎の形成異常を特徴とする．頬骨や下顎の低形成，耳介形成異常，外耳道閉鎖，伝音性難聴，下眼瞼低形成がみられる．伝音性難聴，眼科的異常，口蓋裂あるいは口唇口蓋裂を伴うことがある．また歯の萌出遅延，開咬を認める．上気道の狭窄と開口制限により生後数年間にわたり呼吸および栄養摂取に困難が生じる場合があり，早期に気管切開を要することが多い．四肢の異常は伴わず，典型的には知能は正常である．

各論— E. 顎顔面・口腔領域に徴候をみる症候群

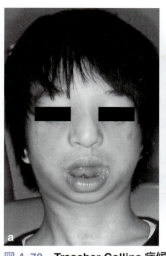
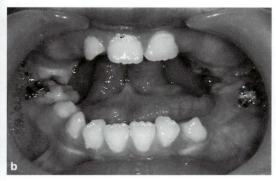

図 4-70　Treacher Collins 症候群
〔夏目長門（編）：言語聴覚士のための基礎知識　臨床歯科医学・口腔外科学，第2版．p.84，医学書院，2016 より〕

治療

　眼窩下縁，頰部への骨移植，下顎骨の骨延長術，口蓋形成術などを行う．

## C 鎖骨頭蓋骨異形成症〈鎖骨頭蓋異骨症〉

疫学

　出生頻度約 100 万人に 1 人

発生機序

　常染色体顕性遺伝形式をとる．6 番染色体短腕（6p21）に遺伝子座のある，転写因子 Runx2/Cbfa1 の遺伝子 RUNX2 の変異が原因とされる．RUNX2 は骨芽細胞および骨形成の分化に関連している．

症状

　頭蓋骨縫合骨化遅延，鎖骨欠損または低形成，歯牙萌出遅延を 3 徴候とする古典的鎖骨頭蓋骨異形成症から，骨格症候を伴わない歯の異常のみのものに至る臨床的連続性を示す．歯科症状として，乳歯は正常に萌出するが長期間脱落せず，永久歯の萌出に著しい遅延がみられる．過剰歯，埋伏歯周囲の囊胞形成，歯列不正も認められる．

治療

　生歯障害に対する管理が重要となる．歯の萌出遅延や歯列不正の歯科矯正のために歯科の外科的措置が考慮される．言語指導も必要となることがある．瘻孔/中耳炎に対する治療や聴力検査は必

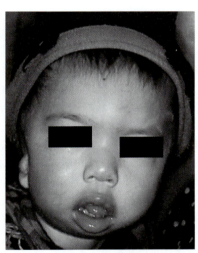

図 4-71　第一第二鰓弓症候群〈Goldenhar 症候群を含む〉
〔夏目長門（編）：言語聴覚士のための基礎知識　臨床歯科医学・口腔外科学，第2版．p.85，医学書院，2016 より〕

須である．骨粗鬆症の徴候を早期に検知し予防するため，骨密度の定期的な測定も必要である．

## D 第一第二鰓弓症候群〈Goldenhar 症候群を含む〉（図 4-71）

疫学

　第一第二鰓弓症候群は第一・第二鰓弓に由来す

る発生異常の総称であるが，それに眼球上類皮腫や脊椎異常を伴うものを Goldenhar 症候群と呼ぶ場合がある．その有病率は 19,500〜26,550 人に 1 人，軽症型第一第二鰓弓症候群を含めると出生 3,500〜5,600 人に 1 人とされる．男女比は 3：2 でやや男性に多い．

#### 発生機序

詳細な原因については不明である．神経堤分裂の障害，胚形成中の第一・第二鰓弓の異常発達，胎盤血管の閉塞を引き起こす遺伝学的および環境的要因が疾患原因として考えられている．大部分が散発例であり，散発性の症例での 5p 欠失，14q23.1 重複，18 番染色体異常，22 番染色体異常の報告がある．常染色体顕性遺伝(1〜2％)を示す家系に OTX2 遺伝子を含む染色体 14q23.1 重複の報告例がある．

#### 症状

主として第一鰓弓と第二鰓弓の発生異常により生じ，異常は片側性に発現する．下顎低形成による顔面非対称，耳介および/または眼の奇形，脊椎の異常を古典的3徴とする．横顔裂，耳介欠損，耳小骨形成不全，顔面変形，下顎骨関節突起形成不全，筋突起形成不全，唇顎口蓋裂，巨舌，高口蓋，咬合不全，脊椎奇形がみられる．知的障害は伴わない．

#### 治療

外科的手術が中心となる．上下顎骨形成不全や片側関節突起形成不全に対しては顎矯正術を行う．顎骨の骨延長術を行う場合もある．耳介の異常に対しては，肋軟骨を用いた全耳介形成術などによる再建が行われる．頰部の低形成は骨移植などにより再建する．横顔裂や唇顎口蓋裂に対しては口唇形成術や口蓋形成術を行う．眼球上類皮腫に対しては眼科医による摘出術が行われる．

### E 軟骨無形成症

#### 疫学

出生頻度約 1/20,000

#### 発生機序

常染色体顕性遺伝形式をとるが，約 90％以上は新規突然変異による．線維芽細胞増殖因子受容体 3(FGFR3)の遺伝子 FGFR3 が原因遺伝子である．患者の 95％に FGFR3 の Gly380Arg 点変異を認める．FGFR3 は細胞外領域，膜貫通領域，細胞内領域の3領域からなり，本症の Gly380Arg 点変異は膜貫通領域に存在する．細胞外領域の Asn-540Lys 点変異では軟骨低形成症となる．

#### 症状

出生時から四肢短縮を認める．平均成人身長は男性で約 130 cm，女性で約 125 cm と低い．特徴的な顔貌(大きな頭蓋・前額部の突出・鼻根部の陥凹・顔面中央部の低形成・相対的な下顎前突)を示し，咬合不全，歯列不正がみられる．脊柱管狭窄が成長とともに増強し，中高年になると両下肢麻痺や変形性関節症により歩行障害を生じることが少なくない．乳児期には頭頸接合部の圧迫により死亡リスクが高まるが，大半は知能と平均余命は正常である．

#### 治療

有効な治療法はなく対症療法が行われる．大孔狭窄による神経症状に対しては減圧術，水頭症で頭蓋内圧亢進症状や進行性の脳室拡大を呈した場合は脳室腹腔シャント術が行われる．頭頸接合部の圧迫徴候や症状に対しては適応があれば後頭下減圧を行う．閉塞性睡眠時無呼吸がみられる場合には，アデノイド口蓋扁桃摘出や気道陽圧を施行し，まれにではあるが気管切開を施行することもある．低身長に対しては成長ホルモン投与や創外固定を用いた四肢延長術などがある．下肢の進行性彎曲が生じた場合は整形外科医による評価が行われる．脊柱管狭窄症に対しては外科的除圧術(椎弓形成術や固定術)が行われる．

### F Apert (アペール) 症候群 (図 4-72)

#### 疫学

出生頻度約 1/55,000

#### 発生機序

常染色体顕性遺伝形式をとるが多くは孤発性に発生し，孤発例では父親の年齢(高齢)との関連がみられる．線維芽細胞増殖因子受容体 2(FGFR2)の遺伝子 FGFR2(染色体上の位置 10q26.13)の変異が原因であり，これまでに5つの FGFR2 変異が報告されている．それらのうち，FGFR2 の IgⅡドメインの変異 Ser252Trp が約 2/3，IgⅢドメインの変異 Pro253Arg が約 1/3 に認められる．

#### 症状

短頭蓋，頭囲拡大，左右対称性合指(趾)症，中顔面骨低形成，眼窩間距離開大などを特徴とする．骨性合指(趾)症は全例に認められ，心疾患や

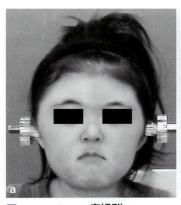
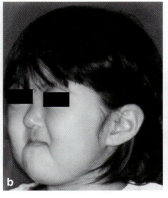
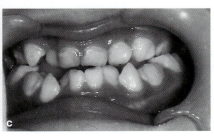

図 4-72　Apert 症候群
〔夏目長門（編）：言語聴覚士のための基礎知識　臨床歯科医学・口腔外科学，第 2 版．p.87，医学書院，2016 より〕

肩/肘関節形成不全を合併することがある．大泉門の閉鎖遅延や膨隆がみられることがある．口腔内の特徴として上顎骨低形成，高口蓋，口蓋裂を認める．

### 治療

対症療法である外科的治療が主体である．乳幼児期から成人期まで複数回の手術を要し，10回以上の手術を行うこともある．短頭蓋および前頭眼窩変形に対しては，頭蓋骨拡大形成術，頭蓋延長器装着術などが行われる．水頭症を合併した場合は治療の必要性や治療時期を検討する．口蓋裂，合指（趾）症に対しては頭蓋顔面と並行して治療する．中顔面骨低形成に対する延長術は学童期以降まで待つのが望ましいとされる．

##  Pierre Robin（ピエール・ロバン）sequence〈Pierre Robin 症候群〉（図 4-73）

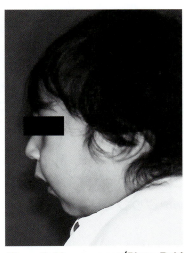

図 4-73　Pierre Robin sequence〈Pierre Robin 症候群〉
〔夏目長門（編）：言語聴覚士のための基礎知識　臨床歯科医学・口腔外科学，第 2 版．p.84，医学書院，2016 より〕

### 疫学
出生頻度 1/30,000～1/8,500

### 発生機序
胎生初期（7～11週）の下顎の低形成に続発する一連の形態異常であり，小下顎を呈する包括的疾病である．子宮内で胎児頭位が過度に前屈し，オトガイが胸骨に圧迫されることで小下顎症に加えて下顎の後退が生じ，口蓋の癒合予定部に舌が入り込むことにより口蓋の癒合が妨げられ，特徴的な U 字型の口蓋裂が引き起こされると推定されている．原因遺伝子や遺伝形式は多様であり，小顎症を伴う先天性疾患や症候群（Stickler 症候群など）に発生する．ほかの疾患を伴わない単独例では，転写因子 SOX9 の遺伝子 *SOX9*（17q24 に座位），またはその近傍の遺伝子の変異による常染色体潜性遺伝を示すものが見つかっている．

### 症状
小下顎症に下顎の後退が伴うことで鳥貌を呈する．舌根沈下（舌が咽頭後部へ落ち込む）による上気道閉塞や呼吸障害を示し，吸気時の胸骨の陥凹やチアノーゼを呈することがある．大多数に高口蓋もしくは特徴的な U 字型の口蓋裂がみられる．伝音難聴がみられることもある．

### 治療
呼吸障害の改善が最重要であり，気道の確保を行う．軽度であれば体位を工夫して気道管理を行

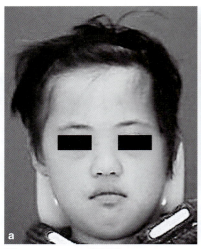
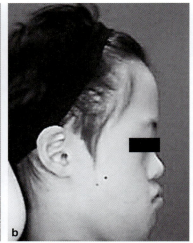

図 4-74　Down 症候群
〔夏目長門（編）：言語聴覚士のための基礎知識　臨床歯科医学・口腔外科学，第2版．p.88，医学書院，2016 より〕

う．重症の場合は気管挿管や気管切開を行う．また，舌牽引や舌・下唇縫合術なども行うことがある．

## 3 染色体異常

### A Down（ダウン）症候群（図 4-74）

疫学

出生児における全体の発生率は約 1/700 であり，母体年齢が上がるにつれてリスクが増大する．母体年齢別の出生児におけるリスクは，20 歳で約 1/2,000，30 歳で約 1/1,000，35 歳で約 1/365，40 歳で約 1/100 である．転座型の一部に遺伝性を示す例がみられる．

発生機序

21 番染色体の長腕 21q22 の過剰が原因である．21 番染色体が 1 つ多いトリソミーが最も多く（全体の約 95％），そのほかに過剰な 21 番染色体がほかの染色体（14 番と 21 番染色体が多い）に転座する転座型（約 2％），正常細胞と 21 トリソミー細胞が混在するモザイク型（約 2％）などがある．トリソミーを生じる原因となる染色体不分離は母親の第一減数分裂で最も多く，染色体接着因子であるコヒーシン（cohesin）の meiotic cohesin が年齢に依存して減少することによるという指摘がある．父親の精子形成過程における染色体不分離の場合もある（5％）．

症状

知的障害，小頭症，大泉門開大，低身長，および特徴的顔貌（小頭傾向，後頭部扁平，丸い顔，平坦な顔，内眼角贅皮，眼瞼裂斜上，短い鼻，下向きの口角，舌挺出，小さい耳）のほか，後頸部皮膚のたるみ，単一掌屈曲線，小指短小および内彎，拇趾示趾間解離，脛側弓状紋，発育の遅れが認められる．複数の器官系が影響を受け，構造的異常と機能的異常の両方が引き起こされるが，すべての個人にすべての異常がみられるわけではない．約 50％に先天的心疾患，約 60％に眼障害，大半に難聴がみられる．口腔内症状としては，永久歯の萌出遅延，歯の先天的欠如，矮小歯，巨大舌，溝状舌，低齲蝕性（虫歯になりにくい），みかけ上の反対咬合，高度の歯周疾患などがみられる．

治療

原疾患を完治させることはできず，具体的な症状や徴候を治療する．例えば，一部の先天性心奇形は外科的に修復し，甲状腺機能低下症は甲状腺ホルモンを補充するなど，症状ごとに対症療法を行う．十二指腸閉鎖・狭窄，鎖肛，Hirschsprung 病などの消化器系合併症がある場合は新生児期に手術が必要となる．

### B Turner（ターナー）症候群

**疫学**

出生女児の1,000〜2,000人に1人．日本国内に約40,000人いるとされる．性別はすべて女性となる．

**発生機序**

X染色体の数的・構造的異常が原因である．X染色体のモノソミー（XO）のほか，i(Xq)，Xp-，Yp-などの構造異常および種々のモザイクなどが含まれる．X染色体の全領域または部分的な欠失により，遺伝子発現量が不均衡になることが原因であると考えられる．

**症状**

低身長，性腺発育不全，大動脈奇形（大動脈二尖弁），翼状頸などが主な症状である．主な合併症に骨粗鬆症，糖尿病，甲状腺機能障害，大動脈縮窄症・僧帽弁逸脱・大動脈二尖弁などの心・血管系障害，馬蹄腎などの腎・腎血管系の奇形がある．口腔・顎顔面の症状として下顎骨発育不全，歯列不正などがみられる．

**治療**

低身長に対しては成長ホルモンの補充療法が有効とされる．卵巣機能不全に対しては健常女性の思春期来発年齢を指標にして女性ホルモンの補充療法が行われるが，不妊に対する根本的治療法は存在しない．

### C Klinefelter（クラインフェルター）症候群

**疫学**

出生男児の約660人に1人に発生する．国内に約62,000人いると推定されている．性別は必ず男性となる．

**発生機序**

X染色体の数的・構造的異常が原因と考えられているが，発症に至る機構には不明な点が多い．X染色体の数的増加によって遺伝子発現量が変化するために引き起こされていると考えられる．

**症状**

精巣（睾丸）が萎縮し男性ホルモンであるテストステロンの生成量が低下する．テストステロン生成量低下により骨端線閉鎖時期が遅延し，四肢が長く高身長となる．思春期来初遅延を認める．合併症として悪性腫瘍，骨粗鬆症，自己免疫疾患，糖尿病，軽度の知的障害などがみられる．口腔症状として口唇裂・口蓋裂や歯牙の異常（タウロドント）を伴うことがある．

**治療**

二次性徴不全に対してテストステロン補充療法が行われる．テストステロン補充療法は骨密度の上昇のためにも有効である．

## 4 口腔・顎顔面に異常をきたす骨系統疾患・症候群

### A Gardner（ガードナー）症候群

**疫学**

わが国の全人口における頻度約1/17,400と推定される家族性腺腫性ポリポーシス（家族性大腸腺腫症；FAP）の亜型と考えられており，FAPの20〜40%と推定されている．男女比は1：1.4で女性に多い．

**発生機序**

常染色体顕性遺伝形式をとる．原因遺伝子は第5染色体長腕（5q）にある癌抑制遺伝子APCである．

**症状**

FAPは大腸の多発性腺腫を主徴とし，放置するとほぼ100%の症例で大腸癌が発生する．Gardner症候群は大腸腺腫性ポリポーシスの亜型とされ，軟部腫瘍，骨腫，歯牙異常（過剰歯，埋伏歯），デスモイド腫瘍などを伴う．

**治療**

確立した治療法はない．研究的に非ステロイド系抗炎症薬，抗エストロゲン薬，チロシンキナーゼ阻害薬，殺細胞性化学療法などの薬物治療や，必要に応じて外科的治療が試みられている．

### B McCune-Albright（マッキューン・オルブライト）症候群

**疫学**

発生頻度は10万〜100万人に1人といわれる．女性に多く，男性の2〜3倍みられる．

**発生機序**

常染色体顕性遺伝形式をとるが，体細胞突然変異の発生もある．GNAS1遺伝子の点変異により機能亢進型病的バリアント（Arg201His，Arg-

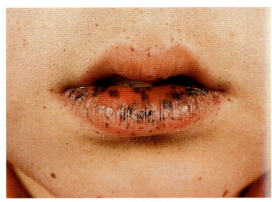

**図 4-75 Peutz-Jeghers 症候群**
〔東京歯科大学 渡邊 章先生 提供〕

201Cys, Gln227Leu など）が生じることで発生する．*GNAS1* 遺伝子は 20 番染色体の 20q13.2-q13.3 に位置し，cAMP 経路関連 G タンパク質 α サブユニット Gs α をコードしている．Gs α はさまざまな器官・細胞において種々のホルモンの作用発現に関与し，皮膚，骨格，一部の内分泌器官に病変が現れる．McCune-Albright 症候群（MAS）は機能亢進型 *GNAS* 変異関連疾患の最重症型である．

*症状*

多骨性線維性骨異形成症（長管骨・頭蓋骨でエックス線写真のすりガラス像が観察される），体幹の片側に多い皮膚・粘膜のカフェオレ色素斑，さまざまな内分泌機能亢進症状（末梢性思春期早発症，機能性甲状腺腺腫，機能性下垂体腺腫，Cushing 症候群など）を 3 徴候とする，性分化・性成熟異常を伴う内分泌症候群の 1 つである．本症候群に起こる線維性骨異形成症は，骨形成不全が高度で骨量が特に減少するため，低身長，脊椎の側彎症や胸郭の変形，手足の変形，容易に骨折しやすいなどの症状がみられる．高血圧，糖尿病，甲状腺機能亢進症などを合併することがある．思春期早発症は女子のみにみられる．両側環趾の短縮が認められる．顎骨にも線維性病変を生じ，顎骨の膨隆や変形をきたすことがある．

*治療*

さまざまな内分泌機能亢進症状の徴候をモニタリングし，症状に対してホルモン作用抑制療法を行う．線維性骨異形成症については異常骨の除去や骨移植を行う．下垂体，甲状腺などの腫瘍性病変には摘出術が行われる．使用している薬剤によっては薬剤毒性のモニタリングを行う．女性には一般集団より若年で乳癌のモニタリングを開始する．

### C Melkersson-Rosenthal（メルカーソン・ロゼンタール）症候群

*疫学*

発症頻度は非常にまれである．

*発生機序*

常染色体顕性遺伝形式をとるが，孤発例も多い．原因遺伝子は第 9 番染色体短腕 9p11 領域に座位する *MROS* とされる．

*症状*

まれな神経疾患で，反復性顔面麻痺，顔と口唇の腫脹，舌のヒダと溝の発達が特徴である（皺襞舌，溝状舌）．顔面麻痺の発症時期は小児期または早期思春期とされる．皮膚腫脹と同時に口腔粘膜が同様に障害されることが多い．粘膜，口蓋および舌下粘膜も障害しうる．約 40 ％は陰嚢舌を示す．15 ％で歯肉が障害される．最終的に回復する患者も多いが慢性的に経過することもある．

*治療*

対症療法（NSAIDs，ステロイド薬，抗菌薬，免疫抑制療法など）が行われる．注意点として，Hughes 症候群，サルコイドーシス，Crohn 病，アレルギー性歯肉口内炎，および遺伝性血管神経性浮腫の可能性を除外する必要がある．

### D Peutz-Jeghers（ポイツ・ジェガース）症候群（図 4-75）

*疫学*

わが国における患者数は 600〜2,400 人と推定されている．

*発生機序*

常染色体顕性遺伝形式をとるが，発症者の 50 ％は家族歴のない孤発例である．第 19 番染色体短腕（19p13.3）に座位する癌抑制遺伝子 *STK11/LKB1* の変異が病因であると考えられているが，過誤腫性腸ポリポーシス（ポリープの多発）や色素斑をきたす機序は不明である．

*症状*

口唇，口腔，指趾などに 1〜5 mm ほどの色素斑が認められる．消化管に多発するポリープによる腸重積や出血により，腹痛や血便が認められ

る．また本症の患者はさまざまな上皮性悪性腫瘍（大腸，胃，膵，乳房，卵巣癌）のリスクが一般より高くなる．女性では輪状細管を伴う性索腫瘍（sex cord tumors with annular tubules；SCTAT）や，卵巣の良性腫瘍，まれな進行性の癌である子宮頸部の悪性腺腫のリスクがある．男性では大細胞性石灰化セルトリ細胞腫を発症する場合があり，これがエストロゲンを分泌するため，未治療で放置すると女性化乳房や骨年齢の上昇を引き起こし，最終的に低身長をきたす．

治療

根治のための治療法はない．過誤腫性腸ポリープによる腸重積や腫瘍性病変の摘除には外科的切除やダブルバルーン小腸内視鏡による深部小腸ポリープの摘除が行われる．定期的にサーベイランスを行い，大きさ10 mm以上のポリープについては，腸重積や癌の予防のため内視鏡摘除が望ましいとされる．家系内の罹患者でSTK11の病的バリアントが同定された場合は，リスクのある家系員の発症前検査，また胎児の出生前診断や着床前診断が可能である．

## E Sturge-Weber（スタージ・ウェーバー）症候群

疫学

出生頻度は5万～10万人に1人と推定され，国内に約1,000人の患者がいると推定される．

発生機序

病態の基本は静脈発生障害による循環不全であり，脳，皮膚および眼の毛細血管奇形により診断される．遺伝性を示した例の報告はない．近年，Sturge-Weber症候群患者の頭蓋内軟膜血管腫と顔面ポートワイン斑組織より，第9番染色体9q21領域にあるGNAQ遺伝子の変異が報告された．GNAQ遺伝子変異は体細胞性変異であり，血管腫の発生や遺残に関与していると考えられるが，静脈発生不全についてはさらなる原因検索が求められている．

症状

先天性皮膚神経症候群の1つであり，三叉神経第1枝，第2枝領域の血管腫（顔面ポートワイン斑を含む）および同側の脳萎縮，脳の石灰化，てんかん，精神発達遅滞，緑内障を特徴とする．口腔に生じる合併症としては，軟部組織の腫脹が口腔内に生じると咬合不全の原因となり，摂食障害や栄養障害をきたすことがある．

治療

頭蓋内軟膜血管腫に対する根治的な治療法はなく，臨床的に問題となるてんかんに対する治療（抗てんかん薬，外科手術）が主体である．緑内障には点眼治療が行われるが治療効果は乏しい．顔面ポートワイン斑（毛細血管奇形）に対してはレーザー治療が行われる．

## F von Recklinghausen（フォン・レックリングハウゼン）病〈神経線維腫症I型〉

疫学

出生頻度は約1/3,000である．わが国に約4万人の患者がいると推定されている．

発生機序

常染色体顕性遺伝形式をとる遺伝性疾患であるが，20～50％は生殖細胞系の新規突然変異による．原因遺伝子は17番染色体長腕（17q11.2）に位置するNF1とされる．その遺伝子産物ニューロフィブロミン（neurofibromin）は低分子量GタンパクであるRasの機能を制御して細胞増殖や細胞死を抑制することにより，腫瘍の発生と増殖を抑制すると考えられている．

症状

カフェオレ斑と神経線維腫を主徴とし，ほかに骨，眼，神経系，副腎，消化管などに多彩な症候を呈する母斑症である．学童期の発症が多いがカフェオレ斑は乳幼児期から現れることもある．口腔の関連症状として，口腔，顔面，体幹に多数の小腫瘤やカフェオレ斑を認める．頭蓋骨・顎顔面の骨欠損を伴うことがある．本症患者の少なくとも50％に学習障害が認められる．また，注意欠如多動症（ADHD）を認めることがある．

治療

色素斑については完全に消失させることは難しく，希望に応じて対症療法を行う．神経線維腫については外科的切除が第一選択となる．トレパンによる切除，電気焼灼術，炭酸ガスレーザーによる切除も有効である．び漫性神経線維腫の切除では内在する豊富な血管への対処が必要である．悪性末梢神経鞘腫瘍は早期の根治的切除術を原則とする．多臓器病変に対しては診療科横断的に専門的な治療を行う．

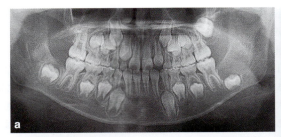
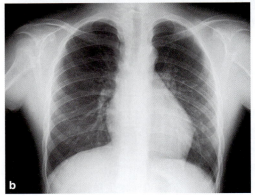
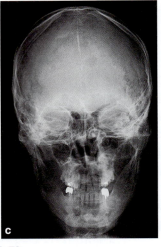

**図 4-76** 基底細胞母斑症候群〈母斑性基底細胞癌症候群〉〈Gorlin 症候群〉
〔夏目長門(編):言語聴覚士のための基礎知識　臨床歯科医学・口腔外科学,第2版.p.87,医学書院,2016 より〕

### G 基底細胞母斑症候群〈母斑性基底細胞癌症候群〉〈Gorlin(ゴーリン)症候群〉(図4-76)

**疫学**

　2009年時点で,わが国で300人超が確認されているが,有病率は不明である.米国では有病率約1/57,000との報告がある.

**発生機序**

　常染色体顕性遺伝形式をとる.主たる責任遺伝子は第9番染色体長腕の9q22.3領域(9q22.3)に座位する *PTCH1* とされる. *SUFU*(10q24.32)が責任遺伝子で常染色体潜性遺伝形式をとる症例の報告もある.その他, *PTCH2*(1p32.1-p32.3), *SMO*(7q32.1)の関与を示唆する報告がある.いずれもソニック・ヘッジホッグシグナル伝達系の遺伝子である.加齢や紫外線,放射線照射などによる Loss of heterozygosity(LOH)すなわち対立遺伝子座(アレル)の欠失により基底細胞癌などの腫瘍が発生する.

**症状**

　基底細胞母斑症候群(NBCCS)は,10代での発症が多い多発性顎骨嚢胞,および20代以降に発症する基底細胞癌(BCCs)を特徴とする.一方のみを発症することもある.約60%が巨頭症,前額部の突出,粗な顔貌,顔面の稗粒腫を伴う外観を有する.発達上の奇形として多発性の顎嚢胞(歯原性角化嚢胞),両眼乖離,手掌・足底皮膚の点状小窩,二分肋骨・癒合肋骨,椎骨異常,中枢神経系病変,大脳鎌の石灰化,口唇裂・口蓋裂,多発性母斑などがみられる.発癌については,基底細胞癌のほか,髄芽腫,卵巣腫瘍,また年齢に伴って心臓線維腫,脂肪腫,髄膜腫の発生が知られる.

**治療**

　まずは一次症状の予防のため完全に日光を遮断する日焼け止めを利用し,長袖やハイネック,帽子などで皮膚を覆って直射日光を避けるようにする.放射線照射,エックス線写真の撮影はできるだけ控える.治療は,本疾患に精通した専門医が対症療法を行う.角化嚢胞は外科的に切除する.進行性の基底細胞癌に対しては完全に根絶し正常組織の変形を予防するための早期治療を実施する.

### H Ramsay Hunt(ラムゼイハント)症候群〈Hunt 症候群〉

(この症候群は先天異常に起因していない)

**疫学**

　年間発症率約5/10万人,帯状疱疹患者の1%

相当．30％は顔面神経麻痺症状が疱疹症状に先行するため，初期には第Ⅶ脳神経（顔面神経）の機能不全を原因とする Bell 麻痺との鑑別が困難である．自然治癒率 30％，治療治癒率 60％．

**発生機序**

帯状疱疹の合併症の1つ．水痘・帯状疱疹ウイルスの感染が顔面神経領域に波及して膝神経節に侵入し，顔面神経が障害されることにより発症する．

**症状**

特殊内臓遠心性線維の障害で一側の顔面の表情筋麻痺，アブミ骨筋の麻痺により障害側の聴覚過敏が生じる．中間神経のうち特殊内臓求心性線維の障害により障害側の舌前 2/3 の味覚障害が生じ，一般内臓遠心性線維の障害により涙液の分泌低下や舌下腺・顎下腺の分泌障害，唾液の分泌障害が生じる．そのほか，口腔内・外耳道・耳介周辺の帯状疱疹，第Ⅷ神経症状としてのめまい・難聴・耳鳴りが伴うことがある．

**治療**

水痘・帯状疱疹ウイルス感染に対しては早期に抗ウイルス薬を投与する．浮腫に対してはステロイド薬を投与する．涙液の分泌低下に対しては，血流量を増加させるため ATP 製剤の投与や星状神経節ブロックを実施する．

## F 顎顔面の変形および発育異常

### 1 顎変形症の定義と成因

#### A 顎変形症の定義

不正咬合の中で骨格性すなわち上顎骨・下顎骨の大きさ，形態，上下顎関係における位置の異常などにより，顎顔面形態と咬合の異常，審美的不調和をきたすものを総称して顎変形症という．歯性不正咬合のように矯正歯科治療単独での改善は困難で，顎矯正手術を併用して治療する．

#### B 顎変形症の成因

**1 先天異常に伴う顎変形症**

先天異常（遺伝性疾患・染色体異常・胎芽病・胎児病）により生じる顎変形で，後天的な発育異常に伴う顎変形に比べて重度の顎変形と機能障害を伴うことが多い．主に上顎低形成を生じるものとして，Crouzon 症候群，Apert 症候群，唇顎口蓋裂，鎖骨頭蓋骨異形成症（鎖骨頭蓋異骨症）などがある．また主に下顎低形成を生じるものとして Robin シークエンス（Pierre Robin 症候群），Treacher Collins 症候群，第一第二鰓弓症候群（Goldenhar 症候群を含む）などがある．

**2 後天的原因に伴う顎変形症**

出生時には異常はみられないが，成長に伴って顎変形が出現し思春期以降に特に顕著になる発育異常によるものと，顎顔面の外傷・腫瘍，その他の疾患の治療後に顎変形が残遺するものとに分類される．患者数としては発育異常によるものが圧倒的に多い．

### 2 顎変形症にみられる障害

#### A 顔貌の審美障害

顎変形症では外見上の最も目立つ所見は顔貌の変形である．下顎前突症では重度になるほど，上顎後退と下顎前突が合併し，中顔面の陥凹と下顎オトガイの突出が顕著になる．このような顔貌を concave 型（凹面型）という．上顎前突症では重度になるほど，上顎前突と下顎後退が合併し，上唇や上顎前歯の突出と下顎オトガイの後退が顕著になる．このような顔貌を convex 型（凸面型）という．顔面非対称症では，下唇やオトガイが垂直高径の短い側へ偏位する．

#### B 咬合と歯列の異常

顎変形により上下顎の咬合と歯列に大きな影響を及ぼす．反対咬合や過蓋咬合，交叉咬合や前歯部あるいは臼歯部の開咬などが生じる．歯列ではすべての歯が並ぶためのスペースの過不足により叢生や，空隙が生じたり歯の埋伏が生じたりする．また開咬では特定の歯に咬合力が集中するために，歯の磨耗や破折などを引き起こす．顎変形症患者の歯列では，骨格の不調和を歯の角度により補償する dental compensation（歯性補償）が働いている．例えば下顎前突症では上顎前歯の唇側

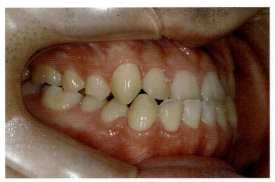

図 4-77　下顎前突症における歯性補償（口腔内）

図 4-78　下顎前突症（側貌）

傾斜・下顎前歯の舌側傾斜が生じている（図4-77）．

### C 口腔機能の障害

顎変形は患者の口腔機能に重大な影響を及ぼす．
① 咀嚼と嚥下：顎変形は不正咬合のタイプにより咀嚼機能の低下をきたす．
② 発音：特定の発音が困難になる．
③ 慢性痛：顎関節や筋痛などの慢性痛や顎変形による姿勢の悪化から頸部痛を生じる．
④ 口腔衛生低下：顎変形による不正咬合で特定の領域の口腔衛生の維持が困難となり，齲蝕や歯周病を生じる．

### D 呼吸機能の障害

先天性の Robin シークエンスや Treacher Collins 症候群，後天性の重度下顎後退症では，気道の狭窄と舌根沈下により睡眠時無呼吸症候群を生じる．

### E 精神・心理の障害

#### 1 醜形恐怖症

顎変形症患者は自分の外見上の欠点について執拗に思い悩む精神的健康障害を起こすリスクがある．醜形恐怖症の患者は1日中鏡を見て過ごし，美容手術を繰り返すようになることもあるが手術で満足は得られず，精神医学的サポートが必要である．

#### 2 不安とうつ病

審美障害による不安，低い自己評価や孤立感は不安障害やうつ病を引き起こす．

### F 社会的障害

顎変形症は重度になるほど周囲に認識されるため，患者は自分の外見について他人から指摘されたり恥ずかしさや不安を感じたりすることで社会的状況に恐怖を覚えるようになる．その結果，不登校や引きこもりなどの社会的障害に移行することがある．

## 3 顎変形症の分類

### A 下顎前突症

正常な上顎位置に対し下顎が前方位を呈する．症状は，歯の逆オーバージェット，近位咬合，頤の前方突出（オトガイ部突出），下唇の突出，Angle Ⅲ級などである．下顎前突症では矢状方向（前後方向）の過形成だけでなく，下顎枝や関節突起の垂直的過形成を伴うことも多い（図4-78）．

### B 下顎後退症

正常な上顎位に対し下顎が後方位を呈する．矢状方向（前後方向）における下顎の短縮・低形成がみられ，多くの場合，関節突起や下顎頭の低形成を伴う．症状は，大きなオーバージェット，オトガイの後方位，側方部遠位咬合，Angle Ⅱ級などがみられる．顔貌は convex 型を呈する．下顎後退症では常態的に無意識に下顎前方位をとっていることが多く，関節円板の前方転位が生じて顎関

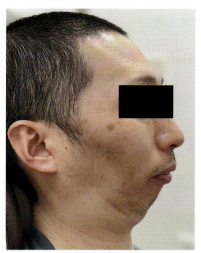

図 4-79　下顎後退症（側貌）

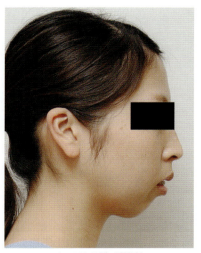

図 4-80　上顎前突症（側貌）

節症を併発していることが多い（図 4-79）．

### C 上顎前突症

　正常な下顎および頭蓋底に対し，上顎および上顎歯槽突起の前方位を呈する．大きなオーバージェット，側方部遠位咬合，口唇閉鎖不全，Angle Ⅱ級などがみられる．上顎前突症では矢状方向（前後方向）の過形成だけでなく，垂直方向の過形成を伴うことが多く，中顔面の長い顔貌，短い上唇によるガミースマイル（笑うと前歯歯槽部歯肉が露出する）を呈する（図 4-80）．

### D 上顎後退症

　正常な下顎および頭蓋底に対し上顎の後方位を呈する．逆オーバージェット，下唇の突出，近位咬合，Angle Ⅲ級などがみられる．上顎後退症では矢状方向（前後方向）の低形成だけでなく，垂直方向の低形成を伴うことも多く，短い中顔面，上唇の過長，上顎前歯不可視，中心咬合位と安静位との距離が大きい，などを呈する．また，上顎基底部の狭小により上顎幅径の低形成が生じ，上顎臼歯歯列の舌側偏位による交叉咬合と叢生を伴う．唇顎口蓋裂では幼児期の口蓋形成術の瘢痕により上顎劣成長が生じて上顎後退症を呈することが多い．下顎前突症の中には下顎過成長だけでなく，上顎劣成長を合併していることも多い（図 4-81）．

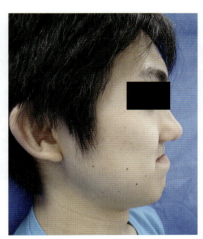

図 4-81　上顎後退症（側貌）

### E 顔面非対称症（上下顎非対称症）

　片側性上下顎垂直的過形成もしくは片側性上下顎垂直的低形成により，顔面非対称を呈する（図 4-82）．顔面非対称のほか，正面観における咬合平面の傾斜，軸位方向からみた頬骨・上顎骨片側性過形成もしくは低形成を呈する．また上顎が正常で，下顎半側の3次元的増大や低形成では下顎非対称症という．下顔面の非対称，臼歯部の交叉咬合を呈する．下顎頭の大きさや形態の非対称，関節突起の長さの非対称があり，関節円板の位置不正を生じて顎関節症を合併することがある．

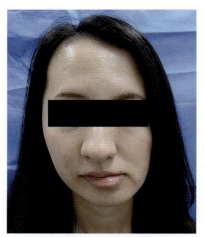

図 4-82 顔面非対称症（上下顎非対称症：正貌）

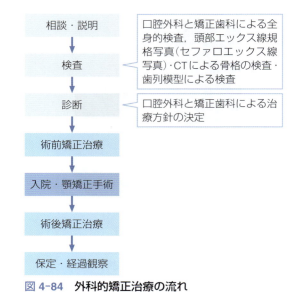

図 4-84 外科的矯正治療の流れ

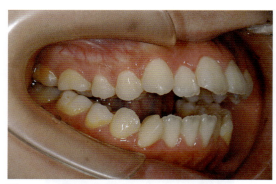

図 4-83 開咬症（口腔内）

## F 開咬症

閉口時において前歯部あるいは臼歯部の歯が離開しているものをいう．開咬症では特に上顎の垂直的過形成と下顎枝の垂直的低形成により，閉口時に臼歯部の早期接触が生じて前歯部開咬となる場合が多い．多くの場合，ロングフェイスと上顎の狭窄歯列弓や高口蓋，大きく長い舌，口呼吸，口唇閉鎖不全を伴う．幼少期より鼻閉やアデノイド，扁桃肥大など鼻呼吸に障害をもつ場合が少なくない．咬合ではAngle Ⅰ級，Ⅱ級，Ⅲ級のいずれにも生じる（図 4-83）．

## 4 顎変形症の診断と治療

顎変形症の治療は矯正歯科，口腔外科と関連各科が連携して行うチーム医療であり，外科的矯正治療と呼ばれる．治療の流れとしては，医療面接，診察，検査，分析，診断，治療計画立案，術前矯正治療，顎矯正手術，術後矯正治療，経過観察の順に行われる（図 4-84）．

### A 顎変形症の診断

#### 1 全身的検査

体格や成長の状態を確認するために，身長・体重を計測する．また骨年齢を評価する必要があるときには手根骨エックス線画像を撮影する．

#### 2 頭頸部の診察

顎顔面の形態異常を確認するために，頭頸部の触診を行う．そして正貌，側貌，斜位，軸位の写真を撮影し，記録する．

#### 3 口腔と歯列，咬合の診察

歯列と歯肉・口腔粘膜の状態を詳細に観察し，歯の状態，咬合関係，歯周組織の状態などを記録する．そして咬合位で上下歯列の正面，左右側面，咬合面を撮影する．さらに印象採得と咬合採得を行って歯列模型を作製する．

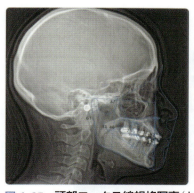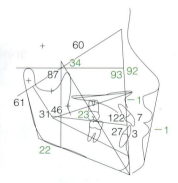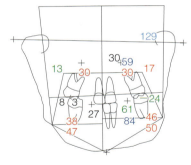

図 4-85　頭部エックス線規格写真（セファロ）を用いた歯科矯正コンピュータ診断

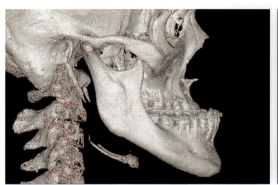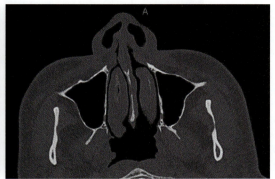

図 4-86　CT による 3 次元構築（VR）画像

## 4　エックス線撮影

### a　パノラマエックス線写真とデンタルエックス線写真

顎骨や鼻腔，上顎洞の形態，歯の形態や歯列の状態，埋伏歯や過剰歯の有無，上下顎骨の構造，顎関節の骨形態などを観察する．

### b　頭部エックス線規格写真（セファロ）とその分析（図 4-85）

初診時，術前・術後の頭蓋顔面の正貌，側貌，軸位を撮影し，Downs 法，Northwestern 法，Tweed 法，Sassouni 法などさまざまな分析方式により計測し，ポリゴン表やプロフィログラムなどを用いて評価する．また軟組織の側貌と正貌も計測分析する．

## 5　CT（図 4-86）

CT または CBCT を用いて，顎骨の形態や歯の位置関係を 3 次元的に詳細に観察することができる．またボクセルデータを PC 上での 3 次元シミュレーションに応用する．

## 6　顎関節の MRI と骨シンチグラフィ

顎関節症や変形性顎関節症などを併発している場合に，顎関節円板の位置異常や左右顎関節運動の協調性などを確認するために行う．下顎頭の腫瘍性病変を疑う場合には骨シンチグラフィにより骨代謝や活動性の確認を行う．

## 7　顎機能検査

顎口腔機能を判定するために，下顎運動検査，筋機能検査，咀嚼機能，咬合機能，嚥下機能，発音機能などを検査する．

## 8　3 次元シミュレーション（図 4-87，88）

CT データを 3 次元シミュレーション用ソフトウェアに取り込み，立体的な骨，軟組織の形態を多方向から観察するとともに，模擬手術として骨切りや骨片の移動などの確認を行って具体的な治

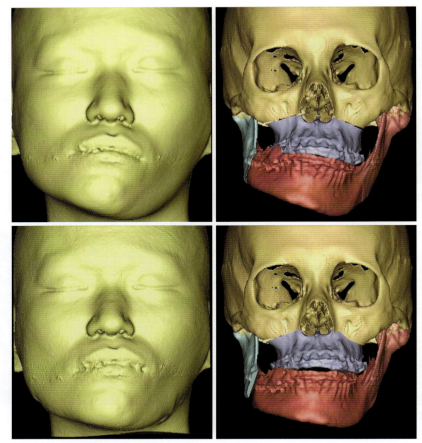

**図 4-87　顎矯正手術の 3 次元シミュレーション**
データを PC のソフトウェアに取り込み，骨，軟組織の形態を多方向から観察し，模擬手術として骨切りや骨片の移動を行って治療計画を立てる．

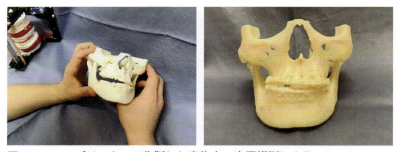

**図 4-88　3D プリンターで作製した実物大 3 次元模型によるシミュレーション**

**図 4-89　模型手術（モデルサージェリー）**
歯列模型を半調節性咬合器にフェイスボウトランスファーして，上下顎の移動をして安定した咬合位を構成する．

療計画を立てる．必要であれば，データを 3D プリンターに転送して実物大の模型を作製して模擬手術を行う．

### Ⓑ 治療計画のカンファレンスと治療方針の決定

これらの診察や検査を通じて，骨格の異常や歯・歯列の異常などの問題点を抽出しプロブレムリストを作成する．これをもとに口腔外科医，矯正歯科医などでカンファレンスを行って一連の治療方針を共有する．

### Ⓒ 術前矯正治療

決定した治療方針に従って，小臼歯の便宜抜去，埋伏歯の抜去，マルチブラケット装置により叢生の解消，前歯歯軸の改善などデンタルコンペンセーションの解消，臼歯部幅径の調整，歯列正中線のずれの改善などを行う．必要により，歯科矯正用アンカースクリューを用いて歯列全体の移動も行われる．

### Ⓓ 術前準備

術前矯正が終了するタイミングで，セファロエックス線や 3 次元シミュレーションなど必要な検査とその分析を行い，口腔外科，矯正歯科の担当医が確認し合って安全で確実な手術計画を立案する．また手術に影響する全身的要因を把握し，問題がある場合には，その解決を図るためにかかりつけ医や麻酔科医と相談し，手術までに対応を完了しておく．手術計画が決定したら患者と保護者に説明し同意を得る．

### Ⓔ 模型手術（モデルサージェリー）（図 4-89）

口腔模型を，フェイスボウトランスファーを介して半調節性咬合器に装着し，口腔外科医と矯正歯科医が共同してモデルサージェリーを行い，上下顎骨の移動を咬合器上で再現し，術後の咬合状態を確認する．

### Ⓕ 顎矯正手術

入院管理，全身麻酔下に術前に決定した方針に基づき手術を行う（詳細は後述）．術後は気道管理，腫脹の抑制，疼痛コントロール，創部の洗浄，抗菌薬の投与，顎間固定，エックス線撮影，栄養管理などを行って早期の治癒を誘導する．

### Ⓖ 術後矯正治療

術後，創部が安定し，顎間固定を解除し十分な開口量が確保できたら，骨の動きと細部を安定させ，咬合を仕上げるために術後矯正治療を開始する．新たなアーチワイヤーを装着し，顎間ゴムやアンカースクリューなどを応用して咬合の安定化を図る．通常の場合，期間はおよそ 1 年前後である．

### Ⓗ 保定と経過観察

術後には時間の経過とともに，筋機能や悪習癖に伴って元の形態に後戻りする傾向が発現することがある．術後矯正治療が終了し，ブラケットを除去したら後戻り防止のために保定装置を装着し，長期的な経過観察を行う．

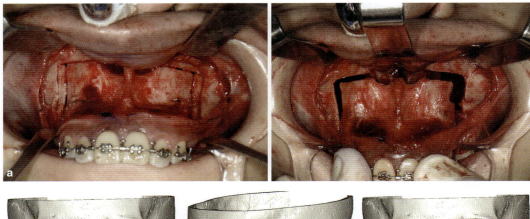
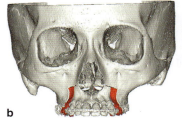
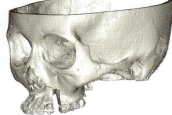
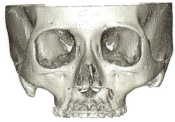

**図4-90　上顎前方歯槽部骨切り術**
a：Wassmund法，b：骨分割線

## 5 顎矯正手術の種類と特徴

### A 上顎の手術

**1 上顎前方歯槽部骨切り術**（図4-90） maxillary anterior alveolar osteotomy

基本術式は，上顎小臼歯を術中に抜去して，このスペースを閉鎖するように上顎前歯部を後方に移動させる．必要に応じて移動方向などのバリエーションが可能である．

**適応**

上下臼歯部の咬合関係に問題がなく，上顎前歯部の前後的・垂直的な位置や歯軸傾斜に異常のある歯槽性上顎前突症や開咬症であり，下顎枝矢状分割術や下顎前方歯槽部骨切り術と併用されることもある．

**術式**

Wassmund（ワズムンド）法：第一小臼歯部の縦切開と上唇小帯付近の切開と口蓋粘膜のトンネル状剝離からアプローチして骨切りを行う．口蓋と唇側からの血行が確保できるが，術中の視野が狭い．

Wunderer（ヴンダラー）法：小臼歯部頬側の縦切開に加えて，口蓋粘膜骨膜を完全に切開して骨を明視野に骨切りし，切離した骨片を上前方に引き上げて骨折（アッパーフラクチャー）させて臼歯部を分離する．視野はよいが，可動骨片への血行維持に注意する．

いずれも歯槽欠損部が近接するまで，超音波骨切削機器などを用いて慎重に骨断端を切削調整する．術前に作製した咬合プレートを用いて想定した咬合に誘導し，頬側のミニプレートと口蓋レジンプレートで固定し，早期に矯正用ワイヤーで連結させる．

**合併症**

血行不良による歯肉壊死，骨壊死，歯の損傷，口蓋粘膜の損傷・瘻孔形成など．

**2 上顎後方歯槽部骨切り術**（図4-91） maxillary lateral alveolar osteotomy

上顎臼歯部歯槽骨の骨切りを行い，移動させる方法．まず口蓋骨を骨切りして2週後に頬側の骨切りを行う2回法 Schuchardt（シュハルト）法と，頬側から口蓋まで一度に骨切りする1回法 Kufner法がある．

**適応**

上顎臼歯部の歯槽高径や位置異常に伴う臼歯部

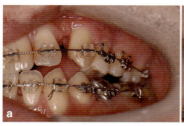
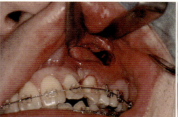
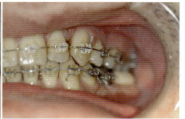
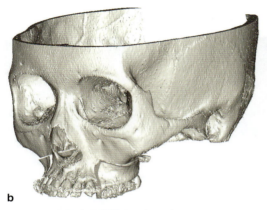
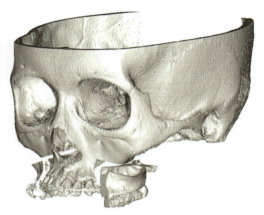

**図 4-91　上顎後方歯槽部骨切り術**
a：Kufner 法，b：骨分割線

開咬，過蓋咬合，交叉咬合．

**術式**

　臼歯部口腔前庭の水平切開から歯槽部のコの字形骨切りを行い，さらに口蓋骨の水平骨切りを行う．骨片を下方へ引き下げて骨折（ダウンフラクチャー）させて可動化し，レジンで作製した咬合プレート，口蓋プレートにより想定した咬合に誘導し，ミニプレート固定を行う．早期に矯正用ワイヤーで連結させる．

**合併症**

　歯根の損傷，大口蓋動静脈の損傷による異常出血，粘膜損傷など．

### 3　Le Fort（ルフォー）I 型骨切り術（図 4-92）

Le Fort I osteotomy

　上顎を下鼻道の高さで水平離断して上顎骨と歯槽部の複合体を上下左右前後に移動させることができ，必要に応じて咬合面傾斜を変化させることも可能なため，適応症が広く，さまざまな症例に広く応用されている．多分割の Le Fort I 型骨切り術では，分割される骨片への血液供給の確保が重要である．変法としては，馬蹄形骨切り術（→p.143）が挙げられる．これは上顎体部を上方に移動させる際に，下行口蓋動静脈を避けて口蓋骨を馬蹄形に切離する方法である．

**適応**

　上顎後退症，上顎前突症，顔面非対称，垂直的過成長，開咬症など．

**術式**

**切開**：上顎前歯部の口腔前庭水平切開または歯肉溝からの切開〔Wassmund 切開または Neumann（ノイマン）切開〕を加える．

**剝離**：前鼻棘から犬歯窩，上顎洞側壁，翼突上顎縫合部まで骨膜を剝離する．梨状孔から下鼻道の鼻腔粘膜を剝離して，前鼻棘，鼻中隔の下方まで剝離する．

**骨切り**：ボーンソーまたは超音波骨切削機器を用いて鼻腔側壁－犬歯窩－頬骨下部－上顎洞側壁－上顎結節－翼突上顎縫合まで水平方向に骨切りを行う．

　鼻中隔マイセルで鼻中隔下部と上顎を切断する．翼突上顎縫合をプテリゴイドマイセルで切離する（行わないこともある）．

**分割**：テシエセパレーターを用いて上顎骨体のダウンフラクチャーを行う．次に Rowe 鉗子を用い

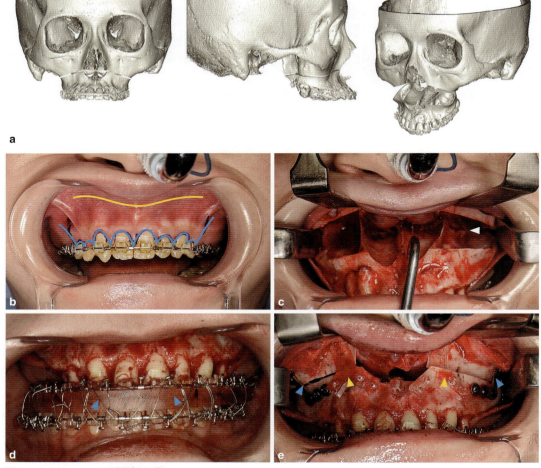

**図 4-92　Le Fort Ⅰ型骨切り術**
a：骨分割線．b：Le Fort Ⅰ型骨切り術の粘膜切開と剝離．歯頸部からの切開線（青線），または口腔前庭からの切開線（黄線）．c：鼻腔側壁-犬歯窩-頰骨下部-上顎洞側壁-上顎結節-翼突上顎縫合まで水平方向に骨切りを行い，ダウンフラクチャーして上顎骨体部を可動化する（白色矢頭：下行口蓋動脈）．d：一次バイトプレート（青色矢頭）を介して顎間固定を行い，下顎の位置を基準として上顎体を位置づける．e：上顎の骨固定．この症例では後方はチタンミニプレート（青色矢頭），前方は生体吸収性プレート（黄色矢頭）で固定している．

て翼突上顎縫合の分割部分を完全に可動化する．
**顎間固定と位置づけ**：術前のモデルサージェリーで作製した中間バイトプレート（一次プレート）を介して顎間固定を行い，下顎を基準として上顎の骨片を位置づける．骨片の干渉部位を削合し目的の場所に位置づける．
**骨固定**：骨接合用のミニプレートとスクリュー（チタン製または生体吸収性あるいはその併用）により固定する．顎間固定を解除して，骨の固定状態と咬合を確認する．
**縫合**：鼻翼と外鼻孔形態の変形を予防する目的で，鼻翼基部のシンチ縫合を行う．粘膜切開部を縫合閉鎖する．

### 4　多分割 Le Fort Ⅰ型骨切り術（図 4-93）
multisegmented Le Fort Ⅰ osteotomy

**適応**
Le Fort Ⅰ型骨切り術の適応症に加えて，上顎歯列の狭窄や開大などを併発する症例．

**術式**
Le Fort Ⅰ型骨切り術でダウンフラクチャーを行った後に，上方の切断面からバーや超音波骨切

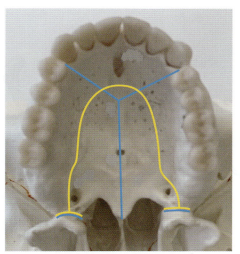

図 4-93　多分割 Le Fort Ⅰ型骨切り術と馬蹄形骨切り術の例
3 分割（青線）と馬蹄形骨切り術の分割線（黄線）

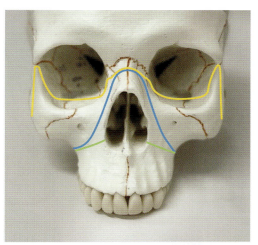

図 4-94　Le Fort Ⅰ型（緑線），Ⅱ型（青線），Ⅲ型（黄線）骨切り術の分割線

削機器を用いて，複数のセグメントに分割し上顎の歯列や形態を整えて固定する．固定にはミニプレートを用い，口蓋レジンプレートを併用することもある．

分割のバリエーションとしては，正中2分割，前後2分割，前歯部と左右臼歯部との3分割，左右小臼歯の抜歯を伴う2分割あるいは3分割，唇顎口蓋裂症例での多分割などさまざまである．

### 5　馬蹄形骨切り術（図4-93）
　　　horse shoe osteotomy

下行口蓋動脈を含む鼻腔底部と歯槽部をU字形（馬蹄形）の骨切りで分離する術式．上顎の上方や後方移動によっても下行口蓋動脈周囲の骨片移動が少なく骨干渉部の除去も少ない．また鼻腔の狭窄を予防できる．

#### 適応
上顎骨後方部の大きな上方移動，上顎骨の後方移動．

#### 術式
Le Fort Ⅰ型骨切り術でダウンフラクチャーを行った後に，後方ではバーや超音波骨切削機器を用いてU字形の骨切りを行うが，下行口蓋動脈の外側を骨切りする．その後，馬蹄形となった上顎歯槽部のみを上方または後方に移動させるために骨片干渉部を削去しミニプレートで固定する．

### 6　Le Fort Ⅱ型骨切り術（図4-94）
　　　Le Fort Ⅱ osteotomy

#### 適応
頬骨を含まない顔面中1/3の中央部，つまり鼻上顎複合体の後退を示す症例．軽度のCrouzon症候群やLe Fort Ⅱ型骨折の変形治癒症例など．

#### 術式
鼻根部の劣成長が目立たない場合には鼻骨部分を含まない quadrangular osteotomy が適応されるが，一般的には pyramidal osteotomy が行われる．

**切開と剥離**：左右の眉毛内皮膚あるいは眉間の皮膚割線に沿った切開と左右小臼歯間の上顎口腔前庭部粘膜切開よりアプローチする．

**骨切りと分割**：眉毛部皮膚切開から，鼻骨前頭縫合部の下方を水平骨切りし，上顎骨前頭突起の側縁に沿って下方に向かって，眼窩下縁の下方まで骨切りする．次に，口腔内切開から，眼窩下孔の下方から頬骨上顎縫合に平行に頬骨下稜部まで骨切りを進め，さらに翼突上顎縫合部までは水平に骨切りする．眉毛部の切開から，鼻中隔の篩骨垂直板と鋤骨を後鼻棘まで斜めに切離する．Rowe鉗子でダウンフラクチャーを行って鼻上顎複合体を可動化する．

**顎間固定と位置決め**：鼻上顎複合体を想定した位置に移動させ顎間固定により位置決めする．

**骨固定**：骨接合部をミニプレートで接合する．必要に応じて骨移植を行う．

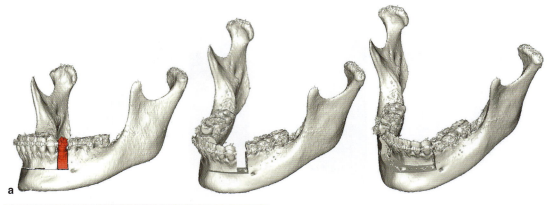
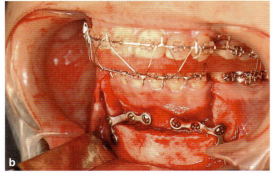

図 4-95 下顎前方歯槽部骨切り術
a：骨分割線
b：術中写真

合併症

嗅覚異常，涙管損傷，後戻りなどに注意する．

### 7 ● Le Fort Ⅲ型骨切り術（図 4-94）
Le Fort Ⅲ osteotomy

適応

顔面中 1/3 の劣成長や後退を示す Crouzon 症候群や Apert 症候群，Le Fort Ⅲ型骨折の変治症例など．咬合の改善のために Le Fort Ⅰ型骨切りや下顎の骨切り手術を併用することがある．

術式

**切開と剝離**：頭部の皮膚冠状切開，左右の下眼瞼結膜切開または睫毛下皮膚切開，左右小臼歯間の上顎口腔前庭部粘膜切開よりアプローチする．頭皮弁を挙上し，眼窩上孔付近で骨膜を切開し，眼窩上縁部と鼻根部の骨を明示する．

**骨切りと分割**：鼻骨前頭縫合部の下方を水平骨切りし，涙囊と鼻涙管の後方の眼窩内側壁を下方に向かって下眼窩裂まで骨を切り離す．または内眼瞼靱帯の付着部を温存して前涙囊稜から眼窩下縁の内側に沿って骨切りする．次に骨を可動化する．

**顎間固定と位置決め**：想定した位置に移動させ固定するか，骨延長装置により中顔面の延長を図る．

合併症

嗅覚異常，涙管損傷，後戻りなどに注意する．

## B 下顎の手術

### 1 ● 下顎前方歯槽部骨切り術；Köle 法（図 4-95）
mandibular anterior alveolar osteotomy

基本術式は，下顎小臼歯を術中に抜歯し骨を削除したそのスペースを閉鎖するように下顎前歯部を後方に移動させる．必要に応じて移動方向などのバリエーションが可能である．

適応

上下臼歯部の咬合関係に問題がなく，下顎前歯部の前後的・垂直的な位置や歯軸傾斜に異常のある歯槽性下顎前突症や開咬症であり，Le Fort Ⅰ型骨切り術や上顎前方歯槽部骨切り術と併用されることもある．

術式

第一小臼歯部の縦切開と下唇小帯付近の切開と粘膜剝離からアプローチして骨切りを行う．歯槽

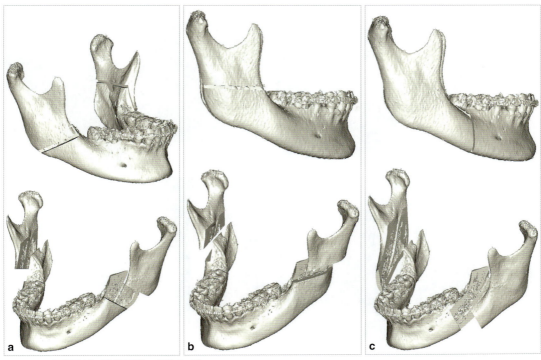

図 4-96　下顎枝矢状分割術の骨切り線
a：Obwegeser 原法，b：Trauner-Obwegeser 法，c：Obwegeser-Dal Pont 法

欠損部が近接するまで，超音波骨切削機器などを用いて慎重に骨断端を切削調整する．頰側のミニプレートと舌側レジンプレートで固定し，早期に矯正用ワイヤーで連結させる．

（合併症）
血行不良による歯肉壊死，骨壊死，歯の損傷，口蓋粘膜の損傷・瘻孔形成など．

## 2　下顎枝矢状分割術

sagittal splitting ramus osteotomy；SSRO

下顎枝を内側と外側に縦（矢状）方向に骨切りして，関節突起と筋突起を含む近位骨片と歯列を含む遠位骨片に分割して，歯列全体を移動させる方法．移動方向は前方，後方，上下方向や回転移動ができるため，下顎前突，下顎後退，非対称いずれにも対応でき適応症が広い．移動後の骨片間の接触面積が大きいため，骨癒合が早く後戻りが少ない．口内法で行うことができるため，顔面に創が残らず，また歯と下歯槽神経を温存できる利点がある．Obwegeser が，それまでのほかの骨切り法の欠点を補うものとして 1957 年に発表して以来，世界中で広く用いられている．

（適応）
下顎前突症，下顎後退症，開口症，下顎非対称など多くの顎変形症が適応となる．

（術式）
大臼歯部から下顎枝にかけての外斜線上に 3～4 cm 程度の粘膜切開を加え，直下の頰筋と骨膜を切開する．

切開部から，下顎枝外側の骨膜と，下顎切痕と下顎小舌の間の下顎枝内側骨膜を下顎後縁まで剝離して骨面を露出させプロゲニーハーケンで展開する．上方は筋突起部で側頭筋付着の下方を剝離してラムスハーケンで展開する．

内側皮質骨をリンデマンバーや超音波骨切削機器を用いて下顎枝の厚みの 1/2 程度，下顎咬合平面と平行となるように骨切りする．

下顎枝部から大臼歯部の間で，外側皮質骨を骨髄に達するまで骨切りする．骨切りの位置は各々の方法（**Obwegeser 原法，Trauner-Obwegeser 法，Obwegeser-Dal Pont 法**など）により異なる（図 4-96）．

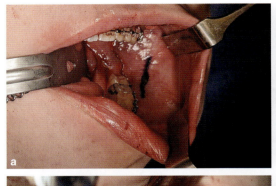
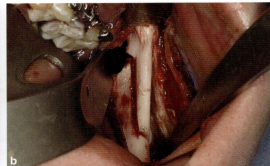
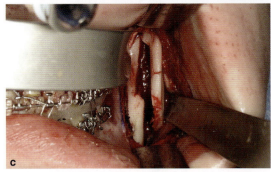
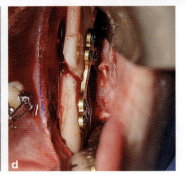
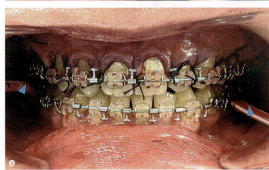

**図 4-97　下顎枝矢状分割術**
a：左側の粘膜切開線
b：骨切り線（Obwegeser 原法）
c：下顎枝を近位骨片と遠位骨片に分割して完全に可動化する．
d：骨片移動後，チタンミニプレート（または生体吸収性プレート，骨貫通スクリューなど）で固定する．
e：Le Fort Ⅰ型骨切り術と上下顎移動術術後．切開創を縫合閉鎖して下顎の創部から持続吸収ドレーンを装着している（矢頭）．

　下顎枝前縁で上記 2 つの骨切り線断端をつなげるように縦に（矢状方向に）骨切りする．下顎管が近接していることもあり，超音波骨切削機器などを用いて特に慎重に行う．

　骨切り面を骨ノミなどで槌打して骨片の可動性を図り，セパレーターで完全に分割する．このとき下顎管の内容（下歯槽神経血管束）を損傷しないよう慎重に行う．

　近遠位骨片の可動性を確認して，術前のモデルサージェリーで作製しておいた咬合プレートを介在させて下顎歯列を上顎歯列と咬合する位置に誘導し顎間固定を行う．骨片の干渉部は削合調整する．

　ミニプレート，骨貫通スクリューなどを用いて骨片を固定する．顎間固定を解除して抵抗なく咬合することを確認する．

　切開部を筋層と粘膜に分けて縫合する．必要により血液や滲出液の排出のため持続吸引ドレーンを装着する（図 4-97）．

### 術後

　術後の出血抑制，腫脹の軽減，創部の安静のため圧迫バンドやテーピングを行い，気道の確保，嘔気の制御が確認できたらワイヤーやゴムバンドで顎間固定を行う．

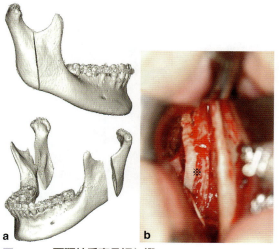

図 4-98 下顎枝垂直骨切り術
a：骨分割線
b：右側下顎枝での骨切りの断面を示す（※近位骨片）

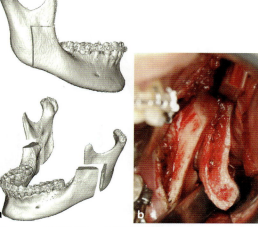

図 4-99 下顎枝逆 L 字型骨切り術
a：骨分割線
b：下顎枝での骨切りの断面を示す

### 3 ● 下顎枝垂直骨切り術（図 4-98）

intraoral vertical ramus osteotomy；IVRO

下顎枝を下顎切痕から下顎角の前方まで縦方向に骨切りして，関節突起を含む近位骨片と下歯槽神経血管束と歯列を含む遠位骨片に分割して，歯列全体を移動させる方法．口腔外の皮膚切開創から骨切りする方法は古くから行われていたが，手術機器の発達とともに口腔内から安全に行われるようになり，広く用いられている．

関節円板と関節突起の関係の改善が期待でき，下歯槽神経血管束の損傷が少ないなどの利点があるが，下顎の大きな前方，後方移動に制約があり，強固な骨片固定を行わないため，術後長期の顎間牽引と誘導などの対応を要する．

適応

下顎前突症，開口症，下顎非対称などの顎変形症が適応となる．

術式

大臼歯部から下顎枝にかけての外斜線上に粘膜切開を加え，直下の頬筋と骨膜を切開する．

切開部から，下顎枝外側の骨膜と，下顎切痕と下顎小舌の間の下顎枝内側骨膜を下顎後縁まで剝離する．下顎枝外側で下顎切痕部にバウアー鉤を装着し，展開する．

外側皮質骨を下顎孔の後方で，下顎管の内容（下歯槽神経血管束）を損傷しないように下顎切痕中央部から下顎角前方の下顎下縁まで，垂直に骨切りして下顎関節突起を含む遠位骨片と歯列を含む近位骨片に分割する．

近遠位骨片の可動性を確認して，術前に作製した咬合プレートを介在させて下顎歯列を上顎歯列と咬合する位置に誘導し顎間固定を行う．骨片の干渉部は削合調整する．その後，切開部を筋層と粘膜に分けて縫合する．必要によりドレナージを用いる．

術後

術後の出血抑制，腫脹の軽減，創部の安静のため圧迫バンドやテーピングを行い，ゴムバンドで顎間牽引を行い，咬合を誘導する．

### 4 ● 下顎枝逆 L 字型骨切り術（図 4-99）

inverted L shape ramus osteotomy；ILRO

下顎枝部で下顎孔後方の下半分の垂直骨切りと下顎孔上方の前半分の水平骨切りを組み合わせて，逆 L 字型の骨切りを加えて下顎骨体部を移動させて咬合を改善させる手術法である．

適応

下顎後退症，開口症，下顎非対称など多くの顎変形症が適応で，下顎枝の幅径が小さく下顎枝矢状分割術などが困難な症例に適応される．

術式

下顎枝矢状分割術同様の切開部から，下顎枝外

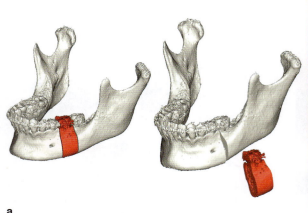 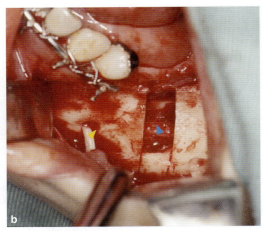

図 4-100　下顎骨体部分切除術
a：原法，b：術中写真．オトガイ神経（黄色矢頭），下歯槽神経血管束（青色矢頭）

側の骨膜と，下顎切痕と下顎小舌の間の下顎枝内側骨膜を下顎後縁まで剝離して骨面を露出させバウアー鉤で下顎枝外側を展開する．下顎下縁から下顎孔直上まで垂直骨切りを行う．次に下顎枝前縁から垂直骨切りの上端部までの骨切りを行い連続させる．骨分割後，近遠位骨片の可動性を確認して，術前に作製した咬合プレートを介在させて顎間固定を行う．骨片の干渉部は削合調整する．場合によりミニプレートを用いて骨片を固定する．必要に応じて骨片間の空隙に骨移植を行う．その後，切開部を筋層と粘膜に分けて縫合する．必要によりドレナージを用いる．

（術後）
　術後の出血抑制，腫脹の軽減，創部の安静のため圧迫バンドやテーピングを行い，ゴムバンドで顎間牽引を行い，咬合を誘導する．

## 5　下顎骨体部分切除術（図 4-100）
　mandibular body osteotomy
　下顎臼歯部を抜歯してその部分の下顎骨を切除して，そのスペースを利用して後方に移動させ固定する手術法である．大臼歯の咬合関係を変化させずに移動する場合の適応となる．古くから行われている術式であるが，移動量や移動方向に制約があり，隣在歯や下歯槽神経損傷のリスクがあるため，最近では適応されることは少ない．

## 6　オトガイ形成術（図 4-101）genioplasty
　オトガイ部の先端を骨切りして前後左右上下に移動固定することにより，オトガイ部の形態異常，口唇閉鎖不全，オトガイ部の過緊張の緩和などを目的として行われる．

（適応）
　オトガイ過成長，オトガイ劣成長，オトガイ部左右非対称など．

（術式）
　下顎前歯部の口腔前庭部の粘膜に横切開を加え筋層を切離したのち，骨膜剝離してオトガイ部の骨を歯槽部から下顎下縁，オトガイ孔付近まで広く露出させる．骨切り線を設定しボーンソーや超音波骨切削機器，マイセルなどを用いて舌側皮質骨まで完全に骨切りを行う．
　骨片を術前に想定した位置に移動させ，骨の干渉する部位を削除してミニプレートや骨貫通スクリューで固定する．切開部の骨膜，粘膜を縫合する．

（合併症）
　オトガイ神経知覚障害，口底部出血による二重舌や気道閉塞など．

### C 顎骨延長術

　骨切りした骨片の両断端間の距離を徐々に開大させることで，骨を延長させる方法である．骨片間の間隙には骨が新生し，骨だけでなく隣接する軟組織も延長される．
　長管骨の延長術は 1904 年 Codivilla による大腿

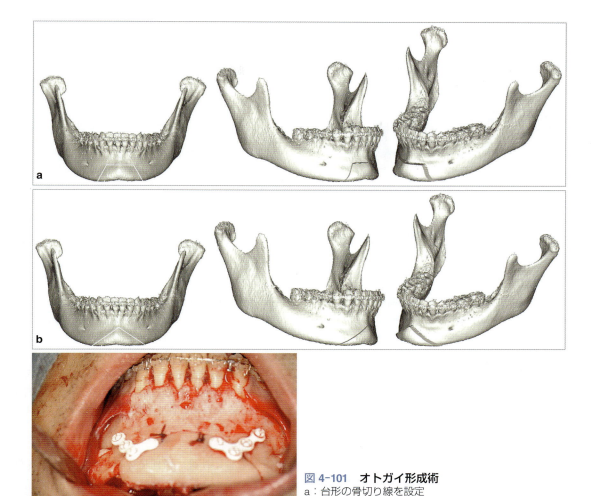

図 4-101　オトガイ形成術
a：台形の骨切り線を設定
b：三角形の骨切り線を設定
c：生体吸収性プレートで固定

骨の延長術が最初の報告とされている．1970年代にIlizarovらは臨床報告だけでなく，基礎的な研究を報告することで，骨延長術の概念を確立させた．その後，長管骨で骨延長術は定型的な手術として普及し，1992年にはMcCarthyらによって下顎骨の骨延長術が報告された．それ以降，さまざまな骨延長装置が開発され，顎顔面骨に骨延長術が行われている．特に一般的な顎矯正手術では対応できない先天性疾患に適応されることが多い．また，顎骨切除後の再建や萎縮した歯槽骨の垂直的な骨の増大にも応用されている．

骨延長術の治療は手術，待機期間，延長期間，硬化期間からなる．手術では延長する部の骨を骨切りし，延長装置を設置する．待機期間は骨切り部の安静と軟組織の治癒を待つ期間で，仮骨の形成を促す．通常は4～7日間で，待機期間の後に延長を開始する．1日に0.5～1.0 mm（朝夕1日2回に分割）延長する．延長時には軟組織の裂開などの創部の状態に注意し，10～15％の後戻りを想定して，延長量を決定する．延長終了後に延長装置を装着したまま硬化期間を設ける．一般的に硬化期間は3か月程度で，この間に仮骨は成熟する．

## 1　上顎骨延長術

上顎骨骨切り後に骨延長装置を装着し，待機期間をおいてから延長を開始する．通常のLe Fort I型骨切り術の前方移動量の限界は10 mm程度とされているが，上顎骨延長術では10 mm以上

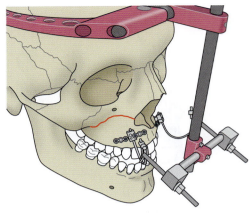

図 4-102　創外型延長装置　RED（Rigid External Distraction）システム

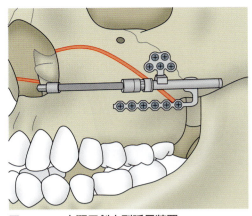

図 4-103　上顎用創内型延長装置

の延長が可能である．特に口唇口蓋裂の術後の症例では，上顎骨の周囲組織に強い瘢痕組織が認められるため，Le Fort I型骨切り術での前方移動の限界は5mm程度である．上顎骨延長術では口唇口蓋裂の術後の症例であっても10mm以上の前方移動が可能である．また上顎骨延長術による前方移動は通常のLe Fort I型骨切り術での前方移動と比較して，鼻咽腔閉鎖機能への影響が少ないとされている．

上顎骨の前方への延長だけでなく，下方にも延長することができる．また著しい上顎骨の非対称症例に対して，歯槽骨を垂直的に延長し，咬合平面の修正に適用することもある．上顎骨の延長装置には創外型と創内型がある．

#### a　創外型延長装置（図 4-102）

RED（Rigid External Distraction）システムでは，固定源となるハローフレームを経皮的に頭蓋骨にスクリューで固定する．固定力と牽引力が強いため，ダウンフラクチャーをしなくても延長が可能である．また，延長方向の自由度は高い．一方で延長装置の露出が大きいため，日常生活への影響や精神的な負担が大きい．

#### b　創内型延長装置（図 4-103）

Zürich maxillary devise（KLS Martin社）では延長装置を頰骨にスクリューで固定する．REDシステムに比べると牽引力は弱く，ダウンフラクチャーが必要である．装置が顔面に露出しないため審美的な問題はないが，延長方向の自由度は低い．

上顎骨前方部延長法（maxillary anterior segmental distraction osteogenesis；MASDO）は大臼歯より前方で骨切りし，前方の歯槽骨片を前方に移動させる．口蓋裂術後の前方移動に適用される．口蓋裂症例では，上顎骨を大きく前方移動させると鼻咽腔閉鎖不全をきたす可能性があるが，MASDOでは軟口蓋を含めた大臼歯部より後方部は移動しないため，鼻咽腔閉鎖機能は温存される．

### 2　下顎骨延長術

下顎骨骨切り後に骨延長装置を装着し，待機期間をおいてから延長を開始する．通常の顎矯正手術では目標の下顎の移動距離が得られない症例にも適用できる．Treacher Collins症候群やhemifacial microsomiaなどの著しい下顎劣成長を呈する先天性疾患が代表的な適応症となる．またRobinシークエンスなどで，新生児期に上気道閉塞をきたしているような場合には，早期に下顎骨延長術を行うことがある．

骨切り術は下顎骨体骨切り術，下顎枝矢状分割術，下顎枝水平骨切り術などが適用される．前後的な移動だけでなく，狭窄歯列症例に対して下顎正中部を骨切りし，歯列幅径を増加させることも可能である．

下顎骨の延長装置には創外型と創内型がある．

#### a　創外型延長装置

創外型（図 4-104）はより大きな延長量が得られるとともに，延長方向を延長の途中で変更できる．一方で，経皮的に下顎骨にピンで固定されるため，審美的な問題が大きい．骨固定用のピンは

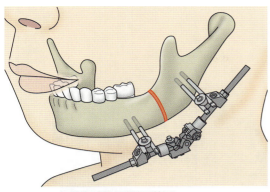

図 4-104　下顎用創外型延長装置

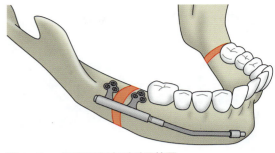

図 4-105　下顎用創内型延長装置

たわむため，実際に骨が延長される量は延長装置の開大量よりも小さい．

**b　創内型延長装置**

創内型（図 4-105）は審美的に許容されるが，延長方向の自由度は小さい．延長方向は延長装置の設置方向に規定されるため，手術時の延長装置の装着方向の確認が重要である．近年では水平方向と垂直方向へ同時に延長することができる装置もあるが，装置が大型で操作性は低い．

### 3　手術支援急速口蓋拡大術（図 4-106）

surgical assisted rapid palatal expansion；SARPE

上顎骨を Le Fort I 型骨切りと上顎歯槽の正中と口蓋の正中で骨切りし，待機期間後に骨延長によって歯列幅径を拡大する．成人で大きな歯列幅径の拡大が必要な症例が適応となる．装置にはHyrax 型拡大装置（図 4-107）や Fan 型拡大装置などが用いられる．

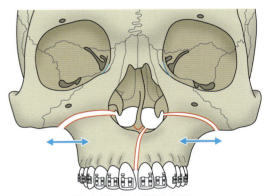

図 4-106　手術支援急速口蓋拡大術

## 6　合併症とその対策

顎矯正手術の目的は機能や審美性の改善であり，整容的な意味合いも強い．また，悪性腫瘍に対する手術のように生命を維持するために必要なものとは異なり，より選択的な治療である．これらの背景から，顎矯正手術には最高レベルの安全性が要求される．

外科的矯正治療を開始する前に全身的な評価をすることが重要である．全身的な問題が認められたときには，専門科の意見を参考にリスクを評価し，外科的矯正治療が可能かを判断する．全身的な問題の状態によっては専門科による治療を優先させる．手術のリスクが高い場合には，歯科矯正治療によるカモフラージュ治療などほかの治療法を選択せざるを得ないこともある．また，初診時に異常が認められなくても，術前矯正治療中に全身的な問題が顕在化することもある．

顎矯正手術の術野の周囲には重要な血管や神経が存在するので，さまざまな合併症や偶発症が生じる可能性がある．また，気道の一部も術野とするので重大な事故も報告されている．周術期に起こりうる合併症や偶発症を念頭に置き，十分なインフォームド・コンセントを得たうえで治療を開始する．

### A　異常出血

顎矯正手術により出血量に差がみられ，出血量の個体差も大きい．生命を脅かすような大量の出

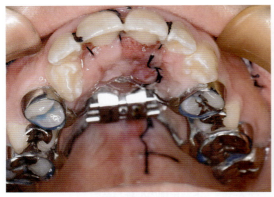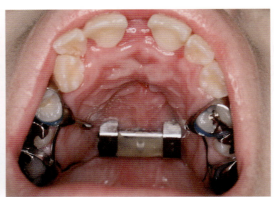

図 4-107　Hyrax 型拡大装置（左：拡大前，右：拡大後）

血をきたすことはまれであるが，術中や術後に異常出血をきたすことがある．

手術方法によっては自己血輸血を適用するが，貯血量が不足するときには同種血輸血が必要になることもある．

### B 気道閉塞

顎矯正手術後には上気道の形態が変化する．特に下顎骨を後方に移動させた場合には，気道が狭小化する．また上顎移動術後の一定期間は鼻出血が継続する．鼻咽腔の血液や分泌物を吸引し，気道の確保に留意する．

特に，咽頭部の浮腫や血腫は気道閉塞の原因となる．長時間に及ぶ手術や出血が多くみられたときには注意が必要である．顎間固定中は口呼吸が困難であり，さらに胃管が挿入されている場合には気道は片側の鼻腔だけになる．また，顎間固定中は嘔吐物や分泌物などを十分に排出できないことで気道が閉塞される危険性がある．

また，いびきや睡眠時無呼吸症候群などの睡眠呼吸障害と顎矯正手術との関連が指摘されている．

### C 異常骨折

顎矯正手術では想定していない部位で異常な骨折が起こることがある．下顎枝矢状分割術で最も多い．原因としては不十分な骨切り，顎骨の形態や下顎智歯の存在などが挙げられる．下顎枝矢状分割術を予定している場合には，少なくとも 3 か月前までに智歯の抜去を済ませておく．

異常骨折の対処法は骨折の部位やその様式によって異なるが，必要に応じて整復固定を行う．

### D 神経障害

顎矯正手術後に知覚異常が発生する頻度は比較的高く，手術前に十分なインフォームド・コンセントが必要である．下顎枝矢状分割術では高い頻度でオトガイ部の皮膚や下唇などに知覚異常が生じる．上顎骨に対する手術では眼窩下部の皮膚や鼻翼・上唇などに知覚異常が生じる．顔面神経や舌神経，頰神経の障害も報告されている．

神経障害に対しては，薬物療法が行われ，ステロイドやビタミン B 複合体などを投与する．また，レーザー治療や星状神経節ブロックが行われる．症状が残存する可能性もあるが，神経障害は経時的に回復することが多い．

### E 創部感染

顎矯正手術後の手術創感染の頻度は高くはないが，感染を起こしたときにはプレートなどの骨接合材の撤去が必要となることが多い．口腔の保清など感染予防に努めることが重要である．感染予防として，SBT/ABPC あるいは CMZ（β-ラクタム系抗菌薬のアレルギーの際には CLDM）を単回から 48 時間の投与期間が推奨されている．

### F 顎関節脱臼

下顎骨移動術では術後に顎関節脱臼を生じることがあり，下顎枝垂直骨切り術で最も多い．術後にエックス線写真で下顎頭の位置を確認し，脱臼がみられた場合には観血的に整復する．

### G 顎関節症

顎矯正手術後に顎関節症状が生じることがある．術前から顎関節症状がある場合には，術後に症状が悪化することや逆に改善することがある．症状が生じた場合には，顎関節症の病態に応じた管理を行う．

### H 進行性下顎頭吸収
Progressive Condylar Resorption；PCR

PCR は進行性の下顎頭の形態吸収変化とそれに伴う同部の体積の減少である．下顎枝高径の短縮や下顎後退などにより前歯部開咬などを呈する．原因は不明であるが，危険因子として，若い女性であること，high mandibular plane angle，術前の顎関節症状，大きな下顎移動量や反時計回りの回転などが挙げられている．PCR の対処方法は確立されていないが，下顎頭の負担を軽減するように，下顎骨の移動量や移動方向に配慮する．

### I 後戻り

顎矯正手術後に咬合関係や顎位が移動方向とは逆の方向に戻る現象を後戻りという．骨の周辺の筋，骨膜などの軟組織，手術中の下顎頭の位置異常や PCR などが関与していると考えられている．後戻りが認められた場合には，術後矯正治療を行いながら，注意深い経過観察が必要である．

### J 異物の迷入

顎矯正手術では矯正装置や破損した器具の迷入を経験することがある．矯正用フックなどの装置の数を手術前後に確認するとともに，手術中や術後にエックス線を撮影して，異物の迷入の有無をチェックする．器具の破損や矯正装置の不足に気づいた場合には，確実に回収する．

● 文献

[総論]
1) Tessier P：Anatomical classification of facial, cranio-facial and latero-facial clefts. J Maxillofacial Surg 4：69-92, 1967.
2) Ichikawa E, et al：PAX9 and TGFB3 are linked to susceptibility to nonsyndromic cleft lip with or without cleft palate in the Japanese：population-based and family-based candidate gene analyses. J Hum Genet 51：38-46, 2005.
3) Watanabe A, et al：A mutation in RYK is a genetic for nonsyndromic cleft lip and palate. Cleft Palate Craniofac J 43：310-316, 2006.
4) 内山健志：「歯列・咬合」5 学童期から思春期にかけてみられる歯列・咬合異常を示す疾患とその治療～口腔外科の立場から～．日本学校歯科医会誌 132：53-84, 2022.

[各論]
[A. 歯の異常，B. 口腔顔面軟組織の異常]
1) 有田憲司，他：日本人小児における乳歯・永久歯の萌出時期に関する調査研究 II ——その 1. 乳歯について．小児歯科学雑誌 57：45-53, 2019.
2) Masters DH, Hoskins SW：Projection of cervical enamel into molar. J Periodontal 35：49-53, 1964.
3) Winter GB：Principles of Exodontia as Applied to the Impacted Third Molar. pp41-100, American Medical Books, 1926.
4) Guarda-Nardini L, et al：Efficacy of botulinum toxin in treating myofascial pain in bruxers：a controlled placebo pilot study. Cranio 26：126-135, 2008.
5) 舘村　卓：口蓋帆・咽頭閉鎖不全　その病理・診断・治療．pp53-69，医歯薬出版，2012．

[C. 口唇裂・口蓋裂]
1) 「口唇裂・口蓋裂診療ガイドライン」策定 WG 委員：口唇裂・口蓋裂診療ガイドライン．日本口腔外科学会
2) Tessier P：Anatomical classification of facial, cranio-facial and latero-facial clefts. J Maxillofac Surg 4：69-92, 1976.
3) Ichikawa E, et al：PAX9 and TGFB3 are linked to susceptibility to nonsyndromic cleft lip with or without cleft palate in the Japanese. population-based and family-based candidate gene analyses. J Hum Genet 51：38-46, 2005.
4) Watanabe A, et al：A mutation in RYK is a genetic for nonsyndromic cleft lip and palate. Cleft Palate Craniofac J 43：310-316, 2006.
5) Mossey PA, Modell B：Epidemiology of oral clefts 2012：an international perspective. Front Oral Biol 12：1-18, 2012.
6) Yoshida S, et al：Postoperative evaluation of grafted bone in alveolar cleft using three-dimensional computed tomography data. Cleft Palate Craniofac J 50：671-677, 2013.
7) 内山健志：今まで行ってきた口唇裂・口蓋裂の治療．東京矯歯誌 25：143-157，2015．
8) Shibano M, et al：Target capture/next-generation sequencing for nonsyndromic cleft lip and palate in the Japanese population. Cleft Palate Craniofac J 57：80-

87, 2020.
9) 内山健志：学童期から思春期にかけてみられる歯列・咬合異常を示す疾患とその治療〜口腔外科の立場から〜．日本学校歯科医会会誌 132：53-84，2022．
10) 髙橋庄二郎：口唇裂・口蓋裂の基礎と臨床．第1版．pp255-336, pp337-387, 日本歯科評論社, 1996．

［D．顔面裂(facial cleft)］
1) 髙橋庄二郎：口唇裂・口蓋裂の基礎と臨床．pp755-767, 日本歯科評論社, 1996．
2) 内山健志, 大関 悟：顔面裂．近藤壽郎, 坂下英明, 片倉 朗（編）：カラーアトラス サクシンクト口腔外科学, 第4版. pp30-31, 学建書院, 2019．
3) Tessier P：Anatomical classification facial, cranio-facial and latero-facial clefts. J Maxillofac Surg 4：69-92, 1976.
4) 川村 仁, 他：斜顔裂の1例．東北大学歯学雑誌 4：87-91, 1985．
5) Akira W, et al：Surgical Management of Median Cleft Lip Extending as Far as Alveolus Using Bone Grafting. Bull Tokyo Dent Coll 60：291-296, 2019.

［E．顎顔面・口腔領域に徴候をみる症候群］
1) 夏目長門（編）：言語聴覚士のための基礎知識 臨床歯科医学・口腔外科学, 第2版. 医学書院, 2016．
2) GRJ(Gene Reviews Japan)遺伝子疾患情報リスト．http://grj.umin.jp/contents/list.htm(2024年2月閲覧)
3) 難病情報センター Japan Intractable Diseases Information Center 指定難病一覧. https://www.nanbyou.or.jp/entry/5461(2024年2月閲覧)
4) 小児慢性特定疾病情報センター 小児慢性特定疾病の対象疾病リスト．https://www.shouman.jp/disease/html/contents/disease_list_w_kokuji_2022_0522.pdf(2024年2月閲覧)
5) 先天性および若年性の視覚聴覚二重障害の原因となる難病の診療マニュアル(第1版). https://dbmedj.org/manual/contents/index.html(2024年2月閲覧)

［F．顎顔面の変形および発育異常］
1) 下郷和雄：AO法骨折治療．頭蓋顎顔面骨の内固定─外傷と顎矯正手術. pp321-334, 医学書院, 2017．
2) 日本顎変形症学会（編）：顎変形症治療の基礎知識. pp8-18, クインテッセンス出版, 2022．
3) 片桐 渉, 他：本邦における外科的矯正治療の実態調査─2017年度日本顎変形症学会実態調査の結果より．日顎変形誌 30：213-225 2020．
4) 日本口腔外科学会学術委員会診療ガイドライン策定小委員会顎変形症ワーキンググループ：顎変形症診療ガイドライン．2008. https://www.jsoms.or.jp/medical/pdf/work/guideline_4.pdf(2024年2月閲覧)

# 第5章 損傷

## 総論

損傷(injury)はなんらかの原因によって生体組織の形態や機能が破壊された状態である．外力によって生じた損傷を外傷(trauma)といい，一過性に加わった強い外力よって生じる外傷を急性外傷，持続的な弱い外力によって生じる外傷を慢性外傷という．また，受傷からの経過時間で新鮮外傷と陳旧性外傷に区別される．さらに，病的変化によって生じた損傷を病的損傷という．

## A 損傷の種類

### 1 損傷

#### A 物理的損傷
physical injury

高温や低温，放射線，電気，化学物質，あるいは褥瘡などによって生じる損傷である．

#### B 機械的損傷
mechanical injury

交通事故，転倒・転落，スポーツ，殴打，作業などによる外力や鋭利な刃物などで生じる損傷である．

### 2 温度的損傷

生体に加わる熱によって生じる損傷を熱傷，寒冷曝露によって生じる損傷を凍傷という．

#### A 熱傷(図5-1)
burn

熱湯や火炎などの高温や日焼けなどが原因となる．また，44〜50℃の低温でも長時間の接触で生じる低温熱傷もある．熱源の温度と接触する時間によって組織損傷の深達度が異なり，以下のように分類されている(図5-2)．

#### 1 Ⅰ度熱傷

表皮(上皮)層にとどまる熱傷．皮下や粘膜下の血管が拡張して軽度の発赤や紅斑が生じ，軽度の疼痛(灼熱感)や知覚過敏を自覚する．数日で自然治癒する．

#### 2 Ⅱ度熱傷

真皮層までの熱傷で，真皮の浅層にとどまる浅達性と深層に達する深達性に分類される．血管の透過性が亢進して水疱が形成され，皮膚表面は白色となる．浅達性は疼痛が強く，水疱が破れるとびらんになる．深達性は浅達性に比べて疼痛は軽度だが，知覚が鈍麻する．水疱形成後は潰瘍となり，瘢痕を形成しやすい．深達性では創傷被覆材で湿潤環境にして上皮化を促す．

#### 3 Ⅲ度熱傷

皮膚全層から脂肪や筋，骨などの皮下組織まで達する熱傷．血流が途絶えて皮膚が壊死して蠟のような白色を呈し，炭化すると黒色となる．神経も傷害されるため無痛性である．壊死組織の除去

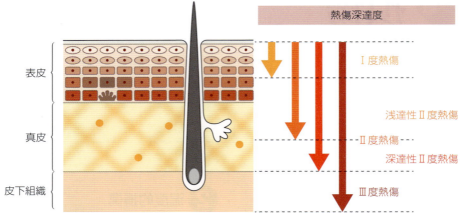

図 5-2 熱傷の分類

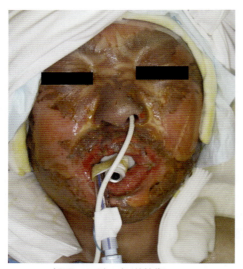

図 5-1 顔面，口腔・気道熱傷

（デブリードマン）し，瘢痕を形成させるが，広範囲な熱傷では植皮や皮弁が必要となる．

###  凍傷
frostbite

長時間，皮膚が寒冷環境にさらされて生じる損傷である．細胞の破壊や血管の狭窄による血流量の減少や血栓が生じて組織が破壊されると壊死が生じることもある．組織損傷の深達度の分類と症状は熱傷とほぼ同様である．患部はできるだけ早く温水で温める．

### ❸ 放射線損傷
radiation damage

放射線による生体の物理的損傷で，多くは悪性腫瘍に対する放射線治療によって生じる．原子炉事故や核兵器での被曝による遺伝的障害も含まれる．局所的には紅斑，水疱，びらん，潰瘍などが生じ（図 5-3），脱毛や皮膚の色素沈着も生じる．全身的には造血器障害に伴う白血球数低下，免疫機能低下，倦怠感などが現れる．

### ❹ 電撃傷
electric injury

感電，落雷，スパークなどによって電気エネルギーが体表面や体内を通過して生じる損傷で，熱傷の一種である．皮膚や粘膜の熱傷から深部臓器の組織損傷，不整脈あるいは心停止，呼吸停止まで症状は多岐にわたる．乳幼児が口にくわえた電源プラグによる電撃傷の事例がある．

### ❺ 化学的損傷
chemical injury

酸，アルカリ，有機溶剤，重金属塩などの腐食性化学物質の接触によって生じる損傷である．通常，皮膚ではⅠ度熱傷に類似した症状が現れるが，強酸や強アルカリでⅢ度熱傷も生じる．腐食性物質の飲み込みで口腔粘膜，食道，胃などに熱

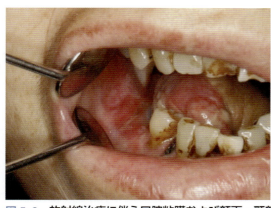
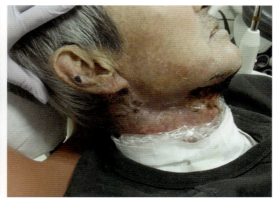

図 5-3　放射線治療に伴う口腔粘膜および顔面・頸部皮膚への有害事象

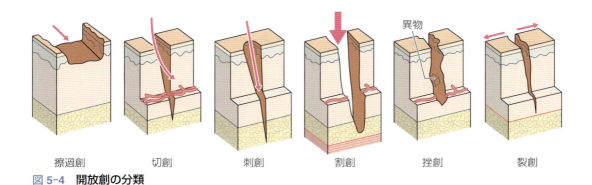

擦過創　　切創　　刺創　　割創　　挫創　　裂創

図 5-4　開放創の分類

傷が生じ，疼痛と嚥下困難が生じることもある．

## B 創傷

　皮膚・皮下組織や口腔粘膜などが損傷によって組織の連続性を失い，開放性あるいは表在性となった状態を創傷（wound）という．「創」は外界と交通した開放性の損傷で皮膚が断裂した状態，「傷」は打撲や捻挫など非開放性の損傷で皮膚や上皮の連続性が維持された皮下での組織損傷である．なお，開放性損傷は，擦過創，切創，刺創，割創，挫創，裂創などに分類される（図 5-4）．また，創の成因により咬創（図 5-5），銃創，爆創，手術創，抜歯創や時間の経過により新鮮創，陳旧創，感染の有無で無菌創，汚染創，感染創などにも分類される．

## 1 外傷による創傷の治癒過程

### A 炎症期（受傷直後から 2〜5 日）

　受傷後，損傷部からの出血は血管収縮と血液凝固により止血していくとともに，血小板などからサイトカインや成長因子が放出される．また，血管の拡張とともに血管透過性が亢進して好中球やマクロファージなどの炎症性細胞が漏出して異物を貪食し，壊死組織が排除され創部が浄化されて，フィブリンによって創は閉鎖される．

### B 増殖（組織修復）期（受傷後 3 日から 2〜3 週）

　マクロファージの活性化で線維芽細胞が増殖してコラーゲンを産生し肉芽組織となり，毛細血管の新生が盛んになる．やがてコラーゲン線維が増生し，創内に線維化が進み線維性組織で満たされる．肉芽組織の表面は再生した上皮で覆われる．

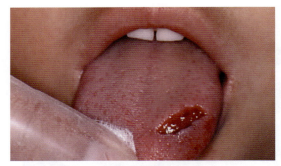

図 5-5　転倒による舌の咬創

### C 成熟（組織再構築）期 （受傷後 3 週から 1 年以上）

毛細血管網は退縮し，線維芽細胞が減少する．コラーゲン線維は太く緻密に再構築され，創の抗張力が高まり，収縮して瘢痕治癒していく．

## 2 創傷治癒の異常経過

### A 感染

なんらかの原因で創部が感染すると，局所に炎症症状が現れて膿瘍や排膿が生じることもある．瘢痕形成の原因にもなる．

### B 血腫

創部の不十分な止血や死腔などが存在すると生じる．術後感染や二次治癒の原因にもなる．

### C 創の哆開

縫合した創が離開した状態．不適切な縫合や感染など局所的な原因以外にも，糖尿病など全身的要因が関与することもある．

## 3 創傷治癒の遅延因子

### A 全身的因子

加齢，肥満，低栄養，低タンパク，ビタミン欠乏（特にビタミン A, C, E, K），慢性疾患（糖尿病，貧血，免疫不全など），抗腫瘍薬や副腎皮質ステロイド薬の投与などがある．

### B 局所的因子

異物や壊死組織，死腔，感染，局所血流の低下（虚血），摩擦や圧迫などの刺激，浮腫，乾燥，低温，離断した組織間隙などがある．

## 4 軟組織の治癒様式（図 5-6）

### A 一次治癒

組織欠損がなく，創縁が平滑で異物や感染がなく，切創を適切に密着して縫合された状態の治癒形式．手術縫合創に相当し，わずかな線状の瘢痕が残る．

### B 二次治癒

創面に実質欠損や死腔，感染，血腫，壊死組織や異物などが介在して開放創の状態で治癒する形式．肉芽組織から多量の瘢痕が形成される．

### C 三次治癒（遅延性一次治癒）

創の汚染や挫滅などで一次治癒が図れない場合，一時的に開放創とし，創を清浄化した後，遅延縫合する治癒形式．二次治癒よりも瘢痕形成が少ない．

## 5 骨折の治癒

### A 一次的骨折治癒（直接骨折治癒）

骨折断端が肉芽組織を介さずに直接密着して早期に治癒する．正しく整復された骨片をチタンなどの骨接合用プレートなどで圧迫骨接合することによって生じる．仮骨形成がほとんどなく，骨吸収過程もほとんどない．

### B 二次的骨折治癒（間接骨折治癒）

骨折断端に生じた肉芽組織が仮骨となって癒合して治癒する（図 5-7）．骨折断端に 1 mm 以上の間隙があると生じる．

**1** ● 炎症期（受傷後〜1 週）

骨折断端からの出血が凝血塊（血餅）となり骨折間隙を満たし，骨折断端部は血行障害により壊死

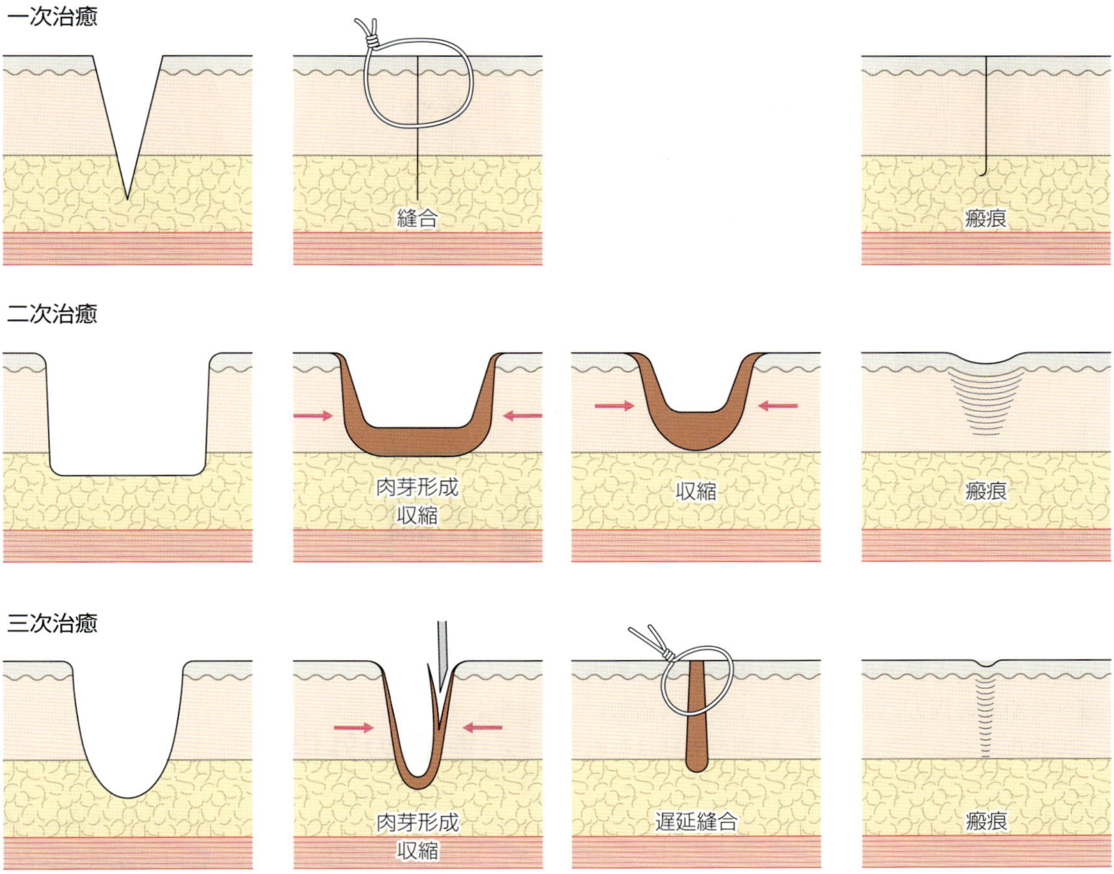

一次治癒

二次治癒

三次治癒

図 5-6　軟組織の治癒様式

する．やがて，線維芽細胞が増殖し，内・外骨膜から毛細血管が侵入して肉芽組織に置換されて結合組織（結合組織性仮骨）で架橋される．

## 2 ● 仮骨形成期（受傷後 1〜3 週）

骨断端の内外で骨芽細胞が増殖し，線維性仮骨（内仮骨と外仮骨）が形成され，軟性仮骨によって骨折部が連結する．

## 3 ● 骨硬化期（受傷後 4 週〜4 か月）

骨折部を外骨膜性の仮骨（硬性仮骨）が取り囲み骨折部は太くなり，骨折断端は骨性に癒合して石灰化が亢進する．

## 4 ● リモデリング期（受傷後 16 週以降）

破骨細胞による骨吸収と骨芽細胞による骨添加により仮骨部は吸収され，線維性骨は層板骨に置

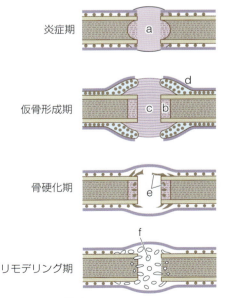

図 5-7　骨折の治癒
a：血餅，b：壊死骨，c：結合組織性結合，d：骨芽細胞の増殖部，e：外仮骨と内仮骨，f：線維性骨

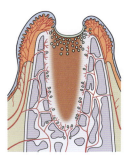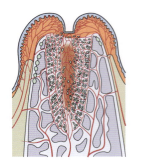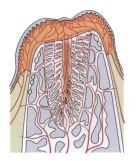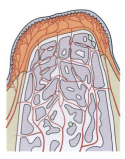

　　血餅期(抜歯直後〜2日)　　肉芽組織期(抜歯後3日〜2週)　　仮骨期(抜歯後2〜4週)　　治癒期(抜歯後4週以降)

**図 5-8　抜歯窩の治癒**

換し，皮質骨と海綿骨によって本来の組織構造に回復する．

## 6 抜歯窩の治癒

　抜歯窩は歯肉と歯槽骨の実質欠損であり，歯肉粘膜と骨組織の両方の創傷治癒による二次治癒によって修復される．なお，唇・頬側の骨縁は垂直的に吸収して，歯槽骨は経時的に萎縮していく（図 5-8）．

### 1 血餅期(抜歯直後〜2日)
　抜歯窩は血餅で満たされ，その表面はフィブリンによって覆われる．

### 2 肉芽組織期(抜歯後3日〜2週)
　血管新生と線維芽細胞の増殖で血餅が肉芽組織に置換され，その表面の上皮化が進む．抜歯窩壁から骨芽細胞が進入するとともに，肉芽組織に線維芽細胞が増殖し，次第に緻密な線維性結合組織となる（器質化）．

### 3 仮骨期(抜歯後2〜4週)
　骨芽細胞が増殖・分化して，肉芽組織から線維性骨に変化して抜歯窩を満たす．

### 4 治癒期(抜歯後4週以降)
　線維性骨は緻密になって海綿骨梁を構築しながら成熟し，リモデリングしながら次第に周囲の歯槽骨と同じような構造に変化していく．

# 各論

## A 歯の外傷

　歯への外力によって生じる歯や歯周組織の損傷で，歯根膜炎の打撲，破折，脱臼に分類される．歩行し始めた乳幼児期や学童期での受傷が多く，その原因としては衝突や転落の頻度が高い．年長者では，作業事故，交通事故，スポーツ，殴打，転倒が原因となる．

### 1 歯の破折

　歯の破折部位により歯冠破折，歯根破折，歯冠歯根破折に分類される．歯周組織が幼弱な若年者よりも，歯周組織が強固な成人に生じやすい．

#### A 歯冠破折（図 5-9a，b）

　歯冠破折は，歯冠に亀裂を生じる不完全破折，歯冠の実質欠損を生じるエナメル質破折と象牙質に及ぶ破折（エナメル質・象牙質破折）に分類される．不完全破折やエナメル質破折は，歯冠のエナメル質に限局した損傷で，歯冠修復処置と歯髄活性についての経過観察の適応となる．一方，エナメル質・象牙質破折では露髄が生じることがあり，画像検査や破折面の出血の有無で診断する．

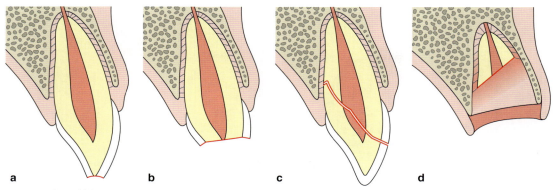

**図 5-9 歯の破折**
a：歯冠破折(エナメル質に限局)，b：歯冠破折(エナメル質・象牙質破折．露髄が生じている)，c：歯冠歯根破折，d：歯根破折

露髄を認めた場合には，受傷後 24 時間以内であれば，覆髄処置や生活歯髄断髄法で歯髄を保存できるが，陳旧性露髄や露髄が大きな場合には，抜髄などの根管治療が必要になる．根未完成歯や乳歯では歯髄腔が大きく，歯髄への血流が豊富で，細胞の分化増殖能が高いことから，基本的に覆髄処置や生活歯髄断髄法が第一選択となる．

### B 歯冠歯根破折(図 5-9c)

歯冠から歯根部に至る破折で，露髄を伴うことが多い．歯頸部付近の破折であれば歯の保存は可能だが，歯根尖付近にまで及ぶ縦破折では抜歯の適応になることが多い．

### C 歯根破折(図 5-9d)

破折線はセメント質，象牙質，歯髄に及び，水平性あるいは斜走性のものが多い．初期治療が重要で，受傷後早期に歯冠側の破折片を整復し，強固に固定することで，破折部位の再石灰化による治癒を期待できる．1 年間は定期的な経過観察を行い，歯髄壊死を生じた場合には根管治療を行う．根尖部では，根尖側の破折片の除去を要することもある．歯頸部付近での歯根破折の場合には，歯冠側の破折片を除去し，根管治療の後に歯冠補綴処置を行う．

## 2 歯の脱臼

歯の脱臼は，歯が歯槽窩内にとどまっている不完全脱臼と，歯根膜が完全に断裂し，歯が歯槽窩から逸脱した完全脱臼に分類される．

### A 不完全脱臼

不完全脱臼は下記のように 5 分類される．
① 震盪：歯根膜の断裂がなく，歯の異常な動揺や転位を伴わない．
② 亜脱臼：歯の転位はないが，歯根膜の断裂を伴い，動揺を認める．
③ 側方脱臼：歯軸方向以外への転位．
④ 挺出：歯軸方向への転位．
⑤ 陥入：歯槽骨内への転位．
治療は，すみやかに抜歯鉗子や徒手で歯を元の歯槽窩内に整復し固定する．しかし，根未完成歯や乳歯の陥入脱臼では，転位が著しい場合や，後続永久歯胚に及んでいる場合を除いて，基本的に再萌出を期待して少なくとも 1 年間は経過観察を行う(図 5-10)．その間に，歯髄が失活することがあるので，必要に応じて根管治療を行う．

### B 完全脱臼

歯根膜線維が完全断裂し，歯が歯槽窩から完全に逸脱した状態を指す．治療の原則は脱落歯の再植で，脱落歯と歯槽窩の歯根膜細胞の状態が治療の成否を左右する．脱落歯の乾燥や汚染は歯根膜細胞の活性に悪影響を及ぼすため，脱落歯を扱う際にはできるだけ歯根に触れず，汚染がある場合には生理食塩水などでブラシなどを使わずに愛護的に洗浄する．その後，保存液(細胞培養液，牛

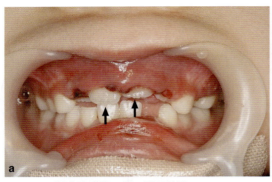
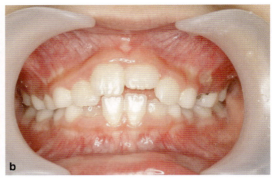

**図 5-10　根未完成歯の歯の陥入脱臼**
a：転倒による両側上顎中切歯の陥入脱臼．b：受傷後6か月．脱臼歯は再萌出している．

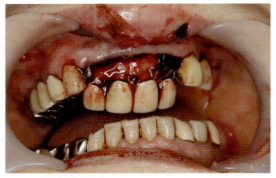

**図 5-11　歯槽部骨折**
上顎前歯部の歯槽骨骨折．骨折片に含まれる複数の歯が口蓋側に偏位している．

乳，生理食塩水など）あるいは口腔内（舌下部や口腔前庭など）に入れて，早急に歯槽窩内に整復・固定することが重要である．また，歯槽窩の掻爬は禁忌で，脱落歯が重度歯周炎の罹患歯である場合は，再植の適応にはならない．固定期間は2週間程度で，固定除去後に生着していれば根管治療を行う．根未完成歯の場合には，活発な細胞増殖能により失活を免れることがあるので，根管治療は必要に応じて適用する．

　乳歯は再植による永久歯胚損傷や，根尖病巣による永久歯冠の形成不全などが起こりうることから，基本的に再植しない．歯の再植の予後については，長期的には骨性癒合を生じ，結果的に脱落に至る可能性があるので，数年にわたる経過観察が推奨されている．

## B　骨折

### 1　歯槽部骨折
alveolar bone fracture

　転倒や打撲など，歯や歯槽部に直接外力が生じることによって生じる．そのため，上顎前歯部に好発し，歯肉や口唇の損傷，歯の破折や脱臼を伴うことが多く，咬合異常を呈する．単純エックス線写真では，骨折線の正確な把握は困難であるが，骨折片に含まれる複数の歯が同方向（主に舌側もしくは口蓋側）に変位し，歯槽部を含めて動揺するため，画像検査を行わなくても，ある程度診断することができる（図5-11）．
　治療の原則は骨折片の整復・固定で，整復の際には，骨折片の血流を担保するために，骨折片周囲の軟組織を愛護的に扱うことが重要である．骨折片の固定には一般的に線副子を用いて歯列に固定源を求める．歯の損傷によって固定が困難な場合には，床副子の使用や，骨折線を明示したうえでミニプレートやマイクロプレートなどによる骨片固定を行うこともある．なお，外傷歯の治療も必要に応じて行う．

### 2　下顎骨骨折
fracture of mandible

　下顎骨は，顔面骨を上下に3等分にした場合，下1/3を構成する顔面骨唯一の運動器である．顎顔面骨折の中で頻度が高い．男性に多くみら

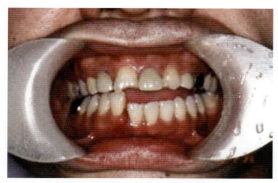

図 5-12　下顎骨正中部・傍正中部骨折

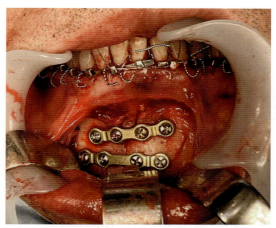

図 5-13　下顎骨正中部・傍正中部骨折の観血的整復固定術

れ，20 代で頻度が高い．受傷原因は，交通事故，殴打，転倒・転落，スポーツ，作業事故などさまざまである．また，最近は高齢者の転倒による骨折も多い．好発部位はオトガイ部，下顎骨体部，下顎角部，関節突起部（約 30％）であり，次いで下顎枝部，筋突起部（2％）の順である．

## 1 ● 全身症状

意識障害，ショック，呼吸困難などがある．下顎骨骨折による下顎骨の後方偏位や骨片の牽引圧迫，血腫，炎症性浮腫などによる舌根沈下で気道閉塞をきたす場合もある．

## 2 ● 局所症状

### a　顔貌の変形

顔面軟組織の損傷，出血および炎症に由来する腫脹，または骨折片の偏位などが挙げられる．片側性のものでは顔貌の非対称性がみられる．

### b　骨片偏位による咬合異常

完全骨折では骨片に付着する閉口筋である咀嚼筋（側頭筋，咬筋，内側翼突筋，外側翼突筋）や開口筋である舌骨上筋群（オトガイ舌骨筋，顎舌骨筋，顎二腹筋前腹）によって偏位が生じ，咬合異常を起こし，骨片の異常可動性を認める．また，骨片の動揺時に骨断端のこすれ合う音（軋轢音）を認めることがある．

### c　骨折の痛み

骨折部位に一致した限局性の圧痛〔Malgaigne（マルゲーヌ）の圧痛点〕，自発痛，運動時痛を認める．

### d　知覚異常

下顎角部および骨体部の骨折では，下歯槽神経が傷害されると下唇やオトガイ部，歯肉や歯の知覚異常を生じる．

## A 下顎骨正中部・傍正中部骨折

正中部とは両側の中切歯歯根間，傍正中部とは両側の犬歯と中切歯の歯根間のことをいい，これらの領域はオトガイ部と呼ばれている．この部位の骨折は，直達骨折で多くが斜骨折である．

### 症状

単線骨折の場合，偏位は軽度である．咬合平面の段差を伴う咬合異常（図 5-12）や下顎前歯部歯肉の裂創が認められる．また，口底部に血腫を生じることがある．血腫やオトガイ舌筋やオトガイ舌骨筋の損傷による舌根沈下をきたすことがある．

### 診断

双手診で骨折部に力をかけて可動性を調べた後，開閉口運動をさせると骨折部断端が呼吸しているかのように開閉する骨片呼吸（閉口時に離開，開口時に閉鎖）が認められる．パノラマエックス線画像では正中がぼやけるため，CT による精査が必須である．

### 治療

観血的整復固定術は通常，経口的切開でアプローチする．オトガイ神経や歯根の損傷を回避しなければならない．オトガイ部には，咀嚼時に回転力が観察されることがあるため，内固定する際は，ねじれを排し安定性を確保するため，2 枚のプレートで骨接合する（図 5-13）．

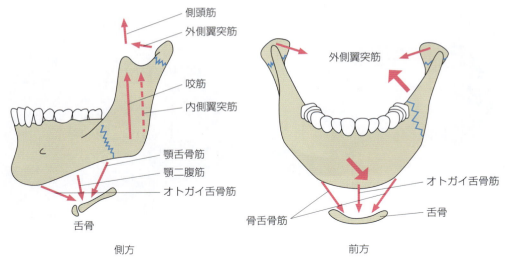

**図 5-14 下顎骨体部・下顎角部骨折の病態**
付着している筋の作用によって骨片は矢印の方向に偏位する．

## B 下顎骨体部・下顎角部骨折

### 症状
　下顎骨に付着する開口筋（舌骨上筋群）と閉口筋（咀嚼筋）の働きにより，下顎骨体部骨折では，小骨片は内上方，大骨片は下内方に牽引され，下顎角部骨折では，小骨片は上方，大骨片は後下方に牽引される（図 5-14）．下歯槽神経損傷によるオトガイ神経領域の知覚異常を生じることが多い．

### 診断
　臨床症状に加えて，単純エックス線撮影（パノラマエックス線撮影法）や CT が有用である．診断は比較的容易である（図 5-15〜17）．

### 治療
　下顎骨には，Champy の ideal line と呼ばれる圧縮力と牽引力の応力線が存在し，この線上にプレートを固定することで牽引力に抵抗し，力学的に強固な固定力を得ることができる（図 5-18）．下顎骨体部・下顎角部骨折では，咬合圧がかかると上縁（歯列側）はテンション（牽引力）ゾーン，下顎骨下縁はコンプレッション（圧縮力）ゾーンとなる．骨折部の上縁のみをプレート固定する際は，下縁が開くことを念頭に細心の注意を払う．一般的には 2 枚のプレートで骨接合を行う（図 5-19）．スクリューを挿入する際は，歯根と下顎管の損傷を回避しなければならない．

### ・第 3 大臼歯（智歯）の取り扱い
　骨折線上の第 3 大臼歯（智歯）は抜歯する場合と保存する場合がある．破折している場合や脱臼している場合，感染している場合や易感染な状態である場合は，整復固定の前後に抜歯すべきである．

## C 下顎枝骨折・筋突起骨折

### 症状
　下顎枝骨折では，比較的骨片の偏位が小さいこともあるが，関節突起骨折を含む粉砕骨折である場合は，開閉口運動が著しく制限される．大骨片は患側へ偏位し，患側臼歯部の早期接触による開咬がみられる．下歯槽神経損傷によるオトガイ神経領域の知覚異常を生じることもある．筋突起骨折は直達外力によって生じる骨折でまれであり，頬骨および頬骨弓骨折との合併で生じることがある．また，下顎角部および下顎枝部の粉砕骨折の一部として生じることもある．筋突起には側頭筋が停止しているため，骨折によって小骨片は後上方へ偏位する．大骨片に偏位はみられない．症状に乏しく，咬合異常や開口障害もみられない．

### 診断
　「B．下顎骨体部・下顎角部骨折」と同様

### 治療
　「B．下顎骨体部・下顎角部骨折」と同様

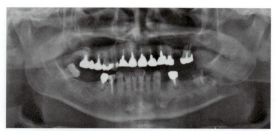

図 5-15　下顎骨体部・下顎角部骨折の単純エックス線所見

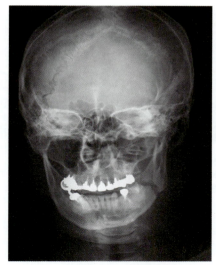

図 5-16　下顎骨体部・下顎角部骨折のパノラマエックス線所見

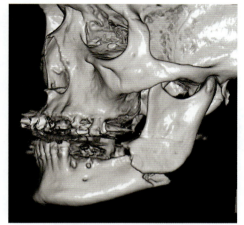

図 5-17　下顎骨体部・下顎角部骨折の 3D-CT

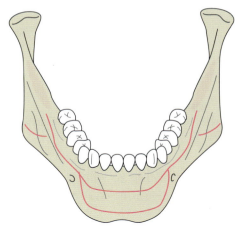

図 5-18　下顎骨体部・下顎角部骨折：Champy の ideal line

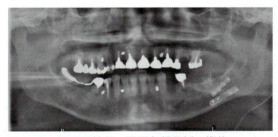

図 5-19　下顎骨体部・下顎角部骨折の術後エックス線所見

### D 関節突起骨折

　下顎骨の中でも関節突起部は，構造的に最も脆弱であるがゆえ骨折が起こりやすい．関節突起骨折は，顎関節部への直達性外力による直達骨折は少なく，オトガイ部の受傷による介達性外力が原因で生じる介達骨折がほとんどである．オトガイ部皮膚に挫創や打撲痕がみられたら，関節突起骨折も疑う必要がある．下顎頭を含む小骨片は，外側翼突筋に牽引され前内方へ転位する．骨折部位から，関節包内骨折（下顎頭骨折），関節突起頸部骨折（高位，低位），関節突起基底部骨折，縦骨折に分類される．また，骨折片の接触状態から，骨折線はあるもののずれのみられない亀裂骨折（非転位），部分的に骨折片の接触がある偏位骨折，骨折片が全く接触していない転位骨折がある．さらに，下顎頭部が下顎窩の外方や内方に逸脱している脱臼骨折と非脱臼骨折も区別される．

　関節突起骨折は，頭部，頸部，基底部の骨折部

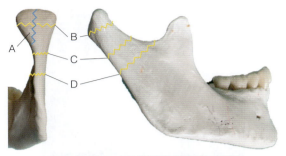

図 5-20　骨折部位による関節突起骨折の分類
A：縦骨折，B：頭部骨折，C：関節突起頸部骨折，D：関節突起基底部骨折

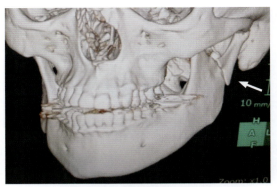

図 5-22　左側関節突起基底部転位骨折（3D-CT）
オトガイ部の受傷のため皮膚損傷はオトガイ部にみられるが，骨折は左側関節突起基底部のみである（矢印）．

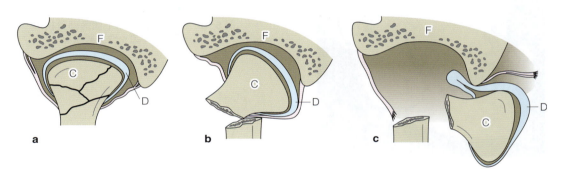

図 5-21　関節突起骨折の様相（正面観）
a：亀裂骨折，b：偏位骨折，c：転位（脱臼転位）骨折
F：下顎窩，D：関節円板，C：下顎頭

位による Lindahl 分類と，骨折様式による MacLennan などの分類が用いられることが多い（図 5-20，21）．

### 症状
片側の場合，下顎正中は患側に偏位し，両側の場合は開咬を呈する．外耳道前壁に圧痛，時に外耳道出血を認めることがある（図 5-22）．

### 診断
臨床症状に加えて，単純エックス線撮影〔パノラマエックス線撮影や眼窩下顎頭方向撮影，Towne（タウン）法など〕や CT が有用である．診断は比較的容易である（図 5-23）．

### 治療
非観血的治療（保存療法）と観血的治療法がある．非観血的治療（保存療法）では，顎間ゴム牽引で下顎骨の偏位を改善し，開口訓練を併用する．下顎の咬合偏位が改善した後も顎間ゴム牽引は継続する．特に両側の場合は 3 か月程度行う．小児で顎間ゴム牽引が困難な場合はチンキャップを用いる．関節包内の骨折である頭部や粉砕骨折では骨接合が困難なため，非観血的治療が選択される．術後は顎関節強直症を予防するために，積極的な開口訓練が必要である．観血的整復固定術は，顎間ゴム牽引で下顎偏位が改善できない場合や開口訓練で下顎頭滑走が回復できない場合，あるいは早期に改善したい場合に選択される．低位の頸部や基底部の単線骨折では，顎下部，下顎角部，下顎枝後部の皮膚切開により骨折部を明示し，整復後，プレートや Kirschner（キルシュナー）鋼線などによる観血的整復固定術を選択するのが一般的である（図 5-24）．観血的，非観血的治療いずれの場合でも長期間の顎間固定は線維性強直を引き起こしやすいため，2 週間程度で顎間固定を解除して，必ず適切な開口訓練を行わなければ

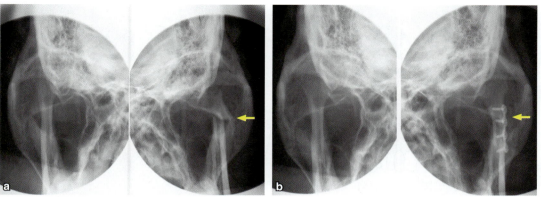

図 5-23 関節突起骨折の単純エックス線所見
a：術前，b：術後

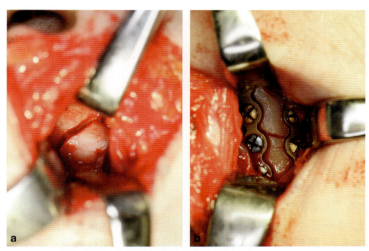

図 5-24 関節突起基底部骨折観血的整復固定術
a：骨折部，b：プレート固定

ならない．小児の場合は，関節突起の再生が認められることから，手術侵襲やプレート固定による骨の劣成長などの可能性がある観血的整復固定術は避け，非観血的に対処することが好ましい．

## ❸ 上顎骨骨折
fracture of mixilla

顔面骨を3等分にした場合，中央 1/3 には，眼窩・鼻腔・副鼻腔といった cavity（腔）が含まれている．顔面骨の軽量化は，cavity で成り立っており，それを維持しているのが菲薄な骨の梁構造である．頰骨や上顎骨の水平・垂直方向には buttress（柱，梁構造）と呼ばれる厚い梁構造が存在

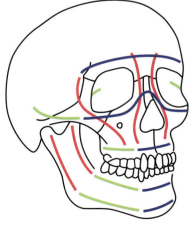

図 5-25 顔面骨の buttress
青：水平 buttress，緑：矢状 buttress，赤：垂直 buttress

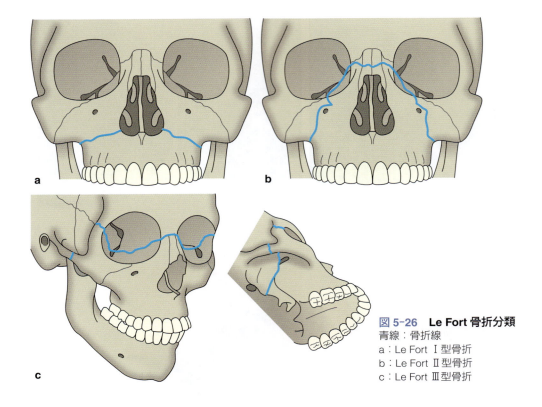

図 5-26　**Le Fort 骨折分類**
青線：骨折線
a：Le Fort Ⅰ型骨折
b：Le Fort Ⅱ型骨折
c：Le Fort Ⅲ型骨折

している（図 5-25）．上顎骨には多くの cavity が内部に存在しているため，外力が作用すると骨折線は横方向に発生することが多く，この横方向の骨折を骨折線の位置でⅠ～Ⅲの3つに分類したのが，Le Fort の分類である（図 5-26）．この部位の骨折の治療では，咬合と buttress を再建することがきわめて重要となる．上顎骨骨折は下顎骨骨折に比べると低頻度である．Le Fort Ⅱ型が比較的多く，頬骨骨折と合併することが多い．

下顎骨骨折に比べて上顎骨骨折では骨を強く牽引する筋肉がないため，外力の方向や強さに応じた骨折，骨片の偏位がみられる．頭部損傷や胸部損傷を合併することも少なくないため，救急時には，頭蓋内をはじめとする他部位の合併損傷の治療が優先され，陳旧性骨折となることも多い．耳・鼻からの髄液漏がある場合，頭蓋内圧亢進を避けるために軽い圧迫にとどめ，脳神経外科を対診し，脳脊髄液ドレナージ（腰椎ドレナージ）の留置を検討する．また，前頭蓋底に損傷が及ぶことで，頭蓋内気腫や嗅覚脱失がみられることがある．髄液鼻漏は数週間で止まるが，嗅覚障害は6か月以上続くことが多い．

**診断**

臨床症状に加えて，単純エックス線撮影（Waters 法など）と CT が有用である．3D-CT は骨片の偏位の全体像を把握するのに必要であり，多発骨折の評価には必須である．

**治療**

咬合と顔貌の回復および上顎複合体に含まれる眼科や副鼻腔などの機能温存が目的である．顔貌の回復には，buttress 構造の再建が基本となる．咬合が正常である場合以外，ほとんどが手術適応になる．観血的整復後，顎間固定を行い，チタンプレートや吸収性プレートによる骨固定を行う．

## A Le Fort Ⅰ型骨折（図 5-26a）

**症状**

梨状口，犬歯窩，上顎洞前壁と側壁，蝶形骨翼状突起下部に至る骨折で，上顎骨の水平骨折といわれている．顔貌の変形は少ない．上顎歯列弓が一塊として浮動状態となる floating maxilla などの異常可動性を認め，可動部の痛みを訴える．通常，外力によって骨片は後方へ偏位し，咬合は上顎後退に伴う相対的下顎前突の反対咬合や開咬を

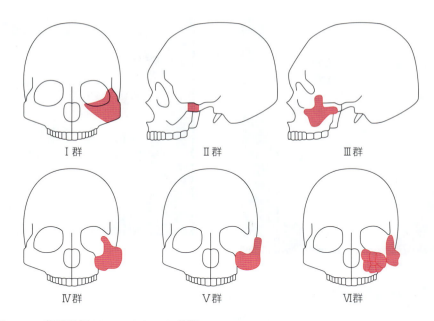

**図 5-27 頬骨骨折 Knight & North 分類**
Ⅰ群：非転位骨折，Ⅱ群：頬骨弓骨折，Ⅲ群：非回転骨体部骨折，Ⅳ群：内転性骨体部骨折，Ⅴ群：外転性骨体部骨折，Ⅵ群：粉砕骨折

呈する．

### B Le Fort Ⅱ型骨折（図5-26b）

**症状**

鼻骨を横断し，上顎骨前頭突起，涙骨，篩骨，眼窩底，下眼窩裂，頬骨上顎縫合，眼窩下孔，上顎骨外側壁，蝶形骨翼状突起中央に至る骨折で，骨折の輪郭からピラミッド型骨折あるいは錐形骨折ともいわれる．鼻骨と上顎骨が一塊となって周囲骨から分離した骨折で，頬骨は含まれない．両側眼窩周囲の皮下出血が生じる．顔面中央部の陥凹（皿状顔貌；dish face）を示す．Le Fort Ⅰ型骨折に比べると上顎骨片の可動性は少ない．咬合は上顎後退に伴う相対的下顎前突の反対咬合や開咬を呈する．眼窩下神経領域の頬部や上唇に知覚麻痺が現れやすい．

### C Le Fort Ⅲ型骨折（図5-26c）

**症状**

前頭鼻骨縫合，前頭上顎縫合，涙骨篩骨上部，眼窩内側，下眼窩裂，眼窩外側壁，頬骨前頭縫合，翼口蓋窩，翼状突起基部に至る骨折で，頭蓋顔面分離骨折といわれている．両側眼窩周囲の皮下出血が強く生じる．上顎骨片は後下方へ偏位することが多く，顔面が間延びしたように長くなる顔貌変形（顔面高の延長；long face）を認める．頭蓋骨が脳蓋骨と顔面骨に離断されるため，症状は多彩で，顔面骨の中央1/3の骨折で生じるあらゆる症状が出現する．咬合は上顎後退に伴う相対的下顎前突や開咬として現れる．眼窩下神経領域の頬部や上唇に知覚麻痺が現れやすい．頬骨弓が骨折することで開口障害が生じる．

### D 縦骨折

上顎骨歯槽突起の前歯部から口蓋骨を縦に2分する骨折であり，骨折線に一致する口腔粘膜の裂創がみられる．また，鼻腔や上顎洞粘膜も断裂して鼻出血を伴う．Le Fort型骨折と合併してみられることが多い．

### 4 頬骨骨折（図5-27）

頬骨骨折は，一般的に直達外力により頬骨前頭縫合部，頬骨上顎縫合部（眼窩下縁〜上顎洞），頬骨側頭縫合部（頬骨弓）の3か所に骨折が生じる．そのため，tripod fracture（三脚骨折）とも呼ばれ

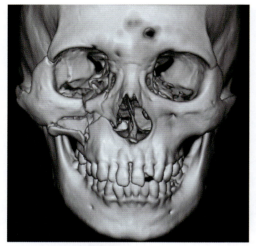

図 5-28　頬骨体部骨折

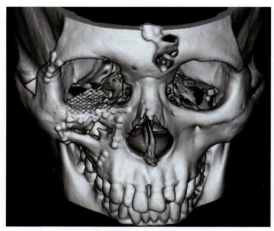

図 5-29　頬骨体部骨折：ミニプレート固定

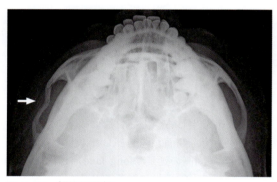

図 5-30　頬骨弓骨折

ている．外力の大きさと頬骨に付着する咬筋の影響によって，下内側に偏位することが多い．隣接骨の骨折を合併した頬骨複合体の骨折になることがあり，最も多いのが頬骨上顎骨複合体骨折である．頬骨弓骨折は，単独の場合も多く，M字に陥凹した骨折を起こしやすい．

Knight & North の分類が一般的である（図5-27）．

### A 頬骨体部骨折

#### 症状

頬骨部の扁平化，頬骨骨折では眼周囲の皮下出血や眼瞼の浮腫，頬骨や頬骨弓の偏位による顔貌の非対称が生じる．頬骨骨折では下直筋障害により眼球の上下運動障害が起こる．複視が生じやすい．眼窩下神経が傷害されると頬部や上唇に知覚異常が生じる．咬合異常は生じない．

#### 診断

Waters 法，後頭前頭方向投影法，断層撮影，CT，MRI が有効である．上顎洞内への軟組織・骨片の嵌入や粘膜下血腫による陰影，および眼窩下管の不明瞭が重要な所見となる（図5-28）．

#### 治療

偏位の大きい例や陳旧例では観血的整復後，頬骨前頭縫合部や頬骨上顎縫合部（眼窩下縁～上顎洞）の buttress にミニプレートによる骨固定を行う（図5-29）．新鮮例では整復のみ行い，固定を行わないこともある．偏位が少なく機能障害の少ない場合は特に処置は行わない．

### B 頬骨弓骨折

#### 症状

直達外力により頬骨弓のみが陥凹（M字）し，陥没骨折をきたしたもので，内側偏位した骨片が側頭筋や筋突起と圧迫干渉することで開口障害を生じる．

#### 診断

診断は比較的容易で，顔面軸位撮影法，Towne 法，CT が有用である（図5-30）．

#### 治療

側頭部からのアプローチ（Gillies のアプローチ）で，Rowe のエレベーターを用いて整復を行う（図5-31）．口腔内からのアプローチ（Keen のアプローチ；上顎口腔前庭切開）で，U字型起子を用

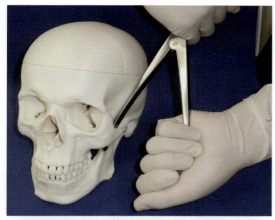
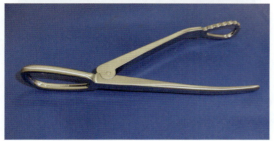

図 5-31 頬骨弓骨折：側頭部からのアプローチ（**Gillies のアプローチ**）
Rowe のエレベーターを用いて整復

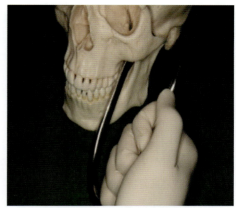
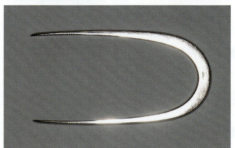

図 5-32 頬骨弓骨折：口腔内からのアプローチ（**Keen のアプローチ；上顎口腔前庭切開**）
U 字型起子を用いて整復

いて整復を行う（図 5-32）．整復後の骨固定は通常行わない．

## 5 その他の骨折

### A 眼窩底骨折（吹き抜け骨折）
blowout fracture

眼球に外力が加わり，眼球の内圧によって，薄い眼窩内側壁や下壁に生じる骨折で，眼窩内容物が下方の上顎洞内へ陥入する（図 5-33）．

**症状**

眼球周囲の腫脹や皮下出血，眼窩内容積の増大を反映して眼球陥凹となる．下直筋障害により眼球の上下運動障害が起こる．複視は眼筋運動障害に伴うもので，主として上方や外側凝視のときにみられる．眼窩下神経の障害で頬部や上唇に知覚異常が生じる．上顎洞内の出血に伴い鼻出血がみられ，鼻をかむことによって眼窩内や眼瞼に気腫を生じることがある．

**診断**

臨床像と単純エックス線撮影（Waters 法や Fueger Ⅰ 法など），冠状断の CT が有用である（図 5-34）．外眼筋の評価に MRI が有用である．Hess chart 試験で眼球運動を，Hertel 眼球突出計で眼球陥凹の度合いを評価する．

**治療**

観血的整復手術は陥凹した組織および破壊された骨の修復を目的とし，受傷後 2 週以内に行う．眼窩下縁部切開や下眼瞼切開または結膜切開を加え，骨片の粉砕や骨欠損によって骨量不足が発生した場合は，腸骨や頭蓋骨外板による骨移植，チタンメッシュ，合成ポリマーなどを挿入して眼窩内容の上顎洞への陥入を防止する．また，犬歯窩あるいは自然孔から上顎洞内へバルーンを挿入し，眼窩底を挙上することもある．複視や眼球陥凹，眼球運動障害がみられなければ観察のみとする．

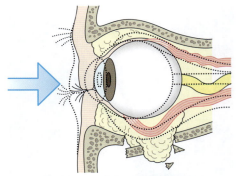

図 5-33　眼窩底骨折（吹き抜け骨折）

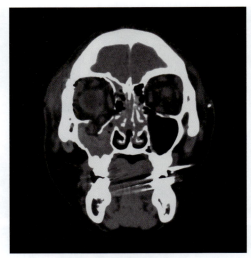

図 5-34　眼窩底骨折の画像所見

### B 鼻骨骨折
fracture of nasal bone

直達外力により鼻骨に生じた骨折で最も頻度が高い．

**症状**

鼻骨が左右どちらかに偏位すると斜鼻，鼻骨が陥凹すると鞍鼻が生じる（鼻変形）．鼻出血とともに，鼻粘膜が腫脹して鼻閉が生じるが，嗅覚障害を伴うことはない．鼻周囲の腫脹や皮下出血，時に圧痛がみられる．

**診断**

視診と触診およびエックス線撮影によって診断は容易である．

**治療**

一般的に局所麻酔下に鼻骨整復鉗子（Asch 鉗子，Walsham 鉗子）を用いて徒手的に鼻骨や鼻中隔を整復する（図 5-35）．数日間の鼻内パッキングガーゼ挿入と約 2 週間のギプス固定（鼻外固定）を行う．鼻骨に変形がない場合は特に治療の必要はない．

### C 鼻篩骨眼窩骨折
nasoorbitoethmoidal（NOE）fracture

上縁が前頭蓋底，外側縁が眼窩内側壁の中顔面上部領域の骨折である．NOE 骨折では，頭蓋，眼窩，鼻腔，涙管の損傷を伴うことがある．篩骨窩の正中は篩板により補強されているが，それ以外は骨が薄く脆弱であり，嗅神経と硬膜に密接に関連している．

**診断**

臨床像と冠状断の CT が有用である．

**治療**

NOE 領域と眼窩の形態を再建するにあたり，内眼角靱帯を元の位置に整復することがきわめて重要である．内眼角靱帯の固定に関しては，さまざまな方法がある．

### D 顔面多発骨折
multiple fracture of facial bones

同時に複数の顔面骨に生じた骨折である．

**診断**

臨床像と CT，特に 3D-CT が有用である（図 5-36）．

**治療**

さまざまなコンセプトによる治療法がある．頬骨弓が中顔面構成の鍵であると認識されている．そのため，近年では咬合関係を合わせつつ，外側から内側へ整復処置を進める考え方（outside to inside management scheme）が提案されている．

### E 頭蓋底骨折
cranial base fracture

頭蓋底骨折とは，頭蓋骨の最深部（前頭蓋底，中頭蓋底，後頭蓋底）で脳を下から支えている部分の骨折である．前頭蓋底骨折が最も頻度が高く，殴打や交通事故によるものが多い．主な問題

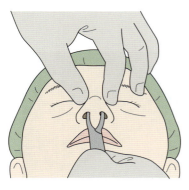  

Asch 鉗子　　　　　　　　　　　　　　　Walsham 鉗子

図 5-35　鼻骨骨折整復法

点は，髄液漏と脳神経麻痺である．

**前頭蓋底**
　嗅神経（Ⅰ）

**中頭蓋底**
　視神経（Ⅱ），動眼神経（Ⅲ），滑車神経（Ⅳ），三叉神経（Ⅴ），外転神経（Ⅵ）

**後頭蓋底**
　顔面神経（Ⅶ），内耳神経（Ⅷ），舌咽神経（Ⅸ），迷走神経（Ⅹ），副神経（Ⅺ），舌咽神経（Ⅻ）

###### 症状

**前頭蓋底骨折**
　ブラックアイ（panda eyes, racoon eyes, black eyes）と呼ばれる眼球周囲の皮下出血がみられる（図 5-37a）．眼球運動障害，視覚障害（視神経管骨折），嗅覚障害などが起こる．鼻出血や鼻からの脳脊髄液の流出（髄液鼻漏）がみられる．

**中頭蓋底骨折**
　バトル徴候（Battle sign）と呼ばれる耳介後部から乳様突起部の皮下出血がみられる（図 5-37b）．耳出血や鼻からの脳脊髄液の流出（髄液耳漏）がみられ，難聴のおそれがある．

**後頭蓋底骨折**
　この部位の骨折は，中枢神経（脳や脊髄）に損傷が加わっている可能性もあり，致命傷として法医学上重要である．後頸部出血斑，咽頭粘膜出血斑，血性髄液などがみられる．

###### 診断

　ブラックアイ，バトル徴候とも皮下出血の部位に直接外力が加わっていないことが重要なポイントである．髄液漏から頭蓋内に細菌が侵入して髄膜炎を起こす危険があり，また，髄液が流出し

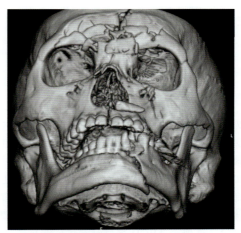

図 5-36　顔面多発骨折

た際に空気が頭蓋内に侵入して気脳症を起こすこともある．放射線学的診断が困難であることが多く，ブラックアイ，バトル徴候や髄液漏といった臨床症状が診断の重要な手がかりとなる．臨床像と薄切スライス CT の矢状断，冠状断が有用である．

###### 治療

　頭蓋底骨折そのものだけで緊急手術の対象とはならない．ほかの合併症がなければ，保存的に治療を行う．

## ❻ 骨折の治療・骨接合術

### Ⓐ 顎・顔面骨骨折への初期対応

　顎・顔面骨骨折を伴うような外傷は，顎・顔面

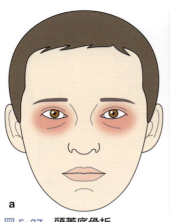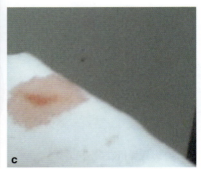

**図 5-37 頭蓋底骨折**
a：前頭蓋底骨折．ブラックアイ
b：バトル徴候．乳様突起部の骨折の急性期に出現する耳介後部皮膚の斑状出血斑で，頭蓋底骨折を疑う所見である．
c：ダブルリングサイン．頭蓋底骨折でみられる特徴的な血液の状態．骨折部からの出血をガーゼにしみこませると内側に血液，外側に薄い血液（脳脊髄液）がリング状に広がる．
〔b，c：東京歯科大学 片倉 朗先生 提供〕

への強い外力によって生じるため，脳の損傷や当初気づかない深部組織での出血などにより，生命予後に重大な影響を及ぼす可能性があることを忘れてはならない．そのため，まず全身を精査し，生命予後に関わるような問題がないことを確認した後に，骨折部位の評価を行うべきである．具体的には，外傷のABCDアプローチに準じて，A：気道確保（airway），B：呼吸管理（breathing），C：循環管理（circulation），D：頭蓋内評価（dysfunction of central nerve system）の順に行う．

## 1 気道確保

顎・顔面骨骨折をはじめとする顎顔面外傷に対する初期対応において最優先するべき事項は気道確保である．例えば両側下顎傍正中骨折では，舌骨上筋群の作用によって骨片が後下方に偏位したり，口底部に生じた血腫によって上気道閉塞を起こしたりすることがある．また，上顎骨骨折においても，鼻や口腔内からの出血が，上気道の血液貯留をきたし窒息に至ることがある．気道確保の基本は，オトガイ挙上であるが，顎・顔面骨骨折があると効果が不十分なことも少なくないため，気管挿管，ネーザルエアウェイの挿入，トラヘルパーなどの用意や，必要に応じて緊急気管切開を行うこともある．

## 2 止血

顎・顔面外傷においては，解剖学的に止血困難な出血を合併し，前述した上気道への血液貯留による窒息のほかに，出血性ショックなど循環障害の結果，致死的状況に陥ることもある．止血の基本はガーゼなどによる圧迫止血であり，酸化セルロースやゼラチンスポンジなどの局所止血剤を併用すると効果的に止血することができる．出血点が明らかであれば，結紮法や焼灼法で確実な止血を行う．

一方，上顎骨骨折を伴うような顔面多発骨折などでは，止血部位の特定ができず，直達が困難で徒手での効果的な圧迫が不可能なことがある．鼻腔口腔にガーゼを填入するベロックタンポンなどのガーゼタンポン法（ベロック氏管を鼻腔から挿入し，鼻腔後方で口腔内に交通させ，口腔内のガーゼを鼻腔後方に引き込むことにより，鼻腔後方の圧迫止血を行う方法）で対応することがある（→p.48）．しかしながら，頭蓋底骨折や髄液瘻を認める場合の鼻腔口腔のガーゼタンポン法は，頭蓋内への感染リスクを上昇させるため禁忌である．

なお，顎骨骨折における顎動脈の損傷による重篤な出血には，ガーゼタンポン法による止血は困難で，放射線科や脳神経外科と協働して経カテーテル的動脈塞栓術（transcatheter arterial embolization；TAE）による止血を要することがある．これに関連して，外頸動脈結紮法も選択肢の1つではあるが，手術侵襲のわりに止血効果が得られないこともあるため，近年ではあまり行われていない．

### 3 頭蓋内評価

交通外傷や転落などの高エネルギー外傷では，頭蓋内の損傷を念頭に置かなければならない．顎・顔面骨骨折に付随する頭蓋内病態としては，脳震盪が最も多く，次いで脳挫傷，気脳症，頭蓋内出血，髄液瘻が挙げられる．頭蓋内評価の基本は，Japan Coma Scale（JCS，→p.73）やGlasgow Coma Scale（GCS）などによる意識レベルの評価や，顎顔面領域を支配する脳神経の神経学的評価である．その他，血液と髄液のコントラストによって生じるダブルリングサイン（図5-37c）や，頭蓋底骨折を示唆するサインで，耳の後ろに血腫が出現するバトル徴候などにも注意を払う必要がある．

いずれにせよ，顎・顔面骨骨折患者において頭蓋内損傷が少しでも疑われる場合には，脳神経外科などしかるべき診療科への対診が必須である．なお，頭蓋底骨折や脳損傷がある場合の顎・顔面骨骨折の治療は，神経学的に安定するまで待機してから行う．

## B 整復・固定

骨折片を整復し，骨折部位の骨癒合を促すために強固に固定することが骨折治療の基本である．加えて，顎骨骨折においては，咬合の回復を図ることが最重要課題である．そのためエラスティックゴムによる咬合誘導や顎間固定は必須である．

骨折片の偏位ならびに咬合の偏位が小さく容易に咬合誘導ができ，顎内固定と顎間固定によって骨折部位の安静が保てるような場合には，非観血的整復固定術で対応できる．一方，骨折片あるいは咬合の偏位が大きい場合には，骨折部位を明視下に整復し，チタンプレートとスクリューなどを用いて固定する観血的整復固定術の適応となる．実際の臨床においては，患者の社会的立場から早期に受傷前の生活を取り戻すことができる観血的整復固定術が選択されることもある．逆に，混合歯列期における小児の顎骨骨折のようにスクリューによる永久歯胚損傷のリスクが高い場合などは，床副子などを用いた非観血的整復固定術が適用される．

また，関節突起骨折の骨折部位や骨折様式によっては，整復・固定を行わずエラスティックゴムによる咬合誘導と開口練習によって対応することもある．上顎洞前壁や筋突起の骨折など，一般的に顎機能障害を伴わない部位においては，顔貌の変化が顕著な場合以外は，積極的に整復・固定を行う必要はない．

### 1 非観血的整復固定術

手術などを行わず，整復模型（模型上で骨折部位を切断し，受傷前の咬合を再現した状態で切断面を再固定した模型）を基準に，徒手やエラスティックゴムで骨折片を整復し，線副子（MMシーネ，三内式シーネなど）や床副子（オクルーザルスプリントなど）を用いた顎内固定や顎間固定（もしくはその両方）によって骨折片を固定する方法である．固定期間については，おおよそ4〜6週間が目安となる．

### 2 観血的整復固定術

全身麻酔下で行われることが多い．骨折部位を直接明示することで確実な整復固定を行える．骨折片の整復は，模型で再現された受傷前の咬合位を基準に，前述した線副子や，床副子を用いて受傷前の咬合を再現し，ワイヤーで顎間固定を行う．続いて骨折部位を，可及的に安静を保てる方法で固定する．なお，手術までに待機期間がある場合には事前に線副子を装着し，エラスティックゴムなどで咬合誘導をしておくと術中の整復が容易になる（図5-38）．観血的整復固定術における一般的な方法を示す．

①プレート固定：基本となる固定法で，チタンプレートとスクリューを用いて行う（図5-39）．

②貫通ネジによる固定：下顎骨骨折に適用される固定法である．

③囲繞結紮法：床副子を固定源として，レベルダン針を用いて，金属ワイヤーで顎骨と床副子を固定する．無歯顎の高齢者や混合歯列期の小児に適用されることがある（図5-40）．

### C 顎骨骨折の骨接合法に関する治療理論

　顎骨骨折の骨接合には，安定した固定が不可欠である．特に下顎骨骨折においては，咬合力や顎運動に伴う力学的負荷がかかるため，これらを勘案して固定法を考慮する必要がある．下顎骨に咬合力がかかると，下顎骨上縁（歯槽部）では牽引力が働き，下顎骨下縁では圧縮力が働く．このことから，理論上は下顎骨上縁にプレートを配置することによって牽引力を制御すれば，安定した固定が行える．しかしながら，実際には歯根が存在することから，下顎骨上縁にプレートを配置することは困難である．そのため骨折線にかかる牽引力と圧迫力が逆転する位置であるニュートラルゾーン（下顎管のあたり）よりも歯槽頂側にプレートが設置されることが望ましい（図5-41）．

　その際には下縁に生じる力（骨片を引き寄せる力）は骨折部位の固定として利用できるので，使用するプレートの固定源は，頬側もしくは唇側の皮質骨のみ固定〔モノコルチカルな固定（mono-：単一の，cortical-：皮質）〕（図5-42）で十分である．このように咬合力によって骨折部位にかかる負荷を，プレートと下顎骨が相応に分担し合う（share）ような固定法をロードシェアリング固定という（図5-43）．

　一方で，中間骨片などが生じる粉砕骨折や，萎縮した下顎骨の骨折や，骨欠損が生じる場合には，咬合による圧縮力を固定力として利用することが困難なため，その負荷をすべてプレートで担わなければならない．そのため，骨折部位の安定した固定の獲得には厚さ2 mm以上のプレートを用い，スクリューの固定源を頬側（もしくは唇側）と舌側の皮質骨にバイコルチカルな固定（bi-：2つの）を行わなければならない（図5-42）．このように下顎にかかる力をすべてプレートが負担（bear）する固定法をロードベアリング固定という（図5-44）．

　なお，上顎骨・頬骨骨折の場合には，固定源として利用できる頬骨上顎buttress（頬骨下稜のあたり），梨状孔周囲，眼窩下縁，頬骨弓に，ミニもしくはマイクロプレートを用いたモノコルチカル固定を行うことで，安定した固定が得られる．

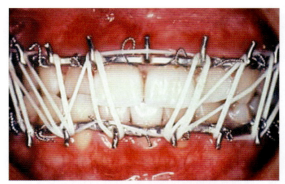

図5-38　エラスティックゴムによる牽引整復法
〔髙野伸夫先生 提供〕

### C 口腔・顔面軟組織の損傷

#### 1 原因と分類，治療

　損傷とは，後天的に組織構造の生理的な連続性が破壊された状態を指す．損傷によって臓器，組織が離断あるいは離開した状態を創傷という．外力（外傷）や温熱，化学物質などによる軟組織の形態的および機能的障害を生じる．原因別に，①機械的損傷，②物理的損傷（熱傷，凍傷，電気的損傷，放射線性損傷），③化学的損傷に分類される．外傷に伴う異物（石，砂，ガラス片など）は，創傷治癒を妨げるために除去が必要となる．最も多いものは顔面皮膚および軟組織の機械的損傷である．

　口腔内，口腔軟組織の損傷や外傷は，歯の外傷や顎顔面骨骨折に随伴および併存する場合が多いが，歯ブラシや玩具・割りばしなどによる口腔粘膜裂傷や刺傷にも注意を要する．さらに，義歯や挿管チューブなどによる慢性的な刺激が原因の損傷（褥瘡）もみられる．

　軟組織外傷においては，口腔顎顔面の創傷の深さおよび周囲に関連する脈管系，神経系，筋系，唾液腺などの重要組織との関連に十分留意する．

#### A 損傷の種類

**1　機械的損傷**

　交通事故，転倒・転落，スポーツ，殴打などが原因で，外力によって身体組織が損傷されること．皮膚や粘膜などの上皮の損傷を伴う開放性損

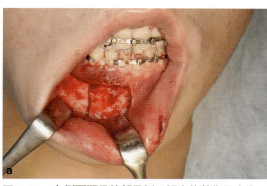
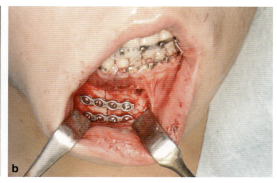

**図 5-39　右側下顎骨体部骨折の観血的整復固定術**
a：粘膜骨膜切開を行い，骨折部位を明示したうえで受傷前の咬合状態を再現し，顎間固定をしたところ．
b：チタンミニプレート2枚を用いて骨片を固定したところ．

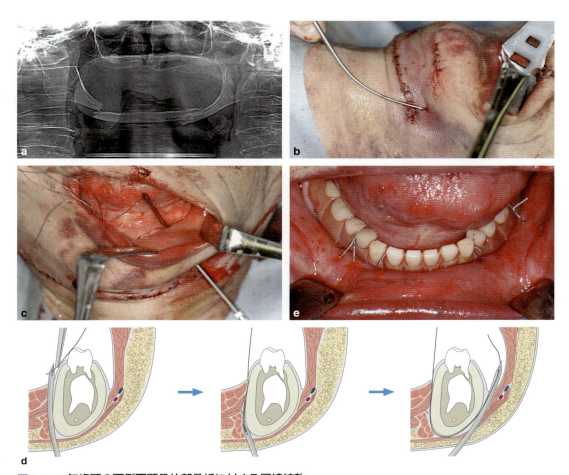

**図 5-40　無歯顎の両側下顎骨体部骨折に対する囲繞結紮**
a：両側下顎骨体部骨折．下顎骨は萎縮している．
b：レベルダン針を口腔外から刺入してる．
c：口腔内に到達したレベルダン針の先端にワイヤーを付けている．
d：レベルダン針によるワイヤー刺入の手順．
e：骨片を整復して義歯とワイヤーで固定されている．

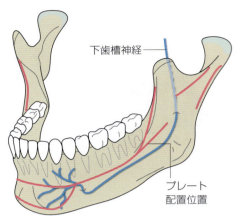

**図 5-41 骨折時の下顎骨への力と適切なプレート配置図**
理想的なプレート配置図．オトガイ部と関節突起部ではねじれの力が働くため，2か所でのプレート固定が必要である

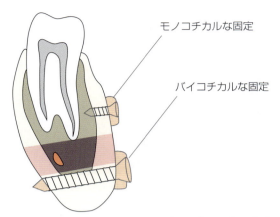

**図 5-42 モノコルチカルな固定とバイコルチカルな固定**

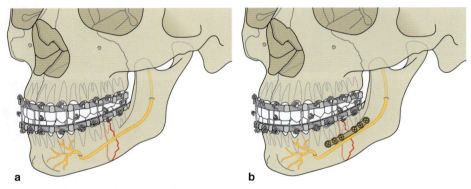

**図 5-43 ロードシェアリング固定**
a：下顎骨体部の単線骨折
b：咬合力はモノコルチカルに固定されたミニプレートと下顎骨が共有して負担している．

傷，伴わない非開放性損傷とに分けられる．創の状態から擦過創，切創，刺創，割創，挫創，裂創，挫傷（非開放性損傷）などに分類され，顎顔面骨骨折や歯・歯槽骨外傷と合併している場合が多い．

## 2 物理的損傷（→p.155）

**治療**

受傷原因，受傷状態，来院までの経過を把握し，損傷部位が口唇，顔面皮膚などの口腔外（顔面皮膚）か，舌，歯肉，口底，頰粘膜，硬軟口蓋などの口腔粘膜なのかを確認する．口腔外と口腔内との貫通創であるのかを注意深く精査する．さらに耳介・外鼻・鼻腔内の著しい損傷，眼瞼損傷などがある場合は，関連他科との適切な連携を必要とする場合もある．神経・脈管，唾液腺管の損傷をきたす場合もあるので，創傷との解剖的な位置関係に注意し診査を進め，適切に処置に移行する．図 5-45 のアルゴリズムに則り，軟部組織外傷への創傷処置対応を行う．

特に大部分を占める機械的損傷において，口腔顎顔面軟部組織外傷（図 5-46）では，損傷創部の

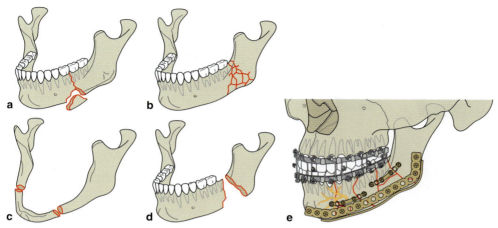

図 5-44　ロードベアリング固定
プレートと下顎骨が咬合力を共有できない場合は（a：中間骨片を伴う骨折，b：粉砕骨折，c：萎縮した下顎骨の骨折，d：骨欠損を伴う骨折），すべての力をプレートが負担する固定（e：ロードベアリング固定）を行う．

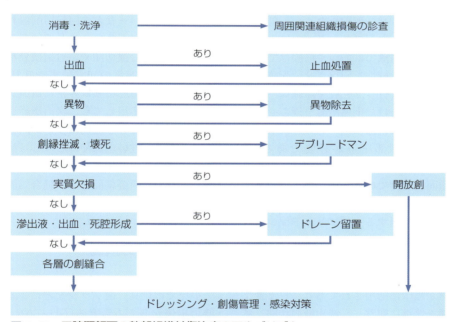

図 5-45　口腔顎顔面の軟部組織外傷治療のアルゴリズム

止血処置後に顔面皮膚であれば2％表面麻酔薬の貼付を行い，口腔粘膜であれば口腔用局所麻酔下に，創面を徹底的に大量の滅菌水や生理食塩水で十分洗浄や歯ブラシなどでブラッシングにより異物除去を行い，挫滅組織のデブリードマンを行う．屋外での外傷であれば，土や砂の顔面創部の付着や，外傷状況や画像などより異物迷入の可能性が疑われる場合には，注意深く異物を検索しこれを除去する．

急性創傷とは，外傷後の場合には発生から数時間以内に創傷処置・縫合処置が行われ，一次治癒により通常は短期間で閉鎖し治癒する．一次治癒の基本は各組織どうしの正確な縫合接合である．特に顔面皮膚側では真皮縫合が重要といえ，創縁

図 5-46　作業事故による口腔顎顔面軟部組織外傷の初療時顔貌所見

にかかる張力を減弱させ，死腔をなくし，創縁どうしを密着させる．またデブリードマンによる創面の新鮮化と，皮下組織では筋層や筋膜はできる限り正確に縫合し，連続性を回復させ，死腔をなくすように埋没縫合を行う．死腔や血腫は，損傷組織どうしの接合を妨げ，創傷治癒を遅らせるため，死腔が予想される創部にはペンローズドレーンなどを留置し，創部圧迫が必要である（図5-47）．

一方で，顔面皮膚側での擦過創部や上皮組織欠損を伴うような二次治癒による開放創管理を要する症例もしばしば遭遇する．デブリードマンを行い治癒，肉芽形成や上皮形成を阻害する因子を排除し，創部の湿潤環境保持に努めることが非常に需要である．創部の湿潤環境保持には，多種多彩な創傷被覆材が臨床に応用されており，日々変化する創の状態を慎重に観察し，滲出液の状態，感染徴候，壊死組織の有無などを慎重に判断して，適切な創傷被覆材を適応することが肝要である（図5-48）．さらには，各種創傷治療薬の選択を行う．皮膚縫合糸の抜糸時期は術後7日目がおおよその目安ではあるが，創傷治癒経過をみて対応する．顔面などでは5日目ぐらいから間抜糸を開始し，テーピングと紫外線などからの色素沈着予防に3か月程度の遮光対策を指導する．

口腔内の軟組織損傷部は，粘膜表層のみであれば，縫合処置を要さない場合もあるが，粘膜下層に及ぶ症例では，前述と同様に創傷処置対応を行い，吸収性糸で顔面皮膚側と比較して粗に縫合を行う．口腔内を吸収性糸で縫合を行った後には，抜糸は行わず2週間以上経過してから残存する糸のみ抜糸を行う．

## 2 舌の損傷

### 特徴と治療

食事やスポーツ時の自己咬傷によることが多い（図5-49）．食事では，高温の飲食物による熱傷も起こりうる．交通外傷や転倒・転落により傷が深い場合には，出血が多く，腫脹も強く出ることがあり，気道確保を考慮する必要がある．

歯科治療時における損傷には，各種切削器具や抜歯関連器具などの滑脱による切創や裂傷が生じうる．加熱した歯科治療器具による熱傷がある．歯科治療時のバーなどの回転切削器具などによる創は深くて出血も多い．まれではあるが，下顎智歯抜歯時の遠心横切開や歯冠歯根分割時に舌神経が損傷されると舌の知覚障害や味覚障害が生じる．舌などの口腔粘膜は非常に血流がよいので，開放創管理を応用しても二次治癒経過により良好な治癒が期待できる症例は多いが，粘膜下層や筋層に至る深在性の創部ではしばしば治癒不全をきたす．可能な限り組織を温存し，デブリードマン処理を行い，新鮮創面により縫合処置を行うことが必要である．

## 3 頰粘膜の損傷

### 特徴と治療

小児では玩具，歯ブラシなどによる転倒や接触時の損傷が多くみられる（図5-50）．スポーツ時の咬傷や殴打による裂創もある．治療時にタービンやシリンジによる高圧エアーが粘膜損傷部から皮下結合組織内に侵入すると，気腫が形成されやすく，広範囲に拡大する気腫では続発する感染への予防管理と気道管理が必要となる．創部の位置や深さによっては，頰脂肪体の逸脱をきたす．逸脱があれば縫合処置を行う．

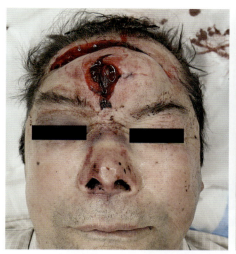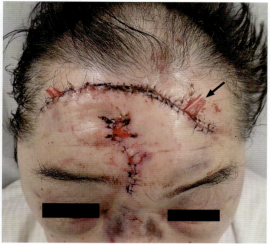

図 5-47　交通事故による顔面前額部軟部組織外傷への処置（ペンローズドレーン）

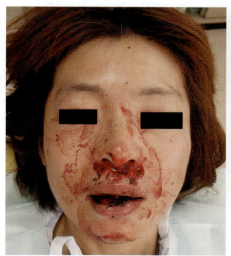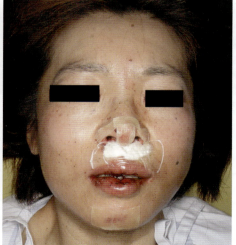

図 5-48　交通事故（自転車）による顔面軟部組織損傷への処置（創傷被覆材による創部管理）

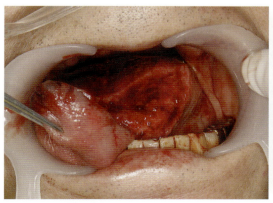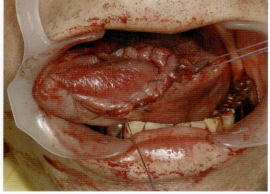

図 5-49　交通外傷に伴う舌咬傷による損傷

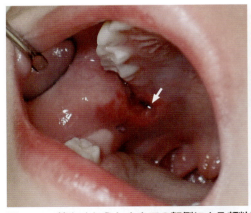 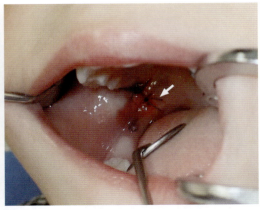

図 5-50　箸をくわえたままでの転倒による頬粘膜損傷

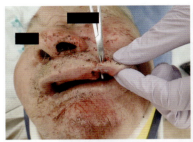 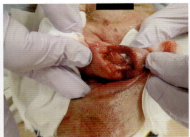 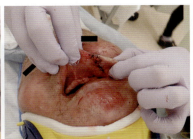

図 5-51　交通外傷に伴う上口唇損傷

### 4 上下唇および顔面皮膚の損傷

　転倒，殴打，スポーツ，交通事故などによる外力が加わることから，挫創や裂創，擦過創，貫通創，弁状創などがみられる（図 5-51）．上下唇動脈が損傷した場合には，出血量が多く止血処置が必要となる．貫通創の治療では，異物の除去，創面の洗浄，デブリードマンが大切である．口輪筋の断裂を認める場合には，口輪筋の筋層縫合を行う．赤唇から皮膚まで及ぶ創では皮膚粘膜隆起（ホワイトライン）・キューピッド弓形態をあわせ，ドッグイヤーとならないように粘膜縫合，次いで筋層，皮下などの埋没縫合，真皮縫合が重要であり，最後に皮膚縫合を行う．
　クマ，イヌ，ネコなどの動物による顔面，口唇の咬傷や掻傷による挫滅，汚染創では，異物の除去，創面の洗浄，デブリードマン，止血処置が大切となる（図 5-52）．開放創やドレナージを考慮し，特に感染防止に留意する．創の状況しだいでは破傷風への破傷風トキソイドワクチン投与を考慮する．
　幼児では，電源プラグをくわえてしまい生じる電撃傷がある．広範囲の創であれば口角から頬部に及ぶ瘢痕収縮が起こることで機能障害が生じ，二次的形成手術が必要となる．歯科治療における局所麻酔後の咬傷，器具による口角炎なども起こる．

### 5 歯肉の損傷

　上下顎や頬骨などの顎骨骨折，歯槽骨骨折や歯の外傷に伴って歯肉損傷が起こる（図 5-53）．歯の鋭縁や金属冠，義歯床による刺激でも歯肉損傷は生じるが，これらが破折や不適合な場合などによっても，びらんや褥瘡性潰瘍を生じる．歯科治療時の歯肉損傷や歯科用薬剤が漏出して歯肉を腐食すると，びらんや潰瘍を形成する．各種歯科用切削器具や鋭利な歯科用器具によって歯肉に損傷

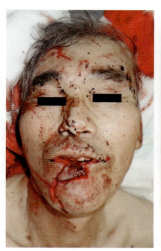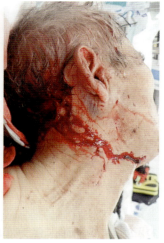

図 5-52　動物（クマ）による広範顎顔面・頸部損傷

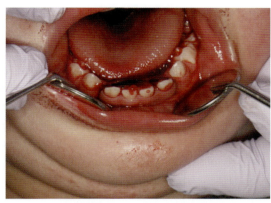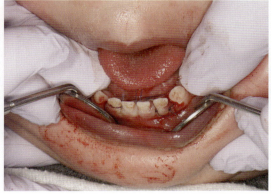

図 5-53　遊具外傷に伴う下顎歯槽骨骨折および歯肉損傷

を生じる．歯肉歯槽粘膜骨膜を損傷すると，タービンやレーザー治療に伴う圧縮エアーにより気腫形成が起こりやすくなる．

## 6　口蓋・咽頭の損傷

　高温の飲食物による熱傷の頻度が最も高い部位である．小児や近年では高齢者などでの転倒外傷として，箸や玩具，歯ブラシなどをくわえたまま転倒した際に生じる刺創，裂傷が最も多くみられ注意を要する（図 5-54）．骨の裏打ちがない軟口蓋や咽頭の創が深い場合には，全身麻酔下での処置が必要となる．刺創，裂傷による損傷が，上顎洞や蝶形骨洞などの副鼻腔，鼻腔，鼻咽頭やまれではあるが頭蓋底や頸動脈鞘やその近傍まで及ぶこともあり，精査や画像による評価が重要となる．軟口蓋や咽頭部損傷においては出血や気腫，腫脹により気道閉塞をきたすこともあるため留意する．また原因となった異物を確認し，形状の精査と遺残の有無の確認も重要である．歯ブラシなどによる汚染の創深部への迷入による二次感染が生じるリスクも非常に高いため，創部の経過と管理に留意する．

## 7　口底の損傷

　下顎骨骨折，歯槽骨骨折や歯の外傷に伴って口底の損傷が起こる（図 5-55）．義歯床による刺激

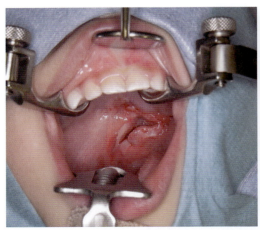
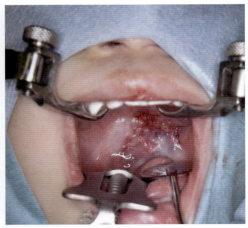

図 5-54　玩具をくわえたままでの転倒に伴う軟口蓋・咽頭損傷

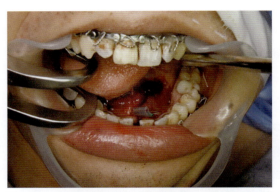

図 5-55　転落外傷に伴う下顎骨骨折による口底損傷

でも口底損傷は生じるが，これらが破折や不適合な場合などによってもびらんや褥瘡性潰瘍を生じる．歯科治療時の偶発症，特に抜歯時のヘーベル（挺子）の滑脱による損傷がある．その場合には，出血による血腫や腫脹により二重舌を呈することがある．その際には上気道閉塞に留意する．舌下小丘や舌下ヒダ，排出口やWharton管（導管）の損傷では，唾液の排出障害，唾液瘻形成などがみられる．口底組織は，組織自体が非常に疎粗で，感染が生じると蜂窩織炎を生じ炎症が周囲に波及しやすいので，感染予防に留意する．

### ⑧ 唾液腺の損傷

大唾液腺（耳下腺，顎下腺，舌下腺）の損傷は，創傷が深部に及んだ場合にみられる．特に，耳下腺，顎下腺，舌下腺のいずれも排出口や導管の損傷の有無を確認することが重要であり，これらが損傷を受けると，唾液の排出障害，唾液瘻形成などがみられる．唾液が組織内に逸出貯留すると周囲の隙まで及び，比較的大きな粘液貯留嚢胞を生じる．また排出障害に伴う感染にも留意が必要である．耳下腺や顎下腺損傷により起こった外唾液瘻に対しては，腺実質および皮膜を含めた縫合処置を行う．一方，口腔粘膜下の小唾液腺は損傷を受けやすく，特に下唇の口唇腺，前舌腺（Blandin-Nuhn腺）には，唾液が組織内に逸出貯留することによる粘液貯留嚢胞を形成しやすい．

## D 合併損傷

### ① 全身評価および病態

口腔顎顔面外傷において，最優先は気道の確保である．『外傷初期診療ガイドラインJATEC改訂第6版』（日本外傷学会・日本救急医学会）に示される手順に従って進める．
① primary survey：ABCDEアプローチ（A：気道評価・確保と頸椎保護，B：呼吸評価と致命的な胸部外傷の処置，C：循環評価および蘇生と止血，D：生命を脅かす中枢神経障害の評価，E：脱衣と体温管理）に基づき，生命維持のための生理機能の維持・回復を最優先として検索・対処するものである．
② secondary survey：primary surveyにおいて生

命維持に直結する問題を確認・対処したのちに，全身の損傷を系統的に検索するものである．
③ **根本治療**：primary survey および secondary survey において確認された問題に対し，根本的な治療を施すものである．

顔面における外傷や急性炎症時には，primary survey における A（気道に関する初期対応）がきわめて重要であることが多い．気道閉塞や窒息のリスクがあると判断される場合には，迅速な気道確保が求められる．気管切開術は，口腔外科領域では確実に気道を確保する手術手技として必須である．超緊急時の輪状甲状間膜切開〔緊急輪状甲状間膜（靱帯）切開〕も同様である．

交通事故や転落事故などの高エネルギー外傷では，口腔顎顔面領域以外の全身合併損傷を伴う場合が多くあり，これらの診察を救命救急医らとともに十分な評価診断を行わなくてはならない．特に頭蓋骨や四肢の骨折，肝臓，腎臓，膵臓などの内臓損傷，気胸や血胸などの重篤な損傷を合併することがあり，注意を要する．口腔顎顔面外傷では，全身合併損傷があれば，その治療と並行して処置を行う必要があり，緊急性の高い全身合併損傷を関連他科との連携協力体制のもとで外傷初期治療の段階から精査加療がなされなければならない（図 5-56）．

## 2 顎顔面領域に隣接する部位の合併損傷

重症口腔顎顔面外傷における顔面多発骨折では，気道確保（A）のみならず時に循環動態（C）の安定化を妨げる持続的な大量出血をきたすこともあり，止血を目的とした緊急手術を決断することにしばしば遭遇する（図 5-57）．近年では，顔面多発骨折の出血コントロールに IVR の進歩から経カテーテル的動脈塞栓術（TAE）に関する止血術への有用性についても報告がある．内頸動脈からの分枝である眼動脈や篩骨動脈系以外は，基本的に外頸動脈の分枝と顔面骨骨片自体もしくは周囲軟組織からの出血が主である．この部分の結紮と凝固止血処置を行いながら，顔面骨骨折骨片の整復固定術を一期的に行うことにより，止血と治療を確実にすることができる．

また，口腔顎顔面外傷に隣接する部位の合併損

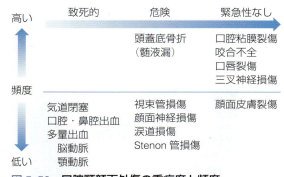

図 5-56 口腔顎顔面外傷の重症度と頻度

傷に対して緊急または可及的すみやかな対応を要する重要な病態として下記が挙げられる．

### A 脳脊髄液漏

頭蓋底骨折による外傷性脳脊髄液漏の中では，髄液鼻漏が最も多く，そのほとんどが前頭洞と篩骨洞を経由する．脳脊髄液漏による髄液鼻漏や髄液耳漏の評価と診断が重要である（図 5-58）．側頭骨（錐体部）骨折においては，外耳道損傷を伴えば髄液耳漏を合併することがある．特に横骨折において顔面神経麻痺や内耳障害による感音性難聴をきたす．髄液漏は，通常の圧迫法では止めることが困難である．自然閉鎖することが多いが，髄液鼻漏で注意が必要なのは，髄膜炎の合併である．頭痛や嘔吐，項部硬直といった髄膜刺激症状（項部硬直，Kernig 徴候，Brudzinski 徴候，Jolt accentuation）や発熱の有無，神経学的所見に注意を要する．さらに鼻を啜ることや擤鼻を禁止し，ベッド上で安静にする必要があり，頭部挙上を 10〜20 度程度の安静保持にすることと髄膜炎予防の抗菌薬投与が重要となる．2 週間以上の脳脊髄液漏の持続や髄膜刺激症状が出現した場合には，脳神経外科的な加療を要する．

### B 視覚器・眼球付属器損傷

眼球自体の外傷性損傷が疑われる場合には，眼科による専門的評価が重要となる．眼窩外傷における視神経管損傷（視神経管外傷）が疑われる場合には視力障害予後に直結するため，CT や MRI による迅速な評価とともに，経頭蓋的あるいは経鼻的な緊急手術による減圧術を要する．また眼窩骨折により，外眼筋への骨折骨片による絞扼や圧

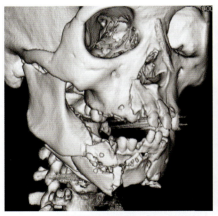
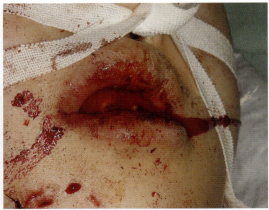

図 5-57　口腔顎顔面外傷に伴う持続的な大量出血

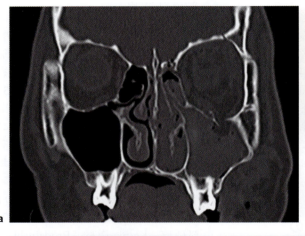
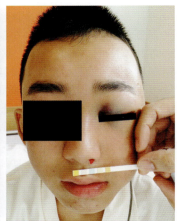
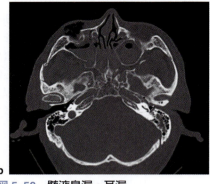
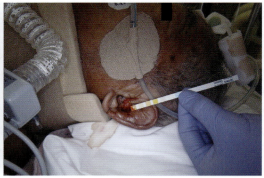

図 5-58　髄液鼻漏・耳漏
a：前頭蓋底骨折に伴う髄液鼻漏
b：中頭蓋底・側頭骨骨折に伴う髄液耳漏

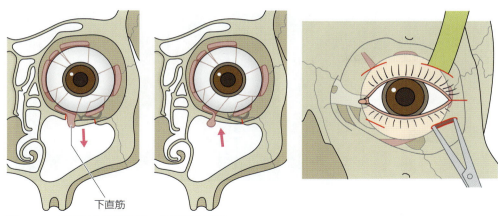

図 5-59　骨折による外眼筋への絞扼や圧迫

迫は，眼球運動機能予後に直結するために，すみやかな手術加療が求められる（図 5-59）．その他，眼窩球後出血においても注意を要する．

### C 涙道損傷

比較的多い合併外傷病態である．特に涙道は，涙点・涙小管・涙嚢・鼻涙管で構成されている．涙小管（上下涙小管）損傷が疑われる場合には，すみやかな手術加療が必要であり，損傷程度の確認と必要に応じて吻合・縫合手術による修復治療を行う（図 5-60）．断裂した涙小管を縫合し，管内へシリコーン製チューブを挿入して癒着や狭窄を防止する．涙小管損傷により流涙をきたし，結膜炎を惹起するため注意を要する．陳旧性になると，涙小管の検索と修復治療はより困難となる．また，鼻涙管が走行する上顎骨を骨折して，骨片偏位をきたすことにより，鼻涙管が閉塞した状態を鼻涙管損傷という．いずれも流涙をきたし，結膜炎を惹起するため治療が必要である．上顎骨骨折の整復を行い，鼻涙管の再開通が重要となる．整復治療を行っても再開通が困難な場合には，涙嚢鼻腔吻合術が必要となり，眼科的涙道治療を要する．

### D 聴覚器損傷

特に側頭骨骨折（錐体骨骨折）に合併した聴覚器損傷については注意を要し，耳鼻咽喉科医の専門的評価が重要となる．側頭骨骨折（錐体骨骨折）には，縦骨折と横骨折がある．縦骨折は，主として鱗状骨から外耳道後上部，さらには鼓室天蓋を通る骨折線を呈し，中耳伝音系の損傷による伝音性難聴をきたすことが多い．時には顔面神経麻痺も生ずる．一方，横骨折は内耳膜迷路の損傷や顔面神経の損傷をきたすことが多い．髄液耳漏をきたすことも比較的多く注意を要する．その他，下顎頭関節突起骨折に合併し，側頭骨関節窩や外耳道骨折により外耳道穿孔をきたすことがあり，外耳道出血をきたす．保存的加療により治癒することが多いが，感染予防に抗菌薬投与を考慮する．

### E 神経損傷

顔面神経や三叉神経損傷の評価および手術治療は大切である（図 5-61）．特に顔面神経は口腔顎顔面の機能的には心理的にも患者に与える負担と影響は大きく，麻痺が回復するまで比較的長期間を要することに留意する必要がある．神経切断が明らかでない症例では，ビタミン $B_{12}$ 製剤の投与，星状神経節ブロック，種々の理学療法を追加して経過をみることが有用である．一方，神経切断が明らかである場合には，神経吻合術または神経移植術の適応が考慮されうる．特に切断が疑われる場合には，受傷部を丹念に検索し，走行を確認し切断された神経両断端があれば神経吻合術または神経移植術の適応となる．特に顔面神経側頭枝や下顎縁枝は，互いに側枝でコミュニケーションするほかの頬骨枝や頬（筋）枝とは異なり，単独枝であることが多く，損傷時には注意を要する．三叉神経についても同様の対応が大切である．

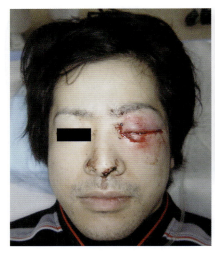
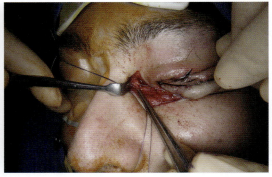

図 5-60　下涙小管損傷における涙小管吻合・縫合処置

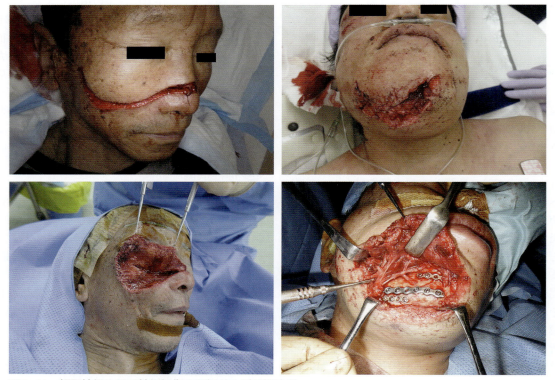

図 5-61　顔面神経や三叉神経損傷の評価および手術治療

## F 唾液腺管（耳下腺管：Stenon 管や顎下腺管：Wharton 管）損傷

疑われる場合には，すみやかな手術加療が必要であり，損傷程度の確認と必要に応じて吻合・縫合手術による修復治療を行う．特に，口腔内の唾液腺開口部よりポリエチレンチューブやブジーを挿入し，切断端から引き出して吻合する．それが不可能な場合には，人工的に口腔内に唾液瘻管開口部を形成する．

### G その他

　口腔顎顔面外傷において，外傷性異物の迷入・組織内遺残が疑われる場合においては，手術加療による異物除去術の併用が創傷処置時には必須事項である．外来異物の残存は，感染を惹起するのみにとどまらず，外傷性刺青をきたすため注意を要する．

## E 小児の軟組織・硬組織損傷

### 1 歯の外傷

#### A 乳歯

　乳幼児期では転倒による前歯の外傷の頻度が高い．それは転倒時に反射的に手をつけないことが要因で，直接前歯部を地面や机の角などにぶつけてしまうことが多い．また，治療方針は乳歯の場合，後続永久歯に与える影響を考慮して決めなくてはいけない．不完全脱臼の場合は，通常固定は必要なく経過観察を行う．側方脱臼，陥入，挺出の場合，交換期が近い歯でなければ，元の位置に戻して治癒を期待する．完全脱臼した場合，後継永久歯の損傷の危険性がある場合は再植せず，経過観察する．

#### B 永久歯

　小児での永久歯の外傷では混合歯列期であることが多く，また歯根未完成であることがほとんどである．
　側方脱臼，挺出の場合は，整復し経過をみるが，根未完成歯の陥入はそのままにして萌出を期待する．完全脱臼した場合には，予後は歯槽骨外におかれていた条件と時間に直接相関するため早期に整復する必要がある．時間がかかるようなら脱落歯を保存用溶液に浸しておく必要がある．

### 2 口腔粘膜外傷

#### A 挫創と裂創

　小児の転倒による粘膜外傷が多く，家具や床にあたって直接発生した擦過傷や挫創ないし裂創などがある．転倒による損傷において，特に上唇小帯の損傷の頻度が高い．これは上唇小帯が歯槽頂部に近いことが多く，軽度の外力でも損傷しやすいからである．また口唇や舌の損傷も頻度が高い．また後述するように物をくわえたまま転倒することによる頬粘膜や口蓋の口腔内損傷も起こる．口蓋から頭蓋底に達した重篤な損傷例がある．

#### B 異物迷入

　小児では，箸や歯ブラシなどをくわえたまま転倒することが多く，口蓋や頬粘膜に裂創や挫創を認める（図 5-62）．もし先端が鋭利な物をくわえての転倒の場合，軟口蓋のような骨の裏打ちのない部位では，受傷状況によっては頭蓋底への刺入や迷入も考えられ，致命的な結果を引き起こす可能性があることを認識しなくてはならない．また歯ブラシのような毛先が口腔内細菌で汚染されたものであれば，深部組織内で感染する可能性がある．低年齢児の口腔内外傷に対する診査は困難を伴い診断に苦慮するため，受傷原因となったものを可及的すみやかに持参してもらい先端の形状や破折，異物の残留と迷入，汚染状況などを確認することが重要である．

### 3 小児顎骨骨折

　小児における顎顔面での外傷例では軟組織の外傷，歯の破折，脱臼，歯槽骨骨折が多く，顎骨骨折は成人ほど多くみられない．また小児の顎骨骨折では若木骨折（green stick fracture）（図 5-63）をきたしやすく，骨折線が明確に現れないこともある．

#### A 部位と予後

　下顎骨骨折ではオトガイ部などの骨体部骨折や，介達骨折として関節突起骨折が多いことも特徴である．関節突起部は成人と異なりリモデリングにより機能障害をきたすことなく治癒していくことが多い．一方で下顎頭部の損傷は二次的な発育障害をきたすことがある．下顎骨の変形，顎関節強直症の可能性も生じることから，長期的な経過観察が必要である．

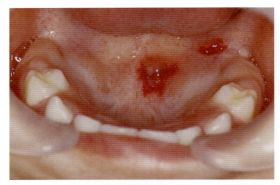

図 5-62　小児の口内損傷例（歯ブラシによる挫創）

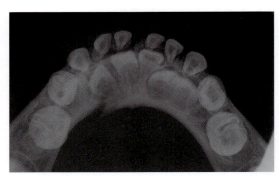

図 5-63　若木骨折

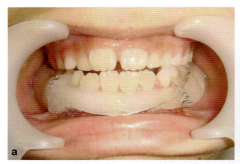

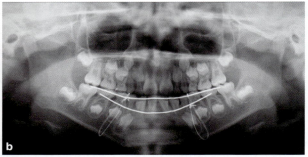

図 5-64　小児下顎骨骨折への床副子固定と囲繞結紮（術中写真）
a：床副子を囲繞結紮で下顎骨に固定している様子．b：エックス線写真
〔東京歯科大学　片倉　朗先生　提供〕

## B 治療法

　一般に小児では骨折部の癒合がすみやかに起こることから，早期の治療が望まれる．顎骨骨折に対しては顎骨の骨質や後続永久歯への影響から，通常，成人に対して行うミニプレートを用いた組織内副子固定法は，原則小児には行わない．また顎間固定もできないため床副子固定法と囲繞結紮法を併用することが多い（図 5-64）．

● 文献
［各論］
［A．歯の外傷］
1）日本外傷歯学会：歯の外傷治療のガイドライン（平成30年7月改訂）．https://ja-dt.org/file/guidline.pdf（2024年2月閲覧）
2）日本歯内療法学会：歯内療法ガイドライン．2009．https://jea-endo.or.jp/materials/pdf/guideline.pdf（2024年2月閲覧）
3）五十嵐　勝，他：歯根未完成歯の歯内療法の考え方．日本歯科保存学雑誌 60：191-196，2017．

［B．骨折］
1）日本口腔外科学会，日本口腔顎顔面外傷学会（編）：口腔顎顔面外傷　診療ガイドライン2015年改訂版．2015．https://www.jsoms.or.jp/pdf/trauma_1_20150501.pdf（2024年2月閲覧）
2）日本外傷学会，日本救急医学会：外傷初期診療ガイドライン JATEC，改訂第6版．へるす出版，2021．
3）山谷立大，他：顔面外傷による気道緊急，出血性ショックに対しドクターカー出動と経カテーテル的動脈塞栓術が奏功した1例．日本救急医学会雑誌 25：892-896，2014．
4）森山太揮，他：重症顔面外傷による出血性ショックに対して経カテーテル的動脈塞栓術を行い救命しえた1例．日本外傷学会雑誌 34：44-48，2020．
5）管野貴浩：下顎骨骨折の診断と治療．基本原則．日本口腔外科学会雑誌 66：473-482，2020．

[C. 口腔・顔面軟組織の損傷，D. 合併損傷]

1) 内山健志，他(監修)：標準口腔外科学，第4版．医学書院，2015．
2) 白砂兼光，他(編著)：口腔外科学，第4版．医歯薬出版，2020．
3) 榎本昭二，他(監修)：最新口腔外科学，第5版．Oral and Maxillofacial Surgery．医歯薬出版，2017．
4) AO Surgery Reference.https://surgeryreference.aofoundation.org/cmf/trauma/mandible(2024年2月閲覧)
5) 日本口腔外科学会，日本口腔顎顔面外傷学会(編)：口腔顎顔面外傷　診療ガイドライン2015年改訂版．2015．https://www.jsoms.or.jp/pdf/trauma_1_20150501.pdf(2024年2月閲覧)
6) 下郷和雄(監訳)：AO法骨折治療．頭蓋顎顔面骨の内固定―外傷と顎矯正手術．医学書院，2017．
7) 日本外傷学会，日本救急医学会：外傷初期診療ガイドラインJATEC，改訂第6版．へるす出版，2021．

# 第6章 炎症

## 総論

　炎症とは，一定以上の刺激が加わったときに起こる生体の防衛反応をいう．

　炎症にみられる一連のプロセスは，初期反応である急性炎症にみられる血管反応と滲出反応（液性成分の滲出と好中球の浸潤），それに引き続いて起こる慢性炎症と修復期（単球，マクロファージ，形成細胞などの免疫系細胞成分の浸潤と肉芽形成）にみられる細胞増殖である．そして，これらのプロセスは炎症に関わる細胞群と，それらの細胞から産生されるサイトカインを含めたケミカルメディエーターによって進行する．発赤，熱感（発熱），腫脹，疼痛，機能障害は炎症の5大徴候と呼ばれる．

## A 炎症の原因

　炎症の原因となる因子は生物学的因子，物理学的因子，化学的因子の外因と，代謝異常により生じる有害物質や抗原抗体複合体などの内因に大別される．

### 1 外因

#### a 生物学的因子
　病原微生物一般，すなわちウイルス，リケッチア，細菌，スピロヘータ，真菌，原虫など．

#### b 物理学的因子
　機械的外力（外傷），電気，紫外線，放射線，温熱刺激など．

#### c 化学的因子
　重金属や有機溶剤，酸やアルカリなど．

### 2 内因

　代謝異常による有害物質（尿酸），アレルギーや膠原病でみられる抗原抗体複合物など．

## B 炎症の経過とそのメカニズム

### 1 炎症に関与する細胞と化学伝達物質

　炎症においては炎症細胞と，それらの機能を制御し炎症反応連鎖を進行させる化学伝達物質が主要な役割を果たしている．

#### A 炎症に関与する細胞

　血管から遊走してくる血液系細胞と炎症巣の組織の骨組みとなる間葉系細胞に大別される．

血液系細胞

a　好中球

　炎症反応連鎖の最初のステップを誘導するもので，血管内皮細胞間を通って炎症巣に動員される．炎症反応前半（急性期）の主役で，旺盛な貪食能を有する．病原性微生物や異物，抗原抗体複合体を貪食し，細胞質内の顆粒（好中性顆粒）に含まれているさまざまな酵素（リソソーム酵素）がそれらを分解処理する．また，これらの酵素は細胞外へ放出され，侵入した病原性微生物や障害を受け

表 6-1 炎症の化学伝達物質

| 炎症メディエーターの由来 | | 血漿 | 血小板 | 白血球 | マクロファージ | 血管内皮 | 肥満細胞 | 角化細胞 | 線維芽細胞 |
|---|---|---|---|---|---|---|---|---|---|
| 発痛物質 | ブラジキニン | ○ | | | | | | | |
| | セロトニン | | ○ | | | | ○ | | |
| | ヒスタミン | | | ○ | | | ○ | | |
| プロスタノイド | プロスタグランジン | | ○ | ○ | ○ | ○ | ○ | ○ | ○ |
| | ロイコトリエン | | | ○ | | | ○ | | |
| サイトカイン | インターロイキン | | | | ○ | ○ | | | |
| | TNF-α | | | | ○ | | ○ | | |
| | 血小板活性化因子 | | ○ | | | ○ | | | |
| | リソソーム酵素 | | | ○ | | | | | |
| フリーラジカル | 活性酸素 | | | ○ | | | | | |
| | NO（一酸化窒素） | | | | | ○ | | | |
| 補体 | | ○ | ○ | | | | | | |

た組織を融解し可溶化する．また，種々の化学伝達物質〔アラキドン酸代謝産物，血小板活性化因子，インターロイキン（IL）-1 など〕を産生する．

#### b 好酸球

アレルギー，特に粘膜組織の炎症反応に関与する．

#### c 好塩基球と肥満細胞

細胞質内の顆粒にヒスタミンやヘパリンをはじめさまざまな酵素を含み，アレルギー（Ⅰ型）や組織修復過程に関与する．好中球と同様に炎症反応連鎖の推進役．

#### d 単球，マクロファージ

炎症巣へ好中球に遅れて遊走し，有害物質の貪食，消化・分解のほかに炎症促進化学伝達物質であるプロスタグランジン，IL-1，IL-6，腫瘍壊死因子（TNF）などと，修復反応促進因子（血管内皮細胞増殖因子，線維芽細胞増殖因子など）を産生する．

#### e リンパ球と形質細胞

急性炎症の末期から慢性炎症期にかけて炎症巣に現れ，原因となる抗原に対する抗体を産生し，生体防衛の役割を果たす．

#### f 血小板

血液凝固関連因子ばかりでなく，セロトニン炎症促進因子と血管内皮細胞増殖因子，線維芽細胞増殖因子，トランスフォーミング成長因子など修復促進因子を産生する．

### 2 間葉系細胞

血管内皮細胞は，炎症において最初に反応し，接触因子の産生，白血球の組織内への遊走を助けるとともに，慢性期においては修復促進因子を産生する．

## B 炎症の化学伝達物質

炎症の化学伝達物質は，血漿に由来するものと，炎症関連細胞に由来するものとに分けられる（表 6-1）．

### 1 血漿由来の化学伝達物質

これらの物質は，前駆物質として血漿中に存在しており，炎症により活性化されると次々にほかの前駆物質を活性化して，炎症反応過程が進展していく仕組みになっている．

#### a カリクレイン・キニン系

ブラジキニンは細静脈拡張作用と血管透過性亢進作用がある．また，炎症における発痛物質である．

#### b 補体系

C3a と C5a（アナフィラトキシン）は，肥満細胞や好塩基球からヒスタミンを遊離させ，血管透過性を高める．

#### c 凝固線溶系

フィブリノペプチドは白血球の遊走を，プラスミンは C3a 活性を高める．

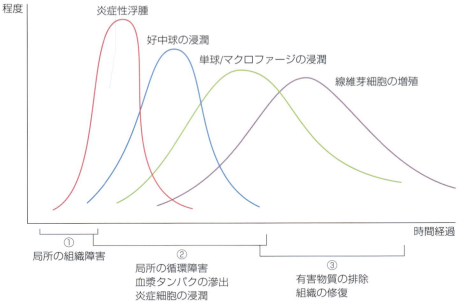

図 6-1 炎症の経過

## 2 細胞由来の化学伝達物質

これらの物質は通常，細胞内顆粒の中にあり，炎症に伴いほかの化学伝達物質の刺激により細胞外に分泌され，標的細胞の特異的な受容体と結合することで活性化する．

### a 血管作動性アミン

ヒスタミン（好塩基球，肥満細胞由来）とセロトニン（血小板由来）には血管透過性亢進，血管収縮作用がある．

### b アラキドン酸代謝産物

プロスタグランジン（PGI，PGE）は細静脈拡張作用，ロイコトリエンには強い血管透過性亢進作用がある．

### c 血小板活性化因子（PAF）

白血球，マクロファージ，血小板，血管内皮細胞に由来する．きわめて強い（ヒスタミンの1,000倍以上）血管透過性亢進作用がある．

### d IL-1, IL-6, TNF-α などの炎症性サイトカイン

単球マクロファージ系細胞から分泌され炎症反応を促進させる．また，IL-6 は肝細胞に働き，C反応性タンパク（CRP），リポ多糖体（LPS）結合タンパク，フィブリノゲンが産生される．なお，CRPは炎症反応の消長を示す尺度としても重要である．

### e フリーラジカルやリソソーム酵素などの白血球産物

フリーラジカルは体内に侵入した病原性微生物の傷害とともに，周辺の組織細胞に対しても障害性に働く．リソソーム酵素はこれらを分解・処理する．

## C 炎症の過程と組織変化

炎症の過程は，① 局所の組織障害，② 局所の循環障害と血漿タンパクの滲出・炎症細胞の浸潤，③ 有害物質の排除と組織の修復の3つに分けることができる（図6-1）．

###  局所の組織障害

さまざまな原因により組織が障害されると，崩壊した細胞や血小板からヒスタミン（肥満細胞），ロイコトリエン（好中球），セロトニン（血小板）などの化学伝達物質が放出され，炎症が惹起される．

### 2 局所の循環障害と血漿タンパクの滲出・炎症性細胞の浸潤

ヒスタミンやブラジキニンなど多くの化学伝達物質により，微小血管系でまず血管の拡張と充血が起こり，次いで血管透過性が亢進すると血管内の液状成分（血漿タンパク）の滲出と局所への炎症細胞（顆粒白血球，単球・マクロファージ）の浸潤が始まる．これらにより炎症徴候の発赤，腫脹（炎症性浮腫）が生じる．さらに，補体系の成分やロイコトリエンなどの化学伝達物質は好中球の遊走を促すことにより炎症局所に急性期の炎症細胞が遊走する．これらが病原性微生物を貪食するとともに，これらの細胞から放出されるフリーラジカルやリソソーム酵素などにより炎症はさらに増強される．充血や浮腫によって組織圧が亢進すると，知覚神経終末が圧迫され疼痛が生じる．

### 3 有害物質の排除と組織の修復

組織の障害が一段落し，急性期の炎症がある程度おさまると，残った有害物質や壊死に陥った組織の除去と，その結果生じた欠損の修復機転が始まる．この過程ではマクロファージと，新たに浸潤するリンパ球，肥満細胞など慢性期の炎症細胞および線維芽細胞と血管内皮細胞が主役を演じる．マクロファージは好中球が処理できなかった病原体や壊死組織を貪食処理し，リンパ球は免疫反応を介して病原体を排除する．欠損した部分は線維芽細胞が産生する膠原線維で埋められる．このような一連の過程において，貪食細胞が処理した崩壊物質を局所から運び去り，修復に必要な物質を運び込むため豊富な毛細血管網が構築される（肉芽組織の形成）．組織修復が進むに従って，毛細血管は減少し，肉芽組織は線維性瘢痕組織に置換される．

## D 炎症の分類

### 1 急性炎症と慢性炎症

炎症はその経過が短いか長いかによって急性炎症と慢性炎症とに大別される．経過がすみやかで

**表 6-2　炎症の種類**

1. **炎症の経過による分類**
  1) 急性炎症
  2) 慢性炎症
  3) 亜急性炎症
2. **炎症の形態による分類**
  1) 急性炎症
    漿液性炎
    線維素性炎
    化膿性炎
    出血性炎
    壊死性炎・壊疽性炎
  2) 慢性炎症
    慢性増殖性炎
    肉芽腫性炎

短期間に収束する急性炎症に対して，組織障害が長期にわたる場合や，原因となる病原体の処理にてこずり，組織の障害が長期となって正常組織に修復されない状況を慢性炎症と呼ぶ．なお，臨床的には両者の中間に位置するものもあり，これを亜急性炎症と呼ぶ（表 6-2）．

組織変化については，急性炎症では滲出物の種類によって漿液性炎，線維素性炎，化膿性炎，出血性炎，壊死性炎および壊疽性炎に，慢性炎症では慢性増殖性炎，肉芽腫性炎に分けられる．

### 2 急性炎症

#### A 漿液性炎

急性炎症の初期に，炎症性充血に伴って血管からフィブリノゲンを含まない血漿成分が滲出するのが特徴である．滲出が出現した組織によって特徴ある病像を示す．皮下組織に出現する蕁麻疹，粘膜固有層に出現して滲出液が粘膜表面に滲出するアレルギー性鼻炎，皮膚粘膜に限局して水疱を形成する単純ヘルペスや帯状疱疹，胸腔に滲出液が貯留する漿液性肋膜炎などがある．

#### B 線維素性炎

急性期においてフィブリノゲンを含む血漿成分が血管外に滲出し，組織内に細網状を呈するフィブリンが析出するのが特徴である．線維素性心膜炎，線維素性肺炎，ジフテリアなどがある．

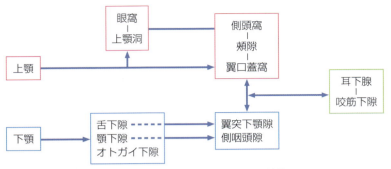

図 6-2　口腔・顎顔面領域における各組織隙とその連絡

## C 化膿性炎

好中球の浸潤を主体とする炎症で，多量の好中球と壊死細胞を含む膿性滲出物の存在が特徴である．細菌感染（主としてブドウ球菌やレンサ球菌などの化膿菌）によるもので，病理組織学的に蜂窩織炎，膿性カタル，膿瘍の3型に分類される．

### 1 蜂窩織炎

好中球浸潤や膿性滲出物がび漫性に組織隙に拡がったものである．口腔・顎顔面領域には舌下隙，顎下隙，オトガイ下隙，側咽頭隙などがあり（図 6-2），歯性感染症が波及して蜂窩織炎となりやすい（図 6-3）．

### 2 膿性カタル

好中球を含む膿が粘膜表面から滲出するもので，この滲出物を膿漏と呼び，これが体腔内に貯留した場合には蓄膿症という．副鼻腔，胸腔などにみられる（図 6-4）．

### 3 膿瘍

組織（臓器）内部に限局した高度な好中球浸潤とそれから遊離したさまざまな分解酵素の作用により組織が融解し，膿汁が組織内に貯留した状態を指す（図 6-5）．口腔・顎顔面領域における歯性感染症の多くは膿瘍型の炎症である．

## D 歯性化膿性炎症の発症と波及

歯性の感染症である齲蝕症，辺縁性歯周炎，歯冠周囲炎（智歯周囲炎）は，ほとんどが細菌によって発症し，主に化膿性炎症を生じる．この歯性の化膿性炎症は，一般に部位別ごとの炎症名で表記されてきた．しかし，このような診断名は，感染症が進行し，波及する過程における一局面であり，実際には波及の過程で時々刻々，変化している．医療機関に受診した時点で診断名が異なっているにすぎない．したがって齲蝕，辺縁性歯周炎，歯冠周囲炎を起点とする時間軸で炎症が経過し，波及していく状況を学び，診断名を考えていくと理解しやすい．また実際に対応する具体的な治療法も異なっている．

齲蝕からの感染が進行し，炎症が波及する状況を図 6-6 に示す．齲蝕が進み，歯髄に感染が及ぶと化膿性歯髄炎になる．感染が歯髄から根管内，さらに歯根尖に進行すると歯根尖部周囲の歯根膜と根尖に近接する骨髄に化膿性炎症を引き起こす．診断名は，齲蝕から化膿性歯髄炎，さらに根尖性周囲炎と移り，それぞれに応じた治療が施される．しかし，すべてがこのような経過をたどるわけではなく，急性や慢性経過，さらに急性発作を起こすものなど，さまざまである．根尖性周囲炎までの症例に対して，的確な診断と適切な治療（根管治療）が施されれば，重症になることは少ない．

ここから感染が進行し，限局した根尖部の骨髄に炎症が広がると顎炎の軽症型である歯槽骨炎（限局した歯槽骨骨髄炎）に移行する．そこから歯槽部の比較的薄い皮質骨を穿通すると歯槽骨骨膜炎になる．終末型としては歯槽骨膜下膿瘍や歯肉膿瘍を形成する．的確な治療がされず，慢性経過をたどると内歯瘻や，さらに頰部皮膚まで達すると外歯瘻（外皮瘻）をきたす．

限局した歯槽骨骨髄炎が顎骨骨髄に広く進展すると顎骨骨髄炎になる．顎骨骨髄炎は一般に，周

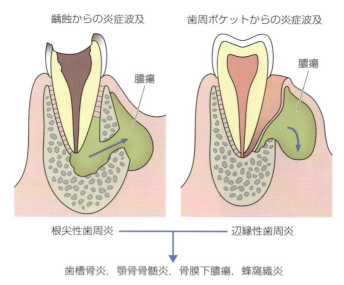
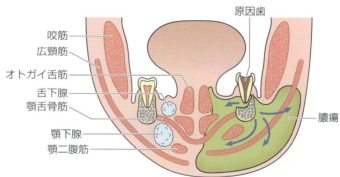

図 6-3 歯性化膿性炎症の波及

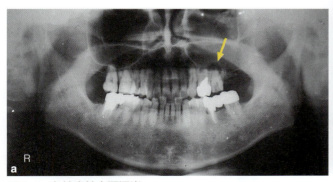
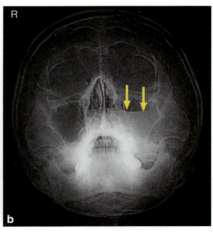

図 6-4 急性歯性上顎洞炎
a：左側上顎第一大臼歯の根尖性歯周組織炎（矢印）からの左側上顎洞炎
b：左側上顎洞の不透過性亢進，液面形成（矢印）

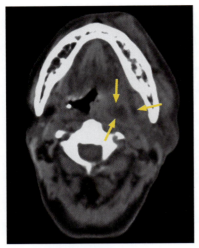

**図 6-5　側咽頭隙膿瘍**
膿瘍によって気道が狭窄し，右側に偏位している．

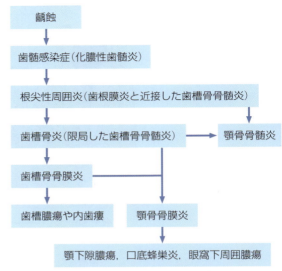

**図 6-6　齲蝕から進展した歯性化膿性炎症**

囲が緻密骨質の下顎骨に多く，海綿骨質様の上顎骨では骨髄炎になる頻度は低い．最近では，微弱な炎症が進んだ結果生じる硬化性骨髄炎が多く報告されている．

　感染が歯肉頬移行部から顎骨周囲の骨膜に広範囲でび漫性に進展すると，顎骨骨膜炎となり，頬部や口底移行部まで腫脹や発赤がみられ，疼痛が著しく発熱や脱水などの全身症状を示す．炎症がさらに深部に進展し，顎骨周囲の軟組織や隙に波及するとそれらの炎症の病名が顎骨骨膜炎に加えて追記される．

　一般に，上顎より下顎が，下顎では前庭側（唇頬側）より固有口腔の舌側の化膿性炎症が症状は重い．

### E 出血性炎

　炎症反応に伴い出血が起こり，滲出液や炎症組織が血性を帯びたものをいう．

　敗血症など通常の炎症より刺激が強い場合には，血管障害が強く現れ，血行停止や血栓症が加わり，出血が生じる．

### F 壊死性炎・壊疽性炎

　壊死性炎は組織の壊死が特に著明な炎症で，粘膜（口腔粘膜や腸管粘膜）に好発する．
　壊疽性炎は壊死性炎や化膿性炎に腐敗菌の感染が重なったもので，病変部は汚く悪臭を放つ．進行性壊疽性口内炎（水癌；noma）などがある．

## 3 慢性炎症

### A 慢性増殖性炎

　起炎刺激因子が持続する場合，組織が持続的な増殖反応を起こす炎症をいう．マクロファージ系細胞と線維芽細胞の増殖により組織が再生されるが，その一部は線維化し，瘢痕化する．

### B 肉芽腫性炎

　肉芽腫性炎は，類上皮細胞や巨細胞を含む肉芽腫を形成する炎症で，一般の慢性増殖性炎と区別される．結核，Hansen（ハンセン）病，梅毒，サルコイドーシス，リウマチ熱，関節リウマチなどで特徴的な肉芽腫を形成する．

## E 感染症

### 1 感染と感染症

　病原微生物が生体内に侵入し増殖することを感染という．感染を受けた生体を宿主といい，宿主

になんらかの病的な症候が現れた場合を感染症という．また，病原体を有し感染を媒介するもの（昆虫や動物，ヒトなど）を感染源といい，宿主の免疫機構により感染源が排除されず，持続的に宿主内に存在する状態を定着，炎症反応が引き起こされた状態を発病（発症）という．

## 2 顕性感染と不顕性感染

### A 顕性感染

病原微生物が侵入して発病した場合をいう．

### B 不顕性感染

病原微生物が侵入しても発病しない場合をいう．この中には症状が全く出現しないキャリアも含まれる．

## 3 病原微生物の感染経路

病原体が，ほかの個体へ拡散することを伝播，その経路を感染経路といい，主に空気感染，飛沫感染，接触感染に分けられる．

### A 空気感染

飛沫核感染とも呼ばれ，空気中に浮遊した直径 5 μm 未満の微粒子を介して病原体（結核，麻疹など）が伝播する．

### B 飛沫感染

咳やくしゃみ，エアータービンなどから出るしぶき（エアロゾル）を介して病原体（インフルエンザ，風疹，COVID-19 など）が伝播する．

### C 接触感染

さまざまな感染源の接触を介して病原体（性感染症をもたらすウイルスなど）が伝播する．顔面口腔領域で問題となるのは血液と唾液である．

## 4 原因

感染症の原因は細菌，ウイルス，リケッチア，真菌，スピロヘータなどの微生物で，このうち口腔・顎顔面領域の歯性感染症（化膿性炎症）の原因となるのは，口腔常在菌である．感染症に対する生体の防衛反応として生じる炎症の 5 大徴候（発赤，発熱，腫脹，疼痛，機能障害）が引き起こされることで発症する．

口腔常在菌による歯性感染症の多くは嫌気性菌とその他の菌種との混合感染であり，その際，病巣から検出される菌は偏性嫌気性菌として Prevotella（プレボテラ）属，Peptostreptococcus（ペプトストレプトコッカス）属，通性嫌気性菌として Streptococcus（ストレプトコッカス）属が多く検出される．また，臨床分類別にみるとIV群（蜂窩織炎）で偏性嫌気性菌全体の検出率が最も高く，重症例になるほどその関与が大きいことが示唆される．なお，日和見感染の代表的なものとして，Klebsiella oxytoca（クレブシエラ・オキシトカ），Serratia marcescens（セラチア・マルセセンス），Candida albicans（カンジダ・アルビカンス）も少数ながらみられる．

## 5 感染成立に関わる因子

人体には元来，感染に対する防御機構が備わっているため，微生物の海の中で生活していても，ただちに感染症が発生するわけではない．感染症は感染防御機構になんらかの欠陥がある場合や，侵入した微生物の勢力が防御機能を上回った場合に成立する．

### A 感染防御機構

生体には次のような 3 段階の防御機構がある．
通常，局所防御機構である皮膚・粘膜のバリアに破綻をきたさない限り，病原性微生物は体内には侵入できない（一次の局所防衛バリア）．これを突破した病原体に対し，二次感染防御として非特異的防御機構，すなわち自然免疫系が作動する．血清中に存在するリゾチーム，トランスフェリンなどの殺菌物質やインターフェロン，補体などが作用する（補体は病原体に結合してオプソニン効果を現す）．同時に病原体に向かって好中球，マクロファージが遊走し，すばやくこれらを貪食，殺菌する．食細胞で処理されなかった病原体に対しては三次防衛として特異的免疫機構，すなわち獲得免疫系が作動する．これは B 細胞性の液性免疫（免疫グロブリンの産生）と T 細胞性の細胞

性免疫(T細胞系列の活性化とサイトカイン放出)に大別され，お互いに関連して感染防御に働いている．

### B 感染経路および感染の種類

空気感染，飛沫感染，接触感染のほか，媒介動物による感染(マラリア，日本脳炎など)，経口感染(ノロウイルス，サルモネラ菌などによる食中毒)，創傷感染(術後感染など)，血行感染(B型肝炎，C型肝炎，HIV/AIDSなど)などの(感染)経路がある．医療行為(医療廃棄物からの感染，針・メスによる切刺創など)が原因となる感染を医原性感染と呼ぶ．また，ヒトや物などの感染源から伝播していくことを水平感染と呼ぶのに対し，感染した母体から免疫機能が未熟な胎児・新生児へ母子感染することを垂直感染という(B型肝炎，梅毒など)．

感染の種類としては，外来性の微生物がなんらかの形で生体内に侵入して発症する外因性感染と，宿主の免疫力の低下などに伴い，常在する生体内の微生物が過剰に増殖して発症する内因性感染に大別される．また，別の病原体による新たな感染が生じた場合を二次感染といい，同時に2種類以上の病原体の感染症にかかることを混合感染と呼ぶ．さらに，健常者の体内では常在菌叢を形成し生体の恒常性を維持しているが，抗菌薬の長期使用によって感受性菌が消滅し，耐性菌だけが爆発的に増殖することで生じる感染症を菌交代症と呼ぶ．

### C 易感染宿主(compromised host)と日和見感染

易感染宿主による内因性感染を日和見感染と呼び，弱毒菌あるいは非病原菌であっても，時に重篤な感染症を発症することがある．日和見感染を起こす微生物は真菌類(*Candida*属，*Aspergillus*属，*Cryptococcus*属など)，細菌(緑膿菌，*Serratia*属，肺炎桿菌など)，ウイルス(サイトメガロウイルス，水痘・帯状疱疹ウイルスなど)などさまざまである．

易感染宿主は，悪性腫瘍，糖尿病，再生不良性貧血などの血液疾患，AIDSなどの免疫不全，アレルギーや自己免疫疾患などの基礎疾患をもっていることが多い．悪性腫瘍では抗がん薬，放射線照射，手術侵襲が，アレルギーや自己免疫疾患では副腎皮質ステロイド薬の投与が，免疫力を著しく低下させ，易感染宿主となる．また，未熟児，高齢者，低栄養(低タンパク)者も同様で，そのほか，気管挿管，気管切開，人工呼吸器装着，人工透析，中心静脈カテーテル栄養，膀胱カテーテル挿入なども感染防御能低下をきたす医原的要因となる(図6-7)．

### 6 顔面口腔領域で注意すべき感染症

**a　ウイルス感染症**
ヒト免疫不全ウイルス(HIV)感染症，風疹，麻疹，水痘・帯状疱疹，単純疱疹，手足口病，ヘルパンギーナなど．

**b　細菌感染症**
破傷風，結核，梅毒など．

**c　真菌**
カンジダ症，アスペルギルス症など．

## F アレルギーと自己免疫

免疫反応が特定の抗原に対して過剰に起こることをアレルギーという．生体は自己と非自己を識別し，非自己を排除して生体の恒常性を保っているが，自己を過剰に傷害する免疫反応をアレルギー反応と呼ぶ．これに対し，自己と非自己を識別する機能に異常をきたし，自己寛容の制御機構が障害されると，直接あるいは間接的に自己組織の構造や機能に障害を与えることで自己免疫疾患が生じる．両者は重なり合っている部分があり厳密に区別できないものもある．これらの反応はGellとCoombsによるアレルギー分類が広く知られており，組織傷害を起こす機序によって4つのタイプに分けられる(表6-3)．

### 1 アレルギー

#### A I型アレルギー(即時型，アナフィラキシー型)

肥満細胞(または好塩基球)の表面にあるIgEに抗原が結合すると，肥満細胞からヒスタミン，セ

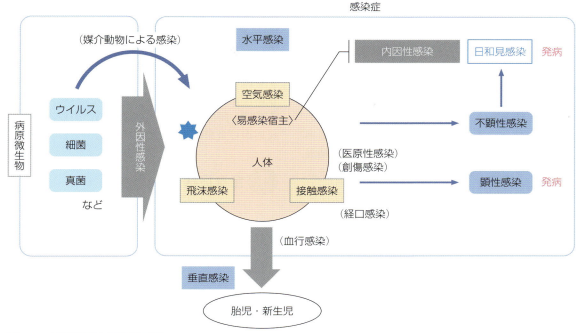

図 6-7 感染経路と日和見感染

表 6-3 アレルギーと自己免疫疾患（Gell and Coombs 分類）〔詳細は表 11-1（→ p.385）を参照〕

| 分類 | I型（即時型，アナフィラキシー型） | II型（細胞傷害型） | III型（免疫複合体型，アルチュス（アルサス）型） | IV型（遅延型，ツベルクリン型） |
|---|---|---|---|---|
| 免疫応答 | IgE | IgG, IgM 補体 | IgG 補体 | 感作 T 細胞 マクロファージ |
| 関係する細胞 | 肥満細胞 好塩基球 | NK 細胞 マクロファージ 好中球 | 多形核白血球 マクロファージ 好中球 | Th1 細胞, Th2 細胞, CTL |
| 疾患 | 喘息，花粉症，蕁麻疹，食物アレルギー，アトピー性皮膚炎，ペニシリンショックなど | 溶血性貧血，血小板減少性紫斑病，自己免疫性肝炎など | 血清病，リウマチ性関節炎，全身性エリテマトーデス，アルチュス（アルサス）反応など | 接触性皮膚炎（金属アレルギー），ツベルクリン反応，移植片拒絶反応など |

NK：ナチュラルキラー，Th：ヘルパー T，CTL：細胞傷害性 T 細胞

ロトニン，さらにロイコトリエンなどの生理活性物質が細胞外に放出され，即時型アレルギーを引き起こす．

### B II型アレルギー（細胞傷害型）

細胞や組織に存在する抗原に，IgG, IgM 抗体が結合し，さらに補体が活性化され，好中球や NK 細胞がその抗体と結びついた細胞膜を傷害する．

### C III型アレルギー（免疫複合体型，アルチュス型）

抗原抗体複合体が塊状となって組織に沈着し，補体とそれを排除しようとする好中球やマクロファージの顆粒酵素によって組織が傷害される．

### D IV型アレルギー（遅延型，ツベルクリン型）

抗体と反応した感作 T 細胞がサイトカインを

産生することが引き金となり，血管壁の透過性が亢進し，マクロファージや好中球が集まってきて炎症反応が生じる．

## 2 自己免疫

自己免疫疾患は，自己寛容の破綻した状態であり，自己抗体の産生や感作T細胞によって組織傷害を生じる．臓器特異的なものから臓器非特異的なものまで種々あり，アレルギー分類のⅡ〜Ⅳ型の免疫反応が該当する．自己免疫寛容の破綻を生じる機序は以下のようなものがある．

### A 分子相同性

病原微生物の持つエピトープに対する反応が，構造的に非常に類似する宿主のエピトープと交差反応する．

### B エピトープスプレッディング

感染性微生物による別の現象として，特定のエピトープへの反応が1つ以上のほかのエピトープに対する反応につながることで生じる．

### C 抑制の喪失

制御性細胞数は年齢とともに減少し，自己反応性細胞が制御を逃れ，自己免疫反応を惹起する．

### D 隔絶抗原

免疫特権部位と呼ばれる一部の自己分子が，なんらかの理由で曝露され，外来抗原とみなされ攻撃される．

### E 新生抗原

なんらかの未知の環境要因によって新たに形成された抗原で，自己免疫類似の状況を誘導することで生じる．真の自己抗原への反応と異なり，生成要因を除けば終息する．

代表的な自己免疫疾患として全身性エリテマトーデス(抗核抗体の出現)，関節リウマチ(リウマトイド因子の出現)，リウマチ熱(抗心筋線維体の出現)，Behçet病(口腔粘膜と反応する抗体の出現)，Sjögren症候群(リウマチ因子，抗核抗体，抗唾液腺管抗体の出現)などがある．

 臨床症状と診断

口腔・顎顔面領域の炎症は化膿性炎症を代表とする歯性感染症が主である．その原因菌は口腔常在菌による内因性感染であり，多くは嫌気性菌とその他の菌種との混合感染である．炎症は局所の反応から全身に波及する．

## 1 全身症状

発熱，全身倦怠感，食欲不振，貧血，衰弱が起こる．特に口腔領域の急性炎症では開口障害，嚥下障害のため栄養障害や脱水症が起こりやすい(易感染宿主，特に高齢者と幼児)．また，炎症に際しては血液にも変化が現れる．

血液成分は，急性炎症ではまず好中球が増加し，経過とともにリンパ球と単球が増加し，炎症の消退とともに白血球数および各種白血球の比率は正常に戻る．

血漿成分では炎症の急性期反応物質としてIL-1，TNF，CRP，血清アミロイドA(SAA)，フィブリノゲン，セルロプラスミン，トランスフェリン，$\alpha$-グロブリン，補体成分C3などの反応物質などが増加する．

なお，白血球数，好中球の百分率，好中球の核の左方移動，CRPは炎症の程度とその消長を表す指標として重要である．

感染症が重症化すると，ショック，呼吸困難，意識障害，臓器障害や播種性血管内凝固症候群(DIC)などを引き起こす．

### A 菌血症

血流中に細菌が存在する状態で，一過性のこともあれば，持続することで歯性病巣感染を引き起こすこともある．口腔の感染症だけでなく，抜歯などの観血的処置やスケーリング，根管治療などでも発現するといわれている．無症状や微熱程度のことが多いが，発熱の持続や，バイタルサインの異常などがあれば敗血症を疑う．

### B 敗血症

感染症への防御反応が制御不能に陥ることで生命を脅かす臓器機能障害が生じる臨床症候群であ

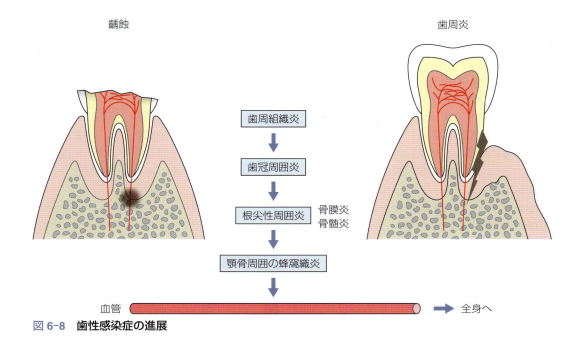

図 6-8 歯性感染症の進展

る.一般的に発熱,頻脈,発汗,および頻呼吸を呈し血圧は正常であるが,悪化すると敗血症性ショックに陥り,血圧低下や意識障害を呈する.近年では,感染症や外傷,手術侵襲などによって生じる高サイトカイン血症を経て,全身的な炎症反応を惹起する全身性炎症反応症候群(SIRS)という概念が導入されている(→p.59).敗血症はSIRSを伴う感染症と定義される.

### C 歯性病巣感染(→p.215)

### 2 局所症状

急性炎症では感染局所の発赤,腫脹,疼痛,熱感,機能障害(開口障害,嚥下障害など)を生じる.歯性感染症においては,顎骨周囲軟組織へ波及すると蜂窩織炎を呈し膿瘍を形成する.蜂窩織炎では膿瘍に比べて著明な発赤がみられないことがあり,また,腫脹はび漫性で,炎症の中心部の特定が難しいことがある(図6-8).

### 3 診断

急性炎症の診断は,局所および全身症状から比較的容易に行うことができる.炎症の重症度およびその経過は,血液検査による白血球数,白血球分画(好中球の百分率),赤血球沈降速度(赤沈),CRP,$\alpha_2$-グロブリン値,フィブリノゲンなどの急性期反応物質などを測定することによって評価することができる.なお,蜂窩織炎においては,炎症の拡大や波及方向について,各種画像検査(CT,MRIなど)を用いて予測するとともに,SIRS発現の可能性にも留意しながら,バイタルサインや意識レベルをモニタリングする.

## H 炎症の治療

口腔領域の炎症性疾患の治療にあたり,第一に,細菌性かウイルス性かなどの鑑別を行い,その原因微生物を可及的に特定する(特定が困難な場合がある).次いで,全身状態はどうか,炎症の広がりはどの程度か,などの評価に基づいた診断のうえで治療方針を立てる.

その際,入院治療を要するか外来治療で十分かの判定は重要なポイントである.

## 1 対症療法

まず全身および局所の安静が必要である．口腔領域の炎症では開口障害や嚥下障害があることが多い．随伴して栄養障害や脱水症がみられる場合には，これを改善するために輸液（水分と電解質の補給）や栄養補給が必要となる．また高熱や疼痛がある場合には消炎，解熱，鎮痛薬の投与が必要である．なお，口腔・顎顔面領域の急性炎症では冷罨法が行われることがある．冷却は局所の充血や炎症の化学的伝達物質の活性を抑え，疼痛や腫脹を緩和する．

## 2 薬物療法

薬物療法を行う場合には細菌感染症か否か，炎症の程度と病期，肝・腎障害の有無，年齢，免疫不全やアレルギーの有無，薬剤を処方どおりに投与・摂取できるか否かなど，患者側の条件と，抗菌薬の抗菌スペクトル，吸収率や組織移行性，副作用など抗菌薬の条件とを合わせて考慮する必要がある．原因菌に感受性のある抗菌薬であっても，患者に肝ないしは腎機能障害やアレルギーがあって使用できないこともあり，嚥下障害があれば経口投与はできない．また，妊娠中であれば使用できる薬剤は大きく制限される．これらをすべて勘案したうえで，抗菌薬の選択，投与方法，投与量，投与期間を決定する．

なお，原因菌が集塊を形成し，そのまわりにバイオフィルムを形成している場合には抗菌薬が有効に作用しない．そのような場合には，バイオフィルムを破壊する作用を併せもつ抗菌薬（14員環マクロライド系）の使用が有効である（➡p.504）．

## 3 外科的療法

すでに膿瘍が形成されている場合や，血管の少ない組織隙の中を進行する蜂窩織炎では，抗菌薬が炎症巣中心まで到達しにくく，有効濃度に達しない．このような場合には外科的な切開・排膿術が必要となる．通常，膿瘍の形成を待って切開するが，蜂窩織炎では炎症の滲出圧を減圧し，炎症の波及を阻止する目的で切開手術が行われる．

切開排膿後は，膿瘍の位置や大きさに合わせてドレーンを挿入する．

## 4 炎症治療の終了

炎症の治療（特に薬物療法）は，発熱，CRP，白血球数などの所見が改善し，局所の炎症巣が縮小・消失したことを確認した後，中止する．不必要に治療を継続してはならないが，治療終了後も再燃や副作用が発現しないよう，経過を注意深く観察する．

# 各論

## A 歯性感染症

### 1 歯周組織の炎症
periodontal inflammation

歯周組織は歯肉，歯根膜，セメント質，歯槽骨から構成され，歯は歯根膜を介して歯槽骨に固定されて機能する．歯周組織の炎症は，病原細菌によって引き起こされる感染性炎症性疾患である．炎症が辺縁歯肉に限局する歯肉炎，辺縁歯肉から歯周組織深部まで波及し歯槽骨の破壊や吸収を認める辺縁性歯周炎，感染根管に起因する根尖性歯周炎，萌出不全に起因する智歯周囲炎に分類され，日常臨床において高頻度にみられる．

#### A プラーク性歯肉炎（単純性歯肉炎）
plaque-induced gingivitis (simple gingivitis)

歯肉辺縁に存在するプラーク（歯垢）に含まれる細菌群によって発症する歯肉の炎症である．臨床所見としては歯肉の発赤，浮腫，出血，疼痛，腫脹などがみられるが，歯周組織の不可逆的な破壊や骨吸収を生じていない．口腔衛生状態の改善によって治癒する．

## B 歯周炎
periodontitis

プラークに含まれる歯周病原細菌が産生する酵素や代謝産物などの影響によって生体の防御機構，主として免疫機能が亢進し，歯肉の炎症性破壊がセメント質，歯根膜および歯槽骨に波及し，歯槽骨の水平的または垂直的吸収をきたす炎症性破壊性疾患である．本症は，細菌因子のほかにも，宿主因子（遺伝的因子），加齢や糖尿病などの全身的因子，喫煙やストレス，口呼吸，外傷性咬合などの環境因子が複雑に交錯する多因性疾患である．

### 1 慢性歯周炎 chronic periodontitis

通常の歯周炎は，歯周病原細菌によって生じる付着上皮の破壊と歯槽骨吸収を伴う慢性炎症性疾患であるが，宿主側の組織抵抗力が低下したときに急性化する．歯肉の発赤・腫脹，歯周ポケット形成，歯槽骨の水平的または垂直的吸収を主症状とし，病状が進行すると歯周ポケットからの出血・排膿，歯肉退縮，知覚過敏，咬合痛，歯の動揺，口臭などを認める．歯周病の進行程度や原因を把握するために，以下の歯周組織検査を行う．
① 歯肉の炎症（歯肉炎指数，プロービング時の出血）
② プロービングデプス（歯周ポケット）
③ アタッチメントレベル
④ PESA（periodontal epithelial surface area）およびPISA（periodontal inflamed surface area）
⑤ 口腔衛生状態（O'Learyのプラークコントロールレコード）
⑥ 歯の動揺度（Miller分類）
⑦ エックス線画像（デンタルエックス線画像もしくはパノラマエックス線画像）
⑧ 咬合（歯列全体の咬合関係や外傷性咬合の有無）
⑨ 根分岐部病変（根分岐部病変分類）
⑩ プラークリテンションファクター（プラークを蓄積，増加させる因子）
⑪ 口腔内写真
⑫ スタディモデル
⑬ 細菌学的検査（細菌検査，血清の細菌抗体価検査，口腔細菌定量検査）
⑭ その他（歯肉溝滲出液の検査，唾液の検査，血液検査）

治療は，診断結果に基づき予後を推定し，最も適した治療内容と治療順序を立案する．まず，すべての患者を対象に原因除去療法である歯周基本治療〔プラークコントロール，スケーリング・ルートプレーニング（SRP），プラークリテンションファクターの除去，咬合調整，暫間固定など〕を行い，再評価検査後に必要があれば歯周外科治療を行う．さらに再評価検査を行い，必要があれば口腔機能回復治療を行う．その後，歯周組織が臨床的に健康を回復した状態を長期に維持させるためのメインテナンスに移行する．

### 2 侵襲性歯周炎 aggressive periodontitis

全身的に健康ではあるが，歯周組織の急速な破壊と家族内発症を特徴とする歯周炎で，早ければ幼児期や小児期から発症することがある．基本は通常の歯周炎と同様に歯周基本治療による細菌感染源の除去であるが，なんらかの生体防御因子（免疫系や結合組織系の恒常性維持）に問題がある場合が多いことから，抗菌薬の投与を併用する．

### 3 遺伝疾患に伴う歯周炎 periodontitis associated with genetic disorders

全身的な異常を伴う遺伝疾患の口腔内症状として急速に進行する歯周炎である．家族性周期性好中球減少症，Down症候群，Papillon-Lefèvre症候群，Chédiak-Higashi症候群，低ホスファターゼ症などがある．

### 4 壊死性潰瘍性歯周炎 necrotizing ulcerative periodontitis

歯肉の偽膜形成や出血，疼痛，発熱，リンパ節の腫脹，悪臭などの症状を伴う．紡錘菌やスピロヘータ，あるいは *Prevotella intermedia* などとの関連が示されており，発症原因として不良な口腔衛生状態，ストレス，喫煙および免疫不全などが考えられる．

## C 根尖性歯周炎
apical periodontitis

齲蝕や外傷などにより歯髄炎や歯髄壊死が生じて，感染根管から歯根尖周囲の歯槽部に化膿性炎

症が波及した状態で，急性根尖性歯周炎と慢性根尖性歯周炎に分類される．

### 1 急性根尖性歯周炎 acute apical periodontitis

化膿性歯髄炎からの続発や慢性根尖性歯周炎の急性転化によって生じる．原因歯の自発痛や咬合痛，挺出感を認め，進行すると拍動性疼痛や打診痛，原因歯の動揺，根尖部歯肉の圧痛や発赤腫脹を認めるようになる．さらには，歯槽部の膿瘍形成，顎下リンパ節の腫脹・圧痛や38℃前後の発熱を認めるようになる．

エックス線所見では，原因歯の歯根膜腔隙の拡大や根尖部に類円形のエックス線透過像を認める．

治療は，原因歯の根管治療によって排膿・減圧を図り，数日間の抗菌薬投与を行う．膿瘍形成を認める場合には，切開排膿を行う．

### 2 慢性根尖性歯周炎 chronic apical periodontitis

歯髄炎や歯髄壊死からの炎症の慢性化や急性根尖性歯周炎の慢性化によって生じる．原因歯の自発痛や咬合痛，挺出感などの症状は軽度である．根尖部の病巣から排膿路となる瘻孔を形成して，内歯瘻や外歯瘻を形成することがある．

エックス線所見では，原因歯の根尖部に類円形のエックス線透過像を認める．

治療は，急性根尖性歯周炎と同様に原因歯の根管治療によって消炎を図るが，消炎されない場合には原因歯の抜歯と根尖病巣の搔爬を行う．外歯瘻を認める場合には，瘻孔と瘻管の切除術を行う．

## D 歯冠周囲炎（智歯周囲炎） pericoronitis of wisdom tooth

智歯の萌出部位不足により，萌出方向や萌出位置に異常をきたして深い歯周ポケットを形成し，同部への細菌感染により歯冠周囲に化膿性炎症が存在する状態である．臨床所見から急性智歯周囲炎と慢性智歯周囲炎に分類される．

### 1 急性智歯周囲炎 acute pericoronitis of wisdom tooth

智歯周囲の歯周組織に発赤・腫脹を生じ，自発痛や圧痛を認める．炎症が進行すると排膿や開口障害，嚥下痛，顎下リンパ節の腫脹，発熱，全身倦怠感を認めるようになる．

エックス線所見では，原因智歯歯冠周囲の歯槽骨のエックス線透過像を認める．

治療は，含嗽剤と抗菌薬を処方して消炎を図る．膿瘍形成を認める場合には，膿瘍切開を行う．智歯の萌出が見込まれる場合には，歯冠を被覆する粘膜弁の切除術を行う．正常萌出を見込めない智歯は，消炎後に抜歯する．

### 2 慢性智歯周囲炎 chronic pericoronitis of wisdom tooth

化膿性炎症が慢性化した状態で，智歯部の違和感，咀嚼時の軽度疼痛，周囲歯肉の軽度腫脹・発赤，歯周ポケットからの排膿を認める．治療は，智歯を抜歯する．

## 2 顎骨の炎症 inflammation of jaw bone

歯周炎や根尖性歯周炎，歯冠周囲炎（智歯周囲炎）などの歯性化膿性炎症が歯槽骨，顎骨骨膜，顎骨骨髄に進展した状態であり，炎症の主座がある部位によって病名が異なる．

## A 歯槽骨炎 alveolar osteitis

化膿性炎症の主座が歯槽部に限局しているもので，多くは歯周炎や根尖性歯周炎から歯槽骨に炎症が広がり発症するが，抜歯窩や外傷，顎骨囊胞などの感染によって発症することもある．

### 1 急性歯槽骨炎 acute alveolar osteitis

症状は，原因歯の軽度動揺と挺出感，打診痛，咬合痛，原因歯を中心とした歯肉粘膜の発赤を伴う浮腫性腫脹・圧痛，所属リンパ節腫脹・圧痛，発熱を認める．

治療は，安静を保ち，含嗽剤や抗菌薬の投与や，原因歯の根管治療による排膿・減圧，膿瘍の切開排膿処置などを行い，急性症状の消退後に原因歯を抜歯する．

### 2 慢性歯槽骨炎 chronic alveolar osteitis

症状は，原因歯の動揺・挺出感・打診痛または不快感，周囲歯肉の発赤・軽度腫脹，歯肉粘膜下膿

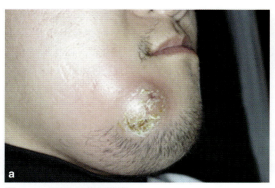

図 6-9　下顎骨膜下膿瘍
a：顔貌所見（発赤・腫脹）　b：口腔内より膿瘍切開・排膿

瘍の形成，歯肉部瘻孔（内歯瘻）からの排膿，エックス線所見では歯根尖部を中心とした周囲骨の吸収を認める．
　治療は，抗菌薬を投与し，原因歯を抜歯する．

### B　顎骨骨膜炎
periosteitis of the jaw

　化膿性炎症が歯槽部から顎骨に拡大し，炎症の主座が骨膜にある状態をいう．

#### 1　急性顎骨骨膜炎　acute periosteitis of the jaw

　症状は，原因歯の挺出感・咬合痛・打診痛，原因歯付近の歯肉部から歯肉頬移行部や顎骨周囲にかけてび漫性の発赤・腫脹・熱感を生じる．炎症が頬側に波及すると顔面の腫脹を生じ，舌側に波及すると開口障害や嚥下障害を生じる．腫脹部は初期には硬結を呈するが，膿瘍形成により波動を触知する．所属リンパ節の腫脹や圧痛がみられる．全身症状は，発熱，悪寒・戦慄，全身倦怠感，不眠，食欲不振を生じる．
　治療は，全身的ならびに局所的安静を保ち，補液，栄養補給，抗菌薬や消炎鎮痛薬の投与，膿瘍形成後に切開排膿，根管開放を行う．急性炎症消退後に原因歯の抜歯などの処置を行う（図 6-9）．

#### 2　慢性顎骨骨膜炎
chronic periosteitis of the jaw

　症状は，原因歯の動揺・挺出感・打診痛，周囲歯肉および顔面軟組織に硬結を伴うび漫性の発赤・腫脹などで，内歯瘻の形成と同部からの持続的排膿を生じる．

　治療は，抗菌薬を投与し，原因歯の抜歯，病的不良肉芽組織の搔爬を行う．

### C　顎骨骨髄炎
osteomyelitis of the jaw

　化膿性炎症の主座が顎骨骨髄にあり，比較的広範囲に拡大している状態をいう．骨組織内の循環障害をきたすと骨壊死となり，腐骨を形成することがある．下顎骨は皮質骨が厚く内部に海綿骨があるため，骨髄炎を発症しやすいが，上顎骨は骨皮質が菲薄なため，定型的な骨髄炎は少ない．

#### 1　急性顎骨骨髄炎
acute osteomyelitis of the jaw

**第 1 期（初期）**
　原因歯ならびに隣在歯に激しい拍動性疼痛や強い打診痛，挺出感，動揺を認め，頬舌側歯肉の発赤・軽度腫脹，顎下またはオトガイ下リンパ節の腫脹・圧痛，38℃前後の発熱，悪寒戦慄，全身倦怠感，食欲不振などの症状がみられる．

**第 2 期（進行期）**
　炎症の拡大に伴い，局所の著明な拍動性疼痛，顔面，頬部，顎下部の発赤・腫脹，原因歯より近心側数歯の打診痛（弓倉症状）を認め，後方への波及により開口障害や嚥下痛などの症状がみられる．また，下顎骨骨髄炎では炎症が下顎管に沿って拡大するため，下歯槽神経，オトガイ神経が障害されて下唇の知覚異常ないし麻痺を呈するようになる〔Vincent（ワンサン）症状〕．全身的には，所属リンパ節の腫脹・圧痛，38～40℃の発熱，疼痛による不眠や摂食障害を認め，臨床検査所見

では白血球増加，核の左方移動，赤血球沈降速度亢進，CRPの上昇などがみられる．

**第3期（腐骨形成期）**
　骨髄の炎症は骨皮質を穿破して顎骨周囲に到達し，粘膜下や骨膜下に膿瘍を形成する．膿瘍は自潰して瘻孔を形成し，持続的な排膿を認める．炎症が骨皮質を穿破することで骨内の内圧が低下するため，疼痛などの局所症状は軽減する．病変部の骨は壊死し，腐骨を形成する．全身症状や一般血液検査値所見は改善し，慢性期に移行する．

**第4期（腐骨分離期）**
　生体の自然治癒機転として腐骨が分離し，疼痛，発熱などの症状は消退するが，微熱や排膿は持続する．

　診断では，顎骨骨髄炎の病期ならびに顎骨骨膜炎や蜂窩織炎などとの鑑別が重要となるが，臨床所見，エックス線所見，血液検査から診断する．エックス線所見では，病期の進行とともにび漫性の透過像や散在性の不透過像が発現し，虫喰い状や斑紋状の所見が混在する．腐骨分離が進むと，腐骨周囲に一層の透過像（肉芽層）がみられる．通常のエックス線写真のほかに，CTやMRI，骨シンチグラフィ（$^{99m}$Tc：テクネチウム）による診断が有用である．

　治療は，初期および進行期では全身的ならびに局所的安静，抗菌薬の投与，補液と栄養補給を行い，全身状態の改善を図る．第2期で高熱や疼痛などの症状が持続する場合には，原因歯の抜歯や皮質骨の穿孔（trepanation）を行うことにより，排膿，減圧を図る．第3期で膿瘍形成を認める場合には，切開排膿による消炎処置を行う．第4期では腐骨除去術を行う．病変が難治性で広範囲の場合には，抗菌薬の投与と高圧酸素療法の併用や顎骨切除術が選択されることもある．

### 2 ● 慢性下顎骨骨髄炎
　　　chronic osteomyelitis of the jaw

　急性下顎骨骨髄炎に続発して慢性化した場合と，初期から慢性に経過する場合がある．症状は軽度で，局所の不快感や神経痛様疼痛を訴えることがある．

　診断は，単純エックス線写真，CT，MRIにおいて骨梁構造が消失してび漫性の不透過像を認め，皮質骨と骨髄の境界は不鮮明となり，不規則な虫喰い状透過像の混在を呈する．骨シンチグラフィ，SPECT-CTによる診断が有用である．

　治療は抗菌薬の投与とともに，皿状形成術や皮質骨除去術が行われ，顎骨切除が行われることもある．

### 3 ● Garré（ガレー）骨髄炎　Garré osteomyelitis

　若年者に好発し，骨表層部への骨添加を特徴とする慢性顎骨骨髄炎の一亜型である．軽度の炎症に対する反応として骨膜および骨膜直下に生じる外骨腫類似の骨過形成（玉葱状骨添加）と硬化をきたす限局性の疾患であり，大臼歯の根尖病巣や抜歯後感染などが原因となる．

　治療は，抗菌薬を投与し，原因歯の根管治療や抜歯をすることで骨の膨隆は次第に減少する．

### 4 ● 薬剤関連顎骨壊死　MRONJ（medication-related osteonecrosis of the jaw）

　ビスホスホネート（BP）製剤や抗RANKL抗体であるデノスマブ製剤などの骨吸収抑制薬を使用している悪性腫瘍および骨粗鬆症患者で難治性の顎骨壊死が報告され，ビスホスホネート関連顎骨壊死（BRONJ；bisphosphonate-related osteonecrosis of the jaw）や骨吸収抑制薬関連顎骨壊死（ARONJ；anti-resorptive agents-related osteonecrosis of the jaw）の病名が提示された．その後，血管新生阻害薬などによる顎骨壊死も報告されたことから，現在では一般的に薬剤関連顎骨壊死（MRONJ；medication-related osteonecrosis of the jaw）の病名が用いられている．

　以下の3項目を満たした場合にMRONJと診断する．
① BP製剤やデノスマブ製剤による治療歴がある．または血管新生阻害薬，免疫調整薬との併用歴がある．
② 8週間以上持続して，口腔・顎・顔面領域に骨露出を認める．または口腔内，あるいは口腔外から骨を触知できる瘻孔を8週間以上認める．
③ 原則として，顎骨への放射線照射歴がない．また顎骨病変が原発性癌や顎骨への癌転移でない．

　臨床症状からステージ1〜3の3病期に分類される．

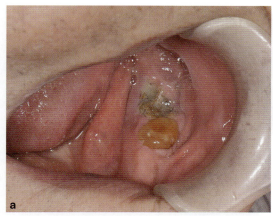
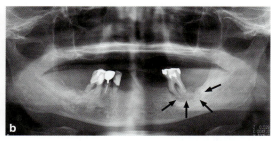
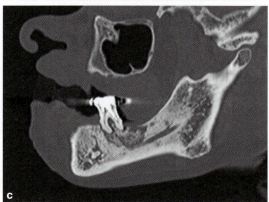

図 6-10 薬剤関連顎骨壊死ステージ 2
a：口腔内写真（腐骨露出・排膿）
b：パノラマエックス線画像（腐骨形成）
c：CT 所見（腐骨形成）

### ステージ 1
無症状で感染を伴わない骨露出/骨壊死またはプローブで骨を触知できる瘻孔を認める．

### ステージ 2
感染/炎症を伴う骨露出/骨壊死やプローブで骨を触知できる瘻孔を認める．発赤，疼痛を伴い，排膿がある場合とない場合とがある（図 6-10）．

### ステージ 3
下顎下縁や下顎枝に至る骨露出/骨壊死，上顎洞，鼻腔，頬骨に至る骨露出/骨壊死，鼻・上顎洞口腔瘻形成，病的骨折や口腔外瘻孔を認める．

MRONJ の診断において画像所見は重要な役割を果たすが，ステージングに特徴的な画像所見はなく，また病理組織学的所見においても通常の骨壊死を伴った慢性骨髄炎の所見と異なる情報は得られないことから，多くの臨床情報をもとに総合的にステージを決定することが求められる．

治療は，患者の全身状態や期待される生命予後，患者の希望などを考慮のうえで決定されるが，近年は壊死骨の除去など積極的な外科的治療が推奨されている．

MRONJ の発症予防には，骨吸収抑制薬の投与開始前に必要な侵襲的歯科治療を行い，顎骨の感染性疾患を可能な限り取り除いておくとともに，良好な口腔衛生状態を維持することが重要である．

以下にステージごとの治療戦略を示す．

### ステージ 1
保存的治療（抗菌性洗口液，洗浄，局所的抗菌薬の注入など）または外科的治療（壊死骨＋周囲骨切除など）．

### ステージ 2
保存的治療と外科的治療（壊死骨＋周囲骨切除など）のいずれも適応されるが，外科的治療のほうが治癒率は高く，全身状態が許せば外科的治療を優先する．患者の状態や希望などにより外科的治療が選択されない場合は，保存的治療（抗菌性洗口液，洗浄，抗菌薬全身投与など）を行うこともある．

**ステージ 3**
外科的治療（壊死骨＋周囲骨切除，区域切除など）．患者の状態や希望などにより外科的治療が選択されない場合は，保存的治療を行うこともある．

### 5 ● 放射線性顎骨壊死
osteoradionecrosis of the jaw；ORNJ

口腔・咽頭領域の悪性腫瘍に対する大量放射線治療後に生じる晩期障害で，照射野の顎骨が壊死に陥り，歯や歯周組織からの感染によって慢性骨髄炎の症状をきたし，最終的に顎骨壊死に至る状態である．照射野の顎骨は活性が低下するため，照射後10年以上経過しても抜歯や外傷を契機に発症することから，照射野内の抜歯は禁忌である．上顎骨に比べて下顎骨に発症しやすい．

治療は，抗菌薬や消炎鎮痛薬を投与し，緩解すれば腐骨除去，掻爬をし，場合によっては顎骨切除術を行う．

## ③ 上顎洞炎
maxillary sinusitis

上顎洞炎は発生原因により，鼻性と歯性に分類される．鼻性上顎洞炎は，感冒からの継発や，カタル性鼻炎，鼻茸，肥厚性鼻炎により自然孔が狭窄をきたし，洞内に滲出液が停滞しこれが感染して発症する．歯性上顎洞炎は，上顎臼歯部の根尖性歯周炎や歯周炎，抜歯時の上顎洞穿孔などの歯科治療に起因して上顎洞内に炎症が波及して発症する．さらに，上顎洞から篩骨洞，前頭洞などのほかの副鼻腔に炎症が波及することもある．

### A 急性歯性上顎洞炎
acute odontogenic maxillary sinusitis

上顎臼歯部の急性根尖性歯周炎，歯槽骨炎や骨膜炎，慢性根尖性歯周炎の急性転化，根管治療用具の上顎洞内突出，抜歯時の上顎洞穿孔，破折歯根の洞内迷入などの歯科処置に起因して発症する．原因歯のある片側性に発症し，頭重感，片頭痛，後鼻漏，鼻閉感，嗅覚の減退，頬部のび漫性腫脹や拍動性疼痛を認める．口腔内は，原因歯の打診痛，歯肉から歯肉頬移行部の発赤・腫脹，圧痛，抜歯窩からの排膿などの症状がみられる．

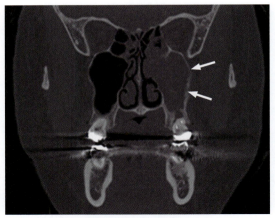

**図6-11 歯性上顎洞炎のCT所見**
左上7番根尖病巣が原因で，左側上顎洞粘膜が肥厚して上顎洞の含気空洞が消失している（矢印）．

診断は，臨床症状，エックス線所見，CT所見から比較的容易である．画像所見で患側上顎洞の不透過像を認め，原因歯と洞底部の近接，根尖の洞内への突出，歯根膜腔の拡大，歯槽硬線の消失，洞底線の消失がみられる（図6-11）．

治療は，抗菌薬や消炎鎮痛薬を投与し，安静，補液，栄養補給を図る．急性症状が強い場合には，原因歯を抜歯して排膿路を確保し，抜歯窩から生理食塩水による洞内洗浄を繰り返して消炎を図る．感染源となった上顎洞内異物は早期に摘出・除去する．症状が回復しない場合は上顎洞根治手術が行われるが，近年は耳鼻咽喉科で内視鏡下での鼻内手術が普及している．経口腔的手術であるCaldwell-Luc法やDenker法が行われることは少なくなっている．

### B 慢性歯性上顎洞炎
chronic odontogenic maxillary sinusitis

急性歯性上顎洞炎に続発して慢性化した場合と，初期から慢性に経過する場合がある．症状は，急性歯性上顎洞炎に比べ軽微で，片側性の頭重感，片頭痛，後鼻漏，鼻閉感，嗅覚異常，眼窩下部の鈍い圧痛を認める．

診断は，エックス線画像において患側の上顎洞にび漫性不透過像がみられる．CT所見では上顎洞粘膜の肥厚がみられる．上顎洞癌，術後性上顎嚢胞，歯原性嚢胞や腫瘍，上顎洞アスペルギルス症，上顎洞粘液嚢胞などとの鑑別が重要である．

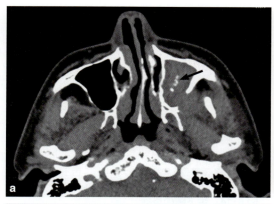
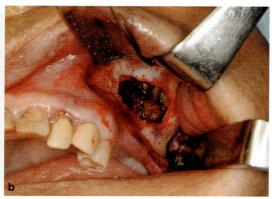
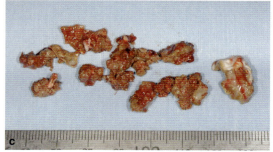

**図 6-12　上顎洞アスペルギルス症**
a：CT 所見．左側上顎洞内に石灰化様の像を認める（矢印）．
b：術中所見
c：上顎洞内容物（fungus ball）

　治療は，原因歯に対する治療（抜歯や根管治療など）を行い，耳鼻咽喉科に対診し，内視鏡下での鼻内手術を検討する．

### C 上顎洞アスペルギルス症
maxillary sinus aspergillosis

　アスペルギルスは自然界に広く分布している真菌の一種である．その病原性は弱く，通常は肺や気管支に日和見感染を起こすことが多い．頭頸部領域では，副鼻腔の中でも上顎洞に好発し，片側性が多く，骨欠損を認めない非浸潤型（non-invasive type）と，組織浸潤・骨破壊を伴い悪性腫瘍との鑑別を要する浸潤型（invasive type），免疫低下状態において急速に進行する電撃型（fulminant type）に分類される．
　症状は，非浸潤型では無症状のことが多いが，浸潤型では腫脹，開口障害，三叉神経痛などの症状を伴う．
　診断は，臨床症状，培養による真菌の分離・同定，病理組織学的所見，PCR 法などにより行われる．特に CT 所見で上顎洞内に石灰化様の濃淡がまだらの像を高率に認める．上顎洞内容物に fungus ball と呼ばれる乾酪状物質を認める（図 6-12）．

## 4 顎骨周囲軟組織の炎症および蜂窩織炎
perimandibular soft tissue inflammation and cellulitis

### A 顎骨周囲軟組織の炎症
perimandibular soft tissue inflammation

　化膿性炎症が，舌下隙，顎下隙，咀嚼筋隙，側咽頭隙（傍咽頭隙）などの筋膜隙に波及し，顎骨周囲軟組織に炎症が拡大する（図 6-13）．
　舌下隙の炎症が主体の場合は，舌下部の口底粘膜の発赤・腫脹が著明で舌が挙上され二重舌を呈する．舌運動が障害されると構音障害や嚥下障害をみることもある（図 6-14）．
　オトガイ下隙が主体の場合は，オトガイ部皮膚の発赤，腫脹，疼痛，局所熱感などを認め，二重オトガイの症状を呈する（図 6-15）．
　顎下隙が主体の場合は，顎下腺周囲の顎下三角部（下顎骨の底部と顎二腹筋の前腹と後腹で囲まれた領域）を中心にび漫性腫脹，皮膚の発赤，局所熱感，疼痛などを認める（図 6-16）．
　顎下隙は後方で咀嚼筋隙や翼突下顎隙，側咽頭隙にも粗な組織で連結しているので，炎症が頭頸部に波及することがある（図 6-17）．咀嚼筋に炎

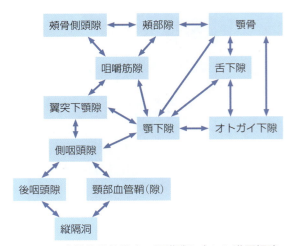

図 6-13　歯性化膿性炎症の組織隙を介した進展経路

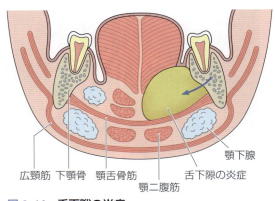

図 6-14　舌下隙の炎症

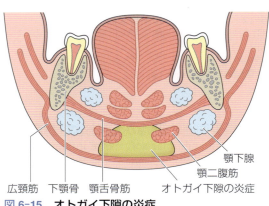

図 6-15　オトガイ下隙の炎症

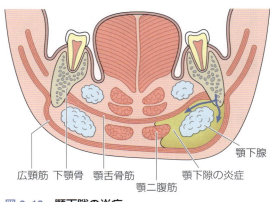

図 6-16　顎下隙の炎症

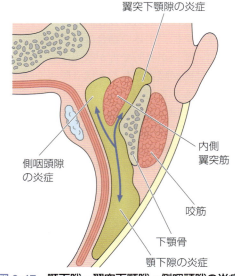

図 6-17　顎下隙・翼突下顎隙・側咽頭隙の炎症

症が波及すると開口障害を生じることがある．咽頭周囲に炎症が進展し，重篤な呼吸困難を生じた場合には気管切開が必要となる．さらに，化膿性炎症が頸部血管鞘（隙）に沿って下行した場合には，胸部皮膚の発赤・腫脹を認めるようになり，縦隔洞へ波及すると致死的な経過をたどることがあるため，迅速で的確な対応が必要となる．

### B 蜂窩織炎
cellulitis

　蜂窩織炎は，化膿性炎症が疎性結合組織間隙にび漫性に波及した状態である．顎口腔領域では，歯性感染症が口腔底部や頸部の疎性結合組織間隙に波及して生じる場合が多い．局所の発赤・腫

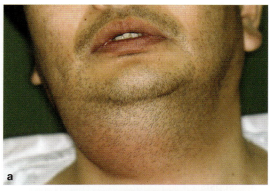
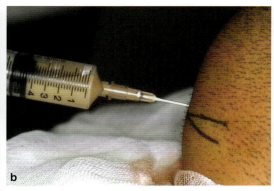
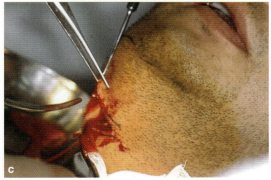

**図 6-18　口底腫脹と蜂窩織炎**
a：口腔外所見（発赤が反対側，舌骨下方にまで及んでいる）
b：穿刺吸引（黄白色の膿汁を吸引），吸引したものを細菌検査・薬剤感受性試験の検体にする．
c：切開排膿（切開後にドレーンを留置して持続的な排膿を図る）

脹，圧痛，開口障害を認め，全身的には高熱や悪寒戦慄を認める．抗菌薬を投与するとともに，適切な時期に膿瘍切開を行い，排膿路を確保することが重要である（図 6-18）．

### C　壊死性筋膜炎
necrotising fasciitis

軽微な外傷や熱傷などを契機に浅層筋膜および周囲皮下脂肪組織を細菌感染の主座として急速に壊死が拡大する重症感染症である．歯性感染も原因となり，頸部軟組織の皮下組織や筋膜に壊死性病変が急速に拡大する．進行すると播種性血管内凝固症候群（DIC）や敗血症を発症し予後不良となる．A群・G群溶血性レンサ球菌，*Staphylococcus* 属，*Aeromonas* 属などが起炎菌となる．嫌気性菌との混合感染が原因となる場合もある．
　診断基準は，①発熱や強い全身倦怠感，②疼痛を伴う紫斑や壊死，③血疱などの特徴的な皮膚所見，④筋膜を含めた軟組織の壊死，⑤軟組織と筋肉の容易な剝離，⑥術中迅速診断と試験穿刺で急性炎症に加えて細菌感染を伴う血栓形成，⑦液状壊死および細菌増生，⑧画像で筋膜

**表 6-4　LRINEC スコア**

| 評価項目 | スコア |
| --- | --- |
| 血清 | CRP≧15 mg/dL（4点） |
| 白血球数 | 15,000〜25,000/μL（1点）<br>もしくは　＞25,000/μL（2点） |
| ヘモグロビン | 11.0〜13.5 g/dL（1点）<br>もしくは　≦11 g/dL（2点） |
| 血清ナトリウム | ＜135 mEq/L（2点） |
| 血清クレアチニン | ＞1.6 mg/dL（2点） |
| 血清ブドウ糖値 | ＞180 mg/dL（1点） |

＜6点：low risk，≧6点：intermediate risk，≧8点：high risk

部への病変の波及とガス像を認めること，などである．これらの所見から総合的に診断する．
　壊死性筋膜炎の予後を左右するのは早期診断と早期治療であり，LRINEC（Laboratory Risk Indicator for Necrotizing Fasciitis）スコア（表 6-4）が早期診断に有用である．
　治療は，早期に広範な壊死組織除去が必須となる．また，抗菌薬とともにγグロブリン大量投与，高圧酸素療法を行う．

## 5 所属リンパ節の炎症

顎口腔領域の化膿性炎症に伴い，リンパ流に従って感染が所属リンパ節（顎下リンパ節，オトガイ下リンパ節，頸部リンパ節）に及び，リンパ節の腫大を認める．

### A 単純性リンパ節炎
### simple lymphadenitis

歯周組織の化膿性炎症に随伴する所属リンパ節の反応性炎症である．リンパ節には可動性で弾性硬の腫脹，圧痛，自発痛，周囲軟組織の浮腫を認める．栄養補給，安静，口腔内清掃，冷罨法，抗菌薬の投与，原発病巣の治療を行う．

### B 化膿性リンパ節炎
### purulent lymphadenitis

急性単純性リンパ節炎からの進行，あるいは慢性リンパ節炎の急性化から化膿を伴うリンパ節炎に移行したものである．症状は，著明な自発痛，圧痛，38℃前後の発熱，全身倦怠感，リンパ節周囲のび漫性腫脹，発赤，熱感などがみられる．さらに炎症が拡大すると膿瘍を形成し，自潰し瘻孔を形成する．安静，栄養補給，口腔清掃，抗菌薬投与，膿瘍切開，急性症状緩解後の原発病巣の治療を行う．

### C 慢性リンパ節炎
### chronic lymphadenitis

急性リンパ節炎からの移行や，歯周組織の慢性炎症から発症する．リンパ節の腫大を認め，リンパ節は硬く，無痛性である．原発病巣の治療を行う．

## 6 歯性全身感染症
### odontogenic systemic infection

### A 菌血症
### bacteremia

菌血症とは，本来無菌である末梢血中に細菌が存在する状態のことである．抜歯などの口腔外科処置のみならずプロービング，スケーリング，SRP，PMTC（professional mechanical tooth cleaning）などでも，口腔常在菌が血中へ侵入して一過性に菌血症が生じるリスクがある．また，口腔衛生状態が不良な患者や，歯周組織や顎骨に化膿性炎症のある患者では，病原微生物が血液に侵入して頻繁に菌血症を生じる．健常者であれば体内の感染防御機能によって血液中の細菌は処理されるが，宿主の全身状態により動脈硬化症，虚血性心疾患，感染性心内膜炎などの発症リスクとなる．

### B 敗血症
### sepsis

敗血症は，感染症によって重篤な臓器障害が引き起こされる状態と定義される．感染症に伴う生体反応が生体内で調節不能な状態となった病態であり，生命を脅かす臓器障害を引き起こす．従来，敗血症は感染症による全身性炎症反応症候群（SIRS）と定義されていたが，近年ではSIRS基準を満たさない感染症においても臓器障害の進展がある場合には敗血症と診断される．また，敗血症性ショックは，急性循環不全により細胞障害および代謝異常が重度となり，ショックを伴わない敗血症と比べて死亡の危険性が高まる状態と定義される．

敗血症のスクリーニングには，quick SOFAスコアが用いられる．これは，①意識変容，②呼吸数≧22回/分，③収縮期血圧≦100 mmHgの3項目で構成される．感染症あるいは感染症が疑われる状態において，quick SOFAの2項目以上が満たされる場合に敗血症を疑い，早期に治療を開始する．また，SOFA（sequential organ failure assessment）スコア（表6-5）の合計が2点以上変化した場合に敗血症と診断する．

敗血症の診療において，原因となる病原微生物の同定がきわめて重要であり，適切な治療にもつながるため，敗血症が疑われたら抗菌薬投与前に血液培養を2セット以上採取することが推奨されている．

### C 全身性炎症反応症候群
### SIRS（systemic inflammatory response syndrome）

SIRSは，感染，外傷，熱傷，外科手術などの侵襲に対応して免疫担当細胞から血中に放出された大量の炎症性サイトカインによる高サイトカイン血症から，発熱，頻脈，頻呼吸，白血球増多な

表 6-5 SOFA スコア

| スコア | 0 | 1 | 2 | 3 | 4 |
|---|---|---|---|---|---|
| 意識<br>　GCS | 15 | 13〜14 | 10〜12 | 6〜9 | <6 |
| 呼吸<br>　$PaO_2/FIO_2$(mmHg) | ≧400 | <400 | <300 | <200 および呼吸補助 | <100 および呼吸補助 |
| 循環 | 平均血圧≧70 mmHg | 平均血圧<70 mmHg | ドパミン<5μg/kg/分あるいはドブタミンの併用 | ドパミン5〜15μg/kg/分あるいはノルアドレナリン≦0.1μg/kg/分あるいはアドレナリン≦0.1μg/kg/分 | ドパミン>15μg/kg/分あるいはノルアドレナリン>0.1μg/kg/分あるいはアドレナリン>0.1μg/kg/分 |
| 肝<br>　血漿ビリルビン値<br>　（mg/dL） | <1.2 | 1.2〜1.9 | 2.0〜5.9 | 6.0〜11.9 | ≧12.0 |
| 腎<br>　血漿クレアチニン値<br>　尿量(mL/日) | <1.2 | 1.2〜1.9 | 2.0〜3.4 | 3.5〜4.9<br><500 | ≧5.0<br><200 |
| 凝固<br>　血小板数(×$10^3$/μL) | ≧150 | <150 | <100 | <50 | <20 |

どの全身的な急性炎症反応を生じ，さらに好中球や凝固系が活性化されている状態である．

SIRS の診断基準は，臨床的で簡便であり迅速に診断が可能であるため，重症患者のスクリーニングとして広く浸透している（詳細は ➡ p.59 の SIRS を参照）．SIRS の重症化と遷延化が生じると，各種の炎症性サイトカイン，好中球，凝固系などが活性化され臓器障害の原因となる．

### D 歯性病巣感染
dental focal infection

歯性病巣感染とは，歯に関連した細菌感染による慢性限局性炎症（感染根管，根尖性歯周炎，歯根嚢胞，辺縁性歯周炎，慢性顎骨骨髄炎など）が原因となり，細菌毒素や免疫系を介した炎症物質の影響により，歯とは離れた臓器に二次疾患が生じることである．特に近年では歯周病の炎症性物質（IL-1 や TNF など）を介した全身への影響が注目されている．

二次疾患としては，循環器疾患（心内膜炎，心筋炎，動脈硬化，静脈炎），リウマチ性疾患，泌尿器疾患（腎臓炎，腎盂炎），血液疾患（白血球減少症，赤血球減少症，貧血），眼疾患（脈絡膜炎，角膜炎，視神経炎），皮膚疾患（掌蹠膿疱症，湿疹，単純ヘルペス，蕁麻疹），神経疾患（神経痛，神経炎），呼吸器症状（虫垂炎，胆嚢炎，十二指腸潰瘍），呼吸器疾患（肺炎，肺壊疽）が挙げられる．

### E 感染性心内膜炎
IE（infective endocarditis）

感染性心内膜炎（IE）は，弁膜や心内膜，大血管内膜に細菌集簇を含む疣腫を形成し，菌血症，血管塞栓，心障害などの多彩な臨床症状を呈する．IE はそれほど頻度の高い疾患ではないが，適切な治療により奏効しなければ多くの合併症を引き起こし，死に至る重篤な疾患である．

IE 発症には，弁膜疾患や先天性心疾患に伴う異常血流の影響や，人工弁置換術後に生じた非細菌性血栓性心内膜炎（NBTE；nonbacterial thrombotic endocarditis）が重要と考えられている．尿路感染症，肺炎，蜂窩織炎，侵襲的歯科治療などの菌血症を誘発する感染症も，IE 発症のリスク因子である．IE の病像は多岐にわたるため，素因，発症契機，症状，画像診断，血液培養所見，臨床経過などを総合的に判断して診断を確定するが，修正 Duke 診断基準が参考となる．これは，臨床基準と病理学的基準からなり，臨床基準はさらに，血液培養所見と心エコー所見からなる大基準と 5 つの臨床所見からなる小基準に分かれる．満たす項目とその数により，確診，可能性，否定

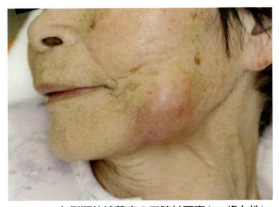

**図 6-19** 左側顎放線菌症の口腔外写真（85歳女性）
〔小畑協一，他：下顎に発生した顎放線菌症の1例—本邦における顎放線菌症の過去集計と現状との比較検討．日口内誌 23：23-27，2017 より〕

的と判断される．

　高リスク心疾患者では予防的抗菌薬投与が推奨されており，中等度リスク心疾患者においても予防的抗菌薬投与を提案するとされている．抗菌薬は，アモキシシリン2gの術前1時間以内の経口単回投与が推奨されている．

　感染性心内膜炎の治療は循環器内科および心臓血管外科的な治療となるが，血液培養検査で口腔細菌が検出された場合は，口腔内スクリーニングおよび原因菌の加療のために，歯科受診が強く推奨される．

## B 肉芽腫性炎

### 1 放線菌症
actinomycetes

　放線菌症は，口腔内に常在する通性嫌気性である放線菌（*Actinomyces israelii*）やその他の *Actinomyces* 属細菌によって引き起こされる化膿性肉芽腫性疾患である．開口障害や板状硬結，多発性膿瘍といった特徴的な症状を有する肉芽腫性炎である．

**頻度**

　抗菌薬が発達する以前は高頻度に認められる難治性疾患であったが，近年典型的な症状を呈す症例が少なくなり，また症例数自体も減少傾向にある．女性より男性のほうが約2倍高く，青壮年期に多い傾向にあるが近年は高齢化を認める．

**症状**

　症状は慢性に経過し，頰部，耳下腺咬筋部，顎下部に腫脹と板状硬結をきたし，強度の開口障害（牙関緊急）を生じる．皮膚表面は発赤し，やがて赤紫色となる（図6-19）．硬結部は徐々に軟化し，多発膿瘍を形成して自壊し多発瘻孔を形成する．膿汁には淡黄色の菌塊（druse）を認める．顎骨が侵されると骨髄炎を起こす．頭頸部の放線菌症は増大傾向を示す硬結性腫瘤を呈するため，しばしば悪性腫瘍と鑑別困難な場合がある．

**発生機序**

　口腔内に無害性に存在し，抜歯や歯周病，根尖病巣などの歯性感染によって宿主の抵抗が失われると病原性を発揮し，内因性感染として放線菌症を起こす．局所感染が起こり粘膜バリアの破綻が起こると，放線菌は緩徐に組織面を破壊して隣接組織に波及する．原因歯は下顎臼歯部に多く，特に下顎第三大臼歯が最も多い．

**診断**

　確定診断には，膿汁から放線菌の同定や病理学的に特徴的な菌塊の証明が必要である．検体の汚染や抗菌薬加療が行われていることも少なくなく，培養陽性率は20〜50％程度と低いため，病理組織学的検査で診断がつくことが多い．生検によりヘマトキシリン好性の菌糸からなる不定形の菌塊表面にエオジン好性の棍棒体を認め，その先端には好中球が付着する（図6-20）．

**治療**

　広範な線維化傾向が強く比較的脈管に乏しいために薬剤の組織内移行が悪く，治療は症状と徴候が消失するまで第一選択の高用量のペニシリン投与と，外科的加療を併用することも少なくない．口腔領域は歯性感染症で混合感染が多いため，アンピシリン・スルバクタム（ABPC/SBT）点滴静脈内投与後，アモキシシリン（AMPC）経口投与に切り替える．第二選択は，セフトリアキソン（CTRX）もしくは，クリンダマイシン（CLDM）点滴静脈内投与後に経口投与を行う．

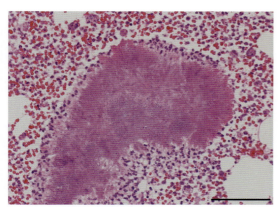

図 6-20　生検による放線菌塊（bar：100 μm）
〔小畑協一，他：下顎に発生した顎放線菌症の1例―本邦における顎放線菌症の過去集計と現状との比較検討．日口内誌 23：23-27，2017 より〕

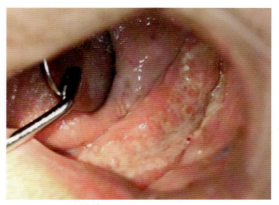

図 6-21　口腔結核
〔岡山大学　伊原木聰一郎先生，小畑協一先生　提供〕

 結核
tuberculosis

　結核は，結核菌（*Mycobacterium tuberculosis*）の主に気道を介した飛沫感染による感染症である．結核症は，肺内に病巣を形成する肺結核だけではなく，肺内病巣から結核菌が管内性，血行性，リンパ行性に播種して，全身に結核病巣を形成する．口腔粘膜に潰瘍を形成する口腔結核（oral tuberculosis）と，頸部リンパ節腫脹をきたす結核性リンパ節炎（tuberculous lymphadenitis）がある．結核は2類感染症であり，診断した医師はただちに最寄りの保健所に届け出なければならない．

### 頻度

　口腔結核は，初期結核症はきわめてまれであり，ほとんど二次結核症である．二次結核症とは，初感染から数か月〜数十年を経て発病してくる結核症であり，気管支や消化管，尿管などの管内を伝わって菌の散布が起こるのが特徴である．
　頸部は結核性リンパ節炎の好発部位で，全身リンパ節結核の約90％を占め，肺結核以外の結核としては最も多い．

### 症状

**口腔結核**
　結核結節（舌や歯肉に比較的小さく硬い結節），易出血性で難治性の表在性穿掘性潰瘍（辺縁が鋸歯状，灰白色偽膜に覆われ強い接触痛）を認める（図 6-21）．

**結核性リンパ節炎**
　顎下部から頸部のリンパ節腫脹を認める．リンパ節は無痛性弾性硬の可動性腫脹で，多発性の頸部リンパ節の腫脹を「るいれき（瘰癧）」という．
・初期腫脹型：1〜数個の頸部リンパ節腫脹．
・浸潤型：リンパ節周囲炎が起こると，周囲との癒着のため可動性が乏しくなり，腺塊形成，自発痛，圧痛を伴う．
・硬化型：腺塊は弾力性を失い硬くなる．
・膿瘍型：リンパ節の中心壊死が起こり膿瘍化し，強い疼痛をきたし，浅在型の場合は発赤を示す．
・潰瘍瘻孔型：膿瘍が自潰し，瘻孔を形成する．

### 発生機序

**口腔結核**
　肺の初期感染，数か月から数十年後排菌された結核菌が破綻した口腔粘膜に侵入し，局所で増殖発病する．

**結核性リンパ節炎**
　結核菌が，肺門リンパ節，縦隔リンパ節からリンパ行性，血行性に，あるいは口腔，扁桃，咽頭，喉頭粘膜などの微小病変からリンパ行性に播種して発生する．

### 診断

　臨床所見と生検，胸部エックス線撮影，塗抹染色法〔蛍光法とZiehl-Neelsen（チール・ネルゼン）法〕，分離培養法，抗酸菌同定法，核酸増幅法（polymerase chain reaction；PCR）法がある．補助的診断としてインターフェロンγ遊離試験（interferon-γ release assay；IGRA）があり，ツベルクリン反応では鑑別不可能であったBCGによる

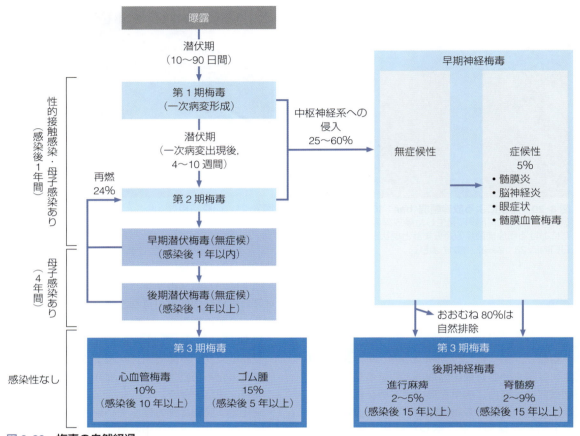

**図 6-22　梅毒の自然経過**
〔Radolf JD, et al：Syphilis (Treponema pallidum). In: Bennett JE, et al(eds)：Mandell, Douglas, and Bennett's Principles and Practice of Infectious Disease. 9th ed, Elsevier, 2020: 2865-2892. より改変〕

抗結核免疫獲得者と真の感染者の鑑別が可能である．IGRA には，クオンティフェロン®TB ゴールドプラス（QuantiFERON®-Plus）検査および T-スポット®TB 検査がある．

**治療**

治療は化学療法が主体であるが，膿瘍型と潰瘍瘻孔型では外科療法と化学療法との併用が必要となる．リファンピシン（RFP）もしくはリファブチン（RBT），イソニアジド（INH），ピラジナミド（PZA）3 剤とエタンブトール（EB）もしくはストレプトマイシン（SM）いずれか 1 剤を併用する．

### 3　口腔梅毒
syphilis

梅毒は Treponema pallidum の感染によって発症する代表的性感染症で，妊娠期梅毒の妊婦からの胎内感染が推定される先天梅毒と，主として性交渉による後天梅毒に分類される．梅毒は 5 類感染症であり，医師は先天性梅毒，梅毒の確定患者，無症状病原体保有者，死亡者を保健所に 7 日以内に届け出る（図 6-22）．

#### A　先天梅毒
congenital syphilis

**頻度**

感染した母親から胎児への伝播リスクは 60～80％で，その可能性は妊娠後半に高くなる．

**症状**

**早期先天梅毒**

一般的に生後 3 か月以内に発症し，特徴的な皮膚病変，リンパ節腫脹，肝脾腫，血液が混入した

鼻汁，口周囲の亀裂，髄膜炎，水頭症，知的障害，骨軟骨炎を認める．

### 晩期先天梅毒

通常，生後2年以降に発症し，角膜実質炎，感音難聴，鞍鼻（鼻，鼻中隔を侵すゴム腫性潰瘍），Hutchinson歯（永久切歯および犬歯切縁が陥凹），桑実状臼歯（上下第一大臼歯，第二乳白歯の咬頭発育不全），口唇周囲の放射状瘢痕（Parrot凹溝）を生じる．

## B 後天梅毒

臨床的に3つの病期に区別され，それらの間には無症状の潜伏期がみられることを特徴とする．

### 頻度

2011〜2018年に継続して報告数が増加，2019〜2020年は減少に転じたが2021年以降大きく増加している（2024年1月，年間14,906人と報告）．感染から1年未満の梅毒患者と，性交渉した際の感染率は約30％と推定されている．

### 症状

#### 第1期

初感染後3か月くらいまでで，Treponema pallidumが侵入部位に無痛性の初期硬結が生じ，やがて硬性下疳（固い基底部を伴う無痛性潰瘍）となり，3〜6週で自然軽快する．所属リンパ節に圧痛を伴わない腫脹，硬化を認める．好発部位は口唇または口腔，陰茎，外陰，会陰，子宮頸部，肛門，直腸である．

#### 第2期

感染後1〜3か月後（第1期の数週間から数か月後）に発生する．Treponema pallidumは血流を介して拡散し，80％以上の患者で広範囲の粘膜皮膚病変と，約半数は圧痛を伴わない硬結したリンパ節腫脹が生じるほか，10％の患者ではほかの臓器にも症状が生じる．口腔粘膜に紅斑性結節性の梅毒疹，難治性潰瘍，皮膚に紅斑性梅毒疹（バラ疹）がみられる．扁平コンジローマは口腔，咽頭，喉頭，陰茎，外陰，または直腸にできる肥大した扁平な淡いピンクまたは灰色の丘疹できわめて感染性が強い．ほかの臓器では眼（ぶどう膜炎），骨（骨膜炎），関節，髄膜，腎臓（糸球体炎），肝臓（肝炎），脾臓などが侵される．

#### 第3期

感染未治療者の1/3が晩期梅毒を発症するが，初回感染から何年，何十年と経たないと発症しない．ゴム腫は軟性の破壊的な炎症性腫瘤であり，通常感染の3〜10年以内に発生し，皮膚，骨および内臓を侵しうる．ゴム腫は融合拡大し，中央部が融解崩壊してゴム腫性潰瘍を形成する．上顎口蓋骨が破壊されると鼻腔に大きな穿孔を生じ，鼻，鼻中隔が侵されると鞍鼻，舌に生じると硬化性舌炎を生じる．その他，骨病変，心血管梅毒または神経梅毒を生じる．

### 発生機序

主に性交渉，感染部位と粘膜・皮膚との接触により感染する．感染伝播は通常，性的接触（性器と性器，口腔と性器および肛門と性器など）により起こるが，皮膚接触や胎盤を介した非性的な伝播も起こる可能性があり，経胎盤感染では先天梅毒を引き起こす．

### 診断

カルジオリピンに対する抗体価（非トレポネーマ抗原による検査：VDRL，RPR，自動化法）が上昇し，次いでTreponema pallidumに対する特異的抗体価（トレポネーマ抗原による検査：FTA-ABS，TPHA，TPLA）が上昇する．抗カルジオリピン抗体価は治療に反応して低下するため，治療効果の判定にも利用される．

### 治療

ペニシリン系などの抗菌薬が有効であり，治療内容は病期などを考慮して決定する．2021年にベンジルペニシリンベンザチン筋注製剤が承認され，早期梅毒，後期梅毒，早期先天梅毒に適応があるが，神経梅毒の治療には使用されない．

## 4 サルコイドーシス
sarcoidosis

サルコイドーシスとは多臓器に類上皮細胞肉芽腫が形成される原因不明の全身疾患で，1869年に皮膚科医のHutchinsonによって最初に皮膚病変として報告された．主な症状は，肺病変，眼病変，皮膚病変，神経合併症は顔面神経，視神経の障害が多い．

### 頻度

日本における2004年の発症率は10万人あたり男性0.73人，女性1.28人とやや女性に多い．発症年齢は男性が20〜24歳にピークをもつ一峰

性，女性は20〜24歳と55〜59歳の二峰性のピークだが，近年では男女とも高齢化が進んできている．日本人では呼吸器病変86％，眼病変54.8％，皮膚病変35.4％，心病変23％，神経系の障害7.2％，Heerfordt症候群0.3〜1％程度と報告されている．

**症状**

呼吸器(咳，痰，息切れ)，眼(霧視，飛蚊症，視力低下)，皮膚(皮疹)，心臓(不整脈，心電図異常，動悸，息切れ)，神経(脳神経麻痺，頭痛，意識障害，運動麻痺，失調，感覚障害)を主とする全身のいずれかの臓器の臨床症状あるいは臓器非特異的全身症状(慢性疲労，慢性疼痛，息切れ，発熱，寝汗，体重減少)を伴う．

**合併症**

自己免疫疾患(Sjögren症候群，関節リウマチ，強皮症)，悪性腫瘍(肺癌，リンパ腫)，感染症(副腎皮質ステロイド薬投与患者)，肺高血圧症がある．

**Heerfordt(ヘールフォルト)症候群**

耳下腺腫脹，ぶどう膜炎，顔面神経麻痺の主症状と発熱で特徴づけられるサルコイドーシスのまれな一表現型．上記3主徴と発熱(多くは微熱)がすべて揃った場合を完全型，3症状のうち2症状と発熱を伴ったものを不全型という．

**発生機序**

サルコイドーシスは過剰な免疫反応であると考えられているが，その原因は不明のままである．遺伝的素因を背景とした，なんらかの抗原に対する免疫反応(Ⅳ型アレルギー)でHLA(human leukocyte antigen)の関与，原因微生物としては，結核菌やアクネ菌(Cutibacterium acnes)の関与が示唆されている．サルコイドーシスに伴う顔面神経麻痺は耳下腺内または顔面神経管内で肉芽組織性炎症，血管周囲炎の波及による．

**診断**

サルコイドーシスは指定難病であり，2015年に診断基準が改訂された．組織診断群は，壊死を伴わない類上皮細胞肉芽腫が病理学的に確認され，かつ既知の原因の肉芽腫および局所サルコイド反応を除外できるものである．一方，臨床診断基準は病理学的に類上皮細胞肉芽腫病変は証明されないが，呼吸器，眼，心臓の3臓器中のうち2臓器以上において本症を強く示唆する臨床所見を認

**表6-6 サルコイドーシスの特徴的検査所見(2015年診断基準)**

| |
|---|
| ① 両側肺門縦隔リンパ節腫脹 |
| ② 血清アンジオテンシン変換酵素(ACE)活性高値または血清リゾチーム値高値 |
| ③ 血清可溶性インターロイキン-2受容体(sIL-2R)高値 |
| ④ Gallium-67 citrateシンチグラム($^{67}$Gaシンチグラム)またはfluorine-18 fluorodeoxyglucose PET($^{18}$F-FDG/PET)における著明な集積所見 |
| ⑤ 気管支肺胞洗浄検査でリンパ球比率上昇，CD4/CD8比が3.5を超えて上昇 |

〔日本サルコイドーシス/肉芽腫性疾患学会：サルコイドーシス診療の手引き2020より〕

め，かつ特徴的検査所見(表6-6)の5項目中2項目以上を満たすものである．特徴的検査所見のほかに合併症としてぶどう膜炎がある．ただし臨床診断基準については類似の臨床所見を呈する疾患を十分に鑑別することが重要である．

顔面神経麻痺を伴う疾患の鑑別に，Bell麻痺，Ramsay Hunt症候群，腫瘍，Melkersson-Rosenthal症候群などがある．

**治療**

自然寛解が期待できるため，症状が軽微である場合には経過観察することも可能である．しかし，臓器障害，生命予後に関わる重症例に対してはステロイド治療が選択される．

## ❺ Hansen(ハンセン)病

Hansen病とは，抗酸菌の一種 *Mycobacterium leprae* によって引き起こされ，皮膚と末梢神経に主病変の現れる慢性疾患である．1996年まで続いた「らい予防法」は，Hansen病について療養所を中心とした隔離をその基本としていたが，1996年に制定された廃止法によって一般医療機関による外来治療へと治療方針が大きく転換された．

**頻度**

2019年に全世界で約20万人が新規感染者として登録された．わが国の年間の新規患者は外国人が5人前後，日本人が0〜1人である．

**症状**

顔面・上下肢の皮疹，末梢神経炎の結果生じる感覚障害，感覚鈍麻のため外傷や熱傷による組織損傷，顔面神経障害(下眼瞼下垂，兎眼，口角下垂)，自律神経麻痺(発汗や皮脂分泌障害)，四肢

図 6-23　**病型・らい反応・宿主免疫の関係**
2つの主要な病型（少菌型と多菌型），細胞性免疫反応が主体の皮膚の紅斑や腫脹，末梢神経の圧痛を特徴とする1型らい反応（境界反応），抗原抗体反応が主体の皮膚の発赤を伴う硬結，結節が多発する2型らい反応（らい性結節性紅斑）を示す．

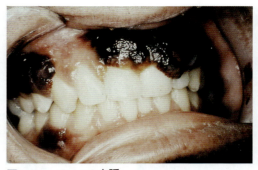

図 6-24　**Kaposi 肉腫**
〔山陽小野田市民病院　篠原文彦先生　提供〕

の変形や筋肉の萎縮，体表の神経肥厚を認める．

**発生機序**

感染様式は主に飛沫による経気道感染で，免疫能が完全でない乳幼児期にらい菌に頻回にさらされ，数年から数十年の潜伏期を経て発症する（図6-23）．

**診断**

以下の4項目を評価し，総合的に判断し診断する．
・知覚の障害を伴う皮疹
・末梢神経の肥厚や運動障害
・*Mycobacterium leprae* の検出
・病理組織検査

**治療**

WHO が推奨するリファンピシン（RFP），ジアフェニルスルホン（DDS），クロファジミン（CLF）の多剤併用療法を開始する．Hansen 病患者の 15〜20％ に眼の症状を認めるため，眼科との連携が必要となる．

## C　顔面口腔領域に症状がみられる感染症

特徴的疾患を以下に掲げるが，併せて唾液腺疾患（→p.351），口腔粘膜疾患（→p.374）の章を参照されたい．

### 1　AIDS（後天性免疫不全症候群）

1981 年米国で初めて報告された．HIV は CD4 陽性 T リンパ球やマクロファージに感染するレトロウイルス科に属する RNA ウイルスである．増殖すると上記の免疫細胞が減少し，日和見感染を起こしやすくなり，種々の疾病を発症する．性感染症の1つとみなされている．種々の日和見感染，日和見腫瘍を併発する．口腔症状は，潜伏しているウイルス感染の再燃として口腔毛様白板症（Epstein-Barr ウイルス感染），帯状疱疹，単純ヘルペスが比較的早期にみられ，続いて口腔カンジダ症，口内炎，歯周炎，Kaposi（カポジ）肉腫（図6-24）などが出現する．

### 2　流行性耳下腺炎（おたふくかぜ）

ムンプスウイルスの感染による伝染性の急性唾液腺炎で，唾液やくしゃみによる飛沫，接触で広がる．好発年齢は 5〜9 歳で不顕性感染も多いが，顔面口腔症状としては，全身倦怠感や嘔吐，発熱などの全身症状が先行し，両側耳下腺あるいは顎下腺の自発痛を伴う急速な腫脹を生じる．

### 3　手足口病

コクサッキーウイルス（Coxsackie virus）A 群，エンテロウイルス（enterovirus）71 を病原体とし，小児を中心として，主に夏期に飛沫，接触による感染で広がる．一部に発熱を認め，口腔粘膜，手のひら，足底や足背などに 2〜3 mm の水

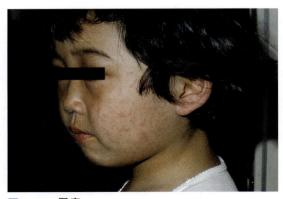

**図 6-25　風疹**
〔山陽小野田市民病院　篠原文彦先生　提供〕

疱性発疹が出現する．同じコクサッキーウイルスA群を原因とするヘルパンギーナは，突発的な高熱と咽頭痛を伴う口腔咽頭周囲の水疱を特徴とし，ともに夏風邪として注意が必要である．

### 4　風疹（図 6-25）

風疹ウイルスによる感染が原因となる．小児のみならず成人の感染症としても重要である．発熱や倦怠感，リンパ節腫脹が先行し，続いて顔面・頸部の発疹が出現し全身に拡大する．リンパ節腫脹は耳介後部や後頸部，後頭部の腫脹が特徴で，血小板減少性紫斑病や脳炎を合併することがある．

### 5　破傷風

破傷風菌による感染が原因となる．通常，土壌や動物の糞中に生息しており，汚染創などを介して芽胞が侵入し，外毒素によって顎（最も頻度が高い）・頸部・四肢の強直，開口障害，嚥下困難，強直性けいれん，咽頭痛などが引き起こされる．顔面筋れん縮による痙笑が特徴的顔貌所見で，些細な刺激で増強される．

### 6　結核（→p.217）

### 7　梅毒（→p.218）

● 文献

［総論］
[E. 感染症，F. 臨床症状と診断，G. 炎症の治療]
1) 久保田英朗：炎症．内山健志，他（編）：標準口腔外科学，第4版，pp197-201，220-222，医学書院，2015．
2) 金子明寛：歯性感染症の細菌学．歯薬療法 34：85-93，2015．
3) 矢田純一，他（監訳）：イラストレイテッド免疫学 原著3版，pp250-256，丸善出版，2023．
4) 久保田英朗：アレルギーと自己免疫疾患．山根源之，他（編）：口腔内科学，第3版，pp293-295，永末書店，2023．
5) 重石英生，他：顎口腔の炎症．白砂兼光，古郷幹彦（編）：口腔外科学，第4版，pp151-172，医歯薬出版，2020．
6) 古森孝英，他：感染症．又賀泉，他（編）：最新口腔外科学，第5版，pp187-190，医歯薬出版，2017．
7) MSDマニュアル プロフェッショナル版．https://www.msdmanuals.com/ja-jp/（2024年2月閲覧）

［各論］
[A. 歯性感染症]
1) 日本歯周病学会（編）．歯周治療のガイドライン2022．医歯薬出版，2022．
2) 薬剤関連顎骨壊死の病態と管理：顎骨壊死検討委員会ポジションペーパー 2023．https://www.jsoms.or.jp/medical/pdf/2023/0217_1.pdf．(2024年2月閲覧)
3) McGill T J, et al：Fulminant aspergillosis of the nose and paranasal sinuses：a new clinical entity．Laryngoscope 90：748-754，1980．
4) 豊田徳子，他：壊死性筋膜炎の診断・予後評価におけるLaboratory Risk Indicator for Necrotizing Fasciitis (LRINEC score)の有用性．日皮会誌 120：2407-2414，2010．
5) 日本集中治療医学会，他（編）：日本版敗血症診療ガイドライン2020．日本集中治療医学会雑誌 28：Supplement，2021．
6) American College of Chest Physicians/Society of Critical Care Medicine Consensus Conference：definitions for sepsis and organ failure and guidelines for the use of innovative therapies in sepsis．Crit Care Med 20：864-874，1992．
7) 日本循環器学会ほか：感染性心内膜炎の予防と治療に関するガイドライン（2017年改訂版）．2019．https://www.j-circ.or.jp/cms/wp-content/uploads/2020/02/JCS2017_nakatani_h.pdf(2024年2月閲覧)

[B. 肉芽腫性炎]
1) 榎本昭二，他（監修）：最新口腔外科学，第5版．pp206-209，p386，医歯薬出版，2017．
2) 野間弘康，他（監修）：標準口腔外科学，第4版．

pp219-220, 医学書院, 2015.
3) 放線菌症. サンフォード感染症治療ガイド 2022. ライフサイエンス出版
4) Wong VK, et al：Actinomycosis. Review BMJ 343：d6099, 2011.
5) 積山幸祐, 他：鼻腔放線菌症例. 日鼻誌 53：566-571, 2014.
6) 小畑協一, 他：下顎に発生した顎放線菌症の1例―本邦における顎放線菌症の過去集計と現状との比較検討. 日口内誌 23：23-27, 2017.
7) 日本結核病学会抗酸菌検査法治療委員会(編)：「結核医療の基準」の改訂― 2018年. 結核 93：61-68, 2018.
8) 日本結核・非結核性抗酸菌症学会教育・用語委員会：全身の結核. 結核症の基礎知識 改訂第5版. 結核 96：110-113, 2021.
9) 荒川創一：シリーズ診療ガイドライン at a glance. 梅毒診断ガイド. 日内会誌 108：2518-2523, 2019.
10) Golden MR, et al：Update on syphilis：resurgence of an old problem. JAMA 290：1510-1514, 2003.
11) 国立感染症研究所：日本の梅毒症例の動向について (2024年1月5日現在). https://www.niid.go.jp/niid/ja/syphilis-m/syphilis-trend.html(2024年1月閲覧)
12) 日本性感染症学会梅毒委員会梅毒診療ガイド作成小委員会(委員長：荒川創一), 厚生労働科学研究「性感染症に関する特定感染症予防指針に基づく対策の推進に関する研究」班(研究代表者：三鴨廣繁)：梅毒診療ガイド. 2018. http://jssti.umin.jp/pdf/syphilis-medical_guide.pdf(2024年2月閲覧)
13) Sève P, et al：Sarcoidosis：a clinical overview from symptoms to diagnosis. Cells 10：766, 2021.
14) 日本サルコイドーシス/肉芽腫性疾患学会：サルコイドーシス診療の手引き2020, 2021. https://www.jssog.com/journal#journal-guide(2024年2月閲覧)
15) 武村民子：サルコイドーシスの歴史的背景. 全身疾患としての病理像の多様性. 日サ会誌 41：19-31, 2021.
16) 和田匡史, 他：サルコイドーシスに伴う顔面神経麻痺症例の検討. Facial N Res Jpn 25：111-113, 2005.
17) 檜山桂子：サルコイドーシスの治療法と予後, ステロイド療法の適応症例の選択. 日本臨牀 60：1827-33, 2002.
18) 渡邉良亮, 他：サルコイドーシス. JOHNS 39：195-198, 2023.
19) 森 雅裕：神経サルコイドーシス. 日本臨牀 80(増刊号5)：509-512, 2022.
20) 丸山和一：眼サルコイドーシスの特徴的所見による診断と治療について. 日本サルコイドーシス/肉芽腫性疾患学会雑誌 42：29-32, 2022.
21) 山口哲生, 他：サルコイドーシス病因論に関する文献的考察. 日サ会誌 40：17-26, 2020.
22) 後藤正道, 他：WHOのハンセン病診断治療予防ガイドライン2018年について. 日本ハンセン病学会雑誌 90：35-39, 2021.
23) 北島信一, 他：WHOのハンセン病専門委員会第8回報告書について. 1998年版との比較. 日本ハンセン病学会雑誌 83：14-19, 2014.
24) 後藤正道, 他：ハンセン病治療指針(第3版). 日本ハンセン病学会雑誌 82：141-182, 2013.
25) World Health Organization：WHO Expert Committee on Leprosy. World Health Organ Tech Rep Ser 968：1-61, 2012.
26) 山口さやか(監修), 細川直登：ハンセン病：今日の臨床サポート. 2022. https://clinicalsup.jp/jpoc/contentpage.aspx?diseaseid=179#ID0011(2024年2月閲覧)

# 第7章 囊胞

## 総論

### A 囊胞の概念と定義

　囊胞は非上皮性組織内に発生し，上皮組織で裏装された線維性結合組織からなる，壁を有する袋状の病変である．囊胞の内部には種々の液状ないし半流動状の内容物が含まれている．これに対し，壁が上皮によって裏装されていない病変を偽囊胞と呼ぶ．

### B 囊胞の分類

　顎口腔領域の囊胞は，顎骨内に発生する顎骨囊胞と軟組織に発生するものに大別される．顎骨囊胞は，WHO分類（第2版，1992年）で発育性囊胞と炎症性囊胞に分類された．発育性囊胞は，囊胞上皮が歯胚に関連する歯原上皮やその残遺に由来するものを歯原性囊胞とし，それ以外のものは非歯原性囊胞に分類されている．炎症性囊胞は，炎症により反応性に生じる囊胞である．WHO新分類（第4版，2017年）では，2005年のWHO分類（第3版）で腫瘍に分類されていた角化囊胞性歯原性腫瘍と石灰化囊胞性歯原性腫瘍が，それぞれ歯原性角化囊胞と石灰化歯原性囊胞として囊胞へ再分類された（表7-1）．

## C 一般的症状と診断

### 1 囊胞の一般的症状

　顎骨囊胞は無痛性で発育も緩慢であるため無自覚に進行することが多く，エックス線写真によって偶然発見されることも少なくない．しかし，囊胞が増大すると骨膨隆が生じ，骨皮質骨が薄くなるために羊皮紙様感や歯の傾斜など歯列の異常を生じる．また，二次的に感染した場合には，腫

表7-1 囊胞の分類

| 1. 顎骨部に発生する囊胞 | | |
|---|---|---|
| a. 発育性囊胞 | | |
| | 1）歯原性囊胞 | （1）歯原性角化囊胞 |
| | | （2）正角化性歯原性囊胞 |
| | | （3）含歯性囊胞 |
| | | （4）萌出囊胞 |
| | | （5）歯肉囊胞 |
| | | （6）側方歯周（歯根膜）囊胞 |
| | | （7）腺性歯原性囊胞 |
| | | （8）石灰化歯原性囊胞 |
| | 2）非歯原性囊胞 | （1）鼻口蓋管囊胞 |
| b. 炎症性囊胞 | | （1）歯根囊胞・残留囊胞 |
| | | （2）炎症性傍側性囊胞（歯周囊胞） |
| c. 上顎洞の囊胞 | | （1）術後性上顎囊胞 |
| d. 偽囊胞 | | （1）単純性骨囊胞 |
| | | （2）動脈瘤様（脈瘤性）骨囊胞 |
| e. その他 | | （1）静止性骨空洞 |
| 2. 軟組織に発生する囊胞 | | |
| | | （1）鼻歯槽囊胞 |
| | | （2）粘液囊胞 |
| | | （3）ラヌーラ（ガマ腫） |
| | | （4）類皮囊胞および類表皮囊胞 |
| | | （5）甲状舌管囊胞 |
| | | （6）リンパ上皮性囊胞（鰓裂囊胞） |

脹，疼痛などの自覚症状を生じる．
　軟組織に生じる囊胞の特徴は，発生部位に無痛性，発育緩慢な腫脹が生じ，波動を触知する．

## 2 囊胞に対する検査と診断

　顎骨囊胞はエックス線透過性病変であり，画像診断が重要である．エックス線写真は囊胞の大きさ，形態，歯との関係などを把握するのに有用である．また，囊胞の周囲骨組織への進展範囲を3次元的に評価するうえでCTは有用である．内容物の性状や軟組織に生じる囊胞の診断にはMRIや超音波検査が用いられる．試験穿刺を行って内容物を精査することで，診断に重要な指針が得られる．しかし，これらの診断法だけでは，エナメル上皮腫などの顎骨中心性腫瘍との鑑別が困難な場合も少なくない．したがって，確定診断には病理組織学的な診断が必要となる．

# 各論

## A 発育性囊胞

### 1 歯原性角化囊胞
odontogenic keratocyst

　2005年のWHO分類では角化囊胞性歯原性腫瘍として腫瘍に分類されていた．しかし，2017年の改訂では*PTCH1*遺伝子変異の疾患特異性が低く，また，開窓術で病変が縮小するなどの臨床病態から，腫瘍とする根拠は不十分とされ囊胞に再分類された．しかし，上皮細胞の増殖活性は高く，多房性，娘囊胞形成，簇出性増殖などの腫瘍様の性格を有し，再発率も比較的高い．
　好発年齢は10～20代であるが，50代以降の高齢者にもみられる．好発部位は下顎角部から下顎枝部，上顎前歯部である．多発性のものは基底細胞母斑症候群（Gorlin症候群）の部分症として重要である．

症状

　初期には自覚症状がほとんどないため，歯科治療時のエックス線写真で偶然発見されることが多い．病変の増大に伴い顎骨の無痛性の膨隆や羊皮紙様感あるいは波動を触知するようになる．二次感染により疼痛や腫脹をきたす．
　画像所見では境界明瞭な単房性あるいは多房性のエックス線透過像を示す．隣接する歯根の吸収はまれである（図7-1a）．病理組織学的には囊胞上皮は重層扁平上皮で，波状の錯角化表層，上皮脚のない平滑な基底面および濃縮核を持つ基底細胞の柵状配列を示す．囊胞内部には泥状あるいはおから状の落屑した角質で満たされている．囊胞上皮に核分裂像が，また，結合組織内は上皮島や娘囊胞が含まれる場合もある（図7-1b）．

診断

　エナメル上皮腫，正角化性歯原性囊胞などとの鑑別が必要であり，確定診断は病理組織学的診断による．

治療

　摘出のみでは再発することがあるため，摘出・搔爬とともに骨削去を行う．比較的大きな囊胞に対しては，生検をかねて開窓して副腔を形成し，囊胞の縮小を期待する．さらに，囊胞を摘出後，軟膏ガーゼを填塞して露出骨面の上皮化や囊胞腔の縮小を図る摘出開放術が行われることもある．

### 2 正角化性歯原性囊胞
orthokeratinized odontogenic cyst

　従来，歯原性角化囊胞の一型と考えられていた．しかし，正角化重層扁平上皮で裏装された線維性結合組織からなる囊胞壁を有し，摘出後の再発率は低い（2％以下）などの病態から，WHO新分類では新たに歯原性発育性囊胞として分類された．

症状

　自覚症状がほとんどないため，エックス線写真上で偶然発見されることが多い．好発年齢は20～30代で，2：1と男性に多い．下顎角部に好発し，未萌出の智歯を含むことが多い．画像所見では，境界明瞭な単房性のエックス線透過像を示す（図7-2a）．病理組織学的には，囊胞上皮は顆粒細胞層を伴う正角化重層扁平上皮からなり，歯

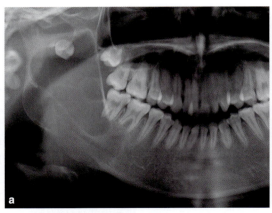
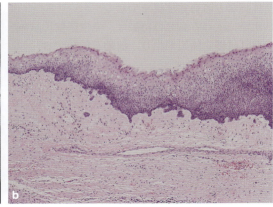

**図 7-1 歯原性角化囊胞**
a：エックス線写真．右側下顎枝部に埋伏歯を含んだ境界明瞭なエックス線透過像を認める．
b：病理組織像．囊胞壁は基底層が平坦で菲薄な錯角化重層扁平上皮で裏装され，その外層は線維性結合組織で構成されている．

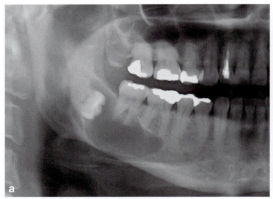
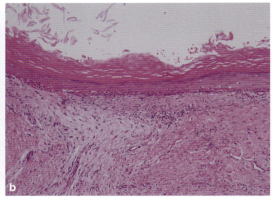

**図 7-2 正角化性歯原性囊胞**
a：エックス線写真．右側下顎臼歯部に埋伏歯を含む境界明瞭な単房性の透過性病変を認める．
b：病理組織像．囊胞壁は正角化重層扁平上皮で裏装されている．

原性角化囊胞にみられる基底細胞の柵状配列は認められない（図 7-2b）．

**診断**
含歯性囊胞，歯原性角化囊胞あるいはエナメル上皮腫などとの鑑別が必要であり，確定診断は病理組織学的診断で行われる．

**治療**
歯原性角化囊胞と同様である．すなわち，摘出，搔爬を行い，比較的大きな症例では開窓療法が選択される．

## ❸ 含歯性囊胞
dentigerous cyst

埋伏歯の歯冠を包む囊胞で，歯冠と歯囊間に体液が貯留することで発生する．囊胞は顎骨を膨隆させ，感染を伴うことも多い．10〜30代に好発し，75％は未萌出の下顎第三大臼歯に生じる．女性よりも男性に多い．

**症状**
初期には自覚症状がほとんどないため，歯科治療時に偶然発見されることが多い．病変の増大に伴い顎骨の無痛性の膨隆や羊皮紙様感あるいは波動を触知するようになる．内容物は淡黄色漿液性

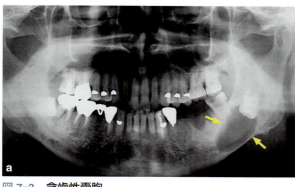
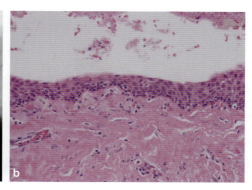

**図 7-3　含歯性囊胞**
a：エックス線写真．左側下顎枝部に埋伏智歯の歯冠を含む類円形の透過性病変を認める（矢印）．
b：病理組織像．囊胞壁は数層からなる非角化性重層扁平上皮で裏装されている．
〔a：東京歯科大学　片倉　朗先生　提供〕

の液体であるが，感染をきたした症例ではコレステリン結晶を伴う．しかし，下顎管を圧迫するような症例においても下歯槽神経に対する侵襲はなく，知覚異常を生じることはない．エックス線写真で未萌出あるいは埋伏歯の歯冠を含む境界明瞭な類円形の透過像を示す（図7-3a）．病理組織学的には，歯冠を含んだ囊胞上皮は歯原性上皮に由来する2～4層の薄い重層扁平上皮からなり，周囲は線維性結合組織で被包されている（図7-3b）．

**診断**
エナメル上皮腫やその他の囊胞との鑑別が必要であり，確定診断は病理組織学的診断で行われる．

**治療**
原則として抜歯とともに囊胞を摘出する．しかし，囊胞に含まれる未萌歯や埋伏歯が萌出誘導や矯正誘導が可能であるなど，保存に臨床的な意義が認められる場合には，開窓療法を選択する．

### ④ 萌出囊胞
eruption cyst

萌出囊胞は，萌出中の歯冠を取り囲んで歯槽堤粘膜に限局性の膨隆としてみられる囊胞であり，顎骨外の歯槽粘膜下に存在する含歯性囊胞である．

**症状**
歯の萌出部位に血性の粘膜腫脹を呈する．病理組織学的には，囊胞壁は非角化重層扁平上皮で裏装され，含歯性囊胞と同様の所見を呈する．

**診断**
臨床所見で診断する．

**治療**
通常，3～4週間ほどで自壊して消失する．囊胞が哺乳の妨げとならない場合には経過観察でよいが，囊胞の存在が哺乳の障害となる場合には，開窓術を行う．歯が萌出すると囊胞は消失する．

### ⑤ 歯肉囊胞
gingival cyst

幼児にみられるものと成人に生じるものとがあり，歯槽粘膜あるいは歯肉粘膜に生じる．

#### A 幼児の歯肉囊胞
gingival cyst of infant

幼児の歯肉囊胞は歯槽堤残遺上皮から発生し，歯槽粘膜に生じる小囊胞で上皮真珠（epithelial pearls）とも呼ばれる．

**症状**
歯の萌出予定部に多発性あるいは単発性に大きさが1～数mm程度で多発性あるいは単発性に白色の結節としてみられる（図7-4）．さらに，正中口蓋縫線上にケラチンを含んだ囊胞としてみられるものをエプスタイン真珠（Epstein pearls）という．口蓋腺由来で発生し軟・口蓋の接した口蓋に散在してみられ，内部にケラチンを含む囊胞をボーン結節（Bohn's nodule）という．病理組織学的には囊胞上皮は錯角化した薄い扁平上皮で，内

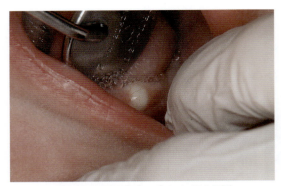

図 7-4　新生児の下顎歯肉に生じた歯肉囊胞

部には角質物が含まれている．

**診断**

症状，臨床所見で診断する．

**治療**

歯の萌出により自然に消失する．

### B 成人の歯肉囊胞
gingival cyst of adult

付着歯肉や歯間乳頭部に 10 mm 以下の境界明瞭な腫脹としてみられる小囊胞である．歯肉内にエナメル器や歯堤の上皮遺残，あるいは Malassez の上皮遺残に由来すると考えられている．

**症状**

好発年齢は 30～40 歳で，下顎犬歯部に好発する．軟組織に生じるためエックス線所見では認めない．病理組織学的には囊胞壁は薄い非角化性扁平上皮で裏装された囊胞である．

**診断**

根側性歯周囊胞との鑑別が必要であり，確定診断は病理組織学的診断で行う．

**治療**

摘出術である．

### 6 側方歯周（歯根膜）囊胞
lateral periodontal cyst

生活歯の歯根側面あるいは歯根間に発生する囊胞である．この囊胞は，炎症性刺激起因するものではなく，歯堤の残遺上皮や Malassez の上皮遺残に由来する．歯根側面に小さな多胞性囊胞を生じるブドウ状歯原性囊胞（botryoid odontogenic cyst）は本疾患の亜型と考えられている．下顎小臼歯部，次いで上顎前歯部に好発する．

**症状**

無症状に経過することが多く，エックス線写真で偶然に発見されることが多い．エックス線写真で歯根間に境界明瞭な円形から卵円形の透過像を呈する．病理組織学的には囊胞上皮は薄い非角化性扁平上皮で，局所的にプラーク状上皮肥厚を認め，渦巻き状に配列する上皮細胞やグリコーゲンが豊富な明細胞を伴う．

**診断**

成人の歯肉囊胞や歯根囊胞との鑑別が必要であり，確定診断は病理組織学的診断で行われる．

**治療**

治療は摘出術が行われ，側方歯周囊胞の再発はまれであるが，ブドウ状歯原性囊胞は再発しやすい．

### 7 腺性歯原性囊胞
glandular odontogenic cyst

1992 年の WHO による分類で，発育性囊胞の 1 つとして定義された，全顎骨囊胞の 0.5％とまれな囊胞である．

**症状**

下顎前歯部に好発し，10～80 代の各年齢に生じる．発育は緩慢であり，患部の腫脹と顎骨の変形をきたす．エックス線所見では単房性あるいは多房性の透過像を示す（図 7-5a）．病理組織学的には，①さまざまな厚さの扁平ないし立方上皮からなる囊胞上皮，②導管上皮様細胞分化，③上皮内微小囊胞，④導管上皮様細胞のアポクリン化生，⑤基底・傍基底細胞の明細胞，⑥管腔側への乳頭状突出，⑦粘液産生細胞，⑧渦巻き状上皮細胞，⑨線毛上皮細胞，⑩多囊胞形成の中で 7 項目を満たすこととされている．

**診断**

臨床的にはエナメル上皮腫などの顎骨中心性病変との鑑別が必要となるため，確定診断は病理組織学的診断で行われる（図 7-5b）．

**治療**

摘出・掻爬であるが，再発率は 30～50％と高い．

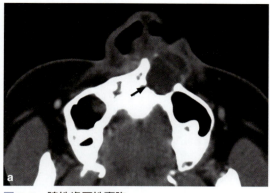
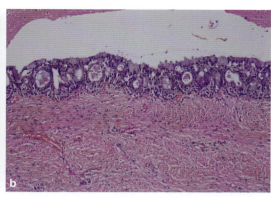

図7-5　腺性歯原性囊胞
a：CT(水平断)．矢印：囊胞
b：病理組織像．裏装上皮内に多数の囊胞様小腔や小窩を有し，表層には粘液産生細胞を認める．

## 8 石灰化歯原性囊胞
calcifying odontogenic cyst

2005年のWHO分類では石灰化囊胞性歯原性腫瘍として腫瘍に分類されていた．しかし，2017年のWHO分類では囊胞形成が特徴であり，摘出後の再発が少ないなどの臨床病態により，囊胞に再分類された．

**症状**

好発年齢は10代で40％を占め，性差はない．上下顎は同じ頻度で発生する．発育は緩慢で，無痛性であるため，歯科治療時のエックス線写真で偶然に発見されることが多い．腫瘍が増大すると顎骨が膨隆し，骨皮質が菲薄化するため羊皮紙様感を触知する．エックス線写真で境界明瞭な単房性の透過像を示し，半数以上の症例で内部に顆粒状あるいは不規則な不透過像を占める．歯牙腫や埋伏歯を伴う．また，隣接する歯の転位や歯根吸収がみられることもある(図7-6a)．

病理組織学的には囊胞上皮には好酸性を示す幻影細胞や石灰化を認める．また，囊胞壁にはヘモジデリンの沈着やリンパ球を主体とした軽度の炎症細胞浸潤を認める(図7-6b)．

**診断**

確定診断は病理組織学的診断で行われる．

**治療**

歯原性角化囊胞と同様に摘出・搔爬を行う．

## B 炎症性囊胞

### 1 歯根囊胞・残留囊胞
radicular cyst・residual radicular cyst

本囊胞は顎骨囊胞の中で最も多く，顎囊胞全体の約60％を占める．歯髄の炎症が根尖部あるいは根側部の歯根膜に波及すると慢性炎症となって肉芽腫を形成する．この肉芽腫の中でエナメル上皮の残遺であるMalassezの上皮遺残やHertwigの上皮鞘の遺残から増殖した上皮が炎症性刺激によって増殖し，上皮で裏打ちされた囊胞壁を形成する．そして変性融解を経て囊胞に発展すると考えられている．また，根尖部膿瘍の膿瘍壁にこれらの上皮が増殖して囊胞を形成する場合もある．したがって，原因歯は失活歯であり，生活歯には生じることはない．

**症状**

発育は緩慢であり，小さいものでは自覚症状はほとんどない．しかし，鶏卵大まで大きくなるものもあり，その場合は顎骨の膨隆や羊皮紙様感を触知するようになる．試験穿刺で淡黄色漿液性の内容液を認めるが，感染をきたした場合にはコレステリン結晶を含む．エックス線写真で原因歯の根尖部に境界明瞭な円形あるいは類円形の透過像を認める(図7-7a)．病理組織学的には非角化性重層扁平上皮で裏装され，その下部に出血や炎症性細胞浸潤を伴う肉芽組織，さらにその外側に線

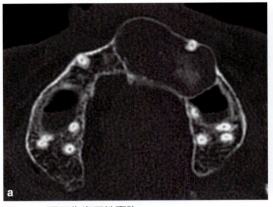
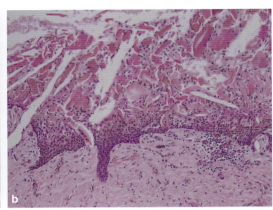

図7-6 石灰化歯原性嚢胞
a：CT．境界明瞭な単房性の透過像の中に砂状の不透過像を認める．
b：病理組織像．嚢胞壁は重層扁平上皮様の上皮で裏装され，上皮内には好酸性を示す幻影細胞を認める．

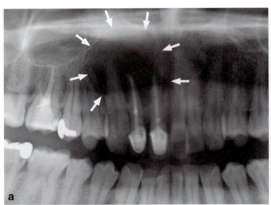
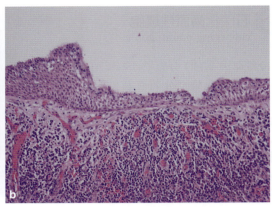

図7-7 歯根嚢胞
a：エックス線写真．上顎左側前歯根尖部に境界明瞭な類円形の透過性病変を認める（矢印）．
b：病理組織像．嚢胞壁は重層扁平上皮，炎症性肉芽組織および線維性結合組織の3層から構成されている．

維性結合組織の3層からなる嚢胞壁が認められる（図7-7b）．また，原因歯を抜歯しただけで嚢胞を摘出しない場合，嚢胞はさらに発育を続けることがあり，このような嚢胞を残留嚢胞という（図7-8a，b）．

### 診断
原因歯が失活歯であることなど臨床所見で診断は可能である．しかし，上顎前歯部では鼻口蓋管嚢胞との鑑別が必要となる．

### 治療
嚢胞が小さい場合は当該歯の根管治療を先行し，経過観察することもある．一般的には嚢胞の摘出術と同時に歯根尖切除術が行われる．しかし，病巣が歯根の1/3以上を含む場合は嚢胞の摘出と同時に原因歯の抜去を行う．

##  炎症性傍側性嚢胞（歯周嚢胞）
inflammatory collateral cyst, paradental cyst

歯冠周囲炎や辺縁性歯周炎が原因と考えられ，歯周ポケット形成に伴う炎症性変化により，歯根側面部に嚢胞が形成される．下顎第三大臼歯の遠心側に生じるものと下顎第一・第二大臼歯の歯根分岐部頬側に生じるものの2型があり，前者はHofrath（ホフラート）の歯周嚢胞，後者は下顎頬側分岐部嚢胞といわれる．

### 症状
Hofrathの歯周嚢胞では智歯周囲炎の症状を伴

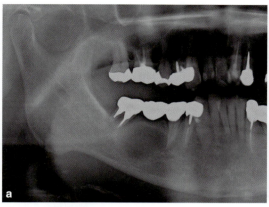
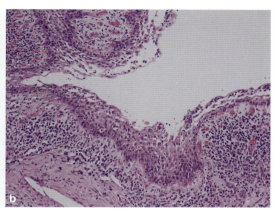

**図7-8 残留嚢胞**
a：エックス線写真．下顎右側臼歯部に境界明瞭な類円形のエックス線透過像を認める．
b：病理組織像．歯根嚢胞と同様の所見を認める．

うことが多く，下顎頬側分岐部嚢胞では深い歯周ポケットを伴うことが多い．エックス線写真では，歯根側面に接した単房性で類円形の透過像として認められる．嚢胞壁は線維性肉芽組織からなり，炎症性細胞浸潤と出血に伴うコレステリン結晶裂隙やヘモジデリン沈着を伴い，嚢胞壁を裏装する上皮は歯根嚢胞に類似した非角化重層扁平上皮からなる．

 診断

歯原性角化嚢胞や成人の歯肉嚢胞などとの鑑別を要し，確定診断は病理組織学的診断で行われる．

 治療

治療は摘出であり，再発はまれである．

## C 偽嚢胞

### 1 単純性骨嚢胞
simple bone cyst

長管骨，特に上腕や大腿骨に好発する疾患で，顎骨では比較的少ない．原因は外傷による骨髄内への出血，静脈血流出の完全または不完全な遮断あるいは発育異常などされているが，いまなお不明な点が多い．10～20代と比較的若年者の男性に多い．顎骨では下顎臼歯部に好発する．

症状

一般的には疼痛や腫脹などの自覚症状はほとんどなく，エックス線写真で偶然発見されることが多い．鑑別疾患は各種顎骨嚢胞である．エックス線写真では境界明瞭な単房性の透過像として認められる．骨体部に発生した本嚢胞は，増大すると歯槽中隔に入り込み，いわゆるホタテ貝の辺縁状のエックス線透過像を呈する（図7-9a）．しかし，隣接する歯は生活歯であり，歯根吸収や動揺をきたすことはない．病理組織学的には上皮を欠き，菲薄で疎な構造の線維組織によって覆われている（図7-9b）．

 診断

エックス線線所見から診断は可能であるが，顎骨嚢胞との鑑別を要するため，確定診断には病理組織学的診断が必要である．

治療

嚢胞腔の開放または搔爬術を行って，嚢胞腔内に血餅を充満させて基質化を図る．

### 2 動脈瘤様（脈瘤性）骨嚢胞
aneurysmal bone cyst

動脈瘤様骨嚢胞の原因は不明で，臨床的には外傷の既往歴があることが多く，局所的循環障害と関連していると考えられ，明確な裏装上皮を持たないため偽嚢胞に位置づけられている．全身的には四肢の長管骨にみられ，顎骨での発生はまれとされている．1942年にJaffeとLichtensteinによって脈瘤性骨嚢胞と命名され，静脈血栓あるいは動静脈瘤が原因で，骨が吸収されて生じると考えられていた．Bernierらは血腫の器質化によるもの

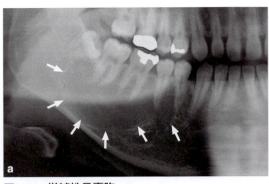
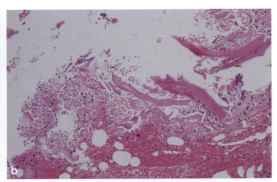

**図 7-9　単純性骨嚢胞**
a：エックス線写真．右側下顎臼歯部に境界明瞭な単房性の透過性病変を認める（矢印）．
b：病理組織像．上皮組織は認められず，好中球，リンパ球浸潤を伴う凝血塊および骨梁の小片を認める．

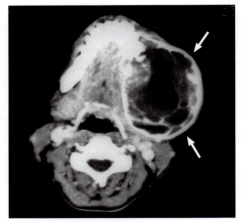

**図 7-10　動脈瘤様骨嚢胞（CT）**
骨体から下顎枝にかけて多胞性の透過像を認める（矢印）．

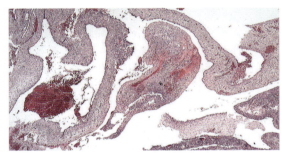

**図 7-11　動脈瘤様骨嚢胞（病理組織像）**
拡張した多数の腔が蜂巣状を呈し，内腔には血液が認められる．

と考え，顎骨の巨細胞修復性肉芽腫（giant cell reparative granuloma）と類似しているため，同じカテゴリーの疾患であるとした．既存の線維性異形成症，骨形成線維腫などの骨病変に続発して生じることが考えられている．

### 症状

顎骨では 10〜20 代の若年者の下顎に好発し，女性にやや多いとされる．発生部位別では下顎骨体部，下顎枝部，下顎角部の順に多く，下顎頭に生じたという報告もある．一般的には無症状で，拡大すると顎骨の無痛性膨隆をきたし圧痛や時に歯の移動が起こることがあるが，関連歯は生活歯である．内容の穿刺で血性の内容液が吸引される．エックス線所見では単胞性や多胞性，蜂窩状あるいは石鹸泡状の透過像を示す（図 7-10）．

病理組織学的所見では裏層上皮はなく，血液で満たされた拡張した多数の腔が互いに連絡し蜂巣状を呈し，腔壁の構造は明らかではない．腔壁間は毛細血管に富み，類骨や巨細胞が混在した幼若な線維性結合織によって占められる．出血あるいは血鉄素（ヘモジデリン）などの沈着を認め，さらに新生骨を認める場合もある（図 7-11）．破骨細胞型巨細胞タイプと骨新生タイプに分類される．病理組織学的には巨細胞肉芽腫や副甲状腺機能亢進に伴う褐色腫との鑑別や，また骨梁形成が多い場合には骨形成性線維腫や線維性骨異形成症との鑑別が重要である．

### 診断

エックス線所見だけではなく穿刺による血液成分の吸引，手術所見，病理組織学的所見など総合的な診断となる．病変内は新鮮血で満たされ海綿状を呈する．

郵便はがき

料金受取人払郵便

本郷局承認

6549

差出有効期限
2026年3月30日
まで

切手はいりません

１１３－８７３９

（受取人）
東京都文京区
本郷郵便局私書箱第5号
医学書院
「標準口腔外科学」編集室 行
(MB-4)

◆ご記入いただきました個人情報は賞品の発送およびモニター調査で使用させていただくことがあります．詳しくは弊社ホームページ収載の個人情報保護方針をご参照ください（https://www.igaku-shoin.co.jp）．

| フリガナ | | |
|---|---|---|
| ご芳名 | | （　　歳） |
| ご住所<br>□自　宅<br>□勤務先 | 〒 | |
| E-mail | | |
| 職　種 | □学生（1. 歯学　2. その他：＿＿＿＿＿＿＿＿＿＿＿＿＿＿＿）<br>□歯科医師（1. 研修医　2. 専攻医　3. 勤務医　4. 開業医）<br>　ご専門：＿＿＿＿＿＿＿＿＿<br>□その他の職種：＿＿＿＿＿＿＿＿＿ | |
| 学校名 | | 学年（　　年） |
| 勤務先 | | |

05374

# 『標準口腔外科学 第5版』 読者アンケート

このたびは本書をお買い上げいただき誠にありがとうございます．今後の企画・改訂のために皆さまのご意見，ご感想をお聞かせください．回答はいずれも該当の番号を○で囲んでください．

**Q. 本書をどこで知りましたか？**
1. 知人・友人の薦めで　2. 学校の教員の薦めで　3. 学校の指定教科書
4. 書店で見て　　　　　5. インターネットで見て
6. 広告で見て〔掲載媒体：　　　　　　　　　　　　　　　　　　　　〕
7. その他〔　　　　　　　　　　　　　　　　　　　　　　　　　　　〕

**Q. 本書をどこで購入されましたか？**
●書店（実店舗）で
1. 医書専門店　　　　　2. 総合書店　　　　　　3. 生協
●ネット書店で
4. Amazon　　　　　　　5. 楽天ブックス　　　　6. セブンネットショッピング
7. その他のネット書店〔　　　　　　　　　　　　　　　　　　　　　〕
●上記以外〔　　　　　　　　　　　　　　　　　　　　　　　　　　　〕

**Q. 購入の目的は何ですか？〔複数回答可〕**
1. 授業の予習・復習　　2. 定期試験対策　　　　3. レポート対策
4. CBT対策　　　　　　5. OSCE・臨床実習対策　6. 国家試験対策
7. 専門医試験対策　　　8. 日常診療での活用　　9. 生涯学習のため
10. 改訂に伴う買い替え　11. その他〔　　　　　　　　　　　　　　　〕

**Q. 本書への評価をお聞かせください．**
●本書の満足度はいかがですか？
1. 満足　2. やや満足　3. やや不満　4. 不満　5. どちらともいえない
●その理由をお聞かせください．

　　　　　　　　　　　　　　　　　　　　　　　　　　　　　　　　　　
　　　　　　　　　　　　　　　　　　　　　　　　　　　　　　　　　　
　　　　　　　　　　　　　　　　　　　　　　　　　　　　　　　　　　
　　　　　　　　　　　　　　　　　　　　　　　　　　　　　　　　　　
　　　　　　　　　　　　　　　　　　　　　　　　　　　　　　　　　　

**Q. 本書の内容について，改良点，その他のご要望をお聞かせください．**

　　　　　　　　　　　　　　　　　　　　　　　　　　　　　　　　　　
　　　　　　　　　　　　　　　　　　　　　　　　　　　　　　　　　　
　　　　　　　　　　　　　　　　　　　　　　　　　　　　　　　　　　
　　　　　　　　　　　　　　　　　　　　　　　　　　　　　　　　　　

**Q. 読者モニターとして連絡を取らせていただいてよろしいでしょうか？**
1. はい　　　　　　　　2. いいえ

※アンケート回答者のなかから抽選で，図書カードを進呈いたします．抽選の結果は賞品の発送をもってかえさせていただきます．

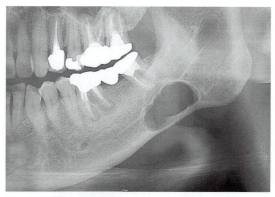

**図 7-12　静止性骨空洞**
エックス線画像．下顎管の下方に境界明瞭な楕円形のエックス線透過像を認める．

⟨診断⟩
診断は単純エックス線写真では難しいが，詳細なCTでは可能である．

⟨治療⟩
特に治療は必要とせず，経過観察を行う．

## E 顎・口腔領域の非歯原性囊胞

### 1 顎骨の非歯原性囊胞

#### A 鼻口蓋管囊胞（切歯管囊胞）
nasopalatine duct cyst（incisive canal cyst）

2017年，WHOの組織分類が改訂され，鼻口蓋管囊胞は非歯原性発育性囊胞に分類されている．胎生期における鼻口蓋管上皮の遺残に由来する発育性囊胞と考えられ，発生する部位により切歯管囊胞あるいは口蓋乳頭囊胞とも呼ばれる．

⟨症状⟩
上顎中切歯のすぐ後方の口蓋部に発生するが，厳密には囊胞が切歯管の部分（骨内）にみられるものが切歯管囊胞で，骨外部で口蓋の粘膜下の軟組織にみられるものが口蓋乳頭囊胞といわれ，後者はまれである．顎骨内に発生する非歯原性囊胞の中で最も多いとされ，男女比は3：1で男性に多く，好発年齢は30〜50歳とされる．自覚症状は上顎中切歯の口蓋側正中部に骨性の膨隆を呈することが多く，口蓋乳頭を中心に一般的に径10 mm程度の大きさのものが多いが，ある程度の大きさまでは無症状に経過する．

さらに増大した場合には，唇側歯槽部や鼻腔底部にも膨隆を認めるようになり，骨の菲薄化や消失により羊皮紙様感や波動を触れ，圧痛や軽い疼痛を生じることもある．一般的に近傍の歯牙にみられる所見に特徴的なものはなく，囊胞の位置や大きさによっては上顎中切歯の離開や傾斜，捻転などがみられることもある．

CT所見では，正中部に境界明瞭な透過像が認められるが（図7-13），囊胞の位置によっては形態に違いが生じる．すなわち鼻口蓋神経および血管系は，鼻腔底部では鼻中隔を境に左右に位置し，口蓋部では単管であるので，単管部分に発生

治療
動静脈に関係した病変であることから出血に対する対応を十分に考慮する必要がある．病変が小さければ搔把が行われるが，広範囲のものでは顎骨切除や時に放射線治療が選択される場合もある．再発が多いことから部位や大きさなどにより治療法を選択することになる．

## D その他

### 1 静止性骨空洞
static bone cavity

下顎角部付近の下顎骨舌側にみられる骨欠損であり，単にエックス線的に囊胞様の像を示しているにすぎない．

⟨症状⟩
無症状で，エックス線写真で偶然に発見される．多くは下顎角部の下顎管下方に位置し，単発で片側性に発症するが，まれに両側性や多発性の症例，あるいは増大傾向を示すものも報告されている．中年以降の男性に多いとされている．エックス線写真では，円形あるいは楕円形の境界明瞭な透過像を示すため，各種の顎骨囊胞，あるいはエナメル上皮腫との鑑別が必要となる（図7-12）．骨欠損部は正常または異所性の唾液腺組織であることが多く，ほかにリンパ組織，脂肪組織，線維性組織などの進入が報告されている．

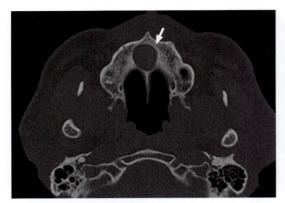

図 7-13　鼻口蓋管囊胞（CT）
鼻腔底部の切歯管移入部付近を中心に位置している（矢印）．

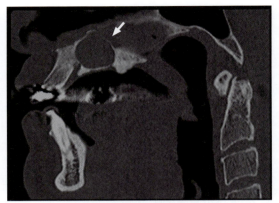

図 7-14　鼻口蓋管囊胞〔MRI（矢状断）〕
切歯管移入部付近から中枢側へ進展した楕円形の囊胞を認める（矢印）．

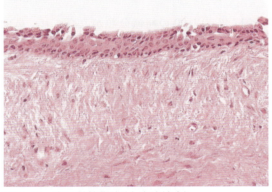

図 7-15　鼻口蓋管囊胞（上皮強拡大）
囊胞壁の内面は薄い上皮層で構成され，線毛円柱上皮で覆われる．上皮下は線維性結合組織からなり，神経や微細な血管も認められる．

した場合には類円形の境界明瞭な透過像を呈し，鼻腔底の分岐部付近に発生したものはハート型，さらに中枢側で片側の管内に発生すると左右に偏位した類円形としてみられる（図 7-14）．

内容液には淡黄褐色の半透明で粘液性のある貯留液がみられることが多い．病理組織学的所見では，囊胞壁の内面は薄い上皮層で構成され，口腔に近い部分は重層扁平上皮，鼻腔に近いものでは線毛円柱上皮あるいは立方上皮からなることもある．上皮下は線維性結合組織からなり，神経や微細な血管も認められることがある（図 7-15）．

診断

隣接あるいは関連する歯牙の多くは生活歯であり，エックス線所見と合わせて診断は比較的容易

である．

治療

囊胞摘出術が行われる．摘出時に根尖が露出した場合には，根管治療や歯根端切除手術が必要となることもある．

### B 単純性骨囊胞（→p.231）
simple bone cyst

### C 動脈瘤様（脈瘤性）骨囊胞（→p.231）
aneurysmal bone cyst

## 2 上顎洞の囊胞

### A 術後性上顎囊胞
postoperative maxillary cyst；POMC

上顎洞根治手術後，数年〜数十年以上の期間を経過して発生する囊胞である．Kubo が 1927 年に頬部囊腫として報告し，1933 年に手術後性頬部囊腫と命名し，その後，術後性頬部囊胞から現在では術後性上顎囊胞と呼ばれている．その成因については以下の諸説がある．① 粘膜残存説：手術時に取り残された洞粘膜あるいは腺組織が瘢痕組織内に封入され，その後，時間をかけて粘液が分泌・貯留されていき囊胞となったとする説，② 間隙囊胞説：手術による出血または分泌物が組織内に残存し，器質化不全で囊胞になったとす

る説，③閉鎖腔説：不完全な手術操作により自然孔と対孔が術後に閉鎖し上顎洞全体が死腔となり，囊胞になったとする説，あるいは手術で洞底へ露出した歯根と関連して生じるとする説もある．

### 症状

頻度は口腔外科領域で治療する囊胞では歯根囊胞に次いで多いとされていたが，近年では内視鏡手術の普及により，上顎洞根治手術自体の減少に伴い術後性上顎囊胞も減少しているといわれる．

また，かつて根治手術を受けるのが男性のほうが多かったために男性に多くみられる．好発年齢は30〜40代で，25歳以下は非常に少ない．その理由として，先の手術を受ける年齢が10〜20代に多いためとされている．好発部位は上顎洞底部が多く，次いで洞全体型，洞上方型の順である．囊胞は単房型が多いが，多房性の場合もある．症状は以下の4つの型に分類される．

① **口腔症状型**
歯肉頰移行部，歯槽突起部または口蓋の腫脹や上顎臼歯の違和感，自発痛，咬合痛などを主症状とするもの．

② **頰部症状型**
頰部，眼窩下部などの腫脹，疼痛または違和感などを主症状とするもの．

③ **鼻症状型**
鼻閉，嗅覚障害，鼻漏などを主症状とするもの．

④ **眼症状型**
眼球圧迫感，内眼角部の疼痛，眼球突出，視覚障害などを主症状とするもの．

その他の症状として，鼻甲介の肥大または萎縮，中鼻道の閉鎖，鼻汁などの貯留，口腔または頰部腫脹の波動の触知，当該部の歯の動揺，失活，打診音の変化，腫脹による義歯床の不適合などがある．また，二次感染により急性症状が生じたり，さらには頭重感や患側の片頭痛が生じたりすることもあり，原因不明の顎顔面痛においては鑑別診断上，本囊胞は重要である．

エックス線所見では，患側上顎洞部の不透過像，洞形態の不定化と骨吸収または骨増生像，頰骨下稜部の骨吸収像，上顎洞底線様の囊胞下底線の下降と歯根尖の囊胞内突出や露呈などがみられる．基本的な撮影法としては，Waters法エックス線撮影や断層撮影およびパノラマエックス線撮影などが挙げられるが，近年ではCTが多用され

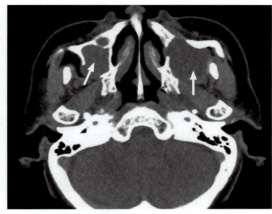

**図 7-16　術後性上顎囊胞〔CT（水平断）〕**
両側性に上顎洞内に軟組織の陰影を認め，側壁の骨は消失している（矢印）．

ており，またMRIも有用であるが，歯と囊胞との関係を把捉するにはCTのほうが有用である（図 7-16, 17）．波動が明らかな場合には，囊胞内へ穿刺を行うと茶褐色の粘稠性あるいはゲル状の内容液が吸引され，感染によって膿汁となる．ほかの囊胞の内容液に比べ粘性に富むことが多い．

病理組織学所見では，裏装上皮は洞粘膜と同様に円柱上皮または線毛上皮のことが多いが，重層扁平上皮や立方上皮のこともある．囊胞壁の結合織は一般的に厚く，炎症反応や瘢痕組織，粘液腺のみられることも多い（図 7-18）．

### 診断

根治手術の既往は，問診とともに口腔内所見での歯肉頰移行部の手術瘢痕の有無が有用で，それにより診断は比較的容易である．しかし上顎洞癌との鑑別は重要である．

### 治療

近年では，経鼻内視鏡鏡視下手術での洞内掻爬や対孔設置術が広く行われる．また，Caldwell-Luc（コールドウェル・リューク）法に準じて上顎洞粘膜とともに囊胞摘出を行い，対孔形成が行われることもある．いずれも，歯根尖が囊胞内に突出または露呈している場合は，歯根端切除術を併用する．歯の保存が不可能な場合には抜歯となる．囊胞に関連した歯の評価は慎重に行う必要がある．

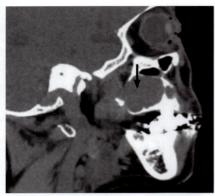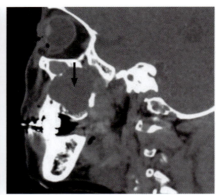

図7-17　術後性上顎囊胞〔CT（矢状断）〕

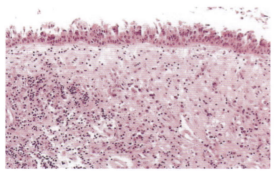

図7-18　術後性上顎囊胞（病理組織像）
線毛円柱状皮に裏装され，上皮下組織は炎症主体の領域である．

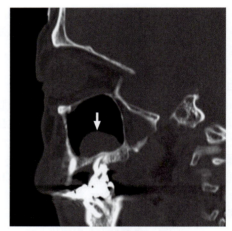

図7-19　上顎洞の貯留囊胞（CT）
上顎洞底部に境界明瞭な半球状の不透過像を認める（矢印）．

### B 上顎洞の貯留囊胞・上顎洞粘液囊胞
retention cyst of maxillary sinus・mucocele of maxillary sinus

　上顎洞粘膜に存在する粘液腺の導管が炎症などによって閉塞して生じると考えられる囊胞である．明らかな原因は不明ではあるが，抜歯による洞粘膜への外傷性損傷あるいは根管充填材や根管治療剤による刺激なども考えられている．

#### 症状
　上顎部や頰部または上顎臼歯部の違和感やまれには軽い疼痛を訴えるものもあるが，大部分は無症状である．このため，歯科治療時のエックス線撮影で偶然に発見されることが多い．エックス線所見では，上顎洞底部に境界明瞭な半球状あるいはドーム状の不透過像を示し，大きさは拇指頭大から鶏卵大程度のものが多く（図7-19），骨の吸収は認められない．病理組織所見では，薄い線維性結合組織の囊胞壁のみで上皮裏装を欠如していることが多い．また，線毛上皮や立方上皮あるいは扁平上皮で裏装されていることもある．内容液は黄色ないし褐色の粘稠性である．

#### 診断
　エックス線所見で明らかである．

#### 治療
　無症状の場合は経過観察でよいが，強い違和感や疼痛を訴える場合や囊胞が大きい場合には摘出となる．

# F 軟組織に発生する嚢胞

## 1 鼻歯槽嚢胞（鼻唇嚢胞）
nasoalveolar cyst（nasolabial cyst）

　鼻翼部と口唇粘膜の間の軟組織に発生する嚢胞で骨内には発生しない．鼻唇嚢胞あるいはKlestadtが1921年に報告したためKlestadt嚢胞とも呼ばれている．本嚢胞はかなりまれであり，成因は不明で，胎生期以降の鼻涙管の上皮遺残に関係する説や顔裂性嚢胞説などがいわれている．20〜30代に多く，女性にやや多い傾向がある．

　臨床所見では，鼻翼基部から口唇上部にかけての腫脹と鼻唇溝の消失がみられる．また鼻孔から鼻腔前庭あるいは歯肉唇移行部に腫脹を認めて波動を呈する．嚢胞の大きさは一般に示指頭大で，漿液性の液体を含んでいる．CTでは嚢胞は顎骨内には存在せず，骨の表面に圧迫吸収をみることがある（図7-20）．MRIではT2強調画像において高信号で内容液の確認が可能である．病理組織学的には，嚢胞壁内面には一般に粘液細胞を含んだ多列円柱上皮で覆われ，杯細胞や線毛上皮を認めることも多いため，このことで鼻涙管上皮の遺残に由来する根拠とされている．また一部には扁平上皮や立方上皮を混じているのもあるが，立方上皮のみのこともある．

[治療]
　嚢胞摘出術が行われる（図7-21）．

## 2 粘液嚢胞
mucous cyst

### A 粘液瘤
mucocele

　粘液嚢胞は唾液の流出障害，すなわち粘液腺の排泄管の閉塞や狭窄および損傷などによって発生した貯留嚢胞で，主として粘膜下の小唾液腺に生じるのが多いことから，粘液瘤（mucocele）とも呼ばれる．発生頻度は口腔軟組織に生じる嚢胞のうちでは最も多く40%前後とされているが，性差はなく，発生年齢は20代に最も多いとされるも幼少の年代から成人まで幅広い年代の発生がみ

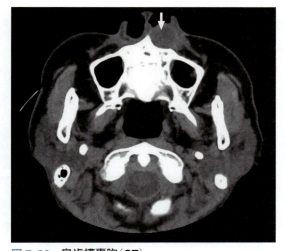

図7-20　鼻歯槽嚢胞（CT）
嚢胞は顎骨外の軟組織内にあり，骨の圧迫吸収を認める（矢印）．

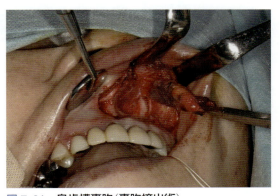

図7-21　鼻歯槽嚢胞（嚢胞摘出術）

られる．

　好発部位は誤咬の起こりやすい下唇に最も多く（図7-22a），そのほか頬粘膜や舌，口底などにも生じる．一般に径10 mm前後の大きさに隆起した半球状で波動性の軟らかい腫瘤を形成し，定型的なものはゼリー状の半透明な色調を呈する．特に下唇に生じたものは誤咬によってしばしば自壊や再発を繰り返し，時には乳頭腫状に上皮が角化増生して，嚢胞の形態を呈していないこともある．このような症例でも同じ部位に再び粘液の貯留が生じ嚢胞が形成されたり，瘢痕あるいは線維腫様の腫瘤として残遺したりする場合もある．病理組織学的には，内面を上皮で覆われた明瞭な嚢胞腔を有する停滞型（retention type）と，上皮を

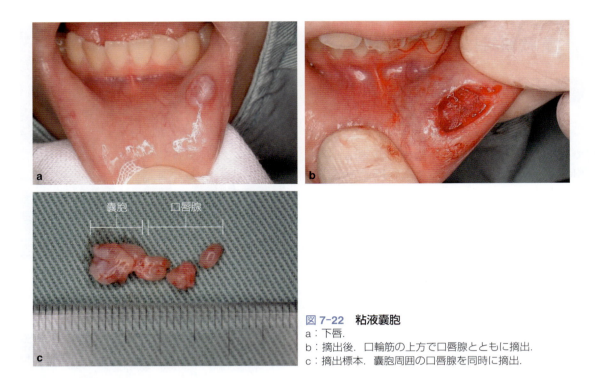

図 7-22　粘液囊胞
a：下唇．
b：摘出後．口輪筋の上方で口唇腺とともに摘出．
c：摘出標本．囊胞周囲の口唇腺を同時に摘出．

欠く溢出型（extravasation type）とがある．多くは後者に属する．

粘液囊胞に関連した唾液腺には，種々の程度の炎症がみられる．また大唾液腺に関連して発生した停滞型は，唾液管囊胞（salivary duct cyst）と呼ばれる．

治療

治療は外科的に行う（図 7-22b）．時には再発することもあるため，周辺部の腺組織（小唾液腺）を含めて摘除する（図 7-22c）．また，瘢痕あるいは線維腫様の腫瘤として残遺した場合も切除することがある．

### B　Blandin-Nuhn 囊胞
Blandin-Nuhn cyst

粘液囊胞の中で，特に舌尖部下面に生じたもので前舌腺の Blandin-Nuhn（ブランディン・ヌーン）腺から発生した場合を Blandin-Nuhn 囊胞と呼ぶ．肉眼的には一般に舌下面粘膜に数 mm～10 mm 内外の軟らかい腫瘤を形成し，半透明な色調や浅在性では青紫色を呈することもあるが，圧迫しても退色はしない．

病理組織学的には口唇や頰粘膜の粘液瘤と同様であるが，違いは原因とされる口唇腺や頰腺のように関連する唾液腺が比較的同定しやすく摘出も容易なのに比べ，前舌腺は比較的大きな一塊として存在するため，同時に摘出することが構造的，形態的あるいは神経障害の問題などから困難であること，また再発しやすいことなどが挙げられる．

治療

治療はほかの粘液囊胞と同様に小さいものでは外科的に摘出するが，大きな場合は開窓術も適応となる．しかし再発はほかの囊胞に比べて多いため，複数回の治療を要する場合もある．

### 3　ラヌーラ（ガマ腫）（→p.360）
ranula

舌下腺管のどこかが傷ついて，唾液が組織内に流入して生じる貯留囊胞である．囊胞は薄い線維性被膜のみで上皮の裏装はなく，内容は舌下腺唾液である．発生頻度は，口腔軟組織に生じる囊胞の 20％前後といわれている．好発年齢は 10～30 代で，性別では女性が男性の約 3 倍といわれる．

ラヌーラは発生部位により舌下型，顎下型および舌下顎下型の 3 型に分類されるが，舌下型が最

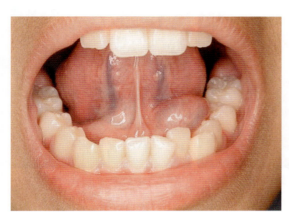

図 7-23　ラヌーラ

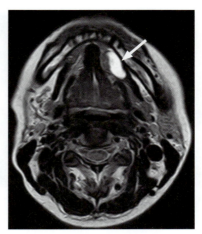

図 7-24　ラヌーラの MRI

も多い．舌下型では，囊胞は顎舌骨筋上にあって口底部の片側に健常粘膜に被覆された卵円形で無痛性の軟らかい腫脹が生じ，波動を触れる（図 7-23）．また粘膜の表面から内部が透けて見えるので青紫色を呈する．大きさは小指頭大から大きなものでは正中線を越えて反対側に張り出すものまであり，このような症例では舌の動きが制限され，発語に障害をきたすこともある．

顎下型では口底部に症状はなく，患側の顎下部に弾性軟，無痛性の腫脹がみられ，波動を触知することもある．顎舌骨筋の間隙あるいは後縁を通って唾液が顎下隙に貯留したもので，顎下部皮膚側から穿刺すると粘稠性の淡黄色透明な内容液が吸引される．内容液が唾液であることはプチアリン検査で証明される．

舌下顎下型では口底部および同側の顎下部に症状がみられる．なかには鎖骨上窩と上縦隔に波及した症例の報告もある．これらの発生部位や進展については MRI が有用であり，T2 強調画像で境界明瞭な高信号域として抽出される（図 7-24）．

なお，人体の病名に動物の名を冠することは，差別的な意味合いから禁じられるようになったが，ここではあえて記載した．

**治療**

囊胞が小さい場合には，可能なら囊胞の全摘出術を行う．薄い囊胞壁が破れると摘出は困難となり，再発の原因ともなる．一般的には開窓術が推奨される（図 7-25）．再発を繰り返す場合には舌下腺とともに摘出する．

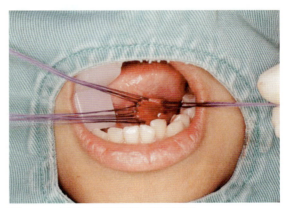

図 7-25　ラヌーラ開窓術の術中所見

### 4　類皮囊胞および類表皮囊胞
dermoid cyst and epidermoid cyst

囊胞の壁が皮膚または表皮に類似した構造を呈するもので，胎生期の外胚葉の先天性迷入あるいは皮膚や粘膜の後天性封入によって生じる．口腔領域では左右の第一，第二鰓弓の正中癒合部に残遺した上皮，あるいは無対結節の異常埋没によって生じる囊胞といわれ，通常は口底や時には側方部に現れる．類皮囊胞と類表皮囊胞との分類は，囊胞壁が上皮と皮脂腺，汗腺，毛，毛囊などの皮膚付属器官を含むものを類皮囊胞と呼び，単に角化性重層扁平上皮を有するものを類表皮囊胞と呼んでいる．

発生部位により，顎舌骨筋とオトガイ舌骨筋の

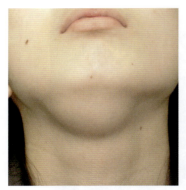
図7-26　類皮嚢胞（舌下顎下型）

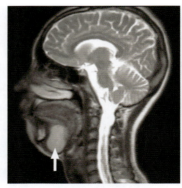
図7-27　類皮嚢胞（MRI）

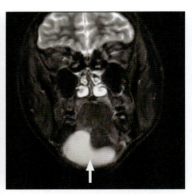

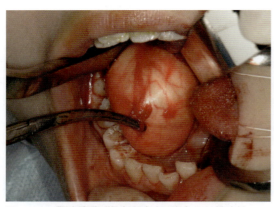
図7-28　類皮嚢胞〔術中写真（口腔内より摘出）〕

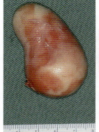
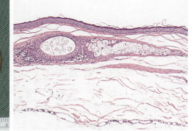
図7-29　類皮嚢胞（摘出物および病理組織像）
嚢胞内腔面は角化性重層扁平上皮により裏装されており，嚢胞壁内には毛嚢および皮脂腺がみられる．

　上方で口腔粘膜との間に生じる舌下型と，顎舌骨筋とオトガイ舌骨筋の下方で皮膚との間に生じるオトガイ下型に分けられ，両方にまたがると舌下オトガイ下型と呼ばれる．

　口腔領域では，類皮嚢胞より類表皮嚢胞が多く，またオトガイ下型より舌下型が多いとされる．主に口底にみられるが，時には頰部や舌などにも生じ，まれに顎骨内に発生することもある．口底部に生じるものは性差はなく，好発年齢は20歳前後で，大きさは一般的に鶏卵大程度のものが多い．舌下型では口底正中の舌下部に膨隆を生じて舌を挙上させ，オトガイ下型ではオトガイ部に腫脹をきたす（図7-26）．嚢胞は弾力性のある軟らかい腫瘤として触れ，通常は波動や圧痛を欠く．嚢胞腔内には黄白色の粥状ないしはおから状の内容物で満たされている．肉眼的には類皮嚢胞と類表皮嚢胞との鑑別は困難である．

　画像検査は造影CTあるいはMRIが有用である．MRIではT1強調像で低〜等信号，T2強調像で高信号として腫瘤がみられる（図7-27）．
　病理組織学的には類表皮嚢胞では嚢胞壁の内面に角化性重層扁平上皮の裏層があり，その外層に結合組織があるが乳頭形成はみられない．類皮嚢胞では角化性扁平上皮の外層に皮膚付属器官を有し，一般には脂腺のみられることが多いが，汗腺，毛包などを認めるものもある．嚢胞腔には変性角化物を認める．

### 治療

　治療は外科的に嚢胞を摘出する．舌下型では口内切開で摘出できるが，Wharton管やその開口部，舌下腺や舌神経の損傷に注意する．オトガイ下型では一般的にオトガイ部の皮膚切開で摘出するが，大きさによっては口腔内から摘出可能である（図7-28，29）．

## ⑤ 甲状舌管囊胞
thyroglossal duct cyst

　正中頸囊胞(median cervical cyst)とも呼ばれ，胎生期の甲状舌管すなわち甲状腺原基と舌盲孔部との間を連なる組織の遺残に由来する比較的まれな囊胞である．

　甲状舌管は，胎生3週頃に舌根部中央の上皮が陥凹して形成され，甲状腺原基の発育とともに次々に退化消失し，甲状腺の原基自体は下方へ移動して最終的に輪状軟骨下で甲状腺が形成される．したがって，本囊胞の発生部位は舌根部より甲状腺に至る正中線上に生じるが，なかでも舌骨下部に最も好発し，舌根部など口腔にみられる症例は少ない．症状は舌骨下部正中に生じたものでは該当部の非炎症反応で，波動性のある腫瘤を呈し，腔内に漿液性ないし粘液性の液体を含む．囊胞の大きさは頸囊胞では径2～3cmに達するものが多く，舌根部のものは小さいうちに気づくか発見される．自然にあるいは二次的感染をすると頸部皮膚外表面と交通し瘻孔を生じる．舌根部など口腔に生じた大きいものでは，舌の挙上による嚥下障害をきたす．舌根部あるいは咽頭粘膜に瘻孔を作る症例もある．また，発現年齢は半数以上が10歳末満で，性差はほとんどない．

　病理組織所見では，口腔に近い囊胞では腔壁内面が扁平上皮に，甲状腺に近い囊胞では円柱線毛上皮によって裏層される囊胞壁で，その一部に迷入した甲状腺上皮，粘液産生細胞やリンパ組織などが認められる(図7-30)．内容液は通常では淡黄色の粘液が多く，ゼリー状のこともある．

**治療**
　治療は外科的摘出を行うが，囊胞に連続する管の残遺や癒着する舌骨も一部含めて摘出する必要があり，不完全な摘出では再発あるいは瘻孔を形成するので根本的な術式によるのが望ましい．

## ⑥ 鰓囊胞／鰓裂囊胞(側頸囊胞，リンパ上皮性囊胞)
branchial cyst(lateral cervical cyst, lymphoepithelial cyst)

　鰓囊胞，鰓裂囊胞あるいは側頸囊胞などと呼ばれる囊胞で，腔内壁の上皮下にリンパ組織の存在

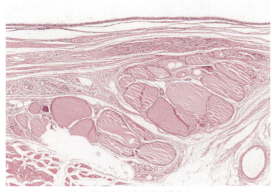

**図7-30　甲状舌管囊胞(病理組織像)**
囊胞内腔面は線毛を有する円柱上皮により裏装されており，囊胞壁内には甲状腺組織がみられる．

する囊胞である．その多くが側頸部に生じ，これが胎生期の鰓弓または鰓裂により形成される頸洞に起因するものと考えられて鰓囊胞と名づけられた．しかし，一部には胎生期の頸部リンパ節内に迷入した耳下腺上皮の囊胞化したものとの説があり，リンパ上皮性囊胞(lymphoepithelial cyst)とも呼ばれている．

　頻度はまれで，好発部位は胸鎖乳突筋前縁で下顎角下方，あるいは胸鎖乳突筋の下部で内頸静脈部に多くみられ，外表面にさまざまな大きさの波動性の膨隆をきたす．口腔領域ではまれであるが，口底や舌ないし舌下面の粘膜，耳下腺部などに認められることもある．粘膜部のものは小さく，一般に1cmに満たず臨床的に粘液囊胞を疑わせることが少なくない．好発年齢は20～40代に多く，性差は明らかではない．症状は側頸部に無痛性でマシュマロ様の軟らかい境界明瞭な可動性の腫瘤として認められる．また深在性のものは，時として嗄声や呼吸困難を生じることがあるともいわれる．囊胞内容液は半固形のやや流動性ある白濁した粘液または漿液で，剥離上皮やコレステリン結晶などを含む．また本囊胞は囊胞壁の上皮から鰓原性癌の発生する可能性があり注意を要する．

　組織学的には囊胞壁内面が上皮で覆われ，その下層にリンパ組織が認められる(図7-31)．裏層上皮は特に粘膜部のものでは重層扁平上皮であることが多いが，時には多列円柱上皮の例もある．リンパ性組織には胚中心やリンパ洞が認められる

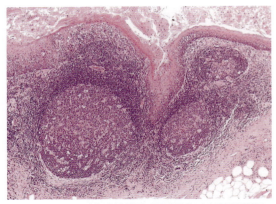

**図 7-31　リンパ上皮性嚢胞（鰓嚢胞）（病理組織像）**
囊胞内腔面は重層扁平上皮で裏装されており，内腔には角化物が充満している．囊胞壁内には濾胞を有するリンパ組織がみられ，リンパ濾胞では胚中心の形成を伴っている．

ことがある．

### 治療

治療は外科的摘出である．摘出に成功すれば再発はほとんどない．

### ●文献

[総論]
[各論]
[A. 発育性嚢胞，B. 炎症性嚢胞，C. 偽嚢胞，D. その他]
1) 高田　隆：頭頸部腫瘍Ⅱ．歯原性腫瘍と顎顔面骨の病変．歯原性腫瘍のWHO分類改訂について．病理と臨床 36：300-304, 2018.
2) 仙波伊知郎，他：頭頸部腫瘍Ⅱ．歯原性腫瘍と顎顔面骨の病変．歯原性囊胞．病理と臨床 36：335-339, 2018.
3) Li TJ：The odontogenic keratocyst：a cyst, or a cystic neoplasm? J Dent Res 90：133-142, 2011.
4) Kransdorf MJ, et al：Aneurysmal bone cyst：concept, controversy, clinical presentation, and imaging. AMJ Am J Roentgenol 164：573-580, 1995.
5) Bishop JA, et al：Glandular odontogenic cysts (GOCs) lack MAML2 rearrangements- a finding to discredit the putative nature of GOC as a precursor to central mucoepidermoid carcinoma. Head Neck Pathol 8：287-290, 2014.

[E. 顎・口腔領域の非歯原性嚢胞，F. 軟組織に発生する嚢胞]
1) 白砂兼光，他（編）：口腔外科学．第4版．医歯薬出版，2020.
2) 栗田賢一，覚堂健治（編）：SIMPLE TEXT 口腔外科の疾患と治療，第6版．pp140-152, 永末書店，2023.
3) 日本口腔病理学会（訳）：WHO 歯原性腫瘍の組織学的分類，2017年改訂版．
4) 日本臨床口腔病理学会：口腔病理基本画像アトラス，2021年改訂版．
5) 下野正基，他（編）：新口腔病理学．第3版．pp189-195, 医歯薬出版，2022.
6) 加藤　宏，他：下顎頭に生じた脈瘤性骨嚢胞の1例．日口外誌 65：419-423, 2019.
7) 松岡祐一郎，他：鎖骨上窩と上縦隔に波及した舌下顎下型ラヌーラの1例．日口外誌 66：261-265, 2020.
8) Cawson RA, et al：Surgical Pathology of the Mouth and Jaws. Wright. 1996.
9) Robinson RA, et al：Tumors and Cysts of the Jaws' Atlas of Tumor Pathology Series. pp4-16, American Registry of Pathology, 2012.
10) Shear M, et al：Cysts of the Maxillofacial Regions, 4th ed. Blackwell, 2007.
11) Barnes L, et al(eds)：WHO Classification of Tumours of the Head and Neck. IARC press, 2005.
12) Cawson, et al：Cawson's Essentials of Oni Pathology and Oral Medicine, 8th ed. Churchill Livingstone Elsevier, 2002.
13) Sciubba JJ, et al：Tumors and Cysts of the Jaws. AFIP, Maryland, 2001.
14) El-Naggar AK, et al (eds)：WHO Classification of Head and Neck Tumours, 4th ed. IARC, Lyon, 2017.
15) Fletcher CDM, et al (eds)：WHO Classification of Tumours of Soft Tissue and Bone. 4th ed. IARC, Lyon, 2013.

# 第8章 腫瘍および腫瘍類似疾患

## 総論

### A 腫瘍の概論・定義

#### 1 良性腫瘍と悪性腫瘍

##### A 腫瘍の定義

　腫瘍（tumor）とは，身体の細胞あるいは組織が，なんらかの原因によって本来の生物学的性格を変え，非可逆的，かつ自律的な過剰増殖を示すようになった状態をいう．過剰増殖した組織塊は，腫瘤やびらん，潰瘍を形成する．また，通常の組織とは異なる成長をした細胞からなる状態を新生物（neoplasm）と呼び，腫瘍と同義語である．腫瘍には良性と悪性があり，悪性腫瘍は「癌」，あるいは「悪性新生物」と呼ばれ，一般に発育が早く，周囲に浸潤性に増殖し，遠隔臓器に転移する．腫瘍は，増大することにより発生臓器や固体に影響を及ぼすが，一般的に良性腫瘍は影響が少なく，悪性腫瘍は影響が大きい（表8-1）．

##### B 良性腫瘍の特徴

　良性腫瘍（benign tumor）は，基本的に発生臓器の中で組織が増殖するのみであるため，病変を切除すれば治癒する．腫瘍が良性か悪性かの診断は，疾患の治療内容や経過に影響するため，臨床的に重要である．通常は病理組織学的検査で確定診断がなされる．一般に良性腫瘍は発育が緩慢で，局所に限局し，膨張性に発育し，腫瘍の境界も明瞭で，転移は原則として起こらない．病理組織学的には，母組織と類似性が多く，異型性や核分裂像が少ない．一方で，良性腫瘍とは異なる組織が増殖する病態として過形成や過誤腫が知られているが，一般に良性腫瘍との鑑別は難しい．また，多形腺腫やエナメル上皮腫など一部の良性腫瘍は，浸潤傾向が強く経過観察中に悪性化することもあるため，準悪性腫瘍と呼ばれる．

> **NOTE**
> **過形成と過誤腫**
> **過形成**：組織を構成する一部の細胞が，種々の刺激を受けて細胞分裂を起こし，細胞数が過剰に増えたために組織や器官が大きくなる状態で増生ともいう（例：白板症など）．
> **過誤腫**：胎生期に組織成分の量的組み合わせの割合を誤ったがために生じたもので，一般的には腫瘍と奇形（形態発生異常）の中間的な性格の病変とされている（例：歯牙腫，血管腫，リンパ管腫など）．

> **NOTE**
> **腫瘍と関連する用語**
> **細胞異型性**：悪性腫瘍では，核の細胞質比が大きく濃染性が高い．また，核分裂像が多く，腫瘍細胞が大小不同で配列が不規則となる．このような形態の変化を異型性と呼ぶ．
> **核の濃染性**：悪性腫瘍はヘマトキシリンなど塩基性色素に濃染する．
> **核の細胞質比**：核と細胞質の容積の比で，悪性腫瘍は細胞質の容積に比べ核が大きい．
> **核小体**：細胞の一部にみられる遺伝物質の丸い断片で，分裂の旺盛な悪性腫瘍では，核小体が大きくなり数も増加する．
> **分化度**：本来の正常な細胞の形態をどれくらい維持しているかを示し，一般に悪性腫瘍は本来の細胞とは形態が異なり分化度が低くなる．
> **細胞配列の規則性**：細胞には極性があり，正常組織ではこれに従い規則正しく配列されている．しかし，悪性腫瘍では極性が消失し，より配列が不規則となる．

表 8-1 良性腫瘍と悪性腫瘍の鑑別

| | 良性腫瘍 | 悪性腫瘍 |
|---|---|---|
| 臨床所見 | | |
| 　発育速度 | 緩徐 | 急速 |
| 　発育形成 | 境界明瞭で膨張性（限局性）<br>圧迫性発育 | 境界不明瞭で浸潤性<br>破壊性発育 |
| 転移 | ない | しばしばあり |
| 再発傾向 | ほとんどない | しばしばあり |
| 表面色調 | 腫瘍組織固有のもの | 潰瘍や壊死のため汚色，変色 |
| 潰瘍形成 | ほとんどない | しばしばあり |
| 神経血管系への影響 | ほとんどない | 出血や知覚・運動障害が多い |
| 放射線感受性 | 比較的低い | 比較的高い |
| 組織所見 | | |
| 　細胞異型性 | 軽度 | 高度 |
| 　核の濃染性 | クロマチンが少なく濃染しない | クロマチンが多く，濃染する |
| 　核の細胞質比 | ほぼ正常か小さい | 大きい（核が大きい） |
| 　核小体 | 明瞭でない | 明瞭 |
| 　核分裂像 | 少ない | 多い |
| 　分化度 | 高分化 | 高分化〜低分化までさまざま |
| 　細胞配列の規則性 | 比較的整 | 不整 |
| 被膜の有無 | あり | なしあるいは不完全 |

表 8-2 正常細胞と癌細胞の生物学的相違

| 正常細胞 | 癌細胞 |
|---|---|
| 分裂回数に制限があり不死化しない | 分裂回数に制限はなく不死化している（細胞の不死化） |
| 細胞周期（cell cycle）の監視機構が働いて，細胞分裂が制御されている | 細胞周期の監視機構が破綻し，分裂が非制御状態になる |
| 血清成分に含まれるさまざまな増殖シグナルの供給がないと生存できない | 外部からの増殖シグナルに依存しないで増殖する（自律性増殖） |
| 過剰な血管新生能をもたない | 過剰な新生血管を形成する |
| 付着系の正常細胞をディッシュ上で培養すると，一層を保って増殖し，細胞どうしが接触すると増殖が阻止する（接触阻止） | 癌細胞をディッシュ上で培養すると，細胞が重層化しコロニーを形成する（接触阻止の喪失） |
| 付着系の正常細胞は足場のない軟寒天培地では増殖できない（足場依存性） | 癌細胞は足場のない軟寒天培地でも増殖する（足場非依存性増殖） |

## C 悪性腫瘍の特徴

### 1 悪性腫瘍の生物学的特徴

良性腫瘍との相違点は，悪性腫瘍（malignant tumor）では発生臓器から離れた臓器に転移することが挙げられる．その機序は複雑で，まず，腫瘍が増殖・分裂を繰り返し，発症臓器から隣接臓器に浸潤・増殖することから始まる．そこで，新たに新生血管を自ら作り出し，それを栄養源としてさらに浸潤増殖する．正常な細胞も癌細胞も同じように細胞分裂を繰り返すが，正常な細胞は，ある段階まで至ると細胞分裂が止まり細胞死（アポトーシス）を起こす．しかし，癌細胞は無限に増殖し，周辺の組織を破壊する．そして，血管やリンパ管に侵入し，血流またはリンパ流に乗り遠隔臓器に着床する．遠隔の着床でも破壊的に増殖し，宿主が死ぬまで無限に増殖が続く（表 8-2）．

表 8-3 主な癌抑制遺伝子と癌遺伝子

| 遺伝子 | | 遺伝子産物の機構 | 発症機序 | 主な癌 |
|---|---|---|---|---|
| 癌抑制遺伝子 | p53 | 細胞周期の制御・DNA修復・プログラム細胞死 | 点突然変異，欠失 | 大腸癌，口腔癌，その他 |
| | RB | 細胞周期の制御 | 点突然変異，欠失 | 網膜芽腫 |
| | WT1 | 転写調節因子 | 点突然変異，欠失 | 急性骨髄性白血病，その他 |
| | APC | 転写調節因子 | 点突然変異，欠失 | 大腸癌，その他 |
| | BRCA | DNAの修復 | 点突然変異，欠失 | 乳癌，その他 |
| 癌遺伝子 | Cyclin D | 細胞周期の制御 | 遺伝子増幅 | 乳癌，食道癌，その他 |
| | EGFR (erbB) | 上皮増殖因子受容体 | 遺伝子増幅 | 非小細胞肺癌，口腔癌，その他 |
| | HER2 (erbB2) | 増殖因子受容体 | 遺伝子増幅 | 乳癌，卵巣癌，胃癌，その他 |
| | MYC | 転写制御因子 | 遺伝子増幅 | 肺癌，乳癌，その他 |
| | KIT | 造血成長因子受容体 | 点突然変異 | 消化管間質腫瘍（GIST） |
| | RAS (KRAS) | p21 GTP結合タンパク質 | 点突然変異 | 膵臓癌，肺癌，大腸癌，その他 |
| | RAF (BRAF) | 細胞増殖 | 遺伝子増幅 | 肺癌，膵臓癌，大腸癌，その他 |

## 2 癌遺伝子と癌抑制遺伝子

悪性腫瘍は，癌抑制遺伝子の不活化と癌遺伝子の活性化により発症する（表8-3）．癌抑制遺伝子は細胞の増殖抑制や分化に関連した遺伝子群である．その個々の遺伝子に変異（mutation）あるいは欠失（deletion）が生じて細胞の増殖・分化の制御が困難となり，腫瘍細胞へ移行しやすい状態となる．遺伝子は2本が対になっており，通常は一方の癌抑制遺伝子が変異しても，もう一方の遺伝子が正常であれば変化は生じない．しかし，残ったもう一方の遺伝子にも変異が起こると発癌に進む（Knudsonの2 hitセオリー）．

一方で，癌遺伝子は正常細胞の増殖，分化に直接関わる遺伝子群で，これらの遺伝子異常により細胞の癌化が促進する．近年，癌の増殖に関わる遺伝子に対する抗体が精製され，抗がん薬として用いられている．これら癌遺伝子をターゲットとする分子標的薬が，がん化学療法の主流となりつつある（→p.310）．

また，これら癌関連遺伝子の変異（ジェネティクス）だけでなく，遺伝子配列への影響はないが，DNAの修飾（メチル化）とヒストンの修飾（アセチル化とメチル化）により癌化を誘発する機序も存在する．これらは主として細胞の転写制御に関わり，結果として多くの癌抑制遺伝子の不活化に関わっている．これをエピジェネティクスな変化と呼ぶ．

通常，癌細胞は，単一の遺伝子異常のみでは癌化には至らず，複数の遺伝子が損傷することで発症する．最初の段階において，種々の発癌物質により生じた遺伝子の損傷と複製ミスにより，不可逆的な細胞変化をきたす段階をイニシエーションと呼ぶ．その後，引き続き年単位の長期間発癌物質（→p.253）に曝露することにより，イニシエーションで生じた異常細胞の増殖が促進する．これをプロモーションと呼び，この異常細胞の増殖が促進される過程で悪性腫瘍が発症する．これを多段階発癌といい，口腔癌においても，正常な重層扁平上皮が，喫煙や飲酒などの化学物質に曝露し，上皮性異形成などの前癌過程を経て癌化する多段階発癌の機構が明らかとなっている．また，一方でまれではあるが，多段階の過程を経ずにいきなり癌化する場合もあり，このような特異的に発症するタイプを *de novo* 癌と呼ぶ．

### NOTE

**悪性腫瘍の呼称**

悪性腫瘍（malignant tumor）は癌（cancer）あるいは悪性新生物ともいう．一般に「癌」は悪性腫瘍全体を示す言葉で，癌腫（carcinoma）は上皮性悪性腫瘍を，また肉腫（sarcoma）は非上皮性悪性腫瘍を指す．上皮とは組織学的に基底細胞層より上層で体表面を構成する組織で，非上皮とは，この基底細胞層より下層の体深部を構成する組織を指し，それぞれどの組織から発生したかによって，癌の名称が決まる（例：腺癌，扁平上皮癌，骨肉腫など）．

## 2 歯原性腫瘍
odontogenic tumor

### A 歯原性腫瘍の特徴

歯原性腫瘍は歯を形成する組織に由来する腫瘍の総称で，顎骨ならびにその周囲に発生する口腔外科領域に特有の疾患である．比較的まれな疾患で診断に苦慮することも多い．また，一部は良性であっても再発を繰り返し，最終的に顎骨を越え骨膜経由で筋組織や周囲軟組織へ波及する場合もある．一般的に発育は緩慢で，経過も長く，初期には無症状のことが多い．しかし腫瘍が増大すると顎骨や頬部が著しく膨隆して顎の変形や咬合障害を起こすこともある．また一部は悪性転化し，肺や骨などに遠隔転移をきたす．エックス線所見では，各々の腫瘍に特徴的な所見がみられるが，最終的には病理組織学的検査が必須で治療方針を決定するために確定診断する必要がある．歯原性腫瘍の大多数は良性腫瘍であるが，歯原性の悪性腫瘍もあり，肺や骨などに遠隔転移をきたす．

### B 歯原性腫瘍の病理組織学的分類（2017年WHO分類）

歯原性腫瘍のWHO分類は1971年に初めて刊行されて以来，1992年，2005年と改訂を経て，現在2017年のWHO分類が刊行されている．歯原性腫瘍は，歯胚形成からの歯の組織発生に基づいて分類されている．歯の元基である歯胚は，歯堤上皮が下方に伸長してエナメル器（上皮系細胞）を形成することにより始まる．そしてエナメル器周囲には，間葉系細胞が集塊をなし歯乳頭となる．歯乳頭は歯髄へと分化するとともに，エナメル器との界面に象牙芽細胞の分化を生じ，基質分泌により象牙質が形成される．そして，象牙質外側のエナメル器ではエナメル芽細胞の分化とエナメル質基質の形成が生じる．

こうして，歯の形成は，歯堤・エナメル器（上皮系）から歯乳頭・象牙芽細胞（間葉系），エナメル質基質形成（上皮系）と上皮と間葉が交互に関連しながら分化する（上皮-間葉相互誘導）（図8-1）．この過程で生じる腫瘍を歯原性腫瘍と呼び，2017年WHO分類では，大きく，①良性上皮性歯原性腫瘍，②良性上皮間葉混合性歯原性腫瘍，③良性間葉性歯原性腫瘍の3つに分類された（表8-4）．歯原性腫瘍で最も頻度の高いエナメル上皮腫は，2005年の分類と比較し，より臨床との関連性を重視し，①通常型，②単嚢胞型，③骨外型/周辺型の3つに分類された．

## 3 非歯原性腫瘍
non-odontogenic tumor

### A 非歯原性腫瘍の特徴

非歯原性良性腫瘍は，身体のあらゆる臓器に発症し，同様の組織型として口腔にも発生する．臨床的に遭遇する頻度の高い非歯原性良性腫瘍は，上皮性の乳頭腫，非上皮性の線維腫，脂肪腫，血管腫，リンパ管腫，筋腫，および神経系の腫瘍などである．これらは，舌，歯肉，頬粘膜，口底，口蓋といった口腔粘膜に発症する腫瘍であるが，顎骨内にも骨腫，軟骨腫などが発生する．非歯原性良性腫瘍の治療は，血管腫やリンパ管腫，歯牙腫などを除いてほとんどが外科的切除である．

一方，非歯原性悪性腫瘍は約90％が上皮性の扁平上皮癌であり，残りは肉腫，悪性リンパ腫，悪性黒色腫などが挙げられる．なお，頭頸部領域に特有の疾患として唾液腺に発生する腫瘍があるが，これについては次項で述べる．診断は，病理組織学的検査により決定するが，どの組織に由来する腫瘍であるか，組織特有のマーカーを用いた免疫組織学的染色が行われることが多い．非歯原性悪性腫瘍の治療は外科的切除以外にも放射線治療，がん薬物療法が施行される（表8-5）．

### B 非歯原性腫瘍の病理組織学的分類（2017年WHO分類）

顎口腔領域に発生する腫瘍は，発生組織の由来および臨床的特徴から，WHO分類が広く用いられている．

2017年のWHO分類では，軟組織に発生する非歯原性の良性および悪性腫瘍をあわせて，WHO classification of tumors of the oral cavity and mobile tongue（口腔ならびに舌可動域における腫瘍）として，腫瘍と鑑別を要する腫瘍類似病変についても併せて言及している．また，顎骨に

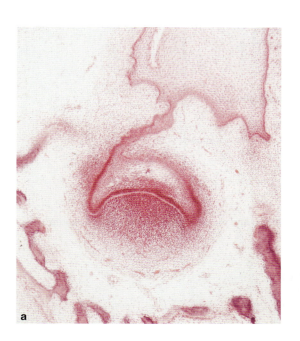
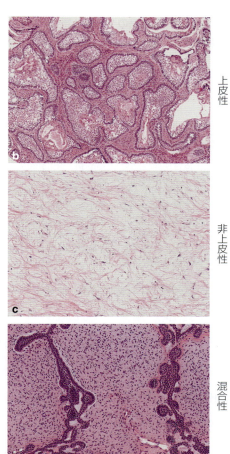

**図 8-1　歯胚と歯原性腫瘍との相関図**
a：歯胚（帽状期），b：エナメル上皮腫，c：歯原性粘液腫，d：エナメル上皮線維腫
〔a：東京歯科大学組織・発生学講座　山本　仁先生　提供，b, c, d：東京歯科大学病理学講座　松坂賢一先生　提供〕

発生する非歯原性の腫瘍については，WHO classification of tumors of maxillofacial bone tumor（口腔顎顔面骨における腫瘍）として 22 の疾患群を紹介している（表 8-6, 7）．

## 4　唾液腺腫瘍

### A　唾液腺腫瘍の特徴

唾液腺とは，唾液を分泌する臓器の総称で，この部位に発生する腫瘍を唾液腺腫瘍と呼ぶ．発症頻度は全腫瘍の約 1％で，悪性腫瘍は頭頸部領域に発生する癌の約 6％である．唾液腺腫瘍は大唾液腺腫瘍と小唾液腺腫瘍に分かれる．大唾液腺では耳下腺を原発とする腫瘍が最も多く，小唾液腺では口蓋腺の原発が最も多い．また，いずれも良性腫瘍の発生が多いのに対し，一般に舌下腺，臼後部に発症する唾液腺腫瘍は悪性腫瘍の割合が高いと言われている．唾液腺腫瘍は約 90％が良性腫瘍で，約 10％が悪性腫瘍である．

臨床的特徴として一般的に唾液腺腫瘍は良性悪性いずれも，腫瘍の進行は緩慢で無痛性に増大する．特に良性腫瘍は数年～数十年かけて増大し，この間の自覚症状はほとんどない．腫瘍の境界は明瞭で，周囲組織との癒着はなく可動性である．しかし，腺様嚢胞癌など一部の高悪性腫瘍は疼痛や神経麻痺などを認め，腫瘍の表面に潰瘍を形成し，さらに早期に遠隔転移する．また，多形腺腫

表8-4　歯原性腫瘍のWHO分類（2017年）

**歯原性癌腫　Odontogenic carcinomas**
　　エナメル上皮癌　Ameloblastic carcinoma
　　原発性骨内癌　Primary intraosseous carcinoma, NOS
　　硬化性歯原性癌　Sclerosing odontogenic carcinoma
　　明細胞性歯原性癌　Clear cell odontogenic carcinoma
　　幻影細胞性歯原性癌　Ghost cell odontogenic carcinoma
**歯原性癌肉腫　Odontogenic carcinosarcoma**
**歯原性肉腫　Odontogenic sarcomas**

**良性上皮性歯原性腫瘍　Benign epithelial odontogenic tumours**
　　エナメル上皮腫　Ameloblastoma
　　　　エナメル上皮腫，単嚢胞型　Ameloblastoma, unicystic type
　　　　エナメル上皮腫，骨外型/周辺型　Ameloblastoma, extraosseous/peripheral type
　　　　転移性エナメル上皮腫　Metastasizing ameloblastoma
　　扁平歯原性腫瘍　Squamous odontogenic tumour
　　石灰化上皮性歯原性腫瘍　Calcifying epithelial odontogenic tumour
　　腺腫様歯原性腫瘍　Adenomatoid odontogenic tumour

**良性上皮間葉混合性歯原性腫瘍　Benign mixed epithelial and mesenchymal odontogenic tumours**
　　エナメル上皮線維腫　Ameloblastic fibroma
　　原始性歯原性腫瘍　Primordial odontogenic tumour
　　歯牙腫　Odontoma
　　　歯牙腫，集合型　Odontoma, compound type
　　　歯牙腫，複雑型　Odontoma, complex type
　　象牙質形成性幻影細胞腫　Dentinogenic ghost cell tumour

**良性間葉性歯原性腫瘍　Benign mesenchymal odontogenic tumours**
　　歯原性線維腫　Odontogenic fibroma
　　歯原性粘液腫/歯原性粘液線維腫　Odontogenic myxoma/myxofibroma
　　セメント芽細胞腫　Cementoblastoma
　　セメント質骨形成線維腫　Cemento-ossifying fibroma

表8-5　臨床的に頻度の高い代表的な非歯原性腫瘍

| 非歯原性良性腫瘍 | | 非歯原性悪性腫瘍 | | |
|---|---|---|---|---|
| 上皮性腫瘍 | 非上皮性腫瘍 | 上皮性腫瘍 | 非上皮性腫瘍 | その他 |
| 乳頭腫 | 線維腫 | 扁平上皮癌 | 肉腫 | 悪性黒色腫 |
|  | 脂肪腫 | 唾液腺癌 | 脂肪肉腫 | 悪性リンパ腫 |
|  | 血管腫 |  | 平滑筋肉腫 | 白血病 |
|  | リンパ管腫 |  | 横紋筋肉腫 |  |
|  | 平滑筋腫 |  | 血管肉腫 |  |
|  | 横紋筋腫 |  | Kaposi肉腫 |  |
|  | 神経鞘腫 |  | 骨肉腫 |  |
|  | 神経線維腫 |  | 軟骨肉腫 |  |
|  | 骨腫 |  | Ewing肉腫 |  |
|  | 軟骨腫 |  |  |  |

表 8-6　非歯原性腫瘍の WHO 分類①（2017 年，一部改変）

| | |
|---|---|
| 口腔ならびに舌可動域における腫瘍 | Tumours of the oral cavity and mobile tongue |
| 　上皮性腫瘍および病変 | Epithelial tumours and lesions |
| 　　扁平上皮癌 | Squamous cell carcinoma |
| 　　口腔上皮性異形成 | Oral epithelial dysplasia |
| 　　　低異型度 | Low grade |
| 　　　高異型度 | High grade |
| 　　増殖性疣贅状白板症 | Proliferative verrucous leukoplakia |
| 　乳頭腫 | Papillomas |
| 　　扁平上皮乳頭腫 | Squamous cell papilloma |
| 　　尖圭コンジローマ | Condyloma acuminatum |
| 　　尋常性疣贅 | Verruca vulgaris |
| 　　多巣性上皮過形成 | Multifocal epithelial hyperplasia |
| 　組織由来不明の腫瘍 | Tumors of uncertain histogenesis |
| 　　先天性顆粒細胞エプーリス | Congenital granular cell epulis |
| 　　外胚葉間葉性軟骨粘液様腫瘍 | Ectomesenchymal chondromyxoid tumour |
| 　軟組織および神経性腫瘍 | Soft Tissue and neural tumours |
| 　　顆粒細胞腫 | Granular cell tumour |
| 　　横紋筋腫 | Rhabdomyoma |
| 　　リンパ管腫 | Lymphangioma |
| 　　血管腫 | Hemangioma |
| 　　神経鞘腫 | Schwannoma |
| 　　神経線維腫 | Neurofibroma |
| 　　Kaposi 肉腫 | Kaposi sarcoma |
| 　　筋線維芽細胞肉腫 | Myofibroblastic sarcoma |
| 　口腔粘膜原発悪性黒色腫 | Oral mucosal melanoma |
| 　唾液腺型腫瘍 | Salivary type tumours |
| 　　粘表皮癌 | Mucoepidermoid carcinoma |
| 　　多形腺腫 | Pleomorphic adenoma |
| 　血液リンパ性腫瘍 | Haematolymphoid tumours |
| 　　CD30 陽性 T 細胞性リンパ増殖性疾患 | CD30-Positive T-cell lymphoproliferative disorder |
| 　　形質芽球性リンパ腫 | Plasmablastic lymphoma |
| 　　ランゲルハンス細胞組織球症 | Langerhans cell histiocytosis |
| 　　髄外性骨髄肉腫 | Extramedullary myeloid sarcoma |

など良性腫瘍であっても長期間を経て組織の一部が悪性腫瘍に転化することがあるので注意が必要である．唾液腺腫瘍を疑う場合はまず画像検査を行う．画像検査としては，超音波検査や CT，MRI，PET-CT などが行われる．また，腫瘍の種類や悪性疾患を調べるために，針により病変部位から細胞を採取する穿刺吸引細胞診や，組織の一部を採取して調べる病理組織診（生検）が行われる．ただし，生検は被膜を破り周囲に腫瘍を播種させる危険性があるため，施行する時期については慎重に決めなければならない．唾液腺腫瘍の治療は，手術による摘出術が一般的であるが，悪性腫瘍の場合は口腔癌に準じた治療法が選択される．

## B 唾液腺腫瘍の分類

腫瘍診断の国際的な基準は，病理組織学的な特徴からなる 2017 年の WHO 分類が採用されており，この診断に従い治療方針が立てられる．わが国で発行されている癌取扱い規約もこれに準じて記載されている．唾液腺組織は，多くの複雑な組織構造からなり，漿液性および粘液性腺房細胞，介在部，線状部，小葉間細胞，排泄部導管上皮細胞，筋上皮細胞，基底細胞で構成されるため，良性・悪性含めてきわめて多くの組織型が存在する．2017 年 WHO 分類では，34 の腫瘍に分類されている（表 8-8）．

表 8-7　非歯原性腫瘍の WHO 分類②(2017 年，一部改変)

**顎顔面骨腫瘍　Maxillofacial bone tumours**
　**悪性顎顔面骨ならびに軟骨腫瘍　Malignant maxillofacial bone and cartilage tumours**
　　軟骨肉腫　Chondrosarcoma
　　　軟骨肉腫，グレード 1　Chondrosarcoma, grade 1
　　　軟骨肉腫，グレード 2/3　Chondrosarcoma, grade 2/3
　　間葉性軟骨肉腫　Mesenchymal chondrosarcoma
　　骨肉腫，NOS Osteosarcoma, NOS
　　　低悪性中心性骨肉腫　Low-grade central osteosarcoma
　　　軟骨芽細胞型骨肉腫　Chondroblastic osteosarcoma
　　　傍骨性骨肉腫　Parosteal osteosarcoma
　　　骨膜性骨肉腫　Periosteal osteosarcoma

　**良性顎顔面骨ならびに軟骨腫瘍　Benign maxillofacial bone and cartilage tumours**
　　軟骨腫　Chondroma
　　骨腫　Osteoma
　　乳児のメラニン(黒色)性神経外胚葉性腫瘍　Melanotic neuroectodermal tumour of infancy
　　軟骨芽細胞腫　Chondroblastoma
　　軟骨粘液様線維腫　Chondromyxoid fibroma
　　類骨骨腫　Osteoid osteoma
　　骨芽細胞腫　Osteoblastoma
　　類腱線維腫　Desmoplastic fibroma

　**線維骨性ならびに骨軟骨腫様病変　Fibro-osseous and osteochondromatous lesions**
　　骨形成線維腫　Ossifying fibroma
　　家族性巨大型セメント質腫　Familial gigantiform cementoma
　　線維性異形成症　Fibrous dysplasia
　　セメント質骨性異形成症　Cemento-osseous dysplasia
　　骨軟骨腫　Osteochondroma

　**巨細胞性病変と骨囊胞　Giant cell lesions and bone cysts**
　　中心性巨細胞肉芽腫　Central giant cell granuloma
　　周辺性巨細胞肉芽腫　Peripheral giant cell granuloma
　　ケルビズム　Cherubism
　　動脈瘤様骨囊胞　Aneurysmal bone cyst
　　単純性骨囊胞　Simple bone cyst

　**血液リンパ性腫瘍　Haematolymphoid tumours**
　　骨の孤立性形質細胞腫　Solitary plasmacytoma of bone

##  悪性腫瘍の疫学

###  世界における口腔癌の疫学

　口腔癌の罹患率は，民族，国，地域，生活様式ならびに生活習慣により異なる．国際的には，喫煙と飲酒の両方を嗜好する地域や国において口腔癌の罹患率が高い．特に，東南アジア諸国では口腔癌が他臓器の癌と比べても頻度が高く，わが国の罹患率とは異なる．台湾，インドなどでは，檳榔子(ビンロウジュ)という無煙タバコの咀嚼習慣(betel nut chewing)があり，高い発癌性をもつため口腔癌を誘発する原因となっている．インドの口腔癌の罹患率も高く，口腔癌の患者は全人口の 0.5〜5%で，250 万人と推定されている．わが国における口腔・咽頭癌による死亡率はフランスやイタリアより低いが，これには食事や飲酒習慣の影響が大きいといわれている．好発部位も国や地域により異なる．台湾やインドは頰粘膜に多く，アメリカでは舌に多い．

### 2　わが国における口腔癌の疫学

#### A　口腔癌の原因，好発部位，年齢，性差

　口腔癌は，舌(舌前 2/3)，歯肉，頰粘膜，口底，硬口蓋に発生した悪性腫瘍である．組織型と

**表 8-8 唾液腺腫瘍の WHO 分類（2017 年）**

| 悪性上皮性腫瘍　Malignant epithelial tumours | 良性上皮性腫瘍　Benign epithelial tumours |
|---|---|
| 粘表皮癌　Mucoepidermoid carcinoma<br>腺様嚢胞癌　Adenoid cystic carcinoma<br>腺房細胞癌　Acinic cell carcinoma<br>多型腺癌　Polymorphous adenocarcinoma<br>明細胞癌　Clear cell carcinoma<br>基底細胞腺癌　Basal cell adenocarcinoma<br>導管内癌　Intraductal carcinoma<br>腺癌 NOS　Adenocarcinoma, NOS<br>唾液腺導管癌　Salivary duct carcinoma<br>筋上皮癌　Myoepithelial carcinoma<br>上皮筋上皮癌　Epithelial-myoepithelial carcinoma<br>多形腺腫由来癌　Carcinoma ex pleomorphic adenoma<br>分泌癌　Secretory carcinoma<br>脂腺腺癌　Sebaceous adenocarcinoma<br>癌肉腫　Carcinosarcoma<br>低分化癌　Poorly differentiated carcinoma:<br>　未分化癌　Undifferentiated carcinoma<br>　大細胞神経内分泌癌　Large cell neuroendocrine carcinoma<br>　小細胞神経内分泌癌　Small cell neuroendocrine carcinoma<br>リンパ上皮癌　Lymphoepithelial carcinoma<br>扁平上皮癌　Squamous cell carcinoma<br>オンコサイト癌　Oncocytic carcinoma<br>境界悪性腫瘍　Uncertain malignant potential<br>唾液腺芽腫　Sialoblastoma | 多形腺腫　Pleomorphic adenoma<br>筋上皮腫　Myoepithelioma<br>基底細胞腺腫　Basal cell adenoma<br>ワルチン腫瘍　Warthin tumour<br>オンコサイトーマ　Oncocytoma<br>リンパ腺腫　Lymphadenoma<br>嚢胞腺腫　Cystadenoma<br>乳頭状唾液腺腺腫　Sialadenoma papilliferum<br>導管乳頭腫　Ductal papillomas<br>脂腺腺腫　Sebaceous adenoma<br>細管状腺腫とその他の導管腺腫　Canalicular adenoma and other ductal adenomas |

しては約 90％が扁平上皮癌である．好発部位は舌が最も多く，次いで歯肉，口底，頬粘膜，硬口蓋の順である．わが国では，口腔癌は年々増加傾向にあり，口腔癌の発症年齢は中高年層に多く，60〜70 代がピークである．男女比は 3：2 で男性が多い．また，最近では若年者や女性の口腔癌患者も増加している．独立した危険因子は喫煙と飲酒であり，そのほかに不適合な義歯や齲蝕による歯の鋭縁，舌側傾斜した歯による慢性刺激などが考えられる．

口腔癌は重複癌が多く，重複する好発部位は，咽頭・喉頭，食道，肺であり，術前の上部消化管内視鏡検査や PET-CT 検査は必須である．重複癌が多い理由としては，喫煙，飲酒などの同一の発癌物質が曝露するためといわれ，field cancerization と呼ばれている．

口腔癌の確定診断を得るためには病理組織学的検査が必須である．近年，わが国では口腔癌の早期発見を目的に，全国各地で口腔癌集団検診が実施されている．

## B 疾患別調査に基づいた口腔・咽頭癌の罹患率・死亡率

わが国では，超高齢社会の到来により癌罹患者数は増加しており，現在 2 人に 1 人が将来的に癌に罹患する時代となった．癌の罹患数，死亡数は，2016 年から全国がん登録制度が開始され，居住地域にかかわらず全国どこの医療機関で診断を受けても，癌と診断された人のデータは都道府県に設置された「がん登録室」を通じて集められ，国のデータベースで一元管理されている．癌の疫学では罹患率（incidence）と死亡率（mortality）が指標となり，それぞれ 1 年間の 10 万人あたりの人数で表現される．わが国では，以前から口腔癌と咽頭癌と併せた数が集計される．

国立がん研究センターがん情報サービスによる癌腫別統計情報によると，口腔・咽頭癌は，わが国では年々増加傾向を示し，2019 年の口腔・咽頭癌の罹患数は，23,671 名（男性 16,463 名，女性 7,208 名）であり，全癌の約 2％である．また 2020

**図 8-2** 口腔・咽頭癌の年齢調整罹患率と死亡率の年次推移（男女計，全年齢）
〔国立がん研究センターがん対策情報サービスより〕

年の死亡数は 7,827 人（男性 5,547 人，女性 2,280 人）である．人口あたりの罹患率は 18.8 例（人口 10 万対）であり，人口あたりの死亡率は 6.3 人（人口 10 万対）である．口腔・咽頭癌の罹患数および死亡数の年次推移では，年々増加傾向を認めるが，年齢調整罹患率と死亡率の年次推移では，罹患率は上昇傾向になるが，死亡率は横ばいである（図 8-2）．

## C 口腔癌の分類

###  口腔癌・口唇癌の部位と肉眼分類

国際対がん連合（UICC；Union for International Cancer Control）では，頰粘膜，上顎歯肉，下顎歯肉，硬口蓋，舌，口底に発生した癌を口腔癌と定義している．また，頰粘膜は上・下唇の粘膜面，頰の粘膜面，臼後部，上・下の頰歯肉溝（口腔前庭）に，舌は有郭乳頭より前（舌の前方 2/3）の舌背面と舌縁，舌下面（舌腹）に亜分類している．口唇は口腔と一括して取り扱われているが，その中で口唇は赤唇部のみを指し，上唇（赤唇部），下唇（赤唇部）と唇交連とに分けられている．口腔癌は肉眼観察が可能な部位のため，肉眼所見が重要である．『口腔癌取扱い規約第 2 版』では，口腔癌の発育様式から，表在型（superficial type），外向型（exophytic type），内向型（endophytic type）の 3 つに分類している（図 8-3）．

###  口腔癌・口唇癌の臨床分類（TNM 分類）と病期分類（staging）

TNM 分類は，悪性腫瘍の進行度に関する客観的な指標として定義されたものである（表 8-9）．悪性腫瘍の進行度を T（tumor：原発腫瘍の進展），N（lymph node：所属リンパ節転移），M（metastasis：遠隔転移）について，臓器ごとの特性に従い分類したものである．この TNM 分類の組み合わせにより病期（staging）が決定し，治療方針や治療効果の判定，生命予後の予測を立てることができる．TNM 分類は，UICC により策定・改訂され，現時点では 2017 年の第 8 版が最新である．わが国の『口腔癌取扱い規約』においてもこの臨床分類および病期分類を採用している．TNM 分類は肉眼所見に加え，CT や MRI，超音波検査や PET-CT などの画像検査，病理組織学的検査の結果から治療前に決定する．一般に治療前の臨床分類を cTNM（c は clinical の略），術後の病理組織学的判定が行われた後の分類を pTNM（p は pathological の略）で記載する．原発巣（T 因子）については，腫瘍の最大径と組織深達度，隣接臓器への浸潤の有無で判定する．所属リンパ節（N 因子）については，頸部リンパ節の転移の有無，数，大きさ，節外浸潤の有無で判定する．遠隔転移（M 因子）についてはありなしで判定する．この 3 つの因子を総合的に判定して，口腔癌の病期分類（staging）を決定する．わが国における口腔癌の 5 年生存率は，stage 1 で約 80〜90％，stage 2 で約 70％，stage 3 で約 60％，stage 4 で約 50〜60％である（表 8-10）．

---

**NOTE**

**組織深達度（depth of index；DOI）**

UICC TNM 分類第 8 版において T 因子を決定するうえで新しく加わった診断項目である．隣接する正常粘膜基底膜の仮想平面から癌浸潤の最深部までの距離をいう．本来は切除後の病理組織学的所見から判定するものだが，術前では画像（MRI や超音波検査）で判定する．

**節外浸潤（extranodal extension；ENE）**

UICC TNM 分類第 8 版において T 因子を決定するうえで新しく加わった診断項目である．リンパ節に転移した癌細胞がリンパ節の中で増殖し，リンパ節の被膜を越えて周囲の組織に入り込んで増殖している状態をいう．本来は切除後の病理組織学的所見から判定するものだが，術前では触診によるリンパ節の強い固着や画像所見を参考に判定する．

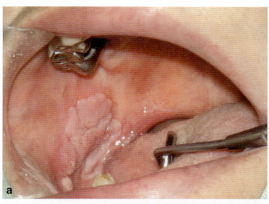
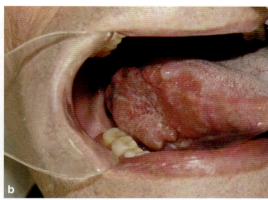
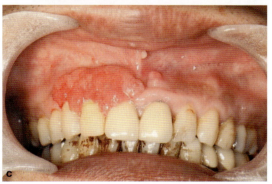

図 8-3　口腔癌の肉眼分類
a：表在型（頬粘膜癌）
b：内向型（舌癌）
c：外向型（上顎歯肉癌）

## D 発癌（病因）

### 1 発癌因子

癌は加齢，生活習慣，感染，化学物質，遺伝性腫瘍などが関係する遺伝子異常の疾患である．口腔癌発症のリスク因子に関する科学的証拠はWHOのIARC（国際がん研究機関）で喫煙（有煙・無煙），ビンロウジュ噛み，過度の飲酒に十分な因果関係（エビデンスレベル Group I）のあることが確認されている．

#### A 喫煙

喫煙は口腔癌を含む癌の最大のリスク因子である．タバコ製品には，紙巻きタバコ，加熱式タバコ，葉巻，パイプ，水タバコ，無煙タバコ，ビンロウジュ噛みなどがあり，含有するニコチンの作用により喫煙を長期的に継続させる依存性と健康に悪影響を与える有害性を有している．タバコ煙のニコチン，タールには発癌物質のベンツピレン，N-ニトロソ化合物など60種類以上を含む．ニトロソアミンはチトクローム P450 酵素により活性代謝物（発癌物質）を形成し，長期曝露でDNAに傷がつきDNA付加体を形成し，DNAの複製ミスや癌遺伝子（ras），癌抑制遺伝子（p53）の遺伝子変異をきたす．喫煙の健康へのリスクはタバコ本数，喫煙年数，および生涯喫煙量（pack year/喫煙指数）の増加とともに増加する．喫煙開始の年齢が早ければ早いほど口腔癌のリスクは高くなる．

紙巻きタバコ喫煙者の口腔癌発症のリスクはメタアナリシスでオッズ比3.4倍と報告されている．口腔癌治療後も喫煙を継続すると再発や転移のリスクが増加する．一方，リスクは禁煙により低下し，20年以上の禁煙継続で非喫煙者と同等になるといわれている．近年急速に普及している加熱式タバコの長期的な健康への影響に関するエビデンスはいまだ不十分であるが，紙巻きタバコと同様にニコチンや有害物質が含まれており，基礎的研究で口腔上皮細胞への発癌リスクの可能性が示唆されている．

表 8-9　国際対がん連合（UICC）の TNM 分類

| T 分類早見表 | |
|---|---|
| Tis | 上皮内癌 |
| TX | 原発腫瘍の評価不可能 |
| T0 | 原発腫瘍を認めない |
| T1 | 最大径≦2 cm かつ深達度≦5 mm |
| T2 | 最大径≦2 cm かつ 5 mm＜深達度または 2 cm＜最大径≦4 cm かつ深達度≦10 mm |
| T3 | 2 cm＜最大径≦4 cm かつ 10 mm＜深達度または 4 cm＜最大径かつ深達度≦10 mm |
| T4a（口唇） | 下顎骨皮質を貫通，下歯槽神経，口腔底／口底，皮膚（オトガイ部／外鼻）に浸潤 |
| T4a（口腔） | 4 cm＜最大径かつ 10 mm＜深達度下顎／上顎の骨皮質を貫通，上顎洞に浸潤，顔面皮膚に浸潤 |
| T4b（口唇および口腔） | 咀嚼筋間隙，翼状突起，頭蓋底に浸潤，内頸動脈を全周性に取り囲む |

| N 分類早見表 | |
|---|---|
| NX | 領域リンパ節の評価が不可能 |
| N0 | 領域リンパ節転移なし |
| N1 | 同側の単発性リンパ節転移で最大径が 3 cm 以下かつ節外浸潤なし |
| N2 | 以下に記す転移<br>N2a　同側の単発性リンパ節転移で最大径が 3 cm をこえるが 6 cm 以下かつ節外浸潤なし<br>N2b　同側の多発性リンパ節転移で最大径が 6 cm 以下かつ節外浸潤なし<br>N2c　両側または対側のリンパ節転移で最大径が 6 cm 以下かつ節外浸潤なし |
| N3a | 最大径が 6 cm をこえるリンパ節転移で節外浸潤なし |
| N3b | 単発性または多発性リンパ節転移で臨床的節外浸潤*あり |

＊皮膚浸潤か，下層の筋肉もしくは隣接構造に強い固着や結合を示す軟部組織の浸潤がある場合，または神経浸潤の臨床的症状がある場合は，臨床的節外浸潤として分類する．
正中リンパ節は同側リンパ節である．
〔日本口腔腫瘍学会/日本口腔外科学会（編）：口腔癌診療ガイドライン 2023 年版．p.9，金原出版，2023〕

表 8-10　口腔癌・口唇癌の病期分類（staging）

| 病期は，UICC 分類（第 8 版）に従う． | | | |
|---|---|---|---|
| 0 期 | Tis | N0 | M0 |
| Ⅰ期 | T1 | N0 | M0 |
| Ⅱ期 | T2 | N0 | M0 |
| Ⅲ期 | T3 | N0 | M0 |
| | T1, T2, T3 | N1 | M0 |
| ⅣA 期 | T4a | N0, N1 | M0 |
| | T1, T2, T3, T4a | N2 | M0 |
| ⅣB 期 | T に関係なく | N3 | M0 |
| | T4b | N に関係なく | M0 |
| ⅣC 期 | T に関係なく | N に関係なく | M1 |

| | N0 | N1 | N2 | N3 | M1 |
|---|---|---|---|---|---|
| Tis | 0 | | | | |
| T1 | Ⅰ | Ⅲ | ⅣA | ⅣB | ⅣC |
| T2 | Ⅱ | Ⅲ | ⅣA | ⅣB | ⅣC |
| T3 | Ⅲ | Ⅲ | ⅣA | ⅣB | ⅣC |
| T4a | ⅣA | ⅣA | ⅣA | ⅣB | ⅣC |
| T4b | ⅣB | ⅣB | ⅣB | ⅣB | ⅣC |

〔日本口腔腫瘍学会（編）：口腔癌取扱い規約第 2 版，p5，金原出版，2019 より〕

## B 飲酒

　口腔癌発症と飲酒との関係については食道癌など上部消化管癌と同様にアルコールの代謝産物であるアセトアルデヒドが DNA 損傷を引き起こし，癌遺伝子や癌抑制遺伝子に突然変異を誘発させ発癌性を生じる十分な証拠がある（Group 1：IARC）．2 型アルデヒド脱水素酵素（ALDH2）の不活性型の多い日本人を含む東アジア人の中で習慣的に飲酒習慣のある者は癌のリスクが高くなる．また，喫煙が重なると相乗効果でそのリスクはメタアナリシスでオッズ比 4.7 倍，無煙タバコ

では 7.8 倍といわれている．一方，禁酒により口腔癌のリスクは 10 年以上で非飲酒者に近づくと推定されている．

### C ウイルスその他

IARC はヒトパピローマウイルス(HPV)16 が中咽頭癌を引き起こす十分な証拠があるとしている．口腔/中咽頭の HPV16 感染は主に性行為によって獲得される．一般集団における口腔の HPV16 感染の有病率は約 1％で，HPV 感染の病因割合は口腔癌で～2％，中咽頭癌で～31％と推定されている．口腔癌発症の役割についてはいまだ議論の余地がある．HPV は扁桃腺(Waldeyer 環を含む)および舌根部中咽頭癌の原因となるが，疫学的に一部の HPV 陽性中咽頭癌が口腔扁平上皮癌として誤分類されている可能性が指摘されている．口腔癌，口腔潜在的悪性疾患の HPV16 感染に関するほかのリスク因子との相互作用に関してはまだよくわかっていないが，口腔の HPV 有病率は喫煙者で高くなることが知られている．

その他，口腔癌の原因と結論づけるにはエビデンスが不十分として，歯周病，不完全な歯冠補綴物や義歯による口腔粘膜への慢性的な機械的刺激，アルコール含有含嗽剤，電子タバコなどが挙げられる．近年，口腔微生物叢の異常による口腔内環境の変化や慢性炎症が潜在的な癌発症に関係していることが示唆されている．一方，禁煙，禁酒に加え食物からの抗酸化物質を含むビタミン，βカロテンなどの微量栄養素の高摂取は頭頸部癌発症のリスクを下げるとされている．

### 2 発癌機序

### A 発癌のメカニズム

発癌は遺伝子変異の蓄積による多段階的プロセスであり(多段階的発癌)，数十年かけて起こりうる．その過程は以下のとおりである．

① 癌遺伝子や癌抑制遺伝子の DNA に変異が生じ(イニシエーション)，② 変異の生じた細胞が増殖を開始し，さらに新たな DNA 変異を蓄積した細胞が生じて腫瘍形成が促され(プロモーション)，③ 最終的に浸潤・転移能を獲得する(プログレッション)．また，ジェネティクス(DNA を構成する 4 種類の塩基配列を遺伝情報の基本とする)あるいはエピジェネティクス(DNA 塩基配列の変化によらず受け継がれる遺伝子発現の変化)の異常が細胞の癌化へのプロセスと考えられている．さらに，悪性腫瘍は増殖，浸潤，および転移する特殊な機能を備えている．これは ① 自己による増殖シグナル，② 増殖抑制シグナルの回避，③ アポトーシスの回避，④ 無制限な複製能，⑤ 持続的な血管新生，⑥ 組織への浸潤と転移，の 6 つのプロセスが関与している．これらに関与すると考えられる基本的メカニズムを以下に示す．

ジェネティクスの観点から口腔癌では主要な癌抑制タンパクである p16 と p53 の不活性化を高頻度で認める．上皮成長因子受容体(EGFR)は活性化されると，その下流シグナルにあたる MAPK, AKT, ERK, Jak/STAT の活性を増加させて，腫瘍の増殖，浸潤，転移，アポトーシス，血管新生などに対して重要な役割を演じる．口腔癌では高頻度に EGFR の高発現を認めている．一方，エピジェネティクスの変化は遺伝子発現の制御に関わる重要なメカニズムの 1 つで，その制御機構は DNA メチル化と脱メチル化が重要な役割を担っている．このメチル化による腫瘍抑制遺伝子の不活性化は，発癌の特徴の 1 つとされる．口腔癌においてはプロモーター領域の高メチル化によって p16 の不活性化が高頻度で認められる(図 8-4)．

### B 浸潤と転移

癌の周囲組織や臓器への浸潤，所属リンパ節への転移，遠隔転移は生命予後に影響を与える．癌へ形質転換した細胞は原発巣から離れて隣接する組織へ浸潤する．そして癌細胞は血管やリンパ管に侵入して血管網で輸送されて，血管外へ漏出して微小転移が確立する．最終的にその部位で増殖して転移巣が形成される．浸潤段階では上皮細胞が紡錘形の間葉性形態に変化して運動性が高まり(上皮間葉移行)，アポトーシスに抵抗性を示すようになる．細胞そのものも上皮系の分子マーカーである E-カドヘリンから間葉系のマーカーであるビメンチン発現へと変化をする．上皮間葉移行は可逆的変化も生じ，癌細胞は間葉性形態から上

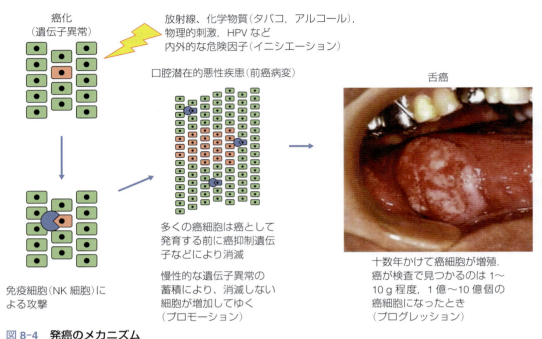

図 8-4 発癌のメカニズム
発癌には複数因子が重複して慢性的に作用し，遺伝子異常が蓄積することで段階的に癌に移行する．

皮性形態に戻り，転移巣での増殖に優位に働く．転移過程の最終段階では微小転移が増大し確立されなければならいため，転移組織内で腫瘍細胞が増殖できる環境が必要となる．転移先では抗腫瘍免疫応答を含めた数々の抗腫瘍メカニズムが働くことから，転移巣の確立にはさらに複雑な過程を要すると考えられている．

### C 腫瘍免疫

生体には癌に対する免疫応答が存在するが，癌細胞は免疫から逃避して自身に有利な腫瘍微小環境を構築することにより生存し増殖する．腫瘍微小環境には制御性T細胞（Treg），骨髄由来抑制細胞（MDSC），腫瘍関連マクロファージ（TAM），NK細胞，抑制性の樹状細胞などの抑制性免疫細胞が存在する．これら免疫系を活性化するエフェクターT細胞の機能を抑制，排除することで，癌の免疫逃避に寄与している．また，CTLA4，PD1，PD-L1といった免疫チェックポイント分子が活性化されることにより，T細胞の増殖やエフェクター機能（サイトカイン産生や細胞傷害活性など）が抑制されることで免疫応答が抑制される．近年，これらに対する免疫チェックポイント阻害薬が注目されている．

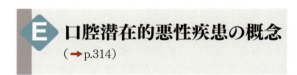

### E 口腔潜在的悪性疾患の概念
（→p.314）

### A 定義

口腔潜在的悪性疾患（oral potentially malignant disorders；OPMDs）は口腔扁平上皮癌が発症する可能性のあるグループの総称で，頭頸部腫瘍WHO分類第4版に含まれている．改訂したものを表8-11に示す．

代表的なものが白板症や紅板症で，これらの病変は従来，前癌病変（oral precancer）と呼ばれていた．

口腔潜在的悪性疾患の主要な危険因子は，口腔癌と同様に喫煙（有煙・無煙），ビンロウジュ噛み，過度の飲酒で，科学的な因果関係が明らかにされている．口腔潜在的悪性疾患と診断された患者は，健康な粘膜を持つ人と比較して口腔癌を発症するリスクが3.5〜9.8％高く，一般集団よりも5〜100倍高いと推定されている．

表 8-11　口腔潜在的悪性疾患

口腔白板症
紅板症
増殖性疣贅性白板症
口腔扁平苔癬
口腔粘膜下線維症
光線性角化症/口唇炎
逆喫煙者ニコチン性口内炎
円板状エリテマトーデス
先天性角化異常症
口腔苔癬様病変*
口腔移植片対宿主病（口腔 GVHD）*

*新たに追加
〔2020年 WHO 口腔がん研究協力センターによる推奨リスト〕

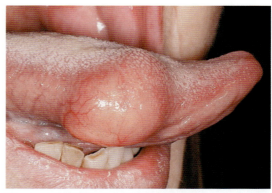

図 8-5　舌線維腫（良性非上皮性腫瘍）

## F 病態（症状）

### 1 局所病態

「腫瘍とは細胞組織が自律性に非可逆的に過剰に増殖する」と定義されている．そして腫瘍の良性と悪性の差異は，腫瘍が宿主にもたらした障害の程度によって決められる．すなわち，腫瘍による宿主への障害が局在的にとどまるか（良性），全身状態へ波及し死に至るものであるか（悪性）による．

#### A 良性腫瘍

一般的に腫瘍増殖には膨張性（expansive growth）と浸潤性（invasive growth）に分けられる．膨張性増殖は良性腫瘍にみられ，限局性で周囲組織を圧排しながら増大するため明瞭かつ平滑な境界をもって周囲組織から区別される．大きくなると，圧排された宿主組織の結合織が腫瘤を被包し被膜を形成することが多い．周囲の健康組織を破壊しないため一般に疼痛はなく潰瘍形成もみられず，自覚症状に乏しい．

良性腫瘍の多くは同心円状，球形を呈し，結節状，半球状隆起，ポリープ状（有茎），乳頭状などの形態をとる（図 8-5）．良性腫瘍でも境界不明瞭な血管腫やリンパ管腫は粘膜や皮膚表面に暗赤色の斑や腫瘤あるいは小顆粒状隆起を示し，病巣部は健常組織とともにび漫性の膨隆を生じる（図 8-6）．

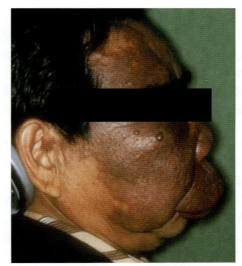

図 8-6　血管腫（良性非上皮性腫瘍）

#### B 悪性腫瘍

基本的に悪性腫瘍の増殖形式は浸潤性増殖を示すが，初期や増殖スピードがゆるやかなものは膨張性に増殖することもある．神経脈管内への浸潤によって生じる転移は，悪性腫瘍の特徴となる病態である．浸潤性増殖では，腫瘍の周辺部で，腫瘍細胞が周囲の比較的抵抗の弱い部分を破壊しながら増殖するため，腫瘤の形態は不規則・不定となり，周囲との境界は不明瞭となる．また腫瘍周囲組織の浸潤破壊により浮腫，変性，壊死，出血などを生じ，色調や形状，硬さに種々の二次的変化をきたす．

口腔領域の悪性腫瘍はそのほとんどが口腔粘膜由来の扁平上皮癌である．口腔という直視できる

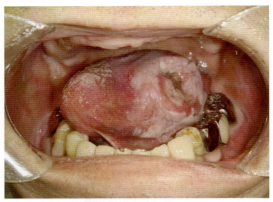

図 8-7　舌癌（扁平上皮癌）

部位で視診や触診が容易であるため，早期発見が可能なはずだが，現状では進行した状態での発見が多い．増殖進展すると，形成された腫瘤の中央が壊死脱落して潰瘍を形成する．そのため潰瘍の形態が不規則，不整で潰瘍底に角化壊死を伴い，潰瘍周囲に浸潤した腫瘍を硬結として触知し，腫瘤の中央が壊死脱落，陥没することにより，噴火口状に周囲に堤防状隆起を伴うようになる（癌性潰瘍）（図 8-7）．

口腔領域の肉腫（非上皮系悪性腫瘍）は発生頻度が非常に低い．初期には粘膜下，皮下，骨内に発生し膨隆をきたすが，腫瘍が表面に露出した場合には，組織由来にかかわらず表面に灰白色の壊死組織を付着させた肉芽腫様腫瘤を形成し，急速に増大する．

## 2 転移

転移とは腫瘍細胞が原発腫瘍組織から分離して，遠隔臓器へ運ばれ，そこに定着，増殖して二次的な腫瘍を形成することをいう．転移（metastasis）と浸潤（invasion）はともに悪性腫瘍を最も特徴づける病態である．良性腫瘍の場合は原発部位に限局しているが，悪性腫瘍では遠隔部位に転移を起こし，しばしば全身に影響を与える．転移の経路としては，リンパ管，血管，体腔，接触があり，それぞれリンパ行性転移，血行性転移，体腔内転移，接触性転移という．口腔領域ではリンパ行性転移が最も多く，血行性転移がそれに次ぐ．体腔内転移は胸腔や腹腔内の浸潤増殖をいい，接触性転移は口腔領域ではまれである．

### A リンパ行性転移

口腔は扁平上皮癌の発生頻度が高く，さらに口腔周辺はリンパ管に富むためリンパ節転移を起こしやすい．通常，舌癌や口底癌では転移をきたしやすく，歯肉癌は転移頻度が低い．組織内リンパ管に浸潤した癌細胞は，リンパ管内を流れて原発巣に近い領域リンパ節へと転移し，さらに次のリンパ節へと転移していく．リンパ節内で腫瘍が増殖するとリンパ節の腫大をきたし，さらにリンパ節被膜外に増殖すると周囲組織に癒着して可動性がなくなる．口腔の領域リンパ節は頸部リンパ節であるが，最も転移を生じやすいのは上内頸静脈リンパ節で，次いで顎下リンパ節である（図 8-8）．

### B 血行性転移

血行性転移では，まず原発巣から周囲組織に浸潤性に増殖し，脈管系に侵入する．次いで脈管系を流れてほかの臓器の細小血管に着床してから脈管系を脱出し脱出部位で増殖する経過をとる．

一般に癌腫はリンパ行性転移，肉腫が血行性転移といわれているが，最近の知見では癌腫も血行性転移が多いことが判明した．腺系癌，特に腺様嚢胞癌は高頻度に血行性の遠隔転移をきたす．一般に最も遠隔転移をきたしやすい臓器は血液の篩器官といわれている肺であるため，TNM 分類での M 分類の判定には通常，胸部単純エックス線撮影が行われている（図 8-9）．次に多いのは骨（骨髄）転移であり，血液の通過性が良好である脳，筋肉，脾臓などは転移が少ない．

## 3 宿主への影響

すべての腫瘍は宿主の組織から発生するため，宿主に対する異物性は低い．それゆえ宿主の監視機構を逃れて「自律性に非可逆的に過剰に増殖する」ため，宿主に対して直接・間接に種々の悪影響を与える．良性腫瘍と比べ悪性腫瘍の影響はより重篤であり，最終的には宿主を死に至らしめる．

### A 局所的影響

腫瘍の増殖により周辺の正常組織が圧迫され，

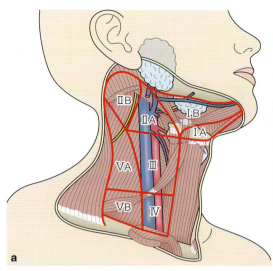
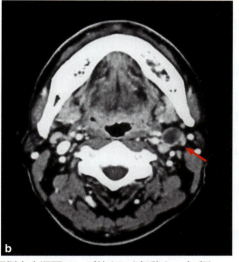

図 8-8　頸部リンパ節のレベル分類(a), 舌癌患者の同側上内深頸リンパ節(ⅡA)転移(b, 矢印)

血行障害, 栄養障害, 管腔閉塞による通過障害などが生じる. 特に悪性腫瘍の場合には組織破壊により臓器の機能が損なわれるとともに, 組織壊死による循環障害と二次感染, 出血を生じる. この組織破壊や炎症, また腫瘍の圧迫や癌細胞の神経への浸潤により疼痛を生じ患者を苦しめるようになる. 口腔領域では咀嚼や嚥下困難による摂食障害や呼吸困難, 顔貌の変形や崩れなどを生じ, 肉体的, 精神的に全身への影響をきたすようになる.

### B 全身的影響

悪性腫瘍の場合, 全身への転移により体重減少, 全身の消耗, 衰弱, 貧血, 低タンパク血症, 浮腫・脱水, 皮膚の土色変色などが現れ, 悪液質(cachexia)と呼ばれる癌末期の症状となる.

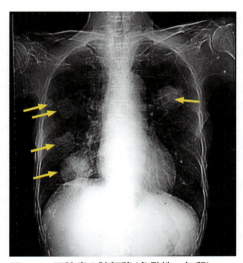

図 8-9　口腔癌の肺転移(多発性, 矢印)

一方, 悪性腫瘍の直接的な影響とは別に, 治療の副作用に伴う全身的影響も考慮しなければならない. 術後の嚥下障害による誤嚥性肺炎, 放射線照射や化学療法剤による骨髄抑制で易感染性, 貧血, 出血傾向を生じる. 化学療法剤はそのほかにも食欲不振, 悪心・嘔吐, 下痢などの消化器症状, 腎機能障害, 肺線維症などの副作用があり, 治療によってかえって全身状態を悪化させ致死的となることもある.

##  診断と治療方針

### 1 診断

腫瘍の診断にあたっては, まずその病変が腫瘍であるかどうかを判断したうえで, その腫瘍の病態から腫瘍の種類を確定しなければならない. 特に良性腫瘍であるか悪性腫瘍であるかの鑑別が重要である. 確定診断が得られれば治療方針が決定

され，その予後も推定できる．この過程をふまえて患者および家族に十分なインフォームド・コンセントを行ったうえで治療を開始する．

### A 臨床所見

既往歴，現病歴の問診から，腫瘍発生時の経過，腫瘍増大の状態，疼痛やほかの自覚症状の消長，全身への影響の有無を聴取し，腫瘍病変か否かを判断する．さらに視診や触診のポイントから必要な検査の進め方を考える．口腔は直視，直達が可能な部位なので，視診や触診で局所の病態を的確に把握することができる．

### B 画像検査

画像診断は近年の各種画像装置の開発や診断技術の向上により，有力な診断手段となっている．顎骨内あるいは顎骨に進展した腫瘍については単純エックス線写真やCTによる診断は不可欠である．またCTはMRIや超音波検査とともに，口腔軟組織や大唾液腺に存在する腫瘍やその進展範囲の把握に有用である．頸部リンパ節転移の診断にはCTと超音波検査が今や不可欠となり，転移の有無について正しく診断されるようになった．

### C 病理組織学的検査

最終確定診断には生検法（biopsy），すなわち腫瘍病変より採取した組織の病理組織学的検査が必要である．生検は単に良悪性の鑑別や診断を確定するためだけでなく，腫瘍の悪性度や放射線や化学療法の効果を予測しリンパ節転移の可能性を判断し，治療計画を立てる参考となる．

腫瘍が表層に存在する場合の簡便な病理学的検査として，腫瘍表面を擦過して得られた剥離細胞の塗抹標本による細胞診（cytology）があり，この方法は診断を急ぐときや腫瘍に対して外科的侵襲を加えるのを避けたいときに用いられる．また耳下腺や顎下腺などの深部に存在する腫瘍の場合には注射針を組織内に刺して細胞を吸引する穿刺吸引細胞診が行われる．

### D その他

αフェトプロテイン，癌胎児性抗原（CEA；carcinoembryonic antigen），SCC抗原などの腫瘍マーカーや癌関連遺伝子の異常検出が悪性腫瘍の診断にも応用されるようになってきたが，口腔領域ではまだ日常の臨床で実用的なものはない．

## 2 治療方針

良性腫瘍の治療は手術が主体となる．多くは境界が明瞭であるため周囲組織を損傷することなく容易に切除され，一般に再発は起こさない．しかし，血管腫やリンパ管腫は腫瘍の境界が不明瞭で正常組織（筋層）に入り組んでいるため，梱包療法，レーザー療法，凍結療法，薬剤注入療法など補助的手段が必要となる．

悪性腫瘍の治療は手術，放射線，薬物療法やその他の療法を組み合わせた治療となり，病理診断，病期，患者の状態など症例により異なる．悪性リンパ腫のように放射線や化学療法に高感受性のものもあれば，唾液腺悪性腫瘍のようにどちらにも低感受性もある．

### A 外科療法

良性腫瘍のエナメル上皮腫は再発しやすい腫瘍であるため，悪性腫瘍に準じて安全域を設けた顎骨切除や，摘出後に骨削除が行われることがある．一方で極力顎骨を保存しようと開窓，摘出搔爬，分割除去，瘢痕組織除去を繰り返し行う反復処置法もある．

悪性腫瘍に対する直接的な治療法とその適応については各論で述べられるので，ここでは口腔癌の治療方針を総括的に述べる．従来の手術や放射線のみを治療手段とした画一的な治療法ではなく，病態を病理組織検査や画像診断により正確に把握したうえで，個々の症例に合った治療法の選択や組み合わせが必要となる．主体となるのはやはり外科療法であるが，これに放射線療法と薬物療法が補助的に加わり（adjuvant therapy），新しい治療法として免疫療法や温熱療法が併用されることもある．

### B 薬物療法

悪性腫瘍治療における薬物療法には，抗腫瘍薬による化学療法のほか，ホルモン依存性の高い乳癌，子宮体癌，前立腺癌などに対してホルモン分泌抑制やホルモン剤などを投与するホルモン療

法，リンパ球，マクロファージ，樹状細胞などの免疫担当細胞，各種サイトカインや抗体などを用いて，宿主が本来保有している抗腫瘍免疫機構を刺激し，低下した免疫能を高め，抗腫瘍効果を期待する免疫療法などがある．近年では，各領域の悪性腫瘍治療で，外科手術，放射線治療に加え，薬物療法の重要性が増しており，新たな薬物を用いた治療法が開発，考案されている．

### C 放射線療法

癌治療において放射線療法が第一選択として実施される割合は，欧米に比べまだ低い．しかし放射線療法は正常組織の機能温存や審美性の維持が可能で，外科療法を受けられない合併症を有する患者や高齢者にも適応可能である．口腔癌の放射線治療は形態や機能の温存が可能であることから，古くより根治を目的として小線源治療が口腔癌，特に舌に対して適応されてきた．

### D その他

腫瘍治療に際して，治療前後から緩和療法おける全身管理も重要な治療の1つである．前述の複雑に絡み重なり合った治療法を総括して集学的治療というが，その目的は治療成績の向上(癌を治す)のみならず，口腔の機能や形態を極力温存あるいは回復し，治癒後の患者のQOL(quality of life)の向上を目指すものである．それゆえ悪性腫瘍の治療においては原発巣や転移巣の腫瘍の制御のみならず，治療によって損なわれた機能や形態の回復，治療に伴う全身状態の管理，社会復帰へのサポート，長期にわたる経過観察などを総括的に考えて，計画的な治療方針を立てる必要がある．

# 各論

## A 歯原性腫瘍

歯原性腫瘍は，歯の形成に関与する細胞や組織に由来する腫瘍の総称である．顎骨内(顎骨中心性)に発生することが多く，まれに顎骨周囲組織にみられることもある．発生頻度は顎口腔領域に生じる腫瘍の10〜15％を占めるといわれており，ほとんどが良性腫瘍である．わが国では良性歯原性腫瘍の中でエナメル上皮腫と歯牙腫が多く，これらで約60％を占めている．

### 1 分類

歯原性腫瘍の分類についてはWHO分類が最も一般的に用いられている．1971年に最初の分類が示され，以後1992年，2005年および2017年に改訂された．本項では2017年改訂版に沿って述べる(表8-4，→p.248)．

#### A 歯原性腫瘍のWHO分類

2017年の改訂では良性歯原性腫瘍は①良性上皮性歯原性腫瘍，②良性上皮間葉混合性歯原性腫瘍および③良性間葉性歯原性腫瘍の3つに分類される．

### 2 歯原性良性腫瘍

#### A 良性上皮性歯原性腫瘍
benign epithelial odontogenic tumor

**1 エナメル上皮腫**

エナメル上皮腫は歯原性腫瘍の中でも最もよくみられる腫瘍の1つで，若年者に好発し，局所侵襲性をもつことが特徴である．臨床病態や画像所見も一様ではなく，病理組織所見ではいくつかの亜型に分類される．再発の頻度が高く，治療法に関しては統一されていないのが現状である．

a 臨床所見

本腫瘍は10〜30代の比較的若い年齢層に好発する．発生部位は下顎に多く，臼歯部に特に多い．男性に若干多いとされているが有意差は認めない．症状として疼痛，腫脹，下唇知覚鈍麻，歯の動揺などを認める．臨床所見として，顎骨の無痛性腫脹，萌出障害，歯列不正，歯の動揺などがみられる．無症状で経過することもあり，歯科治療時の画像検査で判明することもしばしばある．

ほとんどが顎骨内の発生であるため，骨膨隆が

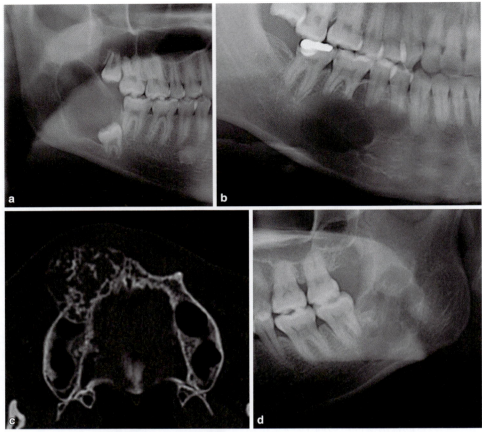

図 8-10　エナメル上皮腫のエックス線画像および CT
a：単胞性，b：多房性，c：蜂巣状，d：石鹸泡状

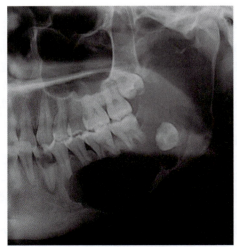

図 8-11　エナメル上皮腫における歯根の
　　　　ナイフカット状吸収

顕著になると骨皮質が菲薄になり，ペコペコとした羊皮紙様感を触知する．さらに腫瘍の増大により骨が消失し，骨膜だけになると波動を触れたり弾性軟を呈することもある．

**b　画像所見**

　エナメル上皮腫の画像所見として，単胞性，多房性，蜂巣状あるいは石鹸泡状の境界明瞭な囊胞様の透過像がみられる(図 8-10)．多房性が最も多く，下顎の臼歯部を中心として認めることが多い．特徴的なエックス線所見として，歯根の鋭利な吸収(ナイフカット状)もしばしば認める(図8-11)．

**c　病理組織所見(分類)**

　2005 年の WHO 分類(第 3 版)では充実型/多囊胞型，骨外型/周辺型，類腺型および単囊胞型に亜型分類されていたが，2017 年の WHO 分類(第 4 版)では，充実型/多囊胞型と類腺型が通常型に

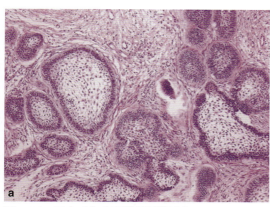 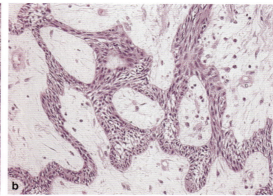

図 8-12　エナメル上皮腫の組織パターン
a：濾胞型，b：叢状型

統合され，骨外型/周辺型，単嚢胞型および転移性エナメル上皮腫と分類され，通常型の名称は分類の項目として記載されず，単に「エナメル上皮腫」とされた．

2017年のWHO分類（第4版）では臨床との関連性を重視しており，腫瘍組織型あるいは亜型の整理による分類の簡素化を目的としている．

病理組織学的には濾胞型と叢状型に大きく分類され（図 8-12），その他の亜型として顆粒細胞型，基底細胞型，有棘細胞型などが存在する．

### ① 通常型

充実型/多嚢胞型はエナメル上皮腫の中で最も多く，約75％を占める．内部は充実性もしくは複数の嚢胞を形成しており，エックス線所見はさまざまである．病理組織所見は主に濾胞型と叢状型を認める．類腱型はエナメル上皮腫の中で5％程度と比較的まれで，間質に著明な線維形成がみられ，腫瘍胞巣が膠原線維の間に散在性に認められるのが特徴である．画像検査では泡沫状あるいは斑点状の所見を認める．通常型は新分類ではエナメル上皮腫の約80％を占める．

### ② 骨外型/周辺型

顎骨内には発生せずに周囲の粘膜や骨膜に発生するタイプで，発生率は約3％とまれである．画像所見では骨の吸収は認めない，もしくは圧迫性の骨吸収を認める．

### ③ 単嚢胞型

エナメル上皮腫の中で約15％を占める．発生年齢は通常型のエナメル上皮腫よりも優位に低い．性差は認めない．下顎大臼歯部に好発し，病

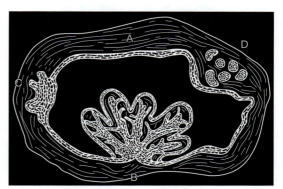

図 8-13　単嚢胞型エナメル上皮腫
A：内腔型（luminal variant），B：内腔増殖型（intraluminal type），C：壁在型；叢状型（mural variant；plexiform pattern），D：壁在型；濾胞型（mural variant；follicular pattern）

変内には智歯を含むことが多い．そのため臨床的には含歯性嚢胞との鑑別がしばしば困難である．病理組織学的には内腔型（luminal variant）と壁在型（mural variant）に大別される．luminal variant には嚢胞腔に向かって増殖する内腔増殖型（intraluminal type）があり，mural variant には増殖の仕方により濾胞型（follicular pattern）と叢状型（plexiform pattern）に分けられる（図 8-13）．

### ④ 転移性エナメル上皮腫

きわめてまれなエナメル上皮腫で，転移巣の約70％は肺，次いでリンパ節，骨である．原発部位は下顎に多く，通常のエナメル上皮腫でみられるとされる．本疾患は転移巣の病理組織診断を行ってから原発巣の既往を確認し，確定診断に至ることがほとんどである．病理組織所見は通常の

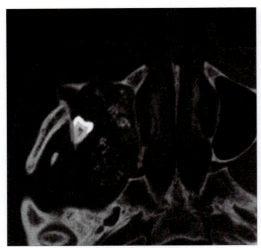

図 8-14　石灰化上皮性歯原性腫瘍の CT
腫瘍内に埋伏歯と多数の不規則な石灰化物を認める．

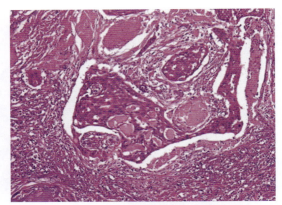

図 8-15　石灰化上皮性歯原性腫瘍の病理組織像
敷石状に配列する多角形の上皮性細胞とその中にエオジンに好染する類球形のアミロイド様物質を認める．

エナメル上皮腫であるが，顕著な異型細胞を認める場合はエナメル上皮癌として悪性に分類される．

#### d　治療

治療は顎骨保存療法と顎骨切除法に大別される．顎骨保存療法は機能の温存を重視し，顎骨切除は行わずに腫瘍の根治を目指すものである．

① **摘出＋掻爬**：摘出後にラウンドバーで周囲骨の削合を行う．
② **開窓＋摘出＋掻爬**：腫瘍が大きい場合は開窓処置を行い，腫瘍の縮小を図ってから摘出掻爬を行う．
③ **反復処置**：摘出後，数か月ごとに骨創面を被覆する瘢痕組織と新生骨を除去する．
④ **顎骨切除**：顎骨切除法は腫瘍とともに一定の健康組織を含めて顎骨を切除する方法で根治的な治療として行われる．

・下顎辺縁切除：下顎の連続性を維持したまま一部を切除する．
・下顎区域切除：下顎下縁まで切除する．下顎の連続性が断たれる．
・下顎半側切除：下顎頭を含めて下顎骨を切除する．
・上顎部分切除：上顎骨の一部を切除する．

### 2　石灰化上皮性歯原性腫瘍

アミロイド様物質の形成およびその石灰化を特徴とするまれな歯原性良性腫瘍である．Pindborg（ピンドボルグ）が1958年に初めて報告したため，Pindborg 腫瘍とも呼ばれる．

（臨床所見）

歯原性腫瘍の中でも発生頻度は約 1％とまれである．発生年齢は 20～60 代と幅広く認められる．性差は認めない．下顎に多くみられ，特に下顎臼歯部に好発する．顎骨中心性に発生し，緩徐に増大して無痛性膨隆をきたすことが特徴である．

（画像所見）

境界明瞭な単胞性もしくは多房性の透過像を示し，腫瘍内部には種々の程度の不透過像を認める．また，病変内には約半数の症例で埋伏歯を伴う．石灰化物をほとんど認めない症例では含歯性嚢胞との鑑別が困難である（図 8-14）．

（病理組織所見）

腫瘍細胞は結合組織性間質中にシート状，小島状ないし索状増殖を示す．敷石状に配列する多角形の上皮性細胞からなり，その中にエオジンに好染する類球形のアミロイド様物質がみられる（図 8-15）．

（治療）

主に摘出・掻爬術が行われる．病変が大きい場合には顎骨切断なども行う．再発率はほかの歯原性腫瘍に比べて低い．

### 3　腺腫様歯原性腫瘍

腺腫様歯原性腫瘍は古くから報告されており，当初はエナメル上皮腫の亜型と考えられていた．2017年のWHO分類（第4版）で「良性上皮性腫瘍」

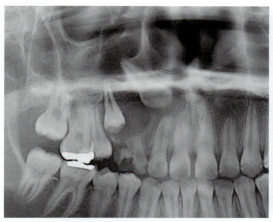
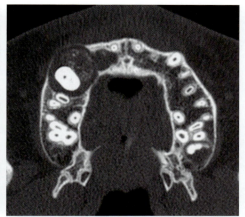

**図 8-16　腺腫様歯原性腫瘍のエックス線画像および CT**
腫瘍内に埋伏歯と多数の点状不透過像を認める.

に分類されている．本腫瘍にみられる石灰化物は，上皮・間葉系の相互誘導作用の結果からできているとの解釈から，このような分類の変更がみられた．その一方で本腫瘍は真の腫瘍ではなく過誤腫とも考えられている．

<u>臨床所見</u>

歯原性腫瘍の中でも発生頻度は約 2〜7％ と低い．若年の女性に好発し，特に 10 代に最も多く，20 代までが全体の大半を占める．上顎に多く発生し，前歯部，特に犬歯部に好発する．下顎も前歯部，特に犬歯部に好発するのが特徴である．顎骨中心性に発生し，埋伏歯（犬歯が多い）を伴うことが多い．腫瘍の発育は緩徐で，顎骨切除が必要なまで大きくなるものは少ない．

<u>画像所見</u>

境界明瞭な単胞性の透過像を示し，腫瘍内部に埋伏歯や多数の点状不透過像を認める．約 30％ の症例では点状不透過像を認めないものもあり，その場合は含歯性囊胞との鑑別が困難である（図 8-16）．

<u>病理組織所見</u>

比較的厚い線維性組織に被覆された腫瘍が充実性あるいは管状から多結節状に増殖する．腫瘍は腺管様構造や花冠状構造を形成する円柱状または立方上皮細胞からなる（図 8-17）．腫瘍内部には小石灰化物が散在性に認められる．

<u>治療</u>

主に摘出術や摘出・搔爬術などの顎骨保存療法が行われる．再発は少ない．

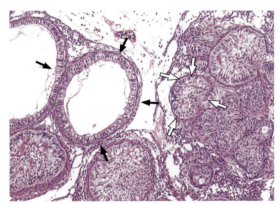

**図 8-17　腺腫様歯原性腫瘍の病理組織像**
腺管様構造（黒矢印）と花冠状構造（白矢印）を認める.

## B 良性上皮間葉混合性歯原性腫瘍
benign mixed epithelial and mesenchymal odontogenic tumors

### 1 ● エナメル上皮線維腫

エナメル上皮線維腫は歯乳頭に類似した歯原性外胚葉性間葉とエナメル器や歯堤に類似した歯原性上皮からなる腫瘍である．2017 年の WHO 分類（第 4 版）ではエナメル上皮線維腫は独立した真の腫瘍として解釈されている．エナメル上皮線維象牙質腫やエナメル上皮線維歯牙腫は将来的に歯牙腫に発育する過誤腫として考えられ，歯原性腫瘍からは除外されている．

<u>臨床所見</u>

20 代以下の若年者に発生し，発生頻度は全歯原性腫瘍の約 1.5〜4.5％ と比較的まれな腫瘍であ

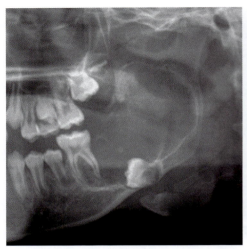

**図 8-18 エナメル上皮線維腫のエックス線画像**
埋伏智歯の歯冠を覆う単胞性の透過像を認める．

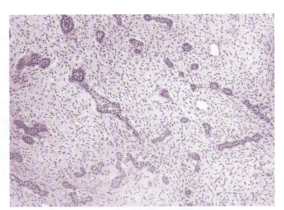

**図 8-19 エナメル上皮線維腫の病理組織像**
幼若な線維組織の中に島状あるいは索状の上皮胞巣を認める．

る．発生部位は下顎臼歯部，特に大臼歯部に多く，次いで上顎臼歯部に多い．顎骨中心性に発生し，腫瘍の発育は緩徐である．無痛性膨隆をきたすことが臨床的な特徴である．

▶画像所見◀
境界明瞭な単胞性もしくは多房性の透過像を呈する．多くの症例では未萌出歯と接する，もしくはそれらの歯冠を覆うような所見を認める（図 8-18）．

▶病理組織所見◀
腫瘍は結合組織性被膜で覆われている．細胞成分に富む幼若な線維組織の中に濾胞型エナメル上皮腫に類似した島状あるいは索状の上皮胞巣が散在している（図 8-19）．

▶治療◀
摘出・掻爬術が行われる．再発率はほかの歯原性腫瘍に比べて低い．

## 2 ● 歯牙腫

歯牙腫は歯の硬組織であるエナメル質，象牙質およびセメント質からなる腫瘍性病変であるが，過誤腫と考えられており，硬組織の形成が終了すると増大しない．わが国では歯原性腫瘍の中ではエナメル上皮腫に次いで多く，組織構造から複雑型と集合型に分類される．

▶臨床所見◀
歯牙腫は歯槽部の顎骨内に発生することが多く，永久歯の萌出障害や骨膨隆を伴うことがある．また，歯科治療時のエックス線画像上で発見されることも多い．好発年齢は 10～20 代で，複雑型では下顎臼歯部，集合型では上顎前歯部に好発する．

▶画像所見◀
エックス線所見は，周囲に一層の透過像を伴う境界明瞭な不透過像として認められる．複雑型では不整形の一塊の不透過像を示す（図 8-20）．集合型ではさまざまな大きさや形態の歯牙様不透過像の集塊として認められる（図 8-21）．

▶病理組織所見◀
集合型歯牙腫は多数の形態異常歯の集合体として認められるが，複雑型歯牙腫はエナメル質，象牙質，セメント質や歯髄組織が不規則に造成して塊状の硬組織を形成している（図 8-22）．

▶治療◀
摘出術を行うが，集合型では歯牙様硬組織を取り残さないよう注意する．

## 3 ● 象牙質形成性幻影細胞腫

エナメル上皮腫様の上皮成分の増生，多数の幻影細胞の出現や石灰化物を認め，類象牙質の形成を特徴とする．2017 年の WHO 分類（第 4 版）では石灰化嚢胞性歯原性腫瘍は石灰化歯原性嚢胞として歯原性嚢胞に再度分類され，象牙質形成性幻影細胞腫のみが歯原性腫瘍として分類されている．

▶臨床所見◀
発生頻度は全歯原性腫瘍の 0.3％未満ときわめ

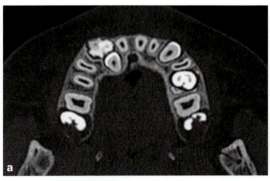
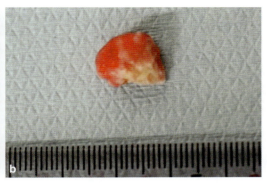

図 8-20 　複雑型歯牙腫
a：右側上顎前歯部に不整形で塊状の不透過像を認める．b：摘出した塊状の硬固物

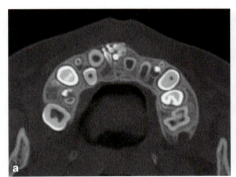
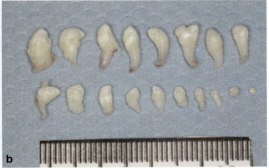

図 8-21 　集合型歯牙腫
a：右側上顎前歯部に歯牙様不透過像の集塊を認める．b：摘出した多数の歯牙様硬固物

てまれな腫瘍である．多くが顎骨に発生し，周辺性にも発生することがある．男女比は 2：1 と男性に多い．発生年齢は 20～90 代と幅広い．発生部位は下顎犬歯部に最も多く，次いで上顎前歯部および下顎小臼歯部の順に認められる．

画像所見

大部分は単胞性の透過像を示し，半数以上の症例では腫瘍内部に顆粒状や不規則な不透過像を認める．

病理組織所見

濾胞型エナメル上皮腫と類似した腫瘍胞巣の形成と，胞巣内部に多数の幻影細胞や類象牙質が認められる（図 8-23）．

治療

摘出もしくは摘出・掻爬術が行われる．再発率は 50％以上と高く，複数回にわたっての再発例も認める．

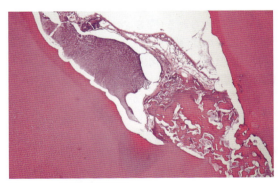

図 8-22 　複雑型歯牙腫
増生した象牙質の周囲にエナメル質やセメント質が不規則に形成されている．

### C 良性間葉性歯原性腫瘍
benign mesenchymal odontogenic tumor

#### 1 歯原性線維腫

歯小囊や歯根膜などの歯原性外胚葉性間葉組織

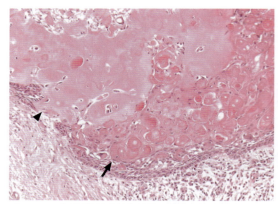

**図 8-23 象牙質形成性幻影細胞腫の病理組織像**
胞巣内部に幻影細胞(矢印)と類象牙質(矢頭)を認める.

に由来する腫瘍で,歯原性腫瘍の中での発生頻度はまれである.顎骨内に発生するもの(中心性)と骨外に発生するもの(周辺性)がある.比較的若年者で女性に多く,好発部位は下顎臼歯部である.

【臨床所見】
無痛性で緩慢に増殖するが,中心性では増大に伴って骨膨隆が認められ,歯の埋伏や転位もみられる.周辺性では正常粘膜に被覆された外向性腫瘤として認められる.

【画像所見】
周辺性では顎骨に著明な吸収を認めないが,中心性では境界明瞭な単胞性あるいは多房性の透過像として認められる(図8-24a).また,永久歯の埋伏や顎骨の膨隆が認められる(図8-24b).エナメル上皮腫のような歯根吸収はあまりみられない.

【病理組織所見】
線維性結合組織の増殖からなるが,一部に歯原性上皮の増殖が認められることが特徴である(図8-25).通常明らかな被膜は認められない.

【治療】
明らかな被膜が認められないので,周辺性では骨膜を含めた切除を行う.中心性では摘出のうえ,必要に応じ周囲組織の搔爬を行う.

## 2 歯原性粘液腫

全歯原性腫瘍の3~5%に認められる比較的まれな腫瘍で,歯原性の間葉性組織由来の腫瘍である.局所浸潤性が高いといわれている.

【臨床所見】
10~50代と幅広く発生し,男女比は1:1.5とやや女性に多い.発生部位は下顎骨に多く,特に臼歯部に好発する.また,上顎においても臼歯部に好発する.発育は緩慢で無痛性であるが局所浸潤性が強く,増大に伴い周囲骨の著しい破壊吸収をきたす.

【画像所見】
境界明瞭な単胞性あるいは多房性の透過像を示し,腫瘍内に既存の骨梁が存在すると樹枝状(テニスラケット状)の不透過像を病変内に認める(図8-26).

【病理組織所見】
腫瘍は半透明な白色のゼリー状を呈する.粘液性の細胞外基質の中に紡錘形や星状の線維細胞が疎に配列し,腫瘍内に歯原性上皮島を認めることもある.腫瘍の被膜の形成は認めない(図8-27).

【治療】
主に摘出・搔爬術が行われる.病変が大きい場合には顎骨切断なども行う.再発率はほかの歯原性腫瘍に比べて高いため十分な経過観察を要する.

## 3 セメント芽細胞腫

セメント芽細胞腫はセメント芽細胞に由来し,セメント質様硬組織の腫瘍性増殖を特徴とする比較的まれな腫瘍である.2005年のWHO分類(第3版)以降は悪性型がないことから,セメント芽細胞腫とされている.

【臨床所見】
全歯原性腫瘍の1~6.2%に認められる比較的まれな腫瘍である.10~20代の若年者に発生し,上顎より下顎に多く,好発部位は臼歯部である.腫瘍の発育は緩慢で,歯根を取り囲むように歯根と連続して球状の硬組織形成を認める.

【画像所見】
歯根と連続する境界明瞭な類円形の不透過像と,その周囲に一層の帯状の透過像を示す.エックス線不透過部は石灰化の程度や硬組織の構造によって,小柱様や斑状や放射状などを示す(図8-28).

【病理組織所見】
歯根に連続した梁状のセメント質様硬組織を認める.中央部から周辺部に向かって梁状の硬組織は不規則ながら放射状を呈する.硬組織にはヘマトキシリンに濃染する改造線が多くみられる.腫瘍周辺部は未石灰化の層で,その外側に菲薄な線

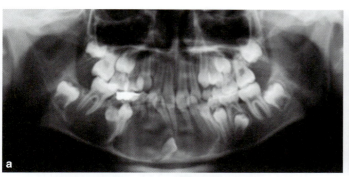
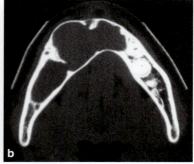

**図 8-24　歯原性線維腫のエックス線画像および CT**
a：下顎右側大臼歯部から下顎左側小臼歯部にかけて，境界明瞭で広範な多房性の透過像を認め，永久歯の埋伏もみられる．
b：頰舌的な骨膨隆を認める．

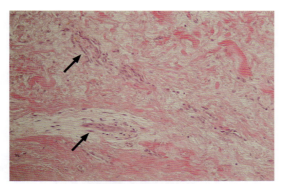

**図 8-25　歯原性線維腫の病理組織像**
線維性結合組織中に索状の歯原性上皮を認める（矢印）．

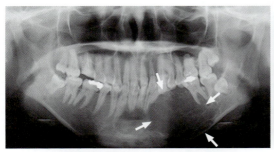
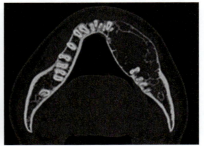

**図 8-26　歯原性粘液腫のエックス線画像および CT**
樹枝状（テニスラケット状）の不透過像を病変内に認める（矢印）．

維性被膜が形成され，周囲組織との境界は明瞭である（図 8-29）．

**治療**
原因歯とともに摘出する．再発はほとんど認めない．

### 4　セメント質形成線維腫

2017 年の WHO 分類（第 4 版）では歯根膜はセメント質と骨を形成することから，歯の植立領域に生じたものは歯原性腫瘍に分類されている．

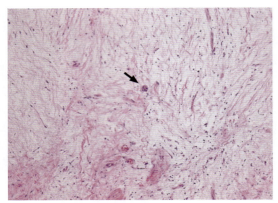

図 8-27　歯原性粘液腫の病理組織像
粘液性の細胞外基質の中に紡錘形や星状の線維細胞が疎に配列し，腫瘍内に歯原性上皮島を認める（矢印）．

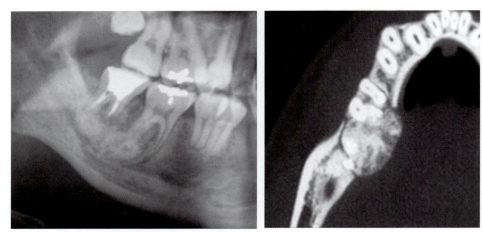

図 8-28　セメント芽細胞腫のエックス線画像および CT
歯根と連続する類円形の不透過像の周囲に一層の透過像を認める．

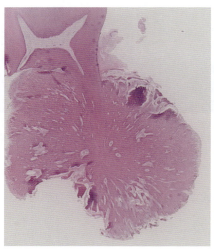

図 8-29　セメント芽細胞腫の肉眼所見とルーペ像
歯根と連続した放射状のセメント質様硬組織を認める．

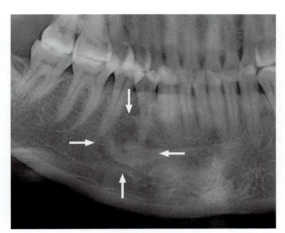

**図 8-30　セメント質骨形成線維腫のエックス線画像**
単胞性の透過像で，病変内部には不規則な不透過像の混在を認める(矢印)．

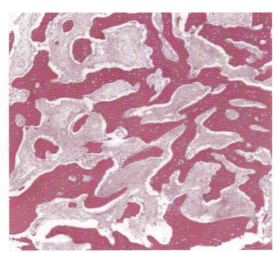

**図 8-31　セメント質骨形成線維腫の病理組織像**
細胞密度に富む線維性結合組織と，不規則なセメント質様硬組織の形成を認める．

### 臨床所見
30～40代の女性に多い．発生部位は下顎骨に多く，特に臼歯部に多い．発育は緩慢で顎骨に無痛性の膨隆をきたすことがある．増大すると顔面の変形や骨皮質の菲薄化を認める．

### 画像所見
境界明瞭な単胞性の透過像を示すことが多い．病変内部には硬組織形成量に応じた不規則な不透過像の混在が認められる．病変周囲には一層の透過像を示す(図 8-30)．

### 病理組織所見
細胞密度に富む線維性結合組織と，不規則なセメント質様硬組織の形成を認め，その周囲にセメント芽細胞による縁取りを認める(図 8-31)．病理組織学的に線維性異形成症との鑑別は困難であるが，病変周囲の境界が明瞭であるかどうかが鑑別の基準となる．

### 治療
主に摘出術が行われる．

## 3　歯原性悪性腫瘍
odontogenic malignant tumor

2017年のWHO分類(第4版)では独立した腫瘍としての十分な情報をもつことから再度歯原性悪性腫瘍として分類されている．

## A　歯原性癌腫
odontogenic carcinoma

歯原性癌腫はまれな歯原性悪性腫瘍で，2017年のWHO分類(第4版)ではエナメル上皮癌，原発性骨内癌(NOS)，硬化性歯原性癌，明細胞性歯原性癌，幻影細胞性歯原性癌が分類されている．本項目ではエナメル上皮癌について解説する．

### 1　エナメル上皮癌

非常にまれな歯原性悪性腫瘍であり，わが国では全歯原性腫瘍の約0.2％である．2005年のWHO分類(第3版)では，エナメル上皮癌は3種類の亜型(原発型，二次型・骨内性，二次型・周辺性)に分類されていたが，2017年のWHO分類(第4版)ではその亜型がなくなり，すべてエナメル上皮癌とされている．

#### 臨床所見
わが国では50歳以降の男性に多く，好発部位は下顎臼歯部である．腫瘍の発育は緩慢であるが，局所破壊性に増殖し，肺，頸部リンパ節，骨などに転移する．

#### 画像所見
著明な骨膨隆と骨破壊を認め，境界不明瞭な腫瘤性病変を示すことが多い．造影CTでは病変は不均一な造影増強効果を示す．

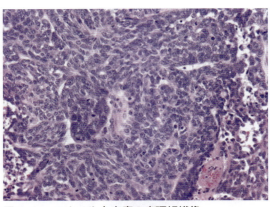 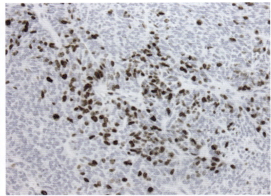

**図 8-32　エナメル上皮癌の病理組織像**
細胞密度と核分裂像が増加し，顕著な異型細胞を認める．Ki-67 の高い陽性率を認める．

#### 病理組織所見

　良性エナメル上皮腫に比べ，胞巣内の細胞密度や核分裂像が増加し，顕著な異型細胞を認める．Ki-67（免疫染色）の陽性率が確定診断に有用とされている（図 8-32）．

#### 治療

　安全域を設けた外科的切除を行い，必要に応じて頸部郭清術も行う．放射線治療や化学療法には抵抗性を示すとされている．約 30％の症例に転移を認める．

###  歯原性癌肉腫，歯原性肉腫
odontogenic carcinosarcoma, odontogenic sarcoma

　歯原性癌肉腫はきわめてまれな歯原性悪性腫瘍であり，上皮成分と間葉成分の両方が悪性像を呈する混合性腫瘍である．報告例がほとんどないため詳細やその治療法に関してはいまだ不明なことが多い．臨床的には 50％以上の局所再発や転移を認めるため予後不良である．

　歯原性肉腫は良性の上皮と悪性の間葉成分からなる．発生年齢は若年者に多く下顎に多いとされている．局所再発率は 37％であるが，転移はほとんど認めず，低悪性度の腫瘍とされている．

## B　良性腫瘍

###  良性上皮性腫瘍
benign epithelial tumor

　口腔粘膜の扁平上皮細胞または唾液腺の腺上皮細胞由来の良性腫瘍である．

###  乳頭腫
papilloma

　口腔粘膜や皮膚の扁平上皮細胞由来の腫瘍である．粘膜表面から外向性に増殖した境界明瞭な腫瘤であり，表面が凸凹状ないし顆粒状のいわゆる乳頭状の形態を呈する．時に有茎性を示す．大きさは多くが 1 cm 以内，5 mm 程度であり，特に症状はない（図 8-33, 34）．

　好発部位は舌，口唇，軟口蓋などである．上皮の角化が亢進すると白色を呈し，慢性的な機械的刺激やヒトパピローマウイルス（HPV）の感染が発生原因の 1 つとされている．

　線維腫に似ているが，むしろ疣贅癌との鑑別に注意を要する．

#### 病理組織所見

　扁平上皮が過角化ないし錯角化を伴って外方に増殖している．上皮突起の内部に線維性結組織が増生している．棘細胞層の肥厚が認められるが強い異形成を示すことはない（図 8-35）．

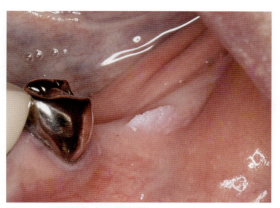

図 8-33 下顎歯肉の乳頭腫

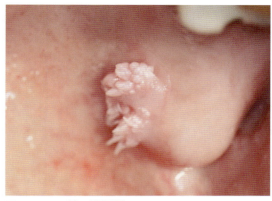

図 8-34 口蓋の乳頭腫

### 治療

周囲健康組織を含めて外科的に切除する．予後は良好である．

### B 乳頭状過形成
papillary hyperplasia

乳頭腫に類似した粘膜表層の外向性腫瘤で，多発性あるいは広範にみられるものもあり，乳頭腫症（papillomatosis）とも呼ばれる．

口蓋や頬粘膜に好発し，補綴装置などによる慢性刺激に対する反応性増殖物と考えられている．口腔粘膜では表層に発生し，癌腫より発育が緩慢で臨床的に診断が可能なこともあるが，確定診断には生検あるいは切除生検を行う．

### 病理組織所見

上皮細胞と上皮下結合細胞がともに増殖し隆起性病変を形成する．細胞の異形成は認めない．また，上皮下に炎症細胞浸潤を伴うことが多い．

### 治療

健康組織を含めた切除術が適応となる．縫縮が困難な場合には人工材料で被覆したり，植皮を行ったりする．

### C 唾液腺腫瘍（→p.362）
tumor of the salivary gland

## 2 良性非上皮性腫瘍

扁平上皮と腺組織以外の間葉系組織由来の良性

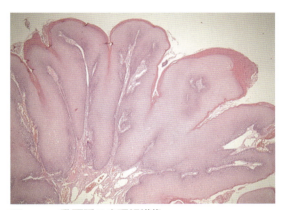

図 8-35 乳頭腫の病理組織像

腫瘍である．

### A 線維腫
fibroma

口腔粘膜下の線維性結合組織における線維芽細胞由来の腫瘍である．発生頻度は高い．その多くは炎症性ないし機械的刺激による反応性の線維性過形成（fibrous overgrowth）であり，真の腫瘍は少ない．舌，歯肉，頬粘膜に好発する．半球形ないしポリープ状の外向性の腫瘤で，表面平滑，境界明瞭，正常粘膜色で，内部のコラーゲン線維が多ければ弾性硬となる．症状はほとんどない．5〜10mm 大が多い．また，義歯が原因であるものは義歯性線維腫（denture fibroma）といわれ，不適

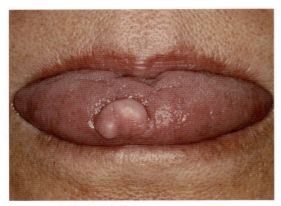

図 8-36　舌尖の線維腫

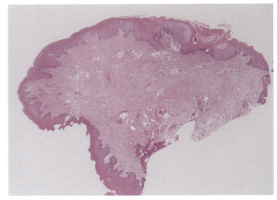

図 8-37　線維腫の病理組織像

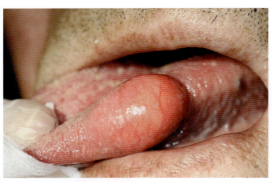

図 8-38　舌縁部の脂肪腫

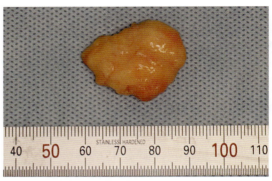

図 8-39　摘出した脂肪腫

切な義歯の床下粘膜にみられる(図 8-36).

鑑別診断としては,乳頭腫,粘液囊胞がある.

 病理組織所見 

扁平上皮層は正常である.上皮下のコラーゲン線維が増生している.刺激が持続していれば,毛細血管や炎症性細胞浸潤を伴う.被膜形成はなく,正常組織との境界は明瞭なものと不明瞭なものがある(図 8-37).

 治療 

外科的に切除する.予後は良好である.誤咬,補綴物や義歯による刺激が誘因となることが多いため,そのような刺激因子を除去する必要がある.

### B 脂肪腫
lipoma

口腔粘膜下の脂肪組織由来の良性腫瘍であり,中年以後にみられることが多い.通常は皮下や粘膜下の軟組織に発生するが,きわめてまれに顎骨内にみられる.被覆粘膜は正常で,外向性広基性の腫瘤として認識されるが,形態は分葉状で,弾性軟で,深部に存在すると境界がわかりにくく自覚症状がないことが多い.色調は黄色を帯び,鑑別のための特徴となる(図 8-38, 39).無痛性で症状はほとんどない.舌の左右に対称性に生じると脂肪腫症であることがある.

 病理組織所見 

脂肪細胞と脂肪組織の増殖からなり,隔壁によって小葉に分かれる.線維性被膜により周囲から境界される.血管の増生があれば血管脂肪腫と診断される(図 8-40).

 治療 

外科的に切除する.再発はまれである.

### C 血管腫・リンパ管腫
hemangioma

従来,血管腫,リンパ管腫,血管性母斑などで

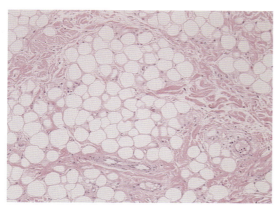

図 8-40 脂肪腫の病理組織像

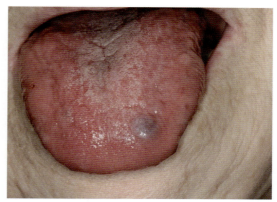

図 8-41 舌背の血管腫

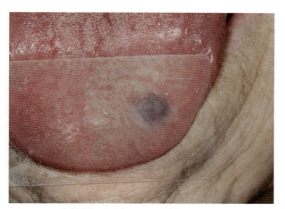

図 8-42 血管腫の圧迫による退色

呼称されてきた脈管系病変は，1996年に国際血管腫・血管奇形学会（ISSVA）でISSVA分類が採択され，脈管系腫瘍と脈管奇形に大別された．その後2017年に改訂され，脈管系腫瘍は，①乳児血管腫，②先天性血管腫に，脈管奇形は，①毛細血管奇形，②静脈奇形，③動静脈奇形，④リンパ管奇形にそれぞれ細分化された．

病態臨床所見（図 8-41）

- 乳児血管腫 infantile hemangioma

血管内皮細胞の増殖が本体で，生後2週間程度で症状が顕在化する．表面が鮮やかな赤色隆起性腫瘤を呈する．従来のいちご状血管腫と同義語である．小さな病変は自然退縮することが多い．

- 先天性血管腫 congenital hemangioma

出生時には上記の血管腫が完成しており，その後，乳児血管腫と同様，退縮傾向を認める．

- 毛細血管奇形 capillary malformation（単純性血管腫 simple hemangioma）

従来の単純性血管腫，ポートワイン母斑，Sturge-Weber症候群の一分症の血管腫などと同義語である．出生時より存在する平坦な赤色斑で，身体の成長に伴って拡大する．顔面では成長に伴い頬部，舌，口唇の過形成が発現し，大舌症（macroglossia），大唇症（macrocheilia）を呈する．

- 静脈奇形 venous malformation（海綿状血管腫 cavernous hemangioma）

血管奇形の中で最も頻度が高く，口腔内領域でもよく遭遇する．表在性のものでは，青紫色〜暗赤色の腫瘤あるいはび漫性の腫脹を呈する．圧迫すると退色するのが特徴である（図 8-42）．

- 動静脈奇形 arteriovenous malformation

顎骨の動静脈奇形（従来の顎骨中心性血管腫）では，顎骨の膨隆と歯の動揺，偏位をきたし，歯肉出血を認める．

- リンパ管奇形 lymphatic malformation

好発部位は舌，口唇，頬粘膜で，無痛性で弾性軟のび漫性膨隆を呈する．オトガイから頸部にかけての病変では，上気道狭窄による呼吸困難を呈することもある．毛細血管奇形と同様，大舌症，大唇症を呈する．

病理組織所見（図 8-43）

毛細血管奇形（単純血管腫）：毛細血管が増殖したものである．先天性にみられることが多く，外向性ではなく境界明瞭な暗赤色の斑として認められる．

静脈奇形（海綿状血管腫）：毛細血管の血管壁が

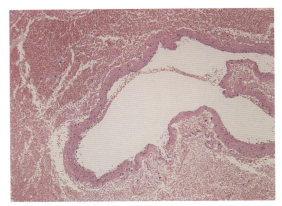

図 8-43　血管腫の病理組織像

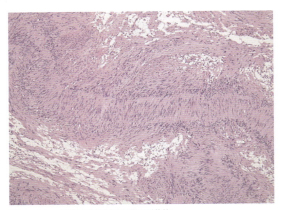

図 8-44　神経鞘腫の病理組織像

不規則に拡張し内部に血液が貯留されるため，退色性と退縮性が顕著である．静脈石を認めることがある．

　**リンパ管奇形（リンパ管腫）**：拡張したリンパ管の増生からなる．毛細リンパ管腫，海綿状リンパ管腫，囊胞状リンパ管腫に分類される．海綿状リンパ管腫は筋組織内に生じ，囊胞状リンパ管腫は脂肪組織に囲まれる．囊胞状リンパ管腫は頸部に好発する．

治療

　静脈奇形（海綿状血管腫）の小さいものは外科的に切除するが，範囲が広い場合や患者が望まない場合は経過観察することも多い．ほかに，梱包療法，組織硬化療法，凍結外科療法，レーザー療法が行われる．

　動脈が入り込んだ顎骨の動静脈奇形（従来の顎骨中心性血管腫）は大量出血するおそれがあるため，術前に動脈塞栓術を行う．再発することがある．

　リンパ管奇形（リンパ管腫）が感染によって腫脹が増大した際は抗菌薬を投与し，消炎を図る．根本的治療には切除術を行うが，境界が不明瞭なため完全切除は困難で，減量術となることがある．OK-432（ピシバニール®）などを利用した薬物注入療法（硬化療法）によって病変部を萎縮させることもある．

- **Sturge-Weber 症候群**

　三叉神経領域の皮膚の単純血管腫，脳軟膜および眼の脈絡膜の単純血管腫を特徴とする．

### D 神経鞘腫
neurilemmoma

　神経鞘［Schwann（シュワン）鞘］の Schwann 細胞に由来する腫瘍である．頭頸部に好発し，舌，頰粘膜，口蓋に発生する．類球形ないし分葉状の腫瘤で，境界明瞭で比較的硬い．周囲組織と癒着がなく可動性である．まれに顎骨中心性に生じることもあり，骨の膨隆，知覚異常や疼痛を呈することがある．

病理組織所見（図 8-44）

　組織学的に 2 型に分類される．Antoni A 型（束状型）では，紡錘形または楕円形の核を持つ細長い細胞が束状ないし渦巻き状に並び，その核の並びは観兵式様配列，棚状配列と呼ばれる．Antoni B 型（網状型）は，多極性の細胞が互いに連絡し，まばらに配列して核の観兵式様配列はみられない．

治療

　被膜を有しているために周囲組織との剝離も容易で，摘出術が行われることが多い．

### E 神経線維腫
neurofibroma

　末梢神経の神経鞘にある間葉組織の増生によって生じる．皮膚に好発するが，口腔領域では頰粘膜や舌にみられる．境界不明瞭な弾性硬の腫瘤を皮下ないし粘膜下に形成する．脂肪腫や線維腫と鑑別する．本腫瘍が多発性に発生する遺伝性疾患を神経線維腫症といい，Ⅰ型とⅡ型に分類される．Ⅰ型は von Recklinghausen（フォン・レック

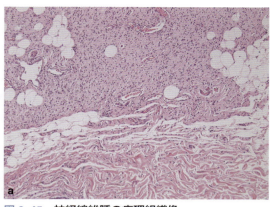

図 8-45　神経線維腫の病理組織像

リングハウゼン)病とも呼ばれる．Ⅱ型は両側性の聴神経腫瘍が多くみられ，皮膚症状は少ない．

**病理組織見**

Schwann 細胞様の細胞と線維芽細胞からなり，被膜はみられない(図 8-45a，b)．

**治療**

外科的に切除する．

- **von Recklinghausen 病(神経線維腫症Ⅰ型)**
  (図 8-46)

常染色体顕性(優性)遺伝で，多発性の神経線維腫，皮膚のカフェオレ斑，中枢神経腫瘍を特徴とする．小児期よりみられ，口腔領域では舌に好発する．

治療としては外科的に切除するが，再発しやすく，時に悪性化することがあるため，注意深い経過観察が必要である．

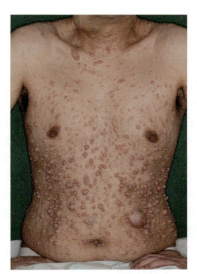

図 8-46　von Recklinghausen 病

##  骨腫
osteoma

成熟した骨組織からなる腫瘍で，真の腫瘍よりは非腫瘍性の骨増生の場合が多い．顎骨の外骨膜より発生する周辺性骨腫(外骨腫)と，内骨膜由来の中心性骨腫(内骨腫)に分けられる．内骨腫はエックス線撮影で偶然発見されることが多い．外骨腫は硬口蓋，下顎角部，オトガイ部に好発し，緩慢に外側に発育し骨膨隆がみられることがある．しばしば有茎性，結節状となる(図 8-47)．

骨様硬で無痛性であり，被覆粘膜は滑沢で正常である．エックス線画像では骨と同程度の境界明瞭な不透過像を呈すが，周囲の正常骨との境界は不明瞭である．

鑑別診断として，慢性硬化性骨髄炎，複雑性歯牙，外骨症，骨性異形成症などが挙げられる．

**病理組織所見**

骨組織は層板構造を呈する正常に近いものから不完全なものまで多様である．緻密骨からなる密骨腫と海綿骨からなる海綿骨腫がある(図 8-48)．

**治療**

外科的に切除するが，完全切除できずに減量術となることもある．

- **Gardner 症候群**

常染色体顕性(優性)遺伝で，顎骨の多発性骨腫と大腸腺腫様ポリープを特徴とする．大腸ポリープはしばしば癌化する．

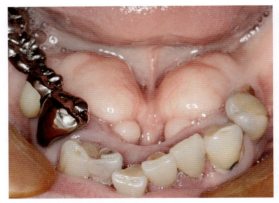

図 8-47　下顎舌側の骨腫

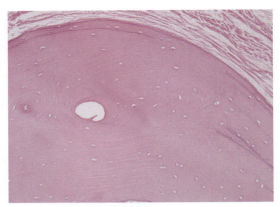

図 8-48　骨腫の病理組織像

### G 軟骨腫
chondroma

成熟した軟骨組織からなる腫瘍で，骨中心性に生じる内軟骨腫と骨膜から外向性に生じる周辺性軟骨腫とがある．口腔領域の発生頻度は低いが，上顎では前歯部，下顎では関節突起や筋突起など軟骨性骨化する部位に生じる．20～50代にみられる．下顎頭では咬合異常や顎運動障害を生じる．エックス線画像では透過像を呈するが，石灰化の程度により斑紋状の透過像が混在する．

病理組織所見

被膜で覆われ境界明瞭で，腫瘍実質は硝子軟骨からなり，分葉状を呈することもある．

治療

骨腫と同様に機能障害や審美障害をきたす場合，外科的に切除する．まれに局所浸潤をしていることもあり注意する．

・骨関連病変と良性線維骨性病変

2005年WHO分類では，顎骨に生じる骨関連病変として骨形成線維腫(ossifying fibroma)，線維性異形成症(fibrous dysplasia)，骨性異形成症(osseous dysplasia)，中心性巨細胞病変(central giant cell lesion)，ケルビズム(cherubism)，脈瘤性骨囊胞(aneurysmal bone cyst)，単純性骨囊胞(simple bone cyst)を挙げている．また，線維性異形成症，骨形成線維腫，骨性異形成症など，顎骨内に骨やセメント質などの硬組織の形成(osseous metaplasia)を伴う線維性組織の良性増殖性病変を，良性線維骨性病変として総称するのが妥当との考えも示されている．

2017年WHO分類では，これらは線維骨性病変や巨細胞性病変と骨囊胞として分類されている．

### H 骨形成線維腫（化骨性線維腫）
ossifying fibroma

20代の女性に多く，下顎臼歯部に好発する．顎骨中心性に発生し，無痛性の顎骨膨隆として発見される．エックス線画像では，境界明瞭な透過像の中に不均一な不透過像が現れる．不透過像の範囲はさまざまである（図8-49）．

病理組織所見

細胞成分に富む線維性組織の中に不規則な大きさと形態の骨様硬組織がみられる．セメント質様硬組織は，好塩基性の類円形の硬組織で，層板構造を呈することがある．組織像からは線維性異形成症との鑑別は困難である．

治療

外科的に摘出術を行う．

### I 巨細胞性病変
giant cell lesion

巨細胞性病変は，多数の多核巨細胞と単核の間葉性細胞の増殖を特徴とする病変で，大腿骨や脛骨など長管骨に好発するが，顎骨にも発生する．その多くは刺激に対する反応性修復物である巨細胞肉芽腫(giant cell granuloma)であり，真の腫瘍である巨細胞腫(giant cell tumor)はまれである．巨細胞肉芽腫は1953年にJaffeによって報告された反応性病変で，巨細胞修復性肉芽腫(giant cell reparative gran-

図 8-49　骨形成線維腫の病理組織像

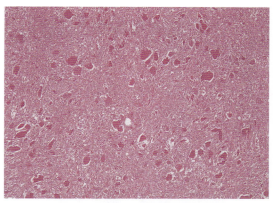

図 8-50　中心性巨細胞肉芽腫の病理組織像

uloma)とも呼ばれている．その後，長管骨での報告がなされ，脈瘤性骨囊胞と同様な組織像を呈することから類似疾患と考えられている．顎骨内部に中心性に発生するものは中心性巨細胞肉芽腫，歯肉に周辺性に発生するものは周辺性巨細胞肉芽腫あるいは巨細胞性エプーリスと呼ばれる．いずれも出血や外傷に対する過剰な反応性修復性の良性病変と考えられている．一方，巨細胞腫は時として局所浸潤性で，再発傾向が強く，悪性化例も報告されている．

### 1　中心性巨細胞性病変，中心性巨細胞肉芽腫
central giant lesion, central giant cell granuloma

骨中心性に生じる巨細胞病変で，局所性の良性病変であるが，時として急激な溶骨性変化を示すことがある．発生頻度はまれであり，全年代にみられるが，30歳以下に多い．女性に多く，男女比は1：1.5～2とされる．上下顎いずれにも生じる．

臨床症状に乏しく，顎骨の無痛性腫脹やエックス線画像で偶然発見されるものが多い．上顎骨より下顎骨に多く，臼歯部に好発する．短期間で増大し，疼痛，歯の動揺や知覚異常を呈するものもある．単純エックス線画像では多房性の境界明瞭な透過性を示し，皮質骨の菲薄化を伴う．

**病理組織所見**
組織学的には出血やヘモジデリン沈着を伴う線維性組織からなり，破骨細胞様巨細胞，反応性の骨形成がみられる（図 8-50）．

**治療**
摘出が行われるが，再発例ではより広範囲な外科的切除が必要とされる．グルココルチコイドの局所投与，インターフェロンαを用いた抗血管新生治療が効果的との報告もある．

### 2　ケルビズム　cherubism

多くは4歳までの乳幼児期に診断される常染色体顕性（優性）遺伝性疾患で，顎骨に生じる対称性膨隆を特徴とし，ルーベンスなどの西洋絵画に描かれている智天使ケルビム様顔貌を示すことからこのように呼ばれる．

**病理組織所見**
中心性巨細胞病変と同様の組織像を示す．

**治療**
高度の機能障害が認められる場合は外科的減量術が施行されることがあるが，多くは骨成長が終了する思春期には自然消滅する．

## C　悪性腫瘍

### 1　癌腫

#### A　口腔癌
oral cancer

UICCやWHOの定義によれば，口腔被覆粘膜上皮（上下歯肉，舌，口蓋，頰粘膜，口底）に由来する扁平上皮癌を口腔癌としている．

**疫学**
わが国における口腔癌発生頻度は全癌の約2～

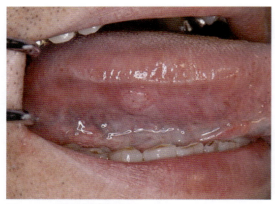

**図 8-51　舌の初期癌像**
無痛性の顆粒状隆起としてみられることが多い．

3％（2017年は約8,000人）とされており，頭頸部領域では全頭頸部癌の約40％を占めている．人口の高齢化に伴って罹患数は増加傾向にある．男女比は3：2と男性に多く，年齢は60代に最も多い．死亡率は35.5％で白血病や泌尿器系癌の死亡率に匹敵する．口腔癌における部位別発生頻度は，舌癌が全体の59.2％と最も多く，下顎歯肉癌が次いでいる．

#### 臨床的特徴

初期癌の視診上の特徴は，ほとんど疼痛のない顆粒状の隆起性腫瘤であることが多いことである（図8-51）．その後，進行すると潰瘍や硬結が明らかとなり，白斑や紅斑が混在した多彩な所見を示す．視診による分類としては，日本癌治療学会がん診療ガイドラインによる肉眼分類（旧臨床発育様式分類）が簡便かつ客観的とされている．すなわち，表在型，外向型および内向型の3型に分類され，再発，転移や生存率の予測因子となりうることが示唆されている．これらの肉眼分類に腫瘍表面の性状を示す臨床視診型を加えて肉眼的所見として表現することが多い（表8-12，図8-52）．一般的に内向型の予後が悪いことが示されている．

触診上の特徴は，原発巣については周囲組織との可動性の少ない硬結として触知できることが多い．原発巣における硬結の状態が腫瘍の深達度と関連しており，5mmを超える硬結がTNM分類に影響するとともに転移や予後などにも影響を及ぼすとされる．腫瘍の神経への浸潤で知覚異常を呈する場合があり，舌では舌神経浸潤の，下顎や上顎では三叉神経浸潤の指標となりうる．頸部転移リンパ節における触診上の特徴は，弾性硬（消しゴムのような硬さ）で丸く，可動性が損なわれている腫瘤として触知される．また，圧痛を伴う場合も多い．頸部リンパ節転移の確定診断にあたっては，さらにCT，MRIや超音波検査などの画像診断が必要である．

#### 臨床診断

口腔癌の臨床診断は，問診，視診および触診を通じて，おおまかな臨床診断と病変の進行状態を把握し，画像検査を用いて病期診断を行うが，確定診断は病理組織学的診断が必須である．画像検査は，単純エックス線写真としてまずパノラマエックス線写真による骨浸潤の診断を行う．さらに周術期口腔管理の観点から，齲蝕，歯周治療や抜歯適応歯の診断と術後の補綴治療の診断も行う．

骨吸収の判断は，画像上の所見として平滑型と虫喰い型および両者の中間型に分類される（表8-13，図8-53）．下顎においては，骨破壊が下顎管に波及しているかが治療方針や予後にも影響を与える．CT，MRIおよび超音波検査などの画像検査は，原発巣の進展範囲ならびに頸部リンパ節転移の診断に重要であり，多くの場合は，造影剤を用いたCTおよびMRIとして撮影されることが多い．また，咽頭や上部消化管など重複癌が多く認められる臓器については，内視鏡検査も行われる．

遠隔転移に関しての診断は，最も頻度が高い肺転移に関しては，胸部エックス線写真による診断が一般的であるが，検出率から考えると胸部CTによる診断も検討される．近年，PETの有用性を示す報告も多く，原発巣の進展や遠隔転移評価に用いられる頻度が高い（図8-54）．これらの検査結果をふまえて，病期診断をUICCによるTNM分類（表8-9，➡p.254）や病期分類（Stage分類；表8-10，➡p.254）を用いて診断する．

#### 病理組織診断

口腔癌の病理診断には，検査法として細胞診と組織診が行われる．細胞診は，初診時のスクリーニング検査として行われる簡便な検査法で，病変からブラシなどで採取された細胞の良性もしくは悪性の判定を行うものであるが，この検査のみで病理学的確定診断とはならない．組織診は，病変と隣接する組織を含めて一部分を切除する生検

表 8-12 舌癌の肉眼分類と臨床視診型

| 肉眼分類（日本口腔腫瘍学会改編　旧臨床発育様式） |
|---|
| 表在型：表在性発育を主とするもの |
| 外向型：外向性発育を主とするもの |
| 内向型：内向性発育を主とするもの |
| 臨床視診型（上野 1969） |
| 表面の性状を以下のように表現する |
| 膨隆型，潰瘍（びらん）型，肉芽型，白斑型，乳頭型 |

表 8-13 パノラマエックス線写真による骨吸収の分類

**平滑型**：骨吸収像が明瞭，平滑で骨吸収部に遊離骨片を認めないもの
**中間型**：骨吸収像がやや不明瞭で不整であるが，骨吸収部に遊離骨片を認めないもの
**虫喰い型**：骨吸収像が不明瞭，不整で骨吸収部に遊離骨片が認められるもの

 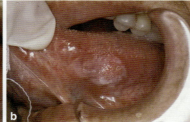 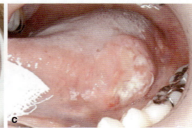

図 8-52 舌癌肉眼分類
a：表在型，b：外向型，c：内向型

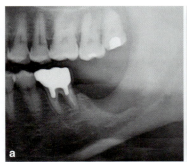 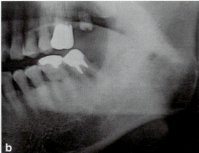 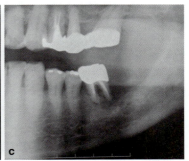

図 8-53 下顎歯肉癌のパノラマエックス線画像
a：平滑型，b：中間型，c：虫喰い型

（切開生検）によって得られた組織の診断を行うものである．病理組織学的診断として，癌の確定診断および浸潤様式，分化度，深達度，脈管・神経浸潤など組織学的な悪性度を評価する．侵襲的検査のため，治療を前提とした検査であるが，予後を左右する因子の判定にも有効である．

　口腔癌の大部分は病理組織学的に扁平上皮癌（図 8-55）であり，次いで唾液腺悪性腫瘍，悪性リンパ腫，悪性黒色腫および肉腫など，その他の悪性腫瘍とされている．扁平上皮癌における病理組織学的悪性度の評価は，高分化型，中分化型および低分化型とする Grade 分類が最も用いられるが，大部分は高分化型である．そのほか，代表的な組織学的悪性度評価法に Jakobsson 分類や Anneroth 分類などがある．わが国では山本・小浜分類（YK 分類）を病理組織学的浸潤様式として採用する施設が多く，予後や特に頸部リンパ節転移との関連が報告されている．

治療（→p.297）

## 1 ● 舌癌

　口腔癌において，有郭乳頭より前方部で，舌背，舌縁および舌下面に発生したものを舌癌として扱う．

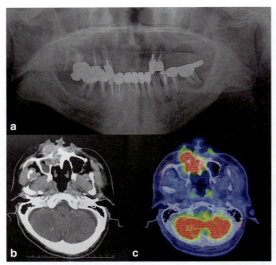

図 8-54　上顎歯肉癌のパノラマエックス線写真（a），造影CT（b）とPET像（c）

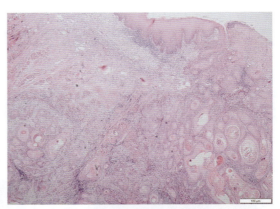

図 8-55　舌癌（高分化型扁平上皮癌）の病理組織像

### 疫学

舌癌は口腔癌の中では最も発生頻度が高く，口腔癌の約50〜60％を占める．男女比は2：1で男性に多く，50〜70代の発生頻度が高いが，近年若年者での発症も増えている．好発部位は舌縁〜舌下面部で，舌背や舌尖部での発症はまれである．

### 臨床的特徴

肉眼分類では内向型が多く，表面性状ではびらん型，潰瘍型が大部分であり，白斑型が次いでいる．腫瘍の舌内進展により舌運動障害（舌突出時の患側への偏位）や舌神経障害などを呈する．内向型は表在型や外向型と比べて有意に頸部リンパ節転移率が高いことが報告されている．特に腫瘍深達度が5 mmを超える場合には，頸部リンパ節転移に注意が必要である．腫瘍深達度は触診による評価のほかに，CTやMRIを参考にするが，舌超音波検査も有用である．頸部リンパ節転移の頻度は高く，10〜20％に転移を認める．上内深頸リンパ節および顎下リンパ節への転移が多い．また，進展例では両側のリンパ節に転移する頻度が高くなる．

病理組織学的には高分化型・中分化型扁平上皮癌がほとんどで，まれに唾液腺癌が報告されている．

### 治療（→p.297）

### 予後

初期癌の5年生存率は90％以上と良好であるが，進展癌で頸部リンパ転移をきたしている場合は5年生存率が60％以下となる．切除不能進展症例や再発症例の予後は不良である．遠隔転移は肺に認められることが多い．

## 2　歯肉癌

### a　下顎歯肉癌

下顎の歯肉から歯槽・歯槽堤粘膜に発生した癌である．

### 疫学

口腔癌の約15〜20％で舌癌に次いで多い．上下顎では，下顎歯肉癌が60％を占める．好発部位は80％が臼歯部歯肉である．

### 臨床的特徴

肉眼分類では表在型および外向型が多く，表面性状では肉芽型が大部分であり，潰瘍型，膨隆型，乳頭型が次いでいる．頰粘膜や口底，口峡咽頭部に進展すると外側に腫脹がみられ，開口障害を呈するようになる．腫瘍が下顎骨へ浸潤すると歯は浮遊歯状を呈して動揺が認められるようになる．さらに下顎管まで浸潤が及ぶとオトガイ神経障害が出現する．下顎においては，浸潤が下顎管に波及しているかが治療方針や予後にも影響を与える．

骨浸潤の判断は，パノラマエックス線写真における骨吸収型として，平滑型と虫喰い型および両者の中間型に分類され，重要な予後因子とされている．画像で認められる骨の変化と病理組織学的

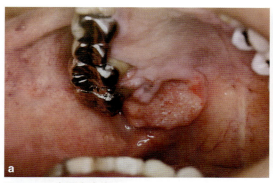
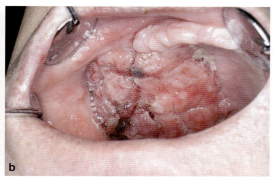

図 8-56　上顎歯肉癌
a：潰瘍型，b：肉芽型

な癌の浸潤範囲が相関しないことが多く，一般的には画像所見より広く浸潤している．頸部リンパ節転移は 30〜40％と高頻度に認められ，顎下リンパ節およびオトガイ下リンパ節に生じやすい．進展範囲が前歯部に及ぶ場合は，対側への転移も認められる．

治療（→p.300）

予後

5 年累積生存率は平均で 70％であるが，リンパ節転移がある場合の予後は悪い．また，下顎骨内に生じた術後再発の制御は困難である．

b　上顎歯肉癌

上顎歯肉癌は上顎の歯肉，歯槽粘膜および歯槽堤粘膜に発生した癌である．

疫学

口腔癌の約 10％を占める．好発部位は臼歯部である．

臨床的特徴

肉眼分類では表在型および外向型が多く，表面性状では肉芽型，潰瘍型が多い．白板症から移行的に発症する白斑型も多い（図 8-56）．骨への浸潤を含め広く進展し，浮遊歯を示すことが多く，鼻腔および上顎洞へ進展しやすい．側方では頬粘膜や口蓋粘膜，後方では翼状突起や翼口蓋窩に進展する．後方の翼口蓋窩に進展した場合は，治癒切除が困難となる．骨吸収型としては虫喰い型が多く，早期に周囲骨へ浸潤する．病理組織学的には高分化型扁平上皮癌が多い．頸部リンパ節転移は 20〜30％にみられ，顎下および上内深頸リンパ節に生じやすい．

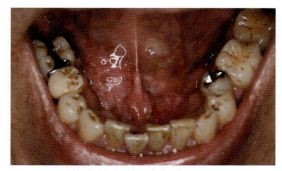

図 8-57　口底癌（表在型・潰瘍型）

治療（→p.302）

予後

後方進展症例では治癒切除困難となり，予後不良となる．再発症例に対しては，化学放射線療法が奏効する場合がある．

3　口底癌

口底癌は下顎，舌，および舌口蓋弓に囲まれた馬蹄形の粘膜に発生した癌である．

疫学

口腔癌の約 10％を占め，性差は男性に多い．

臨床的特徴

口底癌は正中型と側方型に分けられ，多くは正中型である．初期は無症状で経過するため，発見が遅れる傾向にある．肉眼分類では表在型が多く，表面性状では潰瘍型，乳頭型および白斑型が多い（図 8-57）．隣接組織に浸潤しやすく，舌や歯肉，下顎骨の骨膜から骨内へ浸潤する．顎舌骨筋から顎下部へ浸潤すると容易に両側性のオトガ

イ下，顎下ならびに上内深頸リンパ節に転移をきたす．頸部リンパ節転移の頻度は高く，40～60％に転移が認められる．病理組織的には高分化型の扁平上皮癌が多いが，舌下腺や小唾液腺由来の腺癌の割合も10％程度と多い．

治療（→p.302）

予後

外舌筋に深く浸潤し，舌骨に及ぶ場合は予後不良である．進展例では周囲組織を含め，広範な切除が必要となることから，術後の整容的および機能的な障害は大きく，QOLは低下する．

### 4 頬粘膜癌

頬粘膜から上下口腔前庭，臼後部および上下口唇粘膜に生じる癌である．

疫学

口腔癌の5～8％程度を占め，高齢者に多い．地域性があり，東南アジアやインドではビンロウジュなどの葉タバコを嚙む習慣により口腔癌では最も頻度が高い．

臨床的特徴

好発部位は臼歯部咬合平面に接する頬粘膜上に生じることが多い．左右差は報告されていない．肉眼分類では表在型が多く，表面性状では潰瘍型，乳頭型が多く，白板症や紅板症より移行的に発生したものも多い（図8-58）．病理組織学的には高分化型扁平上皮癌が多い．外側へ進展すると頬筋，皮下組織および皮膚浸潤を引き起こす．進展すると内側では上下歯肉や顎骨へ，前方では口角および口唇，後方は臼後部から翼突下顎隙，上顎結節から翼口蓋窩へ浸潤する．頸部リンパ節転移の頻度は20～30％で顎下リンパ節および上内深頸リンパ節に多いが，頬筋浸潤により浅頸リンパ節への転移が生じることがある．

治療（→p.304）

予後

比較的良好であるが，組織間隙への進展例では再発転移が多く，予後不良である．

### 5 口蓋癌（硬口蓋癌）

口蓋癌は歯列弓に囲まれた口蓋の前方2/3部に発生した癌である．

疫学

発生頻度は口腔癌の約3％と低い．

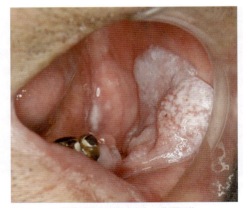

図8-58 頬粘膜癌（表在型・乳頭型）

臨床的特徴

好発部位は歯肉に近い口蓋である．肉眼分類では表在型が多く，表面正常では潰瘍型が大部分で，初期では硬結を伴う腫瘤として生じることが多い（図8-59）．病理組織学的には高分化型扁平上皮癌が大部分であるが，小唾液腺由来の唾液腺癌も多い．進展すると口蓋骨や上顎骨を吸収破壊し，鼻腔や上顎洞，軟口蓋へ浸潤する．頸部リンパ節転移の頻度は10～20％程度で，顎下リンパ節や上内深頸リンパ節にみられ，対側のリンパ節転移もみられる．軟口蓋進展例では，咽頭後壁のルビエールリンパ節への転移も注意が必要である．

治療

骨を含めた一塊切除が主体であるが，周囲組織への進展例では化学放射線療法を併用した集学的治療が検討される．欠損部は顎補綴が適応されるが，軟口蓋進展例では，術後鼻咽腔閉鎖に障害を残すことが多い．

予後

上顎歯肉癌の同等であるが，病理組織学的に唾液腺癌の場合は，予後不良となる場合がある．

### 6 顎骨中心性癌

転移性ではなく顎骨内に原発性に発生した癌である．

疫学

まれな癌であるが下顎骨の発生が多い．

臨床的特徴

主に下顎骨に発生するとされており，顎骨囊胞より生じることが多いと報告されている．無痛性

各論—C. 悪性腫瘍 285

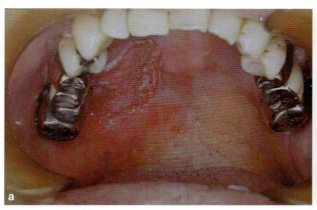
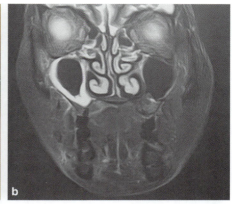

図 8-59　口蓋癌
a：肉眼像．b：MRI（T2 強調像）．口蓋骨へ浸潤を認める．

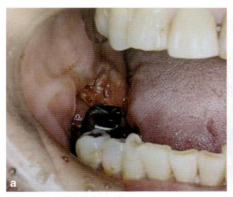
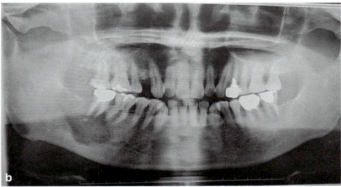

図 8-60　顎骨中心性癌
a：肉眼像，b：パノラマエックス線写真

に浸潤し，歯牙の動揺，抜歯窩の治癒不全やオトガイ神経領域の知覚異常などで発見されることが多い．粘膜側は正常もしくは肉芽状の腫瘤としてみられる（図 8-60）．進展すると周囲の骨を破壊し，組織間隙に浸潤する．病理組織学的には高・中分化型扁平上皮癌が大部分である．頸部リンパ節転移の頻度は不明である．

### 治療

周囲組織を含めた顎骨切除が行われる．下顎骨では顎骨中心性に進展するため，区域切除もしくは半側切除などが選択される．また，オトガイ神経麻痺が生じている場合は，オトガイ神経領域を含めた広範な切除が検討される．化学放射線療法は一次治療としては選択されない．硬組織の術中迅速生検ができないため，安全域を含めた顎骨切除ができているか手術中に確認できない．そのため，術後追加切除が必要となる可能性を排除できないことから，軟組織のみの即時再建となる場合がある．

### 予後

報告される症例数が少なく不明であるが，組織間隙に及ぶと予後不良である．

## B 口唇癌
carcinoma of lip

口唇癌は，上下口唇の赤唇部と左右口角部粘膜に発生する癌である．

### 疫学

口唇癌の発生頻度は人種や地域によって変わるが，わが国においては口腔癌の約 1％を占めるまれな癌である．欧米などにおける白人種での発生頻度は 15〜20％とまれではない．50 歳以上の男

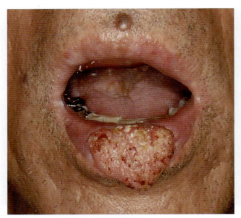

図 8-61　口唇癌（肉芽型）

性に多い．

### 臨床的特徴
肉眼分類では外向型が多く，表面性状では肉芽型が多い．初期では無痛性の硬結として生じ，肉芽形成を経て増大すると潰瘍を生じる（図 8-61）．発育は緩慢な場合が多い．病理組織学的には，高分化型扁平上皮癌が大部分であるが，まれに口唇腺由来の唾液腺癌や基底細胞癌も生じる．頸部リンパ節転移の頻度は低く，下唇癌ではオトガイリンパ節や顎下リンパ節，上唇癌では顎下リンパ節や上内深頸リンパ節に転移する．

### 治療（→p.304）

### 予後
治癒切除が可能な場合が多く，予後良好である．進展例においても 5 年累積生存率は 70〜80％である．

## C 上顎洞癌
carcinoma of maxillary sinus

上顎洞癌は上顎洞粘膜に由来した癌である．

### 疫学
発生頻度は頭頸部癌の数％とされている．40 歳以上の男性に多い．

### 臨床的特徴
鼻閉，鼻漏や鼻出血を契機に発見されることが多いが，口蓋骨や上顎歯槽骨に浸潤し，歯の自発痛や動揺として口腔内症状を呈することもある．さらに進展すると口腔内粘膜に潰瘍として出現する．口腔症状を主訴として歯科受診を契機に発見されることも多い．眼窩底に浸潤すると複視などの眼症状を呈する．さらに上顎洞後壁から翼突下顎隙や外側翼突筋に浸潤すると開口障害が出現する．パノラマエックス線写真やWaters 法によって上顎洞内の軟組織陰影やパノラマ無名線の破壊などが認められる．病理組織学的にはほとんどが扁平上皮癌であるが，腺癌も認められる．頸部リンパ節転移は少なく，上顎歯肉癌と同様の転移様式である．

### 治療
基本的に耳鼻咽喉科，頭頸部外科で治療を行う．進展例では眼窩内容摘出を含めた上顎拡大摘出術が適応されるが，上顎部分切除や上顎全摘出術，動注化学放射線療法や化学放射線療法も選択される．

### 予後
篩骨洞や前頭洞に生じた上顎洞癌は予後不良であるが，5 年累積生存率が 70％程度と比較的予後良好である．

## D 唾液腺癌
carcinoma of salivary gland

唾液腺癌は耳下腺，顎下腺および舌下腺の大唾液腺と口腔粘膜下に存在する小唾液腺から発生する．耳下腺癌は耳鼻咽喉で取り扱われることが多い．

### 疫学
唾液腺癌は頭頸部癌の約 10％を占める．部位別の発生頻度は，耳下腺癌が最も多く，次いで顎下腺癌，舌下腺癌および小唾液腺癌となっている．小唾液腺癌の中では口蓋が最も多い．

### 臨床的特徴
臨床症状はほとんどないものが多く，緩慢に発育する無痛性の腫瘤として発見される．腫瘍の被覆粘膜は正常であることが多いが，進展すると潰瘍形成を認める．耳下腺腫瘍において Warthin 腫瘍との鑑別に RI シンチグラフィが有用である．確定診断には生検による病理組織学的診断が必要であるが，唾液腺癌は多彩な分化度の組織型を示すため診断が困難なこともあり，全摘出による病理組織学的診断が必要な場合もある．粘膜面に病変の露出がなければ細胞診では診断できない．穿刺吸引細胞診や針生検を行うこともある．病理組織学的には，粘表皮癌が最も頻度が高く，次いで腺様嚢胞癌，多形腺腫由来癌および腺房細胞癌などとなっている．

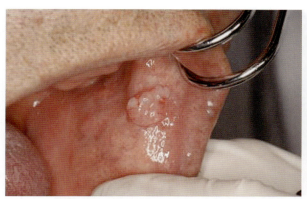
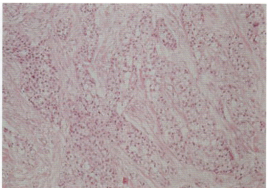

図 8-62　頬粘膜に発生した粘表皮癌の肉眼像と病理組織像

**治療**

放射線療法や化学療法に抵抗性があるため，外科的切除が第一選択である．

**予後**

病理組織型で異なるため後述する．

## 1 粘表皮癌（→p.364）

**疫学**

唾液腺癌の約40％を占め，耳下腺に最も高頻度で発生する．次いで口蓋に生じる小唾液腺も多い．40歳以降に好発する．

**臨床的特徴**

初期では被覆粘膜が正常な無痛性腫瘤として生じることが多く，発育は緩慢である．粘液嚢胞様を呈することもある．病理組織学的には粘液産生細胞，扁平上皮細胞および中間細胞からなり，細胞異型および構造異型により低悪性（高分化）型と高悪性（低分化）型に分けられる（図8-62）．頸部リンパ節転移は7～10％程度にみられる．

**治療**

外科的切除が第一選択である．

**予後**

低悪性型は5年累積生存率が80～90％と良好であるが，高悪性型では70％程度であり，肺転移を含めた遠隔転移に注意が必要である．

## 2 腺様嚢胞癌（→p.366）

**疫学**

唾液腺癌の約30～40％を占め，小唾液腺に多く発生する．40代に好発し，女性にやや多い．

**臨床的特徴**

発育が緩慢な無痛性腫瘤として生じるが，浸潤性発育が強く，神経好性にも浸潤するため，進展すると強い自発痛などの症状を呈することがある．晩期には血行性の遠隔転移として肺転移が認められることも多い．病理組織学的には腫瘍実質が特徴的な篩状構造が特徴であるが，腺管構造あるいは充実性の構造を示す部分もあるため，その組成から篩状型，管状型および充実型に分類される．周囲組織に著明な浸潤増殖を示し，神経周囲浸潤や血管浸潤を認めることが多い（図8-63）．

**治療**

浸潤性が強い腫瘍なので外科的切除の安全域は諸説あるが，広範な切除安全域を設定することが多い．再発例では化学放射線療法も検討される．

**予後**

充実型は予後不良とされているが，発育は緩慢なため5年生存率は良好とされている．ただし，長期経過で遠隔転移するため，10年生存率は10～20％と不良である．

## 3 多形腺腫由来癌

**疫学**

唾液腺癌の10％程度を示す．多形腺腫の2～20％に生じるとされている．好発部位は耳下腺で次いで口蓋，顎下腺である．

**臨床的特徴**

増殖の速い無痛性腫瘤として生じる．被覆粘膜の潰瘍を示すこともある．病理組織学的には多形腺腫の中もしくは隣接した細胞異型を伴う癌腫部分を認め，両者の境界は不明瞭で移行的に存在す

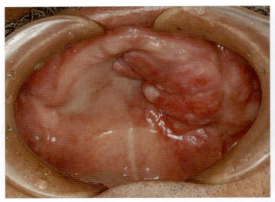 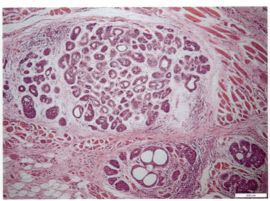

図 8-63　口蓋に発生した腺様嚢胞癌の肉眼像と病理組織像

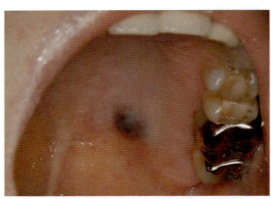 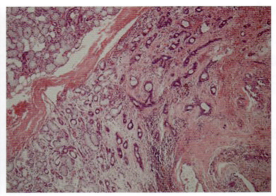

図 8-64　口蓋に発生した腺房細胞癌の肉眼像と病理組織像

る．癌腫部分は腺癌，未分化癌，扁平上皮癌および粘表皮癌を示す多彩な像を示し，浸潤性に発育する．

治療

外科的切除が第一選択である．

予後

予後不良で5年累積生存率は50％以下である．未分化癌を示す成分が多いほど予後不良となる．

### 4 ● 腺房細胞癌（→p.367）

疫学

唾液腺癌の約2％とまれであり，ほとんどが耳下腺由来である．

臨床的特徴

発育は緩慢で無痛性の結節性腫瘤として生じる．病理組織学的には腺房細胞に類似した腫瘍細胞が充実性増殖を示す．被膜を有するものと有さないものがある（図 8-64）．

治療

外科的切除が第一選択である．

予後

予後は良好であるが，晩期に肺や骨転移を示すものもあり，10年生存率は70％程度である．

## 2 肉腫
sarcoma

全身の軟部組織（筋肉，血管，神経，脂肪など）や骨から発生する非上皮性の悪性腫瘍を肉腫という．頭頸部領域の発生はまれで，頭頸部悪性腫瘍の1％程度である．肉腫のうち軟部組織に発生するものが約75％，骨に発生するものが約25％である．軟部組織の肉腫で最も多いのは脂肪肉腫で，発生部位は大腿などの下肢に好発する．骨の肉腫で最も多いの

は骨肉腫で，軟骨肉腫，Ewing肉腫が順に多い．

肉腫は希少癌のため症例が少なく，組織像も多種多様である．標準治療は手術，化学療法，放射線治療を組み合わせた治療が行われるが，発生頻度が低いために治療方針が確立されていない病理組織型もあり，外科医，腫瘍内科医，放射線科医，病理診断医が連携を行い，症例に応じた集学的治療が重要となる．

## A 軟組織の肉腫

### 1 脂肪肉腫

悪性軟部腫瘍の中で最も多く，約40％を占める．60歳前後の男性に多いが，頭頸部領域の好発年齢は明らかでない．好発部位は四肢や臀部，後腹膜である．頭頸部領域の肉腫のうち脂肪肉腫は全体の約4％で，口腔領域に限るとさらにまれであるが，舌や頬粘膜に多く発生する．

**臨床所見**
発育緩慢な境界明瞭の無痛性の腫瘤を生じる．悪性腫瘍としての症状に乏しいことが多い．

**画像所見**
MRIで分葉状・結節状の形態を示し，造影剤による皮膜の強調効果，T1強調像で実質の不均一な低信号，脂肪抑制像で抑制効果が不均一となる所見がみられる．

**病理組織所見**
脂肪芽細胞の異型，濃染性の核および多核を有する間質細胞を認める．

**治療**
外科的切除．化学療法と放射線治療が併用されることもある．

### 2 平滑筋肉腫

平滑筋に由来する間葉系悪性腫瘍で，顎口腔領域では異所性平滑筋組織，血管壁平滑筋，舌有郭乳頭，唾液腺筋上皮細胞などが由来として考えられる．小児から成人までみられるが，特に中高年に多く発生する．中高年では軟組織肉腫の約20％を占めるが，口腔領域の発生はまれである．好発部位は子宮，胃，後腹膜，四肢で，顎顔面領域では上顎部に多いといわれている．

**臨床所見**
境界不明瞭な腫瘤を形成する．疼痛や潰瘍を伴うことがある（図8-65a, b）．

**病理組織所見**
紡錘形細胞の束状配列，好酸性の細胞質，紡錘形の核，細胞質内の筋原線維などの所見がみられる（図8-65c）．

**治療**
外科的切除が行われる（図8-65d, e）．化学療法と放射線治療が併用されることもある．

### 3 横紋筋肉腫

中胚葉または間葉組織に由来する悪性度の高い腫瘍である．まれな疾患であるが，その中でも小児から若年成人に多い．好発部位は頭頸部，泌尿生殖器，四肢，体幹に多く，頭頸部領域では鼻腔，頬部，上顎洞などに多い．全身のどこからでも発生する可能性がある．

**臨床所見**
無痛性の腫瘤を形成する．潰瘍や易出血を伴うことがある．予後は不良である．

**病理組織所見**
円形で小さく未分化な腫瘍細胞や好酸性の細胞質を有する腫瘍細胞が混在する．

**治療**
外科的切除．化学療法と放射線治療が併用されることもある．

### 4 血管肉腫

血管内皮細胞由来で発生し，悪性度は高く，予後不良である．全肉腫の約1％とまれな疾患である．発生部位は皮膚に最も多く，心臓や肝臓など全身のどこにでも発生する．口腔領域では非常にまれであるが，舌や歯肉に発生することが多い．

**臨床所見**
多結節で充実性，弾性軟，壊死を伴う出血性の所見を有した限局性腫瘤として発症する（図8-66）．

**病理組織所見**
不規則な血管腔や裂隙を形成し，それを被覆する単層または多層の未熟な異型血管内皮細胞が認められる．

**治療**
外科的切除，放射線治療，化学療法による集学的治療が行われる．

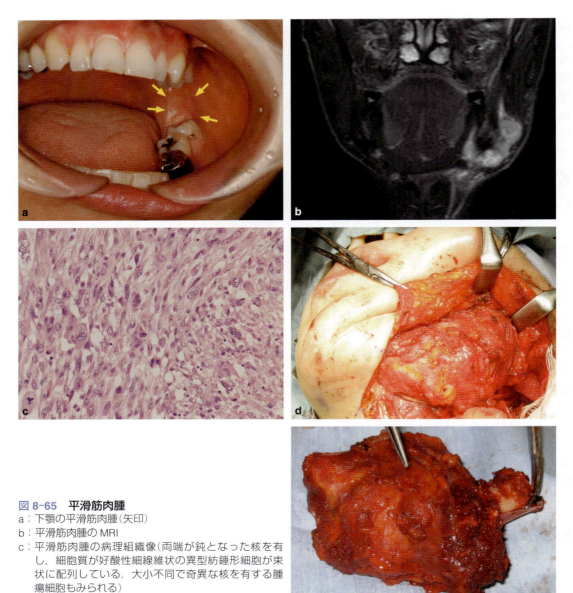

**図 8-65 平滑筋肉腫**
a：下顎の平滑筋肉腫（矢印）
b：平滑筋肉腫の MRI
c：平滑筋肉腫の病理組織像（両端が鈍となった核を有し，細胞質が好酸性細線維状の異型紡錘形細胞が束状に配列している．大小不同で奇異な核を有する腫瘍細胞もみられる）
d, e：平滑筋肉腫の切除

## 5 ● Kaposi 肉腫

　ヒトヘルペスウイルス 8（HHV-8）の感染に関連して発症する血管内皮細胞由来の悪性腫瘍である．通常は HHV-8 に感染することはないが，後天性免疫不全症候群（AIDS）など免疫抑制状態において感染し，Kaposi 肉腫が発症する．好発部位は皮膚が最も多く，口腔，消化管，肺などに発生する．口腔では口蓋や歯肉が多い．

臨床所見
　暗赤色や青色の斑点や結節として発症し，潰瘍や出血を伴った腫瘤を形成する．

病理組織所見
　不規則な血管腔，紡錘形細胞の増殖，好酸球を主とした炎症性細胞浸潤がみられる．

治療
　症例に応じて外科的切除，放射線治療，化学療法が行われる．免疫抑制状態の改善が重要である．

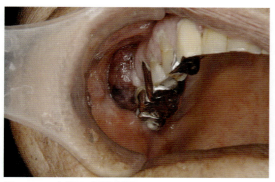

図 8-66 上顎の血管肉腫

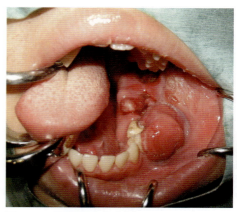

図 8-67 下顎骨の骨肉腫

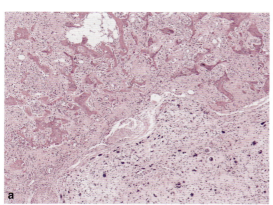
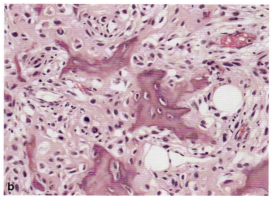

図 8-68 骨肉腫の病理組織像
a：弱拡，b：強拡．核異型の目立つ骨芽細胞様の紡錘形腫瘍細胞が密に増殖し，腫瘍細胞間にレース状あるいは塊状の骨形成を示す．

## B 顎骨の肉腫

### 1 骨肉腫

　好発年齢は 10～20 代の若年者であるが，頭頸部原発では 30～40 代と高い傾向にある．好発部位は膝関節周囲や上腕骨近位（肩）である．頭頸部領域の骨肉腫は骨肉腫全体の 10％以下で比較的まれであるが，上顎骨や下顎骨に多く発生する．

**臨床所見**

　顎骨の腫脹や膨隆，歯の動揺や転位・脱落，オトガイ神経や眼窩下神経の知覚障害を認める．血清中のアルカリホスファターゼ（ALP）の上昇を認めることがある（図 8-67）．

**画像所見**

　境界不明瞭なエックス線透過性を示す骨破壊像やエックス線不透過性の骨形成像が混在する．骨膜反応により針状の新生骨が放射状に形成される sunray appearance（旭日像）を認めることがある．

**病理組織所見**

　細胞異型の強い骨芽細胞様細胞が増殖し，骨や涙骨の形成がみられる（図 8-68）．

**治療**

　外科的切除と化学療法が併用される．術前後に化学療法を行う標準治療が確立されている．

### 2 軟骨肉腫

　好発年齢は 30～50 代である．好発部位は骨盤，大腿骨，上腕骨である．頭頸部領域での発生はまれであるが，上顎骨では前歯部，下顎骨では下顎枝部や下顎頭部に発生する．腫瘍発育は緩徐で悪

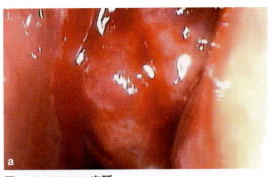
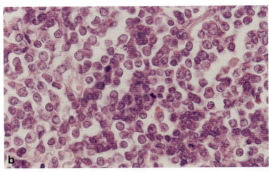

**図 8-69　Ewing 肉腫**
a：上顎の Ewing 肉腫．b：Ewing 肉腫の病理組織像．細胞質の乏しい小型円形細胞がび漫性に増殖している．核は円形で核小体は目立たない．

性度は低い．

▸臨床所見

　局所の腫脹，疼痛，知覚鈍麻，歯の動揺，鼻閉感，鼻汁などがみられる．

▸画像所見

　骨皮質の境界不明瞭な破壊，斑状の石灰化像がみられるが，典型像を示さない場合もある．

▸病理組織所見

　軟骨細胞を含んだ腫瘍が増殖し，既存の骨梁間に浸潤，増殖している．悪性度は核の大きさや細胞密度，分裂像で 3 段階に分類される．

▸治療

　外科的切除が行われる．化学療法や放射線治療は感受性が低く，効果が乏しい．

### 3　Ewing（ユーイング）肉腫

　好発年齢は 20 歳以下の若年者であるが，高齢者にも発生する．好発部位は四肢長管骨，骨盤である．頭頸部領域での発生はまれであるが，下顎骨に多く，上顎骨や上顎洞に発生する．

▸臨床所見

　無痛性の腫脹や疼痛がみられ，進行度合いで発熱や倦怠感を認める（図 8-69a）．

▸画像所見

　境界不明瞭なエックス線透過像を示し，弓状の反応性骨形成（オニオンピール）がみられることがある．また，骨髄炎との鑑別が重要である．

▸診断

　病理組織診断および遺伝子検査（EWS-FLI1 融合遺伝子）で行われる．

▸病理組織所見

　小型円形細胞がび漫性に増殖する．グリコーゲンが豊富な胞体，核は円形で細胞質が乏しく，クロマチンは顆粒状，核小体は目立たないのが特徴的な所見である（図 8-69b）．

▸治療

　外科的切除と化学療法を組み合わせた治療が行われる．放射線治療の感受性が比較的高いので，外科的切除ができない部位に発生したときには放射線治療が行われることがある．

### 3　口腔粘膜悪性黒色腫
oral mucosa malignant melanoma

　悪性黒色腫は皮膚癌の 1 つで，メラノサイトに由来する悪性腫瘍であり，皮膚のほかに粘膜，眼球脈絡膜，脳軟膜などに生じる．皮膚悪性黒色腫では表皮のメラニン色素量と曝露する紫外線の相関が知られているが，手掌や足底に発症するものでは外的刺激や外傷が関与している可能性がある．口腔粘膜悪性黒色腫は紫外線非曝露部に発生する．

　病理学的にはメラニン顆粒を含有した異型の強い類円形，多角形，紡錘形の腫瘍細胞が集簇性，浸潤性に増殖し，S-100 タンパク，HMB45，melan A 免疫組織染色などが腫瘍細胞に陽性を示す．鑑別診断として，色素性母斑やメラノーシスなどの良性疾患以外に，メラノサイトを介在する扁平上皮癌（pigmented SCC）が鑑別に挙がる．

▸頻度

　わが国における悪性黒色腫の罹病率は 10 万人

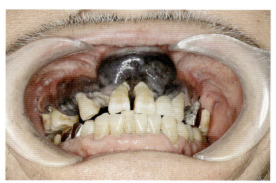

図 8-70　上顎歯肉の悪性黒色腫

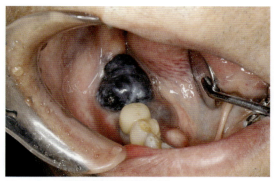

図 8-71　下顎歯肉の悪性黒色腫

に1～2人/年と低く，60～70代に好発し，性差はない．頭頸部領域に発症する悪性黒色腫は悪性黒色腫全体の約15～30％であり，頭頸部の粘膜発症はその30～50％と考えられている．口腔粘膜悪性黒色腫は約80％が口蓋や上顎歯肉に発生する．

- 臨床所見

口腔粘膜悪性黒色腫は無疼痛で，肉眼的には不規則で境界不明瞭な褐色から黒色斑の軽度膨隆，結節あるいは凹凸不整など種々の病態像であることが多い（図8-70, 71）．時に無着色性悪性黒色腫もあり，診断が困難となることもある．

- 診断，治療

確定診断には病理組織学的検査が必要である．
切除可能な口腔粘膜悪性黒色腫に対しては切除が原則である．さらに再発のリスクを軽減するために術後補助療法として薬物療法，免疫チェックポイント阻害薬の使用を行う．切除不能な口腔粘膜悪性黒色腫では遺伝子異常を確認し，免疫チェックポイント阻害薬の使用，薬物療法が行われる．
悪性黒色腫の診断・治療は急速に進歩を遂げており，センチネルリンパ節生検などの診断技術，術後補助療法や進行期治療としての新規薬物療法の導入が相次いでいるため，治療は皮膚科との連携のもと行うことが必要である．

- 予後

口腔粘膜悪性黒色腫を含め悪性黒色腫は予後不良で，口腔粘膜原発の5年全生存率は20～30％である．局所再発に加えて，早期の肺・肝臓・骨への遠隔転移やリンパ節転移が多い．

## 4　口腔への転移性癌，原発不明癌
（図8-72～75）
metastatic carcinoma, unknown primary cancer

### A　口腔への転移性癌

他部位の悪性腫瘍が血行性に口腔領域に転移することがあり，これを口腔への転移性癌と呼ぶ．組織型では腺癌が多く，その他に未分化癌，扁平上皮癌，肝細胞癌，腎細胞癌などがある．

- 頻度

口腔内への転移性悪性腫瘍は全口腔悪性腫瘍の約1％を占める．その原発部位としては肺が最も多く，次いで乳房，腎，肝，前立腺，大腸，骨などがある．口腔への転移部位は下顎骨が多く，ほとんど臼歯部が占める．次いで上顎骨，口腔粘膜として舌，歯肉へ転移が生じる．

- 臨床症状

顎骨への転移では骨の膨隆や疼痛，知覚異常などの症状が多く，口腔軟組織では腫瘤や潰瘍形成，疼痛，腫瘤からの出血を生じることがある．また，口腔への転移性癌から原発巣が発見されることもある．

- 診断，治療

口腔への転移性癌の診断には画像検査，病理組織学的検査を行う．画像検査ではパノラマエックス線写真，造影CT，MRI，FDG-PET/CT撮影を行い，転移巣および原発巣の精査を行う．確定診断のためには生検が必要であり，原発巣と転移巣との病理組織学的な類似性を確認する．さらに必要に応じて免疫組織染色，遺伝子学的検索など

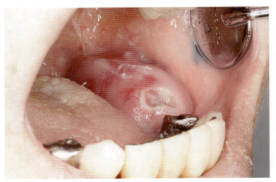

図 8-72　十二指腸神経内分泌腫瘍の下顎歯肉転移

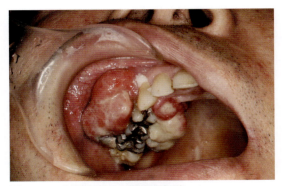

図 8-73　大腸腺癌の上顎歯肉転移

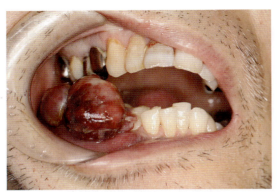

図 8-74　淡明細胞型腎細胞癌の下顎歯肉転移

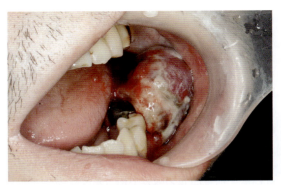

図 8-75　背部血管肉腫の下顎歯肉転移

を行う.

　原発が明らかな場合には，病理組織型を含めて主科への確認が必要である．口腔への転移性癌では原発巣や転移巣の制御状態，および全身状態から治療法が決定される．原則として遠隔転移を有する原発巣の治療に準じた治療として薬物療法が行われるが，腫瘍増大に伴う疼痛などの症状を緩和する緩和照射が行われることもある．

**予後**

　口腔への転移が確認された時点で口腔以外の臓器への転移を認めることもあり，予後はきわめて不良である．

### B 原発不明癌

　頭頸部領域，特に頸部リンパ節から癌が証明されているものの，種々の原発巣検索を行っても原発巣が発見できない癌を原発不明癌という．原発不明癌は頭頸部癌の 3〜9% を占める．

## 5 口腔癌の治療

### A 口腔癌の治療方針と標準治療

　口腔癌の治療方針の決定にあたっては，エビデンスに基づいた標準治療を基本に考えるべきで，その標準治療の指針，手引きとなるのがガイドラインである．国際的には全米を代表とするがんセンターで結成されたガイドライン策定組織である『National Comprehensive Cancer Network (NCCN) ガイドライン』が知られている．NCCN ガイドラインの Cancer of the oral cavity あるいは Cancer of the lip は TNM 分類に基づいた標準治療を提唱している．一方，わが国では，日本口腔腫瘍学会/日本口腔外科学会が発表している『口腔癌診療ガイドライン』があり，全国の口腔癌治療の標準化を図っている（図 8-76）．

　口腔癌は，他臓器癌と同様に外科療法，放射線療法，化学療法の 3 大療法が行われるが，すべて

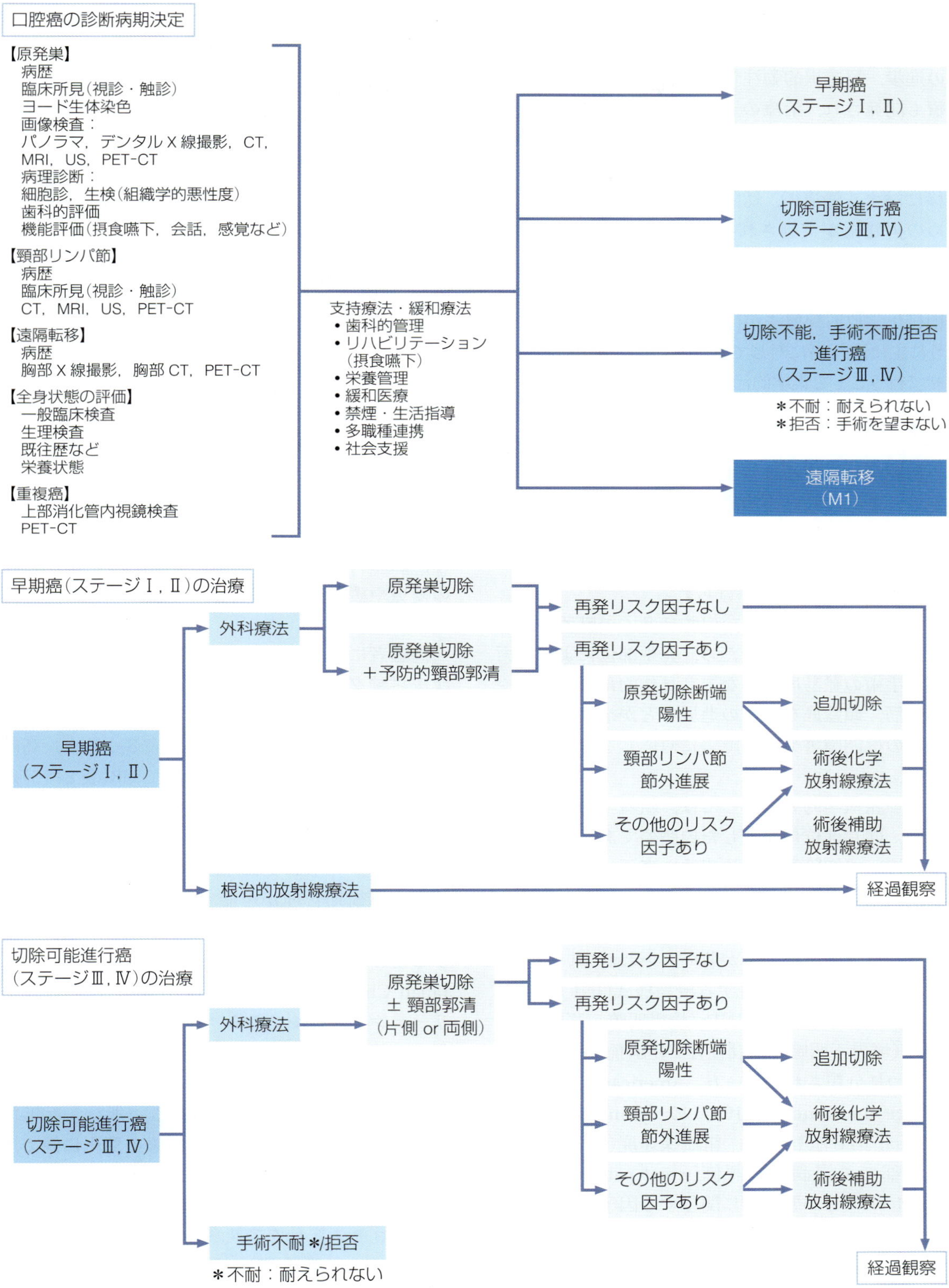

図 8-76　口腔癌診断・治療アルゴリズム
〔日本口腔腫瘍学会/日本口腔外科学会(編)：口腔癌診療ガイドライン 2023 年版．p8, 19, 23, 金原出版, 2023 より〕

の病期を通じて原則として外科療法が第一選択となる．しかし近年は，化学療法や放射線治療装置の進歩，超選択的動注化学放射線療法など新規治療も開発され，治療の選択肢は広がっている．外科療法は，早期癌では切除のみで根治できるが，進行癌では原発巣の切除に加え，頸部リンパ節転移に対する郭清術，切除後の欠損部を補填するための再建術が実施される．このため，切除範囲の縮小や切除後の再発や転移を防止するために，導入療法として術前にがん化学療法を施行したり，術後化学放射線療法が行われることがある．このように主に進行癌に対してさまざまな治療を組み合わせて行うことを集学的治療と呼ぶ．

### B 治療法の選択に関わる因子

口腔癌の治療法はさまざまな因子を考慮して決定される．口腔癌の治療法を選択するにあたり考慮しなければならない因子として，①TNM分類，②解剖学的要因，③病理組織学的要因，④社会的要因などが挙げられる．

解剖学的要因として，口腔は多くの臓器が密集する複雑な部位であるため，発生部位によって術式や手術の難易度が異なる．具体的には，顎骨や咀嚼筋，頭蓋底などへの進展などが挙げられ，切除後の機能障害や審美障害に対応しなければならない．

病理組織学的要因としては，組織学的悪性度があり，同じ部位に発生した口腔癌であっても悪性度の違いで切除範囲や治療法を変更することがある．従来より，高分化型，中分化型，低分化型に3分類とするGrade分類が悪性度と相関するといわれ，低分化型は予後が悪いといわれている．また，癌の周囲組織に対する浸潤様式（INF）が予後と関連するといわれ，INFa（境界明瞭，膨脹性），INFc（境界不明瞭，浸潤性），INFb（前2者の中間）の3つに分類される．一方，American Joint Committee on Cancer（AJCC）の『Cancer Staging Manual 第8版』では，組織深達度（DOI）と浸潤先端部での浸潤様式評価（worst pattern of invasion；WPOI）が悪性度に関与する因子として報告されている．そのほかに顕微鏡下に観察される血管内に癌細胞が侵入する脈管侵襲やリンパ管侵襲，神経周囲浸潤も予後に影響するとの報告がある．

**表8-14 ECOGのパフォーマンスステータス（performance status；PS）**

| |
|---|
| PS0：全く問題なく活動できる．発症前と同じ日常生活が制限なく行える． |
| PS1：肉体的に激しい活動は制限されるが，歩行可能で，軽作業や座っての作業は行うことができる．例：軽い家事，事務作業 |
| PS2：歩行可能で，自分の身のまわりのことはすべて可能だが，作業はできない．日中の50％以上はベッド外で過ごす． |
| PS3：限られた自分の身のまわりのことしかできない．日中の50％以上をベッドか椅子で過ごす． |
| PS4：全く動けない．自分の身のまわりのことは全くできない．完全にベッドか椅子で過ごす． |

社会的要因としては，患者の年齢や基礎疾患の有無，術後考えられる機能障害，さらには家族的背景，金銭的要因などが挙げられる．口腔癌は高齢者に多いことから，患者が手術を拒否したり，治療自体に難色を示すことがある．場合によっては，医療ソーシャルワーカーが介入し，治療施設の変更や緩和医療への方針に転換されることがある．

高齢者に対して治療を行う際に，米国東海岸癌臨床試験グループ（Eastern Cooperative Oncology Group；ECOG）が提唱するパフォーマンスステータス（performance status；PS，表8-14）や，高齢者機能評価スクリーニングとしてG8（表8-15）が治療法の選択に用いられている．PSは全身状態の指標の1つであり，患者の日常生活の制限の程度を示す．一般にPS2相当であれば，手術や入院中の周術期管理が可能と考えられる．G8は，高齢者の癌をどのような方針で治療するかを決定するために，日本臨床腫瘍研究グループ（JCOG；Japan Clinical Oncology Group）が提唱するスクリーニングツールである．身体機能，併存症，薬剤，栄養，認知機能，気分，社会支援，老年症候群の8つの因子で評価する．合計得点12点以下が予後不良という報告がある．また，近年では，患者の癌治療後における将来の変化に備え，患者を主体に，家族や友人，医療・ケアチームが繰り返し話し合いを行い，患者の意思決定を支援するプロセスとしてアドバンス・ケア・プランニング（ACP；人生会議）が行われる．また，治療施設側の要因として，設備の限界なども治療法の選択に関わる場合もある．

表 8-15　G8（スクリーニングツール）

| | 質問項目 | 該当回答項目 | 点数 |
|---|---|---|---|
| A | 過去 3 か月間で食欲不振，消化器系の問題，そしゃく・嚥下困難などで食事量が減少しましたか | 0：著しい食事量の減少<br>1：中等度の食事量の減少<br>2：食事量の減少なし | |
| B | 過去 3 か月間で体重の減少はありましたか | 0：3 kg 以上の減少<br>1：わからない<br>2：1〜3 kg の減少<br>3：体重減少なし | |
| C | 自力で歩けますか | 0：寝たきりまたは車椅子を常時使用<br>1：ベッドや車いすを離れられるが，歩いて外出できない<br>2：自由に歩いて外出できる | |
| E | 神経・精神的問題の有無 | 0：高度の認知症または鬱状態<br>1：中程度の認知障害<br>2：精神的問題なし | |
| F | BMI 値 | 0：19 未満<br>1：19 以上 21 未満<br>2：21 以上 23 未満<br>3：23 以上 | |
| H | 1 日に 4 種類以上の処方薬を飲んでいますか | 0：はい<br>1：いいえ | |
| P | 同年齢の人と比べて，自分の健康状態をどう思いますか | 0：良くない<br>0.5：わからない<br>1：同じ<br>2：良い | |
| | 年齢 | 0：86 歳以上<br>1：80 歳〜85 歳<br>2：80 歳未満 | |
| | | 合計点数（0〜17） | |

〔JCOG：JCOG 高齢者研究ポリシー　推奨高齢者機能評価ツール．https://jcog.jp/assets/pdf/A_040_gsc_20210517.pdf（2024 年 2 月閲覧）〕

## C 原発巣の治療

　原発巣の治療は外科療法が主体であるが，部位によって手術の術式が異なる．外科的切除を行う際の原則は，腫瘍境界から一定の安全域（safety margin）を含めることが重要である．取り残しは腫瘍の再発をまねくため，通常は腫瘍境界から 10 mm の安全域を確保することが推奨されている．また，表在型の口腔癌ではしばしば腫瘍の境界が不明瞭のことがある．この際にはヨード生体染色で不染部を確認し，さらに外側にマージンを設定して切除を行う方法が推奨されている（図 8-77）．また，ヨードアレルギーがある場合やヨードが染色されない部位（歯肉や口蓋などの咀嚼粘膜）では，近年，蛍光観察装置による光照射で病変の描出を行う方法も報告されている（図 8-78）．一方，進行癌については，触診や画像所見などから進展範囲を事前に確認し，腫瘍の進展を制御する解剖学的バリアを考慮しながら切除範囲を決定する．最近では，頭頸部外科，放射線科，病理検査科などが集まり，多職種で治療方針を検討するキャンサーボードが行われている．切除後は，切除マージンを一部病理に提出し，術中迅速病理診断（ゲフリール）を行い癌細胞の取り残しがないかを術中に確認する．

### 1 舌癌

　舌癌は原発巣の大きさ，浸潤の深さ，周囲組織への進展により切除範囲を決定する（図 8-79）．舌癌の切除方法は，①舌部分切除術（partial glossectomy），②舌可動部半側切除術（hemiglossectomy, oral tongue），③舌可動部（亜）全摘術（subtotal-total glossectomy, oral tongue），④舌半側切

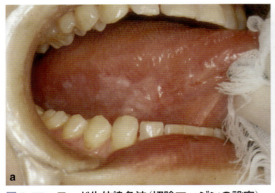
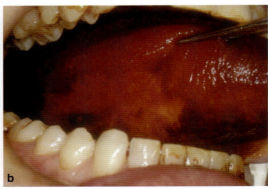

図 8-77　ヨード生体染色法（切除マージンの設定）
a：ヨード生体染色施行前，b：ヨード生体染色施行後（不染部が腫瘍の範囲）

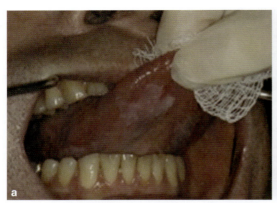
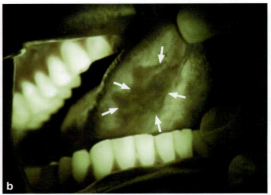

図 8-78　蛍光観察装置による切除マージンの設定
a：照射前，b：照射後〔蛍光ロスの範囲（矢印の範囲）が腫瘍〕

除術（hemiglossectomy），⑤舌（亜）全摘術（subto-tal-total glossectomy）に分類される（図 8-80）．一般的に T1 および T2 の早期癌であれば口内法による舌部分切除術が行われ，創面は縫縮あるいは植皮，人工吸収性組織補強材や真皮欠損用グラフト（人工皮膚）を用いた創被覆のみで根治が期待できる．また術後の機能障害も少ない．T3 および T4 の進行癌の場合は，切除範囲が大きいため，通常切除後に再建手術が行われる．再建手術は，遊離皮弁が第一選択で，欠損の大きさにより前腕皮弁や前外側大腿皮弁，腹直筋皮弁などが選択される．また，遊離皮弁が行えない場合は，有茎皮弁である大胸筋皮弁や DP 皮弁が選択される．また再建手術が必要な症例は，同時に頸部郭清術が行われることが多い．舌切除と頸部郭清術を行う場合は，原発巣と郭清組織を別個ではなく，一塊として切除する pull-through 手術が基本となる．さらに，口底や歯肉（下顎骨）の隣接臓器に浸潤している場合には，これら臓器の合併切除が必要になる（図 8-81）．

> **NOTE**
> **気管切開術**
> 　口腔癌の外科療法に際し，口腔癌の切除範囲の拡大などにより，咽頭や舌根浮腫のリスクが高い場合や，口腔内で再建組織の腫脹により気道閉塞のリスクが高いと予想される場合には，気管切開術が行われる．気管切開は，甲状腺峡部を境に上気管切開，中気管切開，下気管切開の 3 つ方法があるが，口腔領域を手術する際には一般に中気管切開か下気管切開が選択される．

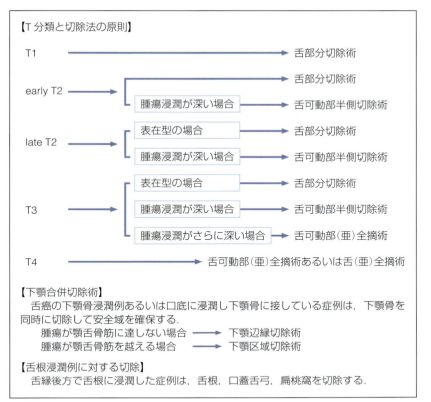

図 8-79 舌癌の外科療法のアルゴリズム
〔日本口腔腫瘍学会/日本口腔外科学会(編):口腔癌診療ガイドライン 2023 年版. p36,金原出版,2023〕

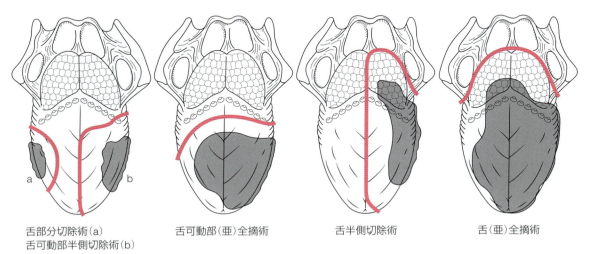

図 8-80 舌癌の切除方法
〔日本口腔腫瘍学会/日本口腔外科学会(編):口腔癌診療ガイドライン 2023 年版. pp36-37,金原出版,2023〕

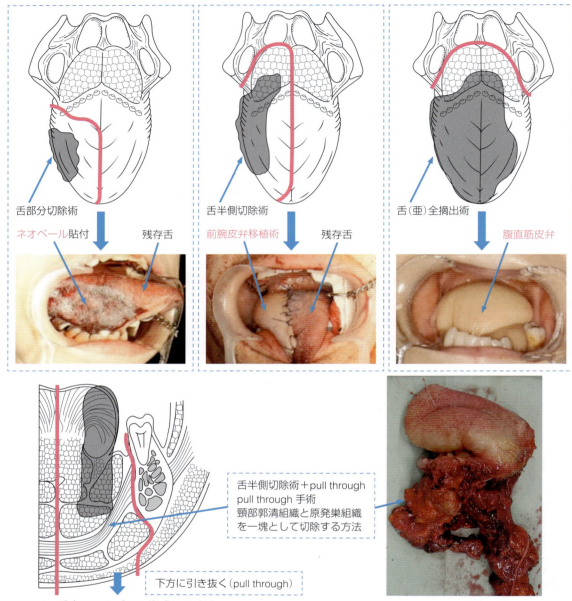

図8-81 舌癌のさまざまな術式や再建法

## 2 ● 下顎歯肉癌

下顎歯肉癌は早期に顎骨に浸潤し，骨破壊をきたすため，通常，下顎骨の切除が行われる（図8-82）．下顎歯肉癌は，骨吸収の程度や組織学的悪性度により切除範囲が異なる．下顎骨の切除方法は，①歯肉切除術（骨切除は行わない），②下顎辺縁切除術，③下顎区域切除術，④下顎半側切除術（一側の関節時を含めた顎切除），⑤下顎亜全摘術（下顎の半側を超える切除），⑥下顎全摘術（下顎骨すべての切除）に分類される（図8-83）．わが国では，下顎歯肉癌の術式の選択において下顎管分類が採用され，腫瘍が下顎管を越えた場合は下顎管分類T4と診断し，下顎区域切除切除術以上の術式が選択される．

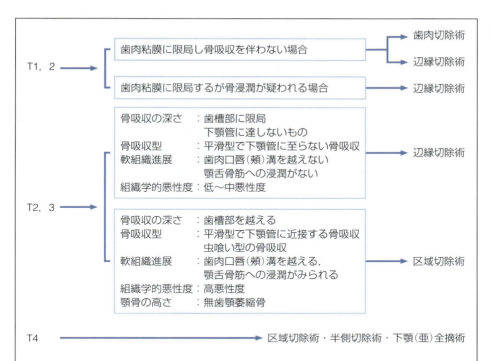

**図 8-82　下顎歯肉癌治療の外科療法のアルゴリズム**
〔日本口腔腫瘍学会/日本口腔外科学会（編）：口腔癌診療ガイドライン 2023 年版．p40，金原出版，2023〕

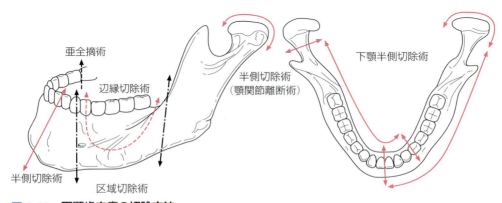

**図 8-83　下顎歯肉癌の切除方法**
〔日本口腔腫瘍学会/日本口腔外科学会（編）：口腔癌診療ガイドライン 2023 年版．p41，金原出版，2023〕

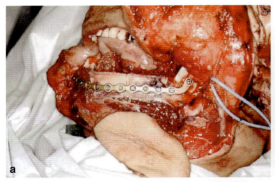
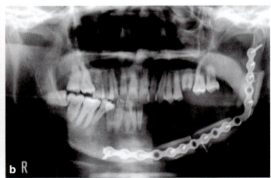
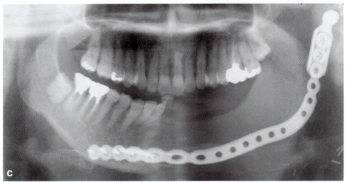

図 8-84 下顎区域切除後とプレート再建
a, b：下顎区域切除後の腓骨皮弁とプレート再建
c：下顎半側切除後の人工骨頭つきプレート再建

　下顎区域切除術以上の顎骨切除後は，再建用プレートによる顎位の回復を図る（図 8-84）．また，遊離腸骨ブロック移植や腓骨遊離皮弁による骨移植を同時に行い（即時再建），将来の義歯や歯科インプラントによる咬合の回復に備える．なお，下顎後方原発の腫瘍を切除する際は視野が悪いため，下唇正中を切開し下顎骨を翻転させ明視野に腫瘍を切除する mandibular swing approach（図 8-85）を行うことがある．T4b 下顎歯肉癌は，下顎骨に付着している内側翼突筋や外側翼突筋に沿って翼状突起や翼口蓋窩の周囲に進展しているため外科的切除が著しく困難となり，手術以外の選択肢も考慮しなければならない．

### 3 ● 上顎歯肉癌・硬口蓋癌

　上顎歯肉癌や口蓋癌は下顎歯肉癌と同様早期に顎骨に浸潤をきたしやすい．上方に進展すると上顎洞，鼻腔に達し口腔と鼻腔が交通し著しい摂食障害，発音障害をきたす．また，後方に進展すると下顎歯肉癌と同様，翼状突起や翼口蓋窩に進展する．上顎骨の切除方法は，①歯肉切除術（骨切除は行わない），②上顎部分切除術，③上顎亜全摘術（眼窩底のみを温存し上顎骨を切除），④上顎全摘術（上顎骨すべての切除），⑤拡大上顎全摘術（眼窩や内容や頭蓋底を含めて切除）に分類される．上顎後方の原発腫瘍を切除する際には，視野が悪いため鼻下部から外鼻側縁，下眼瞼下部に沿って皮膚切開を行い明視野で確実に腫瘍を切除する．この方法を Weber-Ferguson 切開（上顎 swing 法）と呼ぶ（図 8-86）．上顎切除後は，鼻腔や上顎洞を閉鎖するために，顎補綴や遊離組織移植による再建術が行われる（図 8-87）．

### 4 ● 口底癌

　口底癌は，下顎歯肉と舌粘膜に囲まれた狭い領域に発生した悪性腫瘍である．口底癌は，深部に浸潤しやすく，内方に浸潤すると舌下面に，外側に浸潤すると下顎骨に，深部に浸潤するとオトガイ舌筋，舌骨舌筋，顎舌骨筋に浸潤する．進行口底癌では，舌や下顎骨の合併切除を行うことが多く，両側舌骨上筋群を切除に含めた場合，著しい嚥下障害をきたす．このため，術後の摂食嚥下リハビリテーションを積極的に行う必要がある．また，口底正中部の原発癌ではしばしば両側の頸部

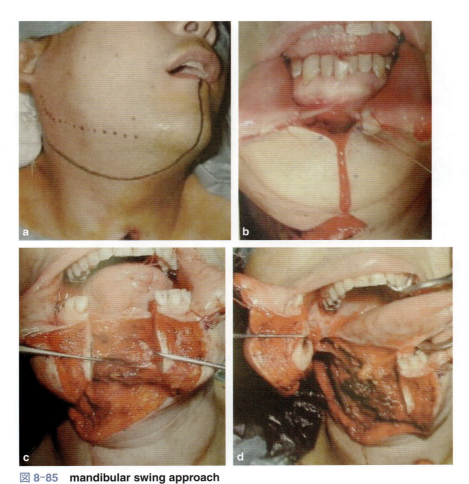

図 8-85　mandibular swing approach
a〜d の順に手術を進めていく．
a：切開線，b：下唇正中切開，c：下顎骨前方の離断，d：mandibular swing による腫瘍の切除

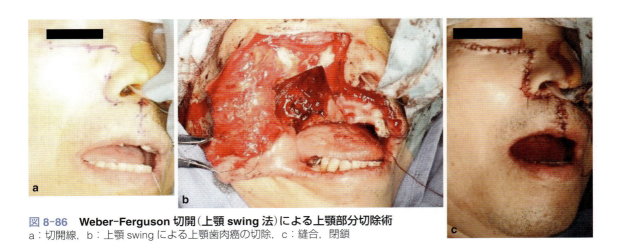

図 8-86　Weber-Ferguson 切開（上顎 swing 法）による上顎部分切除術
a：切開線，b：上顎 swing による上顎歯肉癌の切除，c：縫合，閉鎖

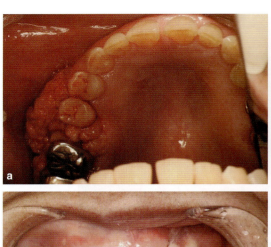
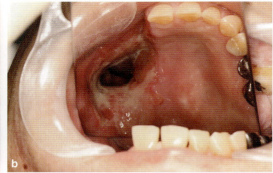
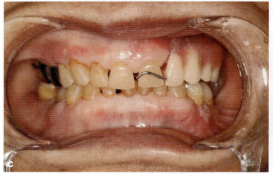
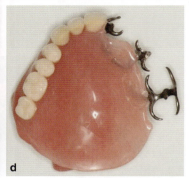

**図 8-87 上顎部分切除術後の顎補綴**
a：上顎歯肉癌（ミラー像）
b：上顎歯肉癌切除後（ミラー像）
c：顎義歯装着後の写真
d, e：顎義歯の一例〔d：咬合面, e：塞栓部（天蓋を開放し軽量化を図る）〕

リンパ節に転移を認め，両側頸部郭清術を併用することがある．また，口内法による口底癌の切除を行った場合，術後出血に注意する．

### 5 ● 頰粘膜癌

頰粘膜は深部に浸潤すると頰筋，皮下に達する．皮膚浸潤を認めた場合は皮膚を合併切除することがある．また頰粘膜を切除後は，後の瘢痕拘縮により著しい開口障害をきたすことがあるため，遊離皮膚移植や遊離皮弁による再建が行われる．また，切除部位に頰脂肪が豊富に存在した場合，これを剖出して切除面（raw surface）に被覆し創を保護する方法もある（頰脂肪体移植）．

### 6 ● 口唇癌

口唇癌の手術は，外見に欠損が及ぶため，完全な腫瘍切除と外見の再建を同時に満たす必要がある．審美障害の改善を考慮した種々の即時再建手術が選択される．一般には口唇の切除幅が両口角間の 1/3 以下の場合は一次縫縮が可能である．一方，切除幅が 1/3 を超えると，口唇が狭くなり機能障害をきたすため，切除部位に合わせた再建法を選択する．組織欠損が甚大な場合は遊離皮弁を使用し再建を行うが，口唇の醜形は避けられない．一方，組織欠損が比較的小さい場合は，下口唇を反転して上口唇に移植する Abbe 法や，Abbe 法を応用した下口唇外側部（口角を含む）を回転する Ab-

### 表 8-16 ACHNSO の分類

- レベル I A：オトガイ下リンパ節
- レベル I B：顎下リンパ節
- レベル II A：上内頸静脈/上内深頸リンパ節
  （副神経より前方）
- レベル II B：上内頸静脈/上内深頸リンパ節
  （副神経より前方）
- レベル III：中内頸静脈/中内深頸リンパ節
- レベル IV：下内頸静脈/下内深頸リンパ節
- レベル V A：副神経リンパ節
- レベル V B：鎖骨上リンパ節

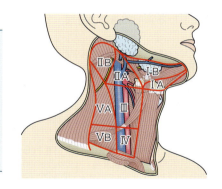

be-Estlander 法などが用いられる．

## D 頸部リンパ節転移に対する治療

### 1 口腔癌の後発転移

口腔癌の後発転移については，原発部位により若干異なるものの約 20％に発症すると報告されている．このため，術前に明らかなリンパ節転移がない場合でも，予防的頸部郭清術が選択される．予防的頸部郭清術の術式は通常，肩甲舌骨筋上頸郭清術（SOHND）である．なお，頸部リンパ節転移のない口腔癌患者に対し積極的に SOHND を行うべきか，あるいは SOHND を行わず，術後経過観察を厳重に行う wait and see を選択するかについては，現時点では結論が出ていない．また，最近は明らかなリンパ節転移が認められても，可動性や，周囲組織からの剝離が可能と考えられる場合は，機能障害を最小限にするために積極的に根治的頸部郭清術変法（MRND）か SOHND を選択し，術後の病理結果を待った後に放射線療法を検討する施設が増えている．

### 2 頸部リンパ節転移のレベル分類

口腔癌の治療，特に頸部郭清術を実施するうえで，術式の選択に頸部リンパ節転移の位置を把握することはきわめて重要である．『口腔癌取扱い規約』では，国際分類である Academy's Committee for Head and Neck Surgery and Oncology（ACHNSO）の分類を採用している．口腔癌の所属リンパ節はその部位により，レベル I〜V に分類される．さらにレベル I，II および V は A，B に分けられている（表 8-16, 17）．

### 3 頸部郭清術の適応

転移リンパ節の評価は，頸部の触診により腫大したリンパ節を触れることに始まる．口腔癌患者において，頸部に可動性あるいは固着性の腫大したリンパ節を触知した場合は転移リンパ節を疑う．また，転移リンパ節を診断するモダリティとしては，一般に造影 CT，造影 MRI，PET-CT，超音波検査が用いられる．特に造影 CT では，①球型の腫大したリンパ節，②リンパ節辺縁部の造影増強効果（rim enhancement），③大きさが 10 mm 以上，④リンパ門の消失，が転移を疑う重要な所見とな

> **NOTE**
> **口腔癌における支持療法**
> 口腔癌の手術後は，口腔内に創が生じるため，口腔衛生状態の不良により創部感染をきたしやすい．癌の支持療法として近年，周術期口腔機能管理が注目されているが，口腔癌手術後も歯科衛生士や看護師により口腔衛生管理あるいは口腔ケアを実施し，創部感染を予防することが重要となる．また，摂食嚥下チームや栄養サポートチームが介入し，嚥下リハビリテーションや栄養指導を行い，口腔の機能改善に向けたチーム医療により早期退院，社会復帰を目指す．

> **NOTE**
> **センチネルリンパ節**
> センチネルリンパ節（sentinel；見張り）とは，原発巣の癌が転移する際に，最初に到達するリンパ節のことをいう．センチネルリンパ節に転移がなければ，ほかのリンパ節にも転移していないと考えられ，頸部郭清術は施行しない．センチネルリンパ節生検により転移リンパ節であるか術中に病理診断を行う．具体的には，術前にラジオアイソトープや色素を原発腫瘍周囲に注入し，その後口腔癌の手術時に，これら集積したリンパ節を摘出して迅速病理診断に提出する．

**表 8-17　口腔癌における頸部郭清術の分類**

(1) 根治的頸部郭清術（radical neck dissection：RND）
　　Level Ⅰ～Ⅴのリンパ節・組織を胸鎖乳突筋，内頸静脈，副神経を含めて郭清する．
(2) 根治的頸部郭清術変法（modified radical neck dissection：MRND）
　　Level Ⅰ～Ⅴのリンパ節・組織を郭清するが，胸鎖乳突筋（M），内頸静脈（V），副神経（N）のいずれか1つは保存する．保存的頸部郭清術（conservative neck dissection）あるいは機能的頸部郭清術（functional neck dissection）とも表現される．保存した組織により type Ⅰ～Ⅲに細分類される．
　　type Ⅰ：副神経を保存する．
　　type Ⅱ：内頸静脈と副神経を保存する．
　　type Ⅲ：胸鎖乳突筋，内頸静脈，副神経のいずれも保存する．
(3) 選択的（部分的）頸部郭清術（selective neck dissection：SND）
　　頸部リンパ節の3つあるいは4つのレベルを選択的に郭清する．口腔癌では Level Ⅰ～Ⅲが選択されることが多いが，郭清範囲により下記のような術式がある．
　　(i) 肩甲舌骨筋上頸部郭清術（supraomohyoid neck dissection：SOHND）
　　　　Level Ⅰ～Ⅲのリンパ節・組織を郭清する．
　　(ii) 拡大肩甲舌骨筋上頸部郭清術（extended supraomohyoid neck dissection：ESOHND）
　　　　Level Ⅰ～Ⅳのリンパ節・組織を郭清する．
(4) 超選択的頸部郭清術（superselective neck dissection：SSND）
　　頸部リンパ節の1つあるいは2つのレベルを選択的に郭清する．
　　(i) 舌骨上頸部郭清術（suprahyoid neck dissection：SHND）
　　　　Level Ⅰ，Ⅱのリンパ節・組織を郭清する．
　　(ii) 顎下部郭清術（submandibular neck dissection：SMND）
　　　　Level Ⅰのリンパ節・組織を郭清する．
(5) 拡大頸部郭清術（extended neck dissection）
　　Level Ⅰ～Ⅴ以外のリンパ節・非リンパ組織を切除する．

〔日本口腔腫瘍学会/日本口腔外科学会（編）：口腔癌診療ガイドライン 2023 年版．p52，金原出版，2023〕

る．また超音波検査では，リンパ節の不均一な内部エコー，リンパ門の消失，リンパ節辺縁部の血管分布が転移の判定に有効である．

　これら画像診断の結果，転移リンパ節が疑われた場合は，その部位や数，大きさなどにより頸部郭清術の術式を選択する．また，転移リンパ節を術前に認めない場合でも，腫瘍の部位，大きさ，浸潤の深さ，組織学的悪性度などから，予防的頸部郭清術を選択することがある．さらに，切除後の遊離皮弁による再建が必要な場合は，原発巣の切除とともに予防的頸部郭清術を選択することがある．

## 4　頸部郭清術の術式（表 8-17）

### a　根治的頸部郭清術（RND）（図 8-88）

**1．皮膚切開**：皮膚切開により皮弁を作成する．広頸筋は皮弁側につけ，十分な視野が得られるように設計する．通常は Y 字切開をデザインすることで十分な視野を確保することができる．またより広い視野を得るためにダブル Y 字切開（Martin 切開）や逆に審美性を重視する平行横切開（MacFee 切開）などが考案されている．

**2．上方皮弁の作成**：顎下部切開は，健側の顎二腹筋前腹から患側の乳様突起までの横切開とし，皮弁を下顎下縁のやや上方まで挙上する．この際，顔面神経下顎縁枝を剖出し温存する．そしてその下方で顔面動静脈を見つけ結紮切断する．次に下顎角から乳様突起に向かう直線状に切離し，耳下腺下極を切断する．途中下顎後静脈を見つけ結紮切断する．耳下腺下極の切離が終わると顎二腹筋後腹が明示し，その裏側に内頸静脈上端を見つけることができる．

**3．後方皮弁**：上方は乳様突起，下方は鎖骨まで，僧帽筋の前縁が現れるまで脂肪組織を切離し後方限界とする．途中僧帽筋に侵入する副神経が見つかるのでこれを切断する．

**4．鎖骨上窩および後頸三角の郭清**：通常は下方（鎖骨）から前上方へ郭清を進める．下方限界は頸横動脈の高さまでとする．この部には胸管が存在し，これを損傷すると術後乳びが漏出し，著しい治癒遅延をきたすため胸管を見つけ結紮する．ここで胸鎖乳突筋下端，肩甲舌骨筋，内頸静脈下端を切断する．そして斜角筋群の深さまで脂肪を郭清すると横隔神経が見つかるので，これを温存する．続いて前斜角筋，上腕神経叢，中斜角筋，後

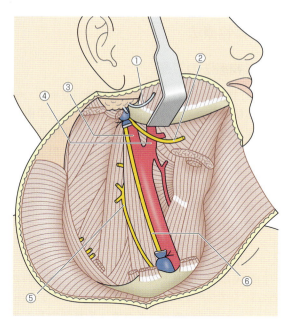

**図 8-88 根治的頸部郭清術（RND）**
保存されたもの：①顔面神経下顎縁枝，②舌下神経，③内頸動脈，④外頸動脈，⑤横隔神経，⑥迷走神経

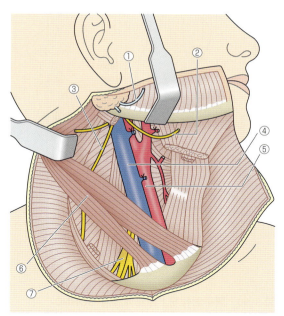

**図 8-89 根治的頸部郭清術変法（MRND）**
保存されたもの：①顔面神経下顎縁枝，②舌下神経，③副神経，④内頸静脈，⑤頸動脈，⑥胸鎖乳突筋，⑦腕神経叢

斜角筋の上の郭清を進める．

5. **頸動脈周囲の郭清**：頸動脈に伴走する迷走神経が見つかるので，これを温存する．結紮した内頸静脈を含めて頸動脈周囲の郭清を進めると，内頸動脈と外頸動脈の分岐部付近で舌下神経が見つかり，これを温存する．また，上方で顎二腹筋後腹を切断し，その内側の脂肪組織を分けると内頸静脈の上端が現れ結紮，切断する．

6. **前頸部およびオトガイ下三角の郭清**：胸骨甲状筋の側縁を健常側顎二腹筋前腹までつなげた後，オトガイ下三角を郭清する．郭清物は顎下三角に集約する．最後に顎下部郭清を行い本術式は終了する．顎下三角の郭清では，顎下腺を摘出時に総顔面動静脈を結紮切断し，顎舌骨筋後縁より顎下神経節を探し，分岐部を切断し舌神経を温存する．ただし，原発の部位によっては舌骨上筋群を郭清側に含め，舌神経を犠牲にすることもある．さらに pull-through 手術を行うかにより手順が異なる．

b **根治的頸部郭清術変法（MRND）**（図 8-89）

1. **皮膚切開**：根治的頸部郭清術と同様．
2. **上方皮弁の作成**：根治的頸部郭清術と同様．

3. **後方皮弁**：僧帽筋の前縁の脂肪組織を切離する途中で僧帽筋に侵入する副神経が見つかるのでこれを温存する．

4. **鎖骨上窩および後頸三角の郭清**：胸鎖乳突筋を全周脂肪組織から剝離し，副神経を剖出しながら斜角筋群の深さまで脂肪を郭清し，下方で頸横動静脈の高さで肩甲舌骨筋，内頸静脈下端を見つけ温存し周囲脂肪組織から剝離する．そのほかは根治的頸部郭清術と同様である．

5. **内頸静脈リンパ節群と頸動脈周囲の郭清**：内頸静脈周囲の郭清を進めると，中甲状腺静脈，顔面静脈の分枝が現れるため結紮切断し脂肪組織と分離する．また内頸静脈内面に頸動脈および迷走神経を見つけ，その周囲を丁寧に郭清する．上方では顎二腹筋後腹を切断し，その内側の脂肪組織を分けると内頸静脈の上端が現れるため，これを温存しながら周囲を慎重に郭清する．

6. **前頸部およびオトガイ下三角の郭清**：根治的頸部郭清術と同様．

c **肩甲舌骨筋上頸部郭清術（SOHND）**（図 8-90）

1. **皮膚切開**：横切開のみか，短い縦切開を加える．

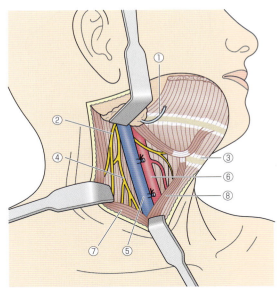

**図 8-90 肩甲舌骨筋上頸部郭清術(SOHND)**
保存されたもの：①顔面神経下顎縁枝，②副神経，③顎二腹筋，④頸神経叢，⑤内頸静脈，⑥頸動脈，⑦胸鎖乳突筋，⑧肩甲舌骨筋

2. **上方皮弁の作成**：根治的頸部郭清術と同様．
3. **肩甲舌骨筋の明示**：胸鎖乳突筋内面を剝離すると上方では顎二腹筋後腹，下方では肩甲舌骨筋の上腹が現れ，ここまでを郭清範囲とする．さらに剝離を進めると胸鎖乳突筋に進入する副神経が現れる．深部では深頸筋膜を透かして頸神経層が明視できる．
4. **内頸静脈リンパ節群と頸動脈周囲の郭清**：頸神経叢を損傷しないよう注意しながら後方から前方へ向かって剝離を進めていくと，内頸静脈の後面に到達する．副神経後方の脂肪組織は，剝離した後，副神経の下を潜らせて前方へ引き出す．内頸静脈の分枝は随時結紮，切断する．その後，頸動脈および迷走神経を見つけ，その周囲を丁寧に郭清する．上方では顎二腹筋後腹を牽引すると，その内側に内頸静脈の上端が現れるため周囲の脂肪組織を慎重に郭清する．
5. **前頸部およびオトガイ下三角の郭清**：根治的頸部郭清術と同様（図 8-91）．

## 6 薬物療法

### A 薬物療法の変遷

早期口腔癌であれば手術や放射線治療単独で根治が期待できるが，局所進行口腔癌では，手術，放射線治療，薬物療法を組み合わせた集学的治療が必要である．一方で薬物療法は単独で根治をもたらすことは難しく，生存，臓器温存，症状緩和などを目的として行われる．薬剤としては殺細胞性抗がん薬（以下，抗がん薬），さらに 2012 年に分子標的治療薬，2017 年以降に免疫チェックポイント阻害薬が口腔癌を含めた頭頸部癌に承認となり，用いられている．

口腔癌に対する抗がん薬としてプラチナ製剤であるシスプラチン（CDDP），カルボプラチン（CBDCA），ネダプラチン，タキサン系薬剤であるドセタキセル，パクリタキセル，フッ化ピリミジン系薬剤であるフルオロウラシル（5-FU），テガフール・ギメラシル・オテラシルカリウム配合剤（S-1），テガフール・ウラシル配合剤（UFT），テガフールがある．また，分子標的治療薬であるセツキシマブ，免疫チェックポイント阻害薬であるニボルマブ，ペムブロリズマブが用いられる．

### B 口腔癌に対する薬物療法（化学放射線療法を含む）（表 8-18）

進行口腔癌に対する薬物療法は放射線治療と同時併用し，臓器温存を目的とした根治治療，また術後の再発高リスク症例に対する術後補助療法として用いる．単独では根治治療前の導入化学療法として，また再発・転移症例に対して延命，症状緩和を目的として行われている．ここでは化学放射線療法，分子標的治療薬と放射線治療の併用療法，術後化学放射線療法，導入化学療法，動注化学放射線療法について述べる．

#### 1 化学放射線療法

放射線治療（radiotherapy；RT）に抗がん薬を併用する化学放射線療法（chemoradiotherapy；CRT）の目的は，放射線治療の効果を増強する放射線増感効果と，全身の潜在的な転移巣を制御することである．放射線に対する CDDP の増感効果の機序は，腫瘍内の白金に放射線があたることによっ

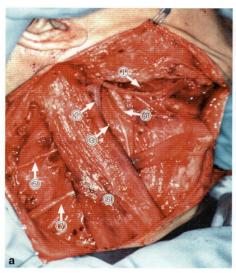
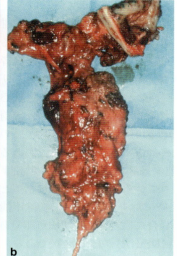
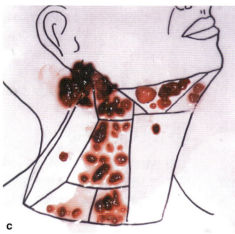

図 8-91 根治的頸部郭清術変法終了後の頸部解剖
a：①舌下神経，②内頸静脈，③内頸動脈，④外頸動脈，⑤副神経，⑥胸鎖乳突筋，⑦肩甲舌骨筋
b：郭清組織
c：摘出したリンパ節

表 8-18 化学放射線療法のレジメンと推奨グレード

| レジメン | 用量 | 用法 | RT 総線量 | 推奨グレード |
|---|---|---|---|---|
| CDDP-RT | CDDP 100 mg/m², iv, day1 | 3週ごと 3サイクル | 根治　70 Gy<br>術後　60～66 Gy | A |
| | CDDP 40 mg/m², iv, day1 | 毎週投与 | | B（上咽頭）<br>C1（その他の亜部位） |
| | CDDP 20 mg/m², iv, day1～4 | 3週ごと 3サイクル | | C1 |
| Cmab-RT | Cmab 400 mg/m², iv（初回）<br>→ 250 mg/m², iv（2回目以降） | 毎週投与 8サイクル | 根治 70 Gy | B |
| PF-RT | CDDP 20 mg/m², iv, day1～4<br>5-FU 1,000 mg/m², civ, day1～4 | 3週ごと 3サイクル | 根治 70 Gy | B |

CDDP：シスプラチン，Cmab：セツキシマブ，PF：シスプラチンとフルオロウラシル（5-FU），RT：放射線治療
推奨グレード
A ：強い科学的根拠があり，行うよう強く勧められる．
B ：科学的根拠があり，行うように勧められる．
C1：科学的根拠は十分ではないが，行うことを考慮してもよい．
〔日本臨床腫瘍学会（編）：頭頸部がん薬物療法ガイダンス，第 2 版．金原出版，p22，2018 より〕

て発生する二次電子線が関与している．

　CRT が適応となる病期は，一般的に stage Ⅲ 以上の進行口腔癌を含む局所進行頭頸部癌である．高用量 CDDP の適応判断に際して重要な患者背景としては，年齢，腎機能（クレアチニンクリアランス：60 mL/分以上），心機能（不安定狭心症や心筋梗塞，慢性心不全の既往の有無），末梢神経障害や聴器毒性の有無，慢性呼吸器疾患の有無，performance status（PS）などの因子がある．CRT は切除不能な頭頸部癌に対し RT 単独より全生存期間で優れていることから，標準治療とされている．口腔癌に対する CRT は，切除不能または切除拒否の場合に検討され，切除可能であれば手術（±術後補助療法）が標準治療である．また，根治切除が行われた場合，再発高リスク症例（切除断端陽性，転移リンパ節の節外浸潤）では術後 CRT が標準治療である．

　世界標準とされている CRT は，CDDP（100 mg/m$^2$）を RT 開始と同時に 3 週 1 コースとして 3 コース行い，日本人においても忍容性が確認されている．放射線量は，予防照射領域と主病巣周囲を含め根治治療の場合には総線量 70 Gy，術後治療では総線量 60〜66 Gy とすることが多い．

### 2　分子標的治療薬（セツキシマブ）と放射線治療（Cmab-RT）

　セツキシマブ（Cmab）は，上皮成長因子受容体（epidermal growth factor receptor；EGFR）を標的とするヒト/マウスキメラ型モノクローナル抗体である．進行口腔癌の根治治療として Cmab と RT が行われている．

### 3　導入化学療法（induction chemotherapy；ICT）

　導入化学療法とは RT あるいは CRT などの根治治療の前に行う化学療法のことである．ただし，口腔癌の一次症例において，導入化学療法の意義は明らかではない．

### 4　動注化学放射線療法

　動注化学放射線療法は腫瘍の栄養血管にカテーテルを挿入し，抗がん薬を選択的に注入し，腫瘍内に高濃度の薬剤を分布させることで，全身化学療法と比較して局所効果を高める治療法である．現在までに動注化学放射線療法の有用性を明確に示した報告はないが，臓器温存に寄与する可能性のある治療として部位・病期によって動注化学放射線療法を推奨している．

## C　再発・転移口腔癌に対する薬物療法

　手術の適応がない再発・転移口腔癌の場合，治癒が得られることはほぼなく，多くは薬物療法が選択される．薬物療法は緩和ケア単独と比較し有意に全生存期間延長と QOL 改善をもたらすことが示されており，腫瘍縮小，症状緩和が目的になることを含め考慮すべき治療である．

　再発・転移頭頸部扁平上皮癌に対する初回薬物療法として，キードラッグである CDDP などのプラチナ製剤，5-FU や S-1，パクリタキセルやドセタキセルなどのタキサン系，分子標的治療薬である Cmab をベースとした多剤併用療法の奏効率が良好である．

　さらに再発・転移頭頸部扁平上皮癌に対し免疫チェックポイント阻害薬であるニボルマブ単剤，ペムブロリズマブ±化学療法（5-FU＋CBDCA/CDDP）による治療が有用である．

## D　有害事象とその対策

　薬物療法，CRT，Cmab-RT では重度の口腔粘膜炎，口腔粘膜炎に伴う栄養障害，放射線性皮膚炎，骨髄抑制，感染，臓器障害など多彩な有害事象が生じる．また免疫チェックポイント阻害薬では免疫関連有害事象と呼ばれる皮膚，肺，消化管，肝・胆・膵臓，内分泌臓器などの障害を生じることがある．投与する個々の薬物の有害事象を理解するとともに，支持療法として，患者自身による口腔セルフケアの指導，オピオイドを活用した疼痛管理，経管栄養による栄養管理，マイルドな洗浄と保湿を基本とした皮膚ケアが必要である．これらの支持療法は，多職種の医療者が専門的かつ協働的に，1 つのチームとして緊密な連携を保つことでその効果が最大限に発揮される．

# 7　放射線治療

　放射線治療を目的別に分類すると，単独で根治を図る根治治療，手術を前提に腫瘍の縮小や増殖抑制を図る術前療法，術後再発のリスクの高い症例に行う術後療法，症状の緩和を図る緩和的治療

がある．また，口腔癌に対する放射線治療は，治療手段によって外照射と小線源治療に分けられる．本項では，口腔癌に対する放射線治療について概説する．

## A 分割照射の基礎

放射線治療の基本は，分割照射である．すなわち，1回2Gy程度の照射を30回ほど，週末を除いて毎日繰り返す．分割照射が行われる理由は，主に生物学的な要因による．腫瘍組織は，増殖細胞を含むため，照射効果は比較的早期に出現することから，早期反応組織と呼ばれる．一方，脊髄や顎骨など，増殖細胞を含まない組織では，照射による影響は年単位で出現することが多く，晩期反応組織と呼ばれる．分割線量や回数をさまざまに変えて行われた研究の結果，後者は，1回線量を小さくして分割回数を増やすほど，その回復が大きくなるが，前者は，それらに対する依存度が小さいことがわかった．これらを考え合わせると，1回2Gy程度で分割照射すると，晩期反応組織の回復を大きくし，腫瘍組織の回復を小さく抑えることとなり，結果として1回大線量をかけるより臨床的に有利になることがわかる．

加えて，腫瘍に存在する低酸素状態にある腫瘍細胞は，著しい放射線抵抗性を示すが，最初の照射によって酸素に富んだ腫瘍細胞が死滅することで，それまで低酸素状態だった腫瘍細胞が酸素化する現象が起こる．これにより，分割照射では，低酸素状態を酸素状態にシフトしながら治療を行うことができる．また，細胞がDNA損傷を受けると細胞周期チェックポイントが働くが，口腔癌細胞では$p53$遺伝子に変異をもつことが多く，G1/S境界で細胞周期は止まらず，G2/M境界で停止する．この時期は放射線感受性が高いため，次の照射が有利になる．ただし，治療期間が長引いたり，中断したりすると，治療の標的となる癌幹細胞の数が増えることで治療に不利になることに注意しなければならない．正常組織障害としては，粘膜炎や皮膚炎などの早期障害や，顎骨壊死，骨髄炎などの晩期障害が挙げられる．

上記が従来の分割照射の考え方である．1990年代半ば，ピンポイント照射技術の発展がもたらした非小細胞肺癌に対する体幹部定位照射の成功により，1回線量が10Gyを超え，数回の分割照射で終わるような照射法が注目されるようになった．こうした状況では，これまでにはみられなかった腫瘍血管の損傷による二次的な腫瘍細胞の致死や免疫の活性化の関与が示唆されている．治療期間の著しい短縮も大きな特徴である．口腔癌でも一部こうした定位照射が行われ始めているが，今後の進展が期待される．

## B 外照射による治療

外照射技術の進歩は著しく，以前は，CTによる3次元画像を使用して，腫瘍外形に近い照射野がマルチリーフコリメータ(MLC)で形成され，多方向から照射を行う3次元原体照射(3D-conformal radiotherapy；3D-CRT)が実施されていた．3D-CRTでは，各照射野内では，線量は均一にしかかけられなかったが，技術の進歩により，各照射野内で任意に強弱をつけることが可能となり，コンピュータがどの方向からどのように照射をすれば，設定した線量分布を得られるかというリバースプランニングという手法が可能となった．これを，強度変調放射線治療(intensity modulated radiation therapy；IMRT)といい，今ではこの治療法が普及している(図8-92)．回転を加えつつ線量率も変化させながら照射することで，治療時間も大幅に短縮された．

IMRTによる大きなメリットは，唾液腺の線量を低下できたことにより，いったん唾液量の低下は生じるが，1年ほどで回復しうる状況となることである．治療精度を上げるために，熱可塑性プラスチック固定具(シェル)や，照射時に毎回コーンビームCTで撮影し，照射野のずれを補正する画像誘導が行われる．

前述した定位照射については，頸部リンパ節転移などに対してサイバーナイフによる治療が行われ始めているものの，1回線量や分割回数についてはまだ確立していない．陽子線や重粒子線については，わが国は他国より施設数が多く，悪性黒色腫や腺様嚢胞癌に対して有効性が示され，保険適用も拡大している．最近，進展例に対して，シスプラチンを超選択動注によって投与し，外照射を併用することできわめて優れた治療成績も報告されている．

術前照射のエビデンスは明らかではないが，術後照射は，再発リスクの高い原発巣の断端陽性，

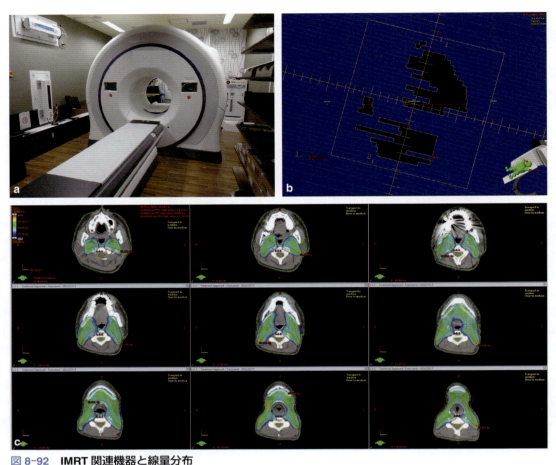

図 8-92　IMRT 関連機器と線量分布
a：IMRT を実施するための外照射装置，b：マルチリーフコリメータ（MLC），c：両側頸部，術後照射時の線量分布

近接，頸部リンパ節転移での節外浸潤において，化学療法を併用した放射線療法が有効である．線量は，1 回 2 Gy で 25〜33 回の分割が多く行われる．外照射は，緩和的治療においても用いられ，骨転移などで生じる痛みの緩和に有効である．この場合における線量付与の仕方はさまざまであるが，1 回 3 Gy，10 回照射などが用いられる．

### C 小線源治療
brachytherapy

小線源治療は，頸部リンパ節転移がなく，T2 までの腫瘍が原則対象となり，根治を目的とする．線源を腫瘍内に入れることで，大線量を腫瘍に与え，その周囲に存在する正常組織の線量を大幅に減らすことができる．線源としては，Ir-192（半減期 74 日）と Au-198（半減期 2.7 日）が用いられ，局所麻酔下で刺入ができる．低線量率で連続的に照射する低線量率小線源治療（図 8-93）と，高線量率で 1 日 2 回，断続的に照射する高線量率小線源治療（図 8-94）の 2 つが存在する．いずれも，線源から 5 mm 離れた位置で，およそ 1 週間で 60〜70 Gy 付与することにより 90％近い局所制御率を得ることができる．しかも，組織欠損もなく，舌の動き，嚥下，発音，審美性を維持できる優れた治療法といえる．したがって，手術を受けられない，あるいは手術を拒否した患者の多くが対象となる．

Ir-192（図 8-93c）を用いる場合，舌が主体となるが，粒子状の Au-198（図 8-93b）は，主に舌以外の口腔癌を対象とし，永久刺入により 80〜90 Gy を付与する．舌縁部の腫瘍の場合，下顎骨障害を予防するために舌と歯肉の間にスペースを

各論—C. 悪性腫瘍

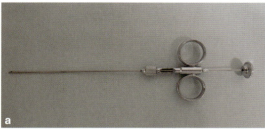
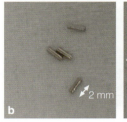
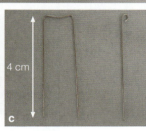
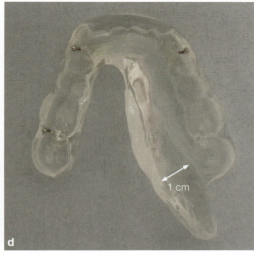

**図 8-93　低線量率小線源治療関連ツール**
低線量率小線源治療に用いられるルナー針（a），金粒子（Au-198）（b），Ir 針（Ir-192）（c），スペーサー（d）

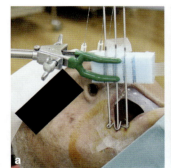
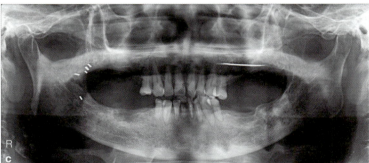
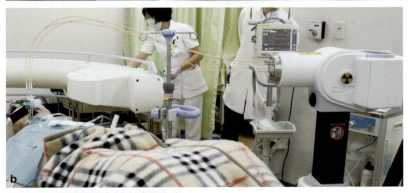

**図 8-94　高線量率密封小線源治療**
a，b：高線量率密封小線源治療装置（マイクロセレクトロン）により小線源を留置している様子．口腔内に管状のアプリケータを挿入し，192Ir（イリジウム）をその管の中に通して口腔内の病変内に留置・照射する．
c：192Ir（イリジウム）を頰粘膜に留置した状態
〔東京歯科大学　片倉　朗先生　提供〕

作るためにスペーサーが用いられる（図 8-93d）．硬口蓋や歯肉の場合は，義歯に金粒子を埋め込んで治療を行うモールド療法が行われる．金粒子を使った治療法は，侵襲性がきわめて低いため，超高齢者にも適用可能である．この治療を実施できる施設は限られているために，拠点化した対応が必要と考える．

## D 口腔潜在的悪性疾患

### 1 定義

口腔潜在的悪性疾患（oral potentially malignant disorders；OPMDs）は，2017 年の WHO 分類で，従来は前癌病変・前癌状態に分類されていた病変・疾患を包括して新たに「臨床的に定義可能な前駆病変もしくは正常な口腔粘膜にかかわらず，口腔癌へ進展する危険性を有する臨床症状」と定義し，記載されている．2022 年の WHO 分類ではその一部が変更されている（表 8-19）．これは，口腔癌への進展リスクを考慮し，病変・疾患の癌化を予防するという目的から導入された臨床的疾患概念であるためである．病理組織学的な口腔上皮性異形成（oral epithelial dysplasia）という概念は包含されていないが，実際の臨床においては，生検により口腔粘膜上皮の異形成（構造異型・細胞異型）の有無を併せて考慮することが重要である．

### 2 分類

OPMDs のうち，わが国で発生頻度が高いものは白板症，紅板症，紅板白板症，慢性カンジダ症および扁平苔癬である．一方，円板状エリテマトーデス，先天性角化不全症は発生頻度が比較的低く，さらに口腔粘膜下線維症，無煙タバコ角化症，リバーススモーキングに関連した口蓋病変は，わが国ではほとんどみられない．OPMDs は，その癌化率も病変・疾患によりさまざまで，原因もいまだ不確定なものも多いが，特殊な喫煙習慣やアルコール摂取が国ごとの発生率の違いに影響している可能性が考えられている．本項では，わが国で発生頻度が高い疾患については特に

表 8-19 口腔潜在的悪性疾患（oral potentially malignant disorders）（WHO2022）

| |
|---|
| 紅板症 |
| 紅板白板症 |
| 白板症 |
| 増殖性疣贅状白板症 |
| 粘膜下線維症 |
| リバーススモーキングに関連した口蓋病変 |
| 口腔苔癬様病変* |
| 口腔扁平苔癬 |
| 無煙タバコ角化症** |
| 口腔移植片対宿主病 |
| 紅斑性狼瘡 |
| Fanconi 貧血，先天性角化症，色素性乾皮症，Li Fraumeni 症候群，Blooms 症候群，毛細血管拡張性運動失調症および Cowden 症候群などの家族性癌症候群 |

*扁平苔癬に類似しているが，典型的な臨床症状や病理組織学的所見がない口腔病変
**リスクはタバコの種類によって異なる

詳述する．

### A 白板症
leukoplakia

特徴・原因

口腔白板症は，WHO の診断基準（1978 年）では「口腔粘膜に生じた摩擦で除去できない白色の板状あるいは斑状の角化性病変で，臨床的あるいは病理組織学的に他のいかなる疾患にも分類されないもの」とされている．癌化率は 0.13〜17.5％ と報告されており，癌化には性別，年齢，発生部位，臨床型，上皮性異形成の有無や程度などさまざまな要因が影響する．好発年齢は 50〜70 代である．男性が女性の約 2 倍と多い傾向がある一方，癌化率は女性に発生した場合のほうが高いと報告されている．好発部位は下顎歯肉であり，次いで舌，頰粘膜，上顎歯肉，口底，口蓋，口唇の順に多くみられる．舌，頰粘膜，口底に生じたものや多発性，不均一な形状や色調を呈するもの，また上皮性異形成の認められるもので，癌化率が高いと報告されている．白板症の真の原因は不明であるが，誘因として，慢性の物理的・化学的刺激，貧血，ビタミン A あるいはビタミン B 群の欠乏，低アルブミン血症，脂質異常症，糖尿病，ホルモン失調，胃疾患などが挙げられる．

臨床症状

白板症は，通常は自覚症状に乏しく，粘膜面よ

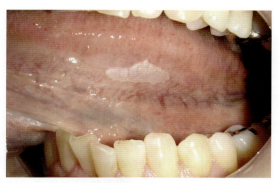

図 8-95　舌の白板症（均一型）
病変の境界が明瞭で，表面はスムーズで白斑の濃さは全体的に同様である．
〔東京歯科大学　片倉　朗先生　提供〕

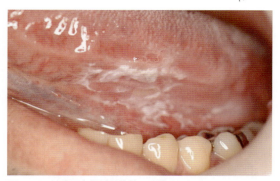

図 8-96　舌の白板症（非均一型）
病変の境界は不明瞭で，表面は粗糙で部位によって白斑の濃さが異なる．
〔東京歯科大学　片倉　朗先生　提供〕

りやや隆起した白色ないし灰白色の病変として認められる．単発あるいは多発性に認められ，また限局性の小さいものから，び漫性に広範囲に及ぶものまでさまざまである．臨床型としては，全体的に薄く均一に認められる均一型と，全体的に不均一な形状や色調を呈する非均一型に大別されている．さらに均一型は平坦（図 8-95），波状，敷石状，ヒダ状に，非均一型は結節状，疣贅状（図 8-96），斑状に分類される．

　一般に，均一型に比べ非均一型のほうが癌化しやすく，特に疣贅状病変の中でも悪性化の頻度が高いものとして，増殖性疣贅状白板症（proliferative verrucous leukoplakia；PVL）がある．また斑状の病変は紅斑混在型ともいわれ，正常粘膜よりやや赤い粘膜にさまざまな斑状の白色斑がみられる病変であり，悪性化の危険性が高いと報告されている．赤い部分が多いものは特に紅板白板症（erythroleukoplakia）と呼ばれる．

### 診断

　口腔白板症は臨床診断名であり，その診断は通常，臨床所見によりなされるが，口腔扁平苔癬や初期癌との鑑別，さらに上皮性異形成の有無とその程度を確認するために生検による病理組織検査と病理組織学的診断が重要である．病理組織学的には，角化の亢進や棘細胞層の肥厚，上皮下結合組織へのリンパ球浸潤，さらには上皮性異形成の有無と程度を確認する．上皮性異形成（epithelial dysplasia）は組織構造と細胞特性の異常からその程度を軽度，中等度，高度の3つに分類するか，あるいは低異型度と高異型度の2つに分類する．上皮性異形成が高度であるほど癌化の危険性は高い．また上皮全層あるいはほぼ全層にわたり上皮性異形成が認められるものは上皮内癌（carcinoma in situ；CIS）と診断し，白板症でなく口腔癌として取り扱う．一方，上皮性異形成がみられないものは過角化症（hyperkeratosis）と診断され，上皮の角化様式により過正角化症（hyperorthokeratosis）と過錯角化症（hyperparakeratosis）に分けられる．

### 治療

　口腔白板症に対する治療としては，外科的切除または経過観察が行われる．中等度あるいは高度の上皮性異形成（高異型度異形成）が認められれば，基本的には外科的切除が望ましい．患者の全身状態の悪化や切除術への同意が得られない場合など，止むを得ず経過観察とする場合には，癌化の可能性があることを患者に十分説明するとともに，厳重な経過観察が必要である．上皮性異形成が認められない場合や異形成が軽度の場合は経過観察とすることも多いが，発生部位や臨床型，病変の変化などに注意しながら，1〜3か月程度ごとに定期的経過観察を行う．経過観察中に，発赤，びらん，潰瘍，腫瘤形成，硬結などの変化がみられた場合には積極的に生検を行い，病理組織学的所見から外科的切除を含めた治療方針の再検討を行う．

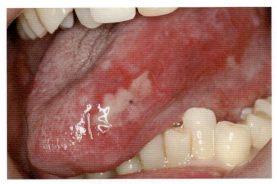

図 8-97 舌の紅板症
病変の境界は不明瞭で顕著な発赤がみられる．びらんを呈し，接触痛を伴うことが多い．
〔東京歯科大学 片倉 朗先生 提供〕

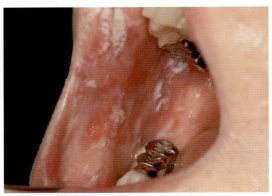

図 8-98 頰粘膜の紅板白板症
病変の中に白斑と発赤を伴うびらんが混在している．
〔東京歯科大学 片倉 朗先生 提供〕

## B 紅板症
erythroplakia

**特徴・原因**

紅板症は，WHO の診断基準（1978 年）で「臨床的にも病理組織学的にもほかの疾患に分類されない紅斑あるいは紅板」とされている．癌化率は口腔粘膜病変の中で最も高く，40〜50％と報告されている．まれな病変であるが，50〜60代に多く発生し性差はない．好発部位は舌，軟口蓋，口底および歯肉である．

**臨床症状**

紅板症は紅色肥厚症とも呼ばれ，口腔粘膜に鮮紅色，表面ビロード状の境界明瞭な限局性紅斑としてみられる（図 8-97）．時に，わずかな隆起や部分的な白斑を伴ったり，白板症と混在してみられることがある（図 8-98）．通常硬結はみられないが，接触痛を訴えることもある．鑑別すべき疾患として，初期の口腔扁平上皮癌，口腔扁平苔癬，紅斑性（萎縮性）カンジダ症などが挙げられる．

**診断**

紅板症は臨床診断名であり，癌化率がきわめて高いことから，生検による病理組織検査と病理組織学診断が必要である．病理組織学的には，著明な上皮層の萎縮やびらんが認められ，結合組織内には毛細血管の増生，拡張とリンパ球，形質細胞の浸潤を主体とする間質反応がみられる．上皮性異形成がさまざまな程度でみられるが，異形成が高度であるものが多く，すでに上皮内癌や初期浸潤癌と診断されることも多い．

**治療**

癌化率がきわめて高いことから，放置することなく積極的に外科的切除を行うべきである．術後も長期にわたる定期的な経過観察が必要である．

## C 口腔扁平苔癬
oral lichen planus（OLP）

**特徴・原因**

扁平苔癬は，皮膚または粘膜に生じる原因不明の角化異常を伴う非感染性慢性炎症性疾患と定義されるが，口腔粘膜に現れる口腔扁平苔癬（OLP）は，皮膚の扁平苔癬とは異なった経過，病態を示す．OLP は口腔粘膜疾患としては頻度の高い病変であり，発生頻度としては 0.1〜4％程度と報告され，40代からの中年以降の女性に多い．好発部位は頰粘膜で，左右両側性にみられることも片側性にみられることもあるが，大臼歯部相当の頰粘膜から臼後部あるいは歯肉頰移行部にかけてみられることが多い．時に舌縁部や歯肉，口唇粘膜などにもみられる．原因は不明であるが，病理組織学的に粘膜上皮直下にTリンパ球の浸潤が特徴的にみられることから，細胞性免疫による基底細胞層の障害が関連していると考えられている．また，薬物や歯科金属アレルギー，ストレス，C型肝炎ウイルス，糖尿病，高血圧症との関連が報告されている．

**症状**

口腔粘膜に周囲からわずかに隆起した線状や斑

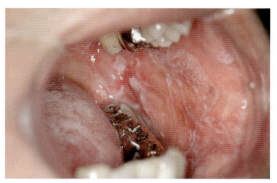

図 8-99　口腔扁平苔癬
主に頬粘膜の両側に発赤を伴う網状の白斑が認められる．接触痛を伴うことがある．
〔東京歯科大学 片倉 朗先生 提供〕

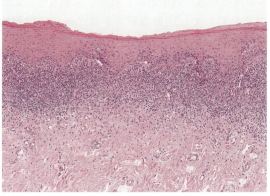

図 8-100　口腔扁平苔癬の病理組織像
表層の錯角化亢進・棘細胞層の肥厚を認める．上皮直下の粘膜固有層には帯状のリンパ球浸潤がみられ，上皮脚は鋸歯状を呈する．
〔東京歯科大学病理学講座 松坂賢一先生 提供〕

状の白色病変で，それらが相互に連結し，全体としてレース状，網状を呈することが多い．また白斑に紅斑が混在することも多く，多彩な肉眼所見を呈することから，網状型（図 8-99），萎縮型，びらん・潰瘍型，丘疹型，水疱型，白斑型などに分類される．両側頬粘膜に生じた網状あるいはレース状の白斑が典型像であるが，ほかにも舌，歯肉，口唇粘膜に生じることも多い．

自覚症状として，病変部の粗糙感や灼熱感，食事時の接触痛や刺激痛などが認められるが，自覚症状に乏しいこともあり，また時期により症状に消長があることも多い．症状は数年あるいはそれ以上の経過をたどり，その間は増悪と寛解を繰り返す．経過中に約1％が癌化することからOPMDsの1つに分類されている．

### 診断

診断は臨床症状と病理組織学的所見の総合的判断による．両側の頬粘膜にみられる網状やレース状の白斑はOLPの典型的臨床像であるが，舌や歯肉，口唇粘膜にも発症することがある．また白斑には，網状やレース状以外にも線状，環状，斑状，丘疹状などさまざまな臨床型があり，さらに紅斑が混在している場合や紅斑がきわめて優位でびらんを伴うような病変があることにも留意しておく必要がある．このような特徴的所見から臨床的に診断することもできるが，臨床病態が多彩であること，類似疾患との鑑別が必要であること，そして悪性化しうるOPMDsの1つであることから，積極的に生検を行い病理組織学的診断を行うことが必要である．

病理組織学的所見としては，上皮層下の粘膜固有層上部におけるリンパ球の帯状浸潤が特徴的であり，これがOLP診断のための有力な根拠となる（図 8-100）．浸潤したリンパ球はしばしば基底膜を越えて上皮組織内に侵入しているのが認められる．さらに基底膜の融解や断裂，基底細胞層の液状変性，上皮脚の鋸歯状化，コロイド小体（シバット小体）などがみられる．ただし，これらの病理組織学的所見は病勢や症状により変化することが多い．

鑑別を要する疾患としては，口腔白板症，口腔カンジダ症のほか，尋常性天疱瘡，粘膜類天疱瘡，多形滲出性紅斑，剥離性歯肉炎，慢性潰瘍性口内炎，全身性または円板状エリテマトーデスなどがある．

### 治療

副腎皮質ステロイド含有軟膏の局所塗布が第一選択であり，その目的としては病変局所における免疫反応の抑制とそれによる炎症反応の鎮静化である．網状型などに比べ，潰瘍型などはステロイドの局所投与に反応しないことも多く，治療に難渋することがある．炎症症状が比較的高度な場合には，副腎皮質ステロイドの噴霧が行われることもある．薬物の内服治療として，植物アルカロイド製剤であるセファランチンや半夏瀉心湯などの漢方薬が使用されることもある．また，ステロイ

ドの局所投与で効果のみられない広範なびらん型OLPに対しては副腎皮質ステロイド薬の内服治療が行われることがある．さらに，抗炎症作用を目的とした対症療法として，アズレンスルホン酸ナトリウム水和物などの含嗽薬が使用される．

### D 紅板白板症（→p.314，316）
erythroleukoplakia

### E 口腔粘膜下線維症
oral submucous fibrosis

ビンロウジュの実を噛む習慣があるアジア地域で多くみられるが，わが国ではほとんどみられない．南・東南アジア諸国では口腔癌が全癌の約30％を占めており，本習慣との関連が指摘されている．臨床症状としては，口蓋や頰粘膜に組織の硬化性変化を伴う黄白色病変がみられる．病理組織学的には，粘膜上皮における萎縮の種々の程度の異形成，上皮下結合組織における炎症性細胞浸潤と線維化がみられる．

### F 慢性カンジダ症（→p.377）
chronic candidiasis

### G 梅毒性舌炎（→p.218）
syphilitic glossitis

### H 円板状エリテマトーデス（→p.392）
discord lupus erythematosus

### I 口腔移植片対宿主病（→p.402）
oral graft-versus-host disease

## E 腫瘍類似疾患

### 1 エプーリス
epulis

**本態**

歯肉に限局した良性の線維性組織の増殖あるいは肉芽腫を総括した臨床診断名である．歯肉結合組織や歯根膜，骨膜に対する不適合補綴物あるいは歯石や残根による慢性外傷性刺激，口腔清掃不良による慢性炎症性刺激などがその成因とされている．一般に20～50代に多く，10歳以前は少なく，まれに新生児に発症する．女性に多く，男性の約2倍であり，好発部位は唇側歯肉乳頭部で上顎前歯部に多い．

**臨床症状**

歯肉に限局した有茎性の腫瘤であるが，多くは母指頭大以下の大きさで，広基性で表面は平滑，分葉状，凹凸不整である．大きなものでは唇（頰）舌側にまたがり，歯の動揺，傾斜，転位を伴うものもある．

**エックス線所見**

通常は特別な所見を認めないが，歯槽部の骨吸収を示すものがあり，骨形成性エプーリスや腫瘤中に石灰化を示すものでは不透過像を認める．

**種類と病理組織所見**

**1 肉芽腫性エプーリス**（図8-101）

円形細胞浸潤の強い炎症性肉芽腫からなり，エプーリス全体の約1/3を占める．毛細血管に富んでいるため，肉眼的には淡紅色から鮮紅色を呈する．

**2 線維性エプーリス**

線維組織の増殖からなるもので，肉芽腫性エプーリスと同程度の頻度である．肉芽腫性エプーリスの陳旧化したものであるが線維の増殖は不規則であり，腫瘤内には小石灰化物を見ることがある．

**3 血管腫性エプーリス**

毛細血管の増生と拡張が著しいもので，血管腫に類似した構造を呈するものの炎症性の成り立ちを示すものがほとんどである．肉芽腫性エプーリスから変化したものと考えられ，色は鮮紅色あるいは赤紫食で弾性軟，易出血性の腫瘤である．

**4 骨形成性エプーリス**

線維性組織の中に骨形成を認めるものであり，臨床像は線維性エプーリスと同じであるが，線維中に化成的に骨形成をきたしたものと考えられる．骨組織が多ければエックス線不透過像が強く，セメント質のように見える場合はある．

**5 線維腫性エプーリス**

線維性組織の腫瘍性増殖からなるもので，歯肉

に発生した骨線維腫を骨線維腫性エプーリスとも呼んでいる．一般に広基性で表面は平滑で球形ないし卵円形のものが多く，線維性エプーリスと同様の所見を呈する．

### 6 ● 妊娠性エプーリス

妊娠3か月頃に発生し，比較的急速に増大し，分娩後には発育停止，縮小あるいは自然消失する．妊娠前半期は肉芽腫性，後半期は血管腫性，分娩後は線維性を示すといわれる．

### 7 ● 巨細胞性エプーリス

卵円形ないし紡錘形の細胞と多数の巨細胞を多く混在させた組織からなるエプーリスで，周辺性巨細胞肉芽腫と同様のものと考えられている．

### 8 ● 先天性エプーリス

新生児の歯槽突起部に発生するまれな病態で，顆粒細胞腫と同様の組織像を呈するものが多いが，線維性あるいは線維腫性のものや平滑筋の増殖からなるものもある．発症頻度はきわめて低く，女児に多いとされている．

治療法
原則として骨膜を含んだ切除を行う．歯根膜由来のものや再発例では同時に抜歯することもあり，露出骨表面の削除，根露出面のスケーリングやルートプレーニングも必要である．妊娠性エプーリスは分娩後に自然消失することも多いので，妊娠中の外科処置は避けるべきである．

## 2 義歯性線維腫（図8-102）
denture fibroma

本態
義歯床縁や床下粘膜に発生し，不適合な義歯の慢性外傷刺激により生じる反応性の線維性結合組織の増殖性変化である．

臨床症状
表面は正常粘膜色で唇頬側床縁に沿って弁状あるいは分葉状の硬い腫瘤を形成し，義歯床縁が腫瘤基部や分葉状の溝と一致する．好発部位は上顎および下顎の前歯部から小臼歯にかけて歯肉，口唇あるいは歯肉頬移行部に多い．上下顎では上顎に多く，性差では女性に多い．

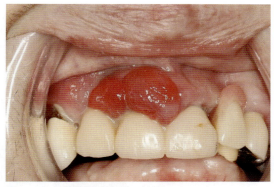

図8-101　肉芽腫性エプーリス

病理組織所見
上皮は過角化と上皮脚の延長を示し，上皮下には膠原線維束が錯綜する線維性結合組織の増殖をみるが炎症細胞浸潤は乏しい．

治療法
義歯床縁の削合・調整では治癒しないことが多いので，腫瘤基部での切除を行う．縫縮する場合は口腔前庭が浅くなるため，場合によっては前庭拡張を検討する．再発防止のために義歯は改床または新製する．

## 3 薬剤性歯肉増殖症
drug-induced gingival hyperplasia

本態
薬剤の副作用で生じる歯肉増殖症であり，薬剤性歯肉肥大ともいわれる．原因となる薬剤としては抗てんかん薬のフェニトイン，高血圧治療薬のカルシウム拮抗薬，免疫抑制薬のシクロスポリンが挙げられるが，服用者のすべてが罹患するわけではなく，発症率は各薬剤により異なる．

臨床症状
主に歯間乳頭部歯肉に生じ，過度に増生すると歯の埋没，移動，傾斜をきたすことになる．歯垢などの起炎因子による修飾も指摘されており，機械的清掃困難による歯肉炎が併発していることが多い．本来の歯肉炎・歯周炎とは異なり疼痛を伴わないものが多く，症状が悪化した場合は出血や排膿を認めることもある．

所見
エックス線所見としては，通常の歯肉炎・歯周

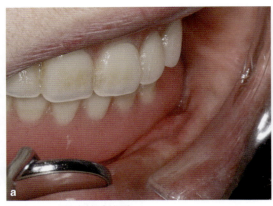
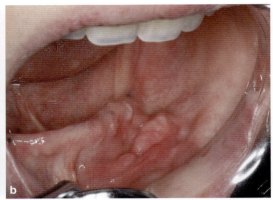

**図 8-102 義歯性線維腫**
a：下顎義歯装着時，b：義歯除去時

炎と同様であるが，歯の移動や傾斜に伴う変化を認め，症状が進行した場合は浮遊歯のような所見を呈することもある．

治療法

原因薬剤の変更や減量が可能であれば主治医に変更を依頼する．口腔清掃困難な状況であれば機械的ならびに化学的なプラークコントロールを徹底し，局所炎症の感染源除去に努めるが，歯肉増殖が顕著な場合は歯肉切除手術などの歯周外科手術が適応となる．

## 4 骨増生，外骨症
osteogenesis, exostosis

本態

成熟した骨の反応性増殖ないし発育異常で，骨表面から外側に突出するものを外骨症または骨隆起と呼ぶ．咬合負荷などの環境的要因と遺伝的要因が発生に寄与すると考えられ，典型的なもので口蓋隆起や下顎隆起が挙げられる．

臨床症状

口蓋隆起は硬口蓋正中縫合線の両側に渡って発生し，下顎隆起は下顎小臼歯部舌側の顎舌骨筋線上に単発または多発性に生じる．また，それ以外の好発部位としては上下顎臼歯部の頰側や上顎結節部が挙げられる．広基性の腫瘤で，表面は滑らかで正常粘膜色を呈するが，菲薄化した粘膜に対する外傷性刺激により潰瘍形成を伴うこともあり，口蓋では一部に白斑を呈することもある．

エックス線所見

口蓋隆起は咬合法で撮影しても，ほかの骨と重なりが強く明瞭に判別しにくいが，下顎隆起は咬合法撮影で舌側皮質骨と連続する結節状の不透過像が確認できる．

病理組織所見

口蓋隆起は層板骨と脂肪髄からなり，下顎隆起は緻密な層板骨からなり，骨髄はみられないか，わずかな脂肪髄を認める．

治療法

特に積極的な治療は必要ないが，被覆粘膜に潰瘍を繰り返す場合，義歯作製に支障が生じる場合や摂食・発音機能に障害が生じるほど大きな場合は被覆粘膜を剝離して，隆起部の基部から切除するような形成術を行う．通常，再発はなく，経過良好である．

## 5 骨性異形成症（図8-103）
osseous dysplasia

本態

生活歯の根尖にセメント質様ないし骨様硬組織形成を伴った線維性結合組織の限局性増生を示す非腫瘍性病変である．

臨床症状

中年のアフリカ系女性に好発すると報告されており，日本人でも中年女性に多いとされる．発生部位や臨床型で名称が異なり，下顎前歯部の生活歯の根尖部に限局して発生するものを根尖性骨性

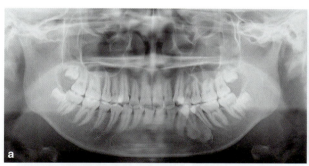
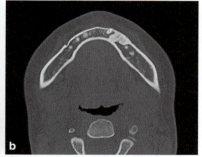

図 8-103　骨性異形成症（左側下顎小臼歯部）
a：パノラマエックス線画像，b：CT

異形成症，臼歯部に単発性に生じるものを限局性骨性異形成症としている．さらに開花状骨性異形成症や家族性巨大型セメント質腫は顎骨の膨隆を認めることがある．

:::エックス線所見:::
初期は透過像を示すが，成熟していくにつれて不透過性領域が進行していく．通常，周囲の骨や近接する歯根と病変との間には透過帯がみられる．

:::病理組織所見:::
初期では線維芽細胞，線維性結合組織，血管が認められる幼若な歯根膜組織に類似し，骨吸収を伴い根尖周囲における増殖を呈する．中期になると間葉細胞がセメント芽細胞，骨芽細胞に変化しセメント質塊や類骨組織，骨組織を形成する．成熟期では周辺部を残して病巣全体が硬組織に占められる（図 8-104）．

:::治療法:::
外科処置は行わず経過観察されることが多いが，感染を引き起こす要因がある場合や囊胞を併発している場合は摘出を行う．

## 6　線維性異形成症（図 8-105）
fibrous dysplasia

:::本態:::
幼若な骨形成を伴う線維性結合組織の増生によって正常骨が弛緩される腫瘍様病変である．

:::臨床症状:::
多くが単骨性に発生し，10〜20代に好発し，女性にやや多いとされる．顎骨に高頻度にみられ，下顎骨よりも上顎骨に，前歯部よりも臼歯部に好発する．病変は緩慢に進行し，骨格成長を終

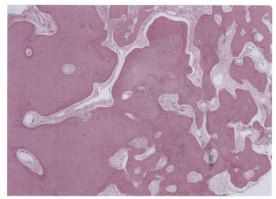

図 8-104　骨性異形成症の病理組織像〔ヘマトキシリン・エオジン（HE）染色〕

えるとともに増大傾向も停止する．

:::エックス線所見:::
初期には病変と周囲骨との境界は不明瞭で，囊胞状陰影がみられ，硬組織形成が進むとすりガラス状の陰影を呈する．

:::病理組織所見:::
発育初期では細胞成分に富む線維性結合組織が中心であり，発育とともに不規則で幼若な線維骨梁が形成され，次第にその量が増すことで，線維性結合組織は量と細胞密度が減じる．骨梁はC字型やU字型を示す線維骨や層板骨がみられる（図 8-106）．

:::治療法:::
病変が生じている部位，痛みの有無，神経症状の有無などに応じて決定され，大きな自覚症状がない場合は無治療のまま経過観察することもある．また，顔面の場合は顔面非対称などの審美性

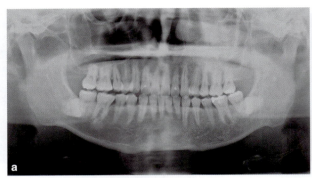
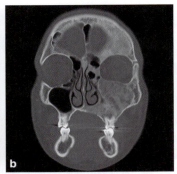

**図 8-105** 線維性異形成症（左側上顎）
a：パノラマエックス線画像，b：CT

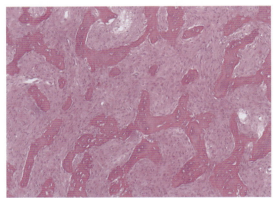

**図 8-106** 線維性異形成症の病理組織像〔ヘマトキシリン・エオジン（HE）染色〕

の問題により部分的な切除を適応する場合もある．

 **McCune-Albright 症候群**（→p.129）

sarcoidosis

（本態）

結核症に類似するが，中央部に乾酪壊死を認めない肉芽腫を多発する原因不明の全身疾患である．全年齢層で生じるが，好発年齢は20代と60代で性差は認めない．以前は健診で発見される無症状や，自然改善例が多かったが，近年は自覚症状で発見されるものが増加し，経過も長引く例が増えている．多くは慢性経過を示すが，心臓や肺など生命予後，機能予後を左右する臓器では十分な治療と管理が必要である．

（臨床症状）

病変の多くは胸部で，両側肺門部リンパ節腫大をきたし，次いで全身のリンパ節腫大，脾腫，虹彩毛様体炎を生じるほか，皮膚，口腔粘膜下，唾液腺，肝，骨髄，心筋，精巣，下垂体に生じる．口腔粘膜では無痛性で硬く，さまざまな大きさの丘疹状または結節性病変を形成する．血液検査ではγグロブリン，アンジオテンシン変換酵素（ACE）の高値を示し，リゾチームやカルシウムの高値を示すことがある．ツベルクリン反応は陰性のことが多く，診断には患者の脾臓，リンパ節より作製した抗原〔Kveim（クベイム）〕を皮内注射し，注射部位にサルコイド結節が形成されるKveim反応が有効とされていたが，特異性や汚染の問題でほとんど用いられない．

（エックス線所見）

胸部エックス線写真で両側肺門部リンパ節の腫脹と肺野の浸潤像を認める．高分解能CTの肺野病変では粒状，結節状陰影が主体で，線維化病変が進行すると洗浄，索状影，肺構造の偏位，構築再変など間質性肺炎像がみられる．

（病理組織所見）

サルコイド結節と呼ばれるランゲルハンス巨細胞が混在した類上皮細胞からなる肉芽腫性炎を呈し，肉芽腫は結核に比べ小型で，ほとんど癒合傾向を示さない多発性の肉芽腫形成を認める．個々の肉芽腫の大きさは均一で，乾酪壊死や石灰化はきたさないが，古くなると線維性瘢痕を残し，硝子化し無構造になる．

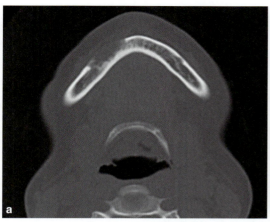 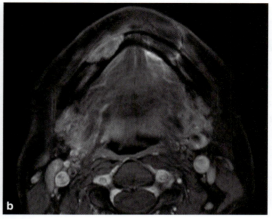

図 8-107　ランゲルハンス細胞組織球症（右側下顎小臼歯部）
a：CT，b：MRI（造影 T1 強調像）

### 治療法
　原因不明であり根治療法といえるものはなく，肉芽腫性炎症を抑える治療が行われる．症状軽微で自然改善が期待される場合は無治療で経過観察となるが，生命予後・機能予後の悪化のおそれがある場合は，副腎皮質ステロイド薬の投与が第一選択となる．口腔粘膜病変に対しては切除術を行うこともある．

## 8　ランゲルハンス細胞組織球症（図 8-107）
Langerhans cell histiocytosis；LCH

### 本態
　骨好酸球性肉芽腫，Hand-Schüller-Christian 病，Letterer-Siwe 病の 3 疾患を総括する名称である．電子顕微鏡的観察で，ランゲルハンス型細胞内に認めるものと同様の Birbeck（バーベック）顆粒を有する組織球性細胞の増殖を認める．

### 種類と臨床症状
#### 1　骨好酸球肉芽腫
　単骨性あるいは多骨性に発生し，顎骨では下顎骨に好発する．本症は 3 疾患のうちで最も頻度が高く，成人にもみられるが，多くは 10 歳未満であり，多骨性では単骨性より若年に発生し，血液中に軽度の好酸球の増多を認めることがある．顎骨に生じた場合，局所の腫脹，歯の動揺，潰瘍形成を認め，強い口臭と疼痛がある．

#### 2　Hand-Schüller-Christian （ハンド・シューラー・クリスチャン）病
　骨好酸球肉芽腫と Letterer-Siwe 病の中間型の慢性病変であり，3 疾患のうち約 10％の頻度で，16 歳未満が大半である．頭蓋の変形および透明化，眼窩やトルコ鞍への病変浸潤による眼球突出と尿崩症を 3 主徴とし，顎骨病変では骨好酸球肉芽腫と同様の症状を呈する．骨や肝臓，脾臓，肺，リンパ節などの内臓諸器官に病変を形成し，顎骨に病変を現す場合，顔面非対称と腫脹を認める．経過は慢性であるが，死の転帰をとることが多い．

#### 3　Letterer-Siwe 〔レテラー（レットレル）・ジーベ〕病
　3 疾患のうちで最も頻度が低く，幼少児に発症し，骨，リンパ節，肝臓，脾臓などを広く侵し，皮膚には広範な出血を認めて，急速に進展して死亡する劇症型である．口腔領域に病変を認めることは少ないが，顎骨の広範囲な骨破壊，多発性潰瘍，歯肉炎，歯肉腫大などを認める．

### エックス線所見
　骨好酸球肉芽腫のエックス線画像では歯槽骨辺縁の不規則な吸収像がみられ，境界鋭利な抜き打ち状透過像を認める．有歯部では重度の慢性辺縁性歯周炎に類似した浮遊歯様の所見を呈する．Hand-Schüller-Christian 病では頭蓋骨が侵されると地図状頭蓋を呈し，顎骨病変では骨好酸球肉芽腫と同様の所見となる．Letterer-Siwe 病では

変化を認めることは少ないが，進行した病変では境界不明瞭な透過像を認める．

**病理組織所見**

骨好酸球肉芽腫は組織球の増殖を特徴とする肉芽腫であり，さまざまな程度の好酸球浸潤を伴う．Hand-Schüller-Christian 病の増殖細胞は Letterer-Siwe 病と同様の形態であるが，形質細胞浸潤および線維芽細胞増生を伴い黄色肉芽腫の像を呈する．Letterer-Siwe 病の増殖細胞は弱好酸性の豊富な胞体を有し，核は楕円形で，しばしば核膜に深いヒダ状の切れ込みを示す特徴的な形態を示す．

**治療法**

単骨性骨病変では搔爬のみで治癒するが，切除手術，放射線照射法，薬物療法（副腎皮質ステロイド薬投与）などが挙げられ，三者併用療法も選択される．

● 文献

[総論]
[A．腫瘍の概論・定義，B．悪性腫瘍の疫学，C．口腔癌の分類]
1) El-Naggar AK, et al：WHO Classification of Head & Neck Tumours, 4th Edition. WORLD HEALTH ORGANIZATION, 2017.
2) Brierley JD, et al：TNM Classification of Malignant Tumours, 8th Edition. Wiley Blackwell, 2017.
3) Amin, MB, et al：AJCC Cancer Staging Manual, 8TH Edition. Springer International Publishing, 2019.
4) 口腔口腔腫瘍学会，日本口腔外科学会（編）：口腔癌診療ガイドライン2023年版．金原出版，2023．
5) 日本口腔腫瘍学会（編）：口腔癌取扱い規約，第2版．金原出版，2019．
6) 日本頭頸部癌学会（編）：頭頸部癌診療ガイドライン2022年版．金原出版，2022．
7) 日本頭頸部癌学会（編）：頭頸部癌取扱い規約，第6版．金原出版，2019．

[D．発癌（病因），E．口腔潜在的悪性疾患の概念]
1) Warnakulasuriya S：Oral potentially malignant disorders：A comprehensive review on clinical aspects and management. Oral Oncol 102：104550, 2020.
2) Warnakulasuriya S, et al：Oral potentially malignant disorders：A consensus report from an international seminar on nomenclature and classification, convened by the WHO Collaborating Centre for Oral Cancer. Oral Dis 27：1862-1880, 2021.
3) Bouvard V, et al：IARC Perspective on Oral Cancer Prevention. N Engl J Med 387：1999-2005, 2022.

[F．病態（症状），G．診断と治療方針]
1) 国立がん研究センターがん情報サービス，2018．https://www.ncc.go.jp/jp/information/pr_release/2021/0701/index.html（2024年2月閲覧）
2) 日本頭頸部癌学会（編）：頭頸部癌診療ガイドライン，2018年版．金原出版，2018．
3) 日本口腔腫瘍学会（編）：口腔癌取扱い規約，第2版．金原出版，2019．
4) 野間弘康，他（監）：標準口腔外科学，第4版．金原出版，2015．

[各論]
[A．歯原性腫瘍]
1) 柴原孝彦，他：2005年新WHO国際分類による歯原性腫瘍の発生状況に関する疫学的研究．口腔腫瘍 20：245-254, 2008．
2) Kramer IRH, et al(eds)：WHO International Histological Classification of Tumours. Histological Typing of Odontogenic Tumours, 2nd ed. Springer-Verlag, 1992.
3) Barnes L, et al(eds)：WHO Classifications of Tumours, Pathology and Genetics Head and Neck Tumours, 3rd ed. pp283-327, IARC, 2005.
4) EL-Naggar AK, et al(eds)：WHO Classification of Tumours. WHO Classification of Head and Neck Tumours, 4th ed. pp203-231, IARC, 2017.
5) Pindborg JJ：A calcifying epithelial odontogenic tumor. Cancer 11：838-843, 1958.
6) Philipsen HP, et al：The adenomatoid odontogenic tumor, ameloblastic adenomatoid tumor or adenoameloblastoma. Acta Pathol Microbiol Scand 75：375-398, 1969.

[C．悪性腫瘍]
1) 日本整形外科学会：軟部腫瘍診療ガイドライン，第3版．南江堂，2020．
2) 日本皮膚科学会，日本皮膚悪性腫瘍学会：皮膚血管肉腫診療ガイドライン．日皮会誌 131：245-277, 2021．
3) 深谷映吏，他：高齢者の頰部に発生し急速に増大した巨大な異型脂肪腫様腫瘍/高分化型脂肪肉腫の1例．日口外誌 67：265-269, 2021．
4) 大竹史浩，他：頰部に発生した胞巣型横紋筋肉腫の1例．日口外誌 64：475-479, 2018．
5) 日本皮膚科学会（編）：皮膚悪性腫瘍ガイドライン，第3版，メラノーマ診療ガイドライン2019．金原出版，2019．
6) 日本口腔腫瘍学会（編）：口腔癌取扱い規約，第2版．金原出版，2019．
7) El-Naggar AK, et al：WHO Classification of Head & Neck Tumours, 4th ed. World Health Organization, 2017.
8) Brierley JD, et al：TNM Classification of Malignant

Tumours, 8th ed. Wiley Blackwell, 2017.
 9) Amin MB, et al：AJCC Cancer Staging Manual, 8th ed. Springer International Publishing, 2019.
10) 日本口腔腫瘍学会，日本口腔外科学会(編)：口腔癌診療ガイドライン，2023年版．金原出版，2023．
11) 日本頭頸部癌学会(編)：頭頸部癌診療ガイドライン，2022年版．金原出版，2022．
12) 日本頭頸部癌学会(編)：頭頸部癌取扱い規約，第6版．金原出版，2019．
13) 日本臨床腫瘍学会(編)：頭頸部がん薬物療法ガイダンス，第2版．金原出版，2018．
14) 田中良明：照射法・治療手技．日本放射線腫瘍学会：臨床放射線腫瘍学．pp120-151，南江堂，2012．
15) 三浦雅彦：がんの放射線治療．岡野友宏(編)：歯科放射線学，第6版．pp443-469，医歯薬出版，2018．

［D．口腔潜在的悪性疾患］
 1) WHO Classification of Head and Neck Tumors, 4th ed. pp112-118, IARC Press, 2017.
 2) Warnakulasuriya S, et al：Nomenclature and classification of potentially malignant disorders of the oral mucosa. J Oral Pathol Med 36：575-580, 2007.

# 第9章 顎関節疾患

## 総論

### A 顎関節の解剖構造

#### 1 顎関節の構造

顎関節(temporomandibular joint;TMJ)は，関節窩に相当する側頭骨の下顎窩と，下顎骨関節突起の骨頭にあたる下顎頭との間に形成される関節である．下顎窩と下顎頭との間，すなわち関節隙には，強靱な交織性線維性構造である関節円板が介在している．関節円板の介在によって関節隙は完全に二腔に分離され，側頭骨下顎窩と関節円板(上面)が相対する空間を上関節腔，関節円板(下面)と下顎頭が相対する空間を下関節腔という(図9-1).

顎関節の運動様式は，下顎頭自体の軸回転運動，および下顎頭と関節円板が随伴して行う前方滑走運動の2つの運動要素が複合したもので，回転-滑走関節という．

##### A 下顎窩
glenoid (articular) fossa

側頭骨の関節窩をなすもので，下顎窩は側頭骨中頭蓋窩の直下に位置し，矢状断面でみれば半楕円形のくぼみであり，その前方はゆるやかに下向き凸の関節隆起へと連続する．関節隆起への移行は，ゆるやかに前下方へ傾斜した斜面であり，補綴学でいうところの矢状顆路傾斜を反映する．下

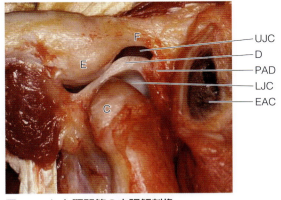

**図9-1** ヒト顎関節の肉眼解剖像
E：関節隆起，F：下顎窩，C：下顎頭，D：関節円板，UJC：上関節腔，LJC：下関節腔，EAC：外耳道，PAD：関節円板後部組織

顎窩の陥凹部の後方端は下顎窩後突起で終わる．下顎頭の後退限界は下顎窩後突起のように見受けられるが，下顎頭は最後退位において下顎窩後突起と接触することはない(図9-2a)．下顎窩の外側では，下顎窩後突起と鼓室部は鼓室鱗裂で境界され，下顎窩の内側では，前方で錐体鱗裂，および後方では錐体鼓室裂で境界される(図9-2b)．

##### B 下顎頭
mandibular condyle

下顎頭は下顎骨関節突起の頂部に位置する．下顎頭の矢状面観は指頭状で，上面観は楕円形をしている．冠状面観(正面観)では，外側極が下顎枝の外面からわずかに張り出し，内側極は下顎枝の内側面より強く突出している．下顎頭頂部はゆるやかな凸形で，平坦な形または円形のものもある(図9-3)．小児では成人と異なり下顎頭はほぼ円形を呈する．下顎頭の大きさの平均は長径(内外

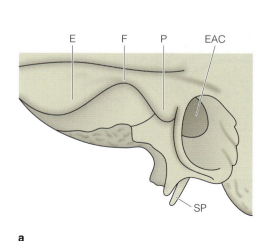
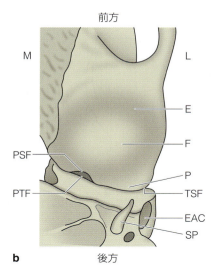

**図9-2　下顎窩の解剖学的構造**
a：外側面観，b：関節面観
E：関節隆起，F：下顎窩，P：下顎窩後突起，EAC：外耳道，TSF：鼓室鱗裂，PSF：錐体鱗裂，PTF：錐体鼓室裂，SP：茎状突起，L：外側，M：内側

径)20 mm，短径(前後径)10 mm 程度とされている．下顎頭の前面部には浅い陥凹があり，これを翼突筋窩と呼び，外側翼突筋の下頭と上頭の大部分の筋線維が腱となって停止する．

### C 関節円板
articular disc

下顎窩と下顎頭の間の空間，すなわち関節隙は，関節円板の介在によって，上下の関節腔に分割される．関節円板は少数の軟骨細胞を含む強靱な線維性結合組織の板状構造物で，その矢状断面は凹レンズの形をしている．すなわち中央部の厚みはかなり薄く，その前，後部の厚みは厚く，特に後部で最も厚い．

下顎窩・関節隆起の矢状断面形態は，ゆるやかなS字曲線であるのに対して，下顎頭はほぼ半円形を呈し，両者の形は全くちぐはぐで相対的に適合しない．この形態的不調和を凹レンズ状断面形態の関節円板が埋め合わせることで，顎関節の円滑な運動を補完している〔図9-1, 9(→p.330)〕．冠状断での関節円板の形は外側(遠心側)において厚さが薄く，内側(近心側)において厚く，下顎窩と下顎頭の間の空間を満たしている．関節円板の内外側端は，強靱な靱帯構造によって下顎頭の内側極および外側極それぞれに付着し，これを側副

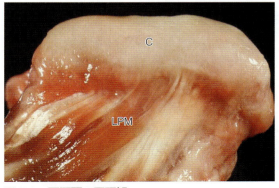

**図9-3　下顎頭の正面観**
C：下顎頭関節面，LPM：外側翼突筋

靱帯という．この付着構造によって，関節円板は下顎頭の移動に追随して運動する(図9-4a)．加えて関節円板の前方端には，下顎頭に付着している外側翼突筋上頭の腱の一部が移行的に付着しているため，下顎頭の前方滑走時に関節円板も随伴することになる．

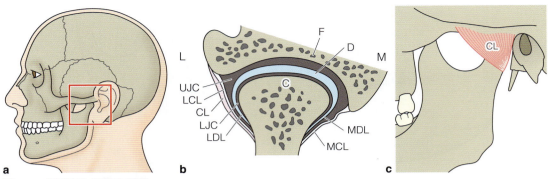

**図 9-4 関節包と関節内構造**
a：側面像，b：顎関節の関節包と関節円板付着部，c：顎関節の関節包靱帯（外側面観）．
F：下顎窩，D：関節円板，C：下顎頭，LCL：外側関節包，LDL：外側側副靱帯（付着部），MCL：内側関節包，MDL：内側関節円板靱帯（付着部），UJC：上関節腔，LJC：下関節腔，CL：側頭下顎靱帯，M：外側，L：内側

## 2 顎関節周囲の構造

### A 関節包（関節包靱帯）
joint capsule

関節構造を取り囲む線維性結合組織の膜状構造を関節包という（図 9-4）．下顎関節突起頸部はこの膜状の結合組織構造によって側頭骨から吊り下げられている．この結合組織構造は，関節内構造を外部から遮断する隔壁であると同時に関節自体の支持構造でもある．

### B 側頭下顎靱帯（外側靱帯）
temporomandibular ligament

側頭下顎靱帯は 2 層構造で，深層部は関節隆起外縁からほぼ水平に下顎頭外側極に向かって連結するが，一部は関節円板後部組織へ入り込む（図 9-5）．浅層部は関節隆起外面から斜め下方へ向かって下顎関節突起外側面および後面とを連結する（図 9-5）．この靱帯の役割は開口時に下顎頭が前方滑走する際に，下顎頸部が後方回転するモーメントを規制するものと考えられている．

### C 蝶下顎靱帯
sphenomandibular ligament

関節外靱帯（副靱帯）であり，比較的薄い強靱な結合組織性の膜構造で，蝶形骨棘から起こり下顎小舌部に付着している．臨床解剖学的には重要な構造で，翼突下顎隙（組織隙）を区画し，さらに内側関節包からさらに深部（近心側）の構造を区画する．蝶下顎靱帯自体には下顎の懸垂を支える機能はないが，下顎の開閉運動の中心点は下顎小舌付近にあるとされ，この回転中心を保持する役割が指摘されている（図 9-6）．

### D 茎突下顎靱帯
stylomandibular ligament

関節外靱帯（副靱帯）であり，茎状突起から起こり，下顎骨の顎角部から下顎枝後縁に付着する．下顎の前方（推進）運動を規制すると考えられている（図 9-6）．

### E 顎関節部の神経支配

顎関節部の神経分布は，三叉神経第 3 枝の下顎神経の末梢枝である耳介側頭神経がほぼ全周的に広がっていることが解剖学的に確認されている（図 9-7）．しかし，顎関節の前方部は咬筋神経の支配を受ける．

### F 顎関節部の血管分布

顎関節部の血行を供給する動脈の主幹は，外頸動脈の末梢にあたる 2 分枝，すなわち浅側頭動脈と顎動脈である（図 9-8）．顎関節包外側部は顔面横動脈の枝が分布する．

## 3 顎関節運動の特徴

顎関節運動の様式は，下顎頭の蝶番軸運動と滑走運動である．両運動様式は独立するものではなく，複合した蝶番-滑走運動を行う．関節円板は

総論— A. 顎関節の解剖構造 329

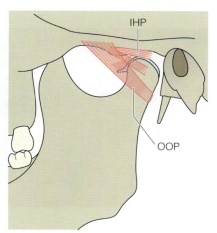

図 9-5 顎関節の側頭下顎靱帯（浅部外側面観）
IHP：側頭下顎靱帯水平部，OOP：側頭下顎靱帯外側斜走部

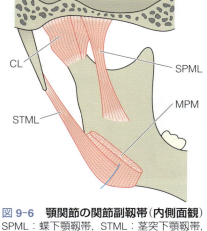

図 9-6 顎関節の関節副靱帯（内側面観）
SPML：蝶下顎靱帯，STML：茎突下顎靱帯，
CL：関節包（内側），MPM：内側翼突筋

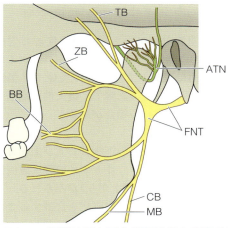

図 9-7 顔面神経と耳介側頭神経の走行（外側面観）
FNT：顔面神経本幹，TB：顔面神経側頭枝，
ZB：顔面神経頬骨枝，BB：顔面神経頬筋枝，
MB：顔面神経下顎縁枝，CB：顔面神経頸枝，
ATN：耳介側頭神経

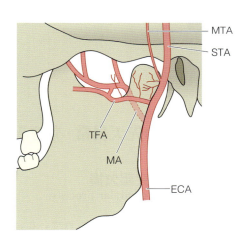

図 9-8 顎関節周辺の動脈分布（外側面観）
ECA：外頸動脈，TFA：顔面横動脈，MA：顎動脈，
STA：浅側頭動脈，MTA：中側頭動脈

下顎頭に強固に付着することから，下顎頭の滑走運動に追随して移動する．両者を機能的観点から下顎頭関節円板複合体と呼ぶことができる．下顎頭と関節円板は，外側翼突筋の牽引によって両者は随伴して前方滑走運動を行う．下顎頭-関節円板複合体の滑走運動は，関節円板上面と側頭骨関節面の間すなわち上関節腔内で生じる．下顎頭の蝶番軸運動は関節円板の下面と下顎頭関節面とが相対する空間，すなわち下関節腔内で生じる（図9-9）．

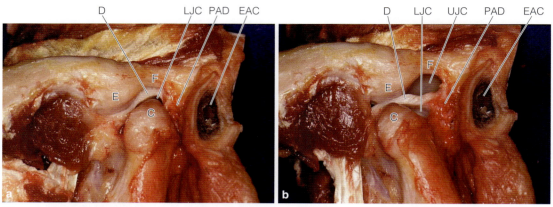

**図 9-9** 開閉運動時の下顎頭・関節円板複合体の動きと上下関節腔
a：閉口時，b：開口時
E：関節隆起，F：下顎窩，D：関節円板，C：下顎頭，PAD：関節円板後部組織，LJC：下関節腔，UJC：上関節腔，EAC：外耳道

## 各論

###  顎関節の先天異常・発育異常

#### 1 下顎骨関節突起欠損
aplasia of the condylar process

　下顎骨の関節突起が全く形成されていない疾患で，そのほとんどは，第一第二鰓弓症候群，Goldenhar症候群，Treacher Collins症候群などの症候群に併発する．

**症状・所見**
　片側性が多く，関節突起が欠損しているために，患側の下顎枝が短くなり，下顎は患側に偏位する．症候群の併発により，下顎窩や周囲の軟組織，例えば耳介の部分欠損などを伴うこともある．
　両側の場合は，下顎骨全体が後方に偏位して鳥貌を呈する．

**治療**
　機能や整容面で障害がある場合は顎関節授動術，形成手術を行う．

#### 2 下顎骨関節突起発育不全
hypoplasia of the condylar process

　下顎骨関節突起欠損と同様の症候群に併発して，先天的に関節突起の形成不全がみられる場合と，若年期に罹患した顎関節の炎症や外傷性疾患，放射線照射などの影響で，後天性に関節突起の形成不全がみられる場合がある．

**症状・所見**
　片側性が多い．患側の下顎骨および上顎骨の劣形成を伴うことが多く，オトガイの軽度患側偏位や咬合平面の傾斜（患側上がり）がみられる．
　後天性の場合は顎関節強直症を合併することが多く，開口障害を呈する．

**治療**
　機能や整容面で障害がある場合は，顎関節授動術，顎矯正手術や骨延長術による顔面非対称の改善を検討する．

#### 3 下顎頭肥大（下顎骨関節突起肥大）
hyperplasia of the condylar process（図 9-10）

　下顎頭が本来の形態を保持したまま肥大する疾患である．先天性や外傷やホルモン異常による後天性の原因が考えられるがよくわかっていない．女性に多い．後天性の場合は骨軟骨腫などの腫瘍性病変との鑑別が困難な症例もある．

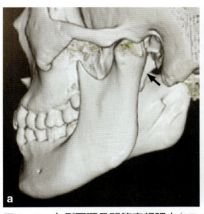
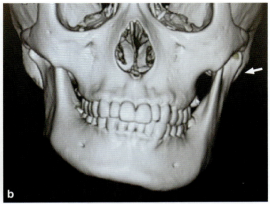

図 9-10　左側下顎骨関節突起肥大（3D-CT，矢印）
a：左側面　b：正面

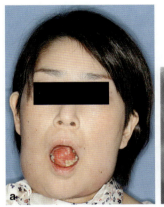
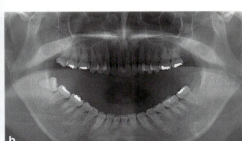
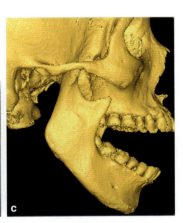

図 9-11　顎関節前方脱臼（陳旧性）
a：顔貌写真，b：パノラマエックス線画像，c：3D-CT

### 症状

顎関節は無症状なことが多い．患側下顎枝の伸長による顔面非対称を呈し，オトガイ軽度健側偏位，咬合平面の傾斜（患側下がり）がみられる．

先天性の場合は正常な咬合状態を維持しているが，後天性で比較的短期間に肥大した場合には，患側臼歯部開咬合や交叉咬合がみられる．

### 治療

顎関節症状がなく，咬合の異常もない場合は肥大した下顎頭の削除形成を行わないが，顔面非対称の改善のために，下顎下縁形成術が行われることがある．咬合異常を伴う場合は顎関節形成術や顎矯正手術を行う．

## B　顎関節の外傷

### 1　顎関節脱臼
luxation of TMJ

顎関節以外の関節では，骨頭が関節窩から逸脱した状態を脱臼と定義するが，顎関節では生理的な開口運動で下顎頭が関節窩（下顎窩）の前方に逸脱する．したがって，顎関節脱臼とは，下顎窩から逸脱した下顎頭が下顎窩内に復位しない状態である（図 9-11）．

### 分類・種類

脱臼して間もない新鮮脱臼と 2 週間以上経過した陳旧性脱臼に分類される．また，脱臼方向から

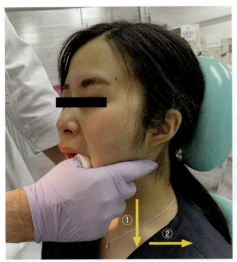

**図 9-12　Hippocrates 法による徒手的整復術**
下顎を下げて（①），押し込む（②）．

関節窩の前方，内方，外方，後方，上方脱臼に分類できるが，前方脱臼以外は，関節突起や周囲骨の骨折に併発するため，以降の記述は前方脱臼に限定する．その他，日常の開口でも頻回に脱臼を繰り返す場合を習慣性脱臼という．

### 病因
大きなあくび，歯科治療での大開口，麻酔の気管挿管などの過度な開口や外傷などが直接的な原因となる．そのほか，背景因子として認知症，パーキンソン病，錐体外路障害のある患者では開閉口の自制が困難なことがあり，顎関節脱臼を発症しやすく，習慣性脱臼をきたしやすい．

### 症状
片側性では顔貌の非対象（下顎正中の健側偏位），患側の耳珠前方部の陥凹，交叉咬合，咀嚼障害などがみられ，両側性では下顎の前下方偏位による顔貌の伸長化，両側の耳珠前方部の陥凹，開咬，口唇閉鎖不全，流涎，咀嚼障害などがみられる．

### 治療
#### a 徒手的整復術
新鮮な前方脱臼は徒手で整復する．術者が後方に立って行う Borchers（ボルヘルス）法と，患者の前方に立って行う Hippocrates（ヒポクラテス）法がある（図 9-12）．

患者の姿勢は通常の歯科用ユニットの座位で，ヘッドレストに後頭部を付けた状態で行うが，仰臥位でも構わない．整復に抵抗する閉口筋が緊張しないように患者をリラックスさせることも重要である．整復したい側の下顎臼歯部咬合面に利き腕の拇指を載せ，下顎角を残りの4指でしっかり把持する．親指には嚙まれても大丈夫なようにガーゼなどを巻くとよい．しっかり把持したまま，患者自身に可能な範囲で開閉口してもらい，閉口運動の末期で，開口運動に移る直前にタイミングを合わせて，親指に力を入れて下顎を後下方に押し込む（図 9-12）．痛みが強い場合や患者の協力が得られない場合は，関節腔への局所麻酔や全身麻酔を併用する．

整復後の患者管理には，非ステロイド性抗炎症薬（NSAIDs），消炎鎮痛薬の内服とともに再発防止のために包帯やチンキャップで開口抑制をする．

#### b 陳旧性脱臼に対する整復術
陳旧性脱臼では関節腔内の線維性癒着，関節包や円板後部組織の瘢痕化などにより，徒手的整復法のみでは整復が困難になる．

顎間牽引ゴムとバイトブロックを用いて徐々に整復する方法がある．また，下顎角下縁に皮膚切開を加えて下顎角部の骨を剖出し，骨把持鉗子を用いて下顎枝を下前方に牽引し整復する方法や，頰骨弓下部の皮膚切開や口腔内からの切開で下顎切痕を剖出し，下顎切痕に単鈍鉤をかけ牽引整復する方法もある．

癒着が軽度な場合は，顎関節鏡視下に線維性癒着を剝離後に徒手的に整復する方法も適応される．一方，癒着が強い場合は，関節腔開放下での上関節腔線維性癒着の剝離とともに，関節隆起切除や下顎頭切除により整復する．

#### c 習慣性顎関節脱臼に対する再発防止法
（図 9-13）

習慣性顎関節脱臼は整復しても，脱臼を繰り返すため，脱臼の再発を防止する治療が必要である．弾性包帯やチンキャップにより開口を抑制する方法，口腔粘膜・側頭筋腱縫縮法（Herrmann法，関節腔とその周囲組織に自己血を注射し，瘢痕形成により関節の可動を抑制する自己血注射療法，関節隆起の前方に自家骨ブロック（Neumann法）やチタンミニプレートを固定することで下顎頭前方滑走を制限する方法，関節隆起直前で頰骨突起を骨切りし，頰骨弓後端を下方に押し下げて関節隆起を高める頰骨突起形成法（関節隆起形成

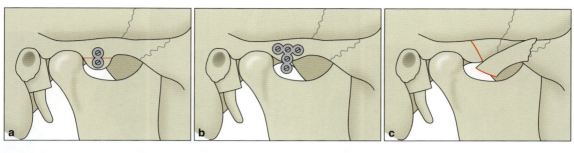

図 9-13　顎関節脱臼に対する再発防止手術
a：関節隆起に自家骨ブロックを移植による障害形成法，b：T字型チタンミニプレートによる障害形成法，c：頬骨突起形成法（関節隆起形成法），d：関節隆起切除術，e：下顎頭切除術

法；LeClerc 法，Dautrey 法）などで，関節突起の前方滑走運動を制限する治療法がある．逆に，関節円板切除や下顎頭切除，関節隆起切除術により，脱臼しても下顎頭の後方移動を容易にすることで閉口障害を改善する方法もある．

## 2 下顎骨関節突起骨折（→p.165）
fracture of the condylar process

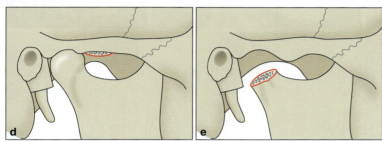

## C 顎関節の炎症

### 1 外傷性顎関節炎
traumatic TMJ arthritis

　関節円板周囲や関節包内面の滑膜組織の外傷により，非感染性の顎関節炎をきたす疾患である．外傷性疾患に分類されることもあるが，骨折などの硬組織異常を認めない．下顎骨関節突起骨折と同様に，オトガイ部の介達的外力に起因することが多い．

症状
　開口障害　顎関節部の自発痛，顎運動時痛，圧痛を認める．エックス線画像で関節突起の骨折がないことを確認する．

治療
　初期には，安静と NSAIDs の投与を行い，炎症がおさまったら開口訓練を行う．

### 2 急性化膿性顎関節炎
acute suppurative arthritis of TMJ

　黄色ブドウ球菌などの病原体が関節内に侵入して炎症を発症する感染性顎関節炎の1つである．下顎骨骨髄炎などの歯性感染症や外耳道炎などの耳性感染症から波及，または血行性感染によることもあるが，感染源や経路が不明のことも多い．

症状・所見
　全身症状として，発熱，頭痛，全身倦怠感がみられ，局所では，耳前部皮膚の発赤，腫脹，疼痛がみられる．また，関節腔に膿汁が貯留すると下顎頭が下方に押されて患側臼歯部の開咬を呈する．MRI では，拡大した関節腔の液体貯留による T2 強調像での高信号（joint effusion 像）がみられる．

治療
　抗菌薬および NSAIDs の投与のほかに，必要に応じて関節腔穿刺や切開による排膿・洗浄を行

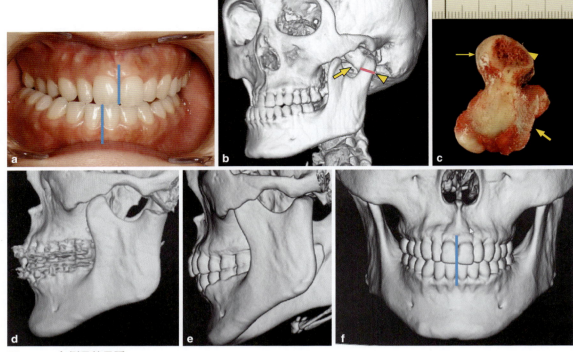

図 9-14 左側骨軟骨腫
a：口腔内写真，下顎は右側に偏位し（正中線），左側臼歯部は開咬
b：3D-CT，下顎頭内側に生じた腫瘤（太矢印），骨切り断線（矢頭）
c：摘出標本（下面観），下顎頭内側に生じた腫瘤（太矢印），骨切り断線（矢頭），切除された下顎頭（細矢印）
d：摘出術直後の 3D-CT，顎間ゴム牽引中
e, f：術後1年半の 3D-CT，下顎頭は骨添加し良好な顎運動，咬合

う．また，初期には開口制限による安静を行うが，炎症が消失した後は開口訓練を行う．

## D 顎関節腫瘍および腫瘍類似疾患

### 1 骨軟骨腫（図 9-14）
osteochondroma

皮質骨と骨髄が主体となり表層が軟骨で被覆された骨腫様良性腫瘍である．下顎頭から有茎性に球状あるいは分葉状に増大する．

**症状・所見**

小さな腫瘤であれば無症状のこともあるが，増大すると顎関節部の膨隆や，下顎頭の滑走障害による開口障害を呈する．また，関節突起と下顎窩の間隙が増大することによる下顎の健側偏位，患側の臼歯部開咬（咬合離開）を呈する．

**治療**

障害がなければ経過観察もあるが，原則は腫瘍切除（下顎頭形成術）を行う．必要に応じて，顎間ゴム牽引や顎矯正手術を併用する．

### 2 滑膜（性）骨軟骨腫症（図 9-15）

滑膜間質細胞が軟骨細胞に化生（分化成熟した細胞がほかの細胞に変化すること）し，多数の関節結節を形成する疾患である．軟骨化生の原因は不明であるが，顎関節への外傷や炎症の関与が考えられている．関節腔内面に面した滑膜内に形成された軟骨結節は，滑膜から分離して，関節腔内に遊離し，関節液に栄養されて増大する（関節遊離体）．関節遊離体は数個から数百個に及ぶことがある．軟骨が骨化することがあり，滑膜（性）骨軟骨

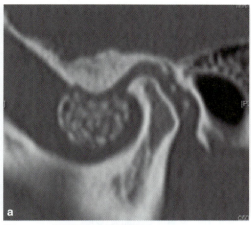
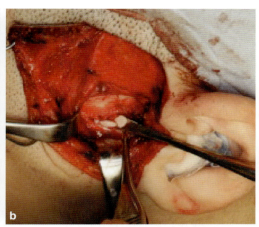

図9-15　滑膜(性)骨軟骨腫症
a：CT．下顎頭前後に無数の点状不透過像
b：術中．関節腔を開放して骨軟骨遊離体を摘出(白色塊)

腫症という．

### 症状・所見

関節遊離体が増加，増大すると，下顎頭の滑走障害，捻髪音，関節包の膨隆による腫脹がみられることがある．

軟骨腫瘤が骨化した場合は，パノラマエックス線画像やCTで点状の不透過像が下顎頭の周囲にみられる（図9-15a）．MRIでは，骨化がなくても関節遊離体が拡張した関節腔内に検出できる．

### 治療

原則，関節鏡視下または関節腔開放手術により軟骨遊離体の摘出と可及的な滑膜切除を行う．顎機能などに障害がなければ経過観察もありうるが，時に骨吸収により頭蓋内への伸展や悪性転化の報告もあるので留意する．

##  顎関節強直症（図9-16）
ankylosis of TMJ

下顎頭と下顎窩（関節窩）の間隙が線維性組織（線維性：fibrous）あるいは骨組織（骨性：osseous）に置換され，関節の可動性が著しく制限された疾患である．

外傷，炎症，顎関節症，顎関節リウマチ，乾癬性顎関節炎，適切な開口訓練が行われない顎関節手術後などに発症する．まれに先天性に強直することもある．

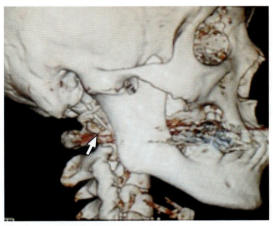

図9-16　顎関節強直症（3D-CT）

### 症状・所見

通常は痛みを伴わない開口制限を認める．特に骨性の場合はほとんど開口できない．小児期に罹患すると，下顎骨の劣成長をきたし，片側の場合は下顔面の非対象，両側の場合は小下顎症を呈する．

### 治療

外科的に強直部を切除して可動性を回復させる顎関節授動術を行う．両側性の場合や，片側性でも再手術症例などでは顎関節人工関節全置換術も適応される（図9-17）．

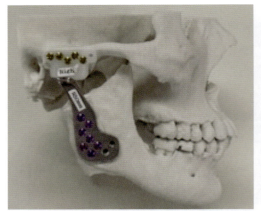

**図 9-17　全置換型人工顎関節（3次元モデル）**
超高分子ポリエチレンの関節窩コンポーネントと下顎頭部にチタン合金粉末を溶射したコバルト-クロム-モリブデン製の下顎枝コンポーネントで構成されている．

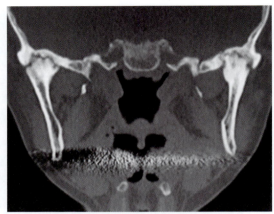

**図 9-18　乾癬性顎関節炎（CT）**
両側性に線維性，一部に骨性の癒着を認める．

##  顎関節の自己免疫疾患
autoimmune diseases

### ① 顎関節リウマチ（リウマチ性顎関節炎）
rheumatoid arthritis of TMJ

　免疫の異常により関節に炎症が起こり，関節の痛みや腫れが生じる疾患であり，炎症性疾患に分類してもよい．進行すると，関節の変形や機能障害をきたす．原因はいまだ不明であるが，遺伝的要因や，喫煙，歯周病などの環境要因の関与が指摘されている．女性は男性のおよそ4倍多く，40～60代での発症が多い．

　手足の指，手首に症状を認めることが多いが，肘，肩，膝，足首，顎関節などにもみられる．滑膜および肉芽組織の増生（パンヌス）が関節内に生じ，軟骨，骨の吸収破壊，癒着がみられる．

　**症状・所見**

　顎関節リウマチの主な症状は，関節の痛み，腫れ，朝のこわばり，開口障害などで，左右対称に出ることが多いが，片側のみもある．画像所見では，骨びらん性変化や骨硬化などを認める．進行すると，下顎頭の吸収破壊により下顎枝が短縮し，臼歯部を支点とした回転による前歯部開咬を呈す．また，関節腔内の線維性・骨性癒着による強直症を呈する．

全身倦怠感や微熱，食欲低下などの全身症状や，皮膚（皮下結節など），眼，肺など，関節以外の症状が出ることもある．

　血液検査として，リウマトイド因子（RF）や抗CCP抗体は重要であるが，陰性のこともある．診断は，痛みや腫れのある関節の数と部位，RFや抗CCP抗体の有無，炎症反応の有無，症状持続期間をスコア化して総合的に行う．活動性の指標として，炎症を反映するCRPや赤沈（ESR），関節破壊と相関するといわれるMMP-3などが重要である．

　**治療**

　治療の基本は，発症早期から関節リウマチにおける免疫異常を改善する抗リウマチ薬を開始し，必要に応じて，炎症や痛みを軽減するステロイド，NSAIDsを使用する．最近では，高い治療効果が期待できる生物学的製剤，JAK阻害薬の使用も増加している．

　局所的には開口訓練で関節の変形，破壊が進行した場合には，顎関節人工関節全置換術をはじめとした手術治療も行われる．

### ② 乾癬性顎関節炎（図9-18）
psoriatic arthritis of TMJ

　乾癬とは後頭部，頸部，背部などの皮膚に搔痒感を伴う紅斑や鱗屑を発症する炎症性角化症である．この乾癬患者の10～30％に発症する炎症性関節炎である．30～40代で発症することが多い．

　原因はいまだ解明されていないが，遺伝的，環

各論—G. 顎関節の代謝性疾患

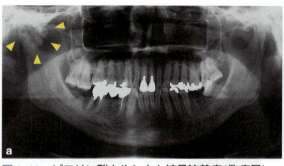
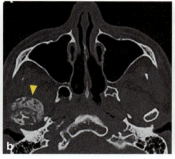
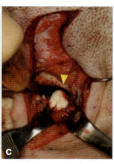

**図 9-19　ピロリン酸カルシウム結晶沈着症（偽痛風）**
a：パノラマエックス線画像　b：CT　c：術中写真. 右側関節突起周囲に白色の CPPD 結晶が沈着（矢頭）
〔Terauchi M, et al：Chemical diagnosis of calcium pyrophosphate deposition disease of the temporomandibular joint：a case report. Diagnostics (Basel) 12：651, 2022〕

境的，免疫学的要因が有力である．
**症状**
　両側または片側の顎関節に，骨破壊とともに反応性の骨増殖がみられ，線維性または骨性に癒着し，開口障害（強直症）を呈する．ほかの末梢関節や脊椎にも炎症や強直症がみられることが多い．顎関節リウマチよりも進行は緩徐で，リウマトイド因子は陰性である．
**治療**
　顎関節リウマチに準じる．

## G 顎関節の代謝性疾患

### 1 痛風性顎関節炎
gouty arthritis of TMJ

　プリン代謝異常により高尿酸血症を生じ，その尿酸ナトリウム結晶が関節軟骨に析出し，関節腔内に遊離することで，痛風発作とも呼ばれる関節炎を生じる．多くが中足趾節関節など足関節よりも末梢の関節であり，顎関節に生じることはきわめてまれである．男性に多い．
**症状**
　発作時は激しい痛み，発赤・腫脹および開口障害がみられる．
**治療**
　急性発作時には NSAIDs の投与により，数日で緩解する．高尿酸血症に対して尿酸降下療法を行う．

### 2 ピロリン酸カルシウム結晶沈着症（偽痛風）
calcium pyrophosphate deposition disease of TMJ（Pseudogout）

　ピロリン酸カルシウム（CPPD）の結晶が関節軟骨などに沈着する疾患で，滑膜炎を発症すると，痛風様発作を伴う．原因は不明であるが，高齢者にみられる．男女差はほとんどないが，女性にやや多い．半数以上は膝関節に発症し，そのほかには肩関節，足関節，手関節に多い．顎関節に発症するのはまれであるが，痛風よりは頻度が高い．
**症状**
　痛風発作程は激しくないが発作時は強い痛み，発熱，び漫性腫脹，開口障害を呈する．なかには，有痛性の発作を起こさずに慢性的に経過する症例もある．
　MRI の T2 強調像で関節液の貯留（Joint effusion 像）が観察されることもあるが，特異的所見ではない．CT 像で顎関節周囲に石灰化を伴った結節性の腫瘤として観察できる．下顎頭や関節窩の虫喰い状の骨欠損がみられることもある．
**治療**
　急性発作時には NSAIDs が効果的である．結晶沈着により顎運動障害，骨変形などがみられる場合は関節開放による結晶摘出，顎関節形成術を行う（図 9-19）．

## H その他の顎関節疾患

### 1 進行性（特発性）下顎頭吸収（PCR）
progressive (idiopathic) condylar resorption

下顎頭吸収が短期間に生じる疾患である（図9-20）．多くが両側性で15〜35歳の女性に好発する．
原因が不明なので特発性下顎頭吸収とも呼ばれるが，全身性の自己免疫疾患，性ホルモンとの関連，関節円板転位の関与により，下顎頭への機械的負荷に対する適応力の低下が示唆されている．

**症状・所見**

下顎頭の吸収性変化により，下顎枝高径が短縮するため下顎が後退し，また，大臼歯部を支点として前歯部が開咬する．痛みや開口障害はみられない．

**治療**

顎関節への負荷がかかるような歯列矯正治療は避ける．顎関節円板の整位術が効果的という報告もある．顎関節の負荷を回避するためにスプリントを装着することもある．吸収が落ち着いたら，整容面に対する顎矯正手術，あるいは人工顎関節全置換術も適応される．

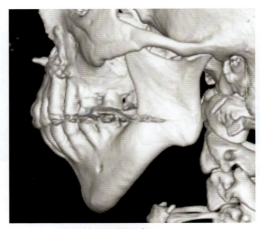

図9-20 進行性下顎頭吸収

**治療**

咬筋腱膜前方部の部分切除と，側頭筋腱の完全剝離のための筋突起切除術が効果的である（図9-22）．術後の開口訓練は重要であり，きちんと施行すれば，長期的にも良好な開口を維持できる．

## I 咀嚼筋の疾患

### 1 咀嚼筋腱・腱膜過形成症
masticatory muscle tendon-aponeurosis hyperplasia

咀嚼筋（咬筋，側頭筋など）の腱および腱膜が過形成することにより筋の伸展が制限され，開口制限をきたす疾患である．

**症状・所見**

開口制限は若年時から緩徐に進行する．下顎頭の滑走は制限されないため，下顎前方運動や側方運動の制限はみられない．
咬筋の外側面から前面に過形成した腱膜が被覆し，前方に突出しており，口腔内から触知できる．
咬筋付着部の下顎角の過形成により，ゴニアルアングルが鋭角なスクエアマンディブル顔貌を呈する．両側性である（図9-21）．

## J 顎関節症
TMJ arthrosis

### 1 顎関節症の概念と症候

#### A 顎関節症の概念

顎関節症は最も頻繁にみられる顎関節・咀嚼筋の障害であり，顎関節や咀嚼筋の疼痛，関節（雑）音，開口障害ないし顎運動異常を主要症候とする障害の包括的診断名である．その病態には咀嚼筋痛障害，顎関節痛障害，顎関節円板障害および変形性顎関節症などが含まれる．

#### B 顎関節症の病因

顎関節症の発症機序には不明な点が多いが，複数の要因（リスク因子）が相互に影響し合う多因子病因説が支持されており，多因子が積み重なって，個体の耐性を超えた場合に発症すると考えられている．顎関節症の発症，症状の悪化，持続化に関係するリスク因子を表9-1に示す．

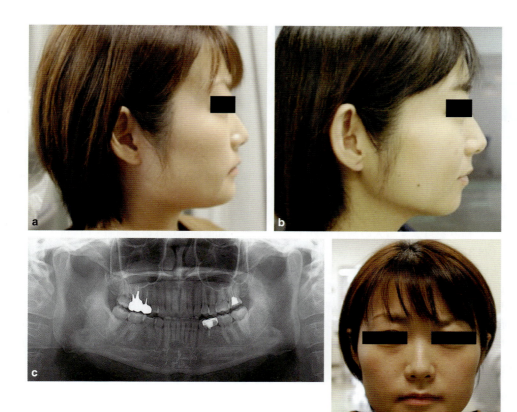

**図 9-21　咀嚼筋腱・腱膜過形成症**
本疾患のスクエアマンディブル顔貌(a)と健常者(b).
c：パノラマエックス線画像，両側下顎角の過形成がみられる.
d：正面顔貌
〔a：Yoda T：Masticatory muscle tendon-aponeurosis hyperplasia accompanied by limited mouth opening. J Korean Assoc Oral Maxillofac Surg 45：174-179, 2019〕

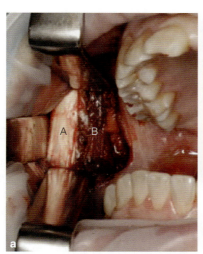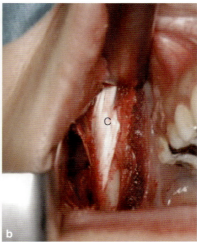

**図 9-22　咀嚼筋腱・腱膜過形成症の術中写真**
a：過形成した咬筋腱膜(A)と咬筋前縁(B)を明示
b：外側部に見えている鈎で咬筋を外側によけて過形成した側頭筋(C)の腱を明示

表 9-1　顎関節症の発症や症状の悪化，持続化に関係するリスク因子

| Ⅰ．環境因子 | 緊張する仕事，多忙な生活，対人関係の緊張 |
|---|---|
| Ⅱ．行動因子 | 硬固物の咀嚼，長時間の咀嚼，楽器演奏，編み物，絵画，長時間のデスクワーク，単純作業，重量物の運搬，悪習癖（覚醒時ブラキシズム，睡眠時ブラキシズム，日中の姿勢，睡眠時の姿勢） |
| Ⅲ．宿主因子 | 不正咬合，顎関節や咀嚼筋の形態と構造的脆弱性，疼痛閾値，疼痛経験，パーソナリティー（不安や抑うつ），精神的緊張，睡眠障害 |
| Ⅳ．時間因子 | リスク因子への曝露時間 |

## C 顎関節症の疫学

厚生労働省歯科疾患実態調査（2016年）によると，顎関節に痛みを自覚する人の割合は20代が最も多く（28.3％），次いで40代（21.2％），30代（19.8％）と続き，従来いわれていた二峰性分布は認められなかった．一方，医療機関を受診した患者の統計では女性が1.7～9倍多く，一般集団（非患者集団）を対象とした研究でも，若年者と成人集団では女性に多いことが推察される．

## D 顎関節症の自然経過

近年の研究から，顎関節症の多くは長期的な時間経過とともに症状の消退や軽快が認められ，重篤な状態への移行が少ないことが知られるようになってきた．ただし，すべての症例が時間経過とともに改善するのではなく，病態や患者固有のリスク因子が経過に影響を及ぼすことも明らかになっている．

## 2 顎関節症の診断

### A 顎関節症の診断基準

顎関節症の診断の必要条件は，① 顎関節や咀嚼筋など（咬筋，側頭筋，内側および外側翼突筋の4筋のほかに顎二腹筋，胸鎖乳突筋を含む）の疼痛，② 関節（雑）音，③ 開口障害ないし顎運動異常（前方運動障害，側方運動障害，偏位開口など）の主要症候のうち，少なくとも1つ以上を有することである．

### B 顎関節症と他疾患との鑑別

① 顎関節や咀嚼筋などの疼痛，② 関節（雑）音，③ 開口障害ないし顎運動異常を示す疾患は顎関節症だけではない．より重篤な疾患や緊急性を要する疾患を見落とさないように，類似の症状を呈する他疾患との鑑別を慎重に行わなければならない．

顎関節症と鑑別を要する疾患あるいは障害には，顎関節症以外の顎関節・咀嚼筋の疾患あるいは障害（表9-2）と，顎関節・咀嚼筋の疾患あるいは障害以外の疾患（表9-3）とに大別されるが，それらは多岐にわたるため，関連専門診療科への対診を含め，慎重に対応する必要がある．そして，顎関節症以外の疾患が除外できれば，詳細な診察と検査から顎関節症の病態分類を行い，予後とそれに基づいた治療目標とを設定する．

## 3 顎関節症の病態と診断（表9-4, 5）

顎関節症は病態から，咀嚼筋痛障害（Ⅰ型），顎関節痛障害（Ⅱ型），顎関節円板障害（Ⅲ型），変形性顎関節症（Ⅳ型）に分類される．

### A 咀嚼筋痛障害（Ⅰ型）の病態と診断

咀嚼筋痛障害は，咀嚼筋痛とそれによる機能障害を主徴候とするもので，主症状としては筋痛，運動時痛，顎運動障害があるとされる．咀嚼筋痛障害の主な病態は局所筋痛と筋・筋膜痛であるが，特に筋・筋膜痛が重要である．患者がいつも感じる痛みを咀嚼筋の触診で確認する誘発テストで，その疼痛が再現される．

### B 顎関節痛障害（Ⅱ型）の病態と診断

顎関節痛障害は，顎関節痛とそれによる機能障害を主徴候とするもので，主な病変部位は滑膜，円板後部組織，関節靱帯（主に外側靱帯），関節包で，それらの炎症や損傷によって生じる．硬固物の咀嚼，大あくび，睡眠時ブラキシズム，咬合異常などによって顎運動時の顎関節痛や顎運動障害が惹起された病態である．患者がいつも感じる痛みを顎関節外側極周辺の触診で確認する誘発テス

### 表 9-2 顎関節・咀嚼筋の疾患あるいは障害（2014 年）

**A．顎関節の疾患あるいは障害**
1. 先天異常・発育異常
    1) 下顎骨関節突起欠損
    2) 下顎骨関節突起発育不全
    3) 下顎骨関節突起肥大
    4) 先天性二重下顎頭
2. 外傷
    1) 顎関節脱臼
    2) 骨折（下顎骨関節突起，下顎窩，関節隆起）
3. 炎症
    1) 非感染性顎関節炎
    2) 感染性顎関節炎
4. 腫瘍および腫瘍類似疾患
5. 顎関節強直症
    1) 線維性
    2) 骨性
6. 上記に分類困難な顎関節疾患（特発性下顎頭吸収*など）

**B．咀嚼筋の疾患あるいは障害**
1. 筋萎縮
2. 筋肥大
3. 筋炎
4. 線維性筋拘縮
5. 腫瘍
6. 咀嚼筋腱・腱膜過形成症

**C．顎関節症（顎関節・咀嚼筋の障害）**

**D．全身疾患に起因する顎関節・咀嚼筋の疾患あるいは障害**
1. 自己免疫疾患（関節リウマチ**など）
2. 代謝性疾患（痛風***など）

注1：咀嚼筋の疾患あるいは障害については，比較的発現がみられ，鑑別可能なものだけを挙げた．
注2：2001年改訂の顎関節疾患の分類の外傷性顎関節炎は，3．炎症 1)非感染性顎関節炎に含める．
注3：*，**，***の用語は，それぞれ歯科医師国家試験出題基準（令和5年版）の進行性下顎頭吸収，リウマチ性顎関節炎，痛風性顎関節炎と同義である．

〔日本顎関節学会（編）：顎関節症治療の指針2020．pp13-19，2020年より改変〕

### 表 9-3 顎関節・咀嚼筋の疾患あるいは障害以外の疾患（2014 年）

1. 頭蓋内疾患：出血，血腫，浮腫，感染，腫瘍，動静脈奇形，脳脊髄液減少症など
2. 隣接臓器の疾患：
    1) 歯および歯周疾患（歯髄炎，根尖性歯周組織疾患，歯周病，智歯周囲炎など）
    2) 耳疾患（外耳炎，中耳炎，鼓膜炎，腫瘍など）
    3) 鼻・副鼻腔の疾患（副鼻腔炎，腫瘍など）
    4) 咽頭の疾患（咽頭炎，腫瘍，術後瘢痕など）
    5) 顎骨の疾患〔顎・骨炎，筋突起過長症（肥大），腫瘍，線維性骨疾患など〕
    6) その他の疾患〔茎状突起過長症（Eagle症候群），非定型顔面痛など〕
3. 筋骨格系の疾患：筋ジストロフィなど
4. 心臓・血管系の疾患：側頭動脈炎，虚血性心疾患など
5. 神経系の疾患：神経障害性疼痛（三叉神経痛，舌咽神経痛，帯状疱疹後神経痛など各種神経痛を含む），筋痛性脳脊髄炎（慢性疲労症候群），末梢神経炎，中枢神経疾患（ジストニアなど），破傷風など
6. 頭痛：緊張型頭痛，片頭痛，群発頭痛など
7. 精神神経学的疾患：抑うつ障害，不安障害，身体症状症，統合失調症スペクトラム障害など
8. その他の全身性疾患：線維筋痛症，血液疾患，Ehlers-Danlos症候群など

〔日本顎関節学会（編）：顎関節症治療の指針2020．pp13-19，2020年より改変〕

トで，その疼痛が再現される．

### C 顎関節円板障害（Ⅲ型）の病態と診断

顎関節円板障害は，顎関節内部に限局した，関節円板の位置異常ならびに形態異常に継発する関節構成体である関節円板や滑膜の機能的ないし器質的障害と定義される．主病変部位は関節円板と滑膜で，関節円板の転位，変性，穿孔などにより生じ，MRIにより確定診断される．顎関節症の各病態の中で最も発症頻度が高く，患者人口の6～7割を占める．関節円板の転位方向や量によって，また転位した関節円板が復位性か非復位性かによって臨床症状が異なるが，関節円板は前方ないし前内方に転位する例がほとんどである．転位した関節円板が，顎運動時に下顎頭上に復位するものを復位性関節円板前方転位，復位しないものを非復位性関節円板前方転位と呼ぶ（図9-23，→p.344）．

#### 表9-4 顎関節症の病態分類（2013年）

- 咀嚼筋痛障害 myalgia of the masticatory muscle（Ⅰ型）
- 顎関節痛障害 arthralgia of the temporomandibular joint（Ⅱ型）
- 顎関節円板障害 temporomandibular joint disc derangement（Ⅲ型）
  a. 復位性 with reduction
  b. 非復位性 without reduction
- 変形性顎関節症 osteoarthrosis/osteoarthritis of the temporomandibular joint（Ⅳ型）

注1：重複診断を承認する．
注2：顎関節円板障害の大部分は，関節円板の前方転位，前内方転位あるいは前外方転位であるが，内方転位，外方転位，後方転位，開口時の関節円板後方転位などを含む．
注3：間欠ロックの基本的な病態は復位性関節円板前方転位であることから，復位性関節円板障害に含める．

〔矢谷博文：新たに改訂された日本顎関節学会による顎関節症の病態分類（2013年）と診断基準．日顎誌 27：pp76-86，2015より〕

### 1 復位性顎関節円板障害（Ⅲa型）（図9-24）

閉口位において関節円板は下顎頭の前方に位置するが，開口に伴って復位し，復位する際にクリック（音）が生じることが多い．円板転位に起因して開閉口時ともに生じるクリックは相反性クリックと呼ばれる．また，通常は開口時クリックあるいは相反性クリックの状態であるが，時々，顎が引っかかり開かなくなる状態を間欠ロックと呼び，クローズドロックの前段階と考えられている．ただし，大部分の復位性関節円板前方転位が非復位性に移行するのではなく，ごく一部が非復位性関節円板前方転位に移行するとされている．

### 2 非復位性顎関節円板障害（Ⅲb型）（図9-25）

閉口位において関節円板は下顎頭の前方に位置し，開口時にも復位しないため，どのような下顎運動を行っても関節円板は前方に転位した状態となり，下顎頭の運動が制限され，開口障害が生じる病態である．この，非復位性関節円板前方転位に随伴する開口障害をクローズドロックと呼ぶ．顎が引っかかり口が開かなくなった既往と，開口障害が重要な所見となる．

## D 変形性顎関節症（Ⅳ型）の病態と診断

下顎頭と下顎窩・関節隆起の軟骨・骨変化を伴う顎関節組織の破壊を特徴とする退行性関節障害である．主病変部位は関節軟骨，関節円板，滑膜，下顎頭，下顎窩で，軟骨破壊，肉芽形成，骨吸収，骨添加などの退行性病変による病理変化が認められる．臨床症状としては関節雑音（クレピタス），顎運動障害，顎関節部の痛み（運動時痛，圧痛）のいずれか1つ以上の症状を認める．また，変形性顎関節症は非復位性関節円板前方転位を併存しやすく，関節円板に穿孔や断裂を認めることも多い．変形性顎関節症の罹患率は加齢とともに増加するが，発症頻度に性差は認められない．

変形性顎関節症の画像診断基準は，パノラマエックス線画像（4分割），歯科用CBCT，顎関節CTあるいはMRIで，下顎頭に① subchondral cyst（軟骨下嚢胞または皮質下嚢胞），② erosion（骨びらん），③ generalized sclerosis（下顎頭骨硬化），④ osteophyte（骨棘），⑤ atrophy（萎縮）の骨変化を示す陽性画像所見が1つ以上認められることである（図9-26，→p.346）．

## 4 顎関節症の治療

### A 治療方針

#### 1 治療対象

顎関節症と診断された患者のすべてが治療対象となるのではなく，なんらかの日常生活上の障害が認められることが必要条件となる．すなわち，疼痛を伴わずに40mm以上開口可能で，患者も気にならない関節雑音は治療対象にはならない．

#### 2 治療・管理目標

① 顎関節痛や咀嚼筋痛を減少させること，② 機能を回復させること，③ 正常な日常活動を回復させること，④ 病因に対する曝露時間を減少させることを治療・管理目標とする．

### B 顎関節症の基本治療

#### 1 顎関節症に対する治療法の種類（表9-6，→p.347）

顎関節症の自然経過を調べた多くの研究から，顎関節症は時間経過とともに改善していくことが多い疾患であることが示されている．顎関節症患者の自覚症状は保存的治療によって良好に緩和することがほとんどであり，治療の第一選択は保存的治療，可逆的治療法とすることが勧められている．

## 表 9-5　顎関節症の各病態の診断基準

### 咀嚼筋痛障害（Ⅰ型）の診断基準
既往歴：次の両方を認める．
1. 顎，側頭部，耳の中あるいは耳前部の疼痛　　**AND**
2. 顎運動時，機能運動時，非機能運動時の疼痛の変化

診察：次の両方を認める．
1. 側頭筋あるいは咬筋の疼痛部位の確認　　**AND**
2. 次の誘発テストの少なくとも1つで側頭筋あるいは咬筋にいつもの痛みが生じる．
    a. 側頭筋あるいは咬筋の触診（触診圧 1 kg/cm$^2$）　　**OR**
    b. 自力あるいは強制最大開口運動

### 顎関節痛障害（Ⅱ型）の診断基準
既往歴：次の両方を認める．
1. 顎，側頭部，耳の中あるいは耳前部の疼痛　　**AND**
2. 顎運動時，機能運動時，非機能運動時の疼痛の変化

診察：次の両方を認める．
1. 顎関節部の疼痛部位の確認　　**AND**
2. 次の誘発テストの少なくとも1つで顎関節部にいつもの痛みが生じる．
    a. 外側極（触診圧 0.5 kg/cm$^2$）あるいは外側極付近の触診（触診圧 1 kg/cm$^2$）　　**OR**
    b. 自力あるいは強制最大開口運動，左側，右側あるいは前方運動

### 復位性顎関節円板障害（Ⅲa型）の診断基準
既往歴：次のうち少なくとも一方を認める．
1. 過去30日間に，顎運動時あるいは顎機能時の顎関節部の雑音を認める．　　**OR**
2. 診察時に患者から雑音があることの報告がある．

診察：次のうち少なくとも1つを認める．
1. 3回の連続した開閉口運動時のうち少なくとも1回，触診により触知される開口時および閉口時のクリック音　　**OR**
2a. 3回の連続した開閉口運動時のうち少なくとも1回，触診により触知される開口時あるいは閉口時のクリック音　　**AND**
2b. 3回の連続した左側，右側，あるいは前方運動時のうち少なくとも1回，触診により触知されるクリック音

画像診断
　MR画像上では，咬頭嵌合位での円板前方転位と最大開口時での正常な円板位置を確認する．

### 非復位性顎関節円板障害（Ⅲb型）の診断基準
既往歴：次の両方の既往がある．
1. ずっと顎が引っかかって口が十分に開かない．　　**AND**
2. 開口が制限されて食事に支障があるほどの開口制限がある．

診察：次の診察に陽性所見を認める．
1. 垂直被蓋を含んで強制最大開口距離が40 mm未満である．

画像診断
1. 咬頭嵌合位において関節円板後方肥厚部が11：30の位置より前方にあり，かつ関節円板中央狭窄部が下顎頭の前方に位置している．　　**AND**
2. 最大開口時に，関節円板中央狭窄部が下顎頭の前方に位置している．

### 変形性顎関節症（Ⅳ型）の診断基準
既往歴：次のうち少なくとも1つの陽性所見がある．
1. 過去30日間に，顎運動時あるいは顎機能時の顎関節部の雑音を認める．　　**OR**
2. 診察時に患者から雑音があることの報告がある．

診察：次の診察に陽性所見を認める．
1. 開口運動，左右側方運動，前方運動のうち少なくとも1つの顎運動時に触診によりクレピタスを認める．

画像診断
　顎関節CTあるいはMRIを用いた画像診断基準は以下の所見が1つ以上認められることとする．
　subchondral cyst, erosion, generalized sclerosis, osteophyte, atrophy

〔日本顎関節学会（編）：顎関節症治療の指針 2020．pp30-35，2020年より〕

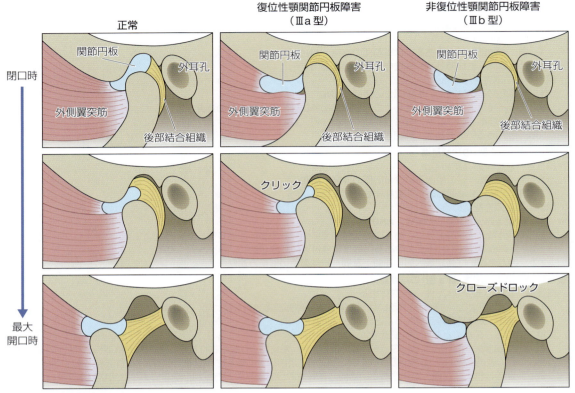

**図 9-23　顎関節円板障害（Ⅲ型）**
**復位性顎関節円板障害（Ⅲa型）**：閉口位において関節円板は下顎頭の前方に位置しているが，開口に伴って復位する．下顎頭が前方転位した関節円板を乗り越える際にクリックが生じる．
**非復位性顎関節円板障害（Ⅲb型）**：閉口位において関節円板は下顎頭の前方に位置しており，開口時にも復位しない．下顎頭は前方転位した関節円板を乗り越えて動くことができず，開口障害が生じる（クローズドロック）．

## 2　各病態に共通する基本治療

顎関節症の治療に先立ち，①顎関節症の病態説明，②治療計画の説明，③リスク因子の説明とセルフケア指導（生活指導や悪習癖の是正）を十分に行い，患者自身が病態と病因を理解し，自身で病態を管理する意識を持たせることが重要である．なお，咀嚼筋痛障害（Ⅰ型），顎関節痛障害（Ⅱ型），顎関節円板障害（Ⅲ型），変形性顎関節症（Ⅳ型）のいずれの病態であっても，急性期には疼痛を軽減し，運動障害を改善することを初期の治療目標とする．

### a　咀嚼筋痛障害（Ⅰ型）の治療

主な病変部位は咀嚼筋で，物理療法（温罨法や咀嚼筋マッサージ）と運動療法（筋伸展訓練：ストレッチング）が適用される（図 9-27 ①，②，→p.348）．積極的に筋を伸展させることで，局所の循環障害が改善されると考えられている．咀嚼筋痛では筋・筋膜性疼痛が最も多いとされており，疼痛が強い場合には解熱鎮痛薬（アセトアミノフェン）やNSAIDs（ロキソプロフェンナトリウム水和物，アンフェナクナトリウム水和物，エトドラク，インドメタシンなど）を，頓用ではなく定時投与する．また，症状を引き起こしている筋の緊張を取り除くために中枢性筋弛緩薬の投与が考慮される．なお，三環系抗うつ薬であるアミトリプチリン塩酸塩は長期化した慢性筋痛患者にも有効とされている．また，アプライアンス療法（スタビライゼーションアプライアンス）は，咀嚼筋の緊張緩和を図る目的で行われる（図 9-28，→p.348）．

### b　顎関節痛障害（Ⅱ型）の治療

顎関節への内在性外傷によって滑膜，円板後部組織，関節靱帯，関節包に生じた損傷に継発した炎症によって顎関節痛が生じるため，消炎鎮痛を

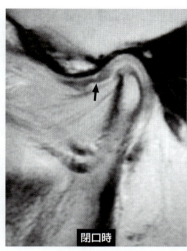
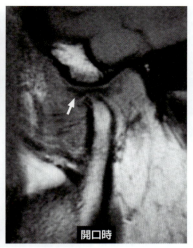

**図 9-24　復位性顎関節円板障害（Ⅲa型）の画像所見**
閉口位において関節円板（黒矢印）は下顎頭の前方に位置しているが，開口に伴って復位する（白矢印）．

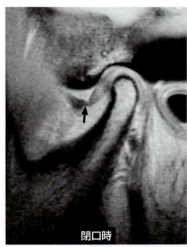
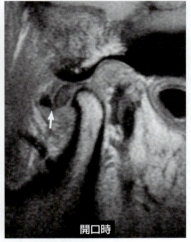

**図 9-25　非復位性顎関節円板障害（Ⅲb型）の画像所見**
閉口位において関節円板（黒矢印）は下顎頭の前方に位置しており，開口時にも復位しない（白矢印）．

目的とした薬物療法（解熱鎮痛薬や NSAIDs）が行われる．診療ガイドライン上，顎関節症で関節痛を有する患者に消炎鎮痛薬は有効である．顎関節痛によって開口制限がある場合には顎関節可動化訓練（モビライゼーション：徒手的に柔和な外力を加え，下顎頭の回転運動と滑走運動を行わせることで，顎関節の可動域を改善する療法）を適用するが，痛みが強い場合には症状の軽快後に適用する（図 9-27 ③，→ p.348）．また，顎関節部への過重負荷の軽減を図る目的で，アプライアンス療法（スタビライゼーションアプライアンス）が適用される（図 9-28，→ p.348）．

**c　顎関節円板障害（Ⅲ型）の治療**

顎関節円板障害は顎関節症で最も多い病態であるが，治療法は転位円板が復位性か非復位性かによって異なる．なお，関節円板障害の確定診断には MRI による画像検査が必要である．

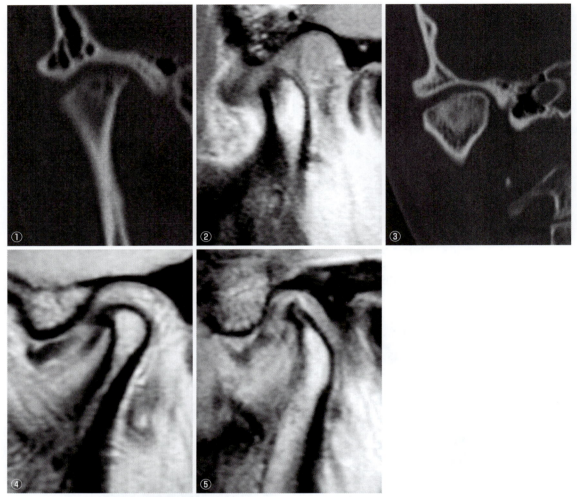

**図 9-26　変形性顎関節症の画像診断基準**
変形性顎関節症（IV型）の確定診断とする各画像所見の定義．
① subchondral cyst（軟骨下嚢胞または皮質下嚢胞）：関節表面の下の類円形の境界明瞭なエックス線透過像を認める異常像．MRIでは通常の骨髄信号とは異なり，T1強調像，プロトン密度強調像で低信号，T2強調像で高信号を呈する．
② erosion（骨びらん）：下顎頭関節面皮質骨の連続性の喪失，断裂を認める異常像．
③ generalized sclerosis（下顎頭骨硬化）：皮質と骨梁との境界が不明瞭で，走行の不明瞭な骨梁が下顎頭全体に分布する異常像．
④ osteophyte（骨棘）：硬化性境界を有する辺縁肥大ならびに骨表面から生じる鋭角な外方への骨増生を認める異常像．
⑤ atrophy（萎縮）：下顎頭が縮小化した異常像．
〔日本顎関節学会（編）：顎関節症治療の指針 2020．pp34-35，2020 年より〕

### ① 復位性顎関節円板障害

基本的に関節円板の復位やクリックの消失を目的とはせず，痛みや間欠ロック（通常はクリックが生じているだけだが，間欠的に顎が引っかかって開かなくなる）のない復位性顎関節円板障害は，患者に十分な説明を行ったうえで経過観察する．ただし，関節雑音が顕著で日常生活に支障をきたしている場合には，関節円板を含めた顎関節組織が円滑に運動することができるよう，雑音を発生させながら顎関節可動化訓練（モビライゼーション）を行わせる．また，間欠ロック症例で患者自身での関節円板の整位が困難になった症例では，関節円板の復位を目的として徒手的顎関節授動術（マニピュレーション，図 9-27 ④）が適用される．

表9-6 顎関節症に対する治療法

| 保存療法 | 理学療法 | 物理療法<br>　温熱療法(温罨法,超音波療法)<br>　寒冷療法(冷罨法)<br>　電気療法(TENS,マイオモニター)<br>　マッサージ療法<br>　低出力レーザー照射療法<br>　鍼治療<br>運動療法<br>　下顎可動化訓練(顎関節可動域訓練)<br>　　1. 筋伸展訓練(ストレッチング)<br>　　2. 顎関節可動化訓練<br>　　　(モビライゼーション)<br>　　3. 徒手的顎関節授動術<br>　　　(マニピュレーション) |
|---|---|---|
| | 薬物療法 | 鎮痛薬<br>NSAIDs<br>中枢性筋弛緩薬<br>抗うつ薬,抗不安薬 |
| | アプライアンス療法(スプリント療法) | スタビライゼーション型<br>リポジショニング型<br>リラクゼーション型<br>ピボット型 |
| 外科療法 | 顎関節腔穿刺療法(非開放手術) | 上関節腔洗浄療法<br>パンピングマニピュレーション<br>顎関節鏡視下手術 |
| | 顎関節開放手術 | 顎関節開放剝離授動術<br>関節円板に対する手術<br>　1. 関節円板形成術<br>　2. 関節円板切除術<br>顎関節部硬組織に対する手術<br>　1. 関節隆起修正術<br>　2. 下顎頭修正術 |
| | 顎関節人工関節全置換術 | |

### ② 非復位性顎関節円板障害

クローズドロックによる開口障害で日常生活に支障をきたしている場合には運動療法(モビライゼーションとマニピュレーション)を行うが、痛みの程度に応じて薬物療法(解熱鎮痛薬やNSAIDs)を併用する。なお、急性クローズドロック症例では、マニピュレーションによるロック解除奏効率は、ロックの発生から3週以内では90%以上だが、1か月を超えると奏効率が著しく低下(56%)するため、早期の治療開始が重要である。また、スタビライゼーションアプライアンス療法や、関節円板の復位を期待した前方整位型(リポジショニング)アプライアンス療法が適用されることもある(図9-28)。

### d 変形性顎関節症(Ⅳ型)の治療

顎関節痛、開口障害あるいは関節雑音のいずれか1つ以上の臨床症状を呈するため、治療はほかの病態に準じて薬物療法(解熱鎮痛薬やNSAIDsの投与)、運動療法、アプライアンス療法などが行われる。なお、前述したように、本病態は非復位性関節円板前方転位が併存する頻度が高く、自然経過が良好でない場合もあり、漫然と経過観察を行うことがないよう留意しなければならない。

## C 顎関節症の外科療法(専門治療)

### 1 顎関節症に対する外科療法の適応

顎関節症に外科療法が適用される頻度は全顎関節症患者の10%以下、特に顎関節鏡視下手術および顎関節開放手術が適用される頻度は1〜2%以下と決して多くない。しかし外科療法は、保存療法が奏効しない顎関節円板障害(Ⅲ型)と変形性顎関節症(Ⅳ型)に有効である。関節腔内穿刺療法(低侵襲手術)で良好な治療成績が得られる、治療期間の短縮が得られるなどの利点が挙げられる。

#### a 関節腔洗浄療法(arthrocentesis:アルスロセンテーシス)(図9-29)

上関節腔に局所麻酔薬を注入して除痛を図った後、注射針2本(流入針と排出針)を刺入して回路を作製し、100〜200 mL以上の生理食塩水ないし乳酸加リンゲル液で灌流、洗浄する治療法である。関節腔隙を拡大し、微小癒着病変を取り除き、関節腔内に貯留した炎症性物質を洗い流す効果がある。

#### b パンピングマニピュレーション(徒手的顎関節授動術)(図9-30)

上関節腔に局所麻酔薬を注入して除痛を図った後、関節腔へ局所麻酔薬や生理食塩水の注入と吸引とを繰り返し(パンピング操作)、関節腔を十分に拡張させてからマニピュレーション(徒手的顎関節授動術)を行う。非復位性関節円板前方転位に起因し、関節痛を伴う急性の開口障害(クローズドロック)に対する有効な治療法である。

#### c 顎関節鏡視下剝離授動術(図9-31)

主に上関節腔の強度な線維性癒着に起因する関節痛と開口障害を呈する症例に適応される。耳前部の数mmの皮膚切開で施行できる低侵襲手術で、顎関節開放手術に比較して手術の合併症が少なく、患者の負担は軽減されるが、手術施行部位によっては手術操作が制限されるため、広範囲な癒着病変などの複雑な手術には不適とされている。

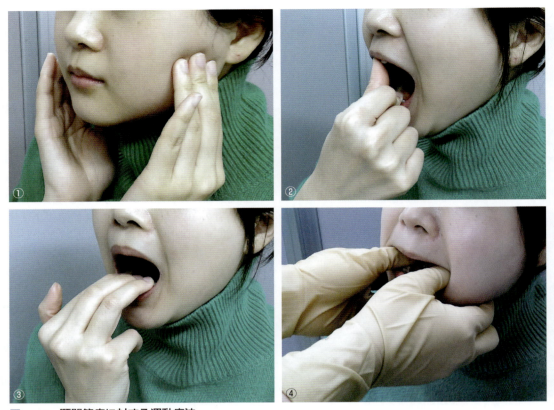

**図 9-27 顎関節症に対する運動療法**
① 咬筋のマッサージ：咬筋部を円を描くように，ゆっくりとマッサージさせて機械的刺激を与え，局所の血流量の増加や組織の可動化，痛みの緩和を図る．
② 筋伸展訓練（ストレッチング）：最大開口の緊張状態からさらに少し力を入れて，「1, 2, 3」とゆっくり数えて10秒程度ストレッチを行う．咀嚼筋の伸展性の向上，血流の改善，痛みの軽減を図る．
③ 顎関節可動化訓練（モビライゼーション）：下顎前歯部に示指，中指，薬指をかけ，開口時痛よりもう少し強い痛みを感じる程度に開口させた状態を10秒間維持させたり，下顎頭を前後・上下・左右に回転させるように動かさせる．下顎頭の前方滑走量を増やして関節可動域を改善させる．
④ 徒手的顎関節授動術（マニピュレーション）：術者による療法．患者の下顎骨体を手指で把持し，下顎頭を前下方にローテーションするように強い力で牽引することで，急性の非復位性関節円板障害の解除を目的とする．

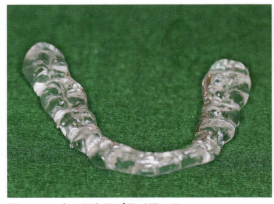
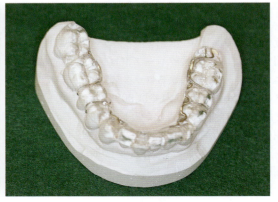

**図 9-28 オーラルアプライアンス**

各論—J. 顎関節症　349

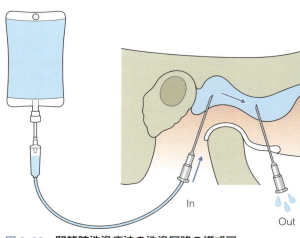
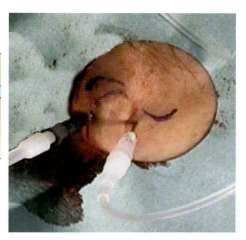

図 9-29　関節腔洗浄療法の洗浄回路の模式図

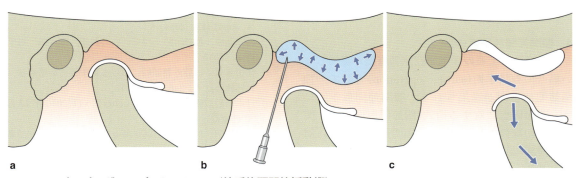

図 9-30　パンピングマニピュレーション（徒手的顎関節授動術）
a：関節円板の非復位性前方転位による下顎頭の運動制限が認められる．
b：上関節腔を穿刺し，生理食塩水でパンピング操作を行うことで，上関節腔が拡張する．
c：マニピュレーション操作（開口させるのではなく，下顎を前下方に引き出す操作）を行う．

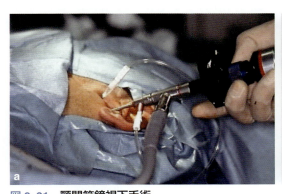
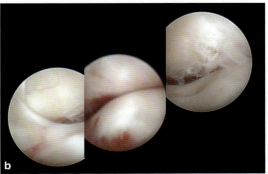

図 9-31　顎関節鏡視下手術
a：術中写真，b：関節鏡所見（癒着病変）

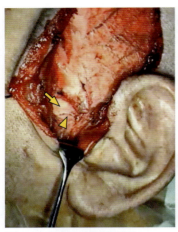

**図 9-32 顎関節開放手術**
術中写真：耳前側頭切開で顎関節にアプローチし，顎関節開放手術を施行した(矢印：頬骨弓，矢頭：関節包)．

### d 顎関節開放手術(図 9-32)

保存療法や上述の顎関節腔穿刺療法が奏効しない場合の救済手術(salvage operation)として，顎関節開放手術が適用される．顎関節開放手術には，関節円板に対する術式(関節円板形成術と関節円板切除術とに大別)と，顎関節部硬組織に対する術式(関節隆起形成術や下顎頭形成術)などが含まれる．手術後の良好な予後のためには，食事の管理を含めた生活指導や適切な開口訓練を中心とした理学療法がきわめて重要である．

### e 顎関節人工関節全置換術

病態の進行した変形性顎関節症やその他の重篤な顎関節疾患で，関節突起の切除が必要な場合には，関節窩と関節突起を人工顎関節置換する手術も選択肢となる．

### ●文献

[各論]

1) Terauchi M, et al：Chemical diagnosis of calcium pyrophosphate deposition disease of the temporomandibular joint：a case report. Diagnostics (Basel) 12：651, 2022.
2) Yoda T：Masticatory muscle tendon-aponeurosis hyperplasia accompanied by limited mouth opening. J Korean Assoc Oral Maxillofac Surg 45：174-179, 2019.
3) 矢谷博文：新たに改訂された日本顎関節学会による顎関節症の病態分類(2013年)と診断基準．日顎誌27：pp76-86，2015．
4) 日本顎関節学会(編)：新編 顎関節症 改訂版．永末書店，2018．
5) 日本顎関節学会(編)：顎関節症治療の指針2020．2020
6) 竹内久裕，他：顎関節症はどのような病気か．日本歯科評論 74(1)(No.855)：ヒョーロン・パブリッシャーズ，pp41-42，2014．
7) 野間弘康，他(監修)：標準口腔外科学，第4版．医学書院，2015．
8) 柴田考典：口腔外科領域における顎関節症の治療法．日補綴会誌 4：246-255，2012．
9) 日本口腔顔面痛学会 News Letter No.11(2016年12月20日発行)．
10) 吉田博昭，他：クローズドロック症例に対する初診時簡易マニピュレーションについての短期効果観察．日口外誌 50：357-361，2004．
11) 日本歯科評論(The Nippon Dental Review)74巻1号(No.855)：pp75-80，2014．
12) 村上賢一郎，他(監著)：カラーアトラス 顎関節外科の手術手技．pp68-98，クインテッセンス出版，2016．
13) 村上賢一郎，田代佳代：顎関節人工関節全置換術の適応と有用性．日口外誌 67：556-560，2021．

# 第10章 唾液腺疾患

## 総論

唾液腺は唾液を産生し口腔へ分泌する外分泌腺であり，大唾液腺と小唾液腺がある．大唾液腺は耳下腺，顎下腺，舌下腺の3つであり，左右で対をなす．小唾液腺は口腔粘膜下に存在し，口腔粘膜の部位に応じて名称がつけられている．それぞれの腺は分泌終末部の腺房細胞の種類により漿液腺，粘液腺，混合腺に分けられる．

### 1 大唾液腺 major salivary gland

#### A 解剖（図10-1）

**1 耳下腺 parotid gland**

耳下腺は耳介前下方にあり，浅葉と深葉からなる．浅葉は頰部皮膚直下に存在し，前方は下顎枝外側の咬筋後方を覆い，上方は外耳道や頰骨弓の高さに，後方と下方は胸鎖乳突筋前縁に位置する．深葉は咬筋から下顎枝後縁，下顎後窩へ入り込み，内面は顎二腹筋，内側翼突筋，傍咽頭隙に接する．耳下腺管〔Stensen（ステンセン）管，Stenon管〕は腺の前上部から出て，咬筋前縁部で頰筋，頰粘膜を貫き，上顎大臼歯相当の頰粘膜の耳下腺乳頭に開口する．副耳下腺が主導管周囲に存在することがある．浅葉と深葉の間で顔面神経が耳下腺神経叢を形成しており，栄養血管は外頸動脈，浅側頭動脈，顔面横動脈，後耳介動脈などである．

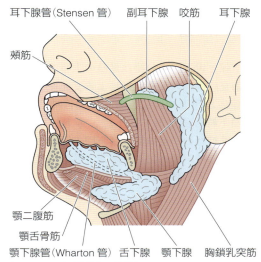

図10-1　大唾液腺の解剖

**2 顎下腺 submandibular gland**

顎下腺は顎二腹筋前腹と後腹および下顎骨下縁で囲まれた顎下三角に位置する．顎下腺管〔Wharton（ワルトン）管〕は顎舌骨筋の後縁をまわり，舌神経と交差して口底部を通り舌下小丘に開口する．栄養血管は顔面動脈本幹とその枝のオトガイ下動脈である．

**3 舌下腺 sublingual gland**

舌下腺は舌下粘膜の直下で下顎体内面と舌筋の間に位置する．内面は舌骨舌筋，オトガイ舌筋と接し，後縁は顎舌骨筋上にある．舌下腺管には顎下腺管とともに舌下小丘に開口する大舌下腺管〔Bartholin（バルトリン）管〕と，個々の腺葉から直接舌下ヒダに開口する小舌下腺管〔Rivinus（リヴィヌス）管〕がある．栄養血管は舌動脈，オトガイ下動脈の枝である．

### B 神経支配

唾液腺は自律神経によって支配されている．唾液分泌に際して副交感神経と交感神経はともに促進的に働き，副交感神経は主に水分の分泌に，交感神経はタンパク質の分泌に関与している．

耳下腺の分泌は延髄の下唾液核から起こる副交感神経の節前線維による支配を受ける．節前線維は舌咽神経の経路を下行し，小錐体神経，耳神経節，耳介側頭神経を経て耳下腺に分布する．一方，交感神経の節前線維は上頸神経節から出て，外頸動脈神経叢，耳神経節を経て耳下腺に分布する．

顎下腺と舌下腺の分泌は延髄の上唾液核から起こる副交感神経の節前線維による支配を受ける．節前線維は顔面神経，鼓索神経，舌神経を走行し，顎下神経節を経て顎下腺と舌下腺に分布する．交感神経の節前線維は耳下腺と同様に上頸神経節から出て，顔面動脈神経叢，顎下神経節を経て顎下腺と舌下腺に達する．

### C 構造

唾液腺は，唾液を産生・分泌する分泌終末部と，唾液を口腔に排出する導管からなる．分泌終末部は腺房とも呼ばれ，漿液細胞，粘液細胞および筋上皮細胞で構成され，唾液腺の種類により分布状態が異なる．耳下腺は漿液細胞からなる漿液腺，顎下腺は漿液細胞と粘液細胞の両者からなる混合腺（主として漿液腺），舌下腺は混合腺（主として粘液腺）である．漿液細胞は円錐形で豊富な細胞小器官や分泌顆粒を有し，粘性が低くアミラーゼなどの酵素タンパクを多く含む唾液を分泌する．粘液細胞は漿液細胞に比較して大きく不規則な形態で多数の分布顆粒を有し，粘性が高いムコ多糖類に富む唾液を分泌する．筋上皮細胞は腺房と介在部導管にみられ，上皮細胞と基底膜の間に存在して腺房の収縮に関与する．

導管系は介在部導管，線条部導管および排泄導管からなる．介在部導管は分泌終末部から導管に移行する峡部を構成する管腔の狭い部分で，耳下腺でよく発達しているが，顎下腺ではより短く，舌下腺ではほとんど認めない．介在部導管細胞は唾液腺腫瘍の由来細胞として関与することが示唆されている．

線条部導管は介在部に続く導管で，顎下腺でよく発達している．基底膜に多数の嵌入を認める線条構造がみられ，大型のミトコンドリアが並ぶ．唾液組成の水と電解質の調節，運搬の役割を担っている．

排泄導管は線条部に続く導管で口腔に至る．線条部に近い部分は多列上皮に杯細胞が混在するが，口腔に近接するにつれて重層上皮に変わり，開口部では口腔の重層扁平上皮に移行する．排泄導管は電解質の濃度を変化させ，唾液の成分を最終的に調整する働きがあると考えられている．

### D 生理機能

唾液腺の機能は唾液の産生と分泌であり，1日の唾液分泌量は成人で1〜1.5Lとされる．唾液は99％以上を水分が占め，残りはNa，K，Clなどの無機成分とムチンやアルブミンなどの有機成分で構成される．唾液の機能として，アミラーゼによる糖質の消化やリパーゼによる脂質の分解を行う消化作用が挙げられる．また，粘液性糖タンパク質であるムチンによる機能として，咀嚼や嚥下を円滑にする潤滑作用，獲得被膜形成による歯や粘膜の保護作用が重要である．その他の唾液の作用として，抗菌・殺菌作用，洗浄作用，内分泌作用などが挙げられる．

## 2 小唾液腺
minor salivary gland

### A 解剖

**1 口唇腺** labial gland

口唇腺は上下唇の唇紅縁から歯肉頬移行部および口角部外方にかけて，前後方向では口唇粘膜と口輪筋の間に帯状に分布する腺葉群である．上唇腺は小臼歯相当部まで，下唇腺は第一大臼歯相当部まで認められる．

**2 頬腺** buccal gland

頬腺は頬筋外面で耳下腺管が頬筋を貫通する付近に帯状に分布し，耳下腺管を中心に前後に分布する腺葉群である．

### 3 ● 口蓋腺 palatal gland

小唾液腺の中で最も多数存在し，硬口蓋中央部から軟口蓋後縁に及ぶ粘膜下に分布する腺葉群である．腺葉層は硬口蓋前部では単層，硬口蓋後部と軟口蓋では重層である．

### 4 ● 舌腺 lingual gland

舌腺は舌背や舌下面の粘膜下に分布する腺葉群である．舌尖下面に左右対称に分布する前舌腺（Blandin-Nuhn腺），舌根部舌背から舌側縁後部に分布する後舌腺，有郭乳頭と葉状乳頭の粘膜直下に分布する側舌腺（von Ebner腺）がある．

### 5 ● 臼歯腺 molar gland

臼歯腺は臼後三角の粘膜隆起中に分布する腺葉群である．

### B 構造

基本的には大唾液腺と同様の構造であるが，小唾液腺は単一腺である．腺房細胞の分布から口唇腺，頰腺，前舌腺，臼歯腺は混合腺，口蓋腺と後舌腺は粘液腺，側舌腺は漿液腺に分類される．

### C 生理機能

大唾液腺と同様に唾液を産生，分泌する．

# 各論

## A 形態および機能異常

### 1 発育異常

#### A 無形成，減形成
aplasia, hypoplasia

いずれもきわめてまれな奇形であるが，第一第二鰓弓症候群などの奇形がある症例では，唾液腺にも異常を伴いやすい．耳下腺，顎下腺の両側あるいは片側欠如が報告されている．原因として原始顔面形成晩期の胎内感染などが挙げられるが，詳細は不明である．

**症状**
口腔乾燥症，顔面奇形の合併などがある．

**診断**
触診により腺体の性状や大きさを診査し，導管開口部の状態や唾液排出の有無を確認する．唾液分泌能検査，唾液腺シンチグラフィ，唾液腺造影検査などより診断する．

**治療**
口腔乾燥症状を認める場合，含嗽剤，保湿剤など口腔乾燥症に対する対症療法が応用される．

### B 唾液腺肥大
hypertrophy of salivary gland

主に耳下腺に発症する慢性再発性，無痛性の非炎症性疾患であり，唾液腺症（sialoadenosis）とも呼ばれる．約半数においてなんらかの全身疾患が関与するといわれ，糖尿病，下垂体疾患，女性ホルモン異常などの内分泌異常や，栄養障害，ヨード製剤などの薬剤に起因するものがある．

**症状**
唾液腺，特に耳下腺の非炎症性，慢性再発性腫脹が臨床上最も大きな特徴である．両側性あるいは片側性にび漫性，無痛性の腫脹がみられる．

**診断**
唾液腺シンチグラフィや血清アミラーゼアイソザイムの定量が有用であるが，確定診断には生検による腺房肥大の確認が必要となる．

**治療**
全身疾患や薬剤などとの関連が明らかな場合は，原因療法を行う．

### C 異所性唾液腺
ectopic salivary gland

腺組織の分泌機能と排泄管の有無から，副唾液腺と迷入唾液腺に呼び分けられている．本来の唾液腺から離れて存在し，排泄管を介して分泌機能をもつものが副唾液腺，排泄管が欠如し正常部位以外に迷入したものが迷入唾液腺である．副唾液腺のうち副耳下腺は耳下腺の20％以上にみられ，その導管の多くは本来の耳下腺管へ排出する．迷入唾液腺は耳下腺リンパ節，顎下リンパ節

などのリンパ節内に多く認められる．副耳などの奇形と合併していることが多いために，第一鰓弓，第二鰓弓の異常の関与が示唆されている．

#### 症状
唾液瘻や二次的炎症に伴い症状が発現することがある．また，異所性唾液腺から多形腺腫や粘表皮癌などの腫瘍が生じることがある．

#### 診断
MRI，唾液腺造影検査，必要に応じて穿刺吸引細胞診などが行われる．

#### 治療
外唾液瘻形成や二次的炎症がある場合は，外唾液瘻を内唾液瘻に変える手術や唾液腺を瘻管とともに摘出する手術が行われる．

### D 排泄導管の異常

排泄導管の拡張や閉塞，開口部位の異常などが挙げられる．臨床的には，拡張の場合は無症状のことが多い．しかし，閉塞の場合は疼痛，腫脹，口腔乾燥，感染，貯留囊胞などの症状が発現する．

## 2 唾液瘻
### salivary fistula

唾液が正常な排泄管開口部以外の口腔や咽頭などの粘膜，顔面や頸部の皮膚から流出する状態をいう．先天的あるいは後天的に認められ，また，口腔内に開口する内唾液瘻と皮膚に開口する外唾液瘻に分けられるが，臨床的に問題となるのは外唾液瘻である．先天性唾液瘻は耳下腺や副耳下腺を含む異所性唾液腺によるものが多い．先天性口唇瘻は唇小窩の残遺と考えられており，下唇瘻が多い．後天的な唾液瘻は手術や外傷による耳下腺の腺体あるいは排泄管の損傷に起因して生じることが多い．

#### 症状・診断
先天性唾液瘻のうち，耳下腺や副耳下腺から生じるものの多くは口角側方の皮膚に認められる．また，先天性下唇瘻は下唇の赤唇部に左右対称あるいは片側にみられ，口唇裂，口蓋裂を合併することが多い．瘻孔の深さは唾液排出を伴うものから浅い小窩状のものまでさまざまである．

後天的な唾液瘻では，頭頸部癌の切除手術，外傷に際して損傷を受けた耳下腺やその排泄管から唾液が漏出，貯留し，顔面や頸部の皮膚に外唾液瘻の形成がみられる．唾液腺造影検査，CT，MRI，貯留あるいは排出された液体内アミラーゼの測定が診断に有用である．

#### 治療
先天性口角瘻は審美障害に乏しいことが多いため経過観察となることが多い．一方，先天性口唇瘻は審美障害のため治療対象となることがあり，その際には瘻管と周囲腺組織を完全に切除する．

後天的な耳下腺唾液瘻は，圧迫やドレナージを行う．

## 3 口腔乾燥症
### dry mouth

口腔乾燥症とは自覚的な口腔乾燥感，または他覚的な口腔乾燥所見（唾液の量的減少と唾液の質的変化を含む）を認める症候である．これまで口腔乾燥症の分類や診断方法が統一されていなかったため，わが国における正確な罹患率は不明であるが，超高齢社会を背景として本症の患者数は増加していると推測される．本症の多岐にわたる原因や症状を正しく把握，診断し，症例ごとに適切な治療法や対処法を行うことが肝要である．

#### 原因と分類
口腔乾燥症はさまざまな原因によって発症するが，その原因に基づいた口腔乾燥症の新分類が日本口腔内科学会，日本歯科薬物療法学会，日本老年歯科医学会，日本口腔ケア学会の4学会合同で作成され，『2022年 口腔乾燥症の新分類』として公表された（表10-1）．口腔乾燥症はその原因により，唾液腺機能障害による「唾液分泌量の減少あるいは分泌唾液の質的変化があるもの」と，唾液腺機能障害と関連しない「唾液分泌量の減少と分泌唾液の質的変化のいずれもないもの」に大別される．

**1. 唾液分泌量の減少あるいは分泌唾液の質的変化があるもの**

唾液腺機能障害性口腔乾燥症とも呼ばれ，1)唾液腺実質障害，2)唾液分泌刺激障害，3)全身代謝性障害と4)特発性口腔乾燥症に分類される．

1)唾液腺実質障害は，唾液腺自体の唾液分泌機能が低下あるいは消失したものである．Sjögren症候群における慢性唾液腺炎に起因する病態が代

表10-1　2022年　口腔乾燥症の新分類

**1．唾液分泌量の減少あるいは分泌唾液の質的変化があるもの（唾液腺機能障害性口腔乾燥症）**
1) 唾液腺実質障害（唾液腺実質障害性口腔乾燥症）
　(1) 唾液腺形成不全または欠損
　　・唾液腺無形成
　　・唾液腺の摘出または外傷
　(2) 唾液腺組織の器質的変化または障害
　　・唾液腺腫瘍
　　・慢性唾液腺炎
　　　　自己免疫疾患（Sjögren症候群，全身性エリテマトーデス，関節リウマチ，強皮症，橋本病）
　　　　IgG4関連疾患
　　　　慢性移植片対宿主病
　　　　細菌感染症
　　　　ウイルス感染症（HIV，CMV，C型肝炎ウイルス）
　　・薬剤性唾液腺組織障害
　　　　抗悪性腫瘍薬など
　　・頭頸部の放射線療法
　(3) 唾液腺管閉塞
　　・唾石
　　・粘液栓
　　・線維素性唾液管炎
2) 唾液分泌刺激障害（分泌刺激障害性口腔乾燥症）
　(1) 中枢性唾液分泌刺激障害（中枢性分泌刺激障害性口腔乾燥症）
　　・精神疾患
　　・神経疾患・障害（Parkinson病，Alzheimer病，脳梗塞，脳出血，くも膜下出血）
　　・脳外傷
　　・脳腫瘍
　　・更年期
　　・精神的ストレス
　　・薬剤の副作用
　　　　αアドレナリン受容体（抗高血圧薬，三環系抗うつ薬）
　　　　ドパミン受容体（抗Parkinson病薬，抗精神病薬）
　　　　オピオイド受容体（麻薬性鎮痛薬）
　　　　セロトニントランスポーター（SSRI）
　　　　ノルアドレナリンとセロトニントランスポーター（SNRI）
　　　　ノルアドレナリンとセロトニン受容体（NaSSA）
　(2) 末梢性唾液分泌刺激障害（末梢性分泌刺激障害性口腔乾燥症）
　　・咀嚼機能低下
　　　　咀嚼筋や表情筋の筋力低下，不適合義歯，歯の欠損
　　・末梢神経損傷
　　　　顔面神経損傷，舌咽神経損傷
　　・口腔感覚障害
　　　　味覚障害
　　・薬剤の副作用
　　　　ムスカリン受容体（三環系抗うつ薬，泌尿器官用薬，消化管鎮痙薬，抗ヒスタミン薬）
　　　　βアドレナリン受容体（抗高血圧薬，抗不整脈薬，抗喘息薬，気管支拡張薬）
　　　　カルシウムチャネル（Ca拮抗薬）
3) 全身代謝性障害（代謝障害性口腔乾燥症）
　・脱水
　　透析療法（血液透析，腹膜透析），皮膚からの水分喪失（発熱，多汗），消化器からの水分喪失（嘔吐，下痢），胸水・腹水貯留，糖尿病，尿崩症，尿濃縮能低下（多尿による体液喪失），甲状腺疾患（橋本病を除く），利尿薬など
4) 特発性（特発性口腔乾燥症）

（つづく）

表 10-1（つづき）

**2. 唾液分泌量の減少と分泌唾液の質的変化のいずれもないもの（非唾液腺機能障害性口腔乾燥症）**
1）全身的な原因によるもの
・精神疾患
・心因性を思わせる原因不明疾患
・貧血
2）口腔に原因があるもの
・蒸発（蒸発口腔乾燥症）
　　口呼吸の習慣，鼻閉，顎変形・歯列不正，顎関節脱臼　など
・感覚障害
　　口腔内灼熱症候群，口腔粘膜の障害　など
3）薬剤性
4）特発性

〔4学会合同口腔乾燥症用語・分類検討委員会（日本口腔内科学会，日本歯科薬物療法学会，日本老年歯科医学会，日本口腔ケア学会）：2022年　口腔乾燥症の新分類．老年歯学 37：20-22，2022〕

表的である（→p.367）．全身性エリテマトーデスや関節リウマチなどの自己免疫疾患，IgG4関連疾患，造血幹細胞移植後の慢性移植片対宿主病（慢性 GVHD），細菌感染症，ウイルス感染症などによる慢性唾液腺炎も原因となる．頭頸部放射線治療や抗悪性腫瘍薬による唾液腺組織障害は臨床的に重要であり，近年では周術期口腔機能管理において留意すべき病態である．また，唾液腺腫瘍や唾石症によるものと，それらの治療としての唾液腺摘出術に後遺して生じるものもある．

2）唾液分泌刺激障害は，唾液分泌に関与するさまざまな刺激が遮断されることで生じるもので，その原因として最も多いのが薬剤の副作用である．向精神薬，抗不安薬，抗うつ薬，降圧薬（カルシウム拮抗薬），副交感神経遮断薬（抗コリン薬），オピオイドなどの薬剤が唾液分泌に関わる神経伝達を抑制することにより生じる．その他，中枢性の唾液分泌刺激障害の原因として精神疾患，Parkinson病やAlzheimer病などの神経疾患，脳梗塞や脳出血などの脳血管障害，脳外傷，脳腫瘍，更年期，精神的ストレスなどが挙げられる．また，末梢性唾液分泌刺激障害は咀嚼機能低下，顔面神経や舌咽神経などの末梢神経損傷，味覚障害などの口腔感覚障害などにより生じる．これらの中で歯科臨床で接する機会の多い咀嚼機能低下は，咀嚼筋や表情筋の筋力低下，歯の欠損や不適合義歯による咬合不全などにより生じ，咀嚼による唾液分泌刺激が減少することで唾液分泌量が減り，口腔内が乾燥する．

3）全身代謝性障害は，なんらかの原因により体液量が減少したことに伴い唾液分泌量が減少した病態である．発熱や発汗による皮膚からの水分喪失，嘔吐や下痢などの消化管からの水分喪失，糖尿病，人工透析，利尿薬の服用による水分の体外排泄亢進などによる脱水に起因して生じる．

4）特発性口腔乾燥症は，前述の病因を認めないものの，なんらかの原因で唾液腺機能障害が生じることで口腔乾燥症を認める病態である．

**2. 唾液分泌量の減少と分泌唾液の質的変化のいずれもないもの**

非唾液腺機能障害性口腔乾燥症とも呼ばれ，蒸発が臨床において重要である．唾液の分泌量減少や質的変化がなくとも，口呼吸や開口症に起因して口腔からの水分の蒸発が亢進すると口腔乾燥感や実際の口腔粘膜乾燥状態が生じる．鼻閉，顎変形症や歯列不正による口裂閉鎖不全，顎関節脱臼による閉口不能，高齢者における口腔周囲筋の弛緩などが口腔からの水分蒸発の原因となりうる．また，経口挿管や気管切開中の患者の口腔乾燥症は，口腔管理に際して大きな障壁となる．

**症状**

自覚症状として，口腔乾燥感，唾液の粘稠感，舌や口蓋など口腔粘膜の粗糙感（ザラザラ感）や灼熱痛，味覚異常，嚥下困難感などがある．他覚症状としては，口腔粘膜の発赤や乾燥，舌乳頭の萎縮，多発性齲蝕，歯周病の進行などがみられる．適切な口腔管理が実施されていない場合，口腔乾燥下に唾液の自浄作用が働かず歯や義歯にプラークが付着，積層し口腔衛生状態が増悪する．さらに非経口摂取患者の口腔内では乾燥性のいわゆる

剝離上皮膜の付着を認める．口腔乾燥状態ではカンジダが増殖しやすいため，口角びらんなどの口腔カンジダ症による症状（→p.377）を合併することがあり注意を要する．

### 診断

本症の診断にあたっては，口腔乾燥症状の背景にある多様な病因を的確にとらえることが必要である．医療面接に際しては，現病歴に加えて併存疾患や既往歴，服用薬剤，精神状態を慎重に詮索し，さらに前述の各自覚症状の有無，症状の日差や日内変動を確認する．口腔内診査では，口腔粘膜の発赤や乾燥，舌乳頭の萎縮の有無，唾液の性状，齲蝕や歯周炎の状態を確認する．また，触診で唾液腺の腫脹や圧痛の有無，耳下腺や顎下腺の圧迫による導管開口部からの唾液流出の状態を診査する．

唾液分泌能の診断は，安静時唾液量を測定する吐唾法と刺激時唾液量を測定するガム試験や，Saxon テストなどの唾液分泌能検査により行われる．唾液腺シンチグラフィは耳下腺と顎下腺の唾液分泌機能を評価する画像検査である．放射性同位元素であるテクネチウムを静脈注射し，安静時，刺激時の唾液腺機能を経時的に評価，描出する．

Sjögren 症候群が疑われる場合は，Sjögren 症候群の改訂診断基準（旧厚生省，1999年）に準じて口唇腺生検，唾液腺造影や唾液腺シンチグラフィ，眼科検査や血清検査を行う（→p.368）．その際には，Sjögren 症候群以外の自己免疫疾患が関与する可能性も否定できないことから，膠原病内科など内科系専門診療科へ対診する．

### 治療

口腔乾燥症の原因に対する治療によって症状が改善する可能性がある場合は原因療法を実施するが，症状改善には時間を要することが多いため口腔乾燥症状に対する対症療法も併施する．原因療法が行えない場合やその効果が不十分な場合は対症療法を主体として行う．口腔乾燥症の対症療法として，室内保湿やマスクの使用，保湿剤や含嗽剤，人工唾液の使用，唾液分泌促進薬や漢方薬の使用などが挙げられる．

糖尿病や腎疾患などの基礎疾患が原因と考えられる場合は，それらの治療を実施あるいは継続しつつ，保湿剤や含嗽剤を使用した対症療法を行う．薬剤の副作用によるものの場合は処方医へ薬剤の減量や変更につき相談するが，必ずしも容易でないことも多く，その場合には対症療法が主体となる．口呼吸などの蒸散が原因の場合は，歯科治療のよる適切な咬合回復や口腔筋機能療法，顎関節脱臼整復術などの原因療法に加えて，室内の加湿，マスク着用などの対症療法も併施する．経口挿管や気管切開中の患者の口腔乾燥症に対してもマスク着用は有効である．

口腔の保湿剤は多くの製品が市販されており，スプレータイプ，ジェルタイプ，洗口液タイプに分けられるが，症例に応じて適切に使用すると効果的である．また，含嗽剤は，乾燥感を助長するアルコール含有のものを避け，アズレンスルホン酸ナトリウム水和物やアズレンスルホン酸ナトリウム・炭酸水素ナトリウム配合剤などを症例ごとに使い分ける．唾液の補充に使用される人工唾液の噴霧式エアゾール剤は，口腔粘膜の湿潤作用に優れているが，保険適用は Sjögren 症候群と頭頸部放射線治療後の口腔乾燥症のみであり，ほかの病態には使用できない．唾液分泌促進薬には，セビメリン塩酸塩水和物やピロカルピン塩酸塩があるが，前者は Sjögren 症候群に，後者は Sjögren 症候群と頭頸部放射線治療に伴う口腔乾燥症のみに保険適用がある．また，漢方薬は保険適用があれば効果が期待できる場合がある．

## 4 流涎症（唾液分泌過多症）
ptyalism

唾液が口腔内に過剰に貯留して口腔外に流出する状態を流涎症という．唾液分泌量の増加による本態性と，なんらかの機能障害により唾液が嚥下されずに口腔から溢れる症候性の病態がある．本態性流涎症の原因として，胃炎，口内炎，自律神経の異常，唾液分泌促進薬の影響などが挙げられる．症候性流涎症は，Parkinson 病や筋萎縮性側索硬化症などの神経疾患，脳梗塞や脳出血などの脳血管障害，扁桃炎や咽喉頭炎，手術や外傷による組織欠損や運動障害に起因する口唇閉鎖不全などが原因となる．

### 症状・診断

持続的な唾液の口腔内貯留と口腔外への流出が主たる症状である．本症の診断にあたっては，唾液分泌能検査により唾液分泌量増加の有無を評価し，必要に応じて嚥下機能評価を行う．現病歴や

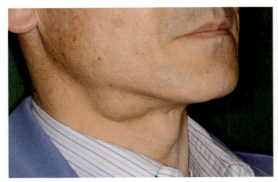

図 10-2　顎下腺の腫脹

既往歴，服用薬剤を詮索し，また，口腔や咽頭，喉頭を精査することによって原因を同定することが重要である．

**治療**

積極的な治療の対象となることは多くはないが，原因となる疾患が同定できればそれに対する治療を優先して行う．必要に応じて唾液の頻回な吸引などの対症的な対応も検討する．

## B 炎症性疾患

### 1 化膿性唾液腺炎
purulent sialoadenitis

口腔内常在菌である非特異性細菌による唾液腺開口部からの逆行性（上行性）感染である．唾液分泌量の減少により発症しやすく，その要因には唾液腺の機能低下，唾石などの排泄管内異物，外傷などの局所的因子と免疫力低下や悪性腫瘍などによる全身的因子がある．

**症状**

急性唾液腺炎では，発熱，全身倦怠感，有痛性の唾液腺腫脹（図 10-2），所属リンパ節の腫脹・圧痛を認める．唾液腺開口部には発赤・腫脹および唾液腺の圧迫により導管開口部からの排膿を認める．
慢性唾液腺炎では唾液腺の硬化以外に症状は乏しいが，体調悪化時などに急性化する．

**診断**

特徴的な症状から診断は比較的容易である．血液検査では一般的な炎症所見以外に，血清アミラーゼ値が上昇する．画像検査では，唾石の有無，唾液腺の性状，炎症の波及範囲などをパノラマエックス線，CT，MRI で評価する．

**治療**

抗菌薬，NSAIDs による消炎療法を行う．唾液分泌の減少による口腔衛生状態が不良なことが多く，含嗽剤の使用，口腔清掃を徹底する．急性炎症の緩和後，導管開口部からの導管内洗浄や導管内唾石や異物を認める場合は除去を行う．

### 2 唾液管炎
sialodochitis

唾液腺の導管主体の炎症である．導管内の唾石や異物による機械的刺激あるいは二次的細菌感染により生じる．顎下腺管，耳下腺管に多い．
まれな疾患として線維素性唾液管炎があり，導管内に好酸球の集積である線維素塊が形成され，反復性の耳下腺あるいは顎下腺の腫脹を認める．アレルギーの関与が示唆されている．

**症状**

導管開口部と導管部の発赤・腫脹，食事時の唾液腺の自発痛や圧痛，導管開口部からの排膿を認める．線維素性唾液管炎では発作性，反復性の唾液性腫脹と開口部から線維素塊の排出を認め，線維素塊が排出されると症状が軽減する．

**診断**

導管からの排膿や周囲の発赤，唾石が原因の場合は唾石を認める．線維素性唾液管炎の場合は導管からの線維素塊の排出を認める．唾液腺造影において主導管の拡張を認める．

**治療**

抗菌薬，NSAIDs による消炎療法，異物などの除去，導管の洗浄などを行う．線維素性唾液管炎では，抗アレルギー薬や副腎皮質ステロイド薬内服，唾液腺管内ステロイド注入などがある．

### 3 ウイルス性唾液腺炎（流行性耳下腺炎）
viral sialoadenitis/epidemic parotitis

唾液腺炎を生じるウイルスには，ムンプスウイルス，サイトメガロウイルスや，EB ウイルス，コクサッキーウイルスなどがある．

流行性耳下腺炎はムンプスウイルス感染による伝染性の急性唾液腺炎で，いわゆる"おたふくかぜ"である．唾液を媒体とする飛沫・接触感染である．好発年齢は3～6歳の小児期で，まれに20歳以上の成人にみられることもある．

### 症状
ウイルス感染後，2～3週間の潜伏期間後に，発熱，片側または両側耳下腺に自発痛，圧痛のある腫脹を示す．顎下腺や舌下腺の腫脹を認めることもある．両側耳下腺が侵されると唾液分泌は減少し，排泄管開口部に発赤を認める．腫脹は3～4日で最高となり，1週間程度で消退する．

成人が罹患した場合は，無菌性髄膜炎，難聴，睾丸・副睾丸炎，卵巣炎，膵炎などの重篤な合併症を生じやすい．

### 診断
上記の特徴的な症状と地域の流行状態より容易に診断されることが多い．急性期と回復期に採取したペア血清中のムンプスウイルス抗体価で確定診断することもある．

### 治療
対症療法が主体で隔離することが望ましい．全身の安静，水分と栄養補給，発熱に対してNSAIDsの投与，含嗽などを行う．

## C 異物

### 1 唾石症
ptyalolithiasis

唾石症は唾液腺やその導管内に結石（唾石）が形成される疾患である．性差はなく，年齢的には20～40代に多い．顎下腺に好発し，次いで耳下腺で，舌下腺や小唾液腺はまれである．導管内にできる導管内唾石が最も多く，次いで腺体から導管への移行部唾石で，腺体内唾石は少ない．

唾石の成因は不明な点が多いが，導管の炎症，唾液の停滞や粘稠度の増加が関与すると考えられている．唾石の大きさや形態はさまざまで，砂状大や米粒状ものから数cmのものまである（図10-3a）．個数は1個のものが多いが，複数個の場合もある．

### 症状
唾石が小さく唾液分泌を障害しないときには無症状に経過し，エックス線写真で発見されることもある．唾石が大きくなり，唾液の排出が障害されると，食事摂取時に一過性に強い疼痛（唾疝痛）と唾液腺の腫脹（唾腫）を生じる．最も多い顎下腺唾石症において，導管内唾石の場合は双手診による導管に沿った触診や涙管ブジー（唾液腺ゾンデ）を舌下小丘より挿入することで触知できる．唾石により炎症が生じると，開口部に発赤・腫脹，排膿（排泄管膿漏），さらには口底に発赤・腫脹が生じる（図10-3b）．移行部や腺体内唾石では，炎症が唾液腺や周囲に波及し，急性化膿性唾液腺炎となることもある．それを繰り返して慢性化すると，腺体が萎縮，線維化により硬化し，唾液の排出も減少する．

### 診断
特徴的な経過と診察およびエックス線写真で唾石の存在を確認する．唾石は単純エックス線写真やCTで不透過像として認められる（図10-3c, d）．唾石が小さく，石灰化が低い場合には，通常の画像検査で確認できず，唾液腺造影によって造影剤の中断や導管拡張として認められることもある．耳下腺唾石は小さいものが多く，単純エックス線写真では同定されにくいが，導管開口部付近では口腔内から触知できることもある．

### 治療
唾石は原則として外科的に摘出する．逆行性感染による急性炎症が出現している場合は，抗菌薬およびNSAIDsを投与する．導管開口部付近の小さな唾石は，自然排出や唾液腺マッサージで唾液分泌を促すことにより排出されることもある．

顎下腺唾石の摘出は，唾石が顎舌骨筋後端よりも前方にある場合は口腔内からのアプローチで行い，顎舌骨筋後端を越えた移行部や腺体内唾石は口腔外から顎下腺とともに摘出する．

#### a 口腔内からの導管内唾石摘出術
導管内唾石は涙管ブジーを導管内に挿入し，導管を明示し拡張する．顎下部から手指で顎下腺を口底側に押し上げ，導管内唾石を口底粘膜下に固定した後，口腔粘膜を切開して，導管を明示する．導管を切開し，唾石を摘出する．舌神経を確認し，損傷しないように行う．摘出後の粘膜や導管壁の創部は縫合せず，ドレーンを留置する．

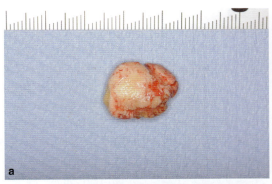
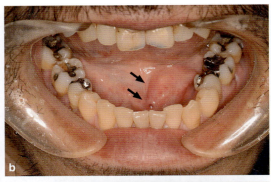
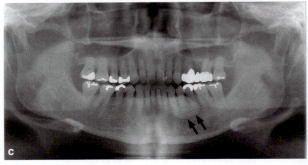

図10-3　導管内唾石（矢印）
a：唾石，b：口底部腫脹，c：パノラマエックス線写真，d：CT

b　口腔外からの唾石と顎下腺摘出術

術式は顎下腺腫瘍摘出術に準じる．炎症を繰り返している場合，顎下腺が周囲組織と癒着していることが多い．顎下腺，導管，舌神経および顎下神経節などの剝離には注意を要する．顎下腺を摘出する際には，導管を十分に顎下部に引き出し，唾石を確認した後，導管を結紮，切断して摘出する（図10-4）．

## 2 その他の異物

魚骨，木片，食渣などの異物がまれに唾液腺体内，または腺管内に迷入することがある．原則として摘出を行う．

## D 囊胞

### 1 粘液貯留囊胞（→p.184）
mucous retention cyst

### 2 前舌腺囊胞（Blandin-Nuhn囊胞）
（→p.238）
anterior lingual gland cyst

### 3 ラヌーラ（ガマ腫）
ranula

舌下腺唾液の排出障害に伴う比較的大きな粘液貯留囊胞である．口底部にみられる舌下型と囊胞の一部が顎舌骨筋上にあるが，残りが顎舌骨筋を穿通あるいは筋の後方から顎下部に進展した顎下型に分けられる．病理組織学的には，囊胞壁は裏層上皮のない線維組織と肉芽組織からなるのがほとんどである．

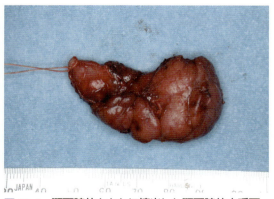

図 10-4 顎下腺体とともに摘出した顎下腺体内唾石

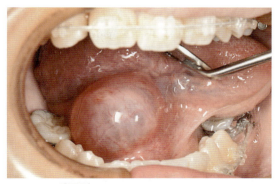

図 10-5 舌下型ラヌーラ

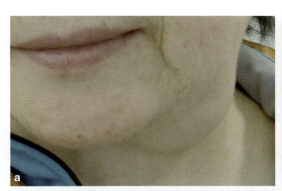

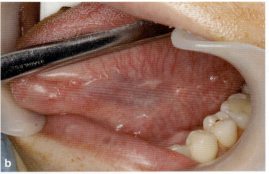

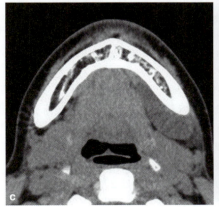

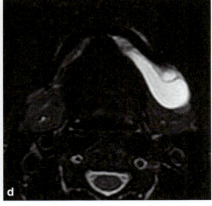

図 10-6 顎下型ラヌーラ
a：顎下部腫脹
b：青みがかった色調
c：CT
d：MRI（T2 強調像）

### 症状

舌下型では，口底部に片側性，無痛性で，波動を触知する透明感のある青みがかった色調を呈するドーム状の腫脹として認める（図 10-5）．巨大になると，舌を挙上し，構音障害，嚥下障害，呼吸困難も生じることがある．顎下型は顎下部に腫脹を認めるが（図 10-6a，b），顎下部だけでなく舌下部にも腫脹を認めることもあり，舌下・顎下型という．

### 診断

舌下型は特徴的な症状より診断が容易である．穿刺・吸引で黄色透明，粘稠な液体が確認される．病変の進展範囲の検索には，CT，MRI が有用である（図 10-6c，d）．鑑別疾患として，舌下型ではリンパ上皮性嚢胞，類表皮嚢胞あるいは類皮嚢胞，舌下腺腫瘍，顎下型では顎下腺腫瘍，鰓嚢胞，リンパ管腫，悪性リンパ腫，顎下腺炎などがある．

#### 治療

舌下型では第一選択が開窓術であるが，再発率が50〜60％と高い．再発を繰り返す場合には，嚢胞摘出と同時に舌下腺摘出を行うことが最も確実である．しかし，舌神経，舌下動静脈，顎下腺管の損傷に注意を要する．顎下型では舌下腺摘出を行う．近年，手術を回避する目的で，嚢胞内容液を吸引後，OK-432（ピシバニール®：A群溶血性レンサ球菌の菌体から作られた免疫賦活液）を注入する硬化療法や，ラヌーラ表面にいくつも糸を縫い付ける微小開窓法の報告もある．

a　舌下型ラヌーラ開窓術

ラヌーラの天蓋の粘膜を切除し，残存する嚢胞壁と周囲粘膜を全周にわたり縫合する．開窓効果を維持するために，内腔にガーゼを填入して，周囲の縫合糸でタイオーバー固定する．

b　舌下腺摘出術

顎下腺導管開口部に涙管ブジーを挿入し，術中導管を認識しやすくしておく．口底粘膜を切開し，顎下腺導管，舌神経，舌下動静脈の走行に注意しながら，舌下腺を周囲組織から鈍的に剝離し，摘出する．

### 4　リンパ上皮性嚢胞（→p.241）
lymphoepithelial cyst

## E　唾液腺腫瘍

唾液腺腫瘍は，その大部分が腺実質に由来する腺系の上皮性腫瘍であるが，ほかに類を見ないほど数多くの組織型が存在することが特徴的である．特に唾液腺悪性腫瘍は，同一の組織型に分類されても臨床的に低悪性のものから高悪性のものまでさまざまであり，多彩な病態と経過を示す（表10-2）．唾液腺腫瘍の発生頻度は比較的低く，頭頸部腫瘍の約5％である．性差は発生する腫瘍によりやや異なるが大差はなく，中年期以降に多くみられる．好発部位は耳下腺が最も多く，次いで口蓋腺，顎下腺の順に多い．一般に，耳下腺では良性腫瘍が多いが，顎下腺では悪性腫瘍の占める割合がやや高く，舌下腺由来の唾液腺腫瘍はほとんどが悪性腫瘍である．

### 1　良性腫瘍

#### A　多形腺腫（図10-7）
pleomorphic adenoma

唾液腺腫瘍の中で最も発生頻度の高い唾液腺腫瘍で，全唾液腺腫瘍の50〜70％を占めるとされている．特に，耳下腺に最も好発し，小唾液腺や顎下腺にも生じる．小唾液腺では，口蓋腺に好発し，口唇腺や頰腺にも生じる．

##### 症状

本腫瘍の発育はきわめて緩慢であり，通常，無痛性の類球形の限局性腫瘤として触知されるが，分葉状を呈することもある．腫瘤の硬さは組織成分によって異なり，上皮成分や軟骨様組織を多く含むものは硬いが，粘液腫様細胞間質成分に富むものは比較的軟らかい．まれに腫瘤内部に嚢胞形成を伴うこともある．

##### 診断

CT，MRIおよび超音波検査で行う．比較的境界明瞭な腫瘤として描出されるが，内部は上皮成分と間葉成分の構成比率によって多彩な像を示す．耳下腺または顎下腺腫瘍では，腫瘍細胞の播種を可及的に最小限にとどめるために，開放生検ではなく，穿刺吸引細胞診や針生検により検体を採取する．口腔内に生じた小唾液腺腫瘍の場合は，病変へのアプローチが比較的容易であるため，可能な限り部分切除生検により確定診断を行う．

病理組織学的所見では，内部に粘液様物質を含んだ腺管とその周囲から間質内へ移行して増殖する筋上皮細胞からなる上皮成分と，粘液腫様あるいは軟骨様組織が混在した間葉成分で構成されている（図10-8）．上皮細胞は2層性の脈管状増殖あるいは充実性増殖を示す．間葉成分の多いところでは，上皮細胞は網目様配列をなし，形態は紡錘形あるいは星芒状となる．しばしば間質の硝子化がみられ，骨様組織や脂肪様組織がみられることもある．多くの場合，腫瘍は線維性被膜に覆われているが，小唾液腺由来の腫瘍では被膜が不完全なものや欠如しているものが散見される．時に，被膜内に腫瘍細胞を認めることがあるので注意を要する．

##### 治療

周囲正常組織を含めて腫瘍を完全に摘出する．

表 10-2　唾液腺腫瘍の WHO 分類

| 良性腫瘍 | benign tumors |
|---|---|
| 多形腺腫 | pleomorphic adenoma |
| 筋上皮腫 | myoepithelioma |
| 基底細胞腺腫 | basal cell adenoma |
| ワルチン腫瘍 | Warthin tumor |
| オンコサイトーマ | oncocytoma |
| リンパ腺腫 | lymphadenoma |
| 嚢胞腺腫 | cystadenoma |
| 乳頭状唾液腺腫 | sialadenoma papilliferum |
| 導管乳頭腫 | ductal papillomas |
| 脂腺腺腫 | sebaceous adenoma |
| 細管状腺腫とその他の導管腺腫 | canalicular adenoma and other ductal adenomas |
| **悪性腫瘍** | **malignant tumors** |
| 粘表皮癌 | mucoepidermoid carcinoma |
| 腺様嚢胞癌 | adenoid cystic carcinoma |
| 腺房細胞癌 | acinic cell carcinoma |
| 多形腺癌 | polymorphous adenocarcinoma |
| 明細胞癌 | clear cell carcinoma |
| 基底細胞腺癌 | basal cell adenocarcinoma |
| 導管内癌 | intraductal carcinoma |
| 腺癌，NOS | adenocarcinoma, NOS |
| 唾液腺導管癌 | salivary duct carcinoma |
| 筋上皮癌 | myoepithelial carcinoma |
| 上皮筋上皮癌 | epithelial-myoepithelial carcinoma |
| 多形腺腫由来癌 | carcinoma ex pleomorphic adenoma |
| 分泌癌 | secretory carcinoma |
| 脂腺腺癌 | sebaceous adenocarcinoma |
| 癌肉腫 | carcinosarcoma |
| 低分化癌 | poorly differentiated carcinoma |
| 　未分化癌 | 　undifferentiated carcinoma |
| 　大細胞神経内分泌癌 | 　large cell neuroendocrine carcinoma |
| 　小細胞神経内分泌癌 | 　small cell neuroendocrine carcinoma |
| リンパ上皮癌 | lymphoepithelial carcinoma |
| 扁平上皮癌 | squamous cell carcinoma |
| オンコサイト癌 | oncocytic carcinoma |
| 境界悪性腫瘍 | uncertain malignant potential |
| 唾液腺芽腫 | sialoblastoma |
| **非腫瘍性上皮病変** | **non-neoplastic epithelial lesions** |
| 硬化性多嚢胞腺症 | sclerosing polycystic adenosis |
| 結節性オンコサイト過形成 | nodular oncocytic hyperplasia |
| リンパ上皮性唾液腺炎 | lymphoepithelial sialadenitis |
| 介在部導管過形成 | intercalated duct hyperplasia |
| **良性軟部病変** | **benign soft tissue lesions** |
| 血管腫 | hemangioma |
| 脂肪腫/唾液腺脂肪腫 | lipoma/sialolipoma |
| 結節性筋膜炎 | nodular fasciitis |
| **血液リンパ球系腫瘍** | **haematolymphoid tumours** |
| MALT リンパ腫 | extranodal marginal zone lymphoma of MALT (MALT lymphoma) |

〔El-Naggar AK, et al：WHO Classification of Head and Neck Tumours, 4th ed. IARC Press, 2017〕

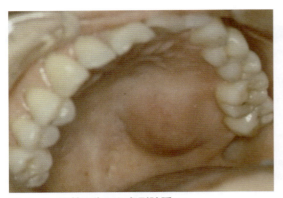

**図 10-7　口蓋に生じた多形腺腫**
比較的境界明瞭でドーム状に隆起した腫瘤を認める
〔東京歯科大学　片倉　朗先生　提供〕.

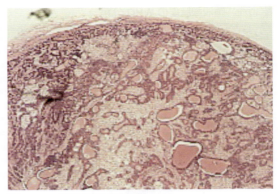

**図 10-8　多形腺腫の病理組織像**
被膜による包括.
〔東京歯科大学　片倉　朗先生　提供〕

被膜内に腫瘍細胞が入り込んでいることがあるため，被膜直上で腫瘍を摘出すると再発の危険性がある．

### B Warthin（ワルチン）腫瘍（図 10-9）
　　Warthin tumor

　リンパ組織と乳頭状に増殖した好酸性顆粒状細胞質を有する腺上皮細胞（オンコサイト）からなる唾液腺良性腫瘍である．発生頻度は全唾液腺腫瘍の2～15％である．本腫瘍の好発部位は耳下腺で，特に浅葉の下極部に好発する．多発性または両側性に生じることもある．50歳以上の男性に多く，喫煙との関連が示唆されている．

**症状**
　臨床的に発育が緩慢な，無痛性の類球形腫瘤としてみられる．腫瘍は比較的軟らかく，波動を触知することもある．

**診断**
　本腫瘍は$^{99m}$Tcを特異的に取り込むため，シンチグラフィが診断に有用である．病理組織学的所見では，線維性被膜を認め，好酸性で細顆粒状の細胞質を持つ上皮細胞が，囊胞腔を囲み，腔内へ乳頭状に増殖している．上皮基底膜に隣接して，濾胞形成を伴うリンパ組織が認められる．

**治療**
　外科的に完全摘出するのが一般的であるが，耳下腺に生じた症例では，顔面神経を温存した摘出術を行う．外科的に完全に摘出できれば再発をみることはほとんどない．

## 2 悪性腫瘍

### A 粘表皮癌（図 10-10）
　　mucoepidermoid carcinoma

　粘液産生細胞，類表皮細胞，中間細胞からなる上皮性粘液産生腫瘍で，代表的な唾液腺悪性腫瘍の1つである．本腫瘍は，全唾液腺腫瘍の約3～15％を占め，耳下腺に最も好発する．小唾液腺では口蓋腺に多く発生し，まれに顎骨中心性に生じることがある．好発年齢は30～50歳であるが，10歳以下の小児や思春期の若年者にもみられる．一般的に性差はないが，やや女性に多く発生する．

**症状**
　一般に，緩慢な発育を示す無痛性腫瘤としてみられる．しかしながら，腫瘍細胞の分化度により組織学的悪性度が異なっており，低悪性度型では多形腺腫に類似した限局性腫瘤を呈するが，高悪性度型では周囲組織との境界が不明瞭となり，潰瘍形成や顎骨の骨破壊像を認める．また，低悪性度型の頸部リンパ節転移の発生頻度は約5％であるのに対し，高悪性度型では約80％である．小唾液腺由来の粘表皮癌では，粘液貯留囊胞のように青味を帯び，波動を触知する場合もあるので鑑別に注意を要する．

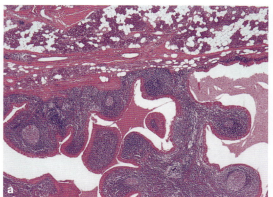
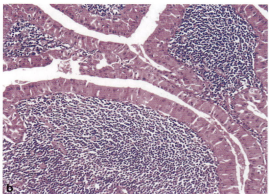
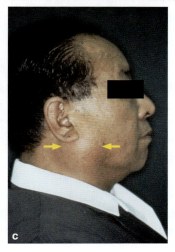

図 10-9　Warthin 腫瘍（腺リンパ腫）
a，b：病理組織像，c：肉眼所見
〔東京歯科大学　片倉　朗先生　提供〕

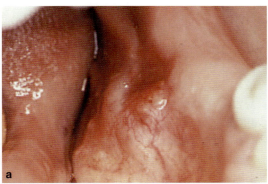
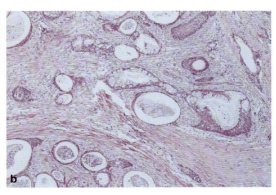

図 10-10　粘表皮癌
a：肉眼所見，b：病理組織像
〔東京歯科大学　片倉　朗先生　提供〕

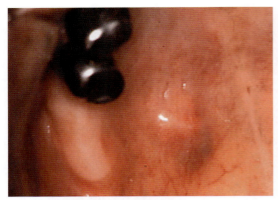

図 10-11　腺様嚢胞癌の肉眼所見
〔東京歯科大学　片倉　朗先生　提供〕

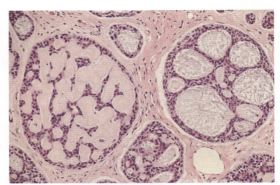

図 10-12　腺様嚢胞癌の病理組織像
多数の小嚢胞腔を含む篩状型の腫瘍胞巣を形成している．
〔東京歯科大学　片倉　朗先生　提供〕

**診断**

本腫瘍は病理組織学的に類表皮細胞，粘液産生細胞，中間細胞の3種類の細胞により構成される．しかしながら，その細胞構成は多様で，分化度の低い類上皮細胞や未分化中間型細胞が優位の低分化型（高悪性度）のものから，腫瘍細胞の50％以上が粘液産生細胞と分化した類上皮細胞からなる高分化型（低悪性度）までさまざまである．*CRTC1/3-MAML2* 融合遺伝子が報告されている．

**治療**

手術による外科的切除が第一選択となる．病理組織学的悪性度に応じて，腫瘍周囲に十分な安全域を設けて切除する．遠隔転移は高悪性度型では高率に転移を認める一方，低悪性度型ではほとんど転移は認められない．粘表皮癌全体の5年生存率は約70％で，低悪性度型では90％以上である．

## B　腺様嚢胞癌（図 10-11）
### adenoid cystic carcinoma

腺様嚢胞癌は，きわめて緩徐な発育と著明な浸潤性増殖を特徴とする唾液腺悪性腫瘍である．本腫瘍は，全唾液腺腫瘍の5～10％を占め，小唾液腺由来の腫瘍では多形腺腫に次いで発生頻度が高い．好発部位は舌下腺，顎下腺，および口蓋腺である．好発年齢は40～70歳であるが，性差は明らかではない．

**症状**

一般に，腺様嚢胞癌は多形腺腫に類似した限局性腫瘤としてみられることが多いが，神経や血管などの周囲組織への浸潤性増殖が顕著なため，疼痛や麻痺などの神経症状を示すことがある．口腔内に生じたものは，時に潰瘍形成を認める．また，発育がきわめて緩慢であるため，受診まで数年を経過しており，初診時にすでに肺などに転移を認めることも少なくない．

**診断**

病理組織学的所見として，細胞異型に乏しい導管上皮細胞と腫瘍性筋上皮細胞からなる2層性腺管構造を示し，多数の小嚢胞腔が形成された篩状（スイスチーズ様）の腫瘍胞巣を形成するのが特徴的である（篩状型，図 10-12）．また，腺管構造を示しながら増殖するもの（管状型）や腺管構造をほとんど認めず充実性に増殖するもの（充実型）があり，これら3種類の増殖様式がさまざまな割合で混在している．周囲組織へ浸潤性・破壊性増殖を示し，しばしば神経線維周囲への浸潤を認める．*MYB-NFIB* 融合遺伝子が報告されている．

**治療**

外科的切除が標準治療であるが，周囲組織への浸潤，特に神経に沿った浸潤が強いため完全切除が困難であることが多く，その場合は術後に放射線療法を行う．組織型別では，管状型，篩状型，充実型の順に予後がよいと報告されている．術後の局所再発および遠隔転移はしばしば認められる．頸部リンパ節への転移は扁平上皮癌と比べて少ないが，血行性転移により肺や脳などに転移巣を形成する．5年生存率は50％以上であるが，15年あるいは20年でみると生存率は0～20％である．

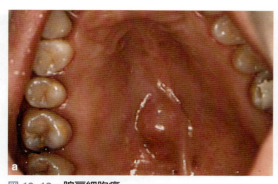
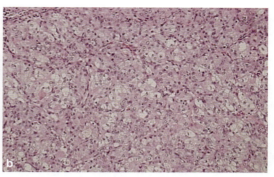

図10-13　腺房細胞癌
a：肉眼所見．b：病理組織像．核の偏位した比較的大型の類円形細胞の増殖がみられる．
〔東京歯科大学　片倉 朗先生　提供〕

### C 多形腺腫由来癌（→p.287）

### D 腺房細胞癌（図10-13）
acinic cell carcinoma

　腺房細胞癌は，漿液性腺房細胞への分化を示す唾液腺悪性腫瘍である．本腫瘍の発生頻度は低く，全唾液腺腫瘍の約1％と比較的まれな腫瘍である．約8割が耳下腺に発生し，次いで小唾液腺に多い．性差はなく，幅広い年齢層に発生するが30～40歳で多く，ほかの唾液腺悪性腫瘍と比べ発症年齢が低いのが特徴である．粘表皮癌の次に小児に多い悪性腫瘍である．

**症状**

　臨床的には，多形腺腫と類似した，発育緩慢な無痛性の限局性腫瘤としてみられることが多い．耳下腺に生じた場合，ほかの悪性腫瘍と比べて顔面神経麻痺を伴うことは少ない．

**診断**

　病理組織学的所見では，主として好塩基性で細顆粒を含む細胞質を有し，細胞核が偏位した腺房細胞の増殖を特徴とする．また，介在部導管細胞，空胞化細胞，明細胞，非特異的腺細胞も混在してみられることが多い．一般的に，腫瘍細胞の異型や核分裂像は少ない．

**治療**

　周囲組織を含めた外科的切除が主体となる．予後はほかの悪性腫瘍を比較して良好である．小唾液腺由来の腫瘍は，大唾液腺発生例に比べて予後がよい．

## F 腫瘍類似病変・その他の病変

### 1 免疫異常による炎症性疾患

#### A Sjögren（シェーグレン）症候群
Sjögren syndrome

　Sjögren症候群は，外分泌腺が特異的に障害される自己免疫疾患の1つである．わが国には約50万～100万人の患者がいると推定されており，男女比は約1：15と圧倒的に女性に多く，更年期前後の女性に好発する．

**症状**

　唾液腺が障害されると唾液が減少して口腔乾燥症（ドライマウス）を生じるが，涙腺の障害によるドライアイなどのほかの外分泌腺障害による乾燥を伴うのが特徴で，さらに乾燥症状以外の多彩な全身症状を伴うことも多いので注意が必要である．

　口腔乾燥症はさまざまな原因で生じるが，Sjögren症候群の場合にはほかの原因よりも重症化することが多い．病気の進行に伴って唾液の減少が著明になると，重篤な口腔の乾燥だけでなく，舌乳頭の萎縮による平滑舌や溝状舌（図10-14），口腔粘膜の発赤（図10-15），口角炎，齲蝕の多発，歯周病の増悪，口臭などがみられるようになる．特に，口腔粘膜障害は口腔細菌叢の変化に伴って生じる慢性萎縮性（紅斑性）カンジダ症〔chronic atrophic (erythematous) candidiasis〕と考えられている．また，逆行性感染が生じやす

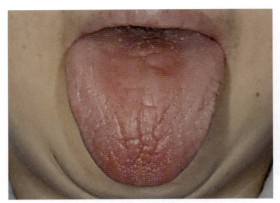

**図 10-14　Sjögren 症候群でみられる舌**
舌背の全体にわたって舌乳頭は萎縮し，一部に発赤，表面の平滑化，溝状化がみられる．

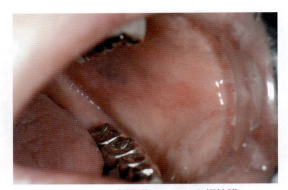

**図 10-15　Sjögren 症候群でみられる頬粘膜**
頬粘膜は乾燥し，発赤と萎縮がみられる．
〔中村誠司：ドライマウスの臨床．pp9-18, 医歯薬出版, 2007 より〕

**表 10-3　Sjögren 症候群の改訂診断基準（1999 年）**

1. 生検病理組織検査で次のいずれかの陽性所見を認めること
    A）口唇腺組織で 4 mm² あたり 1 focus（導管周囲に 50 個以上のリンパ球浸潤）以上
    B）涙腺組織で 4 mm² あたり 1 focus（導管周囲に 50 個以上のリンパ球浸潤）以上
2. 口腔検査で次のいずれかの陽性所見を認めること
    A）唾液腺造影で Stage I（直径 1 mm 未満の小点状陰影）以上の異常所見
    B）唾液分泌量低下（ガム試験にて 10 分間で 10 mL 以下または Saxon 試験にて 2 分間で 2 g 以下）があり，かつ唾液腺シンチグラフィにて機能低下の所見
3. 眼科検査で次のいずれかの陽性所見を認めること
    A）Schirmer 試験で 5 分間に 5 mm 以下で，かつローズベンガル試験（van Bijsterveld スコア）で 3 以上
    B）Schirmer 試験で 5 分間に 5 mm 以下で，かつ蛍光色素試験で陽性
4. 血清検査で次のいずれかの陽性所見を認めること
    A）抗 Ro/SS-A 抗体陽性
    B）抗 La/SS-B 抗体陽性

〈診断基準〉
4 項目のうち，いずれか 2 項目以上を満たせば Sjögren 症候群と診断する．

〔旧厚生省研究班，1999 年より〕

く，耳下腺や顎下腺の腫脹や疼痛を繰り返し生じることがある．さらに，摂食嚥下障害，誤嚥性肺炎，上部消化管障害，口臭なども生じることも知られている．

### 診断

表 10-3 に示すわが国の Sjögren 症候群の改訂診断基準（旧厚生省，1999 年）に準じて行い，口腔，眼，血清の検査結果を診断基準に照らし合わせて診断をする．口腔に関しては，唾液分泌量測定（ガム試験，Saxon 試験，吐唾法），口唇腺生検，唾液腺造影，唾液腺シンチグラフィなどを行うが，特に口唇腺生検，唾液腺造影，唾液腺シンチグラフィでは本症候群に特徴的な異常所見がみられる．眼に関しては，涙液量測定（Schirmer 試験），ローズベンガル試験あるいは蛍光色素試験を行う．血清学的には，自己抗体である抗 Ro/SS-A 抗体と抗 La/SS-B 抗体の有無を検査する．

### 治療

口腔乾燥症に対する治療としては，Sjögren 症候群自体の根治的治療は現時点では困難なので，対症療法に終始することになる．しかし，QOL 向上や合併症予防のためにも，口腔衛生指導と対症療法を積極的に行うべきである．

日常的には，食事はゆっくりとよく噛んで食べ，唾液分泌を促進するような食品（梅干し，レモン，酢の物など）を積極的に摂るように指導する．さらに，唾液腺マッサージや口腔周囲の筋力を強化する筋機能療法は分泌機能を賦活すること

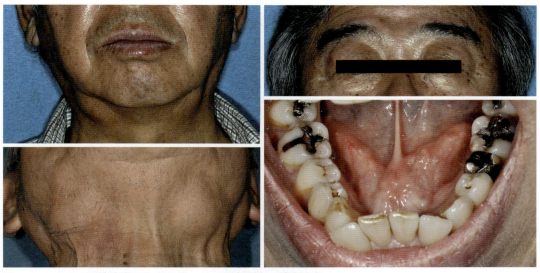

**図 10-16　IgG4 関連疾患でみられる IgG4 関連涙腺・唾液腺炎**
従前は Mikuliçz 病と呼ばれた病態の患者で，両側の涙腺，耳下腺，顎下腺，舌下腺が対称性に腫脹している．

が期待できる．

　唾液分泌促進薬であるセビメリン塩酸塩とピロカルピン塩酸塩はとても有効である．長期投与後でも効果の減弱はなく，むしろ長期投与により唾液腺機能の賦活あるいは回復効果も期待できる．その他，スプレー式のエアゾール製人工唾液，ゲル状やスプレー式の湿潤剤などもあるので，積極的に用いるとよい．

　カンジダに起因すると考えられている口腔粘膜障害に対しては，抗真菌薬であるアムホテリシン B のシロップ，ミコナゾールの軟膏や貼付錠，難治性の場合にはイトラコナゾールの内用液が有効である．特に，舌背部や口角部に限局している病変に対してはミコナゾールの軟膏が使用しやすく，有効性も高いが，ミコナゾールはワルファリンカリウムと併用禁忌なので注意が必要である．

## B　IgG4 関連疾患
### IgG4-related disease

　IgG4 関連疾患は，全身諸臓器に類似の腫大，結節，肥厚性病変が出現し，血清 IgG4 の高値と病変部に著明な IgG4 陽性形質細胞の浸潤を特徴とする難治性の疾患である．この疾患概念は，21 世紀になってわが国から提唱されたもので，罹患臓器や罹病期間によって病態に違いはあるものの，同一の病因・病態が疾患形成に関与しているという考えのもとに確立された．ただし，現時点では原因は不明であり，自己免疫疾患であると確定しているわけではなく，アレルギー反応，細菌感染，ウイルス感染，さらには核酸代謝異常などの関与が示唆されている．

　IgG4 関連疾患に含まれる病態としては，Mikuliçz（ミクリッツ）病や Küttner（キュットネル，キュットナー）腫瘍（慢性硬化性顎下腺炎）といった唾液腺炎をはじめとして，硬化性胆管炎，自己免疫性膵炎，Riedel 甲状腺炎，後腹膜線維症，炎症性偽腫瘍，間質性腎炎，間質性肺炎などが挙げられる．唾液腺は好発臓器の 1 つであり，従来は Mikuliçz 病と呼ばれた両側の涙腺，耳下腺，顎下腺などの複数の腺が対称性に腫脹する場合（図 10-16）や，Küttner 腫瘍と呼ばれた顎下腺に限局する場合でも両側性であったり，唾石を伴ったりしなければ，多くは本疾患であることが示されている．現在，IgG4 関連疾患に含まれる病態は図 10-17 のように名称が定められており，唾液腺炎は IgG4 関連唾液腺炎（IgG4-related sialadenitis）とされている．

### 症状

　罹患臓器はび漫性あるいは限局性に腫大し，腫瘤，結節，肥厚性病変として現れるのが特徴である．

　特に唾液腺の場合には，持続性で弾性硬の腫大

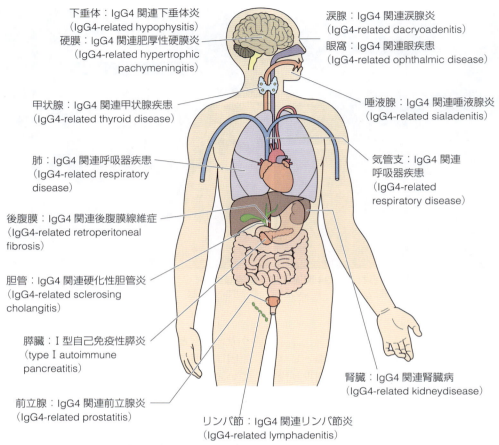

**図 10-17　IgG4 関連疾患に含まれる多臓器疾患**
日本語版は，2023 年度厚生労働省難治性疾患政策研究事業「オールジャパン体制による IgG4 関連疾患の診断基準並びに診療指針の確立を目指す研究」班（研究代表者：川野充弘）の HP（http://igg4.jp）に掲載されている．

あるいは腫瘤形成として認められ，無痛性であり，炎症所見は乏しい．また，唾液分泌低下を伴うものの，その程度は軽度である．

### 診断

わが国で 2011 年に作成され，2020 年に改訂された IgG4 関連疾患包括診断基準を用いる．表 10-4 に示すように，診断項目としては，1)単一または複数臓器の特徴的な病変，2)血液学的な高 IgG4 血症，3)病理組織学的に著明なリンパ球と形質細胞の浸潤と線維化，さらに多数の IgG4 陽性形質細胞浸潤の 3 項目からなり，これらを満たすかどうかで確診群，準確診群，疑診群の 3 群に診断する．また，この包括診断基準で確診とすることができない場合でも，臓器別に作成された診断基準により確診とすることが可能である．涙腺・唾液腺に関しては表 10-5 に示す IgG4 関連涙腺・唾液腺炎診断基準があり，その他の臓器別診断基準についても難病情報センターに最新情報が開示されている．

### 治療

ステロイドの内服治療が第一選択となるが，難治性であり，奏効しても再発することが多く，新規の治療法の確立が強く求められているのが現状である．

## C 移植片対宿主病（→p.402）
graft-versus-host disease；GVHD

### 表10-4 IgG4関連疾患包括診断基準(2020年改訂)

〈項目1:臨床的及び画像的診断〉
　単一*または複数臓器に特徴的なび漫性あるいは限局性腫大,腫瘤,結節,肥厚性病変を認める.(*リンパ節が単独病変の場合は除く)

〈項目2:血清学的診断〉
　高IgG4血症(135 mg/dL以上)を認める.

〈項目3:病理学的診断〉
　以下の3項目中2つを満たす.
　　① 著明なリンパ球・形質細胞の浸潤と線維化を認める.
　　② IgG4陽性形質細胞浸潤:IgG4/IgG陽性細胞比40%以上,かつ
　　　　　　　　　　　　　　IgG4陽性形質細胞が10/HPFを超える.
　　③ 特徴的な線維化,特に花筵様線維化あるいは閉塞性静脈炎のいずれかを認める.

上記のうち,
　項目1+2+3を満たすもの:確診群(definite)
　項目1+3を満たすもの:準確診群(probable)
　項目1+2を満たすもの:疑診群(possible)

〔厚生労働省難治性疾患政策研究事業「IgG4関連疾患の診断基準並びに診療指針の確立を目指す研究」班より〕

### 表10-5 IgG4関連涙腺・唾液腺炎診断基準

項目1)涙腺,耳下腺あるいは顎下腺の腫脹を持続性(3か月以上)に認める.
　　　a. 対称性,2ペア以上
　　　b. 1か所以上
項目2)血清学的に高IgG4血症(135 mg/dL以上)を認める.
項目3)涙腺あるいは唾液腺生検組織*に著明なIgG4陽性形質細胞浸潤(**IgG4陽性/IgG陽性細胞が40%以上,かつIgG4陽性形質細胞が10/HPFをこえる**)を認める.　*生検組織には口唇腺を含む.

〈確定診断基準〉
項目1a+項目2または項目3を満たすもの,ないしは項目1b+項目2+項目3を満たすものを確診とする.
※全身性IgG4関連疾患の部分症であり,多臓器病変を伴うことも多い.鑑別疾患に,サルコイドーシス,多中心性Castleman病,多発性血管炎性肉芽腫症,悪性リンパ腫,癌などが挙げられる.したがって,項目1a+項目2で確診とされる場合も可能であれば生検を施行することが望ましい.

〔厚生労働省難治性疾患政策研究事業「IgG4関連疾患の診断基準並びに診療指針の確立を目指す研究」班より〕

## 2 その他

### A 唾液腺症
sialadenosis

　唾液腺症は,代謝障害や分泌障害などのさまざまな原因によって両側の唾液腺が無痛性に腫脹する非炎症性の唾液腺実質疾患である.

　原因としては,糖尿病や慢性膵炎などの内分泌異常,栄養障害,慢性肝疾患や消化器疾患などでのタンパクやビタミン欠乏,薬物(イソプロテレノール,ヨード製剤など)の副作用,卵巣摘出などによる性ホルモンの変調,妊娠,閉経,尿崩症,甲状腺機能低下症,Cushing症候群などの下垂体疾患,肥満などが挙げられる.

症状
　両側性に唾液腺,特に耳下腺が無痛性に緩徐に増大し(図10-18),高アミラーゼ血症を伴う.病理組織学的には腺房細胞の肥大と,それによる導管系細胞の軽度の圧迫所見と萎縮が特徴で,炎症所見はみられない.

治療
　原因疾患の治療を行う.

### B 壊死性唾液腺化生
necrotizing sialometaplasia

　壊死性唾液腺化生は,唾液腺の虚血性変化に起因すると考えられている疾患で,唾液腺梗塞(salivary gland infarction)とも呼ばれている.

症状
　腫瘤および潰瘍の形成がみられ,多くは口蓋に

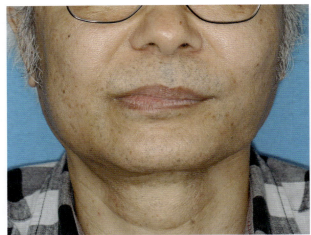
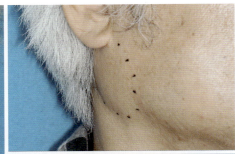
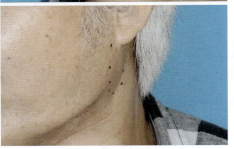

**図 10-18　唾液腺症でみられる耳下腺腫脹**
アルコール性肝炎の患者で，無痛性で両側性の耳下腺腫脹がみられる（腫脹部：黒の点線）．

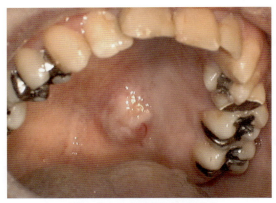

**図 10-19　口蓋に生じた壊死性唾液腺化生**
左側口蓋に半球状に膨隆し，一部に潰瘍を伴った腫瘤がみられる．

生じるが（図 10-19），唾液腺が存在するほかの部位にも生じることがある．臨床的には，口腔扁平上皮癌や粘表皮癌などの悪性腫瘍との鑑別が必要である．病理組織学的には，導管の扁平上皮化生塊の増生，変性壊死した脂肪細胞，周囲には炎症性細胞浸潤を伴い，梗塞部周囲の血管には狭窄や血栓形成がみられる．

### 治療

通常は1～2か月程度で自然治癒するが，確定診断のためには生検が必要である．

### ●文献

[総論]
1) 白砂兼光：唾液腺の解剖生理．戸塚靖則，髙戸　毅（監修）：口腔科学，初版，pp95-99，朝倉書店，2013．

[各論]
[A．形態および機能異常]
1) 由良義明：唾液腺疾患　発育異常．山根源之，他（編）：口腔内科学，第3版，pp463-467，末永書店，2023．
2) 4学会合同口腔乾燥症用語・分類検討委員会（日本口腔内科学会，日本歯科薬物療法学会，日本老年歯科医学会，日本口腔ケア学会）：2022年　口腔乾燥症の新分類．老年歯学 37：20-22，2022．
3) 中村誠司：ドライマウス（口腔乾燥症）．戸塚靖則，髙戸　毅（監修）：口腔科学，初版，pp95-99，朝倉書店，2013．
4) 丹沢秀樹：流涎と口腔乾燥．戸塚靖則，髙戸　毅（監修）：口腔科学，初版，p252，朝倉書店，2013．

[B．炎症性疾患，C．異物，D．囊胞]
1) 梅田正博：唾液腺疾患．榎本昭二，他（監修）：最新口腔外科学，第5版，pp274-276，375-378，医歯薬出版，2017．
2) 白砂兼光：唾液腺疾患．白砂兼光，他（編）：口腔外科学，第4版，pp325-329，386-392，医歯薬出版，2020．
3) 本間義郎・他：唾液腺疾患．野間弘養，瀬戸晥一（監修）：標準口腔外科学，第4版，pp356-362，医学書院，2015．
4) 東　雅之：唾石腺疾患．山根源之，他（編）：口腔内科学，第3版，pp477-491，永末書店，2023．

5) 森　啓輔, 他：複数の唾液腺に生じた線維素性唾液管炎(Kussmaul's disease)の1例. 日口外誌 66：167-172, 2020.

［E. 唾液腺腫瘍］
1) 川野真太郎, 他：唾液腺腫瘍151例の臨床統計的検討. 日口外誌 52：393-400, 2006.
2) 日本唾液腺学会(編)：唾液腺腫瘍アトラス. pp40-50, 64-69, 89-102, 金原出版, 2005.
3) 白砂兼光, 他(編)：口腔外科学第4版. pp402-430, 医歯薬出版, 2020.
4) El-Naggar AK, et al：WHO Classification of Head and Neck Tumours, 4th ed. IARC Press, 2017.

［F. 腫瘍類似病変・その他の病変］
1) 中村誠司：ドライマウス. 住田孝之(編)：やさしいシェーグレン症候群の自己管理. pp66-73, 医薬ジャーナル社, 2008.
2) 中村誠司：シェーグレン症候群とドライマウス. 斎藤一郎(監修)：ドライマウスの臨床. pp9-18, 医歯薬出版, 2007.
3) Fujibayashi T, et al：Revised Japanese criteria for Sjögren's syndrome (1999)：availability and validity. Mod Rheumatol 14：425-434, 2004.
4) 中村誠司：ドライマウスの分類と診断. 日口外誌 55：169-176, 2009.
5) 厚生労働科学研究費補助金難治性疾患等政策研究事業自己免疫疾患に関する調査研究班：シェーグレン症候群診療ガイドライン, 2017年版. pp32-34, 80-83, 診断と治療社, 2017.
6) Stone JH, et al：IgG4-related disease：Recommendation for the nomenclature of this condition and its individual organ system manifestations. Arthritis Rheum 64：3061-3067, 2012.
7) Yamamoto M, et al：Mechanisms and assessment of IgG4-related disease：lessons for the rheumatologist. Nat Rev Rheumatol 10：148-159, 2013.
8) Umehara H, et al：The 2020 revised comprehensive diagnostic (RCD) criteria for IgG4-RD. Mod Rheumatol 31：529-533, 2021.
9) 厚生労働省難治性疾患等政策研究事業IgG4関連疾患の診断基準並びに治療指針の確立を目指す研究班：2020年改訂IgG4関連疾患包括診断基準— The 2020 Revised Comprehensive Diagnostic (RCD) Criteria for IgG4-RD. 日内会誌 110：962-969, 2021.
10) 中村誠司：移植片対宿主病. 榎本昭二, 他(監修)：最新口腔外科学, 第5版. pp224-225, 医歯薬出版, 2017.

# 第11章 口腔粘膜疾患

## 総論

### A 口腔粘膜の構造と機能

#### 1 口腔粘膜の構造

口腔粘膜(oral mucosa)の構造は基本的には皮膚と同じである．皮膚が重層扁平上皮細胞からなる表皮と結合組織である真皮からなるのに対し，口腔粘膜は粘膜上皮と粘膜固有層からなる．口腔粘膜は組織学的には，咀嚼粘膜(masticatory mucosa)，被覆粘膜(lining mucosa)，特殊粘膜(specialized mucosa)の3つのタイプに分類することができる．咀嚼粘膜は歯肉と硬口蓋を覆っており，固有層で骨と固く結合し，上皮は咀嚼時に食物で傷つかないよう角化している．被覆粘膜は口唇，頬粘膜，軟口蓋，口底，舌下面などの可動部を覆っており，柔軟性をもって保護機能を果たすため，上皮は角化せず，固有層は可動性で，深層の組織とも強く結合していない．特殊粘膜は舌背を覆っており，乳頭(papilla)と味蕾(taste bud)をもった高度に伸展性のある粘膜となっている．

口腔粘膜の組織は口腔上皮(oral epithelium)と呼ばれる重層扁平上皮とその下の固有層(lamina propria)と呼ばれる結合組織層で構成される．上皮と結合組織の境界には，通常，結合組織の上方への突出がみられ，これは結合組織乳頭(connective tissue papillae)と呼ばれる．上皮と結合組織の境界には厚さ1～2μmの基底膜(basement membrane)が，また粘膜固有層の下には粘膜下組織が存在し，比較的太い血管や神経が走行する．ただし，歯肉や硬口蓋の一部では粘膜下組織が存在せず，口腔粘膜が直接骨膜に結合しており，粘膜性骨膜(mucoperiosteum)と呼ばれる．

口腔粘膜上皮は，角化の状態によって角化上皮と非角化上皮に分類される．角化上皮は，表層から角化層，顆粒層，有棘細胞層，基底細胞層の4層からなり，基底層(basal layer)は基底膜に接する立方形ないし円柱状の細胞層である．有棘細胞層(prickle cell layer)は比較的大きな類球形の細胞から，顆粒層(granular layer)は比較的大きく扁平な細胞から構成され，細胞質内に好塩基性に染まるケラトヒアリン顆粒(keratohyalin granule)を多数含んでいる．最表層は角質層あるいは角化層(keratinized layer)で，好酸性に染まる扁平細胞からなる．角化層に核が存在しない場合は正角化(orthokeratinization)，濃縮した核が残存している場合は錯角化(parakeratinization)と呼ばれる．一方，非角化上皮では，基本的構造は角化上皮と同じであるが，顆粒層がみられず中間層と呼ばれる．

基底層にはメラノサイト(melanocyte)と呼ばれる特殊な色素細胞が存在し，メラニン(melanin)を産生して口腔粘膜の色調に寄与している．メラニンはメラノサイト内でメラノゾーム(melanosome)と呼ばれる小さな構造物として産生され，メラノサイトの樹状突起により隣接した細胞の細胞質中に注入される．また口腔粘膜には樹状突起を持つLangerhans(ランゲルハンス)細胞が存在する．この細胞は上皮内を移動しながら進入した抗原性物質を認識し，免疫細胞への抗原提示を行う．さらに口腔粘膜の基底層にはMerkel(メルケル)細胞が存在し，近くの感覚神経線維との間の

シナプス様の結合を介して，粘膜に加わった触覚刺激を伝達する．口腔粘膜の結合組織内には小唾液腺が存在し，そのほとんどは混合腺である．小唾液腺で産生された唾液は，口腔粘膜に存在する導管開口部から分泌される．

## 2 口腔粘膜の機能

口腔粘膜は，①口腔内面の被覆による細菌などの侵入阻止，②下部（深部）組織からの体液の流出防止，③痛覚・触覚・温度覚および味覚の受容，④粘膜下組織への情報伝達および⑤免疫学的生体防御などの重要な機能を担っている．

口腔は消化管の入口であることから，さまざまな物理的・化学的刺激を受けるとともに，口腔常在菌などの微生物に常にさらされている．このことから，粘膜上皮細胞どうしはタイト結合，接着結合あるいはギャップ結合などの特殊な接着装置を介して，また基底細胞と基底膜との間ではヘミデスモゾームを介して結合し，外部からの各種刺激に対する防御および深部組織からの体液の流出防止を図っている．

一方，前述のように，口腔粘膜上皮細胞間には，メラノサイト，Langerhans細胞，Merkel細胞が存在し，それぞれメラニン色素の合成と周囲の上皮細胞への分泌，口腔粘膜上皮内へ侵入した異物の貪食と抗原提示，口腔粘膜に加わった刺激の伝達に関わっている．さらに，舌の茸状乳頭，葉状乳頭，有郭乳頭および軟口蓋の上皮内には味蕾が存在し，唾液に溶解したさまざまな味物質の刺激を味覚神経線維へと伝達している．また口腔粘膜の粘膜固有層には多数の小唾液腺が存在し，消化作用，粘膜保護作用，抗菌作用，緩衝作用などの機能を有するさまざまな物質を含む唾液を産生・分泌している．

## B 口腔粘膜疾患の分類

口腔粘膜は直視でき，触知できることから，さまざまな口腔粘膜の疾患や病変を視診および触診で把握することができ，また症状の変化をとらえることも可能である．このことから，各疾患・病変がもつ特徴的な病態に注目した分類が，口腔粘膜疾患の鑑別診断には有用である．一方，口腔粘膜に生じた病態は咀嚼などにより二次的に修飾され，時間的経過によって変化しうることに留意する必要があることから，発症原因による系統的分類もまた有用である．

原因別では，①先天異常・発育異常によるもの，②物理的・化学的要因によるもの，③感染によるもの，④アレルギーによるもの，⑤腫瘍性疾患，⑥全身疾患の部分症状として現れるものなどに分類される．一方，主な症状別では，①紅斑・びらんを主徴とするもの，②水疱を主徴とするもの，③潰瘍主徴とするもの，④白斑を主徴とするもの，⑤色素沈着を主徴とするもの，⑥腫脹・腫瘤を主徴とするものなどに分類できる．

# 各論

## 1 口腔潜在的悪性腫瘍（→p.314）

## 2 特異性炎（→p.216）

## A 発育異常

### 1 先天性下唇瘻
congenital fistula of lower lip

下唇の赤唇部の中央線を挟んで両側性または片側性に生じる先天性瘻孔（盲孔）である口唇裂や口蓋裂に合併していることが多い．自覚症状はない．瘻孔部分は陥凹しているが，その周縁はやや隆起しているため円形，半月形，乳頭状などの形状を呈する．治療は瘻孔を含め，切除を行う．

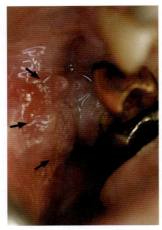

図 11-1　Fordyce 斑（矢印）

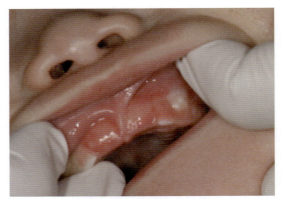

図 11-2　上皮真珠（Epstein 真珠）

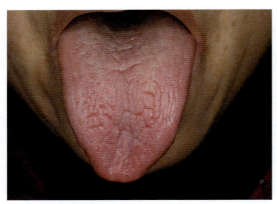

図 11-3　溝（状）舌

## 3 舌扁桃肥大
### hypertrophy of lingual tonsil

舌根部に多数存在する疣状の隆起が舌小胞であり，その集合体を舌扁桃という．口蓋扁桃，咽頭扁桃，耳管扁桃とともに Waldeyer（ワルダイエル）咽頭輪を形成するリンパ組織である．舌扁桃肥大は，舌扁桃が肥大した状態のことであり，通常は左右対称性に生じる．原因は周囲組織の炎症や機械的刺激と考えられている．自覚症状はほとんどないが，まれに違和感を訴えることがある．病的な意義はなく治療は必要ないが，原因となる機械的刺激や周囲組織の炎症を除去する．

## 4 上皮真珠（Epstein 真珠）（図 11-2）
### epithelial pearl

新生児の歯槽頂付近の歯肉にみられる白色の小腫瘤で，多発性または孤立性に生じる．歯堤上皮由来の歯肉囊胞で内腔に角化物を含んでいる．大きさは 1～5 mm 程度で，上顎前歯部に多発性にみられることが多いが，臼歯部でもみられる．症状はなく，自然退縮するので治療の必要はない．

## 5 溝（状）舌（図 11-3）
### fissured tongue

舌表面（舌背部）に溝の多い状態の形成異常で，遺伝的要因があるといわれている．小児では少なく，20 歳頃より次第に増加し，症状も強くなる．成人では 5% 程度，高齢者では 15% 程度でみら

## 2 Fordyce（フォーダイス）斑（図 11-1）
### Fordyce spot

本来，毛包脂腺のない口腔粘膜に皮脂腺が独立して存在する異所性皮脂腺で，Fordyce 顆粒とも呼ばれる．中年以後の発生率は 80% 程度とされ，思春期以降に発生し男性に多い．形状は，わずかに隆起した黄色の小顆粒，黄色の点としてみられる．主に頬粘膜に左右対称に発生するが，下唇の皮膚粘膜移行部にも多くみられる．原因は不明であるが，男性ホルモンが影響しているといわれている．症状はなく，治療の必要はない．

れ，男女差はない．原因は不明であるが，先天性，老化などが関与しているとされる．地図状舌を合併することが多い．

症状は特にないが炎症を起こし，疼痛を生じることもある．病的意義は少なく，治療は必要ないが疼痛やざらつきが強い場合には含嗽をさせる．Melkersson-Rosenthal 症候群，Down 症候群，乾癬で溝状舌の合併がみられる．

# B 細菌感染症

## 1 口腔カンジダ症
oral candidiasis

カンジダは人に常在する真菌であるが，口腔カンジダ症の原因となる *Candida albicans* に代表される病原性カンジダ属は口腔に常在する．口腔から分離される口腔カンジダ症の原因となる菌種には *C. albicans* のほか，*C. glabrata*，*C. parapsilosis*，*C. guilliermondii*，*C. tropicalis*，*C. krusei*，*C. kefyr* が知られている．カンジダは菌糸形と酵母系が存在する二形成真菌（*C. glabrata* のみは常に酵母形）であり，非栄養下では酵母，栄養下では仮性菌糸を伸ばす．仮性菌糸が口腔粘膜内に侵入する際に分泌される酵素や毒素により細胞傷害を生じると考えられている．

### A 口腔カンジダ症の原因

カンジダの病原性は一般的に弱く，口腔粘膜への定着（付着）能も強くないため，口腔での菌数がほかの菌に比べ有意に増加しなければ症状を生じることはない．発症には全身的要因と局所的要因が関与している．全身的要因には日和見感染症と菌交代現象，局所的要因には粘膜炎などによる口腔粘膜損傷，義歯の使用，口腔乾燥症，口腔衛生状態の不良が含まれる．また，抗菌薬の長期使用による菌交代症で発症する

### B 口腔カンジダ症の症状と診断

口腔カンジダ症の自覚症状にはさまざまな刺激による疼痛やピリピリ感，味覚異常があり，他覚所見には口腔粘膜の拭って除去できる白斑，発赤，びらん・潰瘍がみられる．

診断は臨床症状とカンジダ検査により行われる．カンジダ検査には顕微鏡検査法，培養検査法，血清学的検査法，遺伝学的検査法などがある．カンジダは常在菌であるため培養検査法によりカンジダが検出されるのみでは診断できず，カンジダ特有の臨床症状を有していることが重要である．また，顕微鏡検査法ではグラム染色や PAS 染色，ギムザ染色などにより仮性菌糸を確認する．仮性菌糸が確認できれば口腔カンジダ症と診断することができる．

### C 口腔カンジダ症の治療

治療には抗真菌薬の投与を行う．わが国で使用されている抗真菌薬にはポリエンマクロライド系抗真菌薬であるアムホテリシン B，トリアゾール系抗真菌薬であるミコナゾール，イミダゾール系抗真菌薬であるイトラコナゾールが使用されている．ミコナゾールやイトラコナゾールには多くの抗凝固薬との併用禁忌が存在するため，注意が必要である．

### D 口腔カンジダ症の予防

予防には口腔健康管理が重要である．口腔の衛生状態や環境因子を整えることにより，口腔カンジダ症発症の局所的要因を除去する．含嗽のみでは粘膜上皮に入り込んだカンジダを除去することはできないため，スポンジブラシで擦過する．義歯粘膜面にもカンジダが付着していることが知られている．物理的な洗浄に加え，化学的な洗浄も必要である．口腔カンジダ症の発症率は高齢者や ADL 低下者ほど高く，手術後患者やがん薬物療法患者でも高い．また，医療の高度化により口腔カンジダ症の発症は増えている．

### E 口腔カンジダ症の分類（臨床視診型）

#### 1 急性偽膜性カンジダ症（図 11-4）
acute pseudomembranous candidiasis

最も典型的なタイプで，鵞口瘡(がこうそう)とも呼ばれる．白色の苔状物が点状にみられる．白苔はガーゼや綿球などで容易に剝離できるが，病変が慢性化して深部に進行すると剝離は困難になる．白苔を剝離すると粘膜表面は発赤やびらん状を呈し，ヒリヒリ感やピリピリ感を生じるようになる．病変は口腔内のどこにでも発症するが，歯肉は少ない．

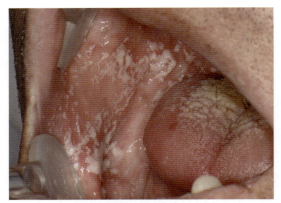

図 11-4　急性偽膜性カンジダ症

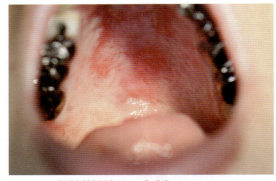

図 11-5　慢性萎縮性カンジダ症

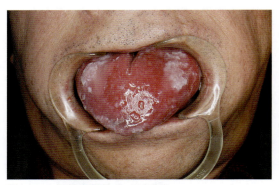

図 11-6　慢性肥厚性カンジダ症

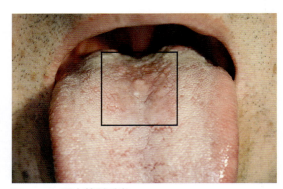

図 11-7　正中菱形舌炎

### 2 ● 急性萎縮性カンジダ症・慢性萎縮性カンジダ症(図 11-5)

acute/chronic atrophic candidiasis

硬口蓋や舌，歯肉などに暗赤色の紅斑がみられるタイプで，義歯使用者の義歯床下の粘膜にみられる発赤も萎縮性カンジダ症である．

### 3 ● 慢性肥厚性カンジダ症(図 11-6)

chronic hypertrophic candidiasis

偽膜性カンジダ症の移行型で，病変が慢性化すると白苔が剝離しづらくなり，粘膜上皮の肥厚と角化の亢進を示すようになる．この白斑の表面は凹凸不整で白板症との鑑別が必要である．このような変化は舌背で著明に認められるが，時に口角部，硬口蓋にもみられることがある．時として悪性化することがあるので注意が必要である．

## 2 カンジダ関連疾患

### A 正中菱形舌炎(図 11-7)
median rhomboid glossitis

舌背後方，正中部に菱形ないし楕円形の境界明瞭の斑として認められる．病変部は周囲より陥凹しているものや疣状または腫瘤状に盛り上がっているものがある．以前は先天異常と考えられていたが，最近ではカンジダの感染によるものと考えられている．自覚症状は乏しいことが多い．

### B 口角炎(図 11-8)
angular cheilitis

左右の口角部が割れて発赤やびらんが生じた状態で萎縮性カンジダ症の病態を呈する．胃腸障害やビタミン不足などが原因とされてきたが，近年では難治性の口角炎にはカンジダが関与している

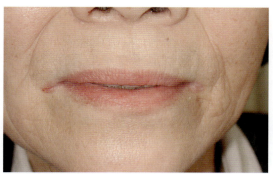

図 11-8　口角炎

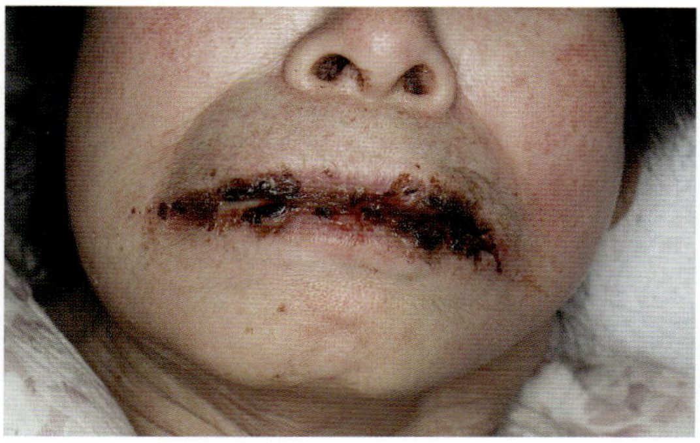

### C 口唇炎（図 11-9）
cheilitis

剝離性口唇炎として認められることが多い．副腎皮質ステロイド薬の長期使用者や難治性の口唇炎ではカンジダ感染を疑う．

## C ウイルス感染症

### 1 単純ヘルペスウイルス感染症
herpes simplex virus (HSV) infection

HSVには，1型（HSV-1）と2型（HSV-2）があるが，口腔に感染するのはほとんどHSV-1である．ヘルペスウイルスの特徴として，初感染後，知覚神経節にウイルスが潜伏感染することが挙げられる．潜伏したウイルスは，宿主における種々の要因（免疫能の低下，外傷，手術，ストレスなど）によって再活性化され，再帰感染（回帰発症）する．HSV-1感染では，初感染した際に発症するのが単純疱疹（疱疹性歯肉口内炎），三叉神経節に潜伏したウイルスが再活性化によって発症するのが口唇ヘルペスであり，初感染と再帰感染では症状が異なる．

#### A 疱疹（ヘルペス）性歯肉口内炎
herpetic gingivostomatitis

HSV-1の初感染により口腔内のさまざまな部位に発症する歯肉口内炎である．

図 11-9　口唇炎

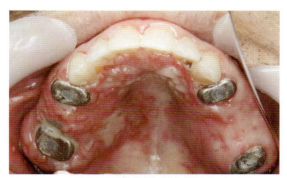

図 11-10　ヘルペス性歯肉口内炎
歯肉・粘膜にできた水疱が破れびらんを形成している．

**症状**

初感染後，3〜7日の潜伏期間を経て発症することが多い．発熱と倦怠感を認めたのちに歯肉，舌，口唇粘膜，口蓋などの口腔粘膜に小水疱が多発する．すぐに破れてびらんとなるが，小水疱は継発する（図11-10）．口腔内は歯肉を含めて粘膜全体が発赤し，強い炎症症状を呈するため強い接触痛を伴い，摂食困難から栄養状態の悪化や脱水を起こすことがある．症状が強いことから口腔清掃困難となり口臭がみられることが多い．数日で解熱し，約2週間で瘢痕を残さずに治癒する．

**診断**

確定診断にはペア血清検査による抗体価の比較が必要になる．急性期と回復期の血液検査でHSVに対する抗体価を測定し，回復期で4倍以上の上昇を認めれば確定となる．ほかには小水疱の初期の潰瘍から直接HSVを分離したり，免疫組織化学的（蛍光抗体法）にHSVの存在を証明したり，PCR（polymerase chain reaction）などの分

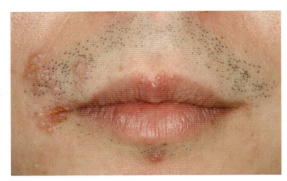

**図 11-11　口唇ヘルペス**
口唇周囲に小水疱が複数認められる.

子生物学的手法を用いたウイルス DNA の証明による診断を行うこともある. しかし, 臨床現場ではその特徴的臨床症状から診断されることも多い.

**治療**

抗ウイルス薬(アシクロビル, ビダラビン, バラシクロビル塩酸塩)が有効であるが, できるだけ早期から経口あるいは経静脈的に投与する. 対症療法として安静にし, 摂食困難な場合には水分および栄養の補給が必要である.

### B 口唇ヘルペス
herpes labialis

HSV-1 の再活性化により口唇およびその周囲皮膚に集簇性に小水疱を形成する. 成人女性に多くみられ, 風邪などの熱性疾患, 疲労, 月経, 紫外線曝露, 歯科治療や手術などを契機として発症することが多い.

**症状**

口唇や口角部付近の皮膚に小水疱が数個から数十個, 集簇して生じる(図 11-11). 小水疱発症前の皮膚には搔痒感や灼熱感などの前駆症状がみられることもある. 小水疱は容易に破れてびらんとなり, その後, 痂皮を形成して約1週間で治癒する.

**診断**

臨床所見から容易に診断可能であるが, 抗 HSV-1 抗体検査を行うこともある.

**治療**

アシクロビル含有軟膏を1日数回塗布する. 症状によっては抗ウイルス薬(アシクロビル, バラシクロビル塩酸塩, ファムシクロビル, ビダラビン)の内服投与が行われる.

## 2 水痘・帯状疱疹ウイルス感染症
varicella-zoster virus (VZV) infection

VZV の感染による. VZV はヒトヘルペスウイルス3型である. 単純ヘルペスウイルスと同様に, 初感染後, 知覚神経節にウイルスが潜伏感染する. VZV 感染では, 初感染した際に発症するのが水痘, 神経節に潜伏したウイルスが再活性化によって発症するのが帯状疱疹であり, 初感染と再帰感染では症状が異なる.

### A 水痘
chickenpox

VZV の初感染で生じる伝染性の強い疾患である. 罹患すると終生免疫が得られる.

**症状**

潜伏期間は2～3週間で, 中等度の発熱や倦怠感に続いて散在性の発疹を全身に生じる. はじめは赤い小発疹であるがすぐに丘疹となり, 小水疱となる. この発疹は口腔粘膜にも生じる. 口腔内の発疹はすぐに破れてびらん, 潰瘍となるため, 強い接触痛を伴うことがある. 発疹は数日間発症し続け, その後は痂皮となり, 約3週間で瘢痕を残さず治癒する.

**診断**

臨床症状から診断される. 典型例でない場合は血清中の抗ウイルス抗体価, 潰瘍や水疱内容液からの VZV の検出などにより診断される.

**治療**

小児であれば安静にし, 水分および栄養の補給に注意し, 対症療法を行う. 成人の場合には重症化することがしばしばあるため, 抗ウイルス薬(アシクロビル, バラシクロビル, ファムシクロビル, ビダラビン)の経口投与, あるいは経静脈投与を行う. わが国では2014年から水痘ワクチンの定期接種が開始され, 水痘を発症する小児(5歳未満)が2000～2011年では77%であったのに対し, 2020年では34%にまで減少している.

### B 帯状疱疹
herpes zoster

VZV の再帰感染(潜伏していたウイルスが宿主

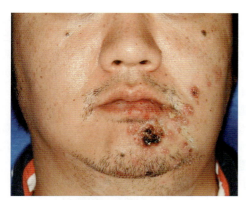

図 11-12　帯状疱疹（顔貌）
三叉神経第3枝の支配領域に水疱と破れて痂皮を形成している．

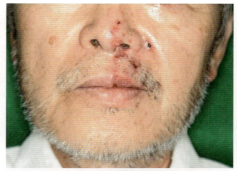
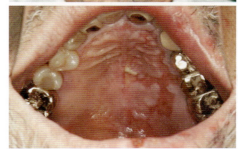

図 11-13　帯状疱疹
三叉神経第2枝の支配領域にびらんを認める．

の免疫力が低下したときに再び活動すること）で生じる疾患である．手術，放射線療法，免疫抑制薬や抗がん薬による治療，過労，外傷，加齢などによる宿主の免疫能の低下に伴い，三叉神経節や脊髄神経節に潜伏感染していたVZVが再活性化し，神経支配領域の皮膚や粘膜に水疱性病変を形成する．20代と60代に好発する．

症状

通常は数日間，発症部位に疼痛や知覚異常などの前駆症状があり，その後，脳神経あるいは脊髄神経の支配領域に一致して片側性に紅斑と水疱が生じる（図 11-12, 13）．強い神経痛様疼痛を伴うことが多い．顎顔面領域では，三叉神経と顔面神経の支配領域に生じ，特に三叉神経領域の発症が多い．皮膚に生じた水疱は，膿疱，びらん，潰瘍，痂皮を形成し，3〜4週で治癒する．口腔粘膜に生じた水疱は容易に破れてびらんとなる．帯状疱疹が治癒した後，罹患部に強い三叉神経痛様疼痛が後遺することがあり，帯状疱疹後神経痛（postherpetic neuralgia；PHN）と呼ばれる．

顔面神経の膝神経節が侵された場合には，外耳道，耳介周囲の水疱形成，耳鳴り，難聴，めまいなどの内耳症状，末梢性顔面神経麻痺を生じる．この3主徴を示すものをHunt症候群あるいはRamsay Hunt症候群と呼ぶ．

診断

臨床症状から診断は容易である．ペア血清による診断，つまり回復期の血清中のウイルス抗体価が急性期に比較して4倍以上であれば確定診断の根拠となる．また，水疱からのVZVの直接分離，免疫学的手法（蛍光抗体法）によるウイルス抗原の確認，分子生物学的手法を用いたウイルスDNAの証明なども用いられることがある．

治療

抗ウイルス薬（アシクロビル，ビダラビン，バラシクロビル塩酸塩，ファムシクロビル）を経口または経静脈的に投与する．疼痛に対してはNSAIDsを投与する．PHNに対しては，抗けいれん薬であるカルバマゼピンや神経障害性疼痛治療薬であるプレガバリンの投与，神経ブロック，星状神経節ブロック（stellate ganglion block；SGB）を行う．また，Hunt症候群での神経麻痺に対しては副腎皮質ステロイド薬の投与やSGBが行われる．

### ❸ ヘルパンギーナ
herpangina

コクサッキーウイルス（Coxsackie virus）A群およびB群，エコーウイルス（echovirus）などの感染により発症する水疱形成性疾患である．夏季に流行し，小児に多い．1週間前後で治癒する．

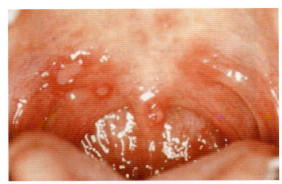

**図 11-14　ヘルパンギーナ**
軟口蓋に水疱とびらんを複数認める．

### 症状
突然の高熱とともに，軟口蓋および口峡咽頭部に発赤がみられ，小水疱が多発する．小水疱は容易に破れて，周囲に発赤を伴うアフタ様の小潰瘍となる（図 11-14）．強い接触痛のため摂食嚥下困難となることから，特に小児では脱水に注意が必要である．

### 診断
診断は現病歴と臨床症状によるところが大きい．

### 治療
抗ウイルス薬などの特異的な治療法はなく，対症療法を行う．安静を図り，栄養および水分の補給を行って自然治癒を促す．

## 4　手足口病
hand-foot and mouth disease

コクサッキーウイルス A16，A6 あるいはエンテロウイルス（enterovirus）71 の感染によって手，足，口腔に小さな赤い発疹と水疱が生じる疾患である．ほかのコクサッキーウイルス A 群，B 群あるいはエコーウイルスの一部が原因となることもある．小児に多く，夏季に流行する．好発年齢は 4 歳以下である．

### 症状
3〜6 日の潜伏期間の後に，38℃前後の発熱とともに手掌，足底および口腔粘膜に水疱を生じる．時に肘，膝，臀部などにも生じることがある．口腔の水疱は破れて，周囲に発赤を伴うアフタ様の小潰瘍となる（図 11-15）．ただし発熱がみられるのは約 1/3 である．基本的に軽症で予後は良好な疾患であるが，急性髄膜炎の合併が時にみられ，まれであるが急性脳炎を継発することもあり，特にエンテロウイルス 71 は中枢神経系合併症の発生率がほかのウイルスより高いことが知られている．

### 診断
診断は現病歴と臨床症状から行う．確定診断には水疱からのウイルスの分離・検出が必要である．

### 治療
抗ウイルス薬などの特異的な治療法はなく，対症療法を行う．安静を図り，栄養および水分の補給を行って自然治癒を促す．通常は 1〜2 週間程度で治癒する．

## 5　麻疹
measles

麻疹ウイルスの感染により全身皮膚に赤い発疹を形成する疾患である．乳幼児の罹患が多く，罹患後は終生免疫を獲得する．はしかとも呼ばれる．

### 症状
感染力がきわめて強く，10 日前後の潜伏期間ののちに発症し，カタル期（2〜4 日間），発疹期（3〜5 日間），回復期を経て治癒する．カタル期では発熱，全身倦怠感，上気道炎症状および結膜症状（充血，眼脂）を呈する．この時期，口腔内では両側白歯部頰粘膜に周囲に紅暈を伴う粟粒大の白斑が集簇性に出現し，Koplik（コプリック）斑と呼ばれる．Koplik 斑は皮疹に先行して出現し，発疹期には消失するため，麻疹の早期診断に役立つことがある．皮疹は頸部から体幹，四肢へと広がり高熱を伴う．この時期，口腔では広範な粘膜のカタル性炎を生じる．カタル期には一度発熱が低下し，その後，再度体温が上昇する特徴的な二峰性発熱を呈し，その後，回復期を経て治癒する．時に中耳炎，肺炎，脳炎などの合併症を伴うことがある．

### 診断
臨床症状，ワクチン接種・罹患の既往，流行の有無から診断は容易である．確定診断はペア血清やウイルス分離による．

### 治療
特異的な治療法はなく，小児科医を主体とした対症療法が行われる．麻疹はワクチンによる予防

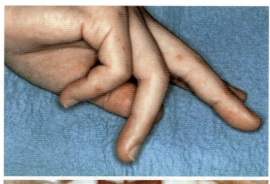
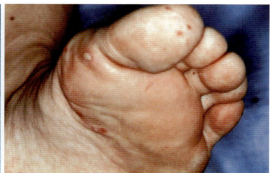
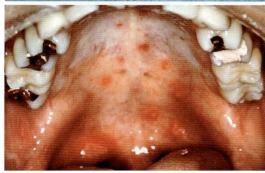

図 11-15　**手足口病**
手掌，足底，口蓋に水疱を認める．

が有効である．わが国では麻疹風疹混合ワクチン（MR ワクチン）による 2 回接種法が定期接種に導入されている．

##  角化異常症

### 1　口腔毛状白板症（口腔毛様白板症）
oral hairy leukoplakia

　口腔毛状白板症は HIV 感染者の口腔病変として最初に報告されたものである．病因はヒトヘルペスウイルス 4 型（Epstein-Barr virus；EBV）であり，潜伏感染していた EBV が，AIDS の発症や臓器移植後の宿主の免疫能低下を背景として再活性化することが，本疾患の発症に関連すると考えられている．

#### 症状
　主に舌縁にみられる縦に走行するわずかに隆起した波状の白色病変で，時には毛髪状を呈し，拭っても除去できない（図 11-16）．過角化病変であり，大きさは 1 cm 以下のものから，舌背や舌下面に達するものまでさまざまであり，両側性に

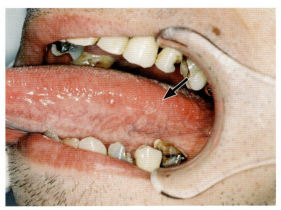

図 11-16　**AIDS 患者にみられた口腔毛状白板症**
〔北海道大学口腔診断内科学　北川善政先生　提供〕

も片側性にもみられる．通常，疼痛などの自覚症状はない．病変は長期にわたり持続するが，AIDS 患者では抗ウイルス療法（ART）の開始，臓器移植患者では免疫抑制薬の減量により，CD4 陽性リンパ球数が回復すると消失する．

#### 診断
　口腔カンジダ症，白板症，口腔扁平苔癬との鑑別を要する．通常，臨床所見から診断可能である

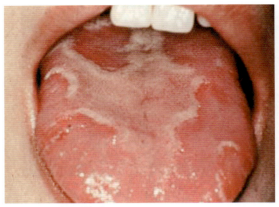

**図 11-17　地図状舌**
自覚症状に乏しいが，辺縁が灰白色である鮮紅色の斑がみられ日々形態が変化する．
〔北海道大学口腔診断内科学　北川善政先生　提供〕

が，確定診断には，病理組織学的に過錯角化を伴った上皮の毛様肥厚と棘細胞症の存在を確認する．PCRなどの分子生物学的手法でEBVの確認を行うこともある．

**治療**

通常，治療を必要としない．カンジダ症を合併した場合には疼痛がみられることがあり，口腔カンジダ症に準じた治療を行う．

## 2 地図状舌
### geographic tongue

舌背表面にさまざまな大きさの円形ないしは半円形の不規則な形態を呈する，白色の肥厚した部分と淡紅色の斑を生じる角化異常性病変である（図 11-17）．明らかな原因は不明であるが，ストレス，ビタミンB群不足，遺伝的素因などの関与が考えられている．

**症状**

舌背表面に白斑と紅斑が混在し，地図状の斑紋となり，日によって形態が変化する．淡紅色の部分は糸状乳頭が消失あるいは平坦化している．発赤した茸状乳頭が散在することもある．若い女性や小児にみられることが多い．半年から数年にわたり，病巣の出現，消失を繰り返すことが多いが，一時的なものであり自然治癒することがほとんどである．時に種々の程度の灼熱感を訴えることがある．

**診断**

臨床症状から容易に診断できる．正中菱形舌炎や紅板症との鑑別が必要である．

**治療**

症状がなければ治療の必要はない．軽度の刺激痛や味覚異常を訴えるときにはトローチや含嗽薬による対症療法を行う．

## E アレルギーと関連する口腔粘膜異常

自己と非自己（細菌などの病原体，ウイルス感染細胞，腫瘍細胞など）の認識システムに立脚して，非自己を排除する生体防御機構は免疫と呼ばれる．免疫には，ほぼすべての多細胞生物が生まれながらに保有している自然免疫と，さまざまな非自己を特異的に認識する分子を介して，より効果的かつ強力に非自己を排除できる獲得免疫がある．また，非自己の排除機構において，抗体が主体となって排除が行われるものを液性免疫，ヘルパーT細胞や細胞傷害性T細胞などの免疫細胞によって排除が行われるものを細胞性免疫と呼ぶ．本来免疫機構は生体を防御するための機構であるが，なんらかの原因により免疫が過剰に発動し生体に傷害を及ぼすようになるとアレルギーや自己免疫疾患が発症する．

アレルギーの原因となる外来性抗原はアレルゲンと呼ばれ，アレルゲンに感作後，繰り返し曝露されることにより，アレルギー反応は次第に強くなる．アレルギーを機序によって分類する場合には，GellとCoombsによる分類が用いられることが多い（表 11-1）．

### A Stevens-Johnson症候群と中毒性表皮壊死症
Stevens-Johnson syndrome (SJS) and toxic epidermal necrolysis (TEN)

発熱と眼，口唇，外陰部などの皮膚粘膜移行部に重篤な粘膜病変（出血，びらん）を生じるとともに，広範な皮膚に紅斑，水疱形成，びらんが生じる重症薬疹である．両者の病態の異同については依然未確定であるが，表皮剥離が体表面積の10%未満のものをSJS（図 11-18），30%以上のも

表 11-1 アレルギー反応の分類（Gell and Coombs 分類）

| | | 同義語 | 原因抗原 | 関与抗体 | 関与細胞 | 補体の関与 | メディエーター | 標的臓器・組織 | 代表的疾患 |
|---|---|---|---|---|---|---|---|---|---|
| 液性免疫 | I型 | 即時型 | 外来性抗原<br>・ハウスダスト，ダニ，花粉，薬物など | IgE | 肥満細胞<br>好塩基細胞 | なし | ヒスタミン<br>セロトニン<br>ロイコトリエン | 皮膚<br>粘膜 | 気管支喘息<br>花粉症，蕁麻疹<br>アレルギー性鼻炎<br>アナフィラキシーショック<br>アレルギー性血管性浮腫 |
| | II型 | 細胞傷害型 | 外来性抗原（ハプテン）<br>・薬物など<br>自己抗原<br>・細胞膜抗原<br>・基底膜抗原 | IgG<br>IgM | マクロファージ | あり | | 赤血球<br>白血球<br>など | 溶血性貧血（不適合輸血，自己免疫性，薬物性）<br>血小板減少性紫斑病<br>顆粒球減少症<br>血小板減少症<br>天疱瘡，類天疱瘡 |
| | III型 | 免疫複合体型<br>Arthus型 | 外来性抗原<br>・薬物，細菌<br>・異種タンパク<br>自己抗原<br>変性 IgG，DNA | IgG | 好中球など | あり | リソソーム酵素 | 血管組織 | 血清病，糸球体腎炎，血管炎<br>SLE，RA |
| 細胞性免疫 | IV型 | 遅延型<br>ツベルクリン型 | 外来性抗原<br>・細菌，真菌<br>外来性抗原（ハプテン）<br>・金属<br>自己抗原 | なし | 感作T細胞<br>抗原提示細胞 | なし | TNF-α<br>IL-1<br>IL-2<br>IFN-γ | 皮膚<br>粘膜<br>移植臓器 | 接触性皮膚炎<br>金属アレルギー<br>移植拒絶反応<br>サルコイドーシス |

のを TEN，その中間を overlap SJS/TEN としている．多形滲出性紅斑を初発症状として SJS，TEN に進行することもある（→p.392）．原因薬物としては，抗てんかん薬（カルバマゼピン）が最も多く，次いで解熱鎮痛薬（アセトアミノフェン）が多い．すみやかに被疑薬物を中止し，入院下で輸液，炎症の抑制，皮膚・粘膜病変からの感染予防を行う．

### B 固定薬疹
#### fixed drug eruption

原因薬剤を摂取するたびに，皮膚の同一部位に繰り返し生じる薬疹である．口唇や外陰部の皮膚粘膜移行部や四肢に好発する．時に SJS や TEN に進展することがあるので注意が必要である．催眠鎮静薬，NSAIDs，ニューキノロン系抗菌薬などが原因薬物となりやすい．通常，原因薬物の中止により改善するが，症状が強い場合には副腎皮質ステロイド薬の外用や全身投与が行われる．

### C 口腔アレルギー症候群
#### oral allergy syndrome

口内の違和感や口唇も掻痒感などを主症状とする食物アレルギーである．食物摂取後 1 時間以内に症状が出現する．果物や生野菜に含まれる原因物質によって起こることが多い．まれにアナフィラキシーショックに進展することがある．

### D 花粉-食物アレルギー症候群
#### pollen-associated food allergy syndrome

花粉症患者に感作抗原と交差性を有する食物に対するアレルギーがみられることがあり，花粉-食物アレルギー症候群と呼ばれる．代表的病態として口腔アレルギー症候群がある花粉症患者の増加により，近年，花粉-食物アレルギー症候群患者が増加している．

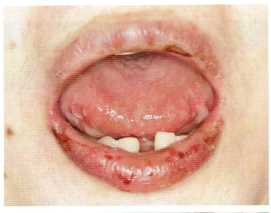
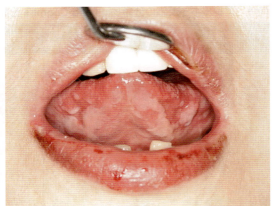
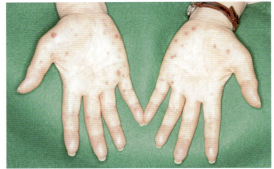

図 11-18　Stevens-Johnson 症候群(SJS)

表 11-2　天疱瘡の分類一覧

| 疾患名 | 自己抗体 | 抗原 |
|---|---|---|
| 尋常性天疱瘡 | | |
| 　粘膜優位型 | IgG | Dsg3 |
| 　粘膜皮膚型 | IgG | Dsg3, Dsg1 |
| 増殖性天疱瘡 | IgG | Dsg3, Dsg1 |
| 腫瘍随伴性天疱瘡 | IgG | desmoplakin Ⅰ, desmoplakin Ⅱ, BP230, envoplakin, periplakin, 170 kD protein, Dsg3, Dsg1 |
| IgA 天疱瘡 | | |
| 　IEN 型 | IgA | 不明 |
| 薬剤誘発性天疱瘡 | IgG | Dsg3, Dsg1 |

複数の抗原が列記されている疾患については，症例によって必ずしもすべての抗原に対する抗体が検出されるとは限らない．
Dsg：desmoglein
IEN：intraepidermal neutrophilic IgA dermatosis

## F 自己免疫に関連する口腔粘膜異常

### 1 天疱瘡 pemphigus

　天疱瘡は，上皮細胞間の接着を担うデスモゾームを構成する膜タンパクであるデスモグレイン 1 (Dsg1)やデスモグレイン 3 (Dsg3)に対して特異的自己抗体が過剰反応を引き起こし，細胞間の接着を破綻し，上皮内水疱が形成される自己免疫疾患である．尋常性天疱瘡が代表的な病態であるが，増殖性，腫瘍随伴性，IgA 天疱瘡，薬剤誘発性などに分類される(表 11-2)．

#### A 尋常性天疱瘡 pemphigus vulgaris

　尋常性天疱瘡は Dsg1 や Dsg3 に対する特異的 IgG 自己抗体(天疱瘡抗体)に起因して上皮内に水疱形成をきたし発症する．抗 Dsg3 抗体のみが認

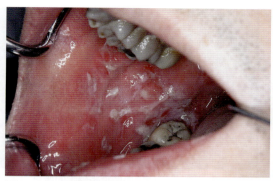
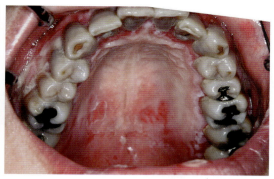

図 11-19　尋常性天疱瘡

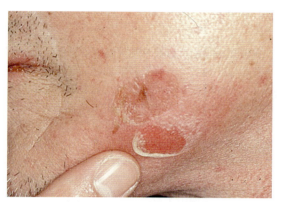

図 11-20　皮膚に発生した Nikolsky 現象
表皮をこすると，はがれてびらんを生じる．

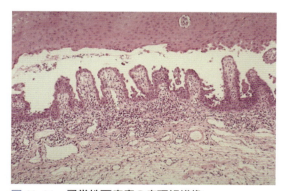

図 11-21　尋常性天疱瘡の病理組織像
抗デスモゾーム抗体の存在
・細胞間接着物質を破壊
・基底細胞層と棘細胞層の結合を破壊
・棘融解
（表皮内水疱とその内容に Tzank 細胞）
〔東京歯科大学　片倉　朗先生　提供〕

められる粘膜優位型と抗 Dsg1 抗体と抗 Dsg3 抗体の両方が認められる粘膜皮膚型に分類される．

### 症状

粘膜，皮膚に水疱が発生し，容易に自潰してびらんを形成する（図 11-19）．80％に粘膜びらんを認め，半数以上の症例で粘膜症状が先行する．頰粘膜，舌，歯肉，硬口蓋などの機械的刺激を受けやすい箇所に出現したびらんは早期に癒合して，口腔内の広範囲にびらんを形成するに至り，接触痛により食事や飲水が困難となる．一方，皮膚びらんは，痂皮を形成していったん瘢痕治癒に向かうことが多い．表皮または粘膜の圧迫や擦過により上皮の一部が容易に剝離する Nikolsky（ニコルスキー）現象を認める（図 11-20）．

### 診断

病理組織診断が必須で，棘融解（acantholysis）を伴う表皮（上皮）内水疱所見を示す（図 11-21）．水疱底部を擦過し，塗抹標本で棘融解細胞（Tzanck：ツァンク細胞）を検出する Tzanck 試験を行うことがある（図 11-22）．免疫組織学的には直接免疫蛍光法（direct immunofluorescence；DIF）により表皮細胞間に自己抗体（IgG 抗体）の沈着を認める（図 11-23）．また，ヒトの正常皮膚または組換えタンパクを基質として，患者血清との反応を観察する間接蛍光抗体法（indirect immunofluorescence；IIF）が行われる．ELISA 法（enzyme-linked immunosorbent assay）により，患者血清中の抗 Dsg3 抗体，抗 Dsg1 抗体の抗体価を定量的に測定し，病勢の評価を行うことができる．粘膜優位型は抗 Dsg3 抗体が優位に発現し，粘膜皮膚型では抗 Dsg3 抗体，抗 Dsg1 抗体がともに発現する．

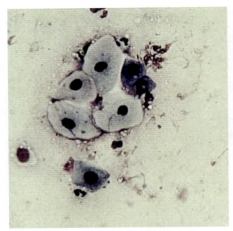

図 11-22　塗抹標本による棘融解細胞（Tzanck 細胞）

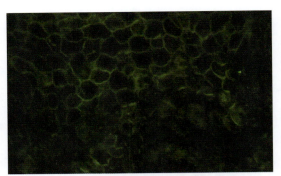

図 11-23　尋常性天疱瘡の免疫組織学的所見
直接免疫蛍光法による表皮細胞間における IgG 自己抗体の網目状沈着所見.

治療

　治療の第一選択は，副腎皮質ステロイド薬の全身（内服）投与である．プレドニゾロン（PSL）を初期治療として，軽症例は 0.5 mg/kg/日を，中等症〜重症例では 1.0 mg/kg/日を投与する．効果が不十分なときは，免疫抑制薬（アザチオプリン，シクロスポリン，シクロホスファミド）などを併用することがある．また，難治例には血漿交換療法，免疫グロブリン大量療法，ステロイドパルス療法なども行われる．

　口腔粘膜病変に対する局所療法としては，副腎皮質ステロイド軟膏（デキサメタゾン，トリアムシノロンアセトニド）や噴霧薬（ベクロメタゾンプロピオン酸エステル）が使用される．口腔衛生管理には，刺激性が少なく抗炎症効果が期待できるアズレンスルホン酸ナトリウム含嗽薬を用い，粘膜刺激に留意した細心の歯面清掃が必要となる．

### B 腫瘍随伴性天疱瘡
paraneoplastic pemphigus；PNP

　悪性リンパ腫，胸腺腫などのリンパ球系増殖性疾患に随伴する天疱瘡で，重篤かつ多彩な口腔粘膜症状，皮膚症状を呈するが，口唇粘膜，皮膚におけるびらん，痂皮形成が強く発現し，特徴的である．また，多くの患者が眼症状を認め，偽膜性結膜炎のため眼瞼癒着に至ることがある．さらに閉塞性細気管支炎様肺病変を合併し，予後不良となることがある．

　病理組織学的には尋常性天疱瘡と同様に棘融解を認める．加えて，扁平苔癬様の基底層直下の帯状リンパ球浸潤を認めるほか，表皮細胞の壊死，基底層の空胞変性など多形滲出性紅斑様の所見をあわせもつことがあり，天疱瘡の自己抗体だけでなく細胞性免疫の関与があると考えられている．患者は抗 Dsg3 抗体，抗 Dsg1 抗体のほか，免疫ブロット法により細胞内のプラキン分子に関連するタンパクを検出する．

　治療は，随伴する腫瘍の治療を優先しつつ，天疱瘡と同様に副腎皮質ステロイド薬の全身投与，免疫抑制薬の投与などが行われる．

### 2 類天疱瘡
pemphigoid

　類天疱瘡は，表皮（上皮）と表皮下（上皮下）組織の基底膜における細胞接着装置であるヘミデスモゾームを構成するタンパクである BP230 と BP180 に対する特異的自己抗体が過剰反応し，ヘミデスモゾームの機能障害をきたし，細胞間接着を阻害することにより，表皮下（上皮下）に水疱が形成される疾患である．皮膚にかゆみを伴う浮腫性紅斑と大型の水疱が認められ，これが破開してびらんを形成する．口腔粘膜にも症状を発現する．

　粘膜類天疱瘡（mucous membrane pemphigoid）と水疱性類天疱瘡（bullous pemphigoid）が多いが，このほかに線状 IgA 水疱性皮膚症（linear IgA bullous dermatosis），後天性表皮水疱症（epider-

表 11-3 類天疱瘡の分類一覧

| 疾患名 | 自己抗体 | 抗原 |
|---|---|---|
| 粘膜類天疱瘡 | | |
| 　BP180 型 | IgG/IgA | BP180 |
| 　抗ラミニン 332 型 | IgG | ラミニン 332（ラミニン 5, epiligrin） |
| 　眼型 | IgA | 不明 |
| 水疱性類天疱瘡 | IgG | BP180, BP230 |
| 線状 IgA 水疱性皮膚症 | | |
| 　透明層型 | IgA | 97 kD/120 kD protein |
| 　基底板下部型 | IgA | 不明（一部はⅦ型コラーゲン） |
| 後天性表皮水疱症 | IgG | Ⅶ型コラーゲン |
| 妊娠性類天疱瘡（疱疹） | IgG | BP180 |

複数の抗原が列記されている疾患については，症例によって必ずしもすべての抗原に対する抗体が検出されるとは限らない．

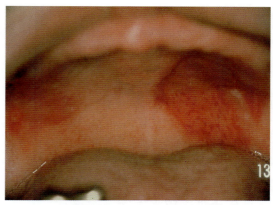

図 11-24　粘膜類天疱瘡

molysis bullosa acquisita），妊娠性類天疱瘡（疱疹，pemphigoid gestationis）などがあり，それぞれ自己抗体や抗原が判明している（表 11-3）．自己抗体は IgG と IgA で，抗原として BP230 と BP180 のほか，ラミニン（laminin）332（ラミニン 5，エピグリン）などがある．臨床症状に加え，病理組織学的に表皮下（上皮下）所見，IgG 抗皮膚基底膜部抗体の陽性所見，ELISA 法による BP180 の検出などで診断される．

## A 粘膜類天疱瘡
mucous membrane pemphigoid

BP180，ラミニン 332 などの基底膜部抗原に対する IgG と IgA 抗体により粘膜部に発症する類天疱瘡で，抗 BP180 自己抗体を原因とする BP180 型，抗ラミニン 332 自己抗体を原因とする抗ラミニン 332 型，眼の症状が著しく抗 IgA 抗体を原因とする眼型がある．水疱，びらん性病変が，口腔粘膜のほか眼粘膜，鼻腔，咽頭，喉頭，食道粘膜，外陰部，肛門周囲などにも発現する．びらん性病変の治癒後に萎縮性瘢痕をきたし，各種機能障害を引き起こす．

### 症状
中年以降の女性に多く，口腔粘膜では歯肉，頬粘膜，硬口蓋などに水疱を生じ，自潰後びらんを形成する（図 11-24）．歯肉では，発赤と上皮剝離が著しく易出血性で接触痛が強い．口腔内びらんは，再発を繰り返すことにより瘢痕化する．眼や咽喉頭，食道病変は瘢痕形成により，失明，気道閉塞，嚥下障害をきたすことがあり注意を要する．

### 診断
特徴的な臨床像に加え，病理組織像において粘膜上皮下水疱を確認し（図 11-25），直接蛍光抗体法により基底膜部に自己抗体（IgG 抗体または IgA 抗体）の沈着を確認する（図 11-26）．また，間接蛍光抗体法による抗基底膜部抗体の検出や ELISA 法により，患者血清中の BP180，ラミニン 332 に対する自己抗体を検出する．

### 治療
口腔内にびらんが限局した軽症例では，副腎皮質ステロイド薬の外用療法（軟膏，噴霧薬の局所投与）を行う．広範囲または進行性の病変や口腔以外の眼，鼻咽腔，食道，外陰部などに病変を認める場合は，専門科に対診のうえ，副腎皮質ステロイド薬の全身投与（プレドニゾロン内服）や免疫抑制薬（レクチゾール，アザチオプリン，シクロホスファミド）投与，血漿交換療法，免疫グロブリン大量療法，ステロイドパルス療法，テトラサイクリン（ミノサイクリン）・ニコチン酸アミド併用内服療法なども行われる．

## B 水疱性類天疱瘡
bullous pemphigoid

高齢者に好発し，全身皮膚に搔痒感を伴う浮腫性紅斑，緊満性の水疱，びらんを認める自己免疫性水疱性疾患で，粘膜にも症状を認めることがある（20～30％）．病理組織学的に好酸球の浸潤を

認める表皮下水疱を示す．深い箇所で水疱形成するため，水疱の外膜が厚く緊満性の水疱を形成するのが特徴的である．蛍光抗体直接法で，IgGまたは補体C3の基底膜部への線状沈着を認める．また，ELISA法により主要な標的抗原であるBP180，BP230を検出し，病勢を判断することができる．本疾患は利尿薬や降圧薬，糖尿病治療薬などが誘因となり発症する症例が増加しており，副作用の1つとして注目されている．

### ③ 先天性表皮水疱症
hereditary bullous epidermolysis

表皮・真皮を構成する接着構造タンパクをコードする遺伝子変異により，全身皮膚に水疱，びらん形成を繰り返す遺伝性疾患である．常染色体顕性(優性)遺伝と潜性(劣性)遺伝の2形式がある．水疱形成の深さから，表皮内の単純性表皮水疱症，表皮・基底膜間の接合部型，基底膜・真皮間の栄養障害型の3大病型と，いずれの部位にも水疱を生じるKindler(キンドラー)症候群に大別され，それぞれに複数の亜型が存在する．

#### 症状
生後間もなく，摩擦や圧迫など機械的刺激が加わりやすい四肢などの皮膚に水疱，びらん，潰瘍を形成し，再発を繰り返す．口腔粘膜の発症頻度は2〜20%で頬粘膜，舌，口蓋などに水疱，びらんを形成するほか，歯肉炎，エナメル質の形成不全，瘢痕形成による舌小帯強直症や瘢痕性開口障害をきたすことがある．

#### 診断
生検材料により電子顕微鏡検査，間接蛍光抗体法による病型の診断，異常抗原の同定や遺伝子変異を精査する．単純型ではケラチン5，ケラチン4，プレクチン，接合部型ではラミニン5，BP180，α6β4インテグリン，栄養障害型ではⅦ型コラーゲンが原因となり，遺伝子変異を有することが確認されている．

#### 治療
びらん，潰瘍形成部の二次感染に留意し，創傷被覆材や非固着性ガーゼなどによる患部を保護すると同時に，日常生活において機械的刺激を極力避けるように生活指導を行う．

### ④ 全身性エリテマトーデス
systemic lupus erythematosus；SLE

SLEは，さまざまな誘因により，種々の自己抗体(抗核抗体)が免疫複合体を形成して，全身の諸臓器に組織沈着し，炎症性多組織障害をきたす代表的な自己免疫疾患である．SLEでは，分類診断基準として米国リウマチ学会(ARC)の診断基準(1997)が用いられてきたが，近年，免疫学的項目を加えたSLICC(Systemic Lupus International Collaborating Clinics)の診断基準(2012，表11-4)や，EULAR/ACR(European League Against Rheumatism/American College of Rheumatology)の診断基準(2019，表11-5)が用いられている．

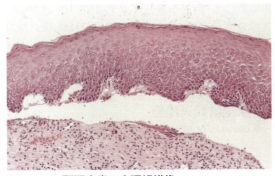

図11-25 類天疱瘡の病理組織像
上皮下に水疱形成．Nikolsky現象はなし．
〔東京歯科大学 片倉 朗先生 提供〕

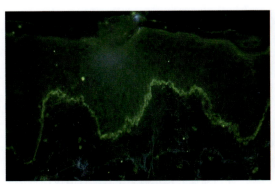

図11-26 類天疱瘡の免疫組織像
直接免疫蛍光法による抗表皮基底膜抗体陽性所見．基底膜に沿って抗体の集積を認める．

### 症状

20～30代の女性に好発し，全身性に多彩な症状をきたす．皮膚に出現する発疹が，狼に噛まれた痕に似た所見を残すことから，ラテン語で狼を示すループス(lupus)が俗称として用いられている．皮膚紅斑(皮膚ループス)が特徴的で，特に頬骨から鼻梁に広がる蝶の羽根に類似した特徴的な紅斑を蝶型紅斑と呼ぶ(図11-27)．このほかにも発熱，関節症状，タンパク尿(ループス腎炎)，非瘢痕性脱毛，漿膜炎，精神神経症状，レイノー症状などがみられる．また，白血球および血小板の減少，溶血性貧血などの血液学的異常が認められる．口腔粘膜では，硬口蓋，頬粘膜，口唇に斑状の毛細血管拡所見，点状出血斑，潰瘍などが生じる．

### 診断

SLICCの診断基準や，EULAR/ACRの診断基準に基づいて行われるが，本疾患に特徴的に生じる皮疹ならびに臨床検査により，確定診断は比較的容易である．免疫学的検査で，抗核抗体が陽性(80倍以上)で，このほか抗ds-DNA抗体，抗Sm抗体，補体C3，C4の低下，抗リン脂質抗体の陽性が認められる．

### 治療

副腎皮質ステロイド薬(プレドニゾロン)の全身投与(内服)が第一選択で，重症例ではステロイド

**表11-4 SLICC(Systemic Lupus International Collaborating Clinics)の診断基準(2012)**

| 臨床項目 | 免疫学的項目 |
|---|---|
| 1. 急性皮膚ループス | 1. 抗核抗体(ANA) |
| 2. 慢性皮膚ループス | 2. 抗ds-DNA抗体 |
| 3. 口腔潰瘍 | 3. 抗Sm抗体 |
| 4. 非瘢痕性脱毛 | 4. 抗リン脂質抗体 |
| 5. 滑膜炎 | 5. 補体低値(C3，C4，CH50) |
| 6. 漿膜炎 | 6. 直接クームス陽性(溶血性貧血除外) |
| 7. 腎症 | 臨床項目・免疫学的項目それぞれから1項目以上，計4項目以上．<br>もしくは，腎生検でSLEに合致した腎症があり，さらに抗核抗体か抗ds-DNA抗体が陽性であればSLEと分類する． |
| 8. 神経症状 | |
| 9. 溶血性貧血 | |
| 10. 白血球数・リンパ球数減少 | |
| 11. 血小板数減少 | |

〔Petri M, et al. Derivation and validation of the systemic lupus international collaborating clinics classification criteria for systemic lupus erythematosus. Arthritis Rheum 64：2677-2686, 2012 より〕

**表11-5 EULAR/ACR(European League Against Rheumatism/American College of Rheumatology)の診断基準(2019)**

| 必須項目 | 抗核抗体80倍以上陽性が必須 | |
|---|---|---|
| 臨床項目 | 全身症状 | 38.3℃を超える発熱(2点) |
| | 血液所見 | 4,000/μL未満の白血球減少(3点)，10万/μL未満の血小板減少(4点)，自己免疫性溶血(4点) |
| | 精神神経 | せん妄(2点)，精神障害(3点)，けいれん(5点) |
| | 皮膚粘膜 | 非瘢痕性脱毛(2点)，口腔内潰瘍(2点)，亜急性皮膚ループスや円板状ループス(4点)，急性皮膚ループス(蝶形紅斑や斑状丘疹状皮疹)(6点) |
| | 漿膜 | 胸水または心嚢液(5点)，急性心外膜炎(6点) |
| | 筋骨格 | 関節症状(6点) |
| | 腎臓 | 0.5 g/日以上の尿タンパク(4点)，腎生検でクラスⅡまたはⅤのループス腎炎(8点)，クラスⅢまたはⅣのループス腎炎(10点) |
| 免疫項目 | 抗リン脂質抗体 | 抗カルジオリピン抗体，または，抗β2GP1抗体，または，ループスアンチコアグラント(2点) |
| | 補体 | C3かC4どちらか低下(3点)，C3とC4両方低下(4点) |
| | SLE自己抗体 | 抗ds-DNA抗体，または，抗Sm抗体(6点) |

少なくとも1回は抗核抗体80倍以上陽性が必須とされ，7臨床項目(全身症状，血液，神経精神，皮膚粘膜，漿膜，筋骨格，腎臓)，3免疫項目(抗リン脂質抗体，補体，SLE自己抗体)に分け，臨床項目1つを含み2～10点で重みづけされた点数合計が10点以上でSLEと分類する．

〔Aringer M, et al：2019 European League Against Rheumatism/American College of Rheumatology Classification Criteria for Systemic Lupus Erythematosus. Arthritis Rheumatol 71：1400-1412, 2019 より〕

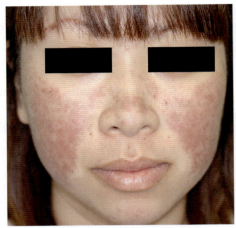

図 11-27　ループス頬部皮疹（蝶型紅斑）
〔和歌山県立医科大学皮膚科　神人正寿先生　提供〕

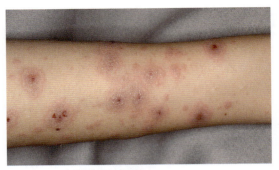

図 11-28　多形滲出性紅斑
〔昭和大学横浜市北部病院皮膚科　渡辺秀晃先生　提供〕

パルス療法や免疫抑制薬の併用投与が行われる．口腔粘膜病変に対しては対症的に副腎皮質ステロイド軟膏塗布が行われる．副腎皮質ステロイド薬や免疫抑制薬を治療に用いることから易感染性となるため，感染対策としての口腔衛生管理やステロイド性骨粗鬆症に対する骨吸収抑制薬投与に留意し，対応する必要がある．

## 5 円板状エリテマトーデス
discoid lupus erythematosus；DLE

SLEと同様の病変が皮膚や口腔粘膜に限局し，主に日光に曝露される箇所に発現するものを亜型として円板状エリテマトーデス（DLE）という．

症状

顔面，頭部，耳介などの露光部皮膚に生じる円板状の境界明瞭な萎縮性紅斑を認める．日光曝露により増悪し，色素沈着や脱失，瘢痕性脱毛を伴うことがある．口腔症状は25%程度の頻度で，頬粘膜，口唇，口蓋，歯肉などに紅暈を伴う小紅斑，潰瘍として出現し，口唇では角化性紅斑として認められる．

診断

本疾患は他臓器病変を伴わず，SLEのような特異的な血液所見，免疫学的な異常所見を伴うことはないが，まれに全身性のSLEへの移行を示す患者が存在するため，準じた諸精査を行うほか，口腔内症状を認める場合は，皮膚科や膠原病の専門家への対診を行うことが必要である．

治療

日光曝露による増悪を防止する観点から徹底した遮光を指導する．一般的には，副腎皮質ステロイド軟膏塗布や免疫抑制薬（タクロリムス）外用などを行う．症状の再発を繰り返すと，皮膚では有棘細胞が生じることがあり，口腔でも口腔潜在的悪性疾患（OPMDs）に挙げられており，経過観察を行うことが重要である．

## 6 多形滲出性紅斑
erythema exudativum multiforme；EEM

多形滲出性紅斑は，同心円状，環状の紅斑，丘疹，水疱，びらん，潰瘍などが皮膚，粘膜に生じる疾患で，多形紅斑（erythema multiforme；EM）とも呼ばれている（図 11-28）．軽症例は，皮紅斑が体幹皮膚や四肢末端に出現し，全身に拡大していくが，重症例では38℃以上の発熱，倦怠感に加え，口唇，口腔，眼，鼻腔，外陰部などの粘膜部に水疱，びらん，潰瘍などの多彩な粘膜症状を認める．

重症型は，表皮の壊死性剥離性病変が体表面積の10%以上を示すTEN，表皮の壊死性剥離性病変が10%未満のSJSに大別される（→p.384）．

病因は多彩で，発症機序は不明であるが，薬剤や感染症が誘因となり免疫異常を引き起こして発症することが多い．原因薬剤は，抗菌薬，消炎鎮痛薬，抗てんかん薬，高尿酸血症治療薬などが多く，感染症では原因微生物としてマイコプラズマやヘルペスウイルスなどが誘因となる．

### 症状

口腔粘膜では，口唇，口腔粘膜に広範な紅斑，水疱が形成され，びらん，潰瘍，血性痂皮となる．眼球粘膜では，充血，眼脂，偽膜形成をきたし，角膜の瘢痕形成により視力障害，などの後遺症が生じる．鼻腔，外陰部，消化器粘膜にも症状をきたすことがある．

皮膚では，同心円状，環状の特徴的な紅斑，丘疹，水疱などを認め，全身に拡大していく．全身症状は，38℃以上の発熱，疲労感，頭痛などを認め，粘膜症状の進行により呼吸器症状，消化管症状のほか，重篤例では多臓器不全，播種性血管内凝固症候群（DIC）などにより死の転帰をたどることがあり，注意を要する．

### 診断

薬剤服用歴や感染症の既往，皮膚症状，粘膜症状（口唇，口腔，眼），発熱などから診断する．血液検査所見では全身症状，発症誘因により多彩な検査所見を呈することが多い．

病理組織学的所見は，皮膚では表皮全層に及ぶ好酸性壊死を認め，真皮上方の炎症性細胞浸潤を伴う．粘膜では上皮細胞の変性，炎症細胞浸潤により上皮内，上皮下に水疱形成をきたし，上皮の剝離が認められる．

### 治療

本疾患を疑った際には，薬剤の投与歴を調査し，疑われる薬剤を処方医対診のうえ，ただちに中止する．微生物の感染関与が疑われる場合は，当該微生物に対する薬物療法を検討する．誘因の除去，副腎皮質ステロイド薬の全身投与，栄養補強などの全身管理が必須である．重篤例では，ステロイドパルス療法，免疫グロブリン大量療法，血漿交換療法などを要し，他科への対診を含めた総合的な迅速対応が重要である．

## 7 血管性浮腫/Quincke 浮腫
### angioedema；AE/Quincke edema

AEは，種々の誘因から生理活性物質の作用により皮下，粘膜下にある毛細血管の透過性が亢進して，組織間隙に体液が過剰に貯留して生じる浮腫である．1882年 Quincke（クインケ）が報告し，以後 Quincke 浮腫と呼ばれるようになった．AEには病因によりいくつかに分類されており，蕁麻疹

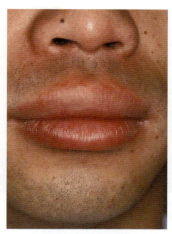

図 11-29　上唇の血管性浮腫（Quincke 浮腫）

を伴うアレルギー性のものや物理的刺激（温熱，寒冷，振動，外傷，日光，ストレス）により発症する浮腫が存在する．一方で，降圧薬であるアンジオテンシン変換酵素（ACE）阻害薬の副作用として発症する浮腫や補体第1成分阻止因子（C1-inhibitor；C1-INH）の異常により引き起こされ，家族性を示し浮腫発作を繰り返す遺伝性血管性浮腫（hereditary angioedema；HAE）などがある．一般的に病因の特定が困難で，自然発症し自然消退する特発性のAEをQuincke浮腫と呼ぶ（図 11-29）．

### A 遺伝性血管性浮腫
hereditary angioedema；HAE

HAEは，補体の1つであるC1の働きを抑えるC1-INHをコードする*SERPING1*遺伝子に，ヘテロ変異を認める常染色体顕性（優性）遺伝形式の疾患である．HAEは，C1-INHの欠損を認めるⅠ型HAEと機能不全によるⅡ型HAE，さらにC1インヒビターは正常で*SERPING1*遺伝子以外の遺伝子異常に起因するⅢ型が存在する．生体内でC1-INHは炎症メディエーターの一種であるブラジキニンの産生を抑制しているが，その欠損，機能低下によりブラジキニンの過剰産生を引き起こし，血管透過性が亢進して浮腫発作をきたす．発生頻度は5万人に1人と報告されており，わが国でも2,500人前後の患者がいると想定されている．

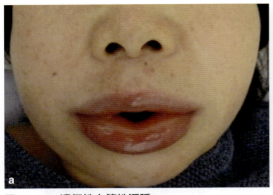 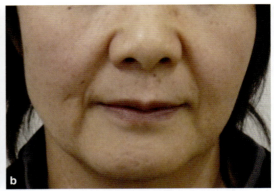

**図 11-30　遺伝性血管性浮腫**
a：浮腫発作時（第1病日），b：浮腫消退時

### 症状

舌，口唇をはじめ顔面・四肢の皮膚・粘膜に非圧痕性の浮腫をきたす．また，消化管にも浮腫をきたし，腹痛，嘔吐，下痢などを呈することがある．浮腫発作は，不定期に繰り返し，24時間程度かけて進行したのち2〜3日間持続する．最も重篤な症状として，喉頭浮腫による気道閉塞で致死的な転帰をたどることがある．浮腫発作は予測困難なことが多く，発現頻度も患者により異なる．発作は原因不明のことが多いが，歯科治療，とりわけ抜歯により誘発されることがあり，HAE患者の歯科治療後の浮腫発作には十分に留意する必要がある（図11-30）．

### 診断

診断は，問診として過去の浮腫発作の詳細な病歴に加え，常染色体顕性（優性）遺伝を示すため，家族歴を厳重に聴取し，家族内に定期的に顔面や四肢に浮腫をきたす者，原因不明の腹部症状を繰り返す者の有無を調査することが重要である．血液検査で，C1-INH の活性ならびに C1-INH タンパク量（保険適用外）の低下，補体 C4 の低下を確認する．

### 治療

アレルギー性の AE では効果が期待される抗ヒスタミン薬，アドレナリンおよび副腎皮質ステロイド薬などは無効である．HAE の治療は，浮腫発作時の治療と浮腫発作の予防に大別される．急性浮腫発作に対する治療としては，必ず喉頭浮腫の有無を確認し，疑われる場合は，気道閉塞に備えて気道の確保を行う．C1-INH 製剤の静注もしくは選択的ブラジキニン $B_2$ 受容体ブロッカーであるイカチバント酢酸塩を皮下注射する．浮腫発作の予防には発作誘発リスクの高い手術や処置（抜歯などを含む）の際に，処置前6時間以内に治療薬を予防投与する短期予防策と，発作の抑制を目的に定期的に予防投与を行う長期予防策がある．短期予防には，C1-INH 製剤を処置前の6時間以内に投与する．抜歯，分娩，手術などの侵襲性は高く，浮腫発作の誘因リスクが高い場合に行うことが推奨されている．長期予防としては，浮腫発作の発症抑制のために定期処方され，血漿カリクレイン阻害薬や C1-INH 製剤などが投与される．

## B アンジオテンシン変換酵素阻害薬による血管性浮腫

アンジオテンシン変換酵素（angiotensin converting enzyme；ACE）阻害薬は，降圧薬として使用される薬剤であるが，キニン分解酵素であるキニナーゼを阻害し血中ブラジキニンを上昇させるため，血管透過性が亢進して血管性浮腫が生じることがある．舌，口唇をはじめとする口腔や顔面，喉頭浮腫を発症することが多いが，全身の皮膚，消化管症状をきたすこともある．浮腫発生後は，原因薬剤を中止し，喉頭浮腫を疑う場合はただちに緊急気道確保を行う．薬物療法に関しては，副腎皮質ステロイド薬，抗ヒスタミン薬，イカチバント酢酸塩の使用などについては一定の見解が得られていない．

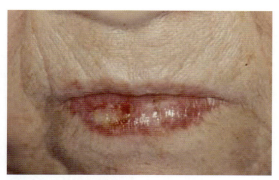
図 11-31　接触性口唇炎

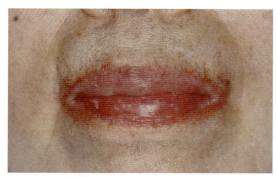
図 11-32　肉芽腫性口唇炎

## 8 接触性口唇炎
### contact cheilitis

　接触性口唇炎は，誘発する物質が口唇に接触することによって誘発される炎症性病変であるが，発生機序により一次刺激性とアレルギー性に大別される．一次刺激性は，口唇皮膚に接触した刺激物質が，皮膚角質表層のバリアを通過して上皮細胞を刺激し，種々の炎症性サイトカインの産生，放出により起こる炎症反応である．一方，アレルギー性は，不完全抗原であるハプテン（hapten）が感作物質となり，抗原提示細胞の遊走により感作が成立し，同様の物質が接触した際にアレルギー反応が惹起されることで発症する．

#### 症状
　症状は，口唇皮膚の発赤（紅斑），浮腫状変化，乾燥，痂皮，鱗屑，落屑，亀裂などを生じ，時に小水疱，びらん形成をみることもある（図11-31）．接触痛（ピリピリ感）や搔痒感を伴う．小水疱の形成や口唇周囲に皮膚症状が拡大する場合は，アレルギー性の可能性が示唆される．

#### 診断
　原因物質の同定が必要となり，詳細な病歴聴取，行動歴が必要となる．また，光線過敏症や，弄唇癖（舐める）などの習癖を除外することが必要である．乾燥症状の強い症例はSjögren症候群，小水疱，びらんを伴う症例は口唇疱疹や自己免疫性水疱性疾患，さらに，梅毒性口唇炎，結核性口唇炎なども除外診断が必要となる．
　原因物質としては，リップクリーム，口紅，日焼け止め，歯磨剤，乳液などの生活必需品のほか，補綴修復物，矯正用装置などの歯科用金属，マンゴー，キウイ，山芋などの食物が原因となることがある．原因の同定にはパッチテストが必要となる．

#### 治療
　原因となった刺激物質，アレルゲンの排除を最優先とし，口唇にワセリン塗布などによる保湿を行い，乾燥を防ぐ．局所の炎症に対しては副腎皮質ステロイド軟膏塗布を行う．

## 9 肉芽腫性口唇炎
### cheilitis granulomatosa

　肉芽腫性口唇炎は，口唇に慢性炎症性腫脹と消退を繰り返し，病理組織学的に類上皮細胞肉芽腫を呈する疾患である．病因として，自律神経障害説，感染アレルギー説，サルコイドーシスの亜型説などが挙げられていたが，近年では慢性根尖性歯周炎，慢性辺縁性歯周炎，扁桃炎を原病巣とする病巣感染説や歯科用金属アレルギー説が有力視されている．サルコイドーシスやCrohn病に合併する例やMelkersson-Rosenthal症候群の一部分症として知られている．Melkersson-Rosenthal症候群は，口唇，顔面の無痛性腫脹，顔面神経麻痺，溝状舌を特徴とする疾患で，口唇の腫脹が肉芽腫性炎をきたす疾患である．

#### 症状
　口唇にび漫性の無痛性腫脹をきたす（図11-32）．腫脹は弾性硬で発赤を伴うことがある．腫脹は不定期に再発を繰り返し，徐々に腫脹期間が長期化して口唇全体が硬結をきたすようになる．

#### 診断
　顔面神経麻痺，溝状舌などの有無を診断し，

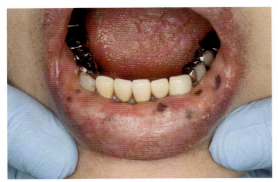
図 11-33 メラニン色素沈着症

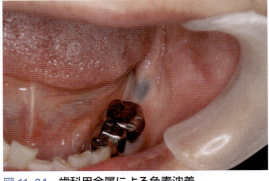
図 11-34 歯科用金属による色素沈着

Melkersson-Rosenthal症候群の一部分症である可能性を除外するとともに，全身精査を行い，Crohn病やサルコイドーシスの除外診断を行う．肉芽腫性口唇炎単独の症例では，歯性病巣感染の原病巣のスクリーニング検査や歯科用金属アレルギーの検査を行う．また，口唇の腫脹に関しては，血管性浮腫（Quincke浮腫）との鑑別も重要である．

確定診断には生検を行い，病理組織学的に粘膜固有層における類上皮細胞肉芽腫の確認を行う．肉芽腫は血管周囲に形成され，リンパ球浸潤を伴いLanghans巨細胞の出現をみることがある．

治療

病巣感染の原因となる歯性感性病巣が存在する場合は原因歯の治療を，歯科用金属アレルギーを認める場合は，金属の除去を試みる．薬物療法として，副腎皮質ステロイド薬の投与（内服，局注），抗アレルギー作用をもつケミカルメディエーター遊離抑制薬，抗ヒスタミン薬の投与などが行われる．

## G 色素沈着異常

### 1 内因性色素沈着
intrinsic pigmentation

#### A メラニン色素沈着症
melanin pigmentation

メラニン色素沈着症は基底細胞層にメラニン色素が多量に沈着したものであり，前歯部の歯肉，頰粘膜，口唇粘膜，赤唇部，口蓋粘膜に褐色ないし黒色の色素斑として認められる（図11-33）．生理的沈着として認めることが多いが，Addison病，McCune-Albright症候群，von Recklinghausen病，Peutz-Jeghers症候群，Laugier-Hunziker-Baran症候群の一症状として皮膚と口腔粘膜に色素沈着を認める．これらの全身疾患のほか，外因性色素沈着，色素性母斑，悪性黒色腫との鑑別も必要である．審美的に問題がある場合は切除，レーザー蒸散を行う．

### 2 外因性色素沈着
exogenous pigmentation

#### A 歯科用充填物・補綴物による色素沈着
exogenous pigmentation, metal tattoo

歯科用充填物，補綴物の切削片が歯肉，頰粘膜などに迷入した場合，あるいは金属が溶出した場合に生じ，青紫色または茶褐色の色素斑として認められる．銀，パラジウム，アマルガムなどの歯科用金属が原因となる．歯科用金属周囲の辺縁歯肉に認めることが多いが，抜歯後に色素沈着のみが歯肉に残ることもある（図11-34）．審美的に問題がある場合は切除を行う．

### 3 色素性母斑
naevus pigmentosus pigmented nevus

神経堤由来の未分化メラノサイト系細胞である母斑細胞が増殖，集積したものである．多くは皮

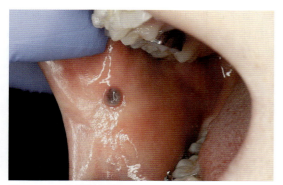

図 11-35　色素性母斑

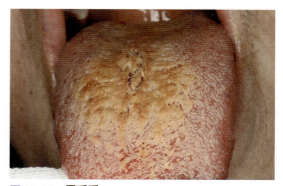

図 11-36　黒毛舌

膚に生じるが，まれに頬粘膜，歯肉，硬口蓋，口唇などの粘膜に生じる．色調は黒〜褐色で境界は明瞭な限局性の病変として認め，平坦なものから小隆起状のものまでさまざまである（図 11-35）．色素性母斑は，母斑細胞の存在部位によって真皮内母斑，接合母斑，複合母斑に分類される．悪性黒色腫との鑑別が重要である．審美的問題がある場合は切除，レーザー治療を行う．

## 4 黒毛舌
black hairy tongue

舌の糸状乳頭が伸長し，舌に毛が生えたような状態にみえるものを毛舌と呼び，黒〜黒褐色に着色したものが黒毛舌である（図 11-36）．抗菌薬や副腎皮質ステロイド薬の長期投与による菌交代現象や全身状態の悪化，喫煙，胃腸障害などが関係する．黒毛舌は長期入院患者にたびたび認められるが，患者の自覚症状は乏しいことがある．内服薬が原因の場合は，内服薬の中止あるいは変更を行う．口腔ケアを行い，舌ブラシによる舌背の清掃，含嗽剤の使用により，口腔内の環境を清潔に保つ．真菌が関与する場合は，口腔ケアに加えて抗真菌薬を使用する．

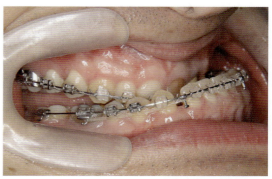

図 11-37　先端巨大症にみられる著しい下顎前突

# H 口腔症状を呈する内分泌障害，代謝障害

## 1 先端巨大症（アクロメガリー）
acromegaly

先端巨大症（アクロメガリー）は主に下垂体腫瘍からの成長ホルモン分泌過剰により特徴的な身体変化と代謝異常を生じる疾患である．先端巨大症の発症時期は骨端線の閉鎖後であり，骨端線の閉鎖前に発症した場合は，下垂体性巨人症となる．手足の容積の増大，眉弓部の膨隆，鼻・口唇の肥大，下顎の突出，巨大舌など特徴的な身体症状を認める（図 11-37）．頭部エックス線規格写真（セファロ）でトルコ鞍（S）の拡大を認めることが多い．そのほか，発汗過多，耐糖能異常，高血圧症，脂質異常症，頭痛，視力・視野障害，下垂体機能低下症を生じる．先端巨大症は未治療の場

合，致死率が高くなる．そのため，身体的な特徴から本疾患を推測することが重要であり，下垂体腫瘍摘出あるいは薬物療法などの適切な治療が必要である．

### 2 成長ホルモン分泌不全性低身長
growth hormone deficiency dwarfism

小児期に下垂体前葉から成長ホルモンの分泌が低下し，成長速度が低下して低身長となる疾患である．成長曲線の作成が診断に有用であり，身長が標準身長の－2.0 SD 以下，あるいは成長速度が2年以上にわたって標準値の－1.5 SD 以下の成長障害を認める．低身長，骨年齢の遅延，低血糖，外性器の発育異常，歯の萌出遅延・形成不全などを生じる．

### 3 甲状腺機能亢進症
hyperthyroidism

甲状腺ホルモンの産生が亢進した状態で，最も頻度の高い疾患がBasedow（バセドウ）病である．Basedow病は甲状腺刺激ホルモン（thyroid stimulating hormone；TSH）受容体に対する自己抗体であるTSH受容体抗体により甲状腺濾胞細胞が持続的に刺激され，甲状腺濾胞細胞の増殖と甲状腺ホルモン産生が亢進する病態を示す．甲状腺中毒症状（頻脈，体重減少，手指振戦，発汗増加など），甲状腺腫大，眼球突出を認める．口腔内では，舌の振戦，乳歯の早期萌出・早期脱落，永久歯の早期萌出などを認める．感染，外傷，手術，ストレスなどを誘因として分泌された過剰な甲状腺ホルモンに対する生体の代償機構の破綻により，複数の臓器が機能不全に陥ることを甲状腺クリーゼと呼ぶ．発熱，頻脈，不穏，心不全症状，嘔吐，下痢などを認める．歯科処置が甲状腺クリーゼの誘因となることがある．

### 4 甲状腺機能低下症
hypothyroidism

甲状腺ホルモンの作用が低下した状態である．成人の甲状腺機能低下症の最も頻度の高い原因は自己免疫疾患の慢性甲状腺炎（橋本病）であり，抗サイログロブリン抗体，抗甲状腺ペルオキシダーゼ抗体を認める．甲状腺ホルモンの低下により易疲労感，無気力，眼瞼浮腫，寒がり，体重増加，徐脈，低血圧，動作緩慢，記憶力低下，抑うつ状態，便秘，舌・口唇の浮腫などの症状を認める．歯の萌出遅延，エナメル質減形成などを認めることがある．

### 5 副甲状腺機能亢進症
hyperparathyroidism

副甲状腺ホルモン（PTH）の産生が亢進した状態で，原発性と続発性に分けられる．原発性副甲状腺機能亢進症は，副甲状腺腫瘍，過形成，癌によりPTHが過剰に産生されることによって，高カルシウム血症，低リン血症，尿路結石，線維性骨炎などを生じる疾患である．悪心・嘔吐，胃潰瘍，口渇，多飲，多尿などのほか，顎骨の脆弱化，歯の動揺を生じる．続発性副甲状腺機能亢進症は，慢性腎不全やビタミンD作用不全，薬剤性など副甲状腺以外の原因により低カルシウム血症を生じ，血中のカルシウムを上げようとして二次的にPTH産生が亢進した状態である．

### 6 副甲状腺機能低下症
hypoparathyroidism

副甲状腺ホルモンの作用不全により低カルシウム血症と高リン血症を呈する状態である．自己免疫性や先天性形成不全による特発性副甲状腺機能低下症，甲状腺・頸部手術後の続発性副甲状腺機能低下症，副甲状腺ホルモンに対する不応性が原因となる偽性副甲状腺機能低下症がある．全身けいれん，テタニー，しびれ，大脳基底核の石灰化，歯牙発育障害などを認める．

### 7 副腎皮質機能亢進症（Cushing症候群，Cushing病）
hypercorticosteroidism/Cushing syndrome, Cushing disease

副腎から分泌されるコルチゾールが慢性的に過剰状態にあり，その結果生じる疾患の総称をCushing（クッシング）症候群と呼ぶ．副腎皮質刺

激ホルモン(ACTH)産生下垂体腺腫(Cushing病)，副腎腺腫，副腎皮質癌，副腎皮質過形成，ステロイドの長期投与が原因となる．臨床的には，満月様顔貌，中心性肥満，赤色皮膚線条，皮膚の菲薄化，皮下溢血，筋力低下，高血圧，月経異常，高血糖，骨粗鬆症，易感染性，精神障害のほか，口腔内では，口腔カンジダ症，顎骨皮質骨の菲薄化を認める．Cushing病ではACTHの産生が過剰なために皮膚や口腔粘膜の色素沈着を認めることがある．

## 8 副腎皮質機能低下症(Addison病)
hypoadrenocorticism/Addison disease

副腎皮質ホルモンの分泌が慢性的に低下した状態である．副腎に原因のある原発性副腎皮質機能低下症のうち後天性に発症したものがAddison病である．歯肉・口唇・舌・手指などの色素沈着が特徴的である(→p.403)．

## 9 アミロイドーシス
amyloidosis

アミロイドーシスはアミロイドと呼ばれる異常タンパク質が臓器，組織に沈着し機能障害を起こす疾患である．全身諸臓器にアミロイドが沈着する全身性アミロイドーシスと特定の臓器，組織にアミロイドが沈着する限局性アミロイドーシスに分けられる．全身衰弱，体重減少，貧血，不整脈，心肥大，心不全，ネフローゼ症候群，末梢神経や自律神経の障害を認める．口腔内では巨舌が特徴的である．病理組織学的にCongo-Red染色で赤橙色に染まるアミロイドが証明される．

# I 栄養障害

## 1 くる病
rickets

ビタミンD欠乏と低リン血症により骨の石灰化が障害される代謝疾患である．小児期で骨端線閉鎖以前に発症したものをくる病と呼ぶ．骨の成長障害，内反膝(O脚)，外反膝(X脚)，脊柱側彎，大泉門閉鎖遅延を生じる．象牙質の石灰化障害，エナメル質低形成，根尖周囲膿瘍など歯に関係する症状を認める．

## 2 壊血病
scurvy

ビタミンCの欠乏によりコラーゲンの生合成が阻害され，血管壁が脆弱化することにより出血傾向を生じる疾患である．皮下出血，歯肉・口腔粘膜出血，関節内出血，全身倦怠感，体重減少，皮膚乾燥を生じる．

## 3 Hunter舌炎(→p.401)
Hunter glossitis

# J 薬物，その他の障害による粘膜疾患

## 1 味覚異常

### A 薬物性味覚障害
drug-induced taste disturbance

薬物の使用が原因となり味覚障害を発症したものが薬物性味覚障害であり，内服薬の多い高齢者に多くみられる．症状は味覚減退(味を感じにくい)，異味症・錯味症(いつもと違う味がする)，自発性異常味覚(口の中に何もない状態で苦味，渋味を感じる)などが多い．進行すると味を感じない味覚消失・無味症となることがある．味覚障害を起こす可能性のある薬剤は400種類以上と非常に多く，降圧薬，消化性潰瘍治療薬，抗悪性腫瘍薬，抗うつ薬，血糖降下薬，免疫抑制薬，抗菌薬，解熱鎮痛薬などさまざまある．原因薬剤の服用後，2〜6週間以内に味覚障害を生じることが多い．薬物性味覚障害を疑う場合は原因薬剤の中止または減量，他剤への変更を行う．血液検査で低亜鉛血症を認める場合は，亜鉛製剤の補給を行う．

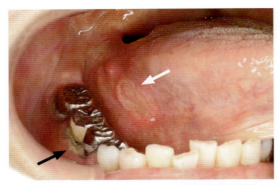

**図 11-38　メトトレキサートによる舌粘膜潰瘍（白矢印）**
右側下顎臼歯部に薬剤関連顎骨壊死（MRONJ）も併発している（黒矢印）．

### B 放射線性味覚障害
radiation-induced taste disturbance

　頭頸部領域の放射線照射により味覚障害を生じることがある．原因としては，放射線照射による味蕾細胞の直接的障害，神経伝達経路の障害，唾液分泌量の減少がある．放射線照射野内に唾液腺が含まれている場合は，放射線感受性の高い唾液腺の腺房細胞が障害され唾液分泌量が減少する．唾液は味覚に関係するため唾液分泌量が減少すると味覚障害を発症する．放射線照射により障害を受けた味蕾細胞の回復は数か月かかる．口腔乾燥が原因の場合は，保湿剤や人工唾液，唾液分泌促進薬の使用，唾液腺マッサージを行う．

## 2 メトトレキサート，副腎皮質ステロイド薬などによる粘膜異常

### A メトトレキサートによる口内炎

　メトトレキサートは葉酸代謝拮抗薬で抗がん薬として用いられるほか，関節リウマチの代表的な治療薬として用いられる．副作用として骨髄抑制，感染症，間質性肺炎，肝機能障害，口内炎・嘔気などを生じることがある（図 11-38）．口内炎は時に重篤化して口腔粘膜の壊死をきたすことがある．メトトレキサートを投与されている患者にリンパ増殖性疾患を発症することがあり，メトトレキサート関連リンパ増殖性疾患と呼ばれる．また，EBV の関与が報告されている．口腔内では歯肉の発症が多く，潰瘍や骨露出を認める．主治医と相談してメトトレキサートの中止を行う．

### B 固定薬疹
fixed drug eruption

　固定薬疹は，原因薬剤を摂取するたびに同一部位に限局性の皮疹を認める薬疹である．類円形で境界明瞭な紅色〜紫紅色斑を生じ，時に水疱，びらんを伴う．紅斑は多発することもある．通常，褐色〜紫褐色の色素斑を残して治癒するが，まれに色素斑を残さず治癒する．原因薬剤は，傾眠鎮静薬（アリルイソプロピルアセチル尿素），解熱鎮痛薬（エテンザミド，アセトアミノフェン，メフェナム酸），気道粘液調整・粘膜正常化剤（カルボシステイン），抗菌薬（ミノサイクリン，レボフロキサシン水和物）などさまざまであり，原因薬剤を内服して数時間で発症する．好発部位は，口唇，外陰部などの皮膚粘膜移行部や手足であり，皮疹が多発することがある．薬剤の服用歴や皮疹出現の時期，皮疹の性状から診断は可能である．原因薬剤のパッチテストを行った場合，皮疹出現部位はパッチテストの陽性率が高い．原因薬剤を中止することで 1〜2 週間で治癒する．

### C 経口ビスホスホネート製剤による口腔粘膜潰瘍

　経口ビスホスホネート製剤は代表的な骨粗鬆症の治療薬であり，骨粗鬆症患者に広く用いられている．経口ビスホスホネート製剤は，コップ 1 杯の水（約 180 mL）で服用するが，口腔咽頭部に潰瘍を生じる可能性があるため，噛んだり，口の中で溶かしたりせずに服用する必要がある．この服用方法を誤った場合に口腔粘膜に広範囲の潰瘍を生じることがある．服薬指導が重要であり，高齢者，介護が必要な場合や認知症，脳梗塞患者の場合は特に注意する必要がある．

### D 副腎皮質ステロイド薬による口腔カンジダ症

　口腔カンジダ症は口腔内に常在する真菌であるカンジダ菌（主に *Candida albicans*）が，日和見感染や菌交代現象により病的に増殖して発症する．擦過やガーゼで拭うことによって除去が可能な白苔を特徴とする偽膜性カンジダ症は，免疫力の低

下した入院患者や副腎皮質ステロイド薬内服患者に多くみられる（図11-39）．喘息患者でステロイド吸入薬を使用している場合は，軟口蓋を中心に白苔，発赤を認める．白苔のみであれば疼痛の訴えに乏しいが，発赤を伴うと疼痛を伴うことがある．舌乳頭の萎縮，粘膜の発赤を特徴とする紅斑性（萎縮性）カンジダ症では舌の疼痛，灼熱感，味覚異常を訴えることがある．抗真菌薬（アムホテリシンB，ミコナゾール，イトラコナゾール）の投与，口腔衛生管理，抗真菌効果のある含嗽剤・保湿剤の使用が効果的である．

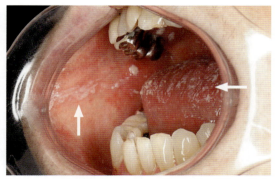

**図11-39　副腎皮質ステロイド薬内服に伴う口腔カンジダ症**
頰粘膜，舌に擦過によって除去できる白苔を認める（矢印）．

## K　血液疾患，その他の全身疾患と関連する粘膜異常

### 1　Plummer-Vinson（プランマー・ビンソン）症候群

**概念**

消化管出血，子宮筋腫に伴う月経過多や悪性腫瘍などによる鉄分の喪失，鉄分の摂取不足により発生した鉄欠乏性貧血が遷延化して体内の組織に含まれる鉄酵素の活性が低下し，上皮系組織に萎縮性病変を生じる．鉄欠乏性貧血の症状である赤平舌と口角炎，スプーンネイル（匙状爪）に加えて，食道粘膜上皮の萎縮による嚥下障害を特徴とする症候群である．

**血液検査所見**

赤血球数の減少，ヘマトクリット（Ht）低値，ヘモグロビン（Hb）低値，平均赤血球容積（MCV）低値（80以下）を示す小球性低色素性貧血を示す．血清鉄（Fe）が低下（12 ng/mL未満），不飽和鉄結合能（UIBC）の増加，血清フェリチンが低下する．

**症状**

a　口腔症状

舌乳頭が著明に萎縮して平滑化し発赤を認め，接触痛や灼熱感を伴ういわゆる赤平舌を呈する．口角炎の発症頻度も高い（図11-40a）．

b　全身症状

Hb低下に伴う組織の低酸素症状（易疲労感や全身倦怠感）や顔色および眼瞼結膜の蒼白を認める．また組織鉄低下に伴い爪は中央が扁平となり，陥凹するスプーンネイル（匙状爪）を呈する（図11-40b）．咽頭，食道などの上部消化管粘膜の萎縮と狭窄により嚥下障害が生じる．

**治療**

貧血の原因の治療ならびに鉄剤の投与を行う．

### 2　Hunter舌炎

**概念**

胃の全摘切除や萎縮性胃炎により胃からタンパク質が分泌されなくなると，ビタミン$B_{12}$の吸収障害が起こる．ビタミン$B_{12}$はDNA合成の必須の役割を果たしているため，赤芽球は成熟過程で成熟不良な巨赤芽球となる．巨赤芽球は脆弱なため赤血球が生産されず悪性貧血となる．悪性貧血により舌乳頭が萎縮，発赤と灼熱感を伴う状態をHunter舌炎という．

**血液検査所見**

平均赤血球容積（MCH）は高値（110以上）を示す巨赤芽球性貧血（大球性正色素性貧血）を呈する．さらに赤血球，白血球，血小板が減少する汎血球減少を呈する．

**症状**

a　口腔症状

舌背部の乳頭が萎縮し発赤，平滑が著明となり灼熱感を訴える（図11-41）．味覚異常を訴えることもある．

b　全身症状

易疲労感，頭痛，息切れ，動悸などの貧血症状を訴える．ビタミン$B_{12}$欠乏に伴う特徴的な神経

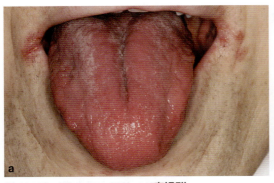
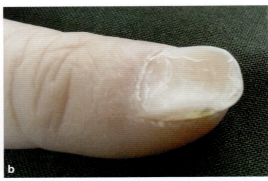

**図 11-40　Plummer-Vinson 症候群**
a：舌乳頭の萎縮と口角炎．b：スプーンネイル（匙状爪）
〔b：東京医科大学八王子医療センター皮膚科　梅林芳弘先生　提供〕

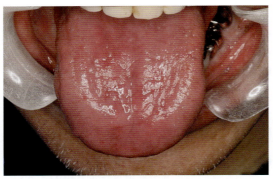

**図 11-41　Hunter 舌炎**
舌乳頭の萎縮を認める．

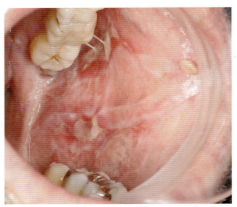

**図 11-42　急性 GVHD による口腔粘膜炎**
壊死性粘膜上皮，水疱形成を認める．

学的症状として末梢神経障害によるしびれ感，感覚鈍麻，深部感覚障害による Romberg（ロンベルグ）徴候（閉眼閉足起立試験によって身体の動揺が起こる徴候）が陽性となる．また消化器症状として下痢，食欲不振，悪心を呈する．皮膚は貧血により蒼白となる．

**治療**

ビタミン $B_{12}$ の注射投与を行う．

## 3　移植片対宿主病
graft-versus-host disease；GVHD

**概念**

輸血や造血幹細胞移植（骨髄移植）後に，ドナー（臓器を提供する人）のリンパ球がレシピエント（移植を受ける人）の臓器を異物とみなして攻撃することによって起こる免疫反応で，造血幹細胞浮遊液中に含まれるドナー由来の T 細胞が活性化され，炎症性サイトカインが萌出されることで発症する．移植から発症までの日数や症状から急性 GVHD と慢性 GVHD に分けられる．慢性 GVHD は全身性に多臓器に症状が現れるのが特徴で，口腔病変の出現率が高い．

**症状**

### 1　急性 GVHD（移植後 6〜30 日頃に発症）

#### a　口腔症状

口腔粘膜に放射線治療ならびに化学療法による口内炎と類似する発赤，小水疱，丘疹，びらん，出血，痂皮，白苔を呈する（図 11-42）．

#### b　口腔外症状

主に皮膚，消化管，肝臓に症状が現れる．皮疹（図 11-43），嘔気や下痢，黄疸が主症状である．

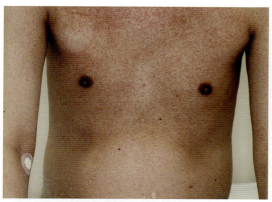

図11-43 急性GVHDによる皮疹
〔東京医科大学八王子医療センター皮膚科 梅林芳弘先生 提供〕

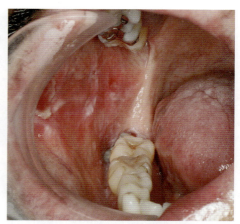

図11-44 慢性GVHDによる頰粘膜の扁平苔癬類似病変

## 2 ● 慢性GVHD（移植後3か月以降に発症）

### a 口腔症状

口腔症状として，扁平苔癬類似病変（図11-44），板状角化症，硬化性病変による開口障害ならびに唾液腺の破壊による口腔乾燥症を呈する．さらに二次的に粘膜萎縮，味覚障害，多発性齲蝕，増殖性病変を惹起する．また免疫低下により単純ヘルペスウイルスや水痘・帯状疱疹ウイルス感染を合併しやすくなる．

### b 口腔外症状

皮膚，爪，眼球結膜，肺気管支，肝臓，消化管，生殖器など多臓器に膠原病のような多彩な症状が現れる．

### 治療

急性GVHDの発症予防として主にカルシニューリン阻害薬（シクロスポリン，タクロリムス）やメトトレキサートなどの免疫抑制薬が投与される．急性GVHDに対する標準治療として，副腎皮質ステロイド薬の点滴投与が行われる．慢性GVHDでは軽症の場合には，皮膚病変に対しては副腎皮質ステロイド外用薬の局所療法，眼症状に対しては点眼薬，眼軟膏が用いられる．中等度・重症の場合には，全身療法としてカルシニューリン阻害薬の増量，副腎皮質ステロイド薬内服ならびに免疫力低下に伴う感染症対策を行う．口腔症状に対しては，治療開始前に感染巣の歯科治療と専門的口腔ケア（歯垢，歯石除去）を行う．治療開始後は適切な口腔ケアと含嗽，粘膜保護剤，保湿剤などにより症状を緩和させる．

## 4 Addison（アジソン）病

### 概念

免疫反応などに関わるコルチゾールやアルドステロン，アンドロゲンといった副腎皮質ホルモンの分泌が慢性的に生体の必要量以下に低下する慢性副腎皮質機能低下症のうち，副腎皮質自体の病変による原発性のものをAddison病と呼ぶ．主な原因は結核を代表とする感染症や自己免疫異常の関与が指摘されているが，真菌性や後天性免疫不全症候群（AIDS）に合併するものも増えている．Addison病では下垂体が副腎を刺激しようとして副腎皮質刺激ホルモン（ACTH）の産生をまねく．ACTHはメラニンの産生を刺激するため，皮膚や粘膜に色素沈着をもたらす．

### 血液検査所見

#### ① 内分泌学的検査

血漿コルチゾール値の低下と血漿ACTHの高値を認める．

#### ② 血清生化学検査

アルドステロン欠乏による血清NaならびにClの低下とKの上昇を認める．

### 症状

### a 口腔症状

頰粘膜（図11-45a），舌（図11-45b），口唇粘膜（図11-45c），口蓋粘膜に青黒色の色素沈着を認める．

### b 全身症状

副腎皮質ホルモンの欠乏により，易疲労，脱力

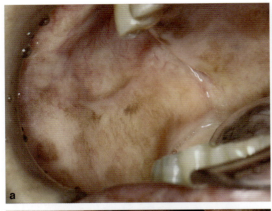
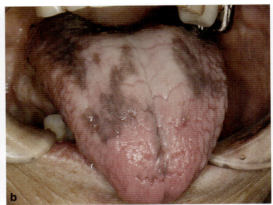
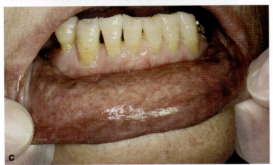

図 11-45　Addison 病
a：頬粘膜の色素沈着
b：舌の色素沈着
c：口唇粘膜の色素沈着

感，食欲不振，体重減少，悪心・嘔吐，下痢などの消化器症状や無気力，不安，うつなどの精神症状を訴える．症状が進行すると顔や肘，膝，爪床に黒い斑点，乳首，直腸，腟などの粘膜に青黒色の色素沈着を認める．

**治療**

副腎皮質ステロイドホルモン（ヒドロコルチゾン）の補充が行われる．抜歯や口腔外科手術などのストレス時には急性副腎皮質機能低下症（副腎クリーゼ）を起こすことがあるため，治療当日の朝にヒドロコルチゾンの投与量を通常の2～3倍に増量する．

## 5 Behçet（ベーチェット）病

**概念**

Behçet 病は口腔粘膜のアフタ性潰瘍，皮膚症状，眼症状，外陰部潰瘍の4つの症状を主症状とする慢性再発性の全身性炎症性疾患である．原因は不明であるが，なんらかの内因（遺伝素因）に外因（感染病原体や環境因子）が発症に関与すると考えられている．ヒトの組織適合性抗原である白血球抗原（HLA）の中の HLA-B51 というタイプと HLA-A26 を持つヒトの発症率が高いことがわかっている．

**症状**

### a 口腔症状

境界鮮明な浅い有痛性のアフタ性潰瘍が，口唇粘膜，頬粘膜，舌，歯肉，口蓋粘膜に多発性，再発性に出現する．初発症状のことが多く，再発を繰り返し，ほぼ必発する（図 11-46a）．

### b 全身症状

#### ① 皮膚症状

下腿に好発する結節性紅斑（図 11-46b），皮下の血栓性静脈炎，にきびに似たざ瘡様皮疹が顔面，頸部，胸部などにみられる．

#### ② 眼症状

両眼にぶどう膜炎が起こり，結膜充血，眼痛，視野障害などを呈す．さらに網脈絡膜炎を起こすと視力低下をきたす．

#### ③ 外陰部潰瘍

有痛性の境界鮮明なアフタ性潰瘍が男性では陰嚢，陰茎，亀頭に，女性では大小陰唇に好発する．

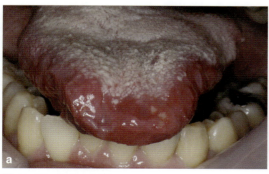
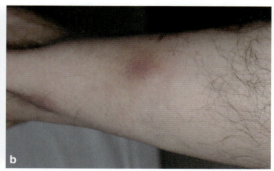

図 11-46　Behçet 病
a：再発性アフタ性口内炎，b：下腿部の結節性紅斑
〔b：東京医科大学八王子医療センター皮膚科 梅林芳弘先生 提供〕

### 治療

眼症状に対しては副腎皮質ステロイド薬，散瞳薬の点眼，口腔ならびに外陰部に対しては副腎皮質ステロイド外用薬の局所塗布を行う．急性増悪を繰り返す場合は，コルヒチンの内服が行われる．

### 文献

[総論]
1) 川崎堅三(監訳)：Ten Cate 口腔組織学 原著第6版．医歯薬出版，2006．
2) 駒﨑伸二(著)：バーチャルスライド組織学．羊土社，2020．
3) 山根源之(監修)：歯科医師のための皮膚科学，第3版．医歯薬出版，2023．

[各論]
[C．ウイルス感染症，D．角化異常症]
1) 道健一(監修)：改訂版 口腔顎顔面疾患カラーアトラス．永末書店，2012．
2) 山根源之，草間幹夫，久保田英朗，中村誠司(編)：口腔内科学，第3版．永末書店，2023．

[E．アレルギーと関連する口腔粘膜異常]
1) 日本口腔外科学会(編)：口腔外科研修ハンドブック．医歯薬出版，2022．
2) 笹月健彦(監訳)：カラー図説免疫：感染症と炎症性疾患における免疫応答．メディカルサイエンスインターナショナル，2009．

[G．色素沈着異常，H．口腔症状を呈する内分泌障害，代謝障害，I．栄養障害，J．薬物，その他の障害による粘膜疾患]
1) 片倉 朗：色素沈着異常，血液およびその他の全身疾患と関連する粘膜異常．内山健志，他(編)：標準口腔外科学，第4版．pp394-398，医学書院，2015．
2) 武川寛樹：自己免疫疾患，代謝・内分泌疾患，栄養障害．又賀 泉，他(編)：最新口腔外科学，第5版．pp468-469，医歯薬出版，2017．
3) 岩﨑泰正：先端巨大症/下垂体性巨人症．森野勝太郎，他(監修)：病気がみえる vol.3 糖尿病・代謝・内分泌，第5版．pp212-215，メディックメディア，2019．
4) 伊達木澄人：成長ホルモン分泌不全性低身長の原因と治療．小児科 63：728-733，2022．
5) 森野勝太郎，他(監修)：病気がみえる vol.3 糖尿病・代謝・内分泌，第5版．メディックメディア，2019．
6) 草間幹夫：その他の粘膜疾患．又賀 泉，他(編)：最新口腔外科学，第5版．pp248-253，医歯薬出版，2017．
7) 窪田拓生：くる病と歯科疾患．Clin Calcium 23：1497-1502，2013．
8) 黒木祐吾，他：Hunter 舌炎に対するビタミン $B_{12}$ 内服療法の臨床的検討．歯薬療法 34：9-15，2015．
9) 廣川 誠：悪性貧血．日内会誌 103：1609-1612，2014．
10) 日本口腔科学会マニュアル作成委員会，日本病院薬剤師会，重篤副作用総合対策検討会：重篤副作用疾患別対応マニュアル薬物性味覚障害．厚生労働省：2011年3月(2022年2月改訂)
11) 渡部昌美：唾液分泌障害・味覚障害．プロフェッショナルがんナーシング 2：74-78，2012．
12) 浮地賢一郎，他：関節リウマチに対するメトトレキサート薬物療法中に重篤な口内炎をきたした2例．日口診誌 28，178-182，2015．
13) 清水博之，他：頰粘膜に発症したメトトレキサート関連リンパ増殖性疾患の1例．日口内誌 25：44-50，2019．
14) 福田英嗣：薬疹・中毒疹．髙橋愼一，他(編)：歯科医師のための皮膚科学，第3版．p49，医歯薬出版，2023．

15) 福田英嗣：固定薬疹．小児内科 54：1308-1312, 2022.
16) 上田順宏, 他：ビスフォスフォネート関連口腔粘膜潰瘍の1例．日口外誌 66：25-30, 2020.
17) 日本歯科薬物療法学会口腔カンジダ症薬物療法ガイドライン制定委員会（編）：口腔カンジダ症薬物療法の指針―治療とケアに役立つ基礎と臨床―, 第1版．pp15-57, 医歯薬出版, 2016.

[K．血液疾患, その他の全身疾患と関連する粘膜異常]
1) 神田善伸, 他：血液・造血器．矢崎義雄, 小室一成（編）：内科学, 第12版．ppV58-V72, 朝倉書店, 2022.
2) 茂木伸夫：造血細胞移植患者の口腔ケアとその意義．歯科学報 110：752-756, 2010.
3) 中林 透, 他：内分泌疾患．井田和徳, 他（編）：歯科のための内科学, 改訂第3版．pp187-188, 南江堂, 2010.
4) 小竹 茂：Behçet病．針谷正祥, 他（編）：膠原病・リウマチ診療, 第4版．pp579-599, メジカルビュー社, 2020.

# 第12章 口腔に症状を現す血液疾患および止血機構の障害

## 総論

### A 血液と疾患

血液（全血）は細胞成分（血球）と液性成分（血漿，血清）からなり，その異常は「血液疾患」と呼ばれる．血液疾患は，血球の異常から，①赤血球系疾患，②白血球系疾患に大別され，血小板の疾患は，液性成分中の凝固因子の異常とともに③出血性素因として説明される．血液疾患を理解するためには，血球の種類とその機能，血漿・血清中の成分についての基礎的な理解が必須である．

#### 1 血球

血液に含まれる細胞は血球（blood cell）と呼ばれる．血球は，赤血球，白血球，血小板からなり，白血球はさらに好中球，好酸球，好塩基球，リンパ球，単球からなる．血球の異常は，細胞数の異常と細胞機能の異常に分けられる．

#### 2 血清と血漿

血液の液性成分にはタンパク質（酵素や抗体），電解質，微量金属，ビタミンなどさまざまな生化学成分が含まれる．
血液を採取し遠心分離すると血球成分と上澄みに分かれる．この上澄みが血漿（plasma）であ

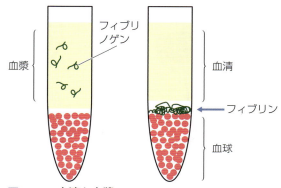

図 12-1 血清と血漿

る．一方，血液を試験管内に静置すると血球が凝固して沈降し（血餅と呼ばれる），上澄みが分離される．その際の血餅形成にはフィブリノゲンが消費されるため，上澄みにはフィブリノゲンが含まれていない．その上澄みが血清（serum）である．血漿からフィブリノゲンを除いたものが血清である（図 12-1）．

**血液＝血球＋血漿**
**血清＝血漿－フィブリノゲン**

### B 造血幹細胞と血球分化

主要な造血組織は，骨髄（bone marrow）である．骨髄に存在する造血幹細胞（hematopoietic stem cell）が骨髄系幹細胞とリンパ系幹細胞に分化し，骨髄系幹細胞から赤芽球系（赤血球），骨髄球系（顆粒球，単球），巨核球系（血小板）が分化し，リンパ系幹細胞からリンパ球が分化してくる（図 12-2）．したがって，造血幹細胞移植をすれば全血球を再生できることになる．また，抗がん

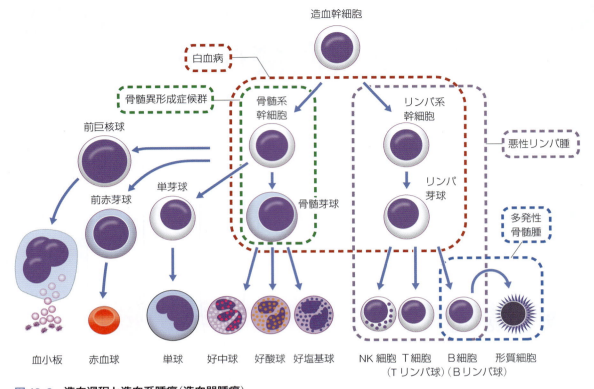

**図 12-2　造血過程と造血系腫瘍（造血器腫瘍）**
造血系の幹細胞が分化して各血球になる．この過程のどこで腫瘍化が起こるかにより造血系腫瘍の種類が決まる．

薬や放射線照射によって生じる骨髄抑制は，赤血球，白血球，血小板の産生抑制をまねく（汎血球減少）．

## 1 赤血球（erythrocyte, red blood cell）の分化と機能

骨髄系幹細胞から，前赤芽球→好塩基性赤芽球→多染性赤芽球→正染性赤芽球へと分化する．その後，細胞内のヘモグロビン量が増加し，核が消失して網状構造を呈し，網赤血球（reticulocyte）となる．網赤血球は成熟赤血球直前の細胞であり，大部分は骨髄に存在し，循環血液中の赤血球の約1％を占めるにすぎない．貧血などによって成熟赤血球数が減少すると網赤血球が循環血液へ移動し，末梢血中の網赤血球の割合が増加する．末梢血中の赤血球の寿命は約120日で，脾臓など細網内皮系で破壊される．腎臓で合成されるエリスロポエチンは，赤血球の産生を促すサイトカインである．

成熟した赤血球は核がなく細胞質に多量のヘモグロビン（hemoglobin：Hb，血色素）を含み，赤色を呈す．ヘモグロビン分子中の赤色素ヘムの中心に2価の鉄原子（Fe）があり，酸素を結合できる．組織への酸素運搬が赤血球の機能である．赤血球数が減少する，あるいは細胞内のヘモグロビン濃度が減少すると酸素運搬能が低下するため，その代償作用として呼吸数や心拍数が増える．また，ヘム中の2価の鉄原子が3価になると，酸素結合能が失われメトヘモグロビン血症となりチアノーゼを呈するが，プロピトカイン（プリロカイン）などの局所麻酔薬で生じることがある．鎌状赤血球では遺伝子変異によって赤血球の変形能力が失われ，小さい毛細血管を通過できずに酸素運搬能が低下する．ヘムが脾臓で代謝されてビリルビンとなる．

## 2 白血球の分化と機能

白血球は，顆粒球，リンパ球，単球からなり，

### 表12-1 白血球分画

| | |
|---|---|
| 好中球 | 42〜72% |
| 　桿状核好中球 | 3〜10% |
| 　分葉核好中球 | 40〜70% |
| 好酸球 | 0〜5% |
| 好塩基球 | 0〜2% |
| リンパ球 | 20〜50% |
| 単球 | 1〜8% |

顆粒球は好中球，好酸球，好塩基球からなる．リンパ球にはT細胞，B細胞，NK細胞が含まれる．「白血球分画」とは末梢血中の各白血球の割合を示す(表12-1)．末梢血中の白血球数の基準値は4,000〜9,000/μLで，そのうち好中球が42〜72%を占める．

###  A 好中球 neutrophil

好中球は細菌感染における生体防御の中心であり，幹細胞→骨髄芽球→前骨髄球→骨髄球→後骨髄球→桿状核球(検査略語：Band)→分葉核球(検査略語：Seg)と成熟する．細菌感染で分葉核球が消費されると，好中球分化を促進させるために桿状核球が増加するのが「核の左方移動」である．

好中球数が減少すると，細菌に対する抵抗力が減弱し，臨床的な「易感染性」をもたらす．

### B 好酸球 eosinophil

エオジン親和性の顆粒を有する．末梢血中の好酸球数が500/μLを超えると好酸球増多症となる．殺菌作用，貪食作用をもつが，アレルギー疾患や寄生虫感染で増加する．

### C 好塩基球 basophil

好塩基性の顆粒を有し，細胞表面にはIgEに親和性のあるFc受容体がある．IgEに対する抗原が結合すると，細胞内の顆粒に含まれるヒスタミンやロイコトリエンなどのケミカルメディエーターが放出され，Ⅰ型アレルギーを引き起こす．

### D リンパ球 lymphocyte

T細胞にはCD4陽性のヘルパーT細胞やCD8陽性の細胞傷害性T細胞があり，細胞性免疫を担う．B細胞は形質細胞に分化し抗体を産生して液性免疫を担う．NK細胞は主要組織適合性抗原(MHC)の拘束を受けない自然免疫を担う．

AIDSではヒト免疫不全ウイルス(HIV)がCD4陽性ヘルパーT細胞に感染し，CD4陽性T細胞が減少し，免疫能が低下する．インフルエンザ感染でも減少する．また，低栄養，特定の自己免疫疾患，副腎皮質ステロイド薬の使用などによっても減少する．ほかのウイルス感染や結核では増加することもある．

### E 単球 monocyte

組織中に存在するマクロファージ(macrophage)とともに単球/マクロファージと総称される．異物を貪食処理するとともに，細胞表面上のMHCクラスⅡ分子で抗原をヘルパーT細胞に提示し，免疫機構を活性化させる．

## ③ 血小板の分化と機能

血小板(platelet)は，骨髄系幹細胞→前巨核球→巨核球→血小板と分化する．巨核球の細胞質から産生されるため，核をもたない．寿命は8〜10日である．血管内皮の損傷部の露出したコラーゲンにvon Willebrand因子が付着するとそこに血小板が粘着し，血小板内のトロンボキサンA2，ADP(アデノシン二リン酸)やセロトニンが放出され，血小板凝集を促進する．その結果，血栓形成を促し止血作用を及ぼす(一次止血)．

血中の血小板数の減少や血小板の粘着能・凝集能の低下は止血困難(出血傾向)をもたらす．

表 12-2　血球検査と貧血検査

| 検査項目 | 基準値 |
|---|---|
| 赤血球数 | 男性：410万～560万/μL<br>女性：380万～480万/μL |
| 白血球数 | 4,000～9,000/μL |
| 　桿状核球 | 100～2,000/μL |
| 　分葉核球 | 1,100～6,050/μL |
| 血小板数 | 15万～30万/μL |
| ヘモグロビン濃度(Hb) | 男性：15.5±2.5 g/dL<br>女性：14.0±2.5 g/dL |
| ヘマトクリット(Ht) | 男性：47±7%<br>女性：42±5% |
| 赤血球恒数 | |
| 　MCV(Ht/赤血球数×100) | 86±10 fL |
| 　MCH(Hb/赤血球数×100) | 29.5±2.5 pg |
| 　MCHC(Hb/Ht×100) | 32.2±2.5 g/dL |
| 血清鉄(Fe) | 男性：70～160 μg/dL<br>女性：45～140 μg/dL |
| 総鉄結合能(TIBC) | 男性：239～367 μg/dL<br>女性：276～408 μg/dL |
| 不飽和鉄結合能(UIBC) | 男性：82～294 μg/dL<br>女性：159～343 μg/dL |

 ## 血液疾患の検査(表 12-2)

　血液疾患の診断のための基本的検査は，血球検査で，静脈からの採血によって得られた末梢血1 μL 中の赤血球，白血球，血小板の数である(表12-2)．特に赤血球の酸素運搬能は貧血の診断に重要であり，ヘモグロビン濃度(Hb)，ヘマトクリット(Ht)，赤血球恒数(MCV，MCH，MCHC)(→p.22，表 1-5)は貧血の診断に重要である．また，白血病など白血球系の疾患の診断には白血球分画(表 12-1)も重要である．

　HIV 感染(AIDS)ではリンパ球数が減少するが，なかでも CD4 陽性細胞数が減少し，CD4/CB8 細胞数比(CD4/8 比)が低下する．その他，悪性リンパ腫の診断には生化学検査として末梢血中の乳酸脱水素酵素(LDH)や可溶性インターロイキン 2(IL-2)受容体濃度(sIL-2R)の上昇が重要であり，多発性骨髄腫の診断には末梢血中のγ-グロブリン(M タンパク)濃度の上昇や尿中の Bence Jones タンパク(BJP)の検出が重要である．

 ## 出血性素因と止血機序

　抜歯など，口腔外科での観血的手術に際し，術中の止血困難や術後に再出血が生じることがある．また，自然に歯肉出血して来院する患者に遭遇することもある．その際にまず念頭に置くべきは，止血困難の原因となる全身疾患の有無を診査することである．このような原因は出血性素因と呼ばれ，止血困難な状態は出血傾向と呼ばれる．また，ほかの疾患によって処方されている抗血栓薬が止血困難の原因となることもある．

　出血性素因を診断するためには，生理的な止血機序を理解する必要がある．

　損傷を受けた血管からの出血が止まるためには，その損傷部位に血栓が形成される必要がある．血栓形成に働く重要因子が，①血小板と②凝固因子である．また，血管の強度も重要で，血管の構造が脆弱であれば出血傾向を呈する．

　血管の損傷部位には，血小板粘着→血小板凝集→凝固因子の連鎖反応→フィブリン形成(血栓形成)，の順で反応が進行し，血栓による止血が完成する．血小板凝集までが一次止血，凝固因子が参加するのが二次止血である．

　また，ほかの出血性素因の原因として，血管強度の脆弱化(Osler 病，壊血病)や線維素溶解現象(線溶)の亢進〔プロテイン C 欠乏症，播種性血管内凝固症候群(DIC)〕がある．

### 1 一次止血と血小板異常

　一次止血は血小板による止血である．血小板が止血効果をもたらすためには，血小板数と血小板機能(粘着能と凝集能)の両者が伴わなければならない．

　血管の損傷部位に von Willebrand 因子が付着するとそこに血小板が粘着する(血小板粘着能)．粘着した血小板は活性化されてトロンボキサン A2 などを放出し，フィブリノゲンを介して血小板どうしの凝集が生じる(血小板凝集能)．

　骨髄の障害(抗がん薬，再生不良性貧血，急性骨髄性白血病)は血小板数の減少をまねき，出血傾向を呈することになる．自己免疫によって血小板が破壊される場合も同様である〔免疫性(特発性)血小板減少性紫斑病〕．von Willebrand 因子が

欠損すると血小板が粘着できずに一次止血が阻害される（von Willebrand病）．また，心筋梗塞後などに服用する抗血小板薬は，血小板内の凝集活性化シグナルを抑制し，動脈性の血栓を防止するが，抜歯後出血の原因となることがある．一次止血の阻害による出血の臨床像は皮膚の点状出血を呈する．

##  二次止血と凝固因子異常

凝固因子には12種類の因子（第XIII因子まであるがそのうち第VI因子は欠番）があり，その凝固因子の連鎖反応によって最終的にはフィブリン（線維素）が形成されて血液凝固が完成する．この凝固因子によるフィブリン網形成が二次止血である．

凝固因子カスケードの起点には2種類ある．血管外の細胞から放出される組織因子〔第III因子（組織トロンボプラスチン）〕から始まるカスケードの外因系凝固経路は，血管内皮細胞の損傷によって露呈したコラーゲンなどによって始まる．血中の凝固因子のみで生じるカスケードは内因系凝固経路と呼ばれる．外因系は第VII因子を必要とするが，内因系では第VII因子は不要で，第XII因子と第VIII因子（血友病Aの原因）が働く．外因系と内因系は最終的に共通経路に合流し，第X因子が活性化される（第Xa因子）〔a は active（活性化）の意〕．共通経路ではその後，プロトロンビン（第II因子）がトロンビンへと活性化され，トロンビンによってフィブリノゲンがフィブリンへと変換，フィブリンモノマーは第XIII因子によって強固なフィブリンポリマーとなって血液凝固が完成する（図12-3）．

肝障害では第III，VIII因子を除く，タンパク性の凝固因子の産生が抑制されて出血傾向を呈する．血友病Aは内因凝系の第VIII因子が，血友病Bでは第IX因子の欠乏により出血傾向を呈する．ビタミンKは第II因子，第VII因子，第IX因子，第X因子の4つの因子の合成に必要で，ビタミンK欠乏症は第II，VII，IX，X因子の異常により出血傾向となる．抗凝固薬のワルファリンカリウムはビタミンKを阻害するため，静脈性および心臓性の血栓症（心原性脳塞栓症）の予防に用いられるが，抜歯後出血の原因となることがある．

多くの直接経口抗凝固薬（direct oral anticoagulant；DOAC）はトロンビン（第IIa因子）や第Xa因子を阻害して病的な血栓性の塞栓を予防する．一次止血が作動するものの二次止血が阻害され，出血部位に血餅は形成されるもののフィブリンが完成されず，再出血しやすい脆弱な血餅となる．

# E 出血性素因の検査（表12-3）

##  血小板数と血小板機能

出血性素因を疑えば，まず血小板数を測定する．その基準値は，15万～30万/μLである．血小板数が3万/μL以下に減少すると抜歯前に血小板を増加させる必要がある．

また，血小板数が正常でも機能が低下していることがあり（血小板無力症など），血小板粘着能試験や血小板凝集能試験で診断できる．

## 2 出血時間
bleeding time

血小板による一次止血機能を調べるスクリーニング検査である．Duke法は，耳たぶをランセット（メス）で穿刺して生じる出血を30秒ごとに濾紙に吸わせて，止血するまでの時間を測定するものである．基準値は2～5分である．しかし，測定値にばらつきがあり信頼性に欠ける．出血時間は血小板数の減少や血小板機能（粘着能，凝集能）の異常で延長する．また，血管壁の脆弱（Osler病）によっても延長する．

## 3 プロトロンビン時間（PT），PT-INR
prothrombin time-international normalized ratio；国際標準比

外因系凝固因子のスクリーニングテストである．ビタミンK依存性凝固因子である第VII因子，第IX因子，第X因子，第II因子のうち，半減期の最も短い第VII因子を反映する．基準値は11～16秒である．

しかし，検査キットの製造ロットや製造業者によってPTが異なることがあるため，抗凝固薬ワ

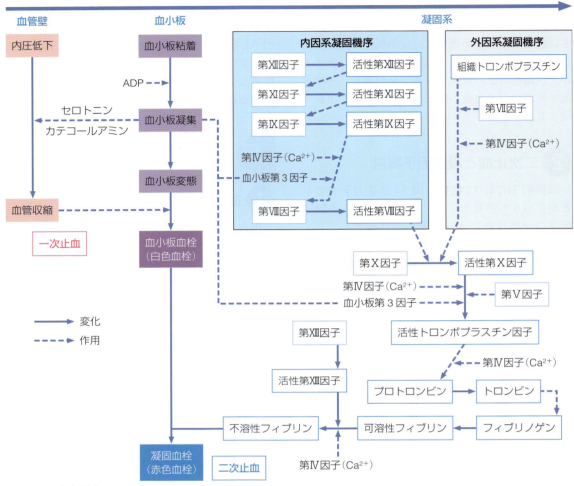

図 12-3 止血機序

表 12-3 出血性素因とスクリーニング検査

| 出血性素因 | 血小板数 | 血小板機能 | 出血時間 | PT | APTT |
|---|---|---|---|---|---|
| 血小板減少性紫斑病 | 減少 | 正常 | 延長 | 正常 | 正常 |
| 再生不良性貧血 | 減少 | 正常 | 延長 | 正常 | 正常 |
| 白血病 | 減少 | 正常 | 延長 | 正常 | 正常 |
| von Willebrand 病 | 正常 | 異常 | 延長 | 正常 | 延長 |
| 血友病 | 正常 | 正常 | 正常 | 正常 | 延長 |
| Osler 病 | 正常 | 正常 | 延長 | 正常 | 正常 |
| DIC | 延長 | 正常 | 延長 | 延長 | 延長 |

DIC：播種性血管内凝固症候群

ルファリンカリウム投与の際のモニタリングには，PT-INRが用いられる．

$$PT\text{-}INR = [患者PT（秒）/正常対照PT（秒）]^{ISI}$$
[ISI ≒ 1.0]

PT-INRが4.0以上になると異常出血のリスクが増す．

### 4 活性化部分トロンボプラスチン時間
activated partial thromboplastin time；APTT

内因系凝固因子の異常を調べるスクリーニングテストで，PT（外因系凝固因子の検査）と組み合わせることで出血性素因の鑑別に有効である．

基準値は30～40秒である．これより20秒以上の延長を異常の目安とする．

### 5 フィブリン・フィブリノゲン分解産物/Dダイマー
fibrin and fibrinogen degradation product；FDP/D-dimer

フィブリン・フィブリノゲン分解産物（FDP）とは，血液凝固によって形成された血栓（フィブリンおよびフィブリノゲン）がプラスミンによって分解された産物の総称である．FDPの分解がさらに進行した産物がDダイマーである．FDPの基準値は5μg/mL以下，Dダイマーの基準値は150 ng/mL以下である．FDPやDダイマーが高値になると線溶が亢進していることを示すとともに，線溶の前提である血栓形成が亢進していることを意味する．DICで増加する．

## F 抗血栓薬

抗血栓薬は，抗血小板薬と抗凝固薬に大別される．

血流の速い動脈では血管壁近くでの摩擦力が大きくなり，血小板による血栓形成をまねきやすい．したがって，動脈硬化に関する血栓症（狭心症および心筋梗塞，心原性脳塞栓症以外の脳梗塞，下肢閉塞性動脈硬化症）を防ぐには血小板を抑えることが必要である．一方，血流の遅い静脈や心臓内では血液が滞ることによって凝固因子による血栓形成（心房細動による心原性脳塞栓症，人工弁置換術後）が起こりやすい．このようなことから，動脈の血栓予防には抗血小板薬，静脈および心臓内の血栓予防には抗凝固薬が主として用いられる．両者を服用する患者もいる（表12-4）．

表12-4 抗血栓薬の種類

| 種類 | 一般名 | 特徴 |
|---|---|---|
| 抗血小板薬 | アスピリン<br>チクロピジン<br>クロピドグレル<br>プラスグレル<br>チカグレロル<br>シロスタゾール | 抗血小板作用 |
| 抗凝固薬 | ワルファリンカリウム | 第Ⅱ，Ⅶ，Ⅸ，Ⅹ因子抑制 |
|  | ダビガトラン | トロンビン阻害薬 |
|  | リバーロキサバン | 第Ⅹa因子阻害薬 |
|  | アピキサバン | 第Ⅹa因子阻害薬 |
|  | エドキサバン | 第Ⅹa因子阻害薬 |

### 1 抗血小板薬（→p.428，表12-9）
antiplatelet agent

アスピリンは血小板のシクロオキシゲナーゼ（COX）-1，COX-2を不可逆的に阻害し，プロスタグランジンG2からトロンボキサンA2（TXA2）が生成されるのを阻害して，TXA2による血小板の凝集を抑制する．血小板の寿命（約10日）を考えると投与後7～14日は効果が持続すると考えられる．

チクロピジンは，ADP受容体の拮抗薬で，ADPによる血小板凝集を阻害する．クロピドグレルもADP受容体の拮抗薬である．シロスタゾールは血小板のホスホジエステラーゼ（cAMP分解酵素）を抑制して細胞内のcAMP濃度を上昇させて血小板凝集を抑制する．

### 2 抗凝固薬（→p.428，表12-10）
anticoagulant agent

#### A ワルファリンカリウム

ワルファリンカリウムはビタミンKと拮抗し，ビタミンK依存性凝固因子であるトロンビン（第

Ⅱ因子），第Ⅶ因子，第Ⅸ因子，第Ⅹ因子の肝臓での合成を阻害する．ワルファリンカリウムの効果はPT-INRでモニターされるが，通常PT-INR 2.0〜3.5の範囲で調整されている．抜歯時はPT-INR≦3.0が適切である．服用を中止すると血栓症を起こしやすくなるため，安易な中止は危険である．

### B 直接経口抗凝固薬
direct oral anticoagulant；DOAC

ワルファリンカリウムの欠点を補う新規の抗凝固薬の総称である．直接トロンビン阻害薬のダビガトラン，第Ⅹa因子阻害薬のリバーロキサバン，アピキサバン，エドキサバンがある．

### G 観血的治療時の留意点

抜歯のために安易にワルファリンカリウムを休薬すると，リバウンド現象として約1％の頻度で重篤な血栓症が発症する可能性がある．そのため出血の程度を予測し，止血準備をしたうえで，通常は抗血栓薬を継続したまま抜歯を行う．抗血小板薬および抗凝固薬（DOACを含む）は休薬せずに抜歯することが基本である．ワルファリンカリウム服用患者では，抜歯当日のPT-INRが≦3.0であることを確認して抜歯する．

一般に出血性素因のある患者の抜歯に際し，止血床を含めた局所止血対策を準備し，愛護的な抜歯操作をすべきであろう．深部に針を挿入する伝達麻酔も控えたほうがよい．しかし，抜歯をする前に何よりも重要なことは，抗血栓療法を受けている原疾患の病状や抗血栓薬が至適量で投与されているか否か，患者の持参したお薬手帳の内容などについて内科の処方医と情報交換することである．医科歯科連携が重要である．

## 各論

血球の病的異常は量的，質的に整理される．量的には血球数に着目すると減少症と増多症となる．増多症と増加症はほぼ同義である．質的には血球の機能を担う成分の濃度や能力が着目される．

### A 赤血球系疾患

赤血球減少症と増多症がある．量質とも包括すると，貧血と多血症となる．

####  貧血，赤血球減少症
anemia, erythropenia

貧血は赤血球の質の低下あるいは量の減少で，後者の一部が赤血球減少症である．

#### a 概念と分類

貧血は末梢血中の赤血球が実質的に減った状態であり，一般的にはHb濃度が指標にされる．その基準は日本では成人の男性で13 g/dL，女性で12 g/dLである．ただし，思春期前と80歳以上の男女や妊娠時は11 g/dLほどとされる．

貧血の種類には鉄欠乏性，巨赤芽球性，再生不良性，溶血性などがある（図12-4）．このうち罹患率が最も高いのは鉄欠乏性貧血であり，全貧血の7割ほどを占める．

#### b 共通する病態と症状

発症機序は赤血球の産生過程の障害，破壊や喪失の増加である（表12-5）．さらに前者では産生に必要なものの欠乏，産生する細胞の異常や減少がある（図12-5）．

貧血の本態は酸素運搬機能の低下であり，①組織の酸素欠乏，②それを代償する生体反応を反映した症状が生じる．

一般的症状は①では皮膚や粘膜の蒼白化，全身倦怠感，易疲労感，めまい，耳鳴り，頭痛，失神，②では動悸，息切れ，頻脈などである．

### c 治療の基本的な考え方

発症原因を究明し対処することが根本療法となる．対症療法として，末梢血のHb値が6〜7 g/dL以下で急性であれば，輸血が適応になる．成分輸血である濃厚赤血球製剤を投与するが，その前には血液型検査，不規則抗体検査，交差適合試験を要する．慢性経過では代償機能が働いていることが多いため，一般的に輸血は適応でない．

## A 鉄欠乏性貧血
iron-deficiency anemia

**病態**

本態は赤血球の質の低下であり，Hbの構成要素である鉄の不足によりHbが合成できなくなる．そのため赤血球は小型化し，Hb濃度も低下する．これは小球性・低色素性と表現される．

鉄の体内の流通量は血清鉄，蓄積量はフェリチン，必要性は不飽和鉄結合能(UIBC)で評価される．フェリチンは名前からわかるように鉄結合性タンパク質の一種で，貯蔵庫の役割をする．

鉄欠乏の原因は鉄の①摂取不足，②吸収障害，③需要増大，④喪失増加であり，例として①では偏食や減食，②では消化管疾患，③では妊娠，④では痔などの慢性出血，月経などが挙げられる．これらにより体内の貯蔵鉄までもが枯渇してしまうと発症する．

口腔粘膜は萎縮により薄くなり，口角炎や舌乳頭の萎縮による赤い平滑舌がみられる．

わが国では男性の1〜2％，女性の10〜20％にみられる．成人女性では15〜30％を占め，このうち最も多いのは40代である．

**症状**

一般的な貧血の症状のほかに，口腔に灼熱感やヒリヒリ感が生じる．舌炎，嚥下障害もあればPlummer-Vinson症候群とされるが7〜19％の頻度である．また4％ほどには匙状爪(スプーンネイル)が生じる．

**診断**

診断基準はHb値12 g/dL未満，血清フェリチン値12 ng/mL未満，総鉄結合能(TIBC)値360 μg/dL以上である．

**治療**

原則は鉄欠乏の原因を特定し対処することであるが，対症的には鉄剤を投与する．

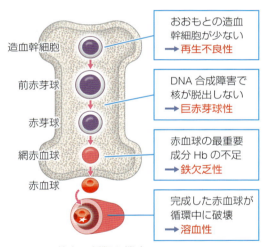

図 12-4　貧血の種類と機序

#### 表 12-5　貧血の発生原因と特徴

| 異常発生時期 | 貧血の種類 | 機序（原因） | 赤血球 数 | 赤血球 大きさ | 赤血球 血色素 | 症状の特徴 |
|---|---|---|---|---|---|---|
| 赤血球産生中（骨髄内） | 鉄欠乏性 | Hb合成障害（鉄欠乏） | → | ↓ | ↓ | Plummer-Vinson症候群 |
| | 巨赤芽球性 | DNA合成障害*（ビタミン$B_{12}$欠乏） | ↓ | ↑ | → | Hunter舌炎 神経障害 |
| | | DNA合成障害（葉酸欠乏） | ↓ | ↑ | → | |
| | 再生不良性 | 造血幹細胞の異常，減少 | ↓ | → | → | 出血傾向 易感染性 |
| 産生後（末梢血中） | 溶血性 | 血液循環中の赤血球破壊 | ↓ | → | → | 黄疸，褐色尿 時に脾腫 |

*悪性貧血が含まれる

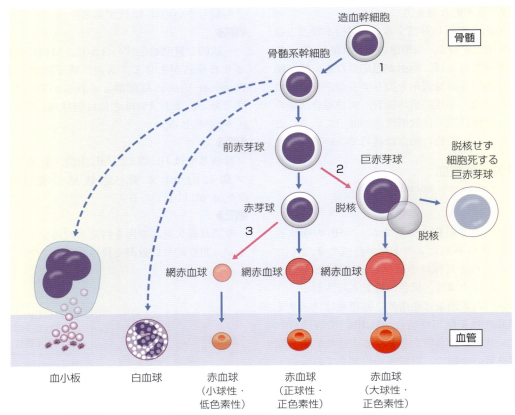

**図 12-5 造血過程における赤血球産生とその障害**
造血系の幹細胞が分化して赤血球になる．この過程の障害により貧血が生じる．
1：造血幹細胞の減少，2：DNA 合成障害，3：ヘモグロビン合成障害

## B 巨赤芽球性貧血
megaloblastic anemia

**病態**

正常な赤血球の産生過程では赤芽球から核が脱して網赤血球となり，これからさらに細胞小器官が脱して赤血球になる．このうち脱核には核が濃縮し成熟している必要がある．そのため核成熟しないと赤芽球は脱核する段階に至らない．しかし細胞質だけは成熟が進んでしまい巨大化する．こうしてできた異常細胞が巨赤芽球である．これは細胞死（アポトーシス）を迎えるものが多いが，一部は脱核し網赤血球を経て赤血球となる．そのため正常な赤血球が減少する一方で，産生まで至ったものは大型化しており大球性と表現される．

核が成熟しないのは DNA 合成障害のためであり，これはほかの細胞にも起こり，特に細胞分裂が活発なものほど影響されやすい．そのため皮膚や粘膜の細胞にも障害が生じる．

DNA 合成障害の原因は，① ビタミン $B_{12}$ 欠乏，② 葉酸欠乏であり，体内の蓄積分が枯渇してしまうと発症する．

なお，巨赤芽球性貧血の一種に悪性貧血がある．これはビタミン $B_{12}$ の結合障害によるもので，胃疾患で起こる．胃壁細胞から分泌されるビタミン $B_{12}$ の吸収に必須の糖タンパク質（内因子）の減少，内因子とビタミン $B_{12}$ の結合を障害する自己抗体の影響による．また悪性と呼ばれるのはビタミン $B_{12}$ が合成できるようになるまで治療法がなく，かつては致死的であったためである．

**症状**

一般的な貧血の症状のほかに，白髪や皮膚炎，神経障害による認知機能低下や四肢の感覚異常などがみられる．口腔では赤い平滑舌になり痛みや

味覚障害が生じ，これは Hunter 舌炎と呼ばれる．ほかに，口腔粘膜，咽頭粘膜の萎縮による嚥下障害が生じることもある．

### 診断
血液学検査で示される大球性の程度は平均赤血球容積(MCV)＞120 fL である．末梢血液像では赤血球の大きさと形にばらつきがみられる．骨髄中に巨赤芽球が認められる．ビタミン $B_{12}$，葉酸欠乏の基準はそれぞれの血清中濃度が 200 pg/mL，2 ng/mL 未満である．

### 治療
原則は原因に対処することで，欠乏したビタミン $B_{12}$，葉酸を投与し補充する．なおビタミン $B_{12}$ や葉酸の欠乏は裂奇形の発生要因であることにも留意する．

## C 再生不良性貧血
aplastic anemia

### 病態
造血幹細胞の減少により生じる汎血球減少と骨髄低形成を特徴とする症候群である(図 12-2，→p.408)．先天性と後天性がある．ほとんどが後天性で特発性(原因不明)であるが，二次性として薬剤，放射線，化学物質，妊娠などがある．先天性では，Fanconi 貧血がある．

### 症状
一般的な貧血の症状のほかに，白血球や血小板の減少に伴って，易感染性，出血傾向がみられる．

### 診断
血液学検査で Hb 10 g/dL 未満，好中球 1,500/μL 未満，血小板 10 万/μL 未満のうち，2 項目以上を満たすときは，骨髄検査に進む．その所見で骨髄低形成，脂肪髄を証明する．

### 治療
原因が特定できればそれに対処する．造血回復を目指すには免疫抑制療法(抗胸腺細胞グロブリンとシクロスポリンの併用)，同種造血幹細胞移植などがある．また，支持療法として輸血がある．

## D 溶血性貧血
hemolytic anemia

### 病態
溶血とは赤血球が破壊される現象のことである．先天性・後天性，内因性・外因性，血管内・血管外に分類される．先天性では鎌状赤血球症やサラセミアが，後天性では不適合輸血や自己免疫性溶血性貧血，発作性夜間ヘモグロビン尿症などがある．内因性・外因性は溶血の原因が赤血球の内・外にあることを，血管内・血管外は溶血が起こる場が血管内循環中・脾臓中であることを指す．脾臓は赤血球処理機能亢進を反映して大きくなり，脾腫と呼ばれる状態になる．また，Hb の分解代謝産物であるビリルビン濃度が上昇すると黄疸が生じる．

### 症状
一般的な貧血の症状のほかに，尿潜血や濃黄色尿，黄疸や脾腫がみられる．黄疸では皮膚や眼球結膜などが黄色くなる．脾腫になると左側肋骨下縁の下部で触知できるようになる．

### 診断
血液学検査で，Hb 濃度の低下，網赤血球の増加，間接ビリルビン濃度の上昇などが診断根拠になる．

### 治療
原則は原因が特定できれば，それに対処することである．

## 2 赤血球増多症
polycythemia

### 病態
赤血球が腫瘍性に増加する真性赤血球増多症と，基礎疾患のためにエリスロポエチンが過剰に増加した結果として生じる二次性赤血球増多症がある．さらに，脱水による血液濃縮状態や高地への移住，睡眠時無呼吸など慢性的な低酸素状態による代償作用として生じる相対的赤血球増多症がある．

### 症状
顔面紅潮，眼球眼瞼結膜の充血，高血圧などである．

### 診断
血液学検査で，赤血球数，Hb 濃度，Ht などの値が基準範囲の上限を超えていれば判断できる．

### 治療
原因を特定して対処し，根本的治療を目指す．対症的には瀉血，つまり血液を排出する．

なお，血液の粘性が高くなっているので血栓が

表 12-6 白血球系疾患と造血系腫瘍（造血器腫瘍）

| 疾患 | 白血球 | | | | 赤血球 | 血小板 |
|---|---|---|---|---|---|---|
| | 数 | 性状 | 機能 | 易感染性 | 数 | 数 |
| 白血球減少症 | ↓ | 正常 | ○ | ＋ | → | → |
| 白血球増多症 | ↑ | 正常 | ○ | － | → | → |
| 白血病などの造血系腫瘍 | ↑ | 異常 | × | ＋ | ↓ | ↓ |

できやすい．

二次性，相対的なものに対しては，特に治療は不要である．

## B 白血球系疾患

本項で扱うのは，白血球の量的異常の疾患で，その質的変化は特に示さない疾患である．白血球の数量も質も変化する疾患に白血病などの造血系腫瘍があり（表 12-6），これは次項で扱う．

### 1 白血球減少症
leukopenia

**病態**

白血球の重要な役割の1つは，生体防御である．微生物や異常細胞などを貪食し消化するため，白血球が減少した分だけその働きが減弱する．

発症機序は，①産生された白血球の破壊，消費，②白血球産生過程の障害などである．例として，①では薬剤アレルギーがある．薬剤が好中球に結合してできた複合体に対して免疫機構が働いて抗体ができてしまい，その抗体により好中球が破壊される．ほかに後天性免疫不全症候群（AIDS）がある．HIVによりリンパ球が破壊される．②では悪性腫瘍に対する化学療法や放射線療法のため生じる骨髄抑制がある．骨髄におけるすべての血球の産生が抑制されるため，白血球だけでなく赤血球や血小板なども減少する．

**症状**

感染性疾患があればそれが増悪し，悪寒や発熱などの全身的な症状も現れ，さらに敗血症に至ることもある．

**診断**

白血球分画で好中球が1,500/μL未満であれば好中球減少症とされ，好中球は顆粒球の大半を占めるため顆粒球減少症ともされる．500/μL以下になれば無顆粒球症（agranulocytosis）とされる．リンパ球が1,000/μL未満であればリンパ球減少症とされる．減少したリンパ球がCD4陽性T細胞であれば，AIDSが疑われる．

**治療**

原因を検索する．同時に重症度に応じた感染予防策を講じる．感染の徴候があれば原因菌を同定し，それに有効な抗菌薬を投与する．化学療法や放射線療法中は白血球数や好中球数の推移を監視し，一定数を下回ればそれらを増やす薬剤を投与する．その代表的なものに顆粒球コロニー刺激因子（granulocyte-colony stimulating factor；G-CSF）製剤がある．これは骨髄中の顆粒球前駆細胞を活性化させるもので，その増殖と分化が促されるため顆粒球は産生が進み，血中に増える．

また口腔内の微生物が感染源になりうるので，口腔衛生管理が重要である．

### A 発熱性好中球減少症
febrile neutropenia；FN

好中球減少に発熱を伴う場合は，FNとして緊急の対応を要する．発症に注意すべきなのは，悪性腫瘍に対する化学療法や放射線療法時である．

**病態**

白血球産生過程の障害であり，好中球が減少し，細菌や真菌に対する抵抗力が弱まる．それらの感染が生じると発熱だけでなく，急速に重症化しやすい．

**診断**

好中球が500/μL未満，あるいは1,000/μL未満で48時間以内に500/μL未満に減少すると予測される状態で，腋窩温37.5℃以上の発熱を生じた場合である．

**治療**

感染症の一般的な対処法に準じるが，重症化しないようにすみやかに始める．その内容は，①感染巣の探索と原因微生物の同定，②広域スペクトラムの抗菌薬の投与である．②は経験的治療であり，①の結果により，それに対処し根本的治療に切り替える．

表 12-7 造血系腫瘍（造血器腫瘍）の分類と性質

| 造血系腫瘍 | | 腫瘍化が起こる | | 腫瘍細胞の血中循環 |
|---|---|---|---|---|
| 分類 | 細分類 | 場所 | 細胞 | |
| 白血病 | 急性骨髄性 | 骨髄 | 骨髄系 | あり |
| | 慢性骨髄性 | 骨髄 | 骨髄系 | あり |
| | 急性リンパ性 | 骨髄 | リンパ系 | あり |
| | 慢性リンパ性 | 骨髄 | リンパ系 | あり |
| 悪性リンパ腫 | ホジキン | リンパ系組織 | リンパ系 | なし* |
| | 非ホジキン | リンパ系組織 | リンパ系 | なし* |
| 多発性骨髄腫 | | 骨髄 | リンパ系 | なし* |
| 骨髄異形成症候群 | | 骨髄 | 骨髄系 | なし* |

*末期にはあり

## 2 白血球増多症
leukocytosis

**病態**

骨髄が正常であるにもかかわらず，血液中の白血球が増えた状態である．増えた白血球の種類により①好中球増多症，②好酸球増多症，③リンパ球増多症などに分けられる．正常白血球増加が示唆するのは外来異物侵入である．代表的な異物は，①は細菌，②は寄生虫やアレルギー原因物質，③はウイルスなどである．また①では需要に供給が追いつかないと未熟なものまでが動員され，末梢血中に幼若な好中球が出現することがある．これは核の分葉が進んでおらず，核の左方移動と表現される．

**診断**

末梢血中の好中球が 7,500/μL 以上であれば好中球増多症，好酸球が 1,500/μL 以上であれば好酸球増多症とされる．ただし白血病が否定された場合に限られる．

**治療**

原因が特定できれば，それに対処する．アレルギー性臓器障害で緊急性があれば副腎皮質ステロイド薬により対症療法がされることがある．

## C 造血系腫瘍

### a 概念と分類

造血幹細胞から白血球が産生されるまでの過程において細胞が悪性腫瘍化するものである（図 12-2，→p.408）．原因は後天的な遺伝子異常などである．

種類は白血病，悪性リンパ腫，多発性骨髄腫などである．腫瘍化する細胞が骨髄系かリンパ系か，それが起こる場所が骨髄かリンパ系組織か，腫瘍細胞が血中に移行し循環するかしないかにより分類される（表 12-7）．

### b 共通する病態と症状

腫瘍化した細胞は本来の役割を果たさない．一方で幼若なため増殖が速く，また不死化しており寿命が長い．

造血器である骨髄中では腫瘍細胞が増え続けるため，正常細胞の占める比率は下がる．そのため，正常細胞の本来の機能が相対的に低下する．典型例は，異常白血球増加に伴った汎血球減少である．つまり正常な白血球，赤血球，血小板が減少するため，易感染性，貧血，出血傾向が生じる（図 12-6）．また腫瘍細胞の異常な分泌から，それによる生体反応が症状として現れることがある．

### c 治療の基本的な考え方

造血器腫瘍は全身的な疾患であるため，標準治療は強力な化学療法であり，血液内科でされる．化学療法にはいわゆる抗がん薬が用いられ，分子標的薬も組み入れられている．これは腫瘍細胞の表面にある特定の分子を標的として不活化するものである．

比較的限局した病変には放射線療法が適応になることがある．これは有害事象が直接的には放射線照射範囲内にとどまるが，間接的には全身に及ぶ場合がある．

強力な根本的治療法として造血幹細胞移植があ

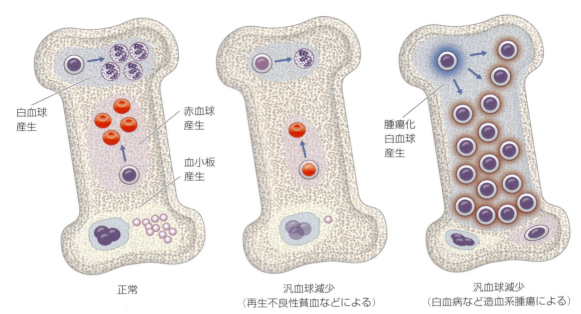

**図 12-6　骨髄での血球産生と汎血球減少**
正常：骨髄で造血系の幹細胞から血球が産生される．
(再生不良性貧血などによる)汎血球減少：幹細胞障害により正常な白血球，赤血球，血小板が減少すると，易感染性，貧血，出血傾向が生じる．
(白血病などの造血系腫瘍による)汎血球減少：造血系腫瘍では，腫瘍細胞は本来の役割を果たさない一方で，幼若なため増殖が速い．これが増加し骨髄を占拠するようになると正常白血球もほかの血球も減少する．

る．これはいったん腫瘍細胞を化学療法と放射線照射により全滅させてから，改めて異常のない造血幹細胞を移植して定着させ，細胞を入れ替えるものである．造血幹細胞には自家のほか同種他家のものも用いられる．自家ではあらかじめ自分の細胞を凍結保存しておく．自己由来なので適合性に問題はないが，腫瘍細胞が混じるおそれがある．他家ではヒト白血球抗原(human leukocyte antigen；HLA)が適合する必要があるが，移植細胞が腫瘍細胞を非自己と認識して攻撃する免疫反応が見込まれる．これは移植片対白血病/腫瘍効果(graft-versus-leukemia/tumor；GVL/T)である．反対に正常細胞を非自己と認識し，攻撃してしまう移植片対宿主病(graft-versus-host disease；GVHD)が起こる．そこで，治療効果を高めるには，いかにGVL/Tを最大にしてGVHDを最小にするかが検討される．

新たな免疫細胞療法としてキメラ抗原受容体遺伝子改変T細胞(chimeric antigen receptor-T cell；CAR-T)療法がある．これは自己のT細胞を体外に取り出し，腫瘍細胞表面抗原を認識する人工受容体の遺伝子を組み込んだ後，体内に戻して腫瘍細胞を攻撃させるものである．

歯科においては口腔内管理が重要であり，医科と連携して，症状の早期発見，増悪防止，感染対策などに努める．白血球機能障害により感染抵抗力が減弱すると，口腔内の感染源により容易に全身感染症になり重症化する．

## 1 白血病
leukemia

白血病は腫瘍化した造血系細胞が骨髄で自律的に増殖する疾患である．血球の分化の程度によって急性と慢性に，腫瘍化細胞の種類によって骨髄系とリンパ系に分類される．染色体，遺伝子の異常によりWHO分類がされている．また，成人T細胞白血病ウイルス(human T-cell leukemia virus-1；HTLV-1)の感染が原因で生じる成人T細胞白血病がある．

造血幹細胞から腫瘍化した白血病細胞が骨髄を占め発症する．腫瘍化した白血病細胞が骨髄から

血中に出現し，各臓器に浸潤する．骨髄では白血病細胞が増殖することにより正常な造血が障害され，正常機能の赤血球，白血球，血小板が減少し，貧血，易感染症，出血傾向が生じる（図12-2，→p.408）．

### A 急性骨髄性白血病

骨髄系幹細胞の遺伝子に異常が起こり，幼若な異常骨髄芽球が腫瘍化し増殖することにより生じる．そのため，正常造血機能が障害され，すべての血球が減少する汎血球減少が生じ，貧血，易感染性，出血傾向を呈する．

#### 症状
貧血，発熱，出血が3大症状である．口腔症状として歯肉出血，抜歯後出血，歯肉腫脹などが生じる．

#### 診断
白血球の増加，赤血球，血小板の減少，骨髄穿刺で幼若な白血球の増加に伴い，白血病裂孔（図12-7）がみられる．また，ペルオキシダーゼ反応陽性，顆粒球のアズール顆粒が癒合し，針状の封入体（アウエル小体）が発現する．

#### 治療
抗がん薬の多剤併用化学療法による緩解導入治療，続く緩解導入後治療ののち，造血幹細胞移植などがされる．また，同時に化学療法の副作用や発熱，貧血などに対する補助療法がされる．

### B 慢性骨髄性白血病

染色体9番と22番の遺伝子が入れ替わるフィラデルフィア染色体（Ph染色体）の出現，染色体上の*BCR/ABL*遺伝子の発現をみる．緩徐に進行し，白血病裂孔はみられない．進行すると急性転化を起こし，急性白血病と同じ経過をとる．

#### 症状
初期では無症状で，自覚症状は乏しい．経過とともに発熱，体重減少，腹部膨満，肝脾腫が認められる．

#### 診断
著しい白血球の増加，血小板の増加，貧血が認められる．骨髄穿刺で白血病裂孔は認められない．

#### 治療
分子標的治療がされる．急性転化時には同種造血幹細胞移植が適応になる．

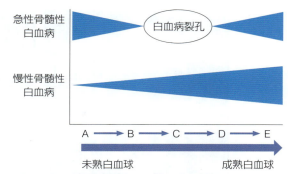

図12-7 白血球細胞の成熟度による分類
A：骨髄芽球，B：前骨髄球，C：後骨髄球，D：桿状核球，E：分葉核球

### 2 悪性リンパ腫（図12-8）
malignant lymphoma

#### 病態
腫瘍化したリンパ球が主にリンパ系組織で増殖する悪性腫瘍である．造血系腫瘍のうちで罹患率が最も高い．造血幹細胞組織からリンパ球が産生される過程で腫瘍幹細胞が生じ，これから分化してできたリンパ腫細胞がリンパ系組織内で増殖して発症する．Hodgkin（ホジキン）リンパ腫とnon-Hodgkin（非ホジキン）リンパ腫に分けられる．

欧米ではホジキンリンパ腫が多いが，わが国では非ホジキンリンパ腫が多い．全身症状として発熱，寝汗，体重減少がある状態がAnn-Arbor分類のB，ないものがAと分類される．

#### 症状
ホジキンリンパ腫では初発症状として連続性にリンパ節の腫脹がみられ，頸部，Waldeyer（ワルダイエル）咽頭輪などの頭頸部に好発する．全身症状として発熱，寝汗，体重減少が生じる．

非ホジキンリンパ腫ではあらゆる臓器で非連続性にリンパ節の腫脹が現れる．その中でも頭頸部領域のリンパ節（節性）の初発が最も多い．また，リンパ節以外（節外性）の初発症状もみられる．

鑑別疾患として，圧痛がなく，弾性軟，可動性の頸部腫瘤は重要である．

#### 診断
ホジキンリンパ腫では血液学検査で貧血，赤沈の亢進，CRP，LDH値の上昇がみられる．リンパ節生検において病理組織学的に大型で単核のホジキン細胞の出現，ホジキン細胞が大型化し多核

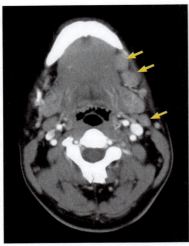
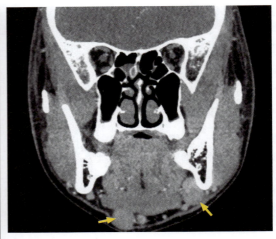

**図 12-8　悪性リンパ腫の頸部リンパ節病変の造影 CT 所見**
内部の均一な軟部濃度，あるいは中等度信号強度を示すリンパ節腫大として認められ，両側性に複数の頸部リンパ節領域を侵すのが典型である．辺縁は鮮明で，平滑なものが多い（矢印）．
〔東京歯科大学歯科放射線学講座　後藤多津子先生　提供〕

が特徴的な Reed-Sternberg（リード・シュテルンベルク）細胞が認められる．

ホジキンリンパ腫以外は非ホジキンリンパ腫とされ，び漫性大細胞型 B 細胞リンパ腫，濾胞性リンパ腫，MALT リンパ腫，Burkitt（バーキット）リンパ腫，菌状息肉症に分類される．非ホジキンリンパ腫の全身症状はさまざまある．

病変の部位と程度の把握にはポジトロンエミッション断層撮影（PET）検査が有用である．

### 治療

抗がん薬を中心にした化学療法が標準治療であり，そのひとつに CHOP（Cyclophosphamide, Hydroxydaunorubicin, Oncovin, Prednisone）療法がある．病変がリンパ系組織に限局していれば放射線療法が併用されることもある．また標準治療で完全寛解に至らない症例や再発例では，同種あるいは自家造血幹細胞移植がされることもある．さらに B 細胞系ではその細胞表面抗原である CD19 を標的にした CAR-T 療法がある．

## 3 多発性骨髄腫
multiple myeloma

### 病態

形質細胞の悪性腫瘍であり，骨髄で B 細胞が成熟して形質細胞になる過程で腫瘍化し骨髄腫細胞になる．骨髄腫細胞から産生される異常免疫グロブリンは正常に機能しないため，免疫力は低下する．これは血中では M タンパクと呼ばれるガンマグロブリンとなり，一部は他臓器に移行して障害を引き起こす．尿中に排出された M タンパクは Bence Jones タンパクとなり，尿細管に沈着し腎機能障害が生じる．また M タンパクの一部が変性しアミロイドになり，舌に沈着して巨舌となることもある．

骨髄腫細胞が無制限に増え骨髄を占拠すると正常な造血過程が妨げられ，白血球，赤血球，血小板の産生が減少し，易感染性，貧血，出血傾向が現れる．

骨髄腫細胞が分泌するサイトカインにより破骨細胞が活性化して，多発性の骨吸収が生じる．

### 症状

骨が破壊されて痛みや病的骨折，高カルシウム血症が生じる．エックス線画像では打ち抜き像が特徴的所見である．これは骨融解した部分が多発性に抜けて見えるもので，頭蓋骨で認められやすい．腎機能障害により浮腫が生じる．感染から発熱，貧血から全身倦怠感，出血傾向から鼻出血や歯肉出血などが生じる（表 12-8）．

### 診断

尿および血液中に M タンパクが検出され，骨髄検査で異型性を示す腫瘍化した形質細胞が認め

表 12-8　多発性骨髄腫の病態

| 異常の発生 | 生じる病態 | 症状 |
|---|---|---|
| 骨髄腫細胞異常増殖 | 骨髄腫細胞による骨髄の占拠 | ・造血機能障害<br>・易感染性，貧血，出血傾向 |
| サイトカイン分泌異常 | 破骨細胞活性化 | ・骨痛，病的骨折<br>・高カルシウム血症<br>・骨融解，骨打ち抜き像 |
| 異常な免疫グロブリン産生 | 免疫機能障害，臓器機能障害 | ・高ガンマグロブリン血症，血中 M タンパク<br>・尿中 Bence Jones タンパク，腎機能障害<br>・アミロイドーシス，巨舌 |

られれば多発性骨髄腫とされる．

**治療**

抗がん薬を中心にした化学療法が標準治療であり，分子標的薬やサリドマイドが組み合わされることもある．また他家あるいは自家の造血幹細胞移植がある．最近では B 細胞成熟抗原を標的とする CAR-T 療法がある．

骨吸収に対する対症療法として，破骨細胞の活動性を抑えるビスホスホネートやヒト型抗 RANKL 抗体であるデノスマブなどの骨吸収抑制薬が投与される．これらによる薬剤関連顎骨壊死を予防するため，投与前からの口腔衛生管理が重要である．

## 4 骨髄異形成症候群
myelodysplastic syndrome；MDS

**病態**

造血幹細胞の遺伝子異常により，血球形態の異常と無効造血を主とする症候群であり，急性骨髄性白血病に転化することがある．高齢男性に多い．

**症状**

慢性の経過をとるため，無症状であることも多い．健診などで発見されることもある．血球減少に伴う貧血，易感染性，出血がみられる．

**診断**

骨髄検査で特徴的な異形成や染色体異常が認められる．

**治療**

血球減少の種類と程度と，白血病化の予後予測に基づいて対処される．

# D 止血機構の障害

## 1 血管および血管周囲の異常によるもの

 Osler（オスラー）病

**病態**

Osler 病〔遺伝性出血性毛細血管拡張症（hereditary hemorrhagic telangiectasia；HTT）〕とは，反復する鼻出血，皮膚・粘膜の末梢血管拡張，内臓病変（動静脈奇形），常染色体顕性（優性）遺伝を 4 徴候とする疾患である．現在までに，endoglin（*ENG*）と activin A receptor type like kinase 1（*ACVRL-1，ALK-1*），*SMAD4* の 3 遺伝子が原因遺伝子として同定されている．いずれも TGF-β シグナル伝達系に関わる遺伝子であり，この制御異常が Osler 病発症に関わっていることが明らかとなっている．男女差はなく，10 万人に 1 人の発生頻度とされている．

**症状**

Osler 病は，末梢血管拡張あるいはその部位からの出血が種々の臓器に出現する多臓器疾患であるため，臨床症状は多岐にわたる．初発症状としては鼻出血が最も多く，消化管出血，腹痛，口腔内出血，皮膚の末梢血管拡張がそれに次いで多い．肺動静脈奇形が胸郭異常陰影として気づかれることもある．

**診断**

① 自然かつ反復性鼻出血，② 皮膚・粘膜の末梢血管拡張，③ 内臓病変〔消化管末梢血管拡張，肺・脳・肝・脊髄動静脈奇形（AVM）〕，④ 家族歴

の4項目の中で，3つ以上を「確診」，2つで「疑診」，2つ未満を「可能性は低い」と診断する．

### 治療

鼻出血や口腔粘膜の出血には，血管収縮薬や止血薬を含ませたゼラチンスポンジによる圧迫や軟膏治療が行われる．さらに，中等症の鼻出血に対してはレーザーなどによる粘膜焼灼術が，重症例に対しては鼻粘膜皮膚置換術が行われる．肺動静脈奇形自体，常に破裂の危険があり，奇異性塞栓法の予防，低酸素血症の改善目的で，経カテーテル塞栓術などが行われる．

## B IgA血管炎（アレルギー性紫斑病）
allergic purpura

### 病態

血管炎に関するチャペルヒルコンセンサス会議2012において，Henoch-Schönlein(ヘノッホ・シェーライン)紫斑病は，IgA vasculitis(IgA血管炎)へと名称変更されている．侵襲血管サイズに基づいて小型血管炎のカテゴリーの中で免疫複合体性血管炎の1つに分類されている．合併する糸球体腎炎はIgA腎症との鑑別が困難であり，質的な異常，すなわち糖鎖異常を有するIgAの血管壁沈着が本疾患の病態の本質である．非血小板減少性の紫斑病であり，細小動脈〜毛細血管の病変を主とする全身性小型血管炎である．全年齢層で発症するが，3〜10歳に最も多く，男児にやや多い傾向にある．季節的には冬季に多い傾向にあり，溶血性レンサ球菌，マイコプラズマ，サルモネラ菌による感染症，麻疹，風疹，水痘，伝染性紅斑などが先行することも少なくない．

### 症状

小児期では50%の症例で先行感染として上気道炎の既往があるが（先行感染から発症までの期間は1〜2週間），成人発症例では明らかでないことが多い．症状として，紫斑(100%)，関節炎(80%)，腹痛(60%)，腎炎(50%)を呈する．出現順位に一定の傾向はないが，約40%で関節炎や腹痛が紫斑に先行する．

### 診断

小児の場合，米国リウマチ学会の分類基準で4項目（隆起性の紫斑，急性の腹部疝痛，生検組織での小動静脈の顆粒球の存在，年齢が20歳以下）のうち2つ以上を満たせば診断可能である．

皮膚生検による病理組織学的には，白血球破壊性血管炎の像を呈し，小血管周囲の多核白血球や単球核浸潤と血管壁のIgA，C3，IgGの沈着を認める．

### 治療

IgA血管炎に対する特別な治療はなく，安静を保ち症状に応じた対症療法を行う．食物，薬剤などの原因が明らかな場合にはその原因物質を避ける．予後は良好で，多くの場合，数週間で自然寛解する．

## 2 血小板の異常によるもの

### A 特発性血小板減少性紫斑病（免疫性血小板減少性紫斑病）
idiopathic thrombocytopenic purpura；ITP

### 病態

ITPは，免疫的機序により血小板の減少をきたす後天性疾患であり，欧米ではprimary ITP(primary immune thrombocytopenia)ともいわれている．その発症時期により，新規診断ITP（発症後3か月以内），持続性ITP（3〜12か月），慢性ITP（12か月以上）に分類される．また，発症後6か月以内に治癒する急性型と，それ以上継続する慢性型に分けられる．わが国では約25,000名が罹患していると考えられており，年間の新規発症数は10万人あたり2.16人と推計されている．6歳以下の小児，20〜34歳の女性，高齢者に好発するが，急性型は小児に，慢性型は成人に多い．

主に血小板膜タンパク〔GPⅡb/Ⅲa(CD41/CD61)，GPⅠb/Ⅸ(CD42)など〕を標的とする抗血小板自己抗体と結合した血小板が，脾臓などの網内系細胞によって貪食・破壊されることにより血小板減少が生じる．また，抗血小板自己抗体は，血小板の粘着や凝集の抑制や，巨核球の成熟障害やアポトーシスを誘導し，血小板産生も障害する．

近年，ヘリコバクターピロリ菌とITPとの関連が報告されている．

### 症状

ITPに認める紫斑は，点状出血であることが多い（図12-9）．粘膜出血（鼻出血，消化管出血，血尿など）は，血小板数が1万〜2万/μL以下に低下した重篤な血小板減少例で認められることが多く，また，成人の1%程度，小児の0.4%程度に

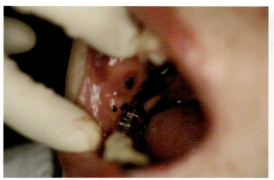 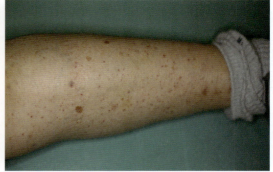

図12-9 ITPの点状出血

おいて致命的な脳出血も生じる．血友病などでみられる関節内出血や筋肉内出血などの深部出血はまれである．

### 診断

血小板数の減少を認め，出血時間が延長する．血小板数以外の赤血球数，白血球数は正常で，凝固系止血検査（APTT，PT）は正常である．

ITPには特異的な検査はなく，基本的には除外診断である．末梢血塗抹標本を確認し，偽性血小板減少（血小板凝集の有無）を否定する．また，家族歴や巨大血小板の有無を確認し，先天性血小板減少症との鑑別を行う．骨髄検査は診断に必須ではないが，非典型例や治療抵抗例において産生障害による血小板減少や骨髄異形成症候群などとの鑑別のために実施することが望ましい．

### 治療

ITPの治療目的は，血小板数を正常化することではなく，重篤な出血を予防しうる血小板数を維持することであり，通常3万/μL以上を目標とする．治療としては副腎皮質ステロイド薬を用いる．副腎皮質ステロイド薬が無効もしくは副作用や合併症などで投与継続が困難な場合には，TPO-受容体作動薬，リツキシマブ，脾摘のいずれかを個々の患者の状態を考慮して選択する．これらの治療が無効な場合，または，緊急時あるいは外科的処置などの対応としては，免疫グロブリン大量療法（IVIG），メチルプレドニゾロンパルス療法，血小板輸血，いずれかの処置を単独もしくは組み合わせて行う．

## B 血小板無力症
### thrombasthenia

### 病態

血小板は血管破綻部位に集まって凝集塊（一次血栓）を形成するが，そのプロセスは粘着，放出（活性化），凝集反応の3段階からなる．この止血機構の過程で，血小板膜タンパク（GPⅡb/Ⅲa）の量的異常（欠如・減少）ないし質的異常（機能異常）がみられ，血小板の凝集に異常が生じるのが血小板無力症（Glanzmann病）である．量的異常にはGPⅡb/Ⅲaの発現量が正常の5％以下に著減するⅠ型と，10〜20％存在するⅡ型がある．質的異常は50％以上の発現があるが，受容体機能異常を有する変異型がある．常染色体潜性（劣性）遺伝形式を示し，1986年の全国調査の報告では222例が登録とまれな疾患である．

### 症状

鼻粘膜や口腔粘膜，皮膚表層の出血が主体で，鼻出血や歯肉出血，紫斑を認める．出血傾向には症例によって程度に差があり，消化管出血，頭蓋内出血など致命的な出血を発症する可能性がある．また，外傷に伴う出血，外科的処置，出産や月経による出血などにも注意を要する．血友病などでみられる関節内出血や筋肉内出血などの深部出血はほとんどない．

### 診断

出血時間が著明となる．血小板数，血小板形態には異常を認めない．血小板凝集能検査では，リストセチンを除くADP，コラーゲン，アドレナリン，トロンビンなどのアゴニストでは凝集が欠

**図 12-10　血友病の遺伝**
XX'：保因者，X'Y：血友病

如する．

（治療）
　血小板機能を抑制する薬剤（NSAIDs など）の使用には，注意が必要である．皮膚粘膜の小出血に対しては，局所圧迫を基本をとし，トラネキサム酸などの抗線溶療法などの併用を行うこともある．重篤な出血および止血困難時，外科的処置の場合には，血小板輸血を行う．ただし，血小板輸血を繰り返すことで，GPⅡb/Ⅲa などの血小板膜タンパクや HLA に対する同種抗体が発生し，血小板輸血不応症のため止血困難を生じる可能性がある．

## 3　凝固因子の異常によるもの

### A　血友病 A・B
hemophilia

（病態）
　先天性血友病 A・B は，X 連鎖性潜性遺伝（伴性劣性遺伝）による第Ⅷ・Ⅸ因子欠乏により出血傾向を呈する疾患である．第Ⅷ因子欠乏が血友病 A，第Ⅸ因子欠乏が血友病 B である．第Ⅷ・Ⅸ因子の遺伝子はX染色体上にあり，多様な遺伝子異常により凝固因子の発現に障害を生じる．発生頻度は1万人あたり1～2人であり，血友病 A と B の比率は4：1である．血友病の遺伝形式は性染色体潜性であるため，血友病の男性と正常の女性との間で生まれてくる女児はすべて保因者となり，男児はすべて正常である．正常の男性と保因者である女性との間で生まれてくる女児は50％の確率で保因者となり，男児は50％の確率で血友病となる（図 12-10）．また，遺伝的背景が認められない孤発例は約1/3 の割合でみられる．
　一方，後天性血友病は後天的に第Ⅷ因子に対する抑制物質が出現し，その結果，第Ⅷ因子活性が著しく低下して，突発的に皮下出血や筋肉内出血などの出血症状を呈する疾患である．本症はまれな疾患で，100万人あたり1.48人の発症と報告されている．

（症状）
　血友病 A と B とでは臨床症状に全く区別がつかない．出血傾向の程度は凝固因子活性レベルに依存しており，凝固因子活性が正常平均の1％未満を重症，1～5％を中等症，5～25％を軽症としている．軽症では日常生活において出血傾向はほとんどなく，抜歯などの手術や外傷で異常出血を呈して初めて気づかれることが多い．血友病の出血傾向は紫斑病と異なり，深部組織への出血が特徴的である．すなわち，関節内出血，筋肉内出血，皮下血腫などがみられる．
　重症の血友病では乳児期後半から1歳前後で足，膝関節内への最初の出血を経験する．学童期年齢になると関節内出血を繰り返し，関節拘縮変形や関節周囲の廃用性筋萎縮をきたすようになる．口腔領域での血腫，特に口底部，咽頭後壁の血腫は嚥下困難，時に呼吸困難に陥るので，すみやかな止血を要する．頭蓋内出血は，しばしば致命的な出血となるため，血友病患者が頭部打撲を受けた場合には，厳重な監視を要する．後天性血友病では，一般的に，成人以降に突然，広範囲に及ぶ皮下・筋肉内出血で発症する．ただし，出血症状が全くなく，術前検査などで偶然発見される場合もある．

（診断）
　臨床的には，深部組織への出血（関節内出血，筋肉内出血，皮下血腫）により血液凝固因子の欠乏，特に頻度から血友病が最も疑われる．また，家族歴で出血性素因のある男性の存在は，さらに血友病を示唆する．血液検査では，全血凝固時間の延長と部分トロンボプラスチン時間（APTT）の延長および各凝固因子の低下で診断する．プロトロンビン時間（PT）は正常である．

（治療）
　血友病の治療目的は凝固因子補充による止血であり，出血頻度の高い患者では定期補充療法により重大な出血および関節症の進行を予防する．

#### a　定期補充療法
　血友病 A では，第Ⅷ因子製剤を週2～3回投与

する．血中半減期は8〜14時間，半日で効果が半分となる．血友病Bでは，第Ⅸ因子製剤を週1〜2回投与する．血中半減期は16〜24時間，約1日で効果が半分となる．

### b 予備的補充療法

近距離の徒歩移動やリハビリテーションなど運動量が比較的少ない場合，目標ピーク因子レベル（20〜40％）を投与する．旅行や遠距離の徒歩移動，スポーツなど運動量が多い場合，目標ピーク因子レベル（40〜60％）を投与する．

### c 出血時補充療法

出血部位や重症度によって製剤の投与目標ピーク因子は異なるが，口腔内出血の場合，目標ピーク因子レベル（20〜40％）を投与する．

### d 血液凝固因子製剤

血液凝固因子製剤には，ヒト血漿から製造された製剤と，ヒト血漿を材料とせず遺伝子組換え法によって製造された製剤がある．これらを製剤の半減期などを考慮して使い分ける．

## B von Willebrand（フォン・ウィルブランド）病

【病態】

von Willebrand因子（VWF）は，凝固第Ⅷ因子と結合し，第Ⅷ因子の安定化に作用している．そのため，von Willebrand病（VWD）では，第Ⅷ因子の低下が生じる．VWFが量的に欠乏する場合，あるいは質的な異常がある場合には，さまざまな出血症状をきたす．VWFの量的欠乏・質的異常の原因が遺伝子の変異に基づく場合では，先天的VWDといい，VWFに対する自己抗体や大動脈狭窄症，血液疾患などの基礎疾患によって二次的（後天的）にVWFが減少する場合では，後天性VWDという．VWFの異常の違いにより大きく3つの病型が存在し，TypeⅠは質的に正常なVWFの（部分的）量的減少症，TypeⅡはVWFの質的な異常，TypeⅢは完全欠乏症であり，TypeⅠが最も多く，TypeⅢはきわめてまれである．

VWDは大部分が常染色体顕性遺伝，一部が常染色体潜性遺伝によって伝播する．遺伝性出血性疾患の中では血友病Aに次いで頻度の高い疾患であり，推定頻度は1万人あたり100人といわれている．しかし，症状がほとんどない症例が多く，出血症状を呈する症例のうち約1％（1万人に1人）程度と考えられている．令和4年度の血液凝固異常症全国調査報告書によると，わが国のVWD患者数は1,569名と報告されている．

【症状】

鼻出血，紫斑，血腫，口腔内出血，消化管出血，血尿などの反復する粘膜・皮膚出血を特徴とし，抜歯後や手術後，外傷後の止血困難なども認められる．出血症状の程度は病型によって大きく異なり，TypeⅠは概して軽いが，TypeⅢやTypeⅡ（特にTypeⅡA）は重症の出血をきたしやすい．TypeⅢとTypeⅡで第Ⅷ因子活性が著しく低下するため，血友病と類似する関節内出血や筋肉内出血を発症する．女性では性器出血，過多月経（特に初潮時異常出血）や流産，分娩後の異常出血，黄体出血が認められる．

【診断】

血小板数，プロトロンビン時間，フィブリノゲンが正常で，活性化部分トロンボプラスチン時間の延長，出血時間の延長，血小板粘着能の低下，リストセチン凝集の低下がみられる場合，VWDを疑う．そして，VWF活性やVWF抗原量が30％未満の場合，VWFと診断する．

【治療】

VWDの治療は，低下したVWFおよび第Ⅷ因子を補正することにより，出血時の止血治療，観血的処置時の出血予防を行う．

## 4 線溶系の異常によるもの

### A 播種性血管内凝固症候群
disseminated intravascular coagulation；DIC

【病態】

DICは感染症や悪性腫瘍などの基礎疾患に合併して発現する．全身性持続性に著しい凝固活性化をきたし，細小血管内に微小血栓が多発し，臓器障害が生じる疾患である．凝固活性化に伴い，血小板，凝固因子が消費されるとともに線溶活性化がみられ，出血傾向をきたす．

DICの病型分類として，線溶抑制型，線溶均衡型，線溶亢進型がある．線溶抑制型DICは，凝固活性化は高度であるが線溶活性化が軽度にとどまっており，敗血症などの重症感染症に合併した例に代表される．線溶亢進型DICは，著しい

表 12-9　抗血小板薬の適応疾患

| 抗血小板薬 | 適応疾患 |
| --- | --- |
| アスピリン | 狭心症<br>心筋梗塞<br>虚血性脳血管障害 |
| クロピドグレル | 虚血性脳血管障害<br>虚血性心疾患<br>末梢動脈疾患 |
| チクロピジン | 虚血性脳血管障害　血管手術 |
| プラスグレル | 虚血性心疾患 |
| チカグレロル | 急性冠症候群<br>陳旧性心筋梗塞 |
| シロスタゾール | 虚血性脳血管障害 |

表 12-10　抗凝固薬の適応疾患

| 抗凝固薬 | 適応疾患 |
| --- | --- |
| ワルファリンカリウム | 静脈血栓症，心筋梗塞症，肺塞栓症，脳血栓症，緩徐に進行する脳血栓症など |
| ダビガトラン | 心房細動 |
| リバーロキサバン | 心房細動<br>静脈血栓塞栓症 |
| アピキサバン | 心房細動<br>静脈血栓症 |
| エドキサバン | 心房細動<br>静脈血栓症 |

線溶活性化を伴っており，急性前骨髄球性白血病や大動脈瘤・解離性大動脈瘤に合併した例に代表される．線溶均衡型 DIC は，凝固・線溶活性化のバランスがとれて上記両病型の中間的病態を示しており，固形癌に合併した例に代表される．進行すると血小板や凝固因子といった止血因子が低下し，消費性凝固障害の病態となる．

DIC の二大症状は出血症状と臓器症状であるが，臨床症状が出現すると，予後はきわめて不良である．わが国における DIC 年間患者数は 73,000 人であり，死亡率は 56.0％である．

**症状**

歯肉出血，粘膜下出血，皮下出血，鼻出血，消化管出血などの出血傾向を示す．また，DIC の原因となった疾患の増悪や循環障害による臓器障害と症状が重なる．

**診断**

2017 年の日本血栓止血学会 DIC の診断基準が用いられる．血小板数，フィブリノゲンの減少，FDP，プロトロンビン時間（PT）の上昇などを基本に検査値を点数化して診断する（当該ガイドライン参照）．

**治療**

基礎疾患の治療とともに，DIC の本体である凝固活性化の阻止を図る．線溶抑制型 DIC（敗血症の場合）では，広域抗菌薬，補液，ステロイド，血糖コントロールなどを行う．線溶亢進もしくは線溶均衡型 DIC（固形癌の場合）では，抗トロンビン療法や抗線溶療法が必要である．急性骨髄性白血病ではオールトランス型レチノイン酸（ATRA）の投与を行う．

## 5　薬物の影響によるもの

### A　抗血栓療法

わが国の抗血小板薬服用者は 600 万人以上，抗凝固薬服用者は 150 万人以上と推定されている．抗血栓薬には，抗血小板薬，抗凝固薬，血栓溶解薬があるが，血栓溶解薬は急性期に使用される注射薬であり，使用頻度が高いのは抗血小板薬と抗凝固薬である．血小板は動脈系の血栓形成に重要な役割を果たしており，抗血小板薬は主として動脈血栓症（脳梗塞，心筋梗塞，末梢動脈血栓症など）の治療や予防に使用される．抗凝固薬は凝固因子の作用を抑制するもので，主として静脈血栓症（深部静脈血栓症，肺血栓塞栓症など）の治療や予防，あるいは心房細動からの脳血栓症の予防に用いる（表 12-9，10）．抗血小板薬や DOAC では基本的に用量調整のモニタリングは不要であるが，ワルファリンカリウムは定期的に PT-INR を測定し，用量調節を行う．

通常，歯肉出血や点状出血，紫斑などはみられないが，抜歯など侵襲の大きい外科処置を行う場合には止血時間は延長する．

出血時間が測定されることが多いが，薬剤の影響での血小板機能異常を評価する方法はない．

### B　抗血栓療法中の患者への留意点

DOAC 服用患者に対し，出血低リスクの歯科

処置では，基本的には DOAC 継続下で処置を行う．出血が高リスクの歯科処置では，処置日の朝の内服をアピキサバンとダビガトランでは中止，リバーロキサバンとエドキサバンでは内服時間を遅らせて処置を行う．また，周術期にワルファリンカリウムを休薬すると，約1％の頻度で血栓症や塞栓症が発症し，その多くは重症で転帰不良となることが知られている．したがって，現在は抗血栓療法薬を継続したまま抜歯を行うことがガイドラインでも推奨されている．ただし，ワルファリンカリウムについては抜歯当日の PT-INR が 3.0 以下であることを確認する．抜歯など外科処置においては，緊密な縫合に加えて止血剤や止血床など局所的な止血対策も講じ，外科処置も愛護的に行う．NSAIDs は血小板機能を低下させ，後出血の原因にもなるため，併用投与は注意を要する．

これらから，抗血小板薬やワルファリンカリウム投与中の患者においては，NSAIDs やアセトアミノフェンの投与は最低必要量にとどめることが望ましい．長期および大量投与する場合は，出血性合併症の発生が高まるので注意が必要である．

一方，DOAC 投与中の患者においては，NSAIDs やアセトアミノフェンは重篤な出血性合併症の増加にはつながらないが，アゾール系抗真菌薬やマクロライド抗菌薬は，DOAC の作用を増強させ，出血のリスクを増強させるため注意が必要である．

● 文献

[各論]

[A．赤血球系疾患，B．白血球系疾患，C．造血系腫瘍]
1) 厚生労働省医薬食品局血液対策課：血液製剤の使用指針．2005. https://www.mhlw.go.jp/new-info/kobetu/iyaku/kenketsugo/5tekisei3b.html（2024年2月閲覧）
2) 日本鉄バイオサイエンス学会（編）：鉄剤の適正使用による貧血治療指針，改訂第3版．2015. https://jbis.bio/wp-content/uploads/pdf/zyouzaiv3.pdf（2024年2月閲覧）
3) 日本臨床腫瘍学会（編）：発熱性好中球減少症（FN）診療ガイドライン，第2版．南江堂，2017．
4) 日本血液学会（編）：造血器腫瘍診療ガイドライン．金原出版，2023．
5) 日本骨髄腫学会（編）：多発性骨髄腫の診療指針．文光堂，2020．
6) 日本造血・免疫細胞療法学会（編）：造血細胞移植に関するガイドライン一覧．2020. https://www.jstct.or.jp/modules/guideline/index.php?content_id=1（2024年2月閲覧）

[D．止血機構の障害]
1) 厚生労働省難治性疾患政策研究事業　血液凝固異常症等に関する研究班（編）：成人特発性血小板減少性紫斑病治療の参照ガイド，2019 改訂版．臨床血液 60：8，2019. https://www.jstage.jst.go.jp/article/rinketsu/60/8/60_877/_pdf（2024年2月閲覧）
2) 金子誠，矢冨裕：血小板機能異常症の診断と対応．血栓止血誌 20：487-494，2009．
3) 日本血栓止血学会（編）：インヒビターのない血友病患者に対する止血治療ガイドライン　2013年改訂版．https://www.jsth.org/wordpress/wp-content/uploads/2015/04/03_inhibitor_H1_B.pdf（2024年2月閲覧）
4) 日本血栓止血学会（編）：インヒビター保有先天性血友病患者に対する止血治療ガイドライン　2013年改訂版．https://www.jsth.org/wordpress/wp-content/uploads/2015/04/03_inhibitor_H1_A.pdf（2024年2月閲覧）
5) 東京大学医科学研究所附属病院（編）：2018 血友病ハンドブック．https://www.ims.u-tokyo.ac.jp/jointsurgery/pdf/imsut2018.pdf（2024年2月閲覧）
6) 日本血栓止血学会（編）：von Willebrand 病の診療ガイドライン　2021年改訂版．https://www.jsth.org/wordpress/wp-content/uploads/2015/04/von-Willebrand 病の診療ガイドライン2021年版.pdf（2024年2月閲覧）
7) 日本オスラー病研究会（編）：国際 HTT ガイドライン第2版の臨床推奨事項と国際 HTT ガイドライン第1版の現在推奨されている臨床推奨事項について．https://hhtguidelines.org/wp-content/uploads/2022/04/2nd_HHT_Guidelines_Japanese.pdf（2024年2月閲覧）
8) 厚生労働省難治性疾患政策研究事業　難治性血管炎に関する研究班（編）：血管炎症候群の診療ガイドライン2017 改訂版．https://www.j-circ.or.jp/cms/wp-content/uploads/2020/02/JCS2017_isobe_h.pdf（2024年2月閲覧）
9) 日本血栓止血学会（編）：DIC 診断基準　2017年改訂版．日本血栓止血学会誌 28：369-392，2017．
10) 日本有病者歯科医療学会，日本口腔外科学会，日本老年歯科医学会（編）：抗血栓療法患者の抜歯に関するガイドライン　2020年度版．pp16-58，学術社，2020．

# 第13章 神経疾患

## 総論

### A 歯・口腔・顎顔面に分布する神経と機能

　頭頸部は人間の視覚，聴覚，触覚，味覚，嗅覚という5感すべてを担っており，重要な感覚臓器が集まっているために，その神経支配も複雑となっている．ここでは歯・口腔・顎顔面領域に関連深い三叉神経，顔面神経，舌咽神経，迷走神経，舌下神経についての概要を記す．

#### 1 三叉神経
trigeminal nerve

　三叉神経は脳神経の中で最大の神経で，知覚性と運動性からなる混合性の神経である．知覚性の部分を知覚根（大部），運動性の部分を運動根（小部）といい，橋の外側部から起こり蝶形骨体の後外側で脳硬膜の両葉の間で三叉神経節となり，眼神経，上顎神経，下顎神経の3つに分岐する（図13-1）．知覚性の部分は顔面の皮膚と鼻腔および口腔の粘膜，歯髄に分布してその知覚を支配し，運動性の部分は咀嚼筋と鼓膜張筋をつかさどっている．なお，運動根は神経節の形成には関与しておらず，知覚根の内側を走行して下顎神経に合流している．

 眼神経
ophthalmic nerve

　眼神経は三叉神経の第Ⅰ枝であり，上眼窩裂から眼窩に入り，テント枝，涙腺神経，前頭神経，鼻毛様体神経へと分岐する．それらは角膜，結膜，外眼角，鼻腔，前頭部などの知覚をつかさどっているが，視覚には関与しない．

#### B 上顎神経
maxillary nerve

　上顎神経は三叉神経の第Ⅱ枝であり，正円孔から頭蓋の外に出た後に，硬膜枝，頬骨神経，眼窩下神経，上歯槽神経，翼口蓋神経へと分岐している．側頭部，頬部，下眼瞼，上唇，鼻翼，上顎歯肉，口蓋，鼻腔の知覚をつかさどっている．

#### C 下顎神経
mandibular nerve

　下顎神経は三叉神経の第Ⅲ枝であり，卵円孔から側頭下窩に現れ，硬膜枝，咀嚼筋枝，頬神経，耳介側頭神経，下歯槽神経，舌神経へと分岐している．頬部，側頭部，下顎，オトガイ部，下唇，下顎歯肉などの知覚をつかさどっている．また三叉神経のうち本神経のみが運動神経線維を有しており，咀嚼筋枝は咬筋，側頭筋，内側翼突筋，外側翼突筋，口蓋帆張筋，鼓膜張筋，顎舌骨筋，顎二腹筋の運動をつかさどっている．

 顔面神経
facial nerve

　顔面神経は外転神経のすぐ外側から始まる混合神経である．内耳神経とともに内耳道に入り，そ

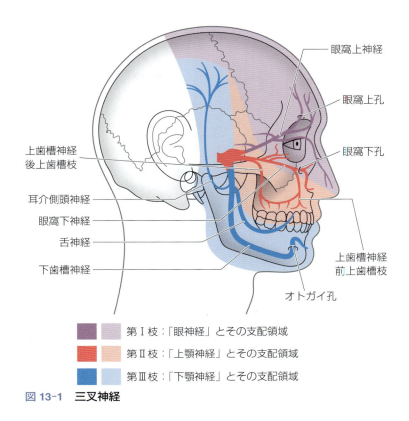

図 13-1　三叉神経

■ 第Ⅰ枝：「眼神経」とその支配領域
■ 第Ⅱ枝：「上顎神経」とその支配領域
■ 第Ⅲ枝：「下顎神経」とその支配領域

の途中で内耳神経と分かれて顔面神経管に入り，膝神経節を作り大錐体神経，アブミ骨神経，鼓索神経を分岐した後に終枝として茎乳突孔から出て顔面の筋に分布して，その運動をつかさどっている（図13-2）．終枝は茎乳突孔を出た後に耳下腺内で大きく5枝に分岐しており，上方から側頭枝，頰骨枝，頰筋枝，下顎縁枝，頸枝と呼ばれているが，それらは複雑に交通している．これら終枝は眼輪筋，大頰骨筋，口輪筋，頰筋，上唇挙筋，口角下制筋などといった表情筋に加え，広頸筋，顎二腹筋後腹，茎突舌骨筋，アブミ骨筋，後頭部の皮筋などの運動をつかさどっている．これら終枝に関しては運動神経のみからなっている．

また，終枝に分岐する前の大錐体神経は涙腺の分泌に，鼓索神経は舌前方2/3の味覚と顎下腺，舌下腺の唾液分泌に関わっている．

## ❸ 舌咽神経
glossopharyngeal nerve

舌下神経は内耳神経の下から起こり，迷走神経，副神経とともに頸静脈孔を通り頭蓋の外に出る．その後，上神経節と下神経節を作り，内頸静脈の外側を下り，舌と咽頭に分布する．知覚枝を主体とする，運動，分泌神経も含む混合神経である（図13-3）．その主要な枝と機能は以下のとおりである．

**鼓室神経**：下神経節から起こり鼓室を通過し，小錐体神経となって耳神経節に至り，耳下腺の分泌に関与している．

**舌枝**：下神経節から前下方に走行し，舌の後1/3の知覚と味覚をつかさどっている．

**咽頭枝**：下神経節から数条に分かれ咽頭の全壁に分布している．迷走神経，交感神経の咽頭枝とともに咽頭神経叢を形成し同部の知覚，咽頭腺の分泌，咽頭筋の運動をつかさどっている．

## ❹ 迷走神経
vagus nerve

迷走神経は舌咽神経の下で起こり，舌咽神経，副神経とともに頸静脈孔を通り，頭蓋の外に出

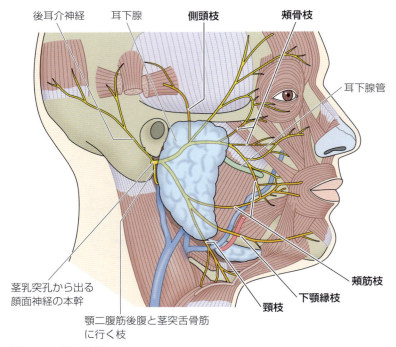

図13-2 顔面神経

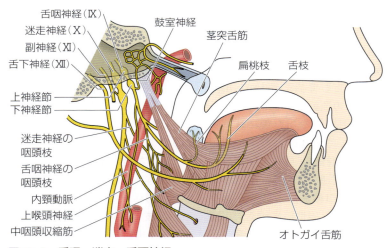

図13-3 舌咽・迷走・舌下神経

る．そこから側頸部を下降し胸腔に入り，気管支の後ろを経て食道とともに横隔膜を貫いて腹腔に至る．すべての内臓の知覚，運動，分泌を支配している重要な混合神経である（図13-3）．その長さは脳神経のうち最も長く，その経過や末梢分布が複雑でわかりにくかったため「迷走神経」と名づけられたといわれている．頭頸部・顎顔面領域では以下の枝が重要となる．

**咽頭枝**：舌咽神経とともに咽頭神経叢を形成しており同部の運動と知覚をつかさどっている．

**上喉頭神経**：喉頭咽頭筋，輪状甲状筋の運動，舌根・喉頭蓋，喉頭の知覚に関与している．

**反回神経**：喉頭筋の運動をつかさどっている．

## 5 舌下神経
hypoglossal nerve

舌下神経核から起こり，舌下神経管を通り頭蓋の外に出て迷走神経，内頸動脈の外側を下降し，舌下面に至る運動神経である（図13-3）．舌筋枝と吻合枝に分かれる．舌筋枝はすべての舌筋群とオトガイ舌筋に分布する．吻合枝は頸神経の分枝と吻合し，頸神経わなを形成し，舌骨下筋群の各筋へと至っており，舌の運動，咀嚼・嚥下，発音などに関与している．

# B 中枢ならびに末梢神経疾患（障害）

## 1 神経炎
neuritis

### A 病態

限局した範囲にのみ病変がみられる単発性神経炎と，多くの神経が同時に障害される多発性神経炎に分けられる．ほかの末梢神経疾患との臨床的な鑑別は困難なことが多い．

### B 神経炎の種類

単発性神経炎は，外傷や局所循環障害に起因するものが多い．多発性神経炎は肉芽腫性炎（Hansen病，梅毒）や中毒（アルコール，重金属），代謝異常（糖尿病，痛風）などでみられる．機能亢進症状としては痛覚過敏（hyperalgesia），異痛症（allodynia），けいれんなど，機能低下症状としては知覚低下（hypoesthesia），知覚脱失（anesthesia），運動麻痺（paralysis）などがある．

## 2 神経痛
neuralgia

### A 病態

知覚神経に発症する病態である．特徴は，① 発作性電撃様疼痛，② 神経の走行に沿った症状発現，③ 痛みを誘発する特定の部位，すなわち trigger zone の存在，である．加えて痛みの発生は間欠的で，痛みの持続時間は数秒〜数十秒と短時間（不応期の存在）である．神経痛の一部は頭蓋腔内で神経幹を血管や腫瘍が圧迫することに起因するとされているが，原因が不明なものも多い．非ステロイド性消炎鎮痛薬（NSAIDs）は無効である．医療面接において NSAIDs 服薬の有無による症状の変化を確認することで，神経障害性疼痛なのか侵害受容性疼痛なのかを鑑別できる．また，末梢知覚神経損傷に伴う神経痛（神経障害性疼痛）も存在する．

### B 神経痛の種類

#### 1 三叉神経痛
a 特発性三叉神経痛
　原因が不明で発症する．ただし，小脳動脈などが神経節を圧迫して発症するもの原因として含まれる．
b 症候性三叉神経痛
　脳腫瘍などが起因して発症する．

#### 2 舌咽神経痛
舌咽神経の支配領域に突発的かつ発作性電撃様疼痛を主症状とした疾患．まれな疾患で真性（特発性）または仮性（症候性）に分類される．

#### 3 神経障害性疼痛
a 帯状疱疹後神経痛
　帯状疱疹後の合併症は最も頻度が高い病態である．帯状疱疹が治癒した後も継続する痛み．
b 末梢性三叉神経損傷後神経痛
　知覚神経の末梢枝で発症する．損傷後に形成される外傷性神経腫が本病態の誘発原因として挙げられる．

## 3 感覚麻痺および運動麻痺
paralysis of the sensory and motor nerve

### A 病態

神経伝導の遮断により発症する．知覚神経，運動神経に発症する病態である．中枢神経系と末梢神経系に分けることができる．

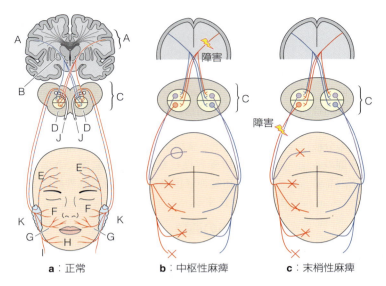

**図 13-4　顔面神経鰓運動性成分の両側支配と対側支配**
顔面神経核を拡大強調している．bは中枢性麻痺を示し，前額部皺形成は可能．cは末梢性麻痺を示し，前額部を含め片側すべてが麻痺する．顔面神経鰓運動性成分の両側支配と対側支配．

A：大脳皮質運動野
B：皮質延髄路
C：橋
D：顔面神経運動核（上半分が上部表情筋の両側支配，下半分が下部表情筋の片側支配を示す）
E：側頭枝
F：頬骨枝
G：頬筋枝
H：下顎縁枝
I：頸枝
J：外転神経
K：耳下腺

## 1　中枢神経障害

### a　中脳またはテント上病変
神経交叉があるため，対側の知覚低下が生じる（図 13-4）．

### b　橋，延髄または上部頸椎に障害
三叉神経支配領域の知覚低下，咀嚼筋運動麻痺が発現するが，障害部位と範囲によってさまざまである．

また，他脳神経とともに障害されることが多い．例えば舌咽神経麻痺の場合では，脳腫瘍や血管性病変により麻痺をきたすが，迷走神経とともに延髄より起こり，頸静脈孔より頭蓋から出るため，迷走神経麻痺と合併することが多い．

## 2　末梢神経障害
頭頸部領域において顔面神経，三叉神経領域が主に挙げられる．

### a　末梢性顔面神経麻痺
顔面神経管内での圧迫や虚血による一過性伝導障害により，回復までにある程度の時間を要する．

### b　末梢性三叉神経麻痺
外傷や医原性による損傷による麻痺が多く報告されている（次頁の神経損傷を参照）．

## B　麻痺の種類

### 1　中枢神経系麻痺
脳血管障害や外傷によるものが起因する．これにより高次機能障害を引き起こす原因となる．

### 2　末梢神経系麻痺
外傷やウイルス感染，医原性損傷などが起因する．

#### a　末梢性顔面神経麻痺
① **Bell 麻痺**（図 13-5）：原因不明である（ただし近年では HSV 感染で発症することが報告されている）．片側に発症する．患側では額のしわ寄せができないことが特徴である．
② **Ramsay Hunt 症候群**：VZV 感染後，末梢性顔面神経麻痺，耳介周囲の水疱形成，第Ⅷ脳神経障害へのウイルス炎の波及に伴い難聴を発症する．

#### b　末梢性三叉神経麻痺
① **下歯槽神経麻痺**：患側歯牙，オトガイ神経領域の知覚障害．
② **オトガイ神経麻痺**：口角，下唇（粘膜），オト

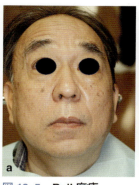
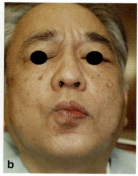

図 13-5　Bell 麻痺
a：しわ寄せ時，b：口笛時

ガイの知覚障害.
③ 舌神経麻痺：臨床的に舌前方 2/3 の知覚障害・味覚障害.
④ 頰神経麻痺：患側の頰粘膜の知覚障害.

## 4 けいれん
convulsion

### A 病態

　筋肉の一過性不随意収縮をけいれんという．持続性収縮の状態を強直性けいれんといい，間欠的収縮の状態を間代性けいれんという．てんかんや局所麻酔薬中毒など，神経細胞活動の異常亢進に起因することが多い．神経線維の損傷による局所的なインパルスの過剰発火によって，その末梢部分の限局性けいれんが発現する可能性もある．

### B けいれんの種類

　神経けいれんでは，片側顔面神経筋の不随意収縮で，顔面チックともいわれている．原因は明らかではないが，三叉神経痛と同様に顔面神経根部での小脳動脈の圧迫によって起こるといわれている．片側顔面の反復性あるいは持続性の速いけいれんで，眼輪筋に初発し，次第に頰筋，口輪筋，広頸筋にも波及する．破傷風の特徴的な症状として，痙笑（ひきつけ笑い）がある．

## 5 神経損傷
nerve injury

### A 発生原因

　中枢性，末梢神経損傷で，外傷や医原性によるものが報告されている．口腔領域においては，下顎智歯の抜歯操作によるものが多く，囊胞摘出，インプラント治療などの偶発症で末梢性三叉神経麻痺が発症する．歯内療法による化学的損傷，美容外科手術における神経損傷も増加している．また下顎骨骨髄炎や悪性腫瘍が原因となる numb chin 症候群も挙げられる．

### B 神経損傷の分類（図 13-6）

a　一過性局在性伝導障害（neurapraxia）
　神経線維の圧迫，軽度の挫滅，栄養血管の一過性血流障害により生じ，神経線維の変性はほとんどみられない．

b　軸索断裂（axonotmesis）
　神経線維の持続的圧迫や挫滅によって生じ，損傷部より末梢の神経軸索は変性するが，神経鞘の連続性は保たれる．

c　神経幹断裂（neurotmesis）
　神経線維が神経鞘も含め機械的に切断されたり，化学物質で破壊されたりするために生じ，臨床的には完全麻痺となる．

## C 中枢性ならびに末梢性疾患の診断（神経痛，神経麻痺，神経けいれん）

### A 知覚神経系疾患の診断（図 13-7）

　知覚神経系の検査では主観検査と客観検査がある．主観的検査である精密触覚機能検査（触圧覚，痛覚，2 点識別閾，温度覚），客観的検査である知覚神経活動電位（sensory nerve action potential）導出法，CT，MRI などが挙げられる．

### B 運動神経系疾患の診断

　運動神経系疾患における診断のための検査に

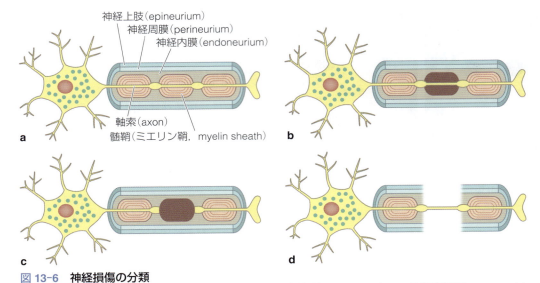

図 13-6　神経損傷の分類
a：通常，b：一過性局在性伝導障害(neurapraxia)，c：軸索断裂(axonotmesis)，d：神経幹断裂(neurotmesis)

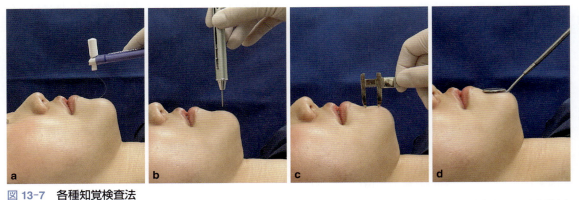

図 13-7　各種知覚検査法
a：触圧覚検査〔Semmes-Weinstein(SW)フィラメント〕，b：痛覚検査(定量型知覚計)，c：2点識別閾検査，d：温度覚(歯科用ミラーを使用)

は，主に顔面神経麻痺に焦点を当てると，主観的評価方法である柳原法(40点法)，House-Brackmann法が挙げられる．客観的評価方法には，電気生理学的検査やビデオ画像からのコンピュータ解析による optical flow 法などがある．

## D 末梢性神経疾患の治療（外科療法，薬物療法，理学療法）

### 1 外科的療法

#### A 神経減圧術

　中枢神経では，三叉神経痛や舌咽神経痛，顔面けいれんの原因には頭蓋内小血管の圧迫があり，

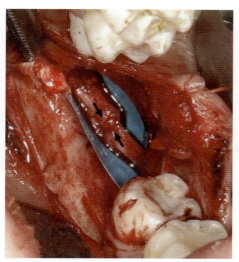

図 13-8　舌神経損傷に対する神経縫合術

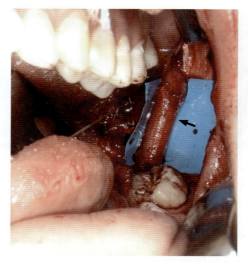

図 13-9　舌神経損傷による神経欠損部への神経再生誘導チューブ（矢印）による再建

この場合は神経血管減圧術（Jannetta 手術）を行う．末梢神経では，損傷後の神経減圧術（神経剝離術）を行うことがある．これは，損傷後経時的に神経麻痺と疼痛が発現してくる場合に応用され，神経周囲に形成される瘢痕組織により神経が絞扼されることに起因する．損傷部の神経に加わる圧力を開放する手術である．

### B 神経縫合術（図 13-8）

神経線維の連続性が完全に断たれた neurotmesis の状態では保存療法だけでの回復は難しく，神経縫合や神経移植などの手術療法が選択される．また，手術療法を選択しても，薬物療法や理学療法を主体とする保存療法（後述）の併用が必要である．手術法には，単純な神経縫合から血管柄付き神経移植までさまざまな方法がある．

### C 自家神経，神経再生誘導チューブを用いた神経移植術（図 13-9）

口腔顎顔面領域で用いられる自家神経として，大耳介神経，腓腹神経が挙げられる．また，近年では人工神経の1つである神経再生誘導チューブが末梢神経欠損の治療として導入されている．神経再生誘導チューブの成績はおおむね良好な結果が報告されており，自家組織の犠牲を払うことなく末梢神経再建が可能となる．

## 2 薬物療法

### A 副腎皮質ステロイド薬

障害された神経に対して，抗炎症作用や抗浮腫作用が期待できる．処方例は，プレドニゾロンを1日 60 mg 1日3回毎食後から開始し，3～5日ごとに1日 30 mg 1日3回毎食後，1日 15 mg 1日3回毎食後，1日 10 mg 1日2回朝夕食後，1日 5 mg 1日1回朝食後と漸減する．感染などの副作用には細心の注意を必要とする．顎変形症手術後の感覚障害を対象としたランダム化比較試験において効果が認められている．

### B ビタミン $B_{12}$ 製剤

末梢性の神経障害に対して，軸索輸送亢進，シナプス伝達遅延の回復，神経伝達物質の減少の回復などの作用によって，末梢神経の再生促進を期待する．処方例は，メコバラミンを1日 1.5 mg 1日3回毎食後で処方する．

### C アデノシン三リン酸二ナトリウム水和物

末梢血管の拡張によって，末梢神経の再生促進を期待する．処方例は，アデノシン三リン酸二ナトリウム水和物を1日 180 mg 1日3回毎食後で処方する．ただし，2024年1月現在，保険適用に

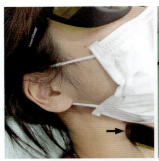

図 13-10　低出力レーザー治療
星状神経節近傍に照射（矢印）．

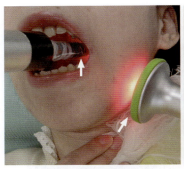

図 13-11　近赤外線照射療法
近赤外線を口腔内外に照射する（矢印）．

なっていない．

### D 神経障害性疼痛発生時の除痛薬

　末梢神経損傷の後遺症として，感覚異常とともに神経障害性疼痛が生じることがある．著しい痛みの場合，患者の QOL は大きく低下する．この痛みに対しては，一般的な鎮痛薬は全く奏効しない．プレガバリンやミロガバリン，またはアミトリプチリンなど感覚神経の伝達に作用する薬物によって対応する（→p.443）．

## 3 理学療法

### A 光線療法

#### 1 低出力レーザー治療

　歯科領域で代表的な低出力レーザー機器は，半導体レーザー治療器である（図 13-10）．半導体レーザーは，ガリウム（Ga），アルミニウム（Al），ヒ素（As）で作られている化学物半導体である．水にもヘモグロビンにも吸収されにくい 830 nm 前後の波長の近赤外光が出力される．星状神経節への照射も可能であり，顎変形症手術後の感覚障害を対象としたランダム化比較試験において有用性が報告されている．

#### 2 近赤外線照射治療

　近赤外線照射療法の代表的な機器に，スーパーレーザーがある（図 13-11）．スーパーレーザーは，600〜1,600 nm の波長帯の近赤外線と赤色光を出力していて，上記の半導体レーザー同様，生体内深達度が高い．

### B 温熱療法

　前記の光線療法も温熱効果が期待できる．温湿布による局所の温度上昇が，血流増加と相関することが報告されている．口腔顔面領域の神経損傷に対しては，ホットパックを患部に数分から数十分間当てて，神経周囲の血流を増加させ，可能な限り神経回復が良好に進行するよう促す（→p.507）．また，局所だけでなく，体全体を温めることも，神経回復に対して正の方向に促すことが推測されるので，十分な温水入浴を勧めるべきである．

## E 末梢神経疾患の治療（星状神経節ブロック；SGB）

### 1 星状神経節ブロック
stellate ganglion block；SGB

　頭頸部領域を支配する交感神経の働きを局所麻酔薬によって一時的に遮断し，皮膚および粘膜の血管を拡張させて血流を増加させ，同部を走行する損傷した末梢神経の回復を促進させる手技を星状神経節ブロック（SGB）と呼ぶ．つまり局所麻酔薬による頸部の交感神経ブロックである．

## 2 SGBに必要な解剖

### A 自律神経系と星状神経節

呼吸，循環，代謝など生命維持に必要な機能（植物性機能）を調節する神経系を自律神経系と呼ぶ．胸髄上部の側核から出た交感神経節前線維は脊柱の両側で融合して上・中・下頸神経節を作る（図13-12）．このうち上頸神経節が頭部を支配し，下頸神経節と第1，2胸神経節が癒合した星状神経節は，第7頸椎横突起の前面に存在して上肢や心臓を支配している．頸部には重要な血管・神経が走行しており，星状神経節は前斜角筋の内側で，頸動脈，椎骨動脈，反回神経などと接している（図13-13）．

交感神経は身体活動によって生体がエネルギーを必要とする場合や不安，恐怖などの精神的ストレスによって興奮し，呼吸や循環機能を亢進させる．一方，皮膚や粘膜の血管を収縮させて，これらの血流を減少させる．したがって，交感神経の機能を遮断すると，支配部位の皮膚，粘膜周囲の血管は拡張し血流は増加する．

### B 第6頸椎ブロック（C6-SGB）と第7頸椎ブロック（C7-SGB）

星状神経節を遮断すれば上頸神経節に向かう節前線維をすべて遮断できることから第7頸椎横突起を指標とするC7-SGBが行われている．頭頸部領域では上肢から心臓にかけての交感神経ブロックは不要であるので，中頸神経節が存在する第6頸椎横突起を指標としたC6-SGBも用いられている．近年では超音波診断装置を用いたエコーガイド下SGBも行われている（図13-14）．

## 3 SGBの適応病態

わが国では神経障害性疼痛をはじめとして特にペインクリニック分野において多くの疾患に用いられているが，有効性を示した報告は多くない．

### A 麻痺性疾患

#### 1 三叉神経麻痺

三叉神経損傷後の知覚麻痺の治療として行われることも多く，いくつかの症例報告はあるものの

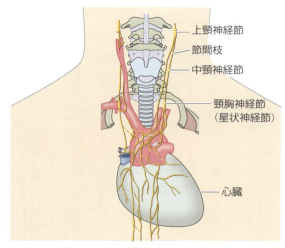

図13-12 頭頸部の交感神経節
下頸神経節は胸神経節と癒合して星状神経節を作る．

有効性について明確な結論は出ていない．

#### 2 顔面神経麻痺

三叉神経麻痺と同様に有効性を明確に示した報告はない．

### B 疼痛性疾患

#### 1 頭部の帯状疱疹後神経痛

SGBは帯状疱疹から帯状疱疹後神経痛への移行を有意に抑制することがランダム化比較試験によって報告されている．

#### 2 口腔顔面痛

エビデンスレベルの高い研究はないが，有効であったとする報告も認められる．

## 4 SGBの効果判定

### A 主観的判定法

#### 1 Horner（ホルネル）徴候

頭頸部の交感神経遮断によって出現する眼瞼下垂・縮瞳・眼球陥凹の3つの症状をHorner徴候と呼ぶ．さらにブロック側の眼球結膜の充血および鼻閉を認めればブロックが奏効したと考えられる．

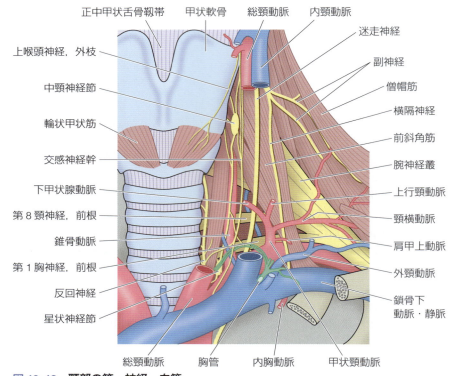

**図 13-13　頸部の筋・神経・血管**
頸部交感神経節は総頸動脈・椎骨動脈・反回神経に隣接している．

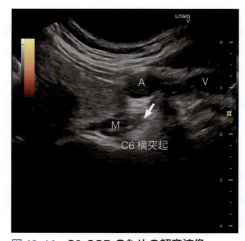

**図 13-14　C6-SGB のための超音波像**
C6 横突起と頸動脈の同定が容易となる．
A：総頸動脈，V：内頸静脈，M：頸長筋，矢印：ブロック針刺入方向
〔日本歯科大学生命歯学部歯科放射線学講座　永浦まどか先生　提供〕

**2 ● 左右手指の温感差**
　患者に両手を組んでもらい温感差を確認する．

### Ⓑ 客観的測定法

**1 ● サーモグラフィによる皮膚温測定**
　皮膚表面から放射される赤外線を測定して表面温度を測定する．ブロックによって血管が拡張し血流が増加すれば皮膚温が上昇する．

**2 ● パルスオキシメトリによる脈波の変化**
　脈波の大きさから算出される Perfusion Index から血管拡張を推測する．

## ❺ SGB の偶発症

### Ⓐ 局所的偶発症

**1 ● 反回神経麻痺**
　反回神経は声帯の運動を支配しているので，針先が正中に向かって進んだり，局所麻酔薬が過量

であったりすると嗄声が生じる．

### 2 ● 腕神経叢ブロック
針先が外側に向かって進んだり，局所麻酔薬が過量であったりすると上肢の運動麻痺が生じる．

### 3 ● 局所の硬結
SGBは短期間に繰り返し行うために，出血によって局所に硬結が生じることがある．

## B 全身的偶発症

### 1 ● 局所麻酔薬中毒
針先が外側に向かえば総頸動脈，深すぎれば椎骨動脈を誤穿刺する可能性がある．動脈内に投与された局所麻酔薬が脳血管に達すれば全身けいれん，血圧低下，呼吸停止などの中毒症状が出現する．

### 2 ● くも膜下ブロック
針先がくも膜下腔に達すれば意識消失，呼吸停止などの症状が出現する．

# F 神経障害性疼痛の診断と治療

## 1 神経障害性疼痛

### A 定義
「体性感覚神経系の病変や疾患によって引き起こされる疼痛」と，国際疼痛学会によって定義されている．

### B 侵害性疼痛との相違
痛みの原因が神経自体にあり，正常な神経系を介し末梢から中枢へと伝えられる侵害受容性疼痛とは区別される（図13-15）．

### C 臨床的な問題
感覚神経は，一度損傷すると完全に回復することは難しいとされており，さらにしびれなどの症状だけでなく，痛みまで生じると患者のQOLは，きわめて深刻になる．神経障害性疼痛は，末梢だけでなく中枢感作など中枢性にも影響するの

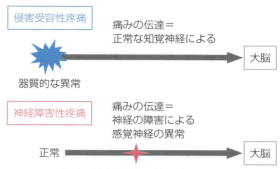

**図 13-15** 侵害受容性疼痛と神経障害性疼痛の違い

で，しばしば除痛が困難になり，さらに慢性化する場合がある．歯科の場合は，多くが医原性であることも悩ましい問題である．

## 2 神経障害性疼痛の種類

### A 帯状疱疹後神経痛
postherpetic neuralgia

水痘感染時（日本人の多くが10歳までに感染）に神経節に潜伏した水痘・帯状疱疹ウイルスの再活性化によって帯状疱疹が発症する（80歳までに半数近くが発症）が，その帯状疱疹罹患後にウイルスによる神経の障害のために疱疹治癒後にも痛みが残存したものである．ピリピリ，ヒリヒリとした持続的な神経障害性疼痛を生じる．星状神経節ブロックと薬物療法（アミトリプチリン，プレガバリン，ミロガバリン，ノイロトロピン®など）を併用する．

### B 外傷性神経障害・三叉神経ニューロパチー
traumatic nerve injury, trigeminal neuropathy

智歯の抜去，根管治療，麻酔の針，インプラント手術などによって，舌神経や下歯槽神経が損傷され，感覚異常や神経障害性疼痛が生じた病態である．歯科では，医療事故によって発生するものが多く，医師患者間のトラブルの発生をもたらすこともある．初期には，障害した神経の回復を促すため，薬物療法（副腎皮質ステロイド薬，ビタミンB₁₂製剤など）とともにSGBを頻回に行う．痛みが発現したものは，帯状疱疹後神経痛などほ

かの神経障害性疼痛の治療に準ずる．

### C 三叉神経痛・舌咽神経痛

　三叉神経や舌咽神経の末梢枝の分布領域に，特徴的な電撃痛をもたらす．微小脳動脈による圧迫（典型的）や器質的疾患による圧迫（症候性）によって惹起された神経の伝導異常である．長期にわたって圧迫されるなどによって，末梢に向かって末梢性感作が生じて痛覚過敏状態になると推測されている．痛みが発作的，間欠的，また電撃様であることや Valleix（ヴァレー）の圧痛点〔圧迫すると疼痛が出現する神経孔上の点（図 13-16，→p.445）〕，Patrick の発痛帯（接触によって疼痛が誘発される部位）などきわめて特徴的な症状がみられるため，診断は比較的容易である．薬物療法（カルバマゼピンなど），根治的な手術療法（神経血管減圧術），ガンマナイフ，神経破壊剤（アルコールなど）による神経ブロック療法がある．

### D 神経障害性歯痛

　歯髄には，血管や血管結合組織のほか，ほとんどが Aδ と c 線維で構成された神経が存在する．すなわち，抜髄や抜歯処置とは，主に痛覚を伝達する神経を切断する行為である．日常の歯科臨床で頻繁に行われるこの処置の後，ほとんどの場合，組織の創傷治癒とともに痛みは消失する．しかしながら，通常の抜髄処置にもかかわらず痛みが残存してしまう神経障害性歯痛がある．非常にまれなケースであるが，単純な 1 歯の抜髄や抜歯でも発症することがある．抜髄後の当該歯周囲の歯肉には，異痛症（allodynia）や異常感覚（dysesthesia）がみられ，その歯は抜歯されてもその被覆粘膜に同様に allodynia や dysesthesia がみられる．発症要因には，遺伝的要素があることも解明されてきている．

　歴史的には，原因不明の痛みを発症し，抜髄によっても痛みが消失しない理解できない歯痛は，atypical odontalgia（非定型歯痛）や atypical facial pain（非定型顔面痛）の歯に生じる局所型として表現されてきたが，共通した症状や臨床経過から 1 つの疾患群として取り上げられ，Marbach らが神経障害性疼痛である phantom limb pain に類似するものとして phantom tooth pain（幻歯痛）と名づけた．わが国では，『非歯原性歯痛ガイドライン（改訂版）』の分類の中で，神経障害性歯痛とされている．痛みは，中枢性感作を思わせる痛みが多く，帯状疱疹後神経痛に準じたペインコントロールを行う．

## 3 病態生理

　末梢での神経損傷は，感覚神経伝達全体に影響を及ぼす．末梢損傷部位での神経の混線（エファプス），交感神経に依存した痛みの発生，さらに中枢・末梢いずれにおいても痛みの増強（感作）が起こる．

### A 中枢性感作
central sensitization

　一次求心性ニューロンと二次ニューロン間，その上位中枢のニューロン間において，グルタミン酸などの神経興奮性の伝達物質の作用によって生じる痛みの増強機構である．感覚神経の障害によって生じるほか，痛みの慢性化や著しい痛みの継続，心理的疲弊によっても起こる可能性があるとされている．

### B 末梢性感作
peripheral sensitization

　一次求心性ニューロンの神経終末において，軸索反射（逆行性伝導）のよって過敏化された末梢から発痛物質が生じ，軽度の接触刺激でも痛みとして感じる痛覚過敏の状態が生じる痛みの増強機構である．

### C エファプス
ephapse

　神経線維は，1 本ずつ絶縁状態にあるため，シナプス以外の部位ではインパルスが隣接した神経線維に乗り移るようなことは起こらない．しかしながら，なんらかの要因によって神経が損傷され脱髄すると，インパルスが伝達される状況が生じる．この異所的な接触部位をエファプスと呼ぶ．

## 4 症状

　感覚神経伝達全体へ及ぼす神経障害の影響は，さまざまな症状が出現する．

### Ⓐ アロディニア（異痛症）
allodynia

通常は痛くない刺激を痛みとして感じる異常痛である．

### Ⓑ ジセスセジア（異常感覚）
dysesthesia

刺激の有無にかかわらずピリピリ，ビリビリといった異常感覚である．

### Ⓒ 痛覚過敏
hyperalgesia

通常よりも強く痛みが生じる状態である．

### Ⓓ 感覚鈍麻
hypoesthesia

感覚の程度が低下した状態である．

## 5 診断

### Ⓐ 問診

痛みの部位・範囲，性状（電撃痛，ヒリヒリ痛，ビリビリ痛，ズキズキ痛など），持続時間（発作的，間欠的，持続的），誘発因子・緩解因子，随伴症状などを患者から聴取する．また，痛みの強度さらにその変化をVAS（visual analogue scale）を使用して頻回に採取する．関連する全身疾患の確認も重要である．

### Ⓑ スクリーニング質問票

神経障害性疼痛と侵害受容性疼痛を鑑別することを目的に開発された疼痛鑑別スクリーニング評価ツールにPain Detectや中枢性感作の程度を調べるCSI（central sensitization inventory）を使用して，スクリーニングする．

### Ⓒ 神経学的診察

口腔顔面領域に神経障害性疼痛様の神経症状がある場合，頭蓋内の占拠性病変やほかの神経障害の可能性があるので，12脳神経の状態を精査する．

### Ⓓ 感覚機能検査

定性的には，筆などを使用して評価する．定量的には，ナイロン製のフィラメントでできたSWモノフィラメント（SW知覚テスター）を使用して評価する．

### Ⓔ 画像検査

エックス線撮影やCTのほか，神経まで比較的とらえることができるMRIを応用する．

## 6 治療

### Ⓐ 薬物療法

プレガバリンやミロガバリンは，神経系に分布するカルシウムチャンネルの一部に作用して神経障害性疼痛を緩和する．処方例は，プレガバリン1日50 mg 1日2回朝夕食後から開始し，7～14日ごとに漸増する．ミロガバリンは，1日5 mg 1日2回朝夕食後から開始し，7～14日ごとに漸増する．三環系抗うつ薬は，下行性疼痛抑制系に作用して神経障害性疼痛を緩和する．処方例は，アミトリプチリンを1日5 mg（半錠）1日1回夕食後から開始し，7～14日ごとに漸増する．いずれも，出現するふらつき，眠気，口渇，体重増加など，副作用の出現頻度が高いので，処方前には十分な説明を必要とする．

### Ⓑ 星状神経節ブロック（SGB）療法

頸部の交感神経節に局所麻酔薬を60～100 mgを作用させ，血管の拡張による損傷された末梢神経の再生促進を期待する．また，神経障害性疼痛にしばしばみられる交感神経依存性疼痛の除痛に，交感神経遮断が有効である．

### Ⓒ 点滴療法

中枢性感作が著しい難治性の神経障害性疼痛には，興奮系のNMDA受容体に対して塩酸ケタミンやマグネシウムイオンの静脈内投与などがある．また，アデノシン三リン酸（ATP）持続静注が効果的である．ATPは血中で即座にアデノシンに分解され，$A_1$受容体を介して，静脈内投与において鎮痛作用を発揮する．5～6 mg/kg/時の速

度で2時間以上の持続静脈内投与（生食点滴速度30 mL/時）は，神経障害性疼痛に対して一時的には劇的な除痛効果があり，さらに数日から数週間効果が持続する．

##  その他の神経疾患

### 1 複合性局所疼痛症候群
complex regional pain syndrome；CRPS

かつてカウザルギー，反射性交感神経萎縮症と呼称された病態で，神経障害性疼痛に自律神経関与の異常が伴い，局所の血流障害や発汗障害，末期には萎縮性の変化を生じる症候群である．口腔顔面領域は，血流が豊富なためきわめて少ない．

### 2 口腔顔面領域の病的な不随意運動

#### A 口腔顎ジストニア
oromandibular dystonia

持続的な筋緊張によって，捻転性，反復性の運動や異常な姿勢をきたす病態である．咀嚼筋に異常が生じるため，食事や会話に支障をきたす．明らかな原因は不明である．

#### B 口舌（口唇）ジスキネジア
oral dyskinesia

ジスキネジアとは，比較的規則性の少ない不随意運動の総称であるが，口腔周囲にも発現する．多くが薬物性である．

# 各論

##  神経痛

### 1 三叉神経痛
trigeminal neuralgia

三叉神経領域に突発性の激しい痛みが生じる疾患である．明らかな疼痛の原因を特定できるものとできないものが含まれる．病型は，典型的三叉神経痛，二次性三叉神経痛，特発性三叉神経痛の3つに分類されている〔国際頭痛分類第3版（ICHD-3）〕．

**症状**

三叉神経の支配領域に激しい電撃痛が突発的に生じることを特徴とする．痛みの性状は，「電気が流れるようにビリビリした痛み」と表現される．

**診断**

エックス線撮影で顎骨内の疼痛の原因となる病変の有無を確認する．また，MRIで三叉神経痛の原因となる頭蓋内病変の有無を検索する．血液検査では特異的な異常所見を認めない．神経孔周囲の皮膚に圧痛を認めることが知られており（Valleixの3圧痛点：図13-16），診断に有用な所見となる．三叉神経痛にはNSAIDsが奏効しないので，通常の鎮痛薬には反応しなかったという患者の訴えも診断の一助となる．以上の所見に加えて，医療面接から三叉神経痛の症状に合致する疼痛の訴えが得られた場合に診断する．ICHD-3の診断基準を表13-1に示す．

a 典型的三叉神経痛

血管により三叉神経根が圧迫されるために生じる三叉神経痛である．MRIや手術中の所見で，神経血管圧迫所見が認められる．

b 二次性三叉神経痛

神経痛を引き起こす疾患が明らかであり，その疾患により三叉神経痛が生じていると考えられるものである．頭蓋内の腫瘍や動静脈奇形，多発性硬化症などが原因となる疾患として挙げられている．

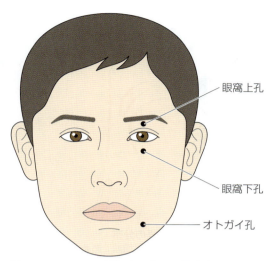

図 13-16　Valleix（ヴァレー）の3圧痛点

### c　特発性三叉神経痛

電気生理学的検査やMRIに異常所見がなく，典型的三叉神経痛や二次性三叉神経痛が否定されている三叉神経痛である．

**治療**

薬物療法として抗けいれん薬であるカルバマゼピンが第一選択薬として推奨されている．オピオイド鎮痛薬は適応にならない．非薬物療法として微小血管減圧術や神経遮断療法がある．いずれも脳神経外科での治療となるため，三叉神経痛の治療においては，脳神経外科への対診が必要になる．また，二次性三叉神経痛の治療では，原因疾患に対する治療を行うことで三叉神経の症状が改善する可能性がある．脳腫瘍が原因であった場合には，脳腫瘍の摘出が三叉神経痛に対する原因療法となる．

## A 有痛性三叉神経ニューロパチー

有痛性三叉神経ニューロパチーは，三叉神経領域に生じる顔面痛のうち，三叉神経痛に分類されない疼痛であり，疼痛の原因となる神経損傷が示唆される疾患である．ICHD-3の分類で5つに分類される（表 13-2）．

**症状**

痛みの性状が三叉神経痛とは異なる．痛みは持続的で，針で刺されるような疼痛が生じる．三叉神経の支配領域に感覚脱失や冷痛過敏の症状を伴

表 13-1　三叉神経痛の診断基準

A：三叉神経枝の1つ以上の支配領域に生じ，三叉神経領域を越えて広がらない1側性の発作性顔面痛を繰り返し（注❶），BとCを満たす
B：痛みは以下のすべての特徴を持つ
　① 数分の1秒～2分間持続する（注❷）
　② 激痛（注❸）
　③ 電気ショックのような，ズキンとするような，突き刺すような，または，鋭いと表現される痛みの性質
C：障害されている神経支配領域への非侵害刺激により誘発される（注❹）
D：ほかに最適なICHD-3の診断がない

注❶　少数例では障害されている神経の支配領域を越えて痛みが広がることもある．その場合でも痛みは三叉神経の皮膚分節内に留まる．
注❷　発作痛の持続時間は経過中に変化し，徐々に延長することがある．発作痛が主として2分を超えて持続すると訴える患者は少数である．
注❸　痛みは経過中に重症化してくこともある．
注❹　痛みの発作は自発痛として，または，自発痛のように感じられることがある．ただし，この診断に分類するためには，非侵害刺激によって痛みが誘発された既往や所見がなければならない．理想的には，診察医は痛みを誘発する現象が再現することを確定すべきである．しかし，患者が拒否したり，トリガーの解剖学的位置が刺激困難であったり，他の要因によって必ずしも確定できないこともある．

〔日本頭痛学会・国際頭痛分類委員会（訳）：国際頭痛分類，第3版．p168，医学書院，2018より〕

表 13-2　有痛性三叉神経ニューロパチーの分類

| 13.1.2.1 | 帯状疱疹による有痛性三叉神経ニューロパチー |
|---|---|
| 13.1.2.2 | 帯状疱疹後三叉神経痛 |
| 13.1.2.3 | 外傷後有痛性三叉神経ニューロパチー |
| 13.1.2.4 | その他の疾患による有痛性三叉神経ニューロパチー |
| 13.1.2.5 | 特発性有痛性三叉神経ニューロパチー |

〔日本頭痛学会・国際頭痛分類委員会（訳）：国際頭痛分類，第3版．p166，医学書院，2018より〕

うことがある．

**診断**

ICHD-3の診断基準に基づいて行われる．

### a　帯状疱疹による有痛性三叉神経ニューロパチー

発症から3か月未満の片側性顔面痛であり，三叉神経の1枝以上の支配領域に生じる．帯状疱疹による皮疹が痛みと同じ三叉神経領域に生じていたり，髄液や皮膚病変から水痘・帯状疱疹ウイル

スが検出されたりすることで診断される．

#### b 帯状疱疹後三叉神経痛

三叉神経領域に生じる片側性顔面痛で，3か月を超えて症状が持続したり，繰り返したりするものをいう．痛みと同側の三叉神経領域に帯状疱疹の既往があり，痛みの発現時期が帯状疱疹の発症と一致している．

#### c 外傷性有痛性三叉神経ニューロパチー

三叉神経枝の1枝以上の支配領域に生じる顔面または口腔の痛みである．三叉神経に対する明確な外傷の既往があり，臨床的に明らかな陽性徴候（痛覚過敏，アロディニア）や陰性徴候（感覚低下，痛覚鈍麻）を伴う．痛みは外傷部位の三叉神経の支配領域と一致し，外傷の6か月未満に生じる．三叉神経に対する外傷には，機械的損傷，化学的損傷，温度的損傷，放射線による損傷が含まれる．抜歯後に生じる難治性の疼痛は，外傷性有痛性三叉神経ニューロパチーの可能性がある．

#### d その他の疾患による有痛性三叉神経ニューロパチー

三叉神経枝の1枝以上の支配領域に生じる顔面または口腔の痛みである．帯状疱疹や外傷以外の疾患により生じた有痛性三叉神経ニューロパチーである．

#### e 特発性有痛性三叉神経ニューロパチー

片側性あるいは両側性の三叉神経枝の1枝以上の支配領域の顔面痛であり，原因となる疾患が特定されていないものをいう．

● 治療

有痛性三叉神経ニューロパチーは神経障害性疼痛に分類されているため，主に薬物療法が行われる．第一選択薬には，カルシウムチャンネル$\alpha_2\sigma$リガンド，セロトニン・ノルアドレナリン再取り込み阻害薬，三環系抗うつ薬が挙げられている．第二選択薬としてワクシニアウイルス接種家兎炎症皮膚抽出液含有製剤，弱オピオイド（トラマドール）が含まれる．第三選択薬としては，オピオイド鎮痛薬（オキシコドン，フェンタニルなど）が該当する．

### ② 舌咽神経痛
glossopharyngeal neuralgia

舌咽神経は第Ⅸ脳神経であり，感覚神経と運動神経からなる混合神経である．感覚神経は，咽

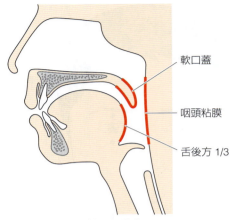

図 13-17 舌咽神経の分布
赤部分が感覚神経の支配領域である．

頭，扁桃，舌後方部1/3の感覚と味覚を支配する（図 13-17）．舌咽神経痛は舌咽神経の支配領域に片側性で突発性の激しい痛みが生じる疾患である．嚥下，会話，咳嗽によって痛みは誘発され，耳，舌基部，扁桃窩および下顎角直下に生じる．疼痛の明らかな原因を特定できるものとできないものがある．

● 症状

舌咽神経の支配領域に激しい電撃痛が突発的に生じることを特徴とする．痛みの性状は，電気ショックのような短時間の鋭い痛みである．

● 診断

口腔内の診察で舌の動きに異常がないことを確認する．また口腔内から咽頭部を観察し，病変の有無を調べる．咽頭部の病変は耳鼻咽喉科の診療領域であるため，咽頭部の病変の有無の精査を耳鼻咽喉科に依頼する．血液検査では特異的な異常所見を認めない．ICHD-3の診断基準を表 13-3に示す．

#### a 典型的舌咽神経痛

血管により舌咽神経根が圧迫されるために生じる神経痛である．MRIや手術中の所見で神経血管圧迫所見が認められる．

#### b 二次性舌咽神経痛

神経痛を引き起こす疾患が明らかであり，その疾患により舌咽神経痛が生じていると考えられるものである．頭部外傷，多発性硬化症，扁桃およびその周囲の腫瘍などが原因となる疾患として挙げられている．

### 表13-3 舌咽神経痛の診断基準

A：舌咽神経の支配領域（注❶）に生じる片側の繰り返す発作性の痛みで，Bを満たす
B：痛みは以下のすべての特徴をもつ
　① 数秒〜2分持続する
　② 激痛
　③ 電気ショックのような，ズキンとするような，刺すような，または鋭いと表現される痛みの性質
　④ 嚥下，咳嗽，会話またはあくびで誘発される
C：ほかに最適なICHD-3の診断がない

注❶ 舌の後部，扁桃窩，咽頭または下顎角または耳のいずれか1つ以上．

〔日本頭痛学会・国際頭痛分類委員会（訳）：国際頭痛分類，第3版．p174，医学書院，2018より〕

### 表13-4 口腔内灼熱症候群の診断基準

A：BおよびCを満たす口腔痛がある（注❶）
B：1日2時間を超える痛みを連日繰り返し，3か月を超えて継続する
C：痛みは以下の特徴の両方を有する
　① 灼熱感（注❷）
　② 口腔粘膜の表層に感じる
D：口腔粘膜は外見上正常であり，感覚検査を含めた臨床的診察は正常である
E：ほかに最適なICHD-3の診断がない

注❶ 痛みは通常，両側性で，好発部位は舌の先端である．
注❷ 痛みの強さは変動する．

〔日本頭痛学会・国際頭痛分類委員会（訳）：国際頭痛分類，第3版．p181，医学書院，2018より〕

#### c 特発性舌咽神経痛

MRIに異常所見がなく，典型的舌咽神経痛や二次性舌咽神経痛が否定されている舌咽神経痛である．

**治療**

薬物療法として抗けいれん薬であるカルバマゼピンが第一選択薬として推奨されている．オピオイド鎮痛薬は適応にならない．非薬物療法として微小血管減圧術や神経遮断療法がある．いずれも脳神経外科での治療となるため，舌咽神経痛の治療においては，脳神経外科への対診が必要になる．また，二次性舌咽神経痛の治療では，原因疾患に対する治療を行うことで神経痛の症状が改善する可能性がある．

### 表13-5 持続性特発性顔面痛の診断基準

A：BおよびCを満たす顔面または口腔（あるいはその両方）の痛みがある
B：1日2時間を超える痛みを連日繰り返し，3か月を超えて継続する
C：痛みは以下の両方の特徴を有する
　① 局在が不明で末梢神経の支配に一致しない
　② 鈍い，疼くような，あるいは，しつこいと表現される痛みの性質
D：神経学的診察所見は正常である
E：適切な検査によって歯による原因が否定されている
F：ほかに最適なICHD-3の診断がない

〔日本頭痛学会・国際頭痛分類委員会（訳）：国際頭痛分類，第3版．p182，医学書院，2018より〕

## 3 その他の口腔顎顔面領域の疼痛

### A 口腔内灼熱症候群
burning mouth syndrome

口腔内の灼熱感や異常感覚の訴えが強く，臨床的に明らかな原因病変を認めないものである．3か月を超えて連日症状を訴える．閉経後の女性の有病率が高く，心理社会的問題を抱える患者が多い．ICHD-3における診断基準を表13-4に記す．

### B 持続性特発性顔面痛
persistent idiopathic facial pain；PIFP

女性の罹患率が高く，精神疾患や心理社会的問題を合併していることが多い．ICHD-3における診断基準を表13-5に記す．

### C 中枢性神経障害性疼痛
central neuropathic pain

片側性または両側性の頭頸部の疼痛である．多発性硬化症による中枢性神経障害性疼痛と中枢性脳卒中後疼痛に分類されている．

## B 神経麻痺

### 1 三叉神経麻痺
trigeminal neuropathy/paralysis of trigeminal nerve

三叉神経は，顔面の感覚と咀嚼筋の運動に関与する．側頭骨錐体部で眼神経（第Ⅰ枝），上顎神経（第Ⅱ枝），下顎神経（第Ⅲ枝）の3枝に分岐する．三叉神経の知覚枝の障害により顔面の感覚が障害され，運動枝の障害では咀嚼筋の筋力低下が生じる．

表 13-6　顔面神経の障害部位と症状の関係

| 顔面神経の障害部位 | 表情筋の麻痺 | 唾液分泌障害 | 聴覚過敏 | 涙液分泌障害 |
|---|---|---|---|---|
| 内耳孔から膝神経節まで | ＋ | ＋ | ＋ | ＋ |
| 膝神経節より末梢でアブミ骨筋神経まで | ＋ | ＋ | ＋ | － |
| アブミ骨筋神経より末梢で鼓索神経まで | ＋ | ＋ | － | － |
| 鼓索神経より末梢 | ＋ | － | － | － |

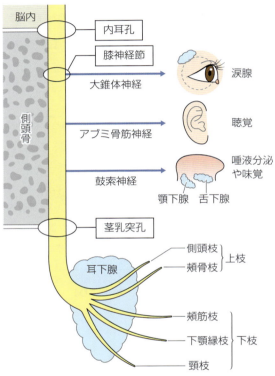

図 13-18　顔面神経

### 症状

① 知覚障害
- 眼神経：障害により前額部から目の周囲の皮膚の感覚障害が生じる．
- 上顎神経：障害により頬部から上唇にかけての皮膚の感覚障害が生じる．口腔内では，歯肉や口蓋粘膜に症状が出現する．
- 下顎神経：障害により下唇からオトガイ部にかけての皮膚の感覚障害が出現する．口腔内では，下顎歯肉から舌前方 2/3 の感覚障害が出現する．味覚の異常も伴う．

② 運動障害
- 下顎神経には運動枝が含まれており，咀嚼筋群に分布する．この神経の障害により，咀嚼筋の運動障害が生じる．

### 診断

感覚障害の範囲と三叉神経の支配領域が一致すれば診断できる．

### 治療

① 薬物療法：浮腫が原因である場合には，副腎皮質ステロイド薬が用いられる．ビタミン $B_{12}$ 製剤や ATP 製剤の有効性が報告されている．
② 理学療法：赤外線照射療法や低周波電気刺激療法が用いられている．
③ 星状神経節ブロック（SGB）
④ 外科療法：神経が切断されたことによる症状の場合，神経縫合術の適応となる．

## 2　顔面神経麻痺
facial nerve palsy

顔面神経は第Ⅶ脳神経であり，内耳孔から顔面神経管内に入った後，茎乳突孔より頭蓋骨外に出る．耳下腺内を走行して分岐し，顔面の表情筋に分布する（図 13-18）．障害される部位により，大きく中枢性と末梢性に分類されている．中枢性の麻痺は，頭蓋内の病変により発症する．末梢性の麻痺は原因不明のことが多い．

### 症状

#### a　中枢性顔面神経麻痺

頭蓋内の脳出血や脳梗塞に伴い発症する．頭蓋内病変の反対側に麻痺が出現する．前額部の表情筋は両側の大脳皮質により支配されているため片側の頭蓋内病変では麻痺が生じない．

#### b　末梢性顔面神経麻痺

顔面神経の損傷部位により症状が異なる．表 13-6 に障害部位と症状の関係を示す．

### 診断

顔面表情筋の動き，涙液分泌障害，聴覚過敏，

唾液分泌障害および味覚障害の有無から障害部位を特定する．

**治療**

顔面神経麻痺の治療法は原因により異なる．ウイルス感染に起因するものは抗ウイルス薬を投与する．抗炎症薬としての副腎皮質ステロイド薬の投与も行われる．脳血管障害によるものは，脳神経内科や脳神経外科での治療が必要になる．

顔面神経損傷によるものは，神経縫合術やビタミン$B_{12}$製剤，ATP製剤の投与が必要になる．血流不全に対してはSGBを考慮する．

## 3 Ramsay Hunt 症候群（Hunt 症候群）

顔面神経の膝神経節に潜伏感染している水痘・帯状疱疹ウイルスの再活性化により生じる顔面神経麻痺である．

**症状**

耳介周囲の皮膚の水疱形成，末梢性顔面神経麻痺，第Ⅷ脳神経症状（難聴，めまいなど）を主要徴候とする．

**診断**

上記の臨床所見と血液検査所見から診断する．

**治療**

抗ウイルス薬が投与される．炎症を抑える目的で副腎皮質ステロイド薬が投与される．また，神経賦活剤としてビタミン$B_{12}$製剤やATP製剤を投与する．

## 4 舌咽神経麻痺
paralysis of glossopharyngeal nerve

舌咽神経は，感覚神経と運動神経からなる混合神経である．感覚神経は，咽頭，扁桃，舌後方部1/3の感覚と味覚を支配する（図13-17, ➡p.446）．また，頸動脈小体に分布し，圧受容体からの信号を受け血圧のモニターを行う．また，血液中の酸素と二酸化炭素のレベルを監視する化学受容体からの信号も受ける．運動ニューロンは，茎突咽頭筋に分布し，嚥下に関与する．さらに，副交感神経線維が唾液分泌をつかさどる．舌咽神経の障害により嚥下障害，味覚障害，唾液分泌障害が生じる．

**症状**

感覚神経の損傷により咽頭や舌後方1/3の知覚障害が出現する．また，運動神経の損傷により嚥下障害が出現する．加えて，副交感神経線維が唾液分泌をつかさどるため，この神経の障害により唾液分泌障害が生じる．

**診断**

臨床症状から診断する．

**治療**

腫瘍や脳血管障害が原因で生じた場合には，原疾患の治療を行う．神経麻痺に対しては，対症療法としてビタミン$B_{12}$製剤やATP製剤の投与を行う．

## 5 迷走神経麻痺
paralysis of the vagal nerve

迷走神経は，頭部，頸部，胸部，腹部の広範囲に分布する．頭頸部では，咽頭筋，喉頭の筋，軟口蓋の筋に分布する．また，迷走神経の枝である反回神経は声門を開く筋を支配する．したがって，頸部の迷走神経の損傷により咽頭，喉頭，軟口蓋の筋の機能不全が生じる．本症は腫瘍，外傷，感染症などの原因で生じる．

**症状**

軟口蓋麻痺ではカーテン徴候が生じる．これは，安静時には症状がわかりにくいが，「あー」と発音させると口蓋垂が健側に引き寄せられる症状である．咽頭後壁もカーテンを引くように健側に偏位する（図13-19）．また，片側の反回神経の損傷では嗄声が出現し，両側では呼吸困難が生じる．

**診断**

カーテン徴候や嗄声を認めた場合には本症を疑う．

**治療**

原因となる疾患の治療を行う．神経麻痺に対しては，対症療法としてビタミン$B_{12}$製剤やATP製剤の投与を行う．

## 6 舌下神経麻痺
paralysis of hypoglossal nerve

舌下神経は，舌下神経管を通り頭蓋から出たのち頸動脈の表面を横切り，内舌筋と外舌筋に分布

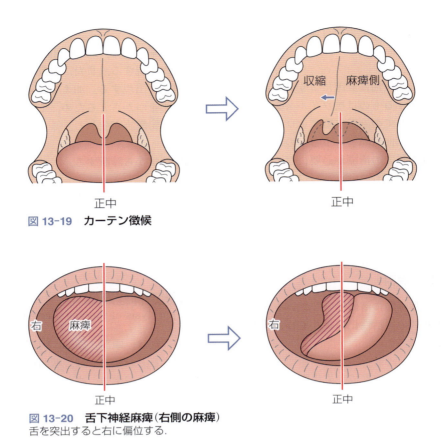

図 13-19　カーテン徴候

図 13-20　舌下神経麻痺（右側の麻痺）
舌を突出すると右に偏位する．

し，舌の運動を支配する．本症は頭蓋内の腫瘍性病変，自己免疫疾患（多発性硬化症），頸部腫瘍，頸部手術での損傷などにより生じる．

両側の中枢性の障害では，舌の突出ができなくなることから嚥下障害や構音障害が生じる．片側性の末梢性障害では，患側のオトガイ舌筋の機能障害により，舌を突出させようとすると健側の舌が患側に引かれて偏位する（図 13-20）．

舌運動障害，発音障害，舌突出時の偏位などが認められるときには，本症を疑う必要がある．

**治療**

原因となる疾患の治療を行う．神経麻痺に対しては，対症療法としてビタミン $B_{12}$ 製剤や ATP 製剤の投与を行う．

## 7　その他の口腔顎顔面領域の麻痺

### A　numb chin（ナム・チン）症候群

下歯槽神経やオトガイ神経が障害されることで生じる感覚障害である．下顎骨内に生じた病変が神経を障害することにより発症する．転移性腫瘍や悪性リンパ腫の場合には診断が困難になる場合がある．本症を疑った場合には，パノラマエックス線撮影で原因が明らかにならなくても，CT，MRI，骨シンチグラフィなどの検査を追加して，原因疾患を追究する必要がある．

## 神経けいれん

### 1 顔面神経けいれん
spasm of facial nerve

　顔面神経は顔面の表情筋に分布し，顔の表情のみならず目や口の機能に関与する神経であり，不随意の運動を生じる神経けいれんにより，著しく機能面，審美面が障害され，QOLの低下をまねく．この異常運動は顔面神経自体の血管の圧迫によって発症する片側性顔面けいれんが最も多いが，さまざまな病態の発作性症状として生じることが少なくない．

#### A 片側性顔面けいれん

　最も多い顔面神経のけいれんである．その多くは神経根から出た部位（小脳橋角部）で顔面神経自体が蛇行や拡張した動脈によって圧迫されることによって生じることから，三叉神経痛と同様に神経血管圧迫症候群のカテゴリーに分類されている．片側性に発生し，初期には眼瞼，特に下眼瞼の限局したピクピクとした間欠的なけいれんによって認められ，症状が進むと徐々に顔面下方の頬部や口唇周囲にそのけいれんは広がりをみせる．顔面神経支配であるアブミ骨筋のけいれんから耳鳴りを訴えることもある．顔面筋の随意運動を契機に発症し，精神的緊張下で発症しやすい．

**診断**
　診断には脳神経外科でのMRIやMRAにより脳血管障害や腫瘍性疾患などの器質的変化がないことが確認される．近年では神経と血管の関係を3次元的に把握できる3D-MRが診断に有用とされている．

**治療**
　症状の程度や患者の希望により治療は異なる．根治的な治療としては，三叉神経痛と同様に脳神経外科での微小血管減圧術（microvascular decompression；MVD）が適応される．保存的治療として薬物療法では，抗てんかん薬であるカルバマゼピンが顔面神経の突発性放電の抑制による効果を期待して用いられるが，その効果は少ない．それに対して，局所療法としてアセチルコリン作動性神経終末に作用してアセチルコリンの放出を阻害するボツリヌストキシンの局所注射療法は，直接的に経筋接合部に作用してけいれん症状を抑制するため，侵襲が少なくきわめて高い効果が得られ，現在，第一選択の治療として用いられる．なお，効果の維持のため2〜4か月ごとの投与が必要である．

#### B その他の顔面神経けいれん

**1 眼瞼ミオキミア**
　ストレスや睡眠不足などが原因となって生じる眼輪筋の上眼瞼または下眼瞼のピクピクとした表層性の間欠的なけいれんであり，片側性に発生し1分以内に自然寛解する．片側性顔面けいれんの初発症状に類似する．なお，日常でよくみられる症状であることから，一般的に「眼瞼けいれん」という名称が使われることが多いが，これは医学的には後述する眼瞼に生じる局所ジストニアの病名であり，混乱をまねくので注意が必要である．

**2 眼瞼けいれん**
　両側の眼輪筋の痙縮を生じる局所ジストニアの1つである．不随意に反復して出現し，眼輪筋の痙縮から閉眼し，自力開眼が困難となる．なお，眼瞼のほかに，下顎，舌，咽頭，喉頭，頸部などの顔面頸部のジストニアを伴う場合はMeige（メージュ）症候群と称される．治療にはボツリヌストキシンの局所投与が行われる．

**3 顔面チック**
　感覚認識の異常で生じるとされる顔面の異常運動である．「チック」自体は小児期を中心にみられる無意識に発生する突発的な運動に対する疾患名であり，自身で発生を制御できないことから，社会的な理解が必要な疾患として知られている．顔面では突発的に顔を歪めたり，瞬きや鼻をすするなどの運動チックが生じる．年齢を問わずみられるが，頬を触るなどで知覚刺激を与えること（感覚トラップ）で消失することが知られている．

**4 二次性顔面神経けいれん**
　小脳の腫瘍や脳動脈や静脈の奇形などの疾患により生じる顔面神経のけいれんであり，末梢性顔面神経麻痺の後遺症として発生する顔面神経けいれんもこの疾患に分類される．片側性顔面けいれ

んと異なり，眼瞼周囲からの限局的な初発症状は欠き，支配領域全体で発症する．

## 2 三叉神経けいれん
spasm of trigeminal nerve

### A 間欠性けいれん

寒冷時にみられる体温上昇活動の一環として生じる不随意な筋活動や発熱時の悪寒や精神的な恐怖などで生じる戦慄などの一時的なけいれん，また，三叉神経痛の反射として観察され，ガタガタ，ガクガクとした顎の不随意運動で表現される．

### B 連続性けいれん

連続してけいれんを生じる疾患で，強直性咀嚼筋けいれんとしてみられる．罹患筋肉の持続的収縮から開口障害や閉口障害などの機能障害を生じ，その発生にはジストニアやさまざまな全身疾患が関与することが知られている．

#### 1 口顎ジストニア

開閉口筋の異常によって生じ，咬筋の過収縮による開口障害(jaw closing spasm)，外側翼突筋の過収縮による閉口障害(jaw opening spasm)がある．歯軋りや顎関節症と診断されるものの中に本疾患が含まれる場合もある．頬を触るなどの感覚トリックで改善することが多い．治療には咬筋や側頭筋へのボツリヌストキシン局所投与治療が行われる．

#### 2 破傷風

破傷風は破傷風菌(*Clostridium tetani*)の神経毒素が血行性または末梢運動神経を通って中枢神経に入り，脊髄における反射経路の抑制機構を遮断し，筋強直をきたして全身の痙縮を生じる疾患である(→p.222)．脳幹より長さが短い神経の支配領域の症状が早期に出現することから，三叉神経支配領域のけいれん症状による強い開口障害(牙関緊急)や嚥下障害が早期に出現する．その後，表情筋の痙縮による痙笑や喉頭けいれんなどが出現し，後弓反張などの全身症状に移行する．そのため，早期に治療が必要な本疾患においては，口腔顔面の痙縮は重要な症状である．

#### 3 ヒステリー

現在では解離性(転換性)障害という疾患名が用いられている．ストレスや心的外傷を原因として発症し，健忘や遁走など精神面の障害(解離症状)と失声や失立失歩などの身体面の障害(転換症状)を示す疾患である．後者にはてんかん様のけいれん(解離性けいれん)による症状があり，三叉神経領域においても観察される．

#### 4 熱性けいれん(ひきつけ)

子どもにみられるけいれんの最も代表的なもので，生後半年から5～6歳頃までにみられ，風邪などの感染症に起因する発熱から続発する全身的なけいれんである．口腔領域では閉口筋のけいれんである食いしばり様の症状を呈する．10分以内で寛解することが多いが，長時間続く場合は救急搬送が必要となる．

#### 5 てんかん

脳内の神経細胞の過剰な電気的興奮に伴って，意識障害やけいれんなどを発作的に起こす慢性的な脳疾患である．過剰な興奮が生じる部位により症状は異なるが，脳全体で興奮が生じて発生する全体発作は，意識消失や四肢や顔面の強直を示す全身のけいれん症状を呈し，てんかんの典型的症状として広く知られている．通常数分で回復する．なお，意識が保たれた状態で発症する部分発作の中には顔面にけいれんを生じることがある．

## 3 迷走神経けいれん
spasm of vagal nerve

迷走神経の運動枝は軟口蓋，咽頭，声門の筋肉を支配し，嚥下や発音などで口腔の機能に重要な役割を果たしている．声門閉鎖筋のけいれんを主体とした喉頭けいれんや特定の発声などで観察される喉頭ジストニアがあり，それ以外のけいれんはまれである．

### 1 喉頭けいれん

麻酔の挿管時の合併症として広く知られている．実際には，食物や異物の機械的刺激や水刺激などの喉頭への直接刺激によって反射性に生じる声門周囲の筋肉のけいれんである．誤嚥を防ぐ重

要な迷走神経反射を元としており，歯科治療時においても発生する可能性がある．声門が閉鎖されることにより，気道の閉塞が生じ，また，気管内への麻酔挿管も困難となる．数分以内に回復することが多いが，マスク換気が不可能な場合は筋弛緩薬の投与や気管切開を含めた緊急処置が必要となる場合がある．

## 2 ● 喉頭ジストニア

声帯の外転や過内転などが生じ，けいれん性発声障害として認められる．高度な発声を長期に行ってきた声楽家などで観察され，特定の発声が障害される．

## 4 舌下神経けいれん
### spasm of hypoglossal nerve

舌下神経は舌筋群の運動を支配しており，間欠的けいれんにより舌はピクピクした動きや前後あるいは左右への動きを生じる不随意運動で表現される．持続的けいれんの場合，舌の硬直として観察される．中枢系の疾患や障害によるジストニアやてんかん，またヒステリーや破傷風などで強い攣縮が観察されるが，筋萎縮性側索硬化症(ALS)では舌筋の細かなけいれんとして認められる．

### 1 ● 舌ジストニア

舌筋の間欠的な攣縮によって生じ，不随意舌の突出や巻き込みがみられ，口裂周囲のジストニアを伴う場合は口舌ジストニアとされ口唇の突出などを伴う．発語や咀嚼や嚥下などへの影響が大きい．無目的に舌突出や口周囲の動きがみられる口舌（口唇）ジスキネジアと混同される面があるが，ジスキネジアには動きに定型性がなく，また，口腔内にガムなどを咀嚼させるなどの感覚トリックで軽減ができるジストニアとは容易に鑑別できる．

### 2 ● 筋萎縮性側索硬化症（ALS）

ALSでは線維性束性萎縮として知られている筋線維群単位もしくは1つの運動単位での自発収縮による細かな動きを示す症状が診断上重要とされている．本症状が舌にみられることがあり，舌表面のピクピクした動きを呈する．

## D その他の神経疾患

### 1 三叉迷走神経反射

三叉神経支配領域への疼痛刺激などで誘発される血圧低下を主体とした反射であり，歯科治療時の全身的偶発症の最も頻度の高いものである．以前からデンタルショックや神経原性ショック，疼痛性ショックなどの疾患名が用いられていた．

血圧低下による脳循環血液の低下によることから，失神の範疇として扱われ，いわゆるストレスや恐怖，長時間の起立などで生じる血管迷走神経反射（vasovagal reflex；VVR）あるいは血管迷走神経反射性失神の1つとされている．

VVRとは，なんらかの求心性情報が脳幹部循環中枢へ伝わり，心臓抑制中枢からの迷走神経活

---

**NOTE**

**ジストニアとジスキネジア**

ジストニアとジスキネジアはともに不随意の運動として認識されているが，前者は特定の運動に際して生じる筋収縮による運動障害であるのに対して，後者は発端となる運動がなく無目的な不随意な運動異常である．

ジストニアとは運動障害の1つで，骨格筋のやや長い収縮もしくは間欠的な筋収縮に特徴づけられる異常な運動で，しばしば特定の随意運動に伴って生じて，その運動を障害する．発生原因は大脳基底核や小脳などの中枢における神経ネットワークの異常が考えられ，その成因には遺伝性のもののほか脳梗塞やParkinson病から生じる続発性，精神病治療薬やうつ病治療薬が関連する遅発性薬剤性，外傷を誘因とした外傷性ジストニアが知られている．一部のジストニアでは従事する職業に特有なものが存在し，口腔顔面領域では管楽器演奏者においてみられる口唇周囲のジストニアや，歌手にみられる喉頭ジストニアなど，高度な複雑な運動を職業として長年続けることにより生じることも知られており，心因的要素も関与することが知られている．また，ジストニアは，感覚トリックといわれる感覚刺激を加えることで軽快することを特徴の1つとし，発語時に生じる舌ジストニアではガムなどを噛ませるなどの感覚刺激を与えることで発生が抑制され，発声障害を防ぐことができる．

それに対して，ジスキネジアは運動異常に対する症候名であり，ジストニアとは異なり発端となる随意運動に欠き，不随意な運動が持続する．多くはParkinson病でのドパミン薬や抗精神病薬による遅発性の副作用での薬剤性ジスキネジアであり，脳内の黒質線条体錐体外路のドパミン受容体の薬剤による遮断を原因とする．口腔では常に口をもぐもぐさせる，繰り返し口をすぼめる，舌を突出させるなどのさまざまな無目的な運動の症状を呈する．なお，感覚トリックでは症状は抑制されない．

動(副交感神経)の亢進と血管運動中枢からの交感神経活動の抑制が生じて，心拍数の低下ならびに末梢血管の拡張を生じるものであり，急激な血圧低下と徐脈を生じ，脳血流の低下をまねくと意識低下や失神に至る．

本反射を誘発する求心性の情報としては，大動脈弓の機械圧受容から迷走神経求心路を介して脳幹に伝わる血圧上昇が代表的であるが，疼痛など体性感覚も要因となる．特に歯科治療時の三叉神経領域の疼痛による頻度が高く，三叉迷走神経反射の疾患名が用いられている．頻度が高い要因として脳幹部での三叉神経と迷走神経の位置関係がある．

三叉神経領域に生じた侵害刺激として三叉神経主知覚核に伝達された情報は近接している循環中枢が存在する延髄網様体に介在線維を介して伝わり，迷走神経運動核からの心臓抑制性の遠心路の活性をまねきやすい．また，一般的に歯科治療前には精神的緊張から交感神経が優位で血圧が高く頻脈であるため，迷走神経(副交感神経)が優位となり，心拍変動(血圧低下，徐脈)を生じると脳内への循環血流量の急激な低下を生じるため意識は低下し，ショック様症状を呈しやすい．

**処置**

**a　三叉迷走神経反射発生時**

多くの場合は一過性であるため水平体位をとらせ，場合により下肢を挙上させることにより脳内循環血流の増加により回復する．ショックに準じたバイタルサインの計測と呼吸路の確保が行われるが，アナフィラキシーショックなどとの鑑別も念頭に対応を行う．

薬物療法として，原因である迷走神経の緊張を除去するため，副交感神経遮断薬であるアトロピンの静脈内投与が行われる．

**b　迷走神経反射の既往がある患者への対応**

歯科恐怖症などの精神的なストレスを有する患者には，麻酔注射などの疼痛刺激が誘因となるため，十分な応接によるストレスの緩和と局所疼痛に対して表面麻酔薬を使用するなどの対策を行う．

基本的には既往の有無にかかわらず，歯科治療に対する恐怖心がある患者は，本疾患のリスクが高いため患者が希望する場合は積極的に鎮静下での歯科治療が勧められる．また，術前の精神安定剤の処方も有効である．

##  神経障害性疼痛の診断と治療

疼痛は，病態概念的に3つに分類される．炎症や外傷を含めた侵害刺激に対して神経自由終末の受容器を介して認識する「侵害受容性疼痛」，神経組織自身の物理的あるいは組織学的障害などに起因し侵害刺激のない生理的な状況下で生じる「神経障害性疼痛」，従来心因性疼痛などと称されていた神経の器質的変化がなく精神的ストレスや痛みへの恐怖などで発症や増悪する疼痛である「痛覚変調性疼痛」に分類される(→p.8，図1-2)．

神経障害性疼痛はこれまでいくつかの定義がなされてきた．最新の国際疼痛学会(IASP)での神経障害性疼痛の分類では，体性感覚神経系の病変または疾患で引き起こされる疼痛で，自発的(持続的または一時的)な痛み，あるいは痛みを伴う刺激への反応の亢進(痛覚過敏)や通常は痛みを伴わない刺激への痛みを伴う反応(アロディニア)など誘発性の痛みとされており，終末受容器の興奮がなくても自発的に疼痛を生じる状態である．

原因としては，神経の直接的な損傷による外傷性のほか，糖尿病などの栄養代謝性，薬剤などの中毒性，ウイルスなどの感染性，腫瘍性，あるいは神経の物理的圧迫などが挙げられ，歯科領域では，歯科治療や外傷後の神経障害に起因する疼痛，三叉神経痛，舌咽神経痛，帯状疱疹，帯状疱疹後神経痛が神経障害性疼痛に分類される．疼痛は障害を受けた神経支配領域に一致し，三叉神経痛・舌咽神経痛を除いては，同領域での感覚の低下を伴う．局所的発生機序として，中枢側の神経接合部の神経細胞でのカルシウムチャネルの変化や，NMDA受容体の発現増加などの分子生物学的機序あるいは中枢での下行性疼痛抑制系における抑制障害などが考えられている．なおここでは，組織学的変化を伴って生じる外傷性神経障害性疼痛と帯状疱疹後神経痛について述べる．

### 1　外傷性神経障害性疼痛

神経障害性疼痛の中でも手術や機械的損傷や化学的損傷，放射線障害などで神経が直接的に傷害

### 表 13-7　神経障害によって生じる感覚の異常

| | 感覚の異常の種類 | 症状 |
|---|---|---|
| 感覚の鈍麻 | 触覚鈍麻　hypoesthesia | 刺激に対する感受性の低下．綿棒で触られている感じが対照部位に比べて鈍い． |
| | 痛覚鈍麻　hypoalgesia | 通常痛みを感じる刺激によって誘発される反応が，通常よりも弱い．pin prick の刺激が鈍く感じる． |
| 異常感覚 | 痛覚過敏　hyperalgesia | 通常痛みを感じる刺激によって誘発される反応が，通常よりも強い．pin prick の刺激が過剰に痛く感じる． |
| | アロディニア　allodynia | 通常では痛みを引き起こさない刺激によって生じる痛み．綿棒の刷掃で痛みを感じる．SW テスターの刺激が痛い． |
| | ジセステジア　dysesthesia | 自発性または誘発性に生じる不快な異常感覚．ビリビリ，ピリピリとした，あるいは虫が這うような不快な感覚． |
| | パレステジア（錯感覚）paresthesia | 自発性または誘発性に生じる異常感覚，錯感覚．異常感覚であっても，必ずしも不快な感覚でない．触られたときなどに，通常感じるのとは異なる感覚．ピリッと電気が走るような違和感． |

〔日本口腔顔面痛学会：精密触覚機能検査の実施指針より（https://jorofacialpain.sakura.ne.jp/jsop_sw/wp-content/uploads/2022/08/）（2024 年 2 月閲覧）〕

を受けることにより生じるものを指す．損傷した神経の再生治癒過程で自発性疼痛や神経障害性疼痛の特徴である有痛性の反応亢進である痛覚過敏やアロディニアが生じる．なお，三叉神経領域では歯科治療などで神経を損傷することは非常に多く，神経線維が断裂した場合には支配領域の皮膚口腔粘膜の知覚鈍麻や脱失を生じ，その治癒過程でこれら有痛性の反応やジセステジアやパレステジアなどの感覚異常を認めるのが一般的である（表13-7）．したがって，神経の損傷が生じた場合は，急性期においては感覚の鈍麻の評価と治療を中心とするが，アロディニアなど有痛性変化の出現を想定し，出現時にはすみやかに外傷性神経障害性疼痛としての処置を進める必要がある．

#### 成因
歯科治療では三叉神経の枝へ直接的に外科侵襲が及ぶ機会は多い．直接的な傷害では，オトガイ孔や下顎孔，骨内の下歯槽神経や下顎骨舌側に位置する舌神経に近接する部位に対して行う外科処置全般ならびに注射処置は，すべてそのリスクを有する．また，抜歯術はもとより，根管治療などの一般歯科治療においても，下歯槽神経を傷害する可能性がある．

#### 診断
診断は疼痛に対する診断と損傷部の診断とが行われる．疼痛については VAS（visual analogue scale）法で評価し，痛覚過敏に対しては Pin-Prick Test〔針刺し試験（図 13-7b，→p.436）〕による痛覚検査を行う．

アロディニアに対しては，通常では痛みを誘発しない綿棒による擦過を行い，痛みの程度を定性的に評価する．

また，併せて神経損傷によって生じた知覚鈍麻の評価として，SW（Semmes-Weinstein）テスト（図 13-7a，→p.436）による支配領域の定量的感覚検査を実施する必要がある．

また，MRI ならびに CT で神経損傷部の変化を観察し，骨片など傷害因子の有無や切断神経腫（amputation neuroma）や神経周囲の瘢痕などの組織の変化を検索し外科的治療の適否を検討する．

#### 治療
##### a　薬物療法
$Ca^{2+}$ チャネル $\alpha 2\delta$ リガンド（プレガバリン，ガバペンチン）と三環系抗うつ薬（TCA）（アミトリプチリン），セロトニン・ノルアドレナリン再取り込み阻害薬（SNRI）であるデュロキセチンが第一選択とされ，ワクシニアウイルス接種家兎炎症皮膚抽出液（ノイロトロピン®）や $\mu$ オピオイド受容体作動薬としての作用と SNRI 作用をもつ軽度オピオイド鎮痛薬であるトラマドールが第二選択として示されている．NSAIDs の効果は否定的であるが，炎症による侵害受容性疼痛が混合する症例には有効である．

### b 星状神経節ブロック（SGB）（→p.438）

SGBは，頸胸髄神経から分枝する交感神経節前線維によって構成される星状神経節や頸部交感神経幹に対する局所麻酔薬によるブロック療法である．神経支配領域の血行を改善し，損傷した神経の修復再生を促進すると考えられる．

### c 外科的療法（→p.436）

傷害部位が明らかである場合や瘢痕や切断神経腫が存在する場合は，感覚の回復を目的に神経の再建術が考慮され，痛覚過敏やアロディニアの改善が期待できる．

## 2 帯状疱疹後神経痛
postherpetic neuralgia；PHN

### 成因

帯状疱疹は，知覚神経の神経節に潜伏感染した水痘・帯状疱疹ウイルス（VZV）の再活性化に伴って，その神経の支配領域に水疱形成を生じる有痛性の疾患である．発症時には早期のアシクロビル投与が望まれる（→p.380）．しかし，治療の開始が遅れた場合や疼痛が強い症例では，水疱が消退した後にも罹患領域の疼痛が持続することがある．これを帯状疱疹後神経痛と称し，帯状疱疹患者の25％程度に発症するとされている．特に三叉神経支配領域での帯状疱疹の頻度は全帯状疱疹の約10～25％程度と高く，顔面に帯状疱疹後神経痛をみることが少なくない．

帯状疱疹にみられる痛みは，神経節で活性化したウイルスの傷害による神経障害性疼痛と，表皮に出現した水疱の炎症性疼痛（侵害受容性疼痛）であるのに対し，帯状疱疹後神経痛はウイルスによって傷害を受けた神経節や末梢神経で生じる神経障害性疼痛が本態となる．そのため疼痛は，帯状疱疹と同様に持続的な灼熱痛や神経痛様の発作痛のほかに，アロディニアや痛覚過敏など接触刺激による疼痛をみる．

### 治療

治療は，TCA（アミトリプチリン）や$Ca^{2+}$チャネル$\alpha2\delta$リガンド（プレガバリン）が推奨され，また，ワクシニアウイルス接種家兎炎症皮膚抽出液（ノイロトロピン®）の本疾患への高い有効性が示されている．局所的には刺激の抑制に局所塗布の局所麻酔薬（リドカインゼリーなど）も用いられる．また，SGBなどのペイン治療が行われることがある．なお，抗ウイルス薬を帯状疱疹後神経痛に対して用いることはないが，難治性の帯状疱疹後神経痛症例には皮膚症状がなく回帰感染が疑われることもあり，その効果がみられている．

### ●文献

[総論]
[D．末梢性神経疾患の治療（外科療法，薬物療法，理学療法）]

1) Seo K, et al：Efficacy of steroid treatment for sensory impairment after orthognathic surgery. J Oral Maxillofac Surg 62：1193-1197, 2004.
2) Gasperini G, et al：Lower-level laser therapy improves neurosensory disorders resulting from bilateral mandibular sagittal split osteotomy：A randomized crossover clinical trial. J Craniomaxillofac Surg 42：130-133, 2014.
3) 鈴木將之：近赤外線照射の歯科的応用．日レーザー治療会誌 18：32-35，2019．
4) Itokawa T, et al：Correlation between blood flow and temperature of the ocular anterior segment in normal subjects. Diagnostics 10：695, 2020.

[E．末梢神経疾患（星状神経節ブロック；SGB）]

1) Mohamed MY, et al：Effect of early stellate ganglion blockade for facial pain from acute herpes zoster and incidence of postherpetic neuralgia. Pain Physician 15：467-474, 2012.
2) Jeon YH：Therapeutic potential of stellate ganglion block in orofacial pain：a mini review. J Dent Anesth Pain Med 16：159-163, 2016.

[F．神経障害性疼痛の診断と治療]

1) Soeda M, et al：Single-nucleotide polymorphisms of the SLC17A9 and P2RY12 genes are significantly associated with phantom tooth pain. Mol Pain 18：1-18, 2022.
2) Marbach J, et al：Incidence of phantom tooth pain：An atypical facial neuralgia. Oral Surg Oral Med Oral Pathol 53：190-193, 1982.
3) Fukuda K, et al：Pain-relieving effects of intravenous adenosine 5'-triphosphate（ATP）in chronic intractable orofacial pain：an open-label study, J Anesth 21：244-250, 2006.

[各論]
[A．神経痛，B．神経麻痺]

1) 日本頭痛学会，国際頭痛分類委員会（訳）：第3部．有痛性脳神経ニューロパチー，他の顔面痛およびその他の頭痛．国際頭痛分類，第3版（ICHD-3）日本語版．pp166-187，医学書院，2018．

2) 日本神経学会，日本頭痛学会，日本神経治療学会（監修）：頭痛の診療ガイドライン 2021．医学書院，2021．
3) 神田　隆：医学生・研修医のための脳神経内科，改訂4版．中外医学社，2021．
4) 藤本佳那，他：Numb Chin Syndrome を呈した乳癌下顎骨転移の 1 例．日口診誌 34；7-13，2021．

[C．神経けいれん，D．その他の神経疾患，E．神経障害性疼痛の診断と治療]
1) 日本神経治療学会（監修）：標準的神経治療：片側顔面痙攣．神経治療学 25：477-493，2008．
2) 三村　治，他：眼瞼けいれん診療ガイドライン．日眼会誌 115：617-628，2011．
3) 渡邉俊英，他：開口障害を主訴に来院した破傷風の 1 例．口腔顎顔面外傷 21：14-18，2022．
4) 椎葉俊司，他：開口障害の原因として転換性障害が疑われた 1 症例．日歯麻誌 37：209-210，2009．
5) 石濱嵩統，他：舌の線維束性収縮を契機に診断された筋萎縮性側索硬化症．日口外誌 66：577-582，2020．
6) 日本歯科麻酔学会：歯科治療中の血管迷走神経反射に対する処置ガイドライン．2018．https://kokuhoken.net/jdsa/publication/file/guideline/guideline_vasovagalreflex.pdf（2024 年 2 月閲覧）
7) 日本ペインクリニック学会：神経障害性疼痛薬物療法ガイドライン，改訂第 2 版．真興交易医書出版部，2016．
8) International Association for the Study of Pain (IASP). Definitions of Chronic Pain Syndromes.
9) 日本口腔顔面痛学会：精密触覚機能検査の実施指針．2018．https://jorofacialpain.sakura.ne.jp/jsop_sw/wp-content/uploads/2022/08/pdf_220815.pdf（2024 年 2 月閲覧）
10) 西山明宏, 他：舌神経損傷に対して神経再生誘導チューブ（ナーブリッジ®）を用いて神経修復を行った 1 例．日口外誌 6：188-193，2020．
11) 柏木航介，他：水痘帯状疱疹ウイルスの回帰感染によりペインコントロールに苦慮した 1 症例．日口顔面痛誌 9：93-97，2016．

# 第14章 口腔・顎顔面疾患の手術とその他の治療

## A 口腔・顎顔面疾患の手術

### 1 抜歯術 extraction

保存治療の不可能な歯，または診療上障害となる歯を人為的に歯周靱帯を断裂し歯と歯槽骨との連結を断ち，歯に脱臼運動を加えることにより固有歯槽骨を拡大し，歯槽窩から抜去する一連の外科的処置である．抜歯術は歯に対する最終処置であるため，ほかの治療法の可否，局所の状態，全身状態を十分に検討する必要がある．

 抜歯窩の治癒

治癒過程は，血餅期，肉芽組織期，仮骨期，治癒期がある．抜歯後，抜歯窩壁に残存した歯根膜の血管網が母体となり，血管が新生される．抜歯窩に残存する歯根膜の状態が良好な場合，抜歯窩は血餅で満たされ，約1週間で幼若な肉芽組織に変わる．その後，約20日間で線維性結合組織に器質化され，続いて仮骨が生じる．6〜12か月で骨リモデリングがなされ，成熟した骨組織となる（→p.160，図 5-8）．

 適応症

① 齲蝕により歯冠修復が不可能な残根歯．
② 歯周炎や根尖性歯周炎が進行し，保存不可能な歯．
③ 歯性炎症の原因歯で再燃するおそれのある歯．
④ 外傷による歯根破折歯で保存ができない歯．
⑤ 骨折線上にあり骨折の治癒の妨げになる歯．
⑥ 晩期残存のため後続永久歯の萌出障害となる乳歯，哺乳障害となる先天歯．
⑦ 隣接する歯を障害する埋伏歯：上顎正中過剰埋伏歯や歯列不正の原因となる埋伏歯など．
⑧ 矯正治療のために抜去が必要な歯．
⑨ 補綴治療のために抜去が必要な歯．
⑩ 悪性腫瘍に接触し，器械的刺激を加えている歯．
⑪ 放射線治療の妨げとなる歯．

### C 禁忌症

抜歯の適応であっても，全身的な原因もしくは，局所的な原因で禁忌症とみなされるものに大別される．以前は，抜歯の禁忌症とされたさまざまな全身的疾患も，対応する治療法が開発されるにつれ，禁忌症とされることが少なくなった．しかし，疾患の急性期あるいは進行期は避けなければならない．

#### 1 ● 抜歯の適応を検討すべき全身状態
##### a 循環器疾患

狭心症や心筋梗塞などの虚血性心疾患では術中の偶発症を伴いやすいので，主治医との連携が必要である．特に，心筋梗塞の最終発作から6か月以内の外科的処置は，絶対的禁忌である．血圧に関してもコントロールされていない状態の抜歯は危険で，必要に応じて鎮静法を検討する．抗血栓療法中の患者も多いので注意が必要である．先天性心疾患や人工心臓弁置換術を受けている患者では，感染性心内膜炎を発症するリスクがあるので，抜歯前後に抗菌薬の十分な予防投与が必要である．

##### b 内分泌系疾患

副腎皮質機能低下症では副腎皮質の反応性が低下しているので，抜歯のストレスに対してチアノーゼ，低血圧などのショック状態に陥りやすい．抜歯に際しては，副腎皮質ホルモンの補充が

必要である．

#### c 代謝性疾患
糖尿病患者は，コントロール不良の状態で抜歯を行うと糖尿病性昏睡や腎疾患，心臓血管障害の増悪を引き起こす可能性がある．コントロール良好でも低血糖発作に注意し，処置時間の考慮や易感染性のため抗菌薬を投与する必要がある．

#### d 血液疾患
血友病，von Willebrand 病，再生不良性貧血，特発性血小板減少性紫斑病，重症肝硬変の患者などさまざまな出血性素因を示す疾患がある．主治医と連携して疾患に応じた準備を行う必要がある．

#### e 妊娠中の女性
妊娠初期や晩期の患者での外科侵襲は，流産や早産を引き起こすおそれがあることから避けるべきである．抜歯は安定期に行うことが望ましい．これらの期間以外に抜歯が必要となった場合は，対症療法を先行させ，可能な限り安定期に抜歯を行う．抜歯を行う場合は，薬剤投与が胎児に影響する可能性があるため注意が必要である．

#### f 月経中の女性
精神的，肉体的に不安定な状態にあることから，月経時の抜歯は避けることが望ましい．

#### g 高齢者
高齢者は加齢に伴い，身体の各器官を構成している細胞数の減少や細胞そのものの働きが低下することで生理的老化が進行している．そのため生理的老化の進行によって臓器機能の低下や恒常性維持機能の低下，さまざまな疾患の併存などの身体的特徴を認めるため，術前の問診が重要である．

### 2 抜歯の適応を検討すべき局所的な状態

#### a 急性炎症症状のある原因歯
急性期化膿性炎の原因歯の抜去は，症状を悪化させる．炎症の進行期には切開，根管開放，歯周ポケットの洗浄や十分な薬物療法を行って，消炎した後に抜歯を行う．

#### b 悪性腫瘍に植立する歯
抜歯の刺激により腫瘍が急激に増大し，腫瘍細胞を播種させる危険が増す．

#### c 放射線照射野に含まれる歯
放射線照射を受けた顎骨は代謝活性の低下，血行障害，免疫能の低下をきたす．抜歯をすれば容易に感染し，放射線性骨髄炎にいたり，広範囲の腐骨形成を生じる．顎骨に放射線照射を受けた既往のある患者では厳重な注意を払い，放射線治療医と十分な連携をとり治療を進める．

#### d 抜歯後の治療に影響する薬剤を使用している患者

・**抗血栓療法中の患者**：血管が閉塞されないように血栓の形成を抑える抗凝固薬〔ワルファリンカリウム，直接経口抗凝固薬(DOAC)〕と抗血小板薬(アスピリンなど)のほかに，形成された血栓を溶解する血栓溶解薬(ウロキナーゼなど)がある．出血が予想される患者では，圧迫止血に加えてほかの局所止血方法を併用する．局所止血材(ゼラチンスポンジ，酸化セルロース)を抜歯窩に填入し，創縁を縫合し，ガーゼによる圧迫を行う．この方法でも止血が困難な場合は止血シーネを使用する．

・**骨吸収抑制薬を使用している患者**：ビスホスホネート製剤や抗 RANKL 抗体(デノスマブ)などを使用している患者では，薬剤関連顎骨壊死(MRONJ)の発症に留意しなければならない．2023 年改訂の顎骨壊死検討委員会ポジションペーパーでは MRONJ の発症リスクとして，骨への侵襲より細菌感染が要因とされている．低用量，高用量，その他のリスクファクターなど考慮しなければならない事項は多いが，感染を伴う歯は炎症のコントロール後に休薬は行わず抜歯を行うことが推奨されている．

## D 術前評価

### 1 医療面接
全身的および局所的状態を以下の項目について評価する．

全身的には，既往歴とそのコントロール状態，現在使用している薬剤，出血性素因，妊娠，薬物アレルギー，局所麻酔および抜歯経験の有無を聴取する．全身疾患が疑われるときには，主治医，専門医への対診のうえで抜歯の適否を判断する．また，局所的には，罹患部位の疼痛や腫脹の程度を聴取し，口腔内外の診察とあわせて急性症状の有無，炎症の波及範囲などを判断する．急性症状を有する場合は抜歯を行わない．

### 2 局所の診察
歯肉の腫脹・発赤の有無，出血，排膿などの急性症状の有無の判断と，歯の位置，方向，埋伏の

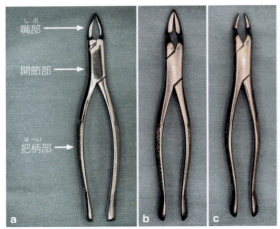

図 14-1　上顎抜歯鉗子
a：上顎前歯用，b：上顎小臼歯用，c：上顎大臼歯用

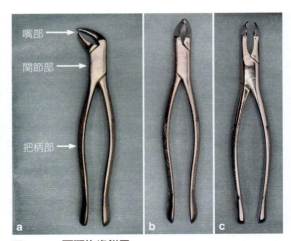

図 14-2　下顎抜歯鉗子
a：下顎前歯用，b：下顎小臼歯用，c：下顎大臼歯用

状態，動揺の程度，歯冠崩壊の程度を把握する．また，顔面の腫脹・発赤の有無，所属リンパ節の腫脹など，炎症が顎骨周囲に波及していないかを判断する．

### 3 ● 画像検査

エックス線画像では罹患歯の歯根の数，長さ，肥大，離開，彎曲，歯根周囲の骨硬化の程度，骨との癒着の有無，埋伏歯の場合は埋伏深度，歯根尖と下顎管や上顎洞との近接について確認する．

特に，パノラマエックス線画像で下顎智歯歯根と下顎管が重複や交差する場合や下顎管が不鮮明な場合には，CT〔歯科用コーンビーム CT（CBCT）を含む〕で下顎智歯と下顎管の関係を精査する必要がある．また，混合歯列期の患者の抜歯では，乳歯と永久歯歯胚の十分な確認が必要である．

### 4 ● インフォームド・コンセント

患者に抜歯の必要性を術前に十分に説明する．また，抜歯後の経過や合併症などについても患者に十分に説明し，インフォームド・コンセントを得る．また，説明した内容は診療録に確実に記載する．

## E 抜歯手技

### 1 ● 抜歯器具

#### a　抜歯鉗子

抜歯鉗子は嘴部，関節部，把柄部からなる．抜歯部位により上顎用・下顎用，永久歯用・乳歯用，また前歯，小臼歯，大臼歯用があり嘴部の形態が異なる．細い嘴部の残根鉗子もある（図14-1，2）．

#### b　抜歯挺子

直と曲がある（図 14-3）．

#### c　破折根除去用挺子

ルートチップ，左右がある（図 14-4）．

#### d　歯科用鋭匙

大と小がある．

#### e　メス（手術刀）

彎刃刀（No.12）の替刃とメスホルダー環状靱帯の切離に用いる．

粘膜骨膜弁の形成には尖刃刀（No.11），No.12，No.15（円刃刀）のメスを使用する．

#### f　鉗子の把持法（グリップ）（図 14-5，6）

- 上顎
  ① 鉗子の嘴部を上方に向け手掌で鉗子の把柄を包む．
  ② 鉗子を閉じる力は示指，中指，薬指の 3 指で加える．
  ③ 拇指は鉗子の関節部分やや下方におく．
  ④ 小指の指背で鉗子を開閉する．
- 下顎（逆手グリップ）
  ① 鉗子の嘴部を下方に向け手掌で鉗子の把柄を包む．
  ② 鉗子を閉じる力は示指から小指までを用いる．

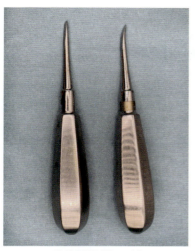

図 14-3 抜歯挺子（曲・直）

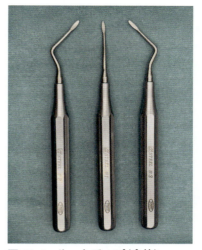

図 14-4 ルートチップ（全体）

図 14-5 鉗子の把持法（順手）

図 14-6 鉗子の把持法（逆手）

③拇指は把柄の後端の間にあてがう．

**g 挺子の把持法（グリップ）**（図 14-7）
① 挺子の把柄を手掌の生命線に沿って置く．
② 拇指，中指，薬指，小指の 4 指でしっかりと握る．
③ 示指はまっすぐに伸ばして指頭を嘴部の少し下に添える．

## 2 ● 術者・患者のポジション

### a 基本原則

歯冠を有する歯や鉗子で把持できる歯は，通常抜歯鉗子を用いて抜去する．利き手でないほうの手を有効に使う．

### b 基本姿勢

- **術者の姿勢**
  ① 両足を肩幅よりやや広めに開いて，自然体で立つ．
  ② 両膝を軽く曲げ，利き腕の肘をなるべく体側につける．
  ③ 前腕を前に出し，両手が上腹部の高さとなる程度にする．

- **患者の体位**
  ① 背板を約 45 度倒す．
  ② 開口させる（下顎咬合平面が水平となるよう

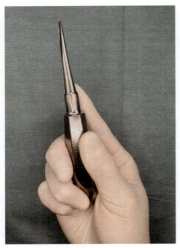

図 14-7　直挺子把持

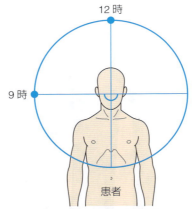

図 14-8　術者と患者の位置関係

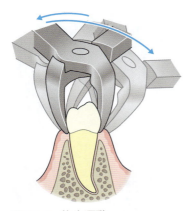

図 14-9　抜歯運動

にする．按頭台の場合は当該歯によって位置を調整する）．

## 3　普通抜歯

### a　術者と患者の位置関係（術者の立つ位置，図 14-8）

- **鉗子抜歯**：視野の悪い側，舌側と口蓋側から鉗子を適合し，骨の薄い側へ第一運動を行う（図 14-9）．
  - ・上顎の歯の抜去：原則として患者の右側前方（7〜8 時）
  - ・下顎の歯の抜去：原則として患者の右側後方あるいは後方（10〜12 時）
  - ・上顎前歯：右側前方（7〜8 時）
  - ・上顎臼歯：右側前方（7〜8 時）
  - ・下顎前歯：右側後方（10〜12 時）
  - ・下顎臼歯：右側後方〜後方（10〜12 時）
- **挺子抜歯**：原則として患者と同側に立つ．近心頬側隅角に挺子を挿入する挺子の作用は，楔と輪軸である（図 14-10，11）．
  - ・上顎前歯：右側前方（時計の 7〜8 時）
  - ・上顎右側臼歯：右側前方（7〜8 時）
  - ・上顎左側臼歯：左側前方（4〜5 時）
  - ・下顎前歯：右側後方〜後方（10〜12 時）
  - ・下顎右側臼歯：右側後方〜後方（10〜12 時）
  - ・下顎左側臼歯：左側前方（4〜5 時）

### b　下顎右側第一大臼歯の抜歯

- **立つ位置の選択と患者体位の調整**
  ① 患者の右側後方（10〜12 時）に立つ．
  ② 背板を 45 度倒す．
- **歯槽部の把持と鉗子の適合**：歯肉縁下に鉗子の嘴部を確実に適合させる（すなわち嘴端が最大豊隆部を越えて確実に歯根を把持すること）．
  ① 口唇を圧排しつつ口腔内へ手指を挿入する．
  ② 拇指と示指を用いて歯槽部を把持する．
  ③ 嘴端を舌側歯頸部に適合させる．
  ④ 嘴端を頬側歯頸部に適合させる．
  ⑤ 嘴端をできるだけ深く，歯槽骨縁まで押し込む．
- **抜歯運動**
  ① 第一運動：舌側に鉗子を傾ける．
  ② 第二運動：頬側に鉗子を傾ける．

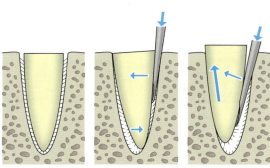
図 14-10　挺子の作用 1　楔

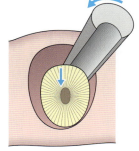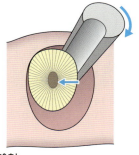
図 14-11　挺子の作用 2　輪軸

③ ①～② をゆっくりと繰り返す．
④ 舌側へ脱臼させた後，口腔外へ．
- **抜歯後の処置**（抜去歯および抜歯窩内の確認と抜歯窩の搔爬）
① 根尖部破折の有無などを確認する．
② 抜歯窩内を確認する．
③ 歯肉裂傷や歯槽骨破折などの副損傷，炎症性肉芽や骨鋭縁などの有無を確認する．
④ 歯科用鋭匙を用いて根尖部炎症性肉芽などを搔爬する．

### 4 ● 難抜歯

一般的に著しい歯冠崩壊，歯根の骨性癒着，肥大，離開，彎曲が著しい場合に，粘膜骨膜弁を形成し，歯槽骨の削去また歯根分割を要するものを難抜歯と呼ぶ．この項では，日常の臨床で遭遇することの多い残根抜歯および歯根の離開した歯の抜去について解説する．

#### a　残根抜歯

歯冠崩壊した残根の多くは歯肉や不良肉芽に覆われており，挺子の挿入が困難な場合が多い．そのような場合は Neumann 切開（→p.471，図 14-20）に準じて切開・粘膜骨膜弁の剝離を行う．その後，軟化象牙質を除去し歯頸部の歯槽骨をバーなどで削去し，歯根膜腔を明示し挺子を挿入し抜去する．歯根肥大，骨性癒着，彎曲が強い場合は歯根を分割して抜去する．

#### b　歯根の離開した歯の抜去（図 14-12）

複数根は分割してから抜去する．上顎大臼歯は3分割，下顎大臼歯は2分割してそれぞれの根を抜去する．残存歯質が少ない歯には Neumann 切開に準じて切開・粘膜骨膜弁の剝離を行う．その後，軟化象牙質を除去し歯頸部の歯槽骨をバーなどで削去し，歯根膜腔を明示する．歯根肥大や彎曲が強い場合は，根管中隔をバーなどによる削去が必要な場合がある．

### 5 ● 埋伏歯抜歯（上顎正中埋伏過剰歯・上顎智歯・下顎智歯）

埋伏歯抜歯に用いる器具を図 14-13 に示す．

#### a　上顎正中埋伏過剰歯（図 14-14）

上顎正中埋伏過剰歯は，歯の交換期において正中離開の原因となり，多くは学童期に抜去されるが，成人期になってから感染や義歯への影響が出て抜去に至る場合もある．

上顎正中埋伏過剰歯の抜歯は，上顎中切歯の歯根，切歯管，鼻腔底との位置関係を術前に評価する．萌出方向で順生，逆生，水平に分類される．埋伏の位置により唇側もしくは口蓋側からアプローチする．口蓋側の埋伏が唇側よりも多い．口蓋側アプローチの場合，犬歯から犬歯間の歯頸部切開を行い，粘膜骨膜弁を形成する．その際，切歯孔から出る鼻口蓋神経血管束に注意する．埋伏状態では結紮切断することもある．歯冠を被覆する骨をラウンドバーなどで削除し，歯を明示して抜去する．歯冠を包んでいた歯囊を除去する．口蓋の粘膜骨膜弁は歯冠乳頭部で縫合する．大きく剝離した場合は，縫合に加え保護床を装着し，術後の出血や浸出液の貯留による骨膜の遊離を防止する．唇側アプローチの場合は Neumann 切開で粘膜骨膜弁を形成し，骨を削去，過剰歯を抜去する．

#### b　上顎埋伏智歯（図 14-15）

上顎洞底，第二大臼歯歯根との位置関係，埋伏

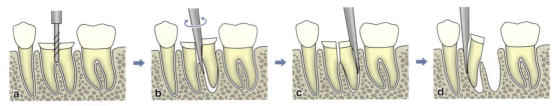

図 14-12　分割抜歯
a：バーにて歯根を分割．b：ヘーベルを挿入．c, d：一根ずつ抜去する．

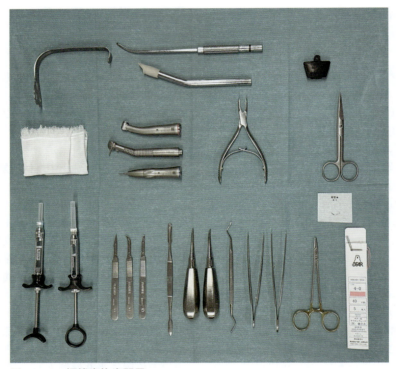

図 14-13　埋伏歯抜歯器具

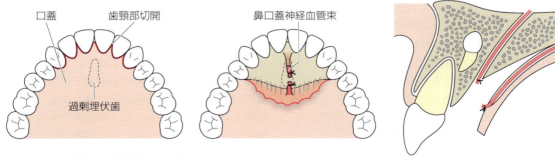

図 14-14　上顎正中過剰埋伏歯の抜歯

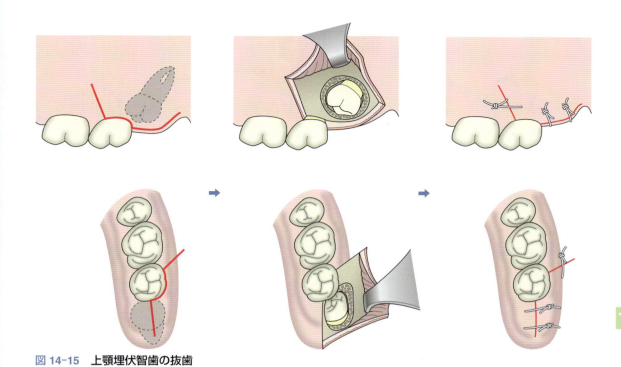

図 14-15　上顎埋伏智歯の抜歯

歯の歯軸方向を術前に十分に評価する必要がある．歯冠が口蓋側を向いて埋伏している場合は，難易度が高くなる．

埋伏位置および深度によって異なるが，粘膜骨膜弁は第二大臼歯近心頬側歯肉に縦切開，第二大臼歯遠心から遠心切開を加えて形成する．下顎と異なり頬側を覆う皮質骨がきわめて薄く，かつ多孔性である程度の弾力をもつことから，通常，歯冠は分割せずに抜去可能である．埋伏歯歯冠を明示し挺子を近心頬側隅角に挿入し抜去する．抜去後は第二大臼歯遠心の不良肉芽や歯囊を搔爬，第二大臼歯遠心の齲蝕の有無，上顎洞穿孔の有無を確認し，生理食塩水で十分に洗浄し粘膜骨膜弁を縫合する．

**c　下顎埋伏智歯**（図 14-16）

埋伏状態および下顎管と智歯根尖との位置関係により難易度が大きく変わる．下顎埋伏智歯抜歯は粘膜，筋，骨の一部を含む複雑な手術である．埋伏状態の評価には，第二大臼歯に対する歯軸の状態により規定した分類である Winter 分類と，下顎埋伏智歯の水平的・垂直的位置を下顎骨，第二大臼歯を基準に規定した分類である Pell-Gregory 分類がある（図 14-17）．Pell-Gregory 分類では Class と Position が上がるほど抜歯の難易度は高くなり，抜歯困難が予想される．下顎管と歯根の位置関係，歯根形態の確認には CBCT が有用である．

埋伏位置および深度によって異なる．粘膜骨膜弁は第二大臼歯近心頬側歯肉に縦切開，頬側咬頭頂を連ねた線の遠心延長部に外斜線に向かった遠心切開を加えて形成する．遠心切開は頬粘膜の牽引によって舌側に入りやすいので注意を要する（舌神経の損傷，隙の開放のリスク）（図 14-18，→p.468）．舌側は内斜線を超えて剝離をしてはならない．歯冠周囲の骨は歯冠最大豊隆部が明示できるようにラウンドバーなどを用いて削除する．次にタービンや 5 倍速コントラアングルエンジンで歯冠を分割して挺子により分割した歯冠を摘出する．続いて歯根を抜去する．必要に応じて歯根分割を加えることがある．抜去後は第二大臼歯遠心の不良肉芽や歯囊を搔爬，第二大臼歯遠心の齲蝕の有無を確認し，生理食塩水で十分に洗浄し，粘膜骨膜弁を縫合する．

抜歯後には患者に表 14-1（→p.468）の注意事項を説明する必要がある．

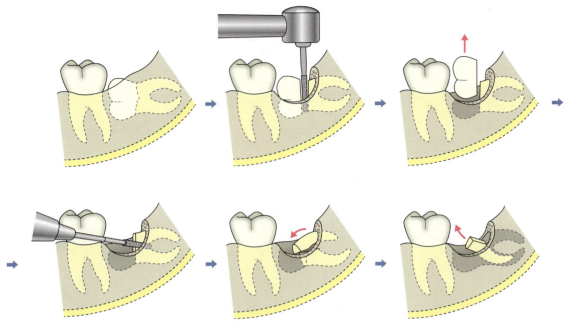

図 14-16　下顎水平埋伏智歯の抜歯

## F 偶発症

### 1 ● 全身的偶発症

抜歯に際しての疼痛や緊張ストレスに由来するものとして，血管迷走神経反射，過換気症候群がみられる．また頻度は低いが，歯科用局所麻酔薬や添加物に由来するものとして，局所麻酔薬中毒，アナフィラキシーショック，メトヘモグロビン血症，アドレナリン過敏症がある．

#### a　血管迷走神経反射（VVR）

抜歯時に発症する全身的偶発症のうち，最も頻度が高い．抜歯に対する不安，恐怖，緊張などの精神的ストレスに，注射や手術操作により強烈な痛みが加わると，三叉・迷走神経反射によって末梢血管が拡張して，心拍出量減少，血圧低下をきたす．症状としては，顔面蒼白，冷汗，四肢の無力感をきたす．血圧低下を確認したら，仰臥位にして，両下肢を軽度挙上した体位（ショック体位）をとらせ，酸素吸入（3～5 L/分）を行う．通常は，数分～数十分で回復する．

#### b　アナフィラキシーショック

局所麻酔薬あるいは添加されている防腐剤によるアレルギー反応で，エステル型局所麻酔薬であるプロカインに多くみられ，歯科で使用頻度の高いアミド型の塩酸リドカインでの発生はまれである．局所麻酔薬投与直後から強い掻痒感，四肢のしびれ，喘息様発作症状が現われ，声門浮腫が起こり，気道が閉塞される．また，血圧が急速に下降し，脈拍は弱くなって意識消失が起こり，対応を怠ると致死的状態となる．ショック症状がみられたら，アドレナリンを筋肉注射（小児：0.01 mL/kg，成人：0.3～0.5 mL）し，またはアドレナリン自己注射用製剤の投与，気道確保，酸素投与，血管確保による急速な輸液などの救急蘇生処置を行いながら応援医師を要請する．必要に応じて副腎皮質ステロイド，抗ヒスタミン薬などを投与する．

#### c　局所麻酔薬中毒

局所麻酔薬の血管内注入，過量投与などによって血中濃度が一定以上になると，心血管系や中枢神経系に影響を及ぼす．

中枢神経系に対する刺激作用で，興奮，多弁となる．次に不安感が強く現れ，悪心，嘔吐を伴い，けいれんを起こして強い呼吸抑制，徐脈，血圧低下や意識消失をきたし，適切な対応を行わないと，致死的となる．

治療としては，酸素投与と静脈路の確保を行い，けいれんが続くようであればジアゼパムなど

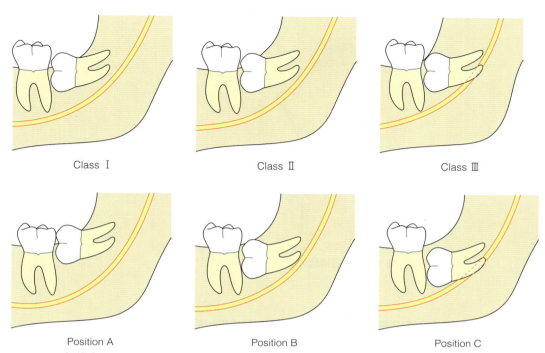

**図 14-17 埋伏歯の Pell-Gregory 分類**
第二大臼歯と下顎枝前縁とのスペースによる水平的位置
Class Ⅰ：第二大臼歯遠心面から下顎枝前縁までの距離が，埋伏智歯歯冠近遠心幅径より大きい．
Class Ⅱ：第二大臼歯遠心面から下顎枝前縁までの距離が，埋伏智歯歯冠近遠心幅径より小さい．
Class Ⅲ：埋伏智歯の大部分が下顎枝に含まれる．
第二大臼歯の咬合面に対する埋伏智歯の垂直的位置
Position A：埋伏智歯の最上点が第二大臼歯の咬合面と同じ，または上方に位置する．
Position B：埋伏智歯の最上点が第二大臼歯の咬合面より下方で，第二大臼歯の歯頸部より上方に位置する．
Position C：埋伏智歯の最上点が第二大臼歯の歯頸部より下方に位置する．
〔Winter GB：Principles of exodontia as applied to the impacted mandibular third molars. American Medical Book：212-279, 1926. Pell GJ, Gregory BT：Impacted mandibular third molars：classification and modified technique for removal. The Dental Digest 39：330-338, 1933.〕

を投与する．下顎孔伝達麻酔時には必ず吸引操作を行って，血管内注入の防止に努める．

## 2 局所的偶発症

### a 誤抜歯

術者が間違えて抜歯予定でない歯を抜去してしまうことであり，起こしてはならない偶発症である．必ず術者・介助者・患者で術前にタイムアウトを確実に行う必要がある．誤抜歯を起こした場合は，すぐさま歯を歯槽窩に戻し，歯肉を縫合，歯はレジンなどで隣在歯と固定する．特に，矯正治療のための第一小臼歯や上顎正中過剰埋伏歯などの抜歯を行う際には，誤抜歯を生じやすいので注意が必要である．

### b 後出血・異常出血

後出血は炎症性肉芽組織の残存や歯槽骨骨折などの局所的要因と，全身的な出血性素因による場合とがある．

局所的要因による場合は出血部位の確認を行い，肉芽組織の確実な搔爬，電気メスによる凝固止血，局所的止血剤（ゼラチンスポンジ，酸化セルロースなど）を抜歯窩に圧入し，歯肉の縫合をし，圧迫を行う．止血が困難な場合には，止血シーネを作製し，持続的な圧迫を行う．

全身的要因による場合は，過去に異常出血の病歴を有している場合が多い．

### c 神経損傷（下歯槽神経・舌神経）

下顎管に近接した下顎埋伏智歯，歯根囊胞や含

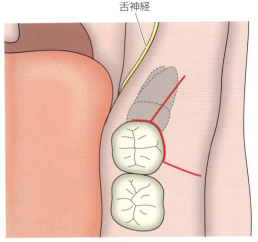

図 14-18 舌神経の損傷，隙の開放のリスク

表 14-1 抜歯後注意の内容例（抜歯後の時間経過に沿って説明すると患者にわかりやすい）

① 舌で傷口をなめたり，吸ったりしないようにしてください．
② 麻酔が効いている間は，唇や頬，舌などを咬まないようにしてください．
③ 再び血が出るようでしたら，清潔なガーゼを硬く畳んで 20 分位咬んで様子をみてください．
④ 激しい運動，入浴，飲酒など，血行がよくなることは避けて安静にしてください．
⑤ 口の中を清潔に保つことは大切ですが，強いうがいは出血と治りが悪くなる原因となりますので控えてください．
⑥ 濡れタオルなどで軽く冷やしても構いませんが，氷やアイスパックなどで強く冷やさないでください．

薬の服用について
① 処方された薬は指示どおり服用してください．
② 痛み止めの作用が出てくるには数十分かかります．また，1 回量飲んだ後に，再度痛み止めを飲むときは，5〜6 時間あけるようにしてください．

歯性嚢胞を有する歯の抜去時，または下顎孔伝達麻酔に際して下歯槽神経や舌神経の損傷が生じる可能性がある．なかでも，下顎智歯抜去後の下歯槽神経損傷が最も頻度が高い．2000 年以降の報告では下歯槽神経損傷による知覚異常の出現率は一過性のもので 0.4〜1.1%，永続するものは 0.12〜1.7% とされている．

舌神経損傷は，下顎智歯遠心の粘膜切開におけるメスによる損傷や，歯冠分割時に内側を走行する舌神経を切削バーで損傷した場合に生じる．舌神経損傷は，一過性のものがおよそ 1.0〜2.0%，永続するものが約 0.16〜1.1% と報告されている．神経支配領域の脱失，知覚低下，感覚過敏，異痛症がさまざまな程度で生じる．知覚異常の程度は，Semmes-Weinstein（SW）知覚テスター，SNAP（sensory nerve action potential），二点識別閾検査，痛覚検査，味覚検査などで確認する．

神経損傷に対する処置としては，神経線維の大部分が損傷されていると判断される場合は全身麻酔下に神経修復術（神経縫合術・大耳介神経移植・神経再生誘導チューブ）が適応となる．軽微な場合は，対症療法としてビタミン $B_{12}$ 製剤の投与，星状神経節ブロックが行われる．知覚異常は数か月〜1 年以内に回復する場合が多いが，それ以上になると症状固定となり永続することが多い．

#### d 顎骨の損傷

歯槽骨骨折は，抜歯時に高頻度にみられる顎骨の損傷で，上下顎前歯部唇側，下顎智歯部舌側などに好発する．歯槽骨骨折は術後疼痛の原因となり，小骨片が腐骨となって疼痛が持続することが多いため，遊離した破折片は原則的に除去する．

顎骨骨折は骨吸収の著しい場合や下顎智歯を強

過剰力で抜去した場合に起こりやすいため，細心の注意のもとに抜歯することを心がける．

### e 口腔軟組織損傷

抜歯時に挺子が滑落し，歯肉や頬粘膜，口底粘膜などの口腔軟組織に刺創を作ったり，タービンやエンジンで粘膜弁や舌などを巻き込んだり，メスの口腔内への出し入れで舌，口唇などを損傷したりすることがある．創傷が大きい場合は縫合処置を行う．

### f 上顎洞穿孔

上顎臼歯歯根（特に上顎第一大臼歯口蓋根）は上顎洞に近接しているため，抜歯時に上顎洞に穿孔する場合がある．穿孔が小さい場合，抜歯窩は血餅により充満され，肉芽に置換して自然治癒する．穿孔が大きい場合（5 mm 以上）では飲水が鼻から漏れ，上顎洞炎を併発する場合があるため，即時の閉鎖手術を適応する．口腔瘻閉鎖術には，頬粘膜弁法と口蓋弁法（island flap）があるが，一般に頬粘膜弁法が用いられる．頬粘膜弁法による穿孔閉鎖術は，頬側粘膜骨膜弁を剥離・翻転し，骨膜の十分な減張切開によって，頬側粘膜骨膜弁の伸長を図る．頬側粘膜骨膜弁と口蓋側の創縁をテンションのかからない状態でマットレス縫合する．必要に応じて頬脂肪体を用いて閉鎖する．

### g 上顎洞への歯根迷入

挺子操作で過度な力を加えたり，骨が菲薄な場合に歯，特に歯根が上顎洞内に迷入したりすることがある．上顎洞内への迷入は上顎第一大臼歯が多い．上顎洞内に迷入した歯根の摘出は，CTなどのエックス線撮影でその位置や深さを確かめる．抜歯窩を拡大して迷入歯根を吸引排出するか，それが困難な場合には，上顎洞前壁の骨を削除し，洞粘膜も開いて洞内を直視しながら，迷入した歯根を摘出する．

### h 組織隙への歯根迷入

骨が菲薄な場合では，挺子の誤操作により歯が軟組織内に迷入することがある．組織内への迷入は下顎が多く，その大半は下顎智歯の舌側骨膜下への迷入である．この場合，骨膜を破って口底の軟組織の組織隙に歯根が迷入することもある．迷入歯を放置すると，組織隙の炎症を生じるので必ず摘出しなければならない．すみやかにCTなどのエックス線撮影で迷入の位置や深さを確かめることが重要である．

### i 皮下気腫

皮下気腫は，タービンやエアシリンジから出る空気が抜歯窩から組織内に入り，頸部や顔面の組織隙に貯留するものである．腫脹部分を圧迫すると，パチパチと特異な音（捻髪音）を聴取する．重篤なものでは縦隔に及ぶ場合もある．口腔内の細菌を組織隙に拡散している可能性があるので，感染防止に努める．感染がなければ，気腫は数日で自然吸収され消退する．切開を含め外科的な治療は必要ない．

### j ドライソケット

ドライソケットは抜歯窩の血餅が脱落または融解，消失し，骨面が露出した表在性の骨壊死の状態をいう．周囲組織の発赤や腫脹はないが，強い痛みを伴うことが多く，数週間にわたり疼痛が持続する場合もある．

対応は，生理食塩水やアクリノール液で洗浄し，抗菌薬，副腎皮質ステロイド薬，鎮痛薬含有の軟膏を抜歯窩に挿入する．

### k 抜去歯の誤飲・誤嚥

抜去歯を誤って咽頭部に落としてしまうことがある．誤飲した歯が食道に入れば通常数日で排泄される．

気道内に落下した場合を誤嚥という．その場合は耳鼻咽喉科や呼吸器科において摘出する必要がある．

### l 顎関節脱臼

長時間の大開口や下顎の抜歯の際に下顎骨の固定が不十分であると生じることがある．

##  歯根尖切除術
apicoectomy

通常の根管治療が困難な歯の歯根尖と根尖部病変を外科的に露出して，根尖病巣と当該歯根尖部を摘出する方法である．これにより根管の閉鎖や歯槽骨の欠損修復が可能となる．根管封鎖性が予後を大きく左右するため，逆根管充填を根尖側より行う．

### A 適応症・禁忌症

#### 1 適応症

根尖部を摘出することで生じる歯根長が短縮するが，歯の残存が可能な場合に適応する．歯頸部

歯槽骨の吸収が強く，動揺の激しい歯，ならびに歯周ポケットの深いものは適応できない．
① 歯内療法によって根尖病巣の治癒が望めない歯
② 根尖病巣が根尖1/3以内の歯
③ 補綴物（除去不能なポストおよび築造物）により根管治療ができない歯
④ 保存治療のトラブル（リーマー破折など）がある歯
⑤ 根尖付近で穿孔した歯
⑥ 根尖破折した歯
⑦ 顎骨囊胞や良性腫瘍内に根尖が突出している歯

## 2 禁忌症

局所的禁忌症と全身的禁忌症がある．

- 局所的禁忌症
  ① 急性炎症が存在するとき
  ② 乳歯：永久歯を損傷する可能性がある
- 全身的禁忌症
  ① 観血的手術の施行が困難な全身疾患を有する患者

## B 術前評価

エックス線画像（病巣の大きさ，部位，歯槽骨の水平的吸収の程度などの確認），デンタル・パノラマエックス線画像のみならず，CBCTを撮影し病変を3次元的に把握する必要がある．口腔内診察では歯の動揺の有無，歯周組織，咬合状態の確認を行う．

## C 手技

### 1 器具

No.11，12，15のメス（手術刀）を使用する．施行する切開法によって使用するメスは異なる．
- メスホルダー
- 骨膜起子
- 歯科用鋭匙
- 歯科用エンジン
- マイクロミラー
- 逆根管充填用器具
- 縫合

### 2 手術手技（図14-19）

最も多く施行される上顎前歯部の手術手技を解説する．

**a 麻酔**
唇側歯肉への浸潤麻酔および切歯孔伝達麻酔．病変が犬歯遠心部に及ぶ場合は，同側の大口蓋孔伝達麻酔を行う．

**b 切開**（図14-20）
切開法の選択には，病変の大きさ・範囲，歯周組織の状態，歯冠補綴の有無を考慮する必要がある．根尖病巣による骨欠損部の直上に切開線を設計しないことが重要である．

さまざまな切開法があるが，下記の3つの切開法が一般的である．多くの場合，Partsch切開とNeumann切開が用いられる．
① Partsch切開：病巣が比較的小さい場合に用いる．手術野はやや狭く，骨膜剥離面は少ない．術後歯肉退縮はない．
② Neumann切開：病巣が大きいもの，切開線が病巣の直上にしか設定できないものに用いる．手術野は広いが，骨膜剥離面は広く，術後辺縁歯肉退縮の可能性がある．
③ Pichler切開：手術野は狭く，骨膜剥離面は少なく，術後歯肉退縮はない．

**c 粘膜骨膜弁の剥離**（図14-19a）
**d 根尖の病巣を確認**（図14-19b）
**e 根尖病巣の除去**（図14-19c）
歯槽骨をバーで削除し，病巣を摘出し，壊死したセメント質を含む根尖部を切除摘出する．

**f 根尖部の切除**（図14-19d）
**g 根尖の切断**（図14-19d）
根尖部の約3mmにほとんどの根尖分岐や側枝があるとされ，この部分を丁寧に削除することが重要である．

**h 根管充填，逆根管充填**（歯冠修復物，コア・ポストなどがあり，術前に根管治療ができなかった場合）（図14-19e）
根尖封鎖の観点からは術前根管充填が望ましい．

**i 根尖病巣部の洗浄**
**j 粘膜骨膜弁の縫合**
**k 粘膜骨膜弁の圧迫，止血**
術後出血の予防，腫脹による弁の剥離予防

**l 咬合のチェック**
**m 歯の固定**

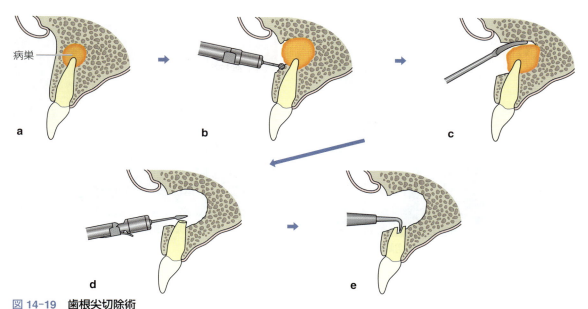

図 14-19　歯根尖切除術
a：粘膜骨膜弁の剥離，b, c：バーで骨を削除，根尖の病巣を確認・摘出，d：根尖部の切除・切断，e：窩洞形成，逆根管充填

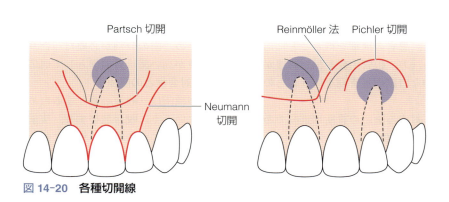

図 14-20　各種切開線

### 3 顕微鏡視下歯根尖切除術 endodontic microsurgery

　手術用実体顕微鏡を用いた歯根尖切除術では，歯根尖切除量・象牙細管露出を適切に決定できる．また，歯根尖切除断面の異常や根管の異常，側枝・根管をつなぐ狭小部であるイスムス（isthmus）の存在の確認，確実な根管充填・緊密な根管封鎖の確認が可能である（図 14-21, 22）．

### D 予後

　歯根尖切除術の予後は原病巣の種類，残存歯の状態や根管の封鎖性が大きく影響する．残存根の長さが 2/3 以上の場合は力学的に問題ないとされるが，複根歯の場合は中隔部分の状態に左右される．根管封鎖性が悪ければ根尖病巣の再発過程をたどる．エックス線画像で骨形成を確認するまで，少なくとも 6 か月は経過観察が必要である．

## 3 歯の移植術と再植術

### A 歯の移植術

#### 1 診断と適応

　保存が困難なため抜歯が必要となった歯の欠損部へ，機能していない歯を移植することを自家歯

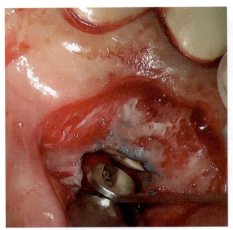

**図 14-21　顕微鏡視下歯根尖切除術**
レトロミラーによる窩洞確認
〔東京歯科大学歯肉療法学講座　古澤成博先生提供〕

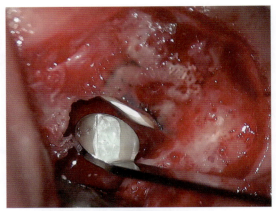

**図 14-22　顕微鏡視下歯根尖切除術**
EBA セメントによる逆根管充填

牙移植（移植術）と呼ぶ．特に欠損となる大臼歯部へ智歯を移植する機会が多い．

　治療の要点は，ほかの治療法と比べた利点と欠点を説明のうえ，患者の理解を得ることにある．新たな歯を得る一方，根管治療や歯冠修復が必要となり，永続的な口腔衛生管理を伴うことの理解である．

　歯牙の移植に対する適応の診断は重要である．

#### a　移植床の大きさと位置

　移植する歯の歯根がおさまるか，近遠心的，頰舌的な骨の幅径を評価するには CT（特に CBCT）による評価が有益である．下顎管，上顎洞との位置関係も 3 次元的に評価できる．移植を受ける側（移植窩）の大きさが十分でない場合，骨の削除によって調整が行われるが，それを見越した隣在歯の歯根，下顎管，上顎洞との位置関係を評価する．抜歯によって残る歯根膜で重要なのはセメント質側であるが，骨の削除によって骨壁が欠損すると予後が悪くなるとされる．下顎智歯を同側の第二大臼歯に移植する際，智歯部の抜歯窩と移植窩の遠心に骨壁が存在することは重要である．

#### b　移植される歯（移植歯）の歯根形態

　歯根完成歯を移植する場合，根管治療が必要となる．このため彎曲した歯根など，根管治療が困難な歯は移植を見合わせることになる．歯根未完成歯は，歯髄の治癒と歯根の発育が期待できる．しかし歯根の完成が未熟であると，本来の歯根長まで発育できない．一方，歯根の完成度が高いと歯髄の治癒が得られず，根管治療が必要となる．歯根未完成歯の移植は歯根が 3/4〜4/5 完成した時期が理想とされる．

　また移植歯は損傷されずに抜歯される必要があるため，歯の分割が必要だったり，歯根破折の可能性が高い歯は移植歯として適応されない．

#### c　対合歯との関係

　移植歯は安静を必要とするため，対合歯と接触しないように咬合調整する．抜歯予定歯の対合歯が挺出している場合，事前に対合歯の形態修正が必要となる．特に歯根未完成歯は，咬合調整によって象牙質が露出すると，象牙細管を介した歯髄の細菌感染により歯髄の治癒が期待できなくなるとされ，配慮が必要である．

### 2　処置の実際（図 14-23）

　保存が困難な歯の抜歯と同部位への歯の移植は同時に行われることが一般的である．

　創部感染の予防のため術前に抗菌薬の投与を行う．処置は一般的な局所麻酔で可能である．移植を行ううえで最も重要なことは，移植歯の歯根膜の温存に配慮することにある．このため手順としては保存が困難な歯の抜去からとし，続いて移植歯の抜去と植立をできるだけ短時間で行う．保存が困難な歯の抜去の際，肉芽組織はできるだけ除去する．

　移植歯がおさまるための骨の削除は，破骨鉗子やラウンドバーといった切削器具を用い，その後

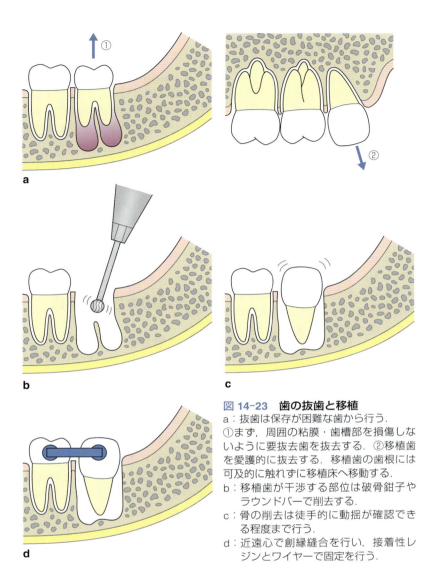

**図 14-23 歯の抜歯と移植**
a：抜歯は保存が困難な歯から行う．
①まず，周囲の粘膜・歯槽部を損傷しないように要抜去歯を抜去する．②移植歯を愛護的に抜去する．移植歯の歯根には可及的に触れずに移植床へ移動する．
b：移植歯が干渉する部位は破骨鉗子やラウンドバーで削去する．
c：骨の削去は徒手的に動揺が確認できる程度まで行う．
d：近遠心で創縁縫合を行い，接着性レジンとワイヤーで固定を行う．

は生理食塩水で十分に洗浄し，削除片を洗い流す．移植歯は歯根膜を歯槽骨側でメスで鋭利に切断された後，鉗子で抜去されることが，歯根膜の温存では理想である．埋伏している移植歯の抜歯は，骨の削除や挺子による脱臼操作といった歯根膜を損傷するリスクが高いことを理解しておく．

その後，移植歯を試適し，干渉する骨は前述同様に削除を行う．移植歯を回転するなどして，抜歯窩に収めることもある．この抜歯窩の調整の際，移植歯は生理食塩水ガーゼで乾燥防止するか，あるいは抜歯窩に一時的に戻し，歯根膜を乾燥させないようにする．移植歯の植立は愛護的に行い，骨の削除は徒手的に近遠心，頰舌的に動揺

が確認できる程度まで行う．対合歯との関係で咬合調整が必要な場合は口腔内で行うが，口腔外で行う場合は歯根を生理食塩水で浸したガーゼで把持し行う．その後，移植歯の近遠心で，縫合による創の閉鎖を行い，移植歯を固定する．

移植歯の固定法や期間に関してはさまざまであるが，接着性レジンやワイヤーなどを用いて隣在歯と1か月程度固定するのが一般的である．抜糸は術後1週程度で行い，歯根完成歯は術後2週程度で根管治療を開始する．歯根未完成歯は，歯髄の治癒と歯根の発育を観察し，歯髄反応が得られていないと判断された際には根管治療を検討する．

## B 歯の再植術（外傷による脱臼歯）

### 1 診断と適応

外傷による歯の脱臼は主に前歯で生じる．それらは振盪（異常な動揺や歯の転位を伴わない，歯の支持組織への外傷），亜脱臼（歯の転位はないが，明らかな動揺を伴う歯周組織への外傷），側方脱臼（歯の歯軸方向以外への転位），陥入（歯の根尖方向への転位），挺出（歯の切縁方向への転位），完全脱臼（脱落：歯槽からの歯の完全な脱離）があり，視診，触診，口内法エックス線撮影によって診断される．転位の判断にはCTが有益なこともある．振盪と亜脱臼では経過観察，咀嚼時の疼痛がある亜脱臼は，固定による安静を図る．側方脱臼と挺出では，永久歯と交換期が先の乳歯は，整復し固定を行う．陥入では，永久歯は整復し固定，根未完成歯の永久歯と乳歯では自然再萌出を待つ．

完全脱臼（脱落）では再植術が適応される．乳歯の場合，再植術によって後継永久歯が損傷される危険性がある場合や，固定が不確実となる状態では適応とならない．また支持組織に感染があった永久歯の再植術は禁忌とされる．

再植術の成否を決める重要な要因は，脱落した歯の歯根膜の状態にある．30分以上乾燥状態におかれた場合，ほとんどの歯根膜細胞は細胞死に至るとされ，一般的に60分以内に適切な保存液で管理された歯が適応となる．保存液は専用の保存液のほか，牛乳，生理食塩水が望ましいとされ，水道水は細胞傷害性が強く推奨されない．現場にこれらがない場合は，口腔内に静置しておくことで数時間の歯根膜細胞の延命が期待できる．脱落後の歯の保存に関しては，受診連絡を電話で受けた際など，来院前から対応できるように留意する．

### 2 処置の実際

外傷によって生じた軟組織損傷や歯槽骨骨折への対応を並行して進め，受傷した場所によっては破傷風トキソイドの投与を検討する．また，処置前から感染予防のための抗菌薬投与を行う．脱落歯への最初の対応は洗浄となる．生理食塩水あるいは生理食塩水を浸みこませたガーゼで汚れをとる．とりにくい場合，生理食塩水の注水下で超音波スケーラーを用いることもあるが，歯根膜を損傷しないように配慮する．脱落した部位も十分に洗浄し，脱落歯を復位する．歯肉損傷がある場合や止血目的に近遠心部の縫合を行う．その後，脱落歯と隣在歯の唇面で接着性レンジを用いてワイヤーによる固定を行う．線副子による固定は清掃性の点で劣る．固定は通常，2～3週間で除去するが，歯根完成歯は歯髄の生存が期待できないので，1～2週後に根管治療を開始する．歯根未完成歯では，歯髄の治癒と歯根の発育が期待できるため，口内法エックス線撮影を含めた月に1回の経過観察を行い，歯髄壊死が判断されたらすみやかに根管治療を行う．

## 4 補綴のための手術

### A 歯槽骨整形術
orthopedic surgery of alveolar ride

歯槽骨整形術の適応症は，①抜歯後に歯槽突起に鋭縁部が存在する場合，②多数歯の連続抜歯または孤立歯の抜歯後に即時義歯を製作する場合，③アンダーカットを有する歯槽突起や板状の歯槽突起の場合，④上下顎歯槽突起間の間隙が少なく補綴物を装着するスペースがない場合，⑤上顎前突症で抜歯後に義歯を装着する場合，などが挙げられる．これらの中では，①または②の抜歯後に歯槽突起に鋭縁が存在する場合に適応することが多い．

歯槽頂部または歯槽頂と平行な粘膜切開と，その近遠心端から適宜縦切開を加え，粘膜骨膜弁を形成する．歯槽頂に鋭縁がある場合は，歯槽頂を避けて唇側よりに切開線を設定する．骨破骨鉗子，骨ヤスリと骨バーを用いて骨鋭縁を削除し平坦化する．アンダーカットがある場合は，アンダーカットがなくなるまで骨を削除する．上下歯槽突起間の間隙が少ない場合は，補綴物が装着できるまで歯槽骨を削除し間隙の拡大をする．骨整形後は剥離した粘膜骨膜弁を復位し，触診して鋭縁部がないことを確認し，縫合閉鎖する．

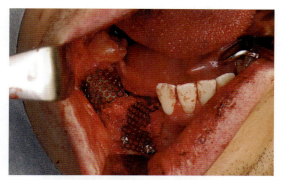

図 14-24　骨移植による歯槽堤形成術
下顎骨萎縮症に対し，破砕した自家骨を移植しチタンメッシュで被覆してネジ固定した．

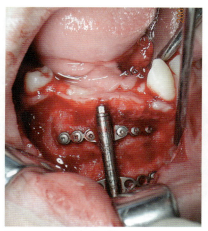

図 14-25　仮骨延長術
垂直的に延長した装置の間隙に骨新生が観察される．

## B 歯槽堤形成術
alveoloplasty

歯槽堤の萎縮が著しい症例に対する歯槽の高径または頬舌径を造成する手術である．①骨移植による歯槽堤形成術，②骨切りによる歯槽堤形成術，③骨延長術がある．

[適応症]

最終的な補綴処置に対して，歯槽堤が著しく萎縮している症例が適応である．

[術式]

### a　骨移植による歯槽堤形成術

自家骨移植の形態的分類は，歯槽頂上骨移植術（オンレーグラフト），頬側骨移植術（ベニアグラフト），歯槽頂頬側骨移植術（サドルグラフトまたはJグラフト），細片骨移植に分けられる．

移植骨の固定はネジ，チタンメッシュ，メンブレンなどを用いる．骨の採取部位は口内法としてオトガイ，下顎枝，頬骨下稜，歯槽頂部，上顎結節，前鼻棘などがある．本法は片側または両側から骨採取ができ，症例に応じて比較的多くの骨量が確保できる．また大きな骨欠損例では腸骨や脛骨からの骨採取が必要であるが，外科的侵襲が大きい（図14-24）．

### b　骨切りによる歯槽堤形成術

スプリットクレスト（リッジエクスパンジョン）は歯槽頂幅が狭い症例が適応となる．術式は歯槽を頬舌的に二分するように骨切りし，この二分した骨を専用のデバイスで若木骨折させ水平的に歯槽骨を拡大する方法である．骨間隙に少量の骨移植を行い歯槽堤を形成する．

### c　仮骨延長術（図14-25）

骨延長術は術後に骨そのものを徐々に延長することにより，新しい骨を再生しようとする方法で，自然治癒能力を活かし骨の造成を図る．歯槽骨を被覆している歯肉などの軟組織も延長することが可能である．垂直的，水平的に骨の量が不足するような症例が適応となる．具体的には造成したい部分に骨切りを行い，骨片に専用の骨延長装置を取り付ける．術後約1週間から毎日0.5〜1mmずつ骨片を移動させ，骨片間に形成された仮骨を延長し骨新生を図る．骨延長に伴い周囲粘膜も同時に伸展するので粘膜裂開などの偶発症を防ぐことができる．

## C 骨隆起切除術，外骨症切除術

骨隆起，外骨症は上顎骨頬側，口蓋側，口蓋正中，下顎骨小臼歯舌側にみられることが多い．通常は切除の必要はないが，義歯を製作するうえで障害となる場合は切除の適応となる．

### 1　口蓋隆起切除術

[適応症]

口蓋隆起は硬口蓋正中部にみられ，床義歯装着の際に障害となる場合は切除の対象となる．

[術式]（図14-26）

口蓋隆起正中に切開を加え，両端からY字形

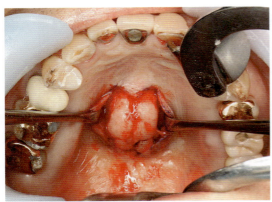

**図 14-26 口蓋隆起切除術**
粘膜骨膜弁を剥離して骨表面にガイドグルーブを形成後, 骨ノミで切除する.

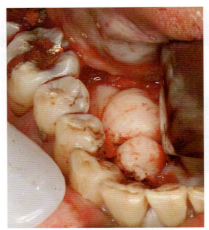

**図 14-27 下顎隆起(外骨症)切除術**
粘膜骨膜弁を剥離し, 基部に溝を形成し骨ノミで切除する.

の側方切開を加える. 粘膜骨膜弁を剥離し口蓋隆起を露出させる. 骨面は凹凸不整で, 基底部の被覆粘膜は薄くなっていることが多いので, 粘膜を穿孔させないように慎重に剥離する. 骨表面にフィッシャーバーで必要な深さまでのガイドグルーブを形成後, 骨ノミで削除する. 骨面を骨バーで平坦に整形する. 剥離した粘膜骨膜弁を復位し, 余剰部があれば切除後に縫合閉鎖する. 縫合後は保護床を装着し, 術後の血腫予防と創部の保護を図る.

### 2 下顎隆起(外骨症)切除術

**適応症**

下顎骨舌側に多く発生し, 床義歯装置の際に障害となる場合に削除する.

**術式**(図 14-27)

外骨症付近の歯槽頂寄りに歯肉切開を行う. 粘膜骨膜弁を形成し外骨症部を露出させる. 外骨症が広基性の場合が多く, その基部にフィッシャーバーで溝を形成後に骨ノミで切除し, 骨面を骨バーで平坦に整形する. 粘膜骨膜弁を復位し, 粘膜の上から触診して凹凸がないことを確認する.

### D 口腔前庭形成術
vestibuloplasty

本手術は術野の上皮被覆によって, ① 二次的上皮化法, ② 隣接粘膜利用法, ③ 植皮法, ④ 遊離粘膜移植法に分類される.

**適応症**

歯槽突起が吸収されて歯槽堤が低くなり, 義歯床縁の延長が困難で義歯の維持安定性が低下した症例に適応される. 二次的上皮化法は術後に瘢痕拘縮をきたしやすいため, 後戻りすることが多い. このため, 上顎前歯部で歯槽堤萎縮が比較的軽度な症例に適応される. 隣接粘膜利用法は歯槽堤萎縮がそれほど強くなく, 周囲粘膜に伸展性のある健常粘膜症例に適応される. 植皮法および遊離粘膜移植法は, 二次的上皮化法の欠点である術後の瘢痕拘縮による後戻りを防止する症例に用いられる.

**a 二次的上皮化法(Wassmund 法)**

歯槽頂粘膜切開と, その両端から歯肉頰移行部に向かう縦切開のもとに骨膜上剥離を行い, 粘膜弁先端部を骨体深部の骨膜と縫合する. 術後は早期に床縁を延長した義歯を使用し後戻りを防ぐ. また創部の止血, 保護および術後疼痛緩和, 早期上皮化を目的としてコラーゲン真皮欠損用グラフトなどを用いることが多い.

**b 隣接粘膜利用法(Obwegeser 法)**

二次的上皮化法と異なり, 術後の創面の露出がないため患者の苦痛が少なく早期に治癒する. 下顎では術後の後戻りが大きいため, 上顎前歯部に施行されることが多い.

手術は歯肉頰移行部粘膜から歯槽頂に至る縦切開(上顎では正中部, 頰骨下稜部, 下顎では両側

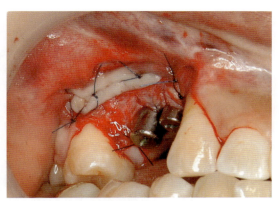

図 14-28 遊離口蓋粘膜移植
角化粘膜の幅の獲得のために行い，移植には口蓋粘膜を用いることが多い．

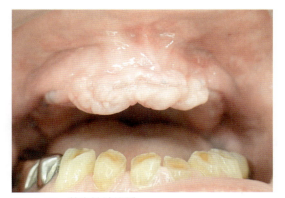

図 14-29 義歯性線維腫
基底部の周囲骨膜上の切開を加え過剰な粘膜を切除する．

小臼歯部）を加え，剥離剪刀を用いて広く粘膜下を剥離する．この際，下顎の小臼歯部ではオトガイ神経を損傷しないように注意する．次いで骨体部に向かって骨膜上剥離と筋付着部切離を行い，最後に粘膜下の軟組織を骨体部に向かって圧排し，粘膜と骨膜とが接するようにした後，あらかじめ床縁を延長し製作しておいたレジン床を用いて圧迫固定する．この床は術後7〜10日で除去して，できる限り早く義歯を装着する．

#### c 植皮法および遊離粘膜移植法（図 14-28）

二次的上皮化法と同様に頬側歯槽堤上に新創面を作り，同部に大腿または下腹部から採取した分層または全層皮膚をおいて粘膜創面と縫合する．皮膚の生着のために tie over 固定（図 14-41b, →p.484）を行うか，またはレジン床にモデリング・コンパウンドを盛って圧迫固定する．遊離粘膜移植は硬口蓋または頬粘膜から採取する．硬口蓋の創面は人工真皮を置いて創面の保護を行う．移植粘膜は植皮と比較して周囲粘膜と同様の性状を示す．

### E 浮動粘膜切除術

適応症

不適合な義歯を調整せずに長期間使用していると，歯槽骨が吸収して粘膜下の線維組織が肥厚する．これを義歯性線維腫という（図 14-29）．多くは上顎前歯部にみられる．これが存在することにより義歯の良好な維持安定性が望めない場合に適応となる．

術式

病変の中央部をピンセットで把持し，これを牽引しながら病変の基底部を確認し，メスで基底部の周囲に骨膜上の切開を加え，過剰な粘膜下組織を切除する．病変を切除後は切開周囲の粘膜を剥離し縫合閉鎖する．また一時閉鎖によって口腔前庭が浅くなることが予想される場合は，二次的上皮化法または遊離粘膜移植による口腔前庭拡張術を併用する．

### F 小帯異常の手術

小帯の付着異常をそのままにして義歯を製作すると，頬粘膜や口唇の動きで義歯が不安定になるか，義歯により小帯部に潰瘍を形成することになる．逆に小帯を避けて義歯床縁を製作すると切れ込み部分が深くなり，応力が集中して義歯が破折しやすく，辺縁封鎖も低下し義歯が安定しなくなる．また，インプラント補綴についても付着歯肉が少なくなり，インプラント周囲炎を惹起する原因となる．

適応症

補綴前処置としての小帯の処置は，口唇，頬および舌に付着する小帯の先端部が歯槽頂に近接している場合に行われる．

術式

#### a 口唇，頬小帯付着位置修正術（小帯伸展術）

付着位置を移動または小帯を伸展する方法は，基本的な組織伸展方法である V-Y 伸展術または Z 形成術〔図 2-37（→p.53），図 14-30〕が用いら

れる．歯槽骨部に小帯がかかる場合は，骨膜を残した粘膜弁として形成し伸展させ，二次的治癒を待つ．

#### b 舌小帯伸展術

舌小帯の付着異常は舌を前突させると舌尖部にくびれができることで診断できる．舌小帯の走行に沿って長楕円形に切開線を設定する．メスまたはハサミで切断し，舌小帯線維束を剥離して切除する．両側の舌下小丘と顎下腺管を損傷しないように注意して切除部の縫合を行う．

## 5 形成手術・再建手術

### A 形成手術

#### 1 口腔・顎顔面領域の形成手術の基本的考え方

口腔外科において対応する口腔・顎顔面領域では，形成手術を行うときの対応が大きく異なる2部位がある．1つは顔面の皮膚領域であり，この部位において手術を行う場合は整容面を十分に考慮する必要がある．特に口唇部分においては，白唇と赤唇の境界では段差が目立ちやすく，また瘢痕拘縮により開口障害や食物，特に液体の漏れなどが生じるなど，機能障害に対して配慮も必要である．もう1つは口腔内の粘膜領域であり，この部分は創部が露出されることが少なく，さらに表面の瘢痕形成も皮膚に比べて少なく，瘢痕が生じた場合も目立つことがない．しかし，舌と口腔底や歯肉粘膜と頰粘膜の間には瘢痕拘縮が生じる場合もあり，運動障害や義歯装着の妨げになる場合もあり，このような場合には瘢痕拘縮に対する治療が必要となる．

#### 2 各種手術法

##### a 切開・縫合法

頸部を含め顔面領域の皮膚を切開する際のデザインでは，縫合後に瘢痕が目立たないようにする．皮膚のしわに水平な瘢痕は目立ちにくくなるため，切開をデザインする際には瘢痕が皮膚のしわに水平となることを原則とする．完全に水平にすることが困難な場合には，しわに斜方向に瘢痕が形成されるようにする．しわに垂直な切開線は目立つばかりではなく，瘢痕拘縮も生じやすいので可能な限り避けるようにする．

皮膚を切開する場合には，メスが皮膚に垂直に当たるようにして，皮膚に適度な緊張をもたせ円刃の腹の部分により切開を行う．切開面がジグザグにならないようにするとともに，真皮下層まで垂直に切開する．

皮膚切開後，真皮と真皮下層の脂肪・筋膜の剥離を行い，真皮縫合が行えるようにしておく．病変部分の切除により生じた死腔を閉鎖して，血腫などができないように筋肉，筋膜および脂肪層などの皮下組織を縫合する．その後，あらかじめ剥離していた真皮層に真皮縫合を行う．真皮縫合では真皮層創縁がしっかりと密着し，かつ十分な緊張を保つように縫合する．皮下組織の縫合と真皮縫合では，モノフィラメント糸または撚り糸どちらの縫合糸でもよいが，ゆるみのないように縫合する．

真皮縫合を行ったうえで，真皮上層と表皮に対して表皮縫合を行う．表皮縫合では過度な緊張で縫合すると縫合糸による圧迫で瘢痕が生じるため，創縁が密着するまでに縫合の緊張を止めておく．また表皮縫合はモノフィラメントの縫合糸を用いる．真皮縫合と表皮縫合どちらも結節縫合を基本とする．創部が汚染している場合など感染に注意が必要な場合には，あえて真皮縫合は行わず，マットレス縫合を行う場合もある．

##### b 瘢痕拘縮形成術

瘢痕が目立つ場合や瘢痕拘縮が生じている場合には，拘縮を解除するために瘢痕形成手術が行われる．顔面皮膚など整容的な配慮が必要な部分に対する形成術においては，瘢痕組織を確実に切除する必要がある．一方，口腔内では，瘢痕が生じにくいため，拘縮を解除するために形成術を行う場合には瘢痕を完全に切除しなくてもよい．

瘢痕拘縮解除に用いられる方法としてZ形成術およびW形成術がある．Z形成術は瘢痕の両端に斜方向の切開を行い，中央部に2つの皮弁を挙上して，その皮弁を入れ替えることにより拘縮方向の距離を延長して瘢痕拘縮を解除する方法である．長い瘢痕拘縮に対して連続してZ形成術を行い，延長距離を長くすることも可能である（図14-30）．

W形成術は瘢痕の周囲にジグザグの切開を行い，瘢痕を切除する方法である．W形成術により瘢痕切除により生じた皮膚欠損部の縫合痕は皮

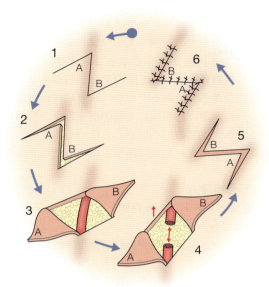

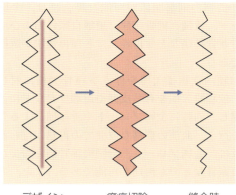

図14-30 Z形成術
1：デザイン，2：皮膚切開，3：皮下索状物（赤色）露出，4：索状物切断，5：皮弁移動（AとBの位置を交換），6：縫合後
〔Converse JM (ed)：Reconstructive Plastic Surgery 2nd. p54, WB Saunders, 1977 より一部改変〕

図14-31 W形成術
〔Converse JM (ed)：Reconstructive Plastic Surgery 2nd. p63, WB Saunders, 1977 より一部改変〕

膚のしわに斜方向の連続したW字となる．Z形成術に比べて，W形成術は拘縮部分の延長効果は少ない（図14-31）．

## B 再建手術

### 1 再建手術総論

#### a 再建手術の基本的考え方

　腫瘍切除，外傷および先天異常などによる組織欠損に対して，再建手術が行われる．顔面を構成する口腔・顎顔面領域において再建を行う際には，気道の確保や咀嚼・嚥下運動の維持，さらには発声・構音など言語機能の維持など機能的再建だけでなく，顔貌に対する整容面も考慮した再建が必要である．症例によっては再建手術による組織移植による治療よりも顎顔面補綴手技による治療が良好な結果を得られる場合もある．一方で，顎顔面補綴治療の土台となる組織再建が必要となることもあり，再建外科治療計画立案の際には関連各科との十分な事前の打ち合わせが必要となる．
　特に悪性腫瘍切除後の再建においては，再建手術が全身状態に対する配慮や再発・転移を発見する妨げにならないようにする必要があり，症例によっては腫瘍切除時にただちに再建を行う一期的再建を行わずに，腫瘍切除後ある程度の期間を経て再発転移の可能性が少ないことを確認した後，二期的再建を行う場合もある．通常再建まで1～2年程度，経過観察期間を設ける．最終的には放射線治療や化学療法などの適否や治療後のQOLおよび予後なども考慮し，悪性腫瘍治療全体における再建外科治療の位置づけを明確にしたうえで再建法を決定する．
　口腔・顎顔面領域では硬組織である骨と粘膜，皮膚，筋肉，神経など多彩な軟組織の再建が必要なため，再建手術の種類も多い．再建法は人工材料を用いた再建と，自家組織移植による再建に大別される．さらに自家組織移植は，血行のない遊離植皮術や，遊離骨移植と血行を温存した局所皮弁，有茎皮弁および血行再建を行う血管柄付き遊離皮弁移植や血管柄付き骨移植に分けられる．

#### b 各部位の再建

##### ① 上顎の再建

　硬口蓋を含む上顎の欠損に対しては，顎顔面補綴物による治療が有効な症例も多いため，手術後の補綴治療について方針を決定した後，再建方法を選択する．上顎を組織量が多い厚い皮弁で再建した場合に，義歯の装着が困難となる場合があるので注意が必要である．

##### ② 下顎の再建

　下顎の組織欠損において，歯肉や頰粘膜などに

より口腔内創部閉鎖が可能な場合には，金属プレート，骨髄海綿骨細片，遊離自家骨および血管柄付き骨移植など骨再建には各種再建法が選択可能である．

口腔内軟組織欠損を伴う下顎骨欠損に対しては，軟組織欠損を有茎皮弁や遊離皮弁などにより再建し，同時に金属プレートや骨移植による骨再建を行う．血流の豊富な皮弁での再建が行われていれば，金属プレート，骨髄海綿骨細片および遊離自家骨などでも再建が可能である．また，血管柄付き骨移植では皮弁を同時に移植できる方法もあり，軟組織と骨再建が同時に行える．

③ **舌および口底の再建**

舌単独の部分切除などによる欠損で縫縮が困難な場合には，遊離植皮術や人工真皮による被覆が行われる．舌は血流が豊富で，粘膜の上皮化も良好に行われるため，人工真皮による被覆でも良好な結果が得られる．舌半側切除以上の欠損が生じる場合には，有茎皮弁や遊離皮弁移植が適応となる．

口底の再建では，下顎骨形態が維持され，さらに口底に血流のある移植床があれば，遊離植皮による口底の再建は良好な結果が得られる．しかし，下顎骨に欠損が生じている場合には，口底の植皮だけでは下顎形態の維持が難しいため骨再建を併用する．この場合は，有茎皮弁や遊離皮弁の移植が適応となる．また，舌と口底の合併切除となる場合も，有茎皮弁や遊離皮弁による再建が必要となる．

④ **頬粘膜の再建**

頬粘膜の再建において，有茎皮弁や遊離皮弁による再建が絶対的適応となるのは，口腔粘膜と皮膚の合併切除が行われた場合である．通常の口腔側頬粘膜欠損の場合は，皮膚側の皮下脂肪や真皮下血管網が残っているため，遊離植皮が生着可能である．しかし遊離植皮による頬粘膜再建を行った場合には，術後に瘢痕拘縮が起こりやすい．このために開口障害や口唇を中心とした変形が生じる場合があるため，面積が広い場合や口唇に近い部位の粘膜欠損に対しては有茎皮弁や遊離皮弁による再建を行う．

⑤ **口唇の再建**

口唇は皮膚側の白唇，赤唇および口腔内の粘膜のそれぞれの性質が異なり，また口唇縁が自由端であるため，再建法がほかの部位とは異なる．通常の遊離植皮や皮弁移植では赤唇が再建できないため，局所皮弁の一種であるAbbé皮弁など交叉唇弁による再建が適応となることが多い．ただし，交叉唇弁を用いると開口量に制限が生じることに注意が必要である．また，口唇縁は自由端であるため，薄い移植床に遊離植皮を行うと拘縮による変形が生じる．小範囲の欠損であっても，局所皮弁などの皮弁による再建を積極的に行う．

## 2 ● 顎骨再建術

### a 金属プレートによる再建

① **再建プレート**（図14-32, 33）

金属プレートは下顎骨再建に頻用されている再建材料である．この再建ではチタンプレートを欠損部分両端に固定し，下顎骨形態を維持するものである．プレートの種類によっては，関節頭部分まで金属で形成されており，関節突起まで含む骨欠損の再建が可能である．骨採取などが必要なく低侵襲であり，再発や転移を発見しやすいため，腫瘍切除後の一期的再建で用いることが可能である．ただし，異物であるため感染に弱く，プレートは軟組織で完全に被覆されなければならず，被覆のため有茎皮弁や遊離皮弁移植と併用されることも多い．経時的変化により，プレートと骨を接合しているスクリューのゆるみ，プレートの破折および皮膚や粘膜からのプレート露出などがみられることがあり，このような場合には血管柄付き骨移植などほかの方法による再度の再建が必要となる．

② **メッシュプレート**（図14-34）

下顎骨や上顎骨の欠損で粘膜による被覆が可能な場合には，金属製メッシュプレートで作製した骨欠損部の空間に，骨髄海綿骨細片を充填する方法で骨欠損部分を再建する．

### b 人工骨による再建

顎顔面領域においても臨床で利用できるハイドロキシアパタイトやβ-TCPなどを材料とした人工骨が発売されている．現時点では骨接合面での固定強度が不足しているため，離断されている骨の接合には用いない．人工骨の適応は，荷重のかからない頬部やオトガイ部の形態再建のためにブロック状人工骨を移植する方法や，囊胞や腫瘍の切除後に顎骨に生じた空洞性骨欠損部の充填に顆

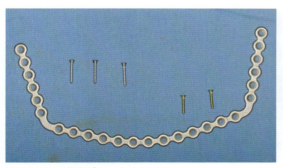

図14-32　再建プレートとスクリュー

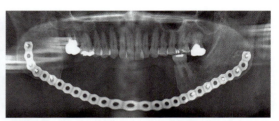

図14-33　再建プレートによる再建症例エックス線写真

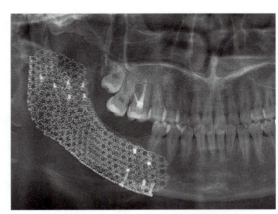

図14-34　メッシュプレートによる再建症例エックス線写真

粒状人工骨を用いることなどである．
　また歯科インプラント治療を目的とした骨造成などにも用いられている．人工骨も異物であるため，感染には十分注意する必要があり，また血流のある軟組織での被覆が必要である．

#### c　遊離自家骨移植による再建

　移植された骨は移植骨周囲の移植床の血行から栄養拡散を受け，それにより骨代謝が起こり，新生骨に移植骨が置換されることにより骨組織が再生される．この過程にはある程度時間がかかり，この期間は移植された骨組織は不安定で感染に弱い．また，この期間に骨吸収が生じるため，再建された骨量を維持することが難しい．

##### ① 骨髄海綿骨細片移植（図14-35）

　骨髄海綿骨細片（PCBM）移植は口唇口蓋裂に伴う顎裂部の骨移植やインプラントのための骨造成などに広く用いられている．また最近では3次元造形模型などを用いて金属製メッシュプレートをあらかじめ骨欠損に合わせ成形して，そのプレート内に骨髄海綿骨細片を充塡する方法で顎骨を再建する方法も行われている．
　骨髄海綿骨細片は移植骨個々の大きさが小さいため，ブロック状の骨移植に比べて移植後の骨吸収が少なく生着しやすい．感染が移植骨の一部に限局している場合には，感染した骨を除去することにより移植骨の感染が波及していない部分を救済することが可能な場合がある．
　移植骨の採取部位としては，腸骨が一般的である．口腔・顎顔面領域では術野が同一であることから下顎骨などからも骨採取が行われることがあるが，採取できる骨量は腸骨に比べて少ない．骨髄海綿骨採取はほかの骨移植に比べ低侵襲である．

##### ② ブロック状遊離自家骨移植

　ブロック状遊離自家骨（遊離自家骨）を移植する方法は古くから行われている．比較的低侵襲であるが，移植骨は血行がないため，血行が再開し生着するまでに移植骨が吸収されやすく，また感染が生じると，移植骨全体を摘出しなければならない．このため，従来，遊離自家骨移植が行われていた症例に対し，最近では血管柄付き骨移植や骨髄海綿骨細片移植が行われる機会が増加している．
　骨移植を成功させるためには，血流の豊富な移植床に感染が生じないように移植を行うことが絶対条件である．このため放射線照射後で血流の乏しい症例や感染のある症例には適応とならない．移植骨の採取部位としては腸骨が一般的であるが，肋骨なども用いられる．生着には移植骨への移植床からの血流が必要なため，骨膜を除去した状態で移植される．

#### d　血管柄付き骨移植

　血管柄付き骨移植を行った症例においては，吻合血管からの血流再開後は，移植骨全体の血行が

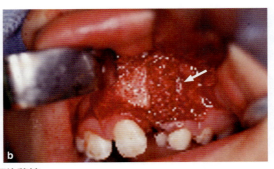

**図 14-35　腸骨骨髄海綿骨細片移植**
a：採取した腸骨骨髄海綿骨細片，b：顎裂部に移植した腸骨骨髄海綿骨細片（矢印）

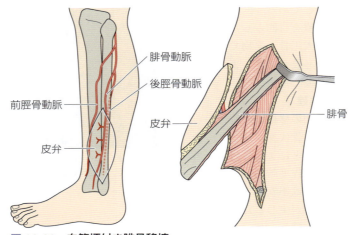

**図 14-36　血管柄付き腓骨移植**
図の記載においては静脈は省略してある．

維持されている．すなわち移植骨と既存骨の骨接合は，通常の骨折治癒過程と同様の治癒機転が働く．このため移植骨は感染に強く，強固な固定性が得られ，また骨吸収も少ないなど優れた方法である．血管柄付き骨移植は骨採取部への侵襲が大きく，手術時間も長時間となる．また吻合血管が閉塞すると移植組織が壊死してしまうため，確実な血管吻合手技を習得する必要がある．

#### ① 血管柄付き腸骨移植

血管柄付き腸骨移植では，大腿動静脈から分岐し腸骨内板の骨膜に沿って走行する深腸骨回旋動静脈を栄養血管として移植する．腸骨直上の穿通枝を温存し皮膚を腸骨とともに挙上すれば，皮弁も移植することが可能である．

#### ② 血管柄付き腓骨移植（図 14-36，37）

後脛骨または前脛骨動静脈より分岐する腓骨動静脈栄養血管として移植する．腓骨動静脈から下腿皮膚に分布する穿通枝を含めれば皮弁の同時移植が可能である．腓骨は膝関節部および足関節部を温存しておけば，中央部分を長く採取しても歩行などに障害をきたすことはないため，長い移植骨を採取することが可能である．血行を温存するように注意しながら移植骨に骨切りを行い，下顎骨などの弓状の形態をある程度再建することも可能である．

#### ③ 血管柄付き肩甲骨移植（図 14-38）

肩甲回旋動静脈と胸背動静脈分枝双方により肩甲骨の血流が維持されているため，肩甲骨はどちらの動静脈を血管柄としても挙上可能である．また，肩甲骨周囲の皮膚を皮弁として挙上して皮弁の同時移植も可能である．

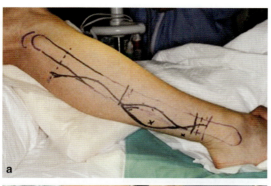
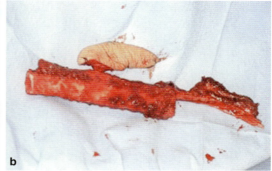
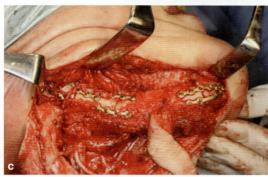

図 14-37 血管柄付き遊離腓骨皮弁
a：皮弁デザイン
b：皮弁採取部
c：皮弁による再建
〔日本歯科大学 里見貴史先生 提供〕

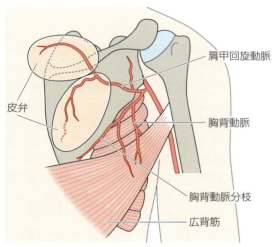

図 14-38 肩甲骨の血行
図の記載においては静脈は省略してある．

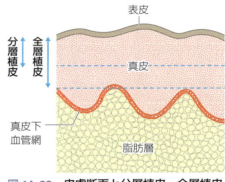

図 14-39 皮膚断面と分層植皮・全層植皮

### 3 軟部組織再建術

#### a 遊離植皮術

遊離植皮術は皮膚欠損部の再建に用いられるほか，口腔粘膜組織の再建にも用いられる．植皮術には植皮片の厚さにより，全層植皮術と分層植皮術がある（図14-39）．植皮を行った場合には，植皮片に移植床から血管網が進入することにより移植された皮膚が生着する．このためどちらの植皮術を行う場合でも移植床には血行が必要であり，骨露出面やプレートなど人工物の露出した部分には植皮術は行えない．また植皮片に血行が再開するまでの期間，移植床と植皮片が固定されている必要がある．厚みのある皮膚よりも薄い皮膚のほうが移植された皮膚の血流再開は容易であり，このため全層植皮に比べ分層植皮が生着しやすい．植皮は低侵襲かつ手術手技も単純で適応としやす

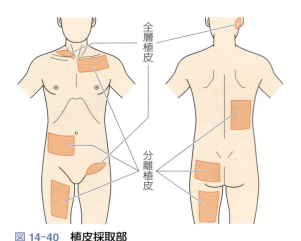

図 14-40　植皮採取部

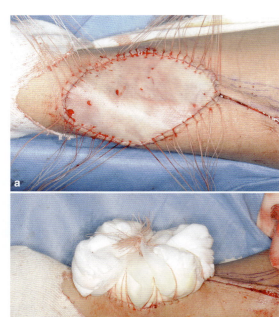

図 14-41　植皮縫合と tie over 固定
a：植皮縫合，b：tie over 固定

い再建方法である．しかし，有茎皮弁や遊離皮弁に比べると，整容的には色素沈着や拘縮などが生じやすい問題がある．

### ① 全層植皮術

皮膚は表皮，真皮および脂肪などを含む皮下組織より構成されているが，この皮膚成分のうち表皮および真皮全層を含む植皮が全層植皮術である（図 14-39）．全層植皮は生着後移植皮膚の質感が良好であり，術後植皮片拘縮も分層植皮に比べ少ない．その一方，植皮片採取部が全層の皮膚欠損となり縫合閉鎖が必要であるため，採皮できる面積が分層植皮に比べ小さい．

全層植皮術の採皮は通常のメスを用いた皮膚全層切開により採皮を行い，皮下脂肪などが採皮片に付着している軟部組織を切除する．採皮部分は縫合閉鎖する．このため全層植皮できる面積は採皮部分が縫合閉鎖可能な面積までとなる（図 14-40）．また植皮術を行った後，移植片に血流が再開するまでの期間，確実な移植片の固定が必要である．このため移植片を縫合固定した糸を長くのばし，その糸を用いて植皮片直上をガーゼなどで圧迫固定する tie over 固定が行われる（図 14-41）．

### ② 分層植皮術

分層植皮術では，植皮片に含まれる真皮の厚さを調整することにより植皮片の厚みを調節することが可能である．植皮片が薄いほど生着が容易となるが，皮膚の質感は悪くなり，拘縮も起こりやすくなるため，移植部分の必要性に合わせ厚みを調節する．

分層植皮では気動式や電動式デルマトームやパジェット型デルマトームもしくは採皮刀により皮膚を採取する．採皮部分に真皮層の残存があるので上皮化により採皮部は治癒する．このため分層植皮は全層植皮より植皮面積の制限が少ない（図 14-40）．また，口腔内で整容的な問題がない場合には，植皮による被覆面積を拡大するために，植皮片に網目状の切れ込みを入れて伸展させる網状植皮術が行われることもある．分層植皮においても全層植皮と同様に，植皮片に血行が再開するまでの期間，固定が必要であり，tie over 固定が行われる．

### b　遊離粘膜移植法

粘膜の欠損に対し植皮術と同様に遊離粘膜移植を行うことは可能である．しかし，粘膜の採取部位が口腔内に限られるため，移植可能な粘膜の面積は少なく，審美的な問題などで必要な症例のみ粘膜移植が行われる．一般的には粘膜の欠損部分にも遊離植皮術が行われる．粘膜移植のための粘膜採取部として，下唇前庭部，硬口蓋および頰粘膜がある．

### c 人工真皮移植

舌，頰粘膜および歯肉などに欠損が生じた場合に，粘膜移植術や植皮術の代わりに，人工真皮移植により被覆を行うことも可能である．移植された人工真皮内に血管網が構築され，上皮化により欠損部分が治癒する．人工真皮移植術では採取部位への侵襲がない利点があり，舌部分切除などにより粘膜の欠損が生じた部分の再建には有用である．ただし移植された人工真皮は移植後にすべて上皮化するわけではなく，瘢痕拘縮が移植部分に生じるため，大きな面積の被覆には適さない．

### d 有茎皮弁移植

有茎皮弁移植は遊離植皮術と異なり，皮弁の血行を温存して移植を行うため，移植床に血流がない骨表面や人工物の被覆にも用いることができる．すなわち皮弁においては，植皮のように移植床からの血流再開により皮弁が生着するのではなく，皮弁自体の血流は移植直後においても維持されている点が植皮とは異なる．移植後の皮弁皮膚は本来の質感を保っているため，植皮に比べ整容的に優れているが，頭頸部再建で用いられることの多い大胸筋皮弁や胸三角皮弁では皮弁採取部の瘢痕が目立ちやすい．

#### ① 局所皮弁

皮膚や粘膜の欠損部が小範囲である場合には，その欠損部周囲組織を移動させる局所皮弁により欠損部の被覆が可能である．局所皮弁には主要動静脈が含まれる有軸皮弁(axial pattern flap)と，特に主要動静脈を含まない無軸皮弁(random pattern flap)がある(図14-42)．有軸の場合には主要動静脈の支配領域を細長く皮弁とすることが可能である．一方，無軸の場合は皮弁の血流が不安定となるため，皮弁を細長くデザインすることはできない．局所皮弁には，皮弁の移動方法により横転皮弁，回転皮弁，伸展皮弁などがある(図14-43)．

口腔領域で用いられることの多い特殊な皮弁として，下唇動静脈を栄養血管として下唇を上唇に反転させて移植を行うAbbé皮弁や，舌を粘膜弁として挙上する舌弁などがある．

#### ② 大胸筋皮弁

頭頸部再建に用いられる機会が多い皮弁であり，大胸筋下層にある胸肩峰動静脈が栄養血管として皮弁の血行を維持している．採取可能な皮弁

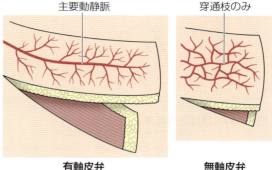

図14-42 局所皮弁

の大きさは上方が第四肋骨，下方が第七肋骨まで，内側が胸骨正中部，外側が大胸筋外側縁までである．皮弁には脂肪層および筋層が含まれるため厚みがある．

#### ③ 胸三角皮弁(DP皮弁)

皮弁が厚みのある脂肪層や筋層を含まず薄いため，厚みの必要でない部分の再建に有用な皮弁である．移植に際して皮弁の挙上と切り離しの2回の手術が必要であり，移植から切り離しまでの約2週間の期間は，頸部および顔面の動きに制限がある．皮弁は肋間より皮弁へと穿通している内胸動脈が栄養血管であり，鎖骨下方の前胸部に鎖骨に平行にデザインされ，皮弁の外側は上腕部上方となり，下方は腋窩部までとなる．皮弁を移植部分に縫合し，移植後2週間程度で皮弁の血行支配が移植床から行われるようになるので，その時点で切り離しを行う．切り離した皮弁は元に戻して皮弁採取部に縫合する．皮弁移植により採取部に生じた皮膚欠損部分は遊離植皮で被覆する．

### e 血管柄付き遊離皮弁移植(遊離皮弁)

有茎皮弁は血流維持のため，皮弁の大きさや移動距離には限界がある．このため口腔・顎顔面領域に移植可能な皮弁は限定される．一方，遊離皮弁は，移植部分に吻合可能な血管があれば，身体どの部分からでも皮弁を移植することが可能である．特に悪性腫瘍切除に伴い頸部リンパ節郭清が行われた場合には，吻合血管を頸部に求めることが容易である．

遊離皮弁では，皮弁を切離して採取部から移植部へ移動するときに血流が途絶し，血管吻合後血流が再開する．このため短時間であるが皮弁の血

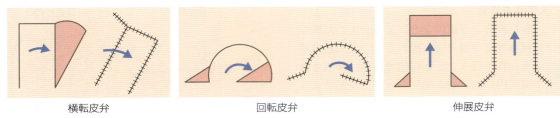

|横転皮弁|回転皮弁|伸展皮弁|

図 14-43　各種局所皮弁
オレンジ部分は欠損範囲を，矢印は皮弁の移動を示す．
〔IT Jackson: Local Flaps in Head and Neck Reconstruction 2nd, pp 10-14, Quality Medical Publishing, 2007 より〕

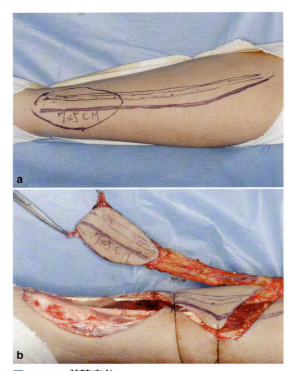

図 14-44　前腕皮弁
a：皮弁デザイン，b：皮弁挙上時

流は遮断される．しかし血流が再開されれば，有茎皮弁と同様に皮弁の血流は維持される．このため機能的・整容的に良好な結果が得られる．血管吻合を行うため手術時間は長時間となり，また皮弁採取部への侵襲も大きい．また遊離皮弁移植においても吻合した血管が閉塞すると移植組織は壊死してしまうため，確実な血管吻合を行うための手技の習得が必要である．

① **前腕皮弁**（図 14-44）

橈骨動静脈を血管柄として前腕手関節近位から採取され，脂肪層が少なく筋層も含まないため薄い皮弁である．皮膚欠損部のみならず頬粘膜，歯肉，口腔底や半切程度の舌再建など口腔・顎顔面領域で広く用いられる．皮弁のデザインは橈骨動静脈を中心に行うが，皮静脈も還流用の血管として用いるため，皮静脈も含めたデザインとする．皮弁採取により生じた皮膚欠損部分は遊離植皮により被覆する．

② **腹直筋皮弁**（図 14-45）

下腹壁動静脈を血管柄として腹部から挙上される皮弁である．横方向にデザインすれば非常に大きな皮弁が採取でき，また縦方向にデザインした場合には腹直筋を長く皮弁に含めることも可能である．皮弁の厚みもあり，大きな組織欠損に広く適応可能な皮弁である．

下顎骨を含めた口腔粘膜欠損や亜全摘以上の舌再建などに用いられることが多い．皮弁採取部は縫合閉鎖可能であるが，縫合時に腹直筋前壁筋膜を確実に閉鎖して，腹壁ヘルニアの発生を防ぐ．

③ **広背筋皮弁**

胸背動静脈を血管柄とする皮弁であり，細長い皮弁から非常に大きな面積の皮弁まで挙上可能である．本皮弁は，胸背神経を皮弁に含め挙上し神経縫合を行うことにより，筋肉の再建を行うことも可能である．頸部から顔面下方の皮膚欠損に用いる場合には，有茎皮弁として用いることも可能である．筋層を含むため厚い皮弁となる．

④ **前外側大腿皮弁**（図 14-46）

外側大腿回旋動静脈の下行枝から派生する筋間中隔穿通枝を血管柄として，大腿の上部外側より採取される皮弁である．脂肪層が比較的薄く筋層を含まないため比較的薄い皮弁であり，皮膚欠損部のみならず頬粘膜，歯肉，口腔底や半切程度の

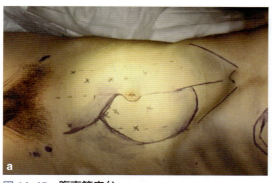
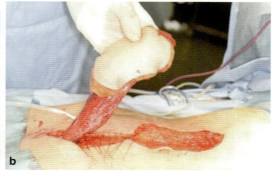

図 14-45　腹直筋皮弁
a：皮弁デザイン，b：皮弁挙上時
〔日本歯科大学　里見貴史先生　提供〕

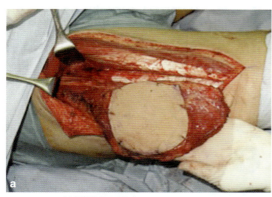
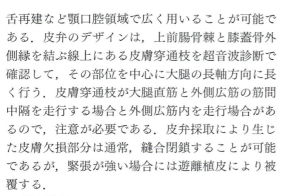

図 14-46　前外側大腿皮弁
a：皮弁採取時，b：皮弁
〔日本歯科大学　里見貴史先生　提供〕

舌再建など顎口腔領域で広く用いることが可能である．皮弁のデザインは，上前腸骨棘と膝蓋骨外側縁を結ぶ線上にある皮膚穿通枝を超音波診断で確認して，その部位を中心に大腿の長軸方向に長く行う．皮膚穿通枝が大腿直筋と外側広筋の筋間中隔を走行する場合と外側広筋内を走行場合があるので，注意が必要である．皮弁採取により生じた皮膚欠損部分は通常，縫合閉鎖することが可能であるが，緊張が強い場合には遊離植皮により被覆する．

#### f　神経移植

外傷や腫瘍切除に伴い顔面神経や下歯槽神経が切除または断裂した場合には神経移植が行われる．移植に伴う神経縫合は顕微鏡下で行われ，神経上膜縫合，神経周膜縫合および神経上膜周膜縫合がある．移植する神経としては，大耳介神経や腓腹神経などが用いられる．

#### g　軟骨移植

口唇口蓋裂に伴う鼻変形や顎関節部再建において軟骨移植が行われる．移植可能な軟骨としては，鼻中隔軟骨，耳介軟骨および肋軟骨がある．鼻中隔軟骨は日本人では採取が少なく，耳介軟骨は強度が不足するため，十分な軟骨量と強度が必要な場合には肋軟骨が用いられる．移植を行う際には，骨移植と同様に軟骨膜を除去した軟骨を移植する．顎関節部の再建では，肋軟骨と肋骨の骨部分を連続した状態で移植する場合もある．

#### h　脂肪移植

顔面半側萎縮症や腫瘍切除後などで頬部の軟組織が欠損している場合に，脂肪移植が行われる．血流のない遊離脂肪移植では移植した脂肪組織の吸収が起こるため，安定した形態維持のためには

血管柄付き脂肪移植が有効である．

### 4 ● 再建法の選択

再建手術を計画するには，まず欠損部分の範囲および欠損する組織を確認する．移植床の血流の有無が再建法の選択に重要である．

骨欠損再建の場合は，移植床の状態により再建方法を選択する．移植床に血流が豊富でかつ移植した組織を軟組織で被覆できれば，骨髄海綿骨細片移植，遊離自家骨移植および金属プレートによる再建が可能である．しかし，移植床に血流が乏しい場合や軟組織による被覆が不可能な場合には，有茎皮弁や遊離皮弁を併用した骨再建を行うか，血管柄付き骨移植が必要である．遊離自家骨移植では，移植骨周囲に豊富な血流が得られていないと感染や生着後の骨吸収が生じるため，皮弁移植を併用する場合には血流の豊富な皮弁を選択する．

軟組織再建では，欠損する範囲が小範囲にとどまるようであれば局所皮弁による再建が可能である．面積が大きい場合には移植床に筋肉などからの血流があれば植皮による再建が可能となるが，移植床に骨や再建プレートが露出した状態や血流が乏しい場合には，有茎皮弁や遊離皮弁での再建が必要である．有茎皮弁を適応とする場合には，皮弁の到達範囲に制限があるため，皮弁で被覆可能かどうか確認が必要である．遊離皮弁では到達範囲についての制限はないが，吻合血管をどこに求めるのか確認しておく．さらに欠損する組織量を検討したうえで，薄い皮弁か厚い皮弁かなど，適応する皮弁を選択する．再建部分が顔面であるため，術後に拘縮などによる機能的および整容的な問題が生じないような再建法を選ぶ必要がある．

整容的な観点や術後の拘縮や吸収が少ない点を考慮すれば，遊離皮弁移植や血管柄付き骨移植は最も有効な再建方法である．一方，血管柄付き組織移植の問題点は，手術時間が長時間になることと組織採取部への侵襲の問題がある．また，術者が顕微鏡下血管吻合など手術手技に習熟していることや，手術用顕微鏡などの事前の準備が必要である．このため全身状態などを考慮して，あえて血管柄付き組織移植を行わず，再建方法を低侵襲な植皮術，プレート再建や遊離骨移植とする場合もある．

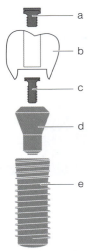

**図14-47　インプラントの基本構造，2ピースタイプ**
a：補綴用スクリュー，b：上部構造，c：アバットメントスクリュー，d：アバットメント，e：インプラント体

## B インプラント概論

### 1 インプラント治療の概要

#### A 定義

インプラント（implant）とは，生体内に人工的な装置や材料を埋め込むことの総称である．歯科では喪失した歯の代替物として，生体材料を骨内に埋入し，それに支持された人工歯で機能や審美の回復に用いられている．

基本構造は歯根に相当する人工歯根（インプラント体），人工歯根の上に取り付けられる支台部（アバットメント），歯冠に相当する人工歯（上部構造）からなる．インプラント体とアバットメントが一体化した1ピースタイプと，構造を分離した2ピースタイプがある（図14-47）．

術式には1回法と2回法がある．1回法は1ピースインプラントあるいはインプラント体にアバットメントを連結した状態で埋入部位の粘膜を貫通させ，口腔内に露出する方法である．2回法は埋入手術（一次手術）に2ピースタイプのインプラント体を埋入後，粘膜を完全閉鎖創とし，治癒期間（上顎は4か月前後，下顎は3か月前後）を経たのち，二次手術でインプラント体とアバットメン

表14-2　インプラント治療に対する全身的リスクファクター

| | |
|---|---|
| 循環器疾患 | 高血圧症，虚血性心疾患，先天性心疾患など |
| 脳血管障害 | 脳梗塞，脳出血など |
| 呼吸器疾患 | 気管支喘息，COPDなど |
| 消化器疾患（肝，腎含む） | 胃炎，胃・十二指腸潰瘍，肝機能障害，腎機能障害 |
| 代謝・内分泌疾患 | 糖尿病，甲状腺疾患，副腎疾患，骨粗鬆症 |
| 精神・神経系疾患 | 統合失調症，うつ病，認知症，Parkinson病 |
| 血液疾患 | 貧血，出血性素因 |
| 自己免疫疾患 | 関節リウマチ，全身性エリテマトーデス |
| アレルギー疾患 | 金属アレルギー，薬物アレルギー |
| 特殊感染症 | HBV，HCV，HIVなど |
| その他 | ビスホスホネート製剤系薬剤使用，ステロイド系薬剤使用，悪性腫瘍，放射線治療歴，喫煙，手指の運動障害など |

黒字：主として手術に対するリスクのあるもの
青字：手術に対するリスクと治療の成功を妨げるリスクのあるもの

トを連結する方法である．上部構造の固定様式には，セメント固定とスクリュー固定がある．

## 2 診療と患者選択

### A インプラント治療の適応症

インプラント治療は，欠損補綴治療の選択肢の1つであり，義歯やブリッジの補綴治療と同様，歯列や咬合の保全，口腔機能や審美性の改善などにより，QOLの向上と維持が求められている．治療法の選択において，患者の主訴，治療に対する希望，全身および局所の状態，生活環境や社会的背景などを正確に把握し，総合的に判断する必要がある．

従来の補綴治療と比較してインプラント治療の異なる点は，外科手術を要すること，生体内に人工物を長期間に機能・維持されなければならないことである．そのため，症例ごとの全身的および局所的リスクファクターを検討する必要がある．口腔外科小手術の絶対的禁忌となる全身疾患，インフォームド・コンセントが成立しない精神疾患，成長期の若年者，悪性腫瘍や急性炎症が存在する場合はインプラント治療の禁忌症になる．

### B インプラント治療のリスクファクター

インプラント治療のリスクファクターは，主に3つ挙げられる．1つ目は手術による全身的リスクファクターである．インプラント手術を行うにあたり，全身状態の評価は一般的な口腔外科小手術に準じて評価する必要がある．2つ目はインプラント治療の成功を妨げるリスクファクターである．全身的因子には糖尿病や骨粗鬆症などがある．局所的因子には不良な口腔清掃状態，口腔乾燥，喫煙，残存歯の歯周炎，パラファンクションや不適切な上部構造などがある．3つ目はインプラント治療を契機に新たな疾患を生じるリスクファクターである．医原性による神経損傷，異常出血，上顎洞炎などがある．

### C 診察と検査

#### 1 全身状態の評価

全身状態の評価では，インプラント関連手術時および長期予後に影響を及ぼすリスクを見極める必要がある．医療面接では既往歴の有無と現在の全身状態について確認する．特に，循環器系疾患やアレルギー疾患，消化器系疾患，骨粗鬆症，腎機能障害などを有していないかを確認し，治療中の基礎疾患がある場合は主治医に文書で病状や投薬内容を照会する．インプラント治療となるリスクファクターとなる全身疾患および投与薬剤などを表14-2に示す．

臨床検査では，バイタルサイン（脈拍，呼吸状態，体温，血圧）は簡便に測定できるため，受診ごとにチェックすることで，その日の状態を把握するのに役立つ．また血液スクリーニング検査と

して，一般検査，生化学検査，免疫学的検査，糖の代謝検査などを行う．異常所見を認めた場合はすみやかに医科の専門機関への受診を紹介する．治療期間中や長期の経過観察においても全身状態の変化に留意し，基礎疾患の治療状況および薬手帳の確認は必須である．

### 2 局所状態の評価

インプラント治療が患者にとって最適な治療であるか否かを判断するためには，局所状態を総合的に評価したうえで最適な治療計画を立案する必要がある．

① 口腔内診察と検査では，口腔衛生状態，歯周疾患の状態，齲蝕の処置状況，残存歯の状態，付着歯肉の状態，硬軟組織病変の有無，欠損形態と咬合支持，上下顎対合関係，クリアランス，顎堤形態と吸収程度，開口量，顎機能，スマイルライン，リップサポートなどを診察し検査する．

② 模型やデジタルデータによる評価では，研究用模型や口腔内スキャナーで撮影したデジタルデータを用いて治療計画を立案する．これは，患者に対する説明にも有効である．また模型やデジタルデータ上で診断用ワックスアップを行い，最終上部構造の設計やインプラント体埋入手術用のサージカルガイドプレートの製作などにも使用できる．

③ 画像検査では，インプラント治療の検査時期に応じた目的によって，適切な撮影方法を選択する．初診時にはパノラマエックス線撮影や口内法エックス線撮影を用いて欠損部歯槽骨や残存歯の状態，上下顎骨，上顎洞や顎関節の異常像の有無などを確認する．欠損部周囲の解剖学的構造として，上顎では切歯管や鼻腔底の位置，上顎洞底の位置や形態，隔壁の有無，下顎では下顎管，アンテリアループ，オトガイ孔の位置などを観察する．治療計画立案や周術期には，歯科用CBCTや医科用CT撮影による画像診断を行う．CTからインプラント体埋入部位の骨形態，骨量，解剖学的指標などを3次元的に診断する．またCTデータからシミュレーションソフトで3次元モデルを構築し，コンピュータ上でインプラント体の埋入位置や方向，サイズの決定，ガイデッドサージェリーに利用する．

## 3 術式

### A インプラント体埋入手術

#### 1 1回法と2回法の違い

1回法と2回法の違いは二次手術が必要か否かである．1回法は，インプラント体埋入手術後からインプラント体上部あるいは連結したアバットメントを粘膜上に露出させる状態で骨結合を待つ術式である．二次手術を必要としないため，外科的侵襲が少なく，治療期間が短くなるなどの利点がある．その反面，術直後からインプラント体が口腔内に露出しているため，初期感染のリスクと外力を受けやすいことから，オッセオインテグレーションの獲得に不利になる場合がある．2回法はインプラント体を粘膜骨膜下に被覆し，口腔内に露出させない術式である．初期感染や外力を受けるリスクが少なく，埋入時に初期固定が不十分な症例や骨造成の併用を要する症例に適応できるが，二次手術が必要となるため，治療期間が長くなることなどが欠点となる．

1回法と2回法の選択にあたっては，患者の状況（全身疾患，局所の状態，術後の義歯や暫間上部構造使用の有無，患者希望など），埋入手術時の状況（使用するインプラントシステムの特徴，初期固定，骨造成の有無など）を考慮して選択する．

#### 2 インプラント体の選択，埋入位置や方向の決定

インプラント体のサイズと本数の決定基準は，明確なエビデンスが存在せず，術者の経験により選択されることが多い．埋入部位の顎骨の形態，上下顎の対向関係，対合歯や隣在歯との関係，咬合状態，口腔習癖の有無，上部構造の形態など包括的に判断する必要がある．インプラント体のサイズは，直径3.0〜3.5 mmの細いタイプ，直径4 mm前後の標準タイプ，直径5 mm前後の太いタイプ，直径6.0〜6.5 mmの極太タイプがある．インプラント体の長さは6.0〜14 mm前後のものが一般的である．埋入位置は，天然歯とインプラント間距離は1.5 mm以上，近遠心的にインプラント間距離は3.0 mm以上離す（図14-48a）ことが望ましい．また，頬舌的に1.0〜2.0 mm以上

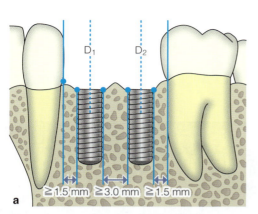
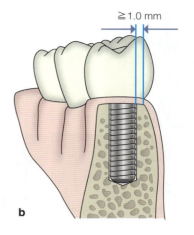

図 14-48 インプラント体の埋入位置
a：天然歯とインプラント間距離は 1.5 mm 以上，インプラント間距離は 3.0 mm 以上
b：頰舌側には 1.0 mm 以上の骨を確保

の骨の厚みを確保する（図 14-48b）ことにより，周囲の支持骨を保持し，健全な軟組織の維持が可能とされている．下顎臼歯部では，下歯槽神経の損傷を避けるため，インプラント体の先端から下顎管まで 2 mm 以上離す．

### 3 ● インプラント体埋入手術

1 回法のインプラント体埋入手術（サージカルガイドプレートを用いたガイデッドサージェリー）を図 14-49 に，2 回法のインプラント体埋入手術を図 14-50 に示す．

## 4 インプラント関連手術

### A 骨移植材

抜歯後の歯槽骨の萎縮，外傷あるいは囊胞や腫瘍の治療後に生じた骨欠損などにより，インプラント体の埋入に必要な骨幅や骨高径が十分に確保できない場合，骨移植材を用いた骨再生や顎骨再建が行われる．

骨移植材は自家骨と骨補塡材に大別され，さらに後者は，同種骨（他家骨），異種骨，代用骨（合成人工骨）に分類される（図 14-51）．形状はブロック，細片状，顆粒状，スポンジ状，ディスク状など多様化しているが，各骨補塡材の特徴を理解して，使用目的，部位，あるいは術式に応じた使い分けが求められる．また，歯科での適用は承認されているが，インプラント治療における骨再生の適用は未承認のものが多い（表 14-3，→ p.494）．

### 1 ● 自家骨

骨再生には骨形成能（osteogenesis），骨誘導能（osteoinduction），骨伝導能（osteoconduction）の 3 要素が関与する．自家骨には骨形成能をもつ骨芽細胞やその前駆細胞，あるいは間葉系幹細胞などが存在し，骨形成を誘導・促進する成長因子なども含まれている．また，自家骨には骨形成に関わる細胞が増殖・分化しやすいような天然の足場構造（scaffold）も備わっているため，骨移植材の第一選択とされている．自家骨は生体吸収性で，移植された骨はリモデリングにより母床骨に置換していく．ただし，自家骨採取のための新たな手術侵襲や採取量の制限，あるいは移植後の骨吸収などのデメリットもある．

インプラント治療における自家骨移植には，皮質骨を粉砕した細片骨（図 14-52，→ p.494），ベニアブロック，あるいは骨髄組織を含む海綿骨片（particulate cancellous bone and marrow；PCBM）などが単独，あるいは骨補塡材と混合して用いられる．主な骨採取部位は，口腔内では下顎枝前縁部やオトガイ部，上顎結節部などの顎骨あるいは前鼻棘部，口腔外では腸骨や脛骨，頭蓋骨などから採取される．

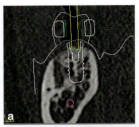
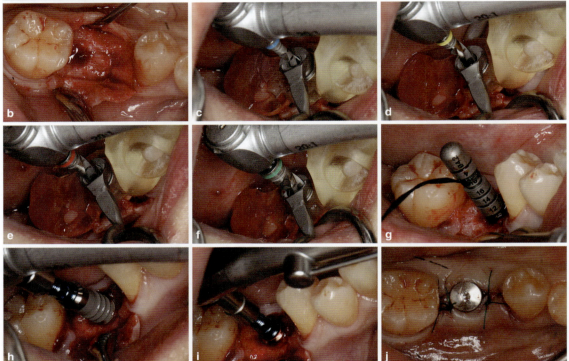

**図 14-49　1回法のインプラント体埋入手術（サージカルガイドプレートを用いたガイデッドサージェリー）**
a：インプラント体の埋入シミュレーション．b：歯槽頂切開と剝離．c〜f：サージカルガイドプレートおよび専用のドリルを用いて段階的に埋入窩を形成する．g：埋入窩の形成深度を確認する．h：専用エンジンを使用しインプラント体を埋入する．i：トルクレンチを使用し最終締め付けする．j：インプラント体に連結したヒーリングアバントを口腔内に露出させ周囲粘膜を縫合する．

## 2　骨補填材

　骨補填材は自家骨移植のデメリットを補うため，自家骨の代替材料として古くからさまざまな材料が開発・販売されてきた．骨補填材は，同種（ヒト）や異種（ウシなど）から採取されたものと化学的に合成されたものがある．

## 3　同種骨（他家骨）

　亡くなられたヒトから採取された海綿骨や皮質骨の細片，ブロックの非脱灰凍結乾燥骨（freeze-dried bone；FDB）や脱灰凍結乾燥骨（demineralized freeze-dried bone；DFDB）がインプラント治療で用いられている．ただし，わが国で認可されている製品はない．

## 4　異種骨

　主にウシから採取された骨を焼成してタンパク質を除去し，カルシウムやリンなどのミネラル成分を残したヒトの骨の結晶類似した構造を有する．生体親和性と骨伝導能に優れるが骨形成能や骨誘導能はない．非吸収性の骨補填材料でほとんどが顆粒状として用いられている．

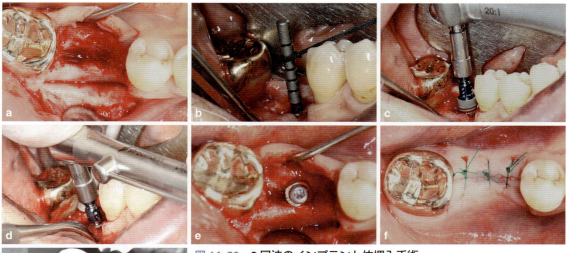

図 14-50　2回法のインプラント体埋入手術
a：歯槽頂切開と剥離．
b：方向指示棒を用いて埋入位置と方向を確認する．
c：専用エンジンを使用しインプラント体を埋入する．
d：トルクレンチを使用し最終締め付けする．
e：カバースクリューを装着する．
f：創を完全閉鎖する．
g：インプラント体埋入後のエックス線画像．

phosphate；β-TCP）が主に用いられてきた．さらに，近年わが国では，炭酸カルシウム，吸収性の低結晶 HA とコラーゲンの複合体やリン酸オクタカルシウム（OCP）とコラーゲンの複合体など生体吸収性の骨補填材も用いられている．

### B 骨造成法の種類

　骨造成は，インプラント埋入にあたり骨量が十分に確保できない場合，長期間にわたりインプラントを機能的，審美的に安定させるために，残存歯槽堤に対してさまざまな手技を用いて水平的（幅），垂直的（高さ）に骨量を増やすことである．骨移植術や骨再生誘導法，仮骨延長術や上顎洞底挙上術などがある．なお，生物学的に骨細胞の増加を伴う骨組織の増加を骨増生といい，骨造成とは区別されている．
　骨造成法は水平的骨造成と垂直的骨造成に大別されるが，水平的・垂直的な骨造成，つまり3次元的な骨造成も行われる．
　水平的骨造成（図 14-54）には，ブロック骨移植，骨移植材とバリアメンブレンを用いる骨再生誘導法，歯槽頂を水平的に拡大して骨移植材を填

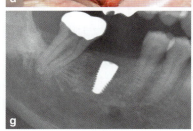

図 14-51　骨移植材と骨補填材

### 5 ● 代用骨（人工合成骨）

　自家骨の骨代替材料として化学的に合成された人工骨で，そのほとんどが生体親和性の高いリン酸カルシウム系セラミックスで骨伝導能を有する（図 14-53）．インプラント治療では，生体非吸収性のハイドロキシアパタイト（hydroxyapatite；HA）と，生体内で吸収されて自家骨に置換する非吸収性のリン酸三カルシウム（β-tricalcium

表 14-3　インプラント治療で用いる骨移植材の特徴

| | 原材料 | 吸収性 | 骨芽細胞 | 病原性や抗原性に対する安全性 | 特徴 | 薬事承認（歯科） |
|---|---|---|---|---|---|---|
| 自家骨 | | 吸収性 | ○ | ○ | 粉砕皮質骨，海綿骨は吸収が速い | |
| 同種骨（他家骨） | DFDB，FDB | 吸収性 | − | − | | 未承認 |
| 異種骨 | 天然HA（牛骨由来） | 非吸収性，吸収性 | − | △ | 骨の構造を温存 | インプラントでは未承認 |
| 異種骨 | 天然HA（牛骨由来）＋アテロコラーゲン | 非吸収性 | − | △ | 骨の構造を温存 | インプラントでは未承認 |
| 代用骨 | 合成HA | 非吸収性 | − | ○ | | 一部インプラントで承認 |
| 代用骨 | 合成HA＋β-TCP | 非吸収性 | − | ○ | | 未承認 |
| 代用骨 | β-TCP | 吸収性 | − | ○ | 半年〜1年で破骨細胞により吸収 | インプラントでは未承認 |
| 代用骨 | 炭酸アパタイト | 吸収性 | − | ○ | 1〜2年で破骨細胞により吸収 | インプラントで承認 |
| 代用骨 | OCP＋アテロコラーゲン | 吸収性 | − | △ | 半年〜1年で破骨細胞により吸収 | インプラントで承認 |
| 代用骨 | 低結晶HA＋アテロコラーゲン | 吸収性 | − | △ | 半年〜1年で破骨細胞により吸収 | インプラントでは未承認（治験中） |

〔日本口腔インプラント学会（編）：口腔インプラント治療指針2020．検査法・診断からリスクマネジメントまで．p63，2020より改変〕

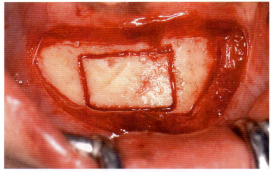

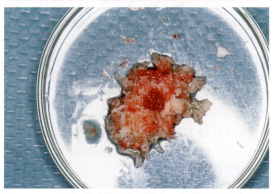

図14-52　オトガイ部から採取し，細片にした自家骨

入するリッジエクスパンジョン法がある．垂直的骨造成（図14-55）には，オンレーブロック骨移植，骨再生誘導法，仮骨延長術がある．なお，仮骨延長術は水平的骨造成に用いられることもある．

### 1　骨移植術

自家骨を粉砕して細片にして骨欠損部に補填して骨造成する方法と，自家骨のブロックをチタンスクリューなどで骨に固定する方法がある．後者には歯槽骨の水平的に骨幅を造成するベニアグラフト（図14-54a），垂直的な高さを造成するオンレーグラフト（図14-55a）やサンドウィッチグラフト，水平・垂直的に造成するJグラフト（サドルグラフト）がある．

### 2　骨再生誘導法

顆粒状の自家骨細片や骨補填材，あるいはそれらを混合して骨欠損部に補填し，バリアメンブレン（細胞遮断膜）などを用いて骨再生部に軟組織が侵入しないようなスペースを確保して，周囲骨組織から新生骨を誘導して骨造成を図る方法（図14-54b，14-55b，図14-56）．なお，バリアメ

図 14-53　顆粒状の骨補填材（生理食塩水に浸漬したHA）

ンブレンには非吸収性のe-PTFEやチタン，吸収性のコラーゲンやPLGAなどが用いられる．インプラント埋入と同時に骨再生誘導法（GBR）を行うこともある（図14-57）．

### 3 ● スプリットクレスト（リッジエクスパンジョン）

骨幅が不足している歯槽骨頂に近遠心的な骨切りを行い，骨ノミなどを用いて唇頰的に分割してインプラント体を挟み込むように埋入する水平的な骨造成法である（図14-54c）．骨片間の骨欠損部には骨移植材を補填する．

### 4 ● 仮骨延長術

骨造成を必要とする部位に皮質骨切りを行い，骨片間に仮骨延長装置を設置して徐々に骨片間を拡大しながら骨形成を促して骨造成を図る方法で，同時に軟組織も拡大できる．主に垂直的な骨造成に用いられる（図14-55c）．

### 5 ● 上顎洞底挙上術（サイナスリフト）

上顎臼歯部の歯槽頂から上顎洞底までの垂直的高径が不足している部位に行われる．上顎洞粘膜を挙上して洞底と洞粘膜の間に骨造成するスペースを確保し，骨移植材を填塞する．

上顎洞底挙上術には上顎洞前壁の骨を開窓して側方から洞粘膜を剝離挙上する側方アプローチ（ラテラルウィンドウアプローチ：図14-58）と，インプラント埋入窩から洞粘膜を挙上したのちインプラント体を同時埋入するソケットリフト（歯槽頂アプローチ）がある．側方アプローチでは，残存骨高さが3〜4 mm以下の場合には，骨造成

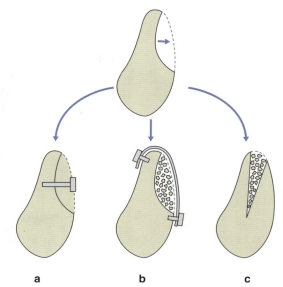

図 14-54　水平的骨造成
a：ブロック骨移植（ベニアグラフト）
b：骨再生誘導法（GBR）
c：リッジエクスパンジョン法

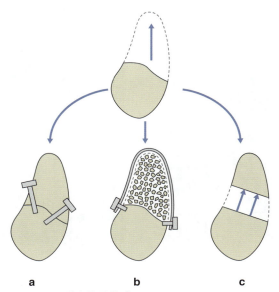

図 14-55　垂直的骨造成
a：オンレーブロック骨移植（オンレーグラフト）
b：骨再生誘導法（GBR）
c：仮骨延長術

が得られた後にインプラント体を埋入する待機埋入（図14-59）と，骨高が4 mm以上の場合に上顎洞底挙上と同時にインプラント埋入する同時埋入がある．

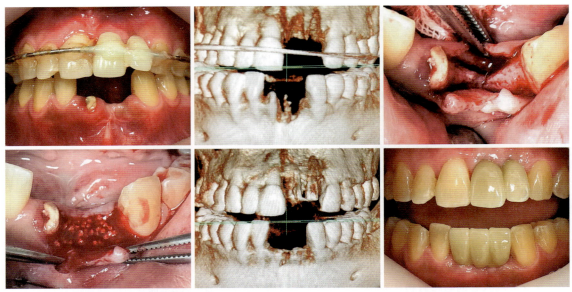

図 14-56　下顎枝前縁から採取した自家骨の細片を用いた GBR（インプラント同時埋入）

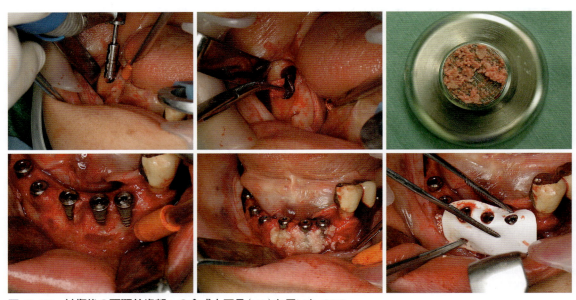

図 14-57　外傷後の下顎前歯部への合成人工骨（HA）を用いた GBR

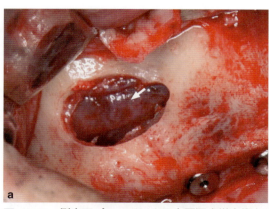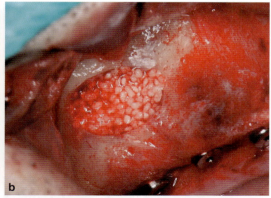

図14-58 側方アプローチによる上顎洞底挙上術（インプラント同時埋入）
a：上顎洞前壁開窓後に挙上された上顎洞粘膜（矢印），b：骨補填材の填入

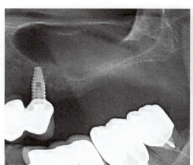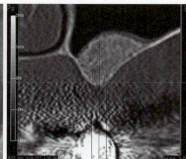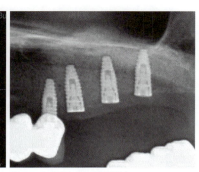

図14-59 側方アプローチによる上顎洞底挙上術による骨造成部へのインプラント埋入（待機埋入）

### 6 ● その他

ソケットプリザベーションは，抜歯後にインプラント治療を予定している抜歯窩にあらかじめ骨移植材を填入し，歯槽骨の吸収を可及的に抑制して骨量を確保し，GBRすることなくインプラント体を埋入することを目的とした術式である．また，抜歯と同時にインプラント体を埋入し，抜歯窩とのギャップに骨移植材を填入する抜歯即時埋入も行われている（図14-60）．

### C 軟組織のマネジメント

インプラントを機能的・審美的に長期間維持安定させるためには，インプラント周囲に厚みのある角化付着歯肉が必要となる．十分な角化歯肉がないとインプラント周囲炎のリスクファクターになるため，口蓋からの遊離結合組織移植術や遊離歯肉移植術，あるいは口腔前庭拡張術などを行うことがある．

### D 下歯槽神経移動術

下顎臼歯部のインプラント埋入にあたり，歯槽頂と下顎管まで十分な距離がない場合，頬側の骨を削除し，下顎管を下顎骨から頬側に移動して，ドリリングやインプラント体埋入を行って下歯槽神経の障害を回避する方法である．ただし，手術侵襲が高く，下歯槽神経移動に伴う障害も起こりやすいため，現在では垂直的骨造成が行われることが多い．

## 5 インプラントを用いた再建

唇顎口蓋裂や無歯症などの先天性歯牙欠損や，腫瘍，外傷，骨髄炎などにより歯と顎骨を失った場合，インプラントを用いて咬合再建を行う方法がある．以下，代表例を挙げる．

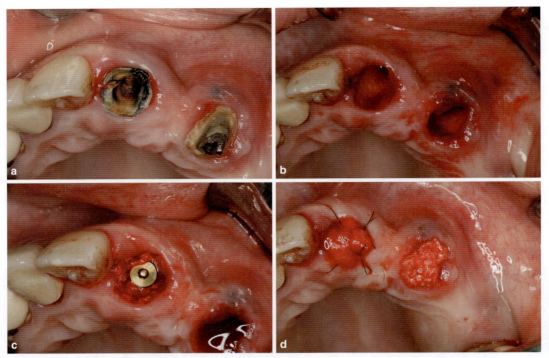

図14-60 |1 の抜歯即時埋入と |3 のソケットプリザベーション
a：抜歯前，b：抜歯後，c：抜歯即時埋入，d：ソケットプリザベーション

### A 唇顎口蓋裂

顎裂部は歯がないばかりか，歯槽骨が不足しているため，腸骨や下顎骨などの自家骨移植後，あるいは骨移植材填入後にインプラントを埋入する．また，既存の狭い口腔前庭や軟組織の陥凹に対して，口腔前庭拡張術や結合組織移植術などの軟組織形成術を併用することもある．術前に歯列矯正を行って歯槽部のスペースを確保してからインプラント治療を行うことが多い（図14-61）．

### B 先天性無歯症

支台歯数不足などでブリッジによる治療が困難な場合や，義歯の安定を図る目的で，インプラント治療が行われる（図14-62）．

### C 腫瘍切除後

顎骨再建した部位にインプラント治療を行う場合（図14-63）と，周囲骨にインプラントを埋入して咬合回復を行う場合とがある（図14-64）．また，上部構造はブリッジ形態（図14-63）とオーバーデンチャー形態（図14-64）があり，欠損部位，欠損形態，口腔衛生管理，QOLなどを総合的に考えて形態を決める．悪性腫瘍例では，軟組織を合併切除することが多く，顔面形態を改善するために有床義歯構造となることが多い（図14-64）．

### D 外傷後

外傷により歯と顎骨を失った場合，骨や軟組織を再建したうえで，インプラント治療を行う（図14-65）．

### E 顔面インプラント治療

顔面補綴治療において，インプラントは補綴物の維持や支持に使用される．耳介（図14-66, →p.502），鼻，眼球および眼窩，中顔面欠損など，インプラントを植立できる骨が周囲に存在し，また，皮膚の可動性が小さい部位への適応が多い．インプラント周囲皮膚炎を起こしやすく，厳重な衛生管理が要求される．

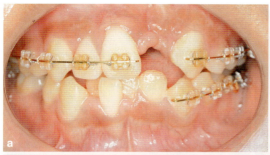
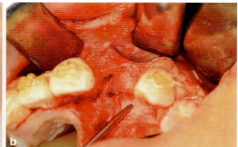
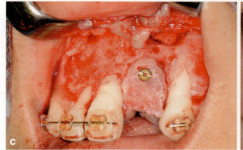
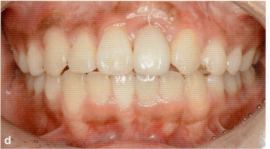
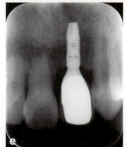

**図 14-61　唇顎口蓋裂へのインプラント再建**
a：上顎左側の顎裂部
b：骨移植前の骨欠損状態
c：腸骨ブロック骨移植後
d：上部構造体の装着
e：術後エックス線写真

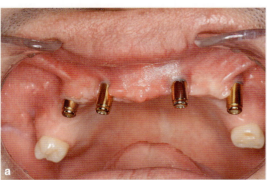
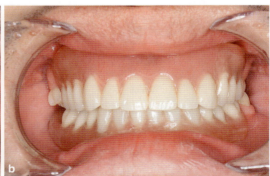
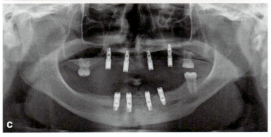

**図 14-62　先天性無歯症へのインプラント再建**
a：ロケーターアタッチメント
b：インプラントオーバーデンチャーの装着
c：術後エックス線写真

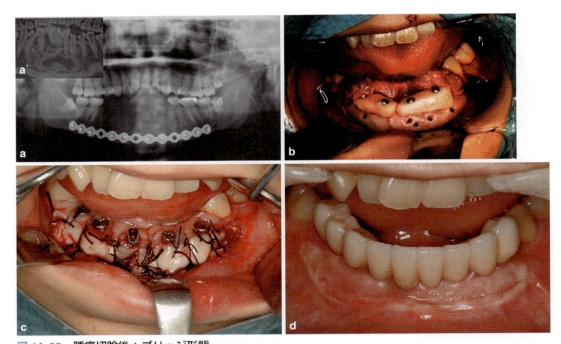

図 14-63　腫瘍切除後：ブリッジ形態
a：エナメル上皮腫再発（a′）に対する下顎骨区域切除後のエックス線写真，b：腸骨ブロック骨移植による再建，c：口腔前庭拡張術と口腔粘膜移植術，d：上部構造体の装着

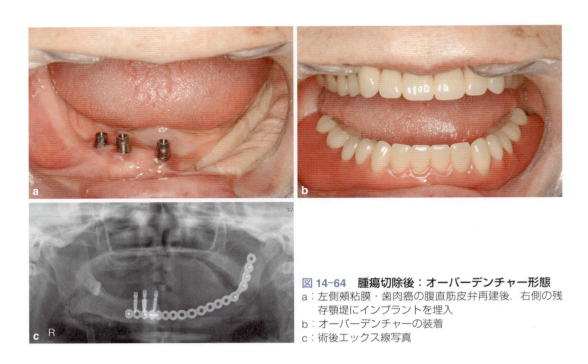

図 14-64　腫瘍切除後：オーバーデンチャー形態
a：左側頬粘膜・歯肉癌の腹直筋皮弁再建後．右側の残存顎堤にインプラントを埋入
b：オーバーデンチャーの装着
c：術後エックス線写真

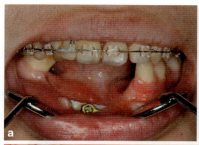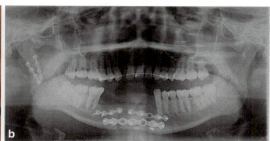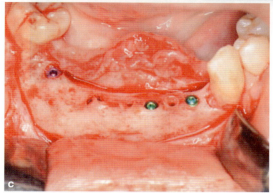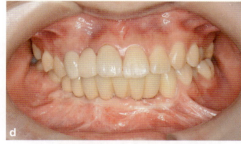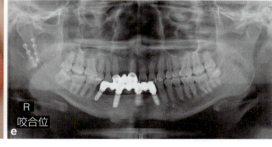

**図 14-65 外傷後のインプラント再建**
a：外傷による多数歯と顎堤の欠損，b：下顎骨骨折のプレート固定後，c：移植した腸骨へのインプラント埋入，d：上部構造体の装着，e：術後エックス線写真

## F インプラント再建後とメインテナンスの特徴

通常のインプラント治療と同様に，メインテナンス期では歯周病学的ケアが求められるが，腫瘍切除後例では原疾患の予後にも留意する（図 14-67）．

## 6 併発症

併発症は，手術や検査後に起こりうる症候や事象のことをいうが，インプラント治療では手術関連のものが多く，代表的なものに，下歯槽神経損傷，上顎洞炎，上顎洞内へのインプラント迷入，精神医学的要因などがある．

### A 下歯槽神経損傷（図 14-68）

手術中のドリリングやインプラント埋入によるもので，術前画像診断の誤りや未熟な手技が原因となりやすい．術後のオトガイ部麻痺感や画像により診断される．治療法は，可及的早期のインプラント撤去とともに，初期のステロイド投与や中長期的なビタミン $B_{12}$ 製剤投与を行う．神経断裂が明らかな場合は，神経縫合術や神経移植術を行うこともあるが，感覚の完全回復を望めないことが多く，それらの適応は慎重であるべきである．

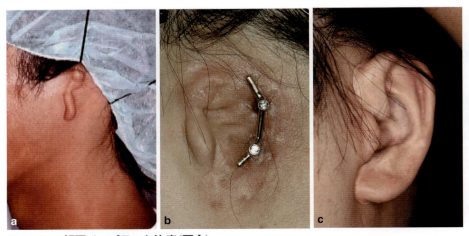

図 14-66　顔面インプラント治療（耳介）
a：小耳症．変形した耳介を認める．b：側頭骨へのインプラント埋入とバーアタッチメントの装着．c：上部構造体（義耳）の装着
〔Kawana H, et al：Auricular Osseointegrated Implant Treatment：Basic Technique and Application of Computer Technology. Appl Sci 10：4922, 2020 より〕

### B 上顎洞炎（図 14-69）

ドリルやインプラントの上顎洞内穿孔や，併用した骨補塡材の上顎洞内迷入などにより，上顎洞炎を誘発することがある．抗菌薬投与で対応し，非吸収性異物が原因で上顎洞自然口からの自然排出が期待できない場合は，開洞して異物を摘出する．

### C 上顎洞内へのインプラント迷入（図 14-70）

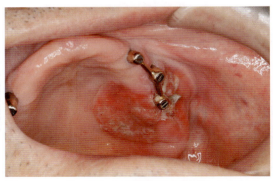

図 14-67　インプラント再建後に局所再発した歯肉癌

骨高の低い，または，骨質の悪い上顎臼歯部歯槽堤においてインプラントが深部に入り込んで起こる場合や，歯槽頂側アプローチによる上顎洞底挙上術で，ドリル窩からインプラントが上顎洞内に迷入して起こる場合が多い．インプラントはドリル窩から，あるいは側壁から上顎洞内にアプローチして摘出する．

### D 心身医学的障害

日本顎顔面インプラント学会のトラブル調査では，「器質的な障害がないにもかかわらず，インプラント治療後に常に慢性疼痛等を訴える場合」を心身医学的障害としている．予防的対応が重要となるため，術前検査や問診での詳細な分析が必要となる．

### E 異常出血

舌下動脈，オトガイ下動脈，後上歯槽動脈（図14-71），大口蓋動脈，翼口蓋窩に分布する血管を損傷して起こる可能性がある．特に口底部での術中，術後の出血は，少量であっても気道閉塞を起こして致死的状態につながる可能性があるため，注意する．十分な解剖知識と画像診断による予防的対応のほか，止血法に習熟しておく必要がある．

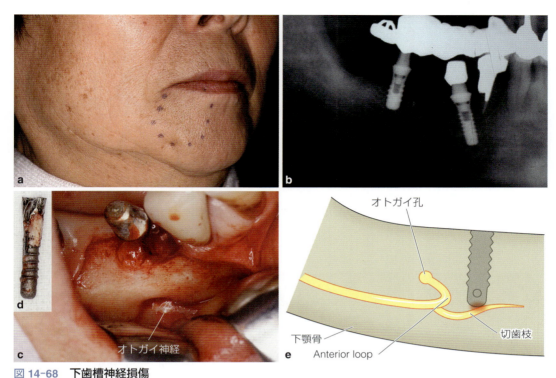

**図14-68 下歯槽神経損傷**
a：インプラント術後に生じたオトガイ部の知覚異常（範囲を点線で示した）．b：前方のインプラント体先端が深部に達している．c：インプラント体先端は下歯槽神経切歯枝を圧迫していた．d：摘出したインプラント体．e：神経損傷のイメージ

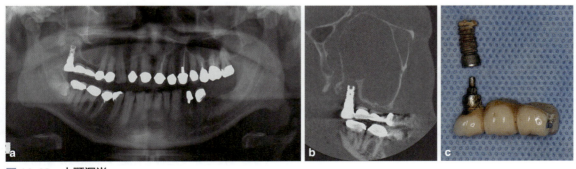

**図14-69 上顎洞炎**
a：8部のインプラント体周囲に透過像を認める（パノラマエックス線写真）．b：上顎洞炎とインプラント周囲炎が交通したCT像．c：摘出したインプラント体

## F その他

以上のほか，オトガイ神経や舌神経の損傷，隣在歯の損傷，インプラントの骨外穿孔，インプラントの下顎骨内迷入，蜂窩織炎，顎骨壊死などが挙げられ，いずれも術前の予防的対応と，術中，術後の迅速な診断と処置が要求される．

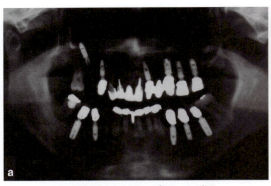
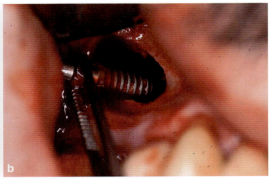

図 14-70　上顎洞内へのインプラント迷入
a：7̲部のインプラント体が上顎洞内に迷入したパノラマエックス線写真．b：上顎洞側壁を開洞して摘出

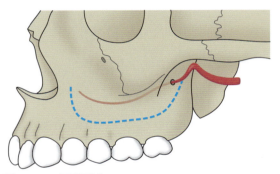

図 14-71　異常出血

## C 口腔・顎顔面疾患のその他の治療

### 1 薬物療法

#### A 薬物療法の概要

薬物を患者に投与する治療を総称して薬物療法（薬物治療）という．薬物を患者に投与することで，疾患の治癒，または患者の QOL の改善を目指す治療である．

##### 1 薬物療法の種類と特徴

薬物の種類には抗微生物薬（抗菌薬，抗真菌薬，抗ウイルス薬），鎮痛薬，抗腫瘍薬など，さまざまな種類があり，投与方法や剤形には経口適用と非経口適用があり多岐にわたる特徴がある．

##### 2 薬理作用と薬物動態

薬物が生体に及ぼす作用を薬理作用（pharmacological action）という．薬理作用は，薬物を生体あるいは生体組織に適用した場合に起こるさまざまな変化である．

薬理作用のうち投与された薬の影響を受けて，生体の治癒機能が変化し，治癒能力は高まり病態が改善される．このような作用を薬力学（pharmacodynamics；PD）という．一方，投与された薬は分解され，体外へ排泄されて作用は消失する．これを薬物動態学（pharmacokinetics；PK）という．薬理学はこの 2 つの作用の結果起こる現象を解析して，そのメカニズムを明らかにし，病気の治療に役立つことを目的とする．

投与された薬物が吸収され，組織に分布し，小腸や肝臓中の酵素により代謝され，排泄される経路として，吸収（absorption），分布（distribution），代謝（metabolism），排泄（excretion）を総称して，ADME（アドメ）と呼ばれている．生体におけるこれらの濃度と速度過程を記述する領域が薬物動態学（PK）である．一方，薬物の作用部位における薬物濃度と薬理効果を定量的に扱う領域が，薬力学（PD）である．

PK/PD 理論とは，PK と PD を組み合わせた薬物理論である．特に抗菌薬では，時間依存性薬物（β-ラクタム系抗菌薬など）と濃度依存性薬物（ニューキノロン系，アミノグリコシド系抗菌薬など）があるので，PK/PD 理論が投与方法を決定する重要な要因となる．

薬物の薬理作用，有害作用，致死作用は，横軸

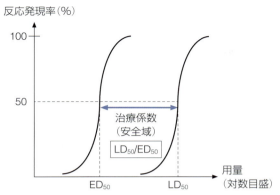

図 14-72 用量-反応曲線と治療係数

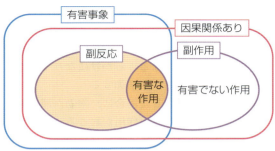

図 14-73 副作用と副反応と有害事象の関係図

に用量の対数，縦軸に反応の頻度（反応発現率，％）でシグモイド曲線とした用量-反応曲線で示される．使用した50％の動物に薬効を現す用量を$ED_{50}$（effective dose 50％）と呼び，致死させる用量を$LD_{50}$（lethal dose 50％）という．この$LD_{50}$を$ED_{50}$で割った値（$LD_{50}/ED_{50}$）を治療係数（安全域）といい，値が大きければ安全性の高い薬物といえる（図 14-72）．

また，有害作用発現のリスクを最小限に抑え，最大の治療効果を得るため，治療中の薬物血中濃度を測定することを治療薬物モニタリング（therapeutic drug monitoring；TDM）という．

## B 薬物適用の注意

薬物の適用方法には，局所に作用させる局所適用と全身に作用させる全身適用がある．投与方法として大きく分けると，経口適用と非経口適用がある．

局所適用は薬物と適用した部位に限局した効果を期待する．歯科領域では，局所麻酔薬や歯内療法薬などがある．全身適用は，薬物が適用部位から吸収された後，血液循環を介して全身に分布して標的部位への効果を期待する．

経口適用は錠剤，カプセル剤，顆粒剤，液剤など種々の剤形があり，最も広く用いられている．消化管から吸収されて効果を発揮するため，安全，簡便であるが，消化管内の食物の有無に影響を受けやすい．また吸収速度が遅いため，緊急時には適さない．

非経口適用には，注射，経粘膜適用，吸入，経皮適用がある．注射は経口と違い初回通過効果を受けないため，薬物のバイオアベイラビリティ（薬物が全身循環血中に致達した割合）が高い．静脈内注射，筋肉内注射，皮下注射，皮内注射，骨膜下注射などがある．経粘膜適用の1つである口腔粘膜適用は全身適用として舌下投与，局所適用として含嗽剤，洗口剤，口腔用軟膏がある．もう1つは直腸内適用として坐剤があり，経口投与困難な患者に用いられる．吸入には全身適用として亜酸化窒素（笑気）やセボフルレンなどの吸入麻酔薬があり，局所適用として気管支拡張薬がある．経皮適用は皮膚から吸収され効果を発揮する．全身適用としてテープ剤やパッチ剤などがある．局所適用として軟膏やパップ剤がある．

### 1 副作用・有害事象

治療や予防のために用いる医薬品の主な作用を主作用といい，主作用と異なる作用を副作用（side effect）と呼ぶ．一般的に医薬品の副作用は有害である作用について用いられる．医薬品と副作用には因果関係がある．一方，副反応は，ワクチン接種によって免疫を賦与する以外の反応や，接種行為によって有害なものを呼ぶ．つまり，ワクチン接種について使われる言葉である．

ワクチン接種に伴うアナフィラキシーショックは副反応である．ワクチン接種と副反応にも因果関係がある．因果関係の有無を問わず，医薬品の投与により起こったあらゆる好ましくない出来事を有害事象（adverse event）という（図 14-73）．

### 2 多剤併用（ポリファーマシー）と相互作用

多剤併用は薬物の有害事象が増加する要因の1つである．また，多剤併用による服薬誤薬や服薬アドヒアランスの低下につながる．厳密な定義は

ないが，このような状態で5剤以上併用している場合をポリファーマシーという．高齢者の多くが多剤服用している現状では，歯科からの処方薬がポリファーマシーになるきっかけになりやすく，薬物有害事象のリスクが増加する．

複数の薬物を併用した場合に，薬効が減弱あるいは増強されたり，有害作用が起こることを相互作用という．注意すべき薬物相互作用として主に取り上げられるのは，効果の減弱や，有害作用の発生につながる不利益な相互作用である．薬物動態学的相互作用と薬力学的相互作用の2つに分類される．薬物動態学的相互作用は，吸収，分布，代謝，排泄の過程で起こり，ほかの薬物の体内動態に影響を与える．薬力学的相互作用は同じあるいは逆の薬理作用（あるいは副作用）をもつ医薬品を投与することにより，作用が過剰に発現したりあるいは減弱したりすることをいう．

## C 疾患に応じた薬物療法

### 1 鎮痛薬

鎮痛薬には麻薬性鎮痛薬と非麻薬性鎮痛薬（麻薬拮抗性鎮痛薬），解熱性鎮痛薬がある．麻薬性鎮痛薬はオピオイド受容体を作用点とする薬物で，モルヒネが代表的である．麻薬拮抗性鎮痛薬はオピオイド受容体サブタイプに対して拮抗性と作動性を示す鎮痛薬で，代表的なものとしてペンタゾシンがある．解熱性鎮痛薬はCOX（シクロオキシゲナーゼ）を阻害してプロスタグランジン類の産生を低下させる酸性非ステロイド性抗炎症薬で，代表的なものとしてアセトアミノフェンが挙げられる．中枢性COX阻害による解熱・鎮痛効果に加えて，下行性疼痛抑制系を賦活化し鎮痛効果を現すと考えられている．

### 2 抗炎症薬

ステロイド性抗炎症薬と非ステロイド性抗炎症薬（non-steroidal anti-inflammatory drugs：NSAIDs）に大別される．ステロイド性抗炎症薬である糖質コルチコイドは，主にホスホリパーゼA2活性を阻害することによってアラキドン酸カスケードを抑制する．強い抗炎症作用をもち，さらに抗炎症効果により解熱作用も現す．NSAIDsはCOX活性のみを阻害することにより，プロスタグランジンの発現を抑制し，鎮痛・解熱および抗炎症作用を現す．

### 3 抗微生物薬（抗菌薬・抗真菌薬・抗ウイルス薬・消毒薬）

感染症の治療に使用されるのが抗微生物薬で，抗菌薬，抗真菌薬，抗ウイルス薬，および消毒薬がある．抗菌薬は殺菌作用と静菌作用をもち，腎排泄型と肝排泄型に分けられる．作用機序として細胞壁合成阻害のβ-ラクタム系（ペニシリン系，セフェム系，ペネム系）や細胞膜障害のポリペプチド系，タンパク合成阻害のテトラサイクリン系，アミノグリコシド系，マクロライド系，核酸合成阻害のニューキノロン系などがある．抗真菌薬には，ポリエン系のアムホテリシンB，アゾール系のミコナゾール，イトラコナゾール，キャンディン系のミカファンギンナトリウムがある．抗ウイルス薬には抗DNAウイルス薬であるアシクロビルやバラシクロビル塩酸塩，抗RNAウイルス薬にはインフルエンザ治療薬，新型コロナウイルス感染症の治療薬がある．

### 4 代謝改善薬，ビタミン

アデノシン三リン酸（ATP）製剤の作用機序は，細胞のエネルギー源であるATPが血管拡張作用を有するため，組織の代謝を賦活させ，臓器の血流を増加させる．頭部外傷後遺症，心不全，調節性眼精疲労における調節機能の安定化，消化管機能低下のみられる慢性胃炎に効果がある．

ビタミン製剤は代謝に不可欠な有機化合物であり，水溶性ビタミンと脂溶性ビタミンに分けられる．水溶性ビタミンであるビタミン$B_2$製剤は粘膜や皮膚の保護作用を有することから，口角炎，口唇炎，舌炎，口内炎皮膚炎に効果が期待できる．同じく，水溶性ビタミンであるビタミン$B_{12}$製剤は神経修復に不可欠な栄養素として働く．

### 5 止血薬

局所止血薬には酸化セルロース，ゼラチン，コラーゲン，アルギン酸ナトリウムがあり，これらは血液を吸収して薬剤内に血餅を形成し止血作用を示す．

トロンビンやヒトトロンビン含有ゼラチン使用吸収局所止血薬は血中のフィブリノゲンに作用しフィブリンに転化することで止血作用を示す．

フィブリノゲン第XIII因子は可溶性フィブリン塊をより物理的強度をもった安定なフィブリン塊となり，組織を接着・閉鎖し止血する．舌部分切除時の創部被覆目的にポリグリコール酸シートの接着剤として使用される．

アドレナリンは末梢血管を収縮し，止血作用を有するため，ガーゼ用に浸透させ出血部位を圧迫し止血する方法に用いられることが多い．

全身止血薬として，内服または静注で血管強化薬のカルバゾクロムと抗線溶薬のトラネキサム酸を併用して投与される．

### 6 和漢薬（漢方薬）

複数の生薬から構成される薬剤であり，体質を示す指標である証を判断して使用する．

歯科では歯痛，抜歯後の疼痛では立効散（リッコウサン）が使用され，歯周炎では排膿散及湯（ハイノウサンキュウトウ），口内炎には半夏瀉心湯（ハンゲシャシントウ），黄連湯（オウレントウ），茵蔯蒿湯（インチンコウトウ）などが用いられる．口腔乾燥症には口渇の効能がある五苓散（ゴレイサン）や白虎加人参湯（ビャッコカニンジントウ）が有効である．しかし，和漢薬でも有害事象として間質性肺炎，偽アルドステロン症（低カリウム血症），肝機能障害，横紋筋融解症などを生じることもあるので注意が必要である．

## 2 理学療法

理学療法とは，物理療法と運動療法とで構成され，リハビリテーション医学における主要な治療手技である．リハビリテーション（rehabilitation）とは，ラテン語で re（再び）＋habilis（適した）で，再び適した状態に回復することという意味がある．疼痛・循環障害などの改善を図る温熱・水・光線・電気・マッサージなどを用いた物理療法と，なんらかの病気・けがなどが原因となって引き起こされる機能障害・形態障害に対して，有酸素性運動・レジスタンス運動・ストレッチングなどを用いて筋力・関節可動域などの身体機能の改善を図る運動療法がある．

### A 物理療法

#### 1 寒冷療法

アイシングなど寒冷を局所に適用する治療法である．寒冷刺激は血管運動神経を介して，局所新陳代謝の低下，毛細血管浸透圧の減少，血管収縮とその後の局所の皮膚における血流増加，近辺の筋の血流増加，対側の対称部位における血流増加の効果を与える．また，冷却により感覚受容器の閾値上昇，神経刺激伝達速度の低下による中枢への痛み刺激伝達の減少が起こる．

臨床的には，①組織損傷後の代謝抑制，②外傷急性期の炎症反応抑制，③鎮痛（局所の疼痛緩和），④筋緊張の緩和，⑤神経-筋の反応抑制および促進，⑥筋疲労の軽減などの効果を目的とする．

アイスパック法，氷水に浸す方法などがある．

禁忌症として感覚障害，寒冷過敏症，末梢循環不全などがある．

#### 2 温熱療法（表在）
##### a 表在温熱療法

血液循環を促して組織の新陳代謝を盛んにし，筋肉の緊張を和らげ，神経の鎮痛，鎮静を図る目的で行われる．これらの温熱療法は，しばしば運動療法の前に行われ，訓練を楽にする効果を果たしている．

方法は，ホットパック，温湿布，パラフィン浴がある．

ホットパックは，電子レンジによって温めると急激に冷めることはないが，火傷には注意が必要である．マスク2枚の間にカイロを入れるという方法もある．温湿布を顔面に直接貼付する方法もあるが，皮膚が荒れないように注意する．温湿布は，皮膚面温度60℃で1回20分程度使用する．

禁忌症として，出血の可能性がある領域，皮膚疾患のある部位などがある．

##### b 癌温熱療法

癌細胞が熱に弱いという性質を利用した治療法である．電磁波を使用して，体外から加温する．42℃以上の環境下で癌細胞は変性，壊死，アポトーシスに陥るので，表在性腫瘍に対して熱の効果によって死滅させることが可能で腫瘍を縮小させる効果が期待できる．

#### 3 電気刺激療法

電気エネルギーによって起こる，生体反応を資料に応用したものである．鎮痛効果，筋緊張の緩和，関節可動域の改善，循環改善，総称治癒などさまざまな分野に応用されている．

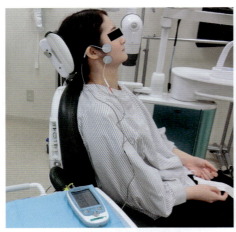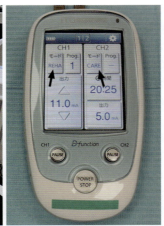

図 14-74　経皮的電気刺激療法（TENS）
REHA モードと CARE モードを同時に使用できる（矢印）．

### a　経皮的電気刺激療法（TENS）（図 14-74）

TENS の代表的鎮痛メカニズムは，電気刺激によって侵害刺激を伝えるペインゲートをコントロールして疼痛を軽減させることである（ゲートコントロール理論）．TENS のその他の鎮痛メカニズムとして，周波数に依存した脳髄液内への内因性オピオイド放出や，低周波・高周波 TENS の双方が神経伝達物質を介して，脊髄後角ニューロンの活動を抑制し，痛覚過敏の現象を引き起こすことが報告されている．

### b　マイクロカレント療法（微弱電流療法）

組織修復に重要な役割を果たしている損傷電流と同レベルの微弱な電流を流すことで，傷ついた組織の修復を早め，損傷部の治癒を促進する．一般的に，最大電流が 1 mA を超えないきわめて弱い電流のため，ほとんど刺激がなく，神経や筋を興奮させないため，筋肉痛の軽減に有効である．

### c　EMS

筋収縮を目的とした電気刺激療法．不随意的な筋収縮を引き起こし，筋萎縮の改善や低下した筋力のトレーニングに有効である．

### d　マイオモニター

咀嚼筋に通電することで，筋緊張を減らし，血行を改善することによって，筋疲労からの回復を促す（図 14-75）．

## 4　光線療法

生理学的作用としては，光子が細胞に吸収され化学反応を生じる光化学作用と，赤外線で得られる温熱作用である．

### a　レーザー療法

光線療法では，主に半導体レーザーが使用され，接触法と非接触法がある．通常は接触法が選択されるが，感覚過敏がある場合には非接触法で照射する．

### b　近赤外線療法

生体深達性の高い近赤外線（波長：600〜1,600 nm）を照射する治療器が普及している．適応は，循環障害，炎症，疼痛などである．

## B　運動療法

運動を行うことで，障害や疾患の治療を行う療法である．

## 1　局所の運動療法

### a　咀嚼筋に対する運動療法

咀嚼筋に対して，柔軟性を促し，可動しやすくすることを目的とする．患者自身の指を使い最大開口からさらに開口させる（開口訓練）．さらに，この状態で 10 秒程度静止する（筋ストレッチ）（図 14-76a）．咬筋のマッサージをした後に行うのが効果的である．マッサージは，咬筋上を満遍なく 2 本の指を使用して行う．温めてから行うほうが効果的であり，入浴時が推奨される．マッサージとストレッチの後，下顎を開口，前方，側方と運動させ，柔軟性を促す．

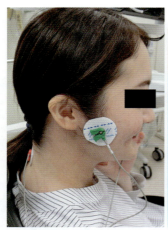
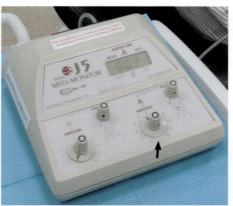

図14-75 マイオモニター
電気刺激の強さを，不快感を与えないように少しずつ上昇させる(矢印)．

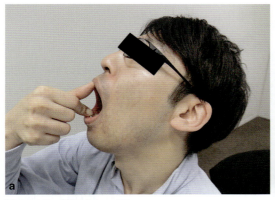

図14-76 筋ストレッチ
a：咬筋のストレッチ，指を使い最大開口からさらに開口させる．
b：胸鎖乳突筋のストレッチ，片側の手で頭部をひっぱり，反対側の手は可能な限り伸ばす．

### b 胸鎖乳突筋に対する運動療法

　胸鎖乳突筋などの頸部の筋肉が拘縮によって，左右のバランスが崩れるとさまざまな問題が生じる可能性がある．咀嚼筋にも影響し，咬合にも影響する可能性がある．胸鎖乳突筋を咬筋の方法と同様にマッサージした後に，よくストレッチをする．片側の手で頭部をひっぱり首を伸ばすと同時に，反対側の手を可能な限り伸ばす(図14-76b)．その後，首を回すなど，頸部周囲筋肉の可動化運動を施す．

### c 表情筋に対する運動療法

　末梢性顔面神経麻痺や表情筋の拘縮に対しては，下顎を動かす，最大に閉眼し最大に開眼するなど顔面の筋肉を運動させ，回復を促す．

### 2 全身の運動療法

　線維筋痛症などの筋肉痛が主の慢性痛に対して，安静よりも運動が推奨されるようになり，運動が有効であることが多く示されている．口腔顔面歯科領域の疾患に対しては，臨床的に全身運動療法の有効性を明確に示した報告はこれまでにないが，過去の基礎研究結果から判断すると，運動療法は多くの疾患の回復や症状の緩和にある程度の効果があることが推測される．日常の歩行など，軽度の運動は患者に推奨するべきであろう．

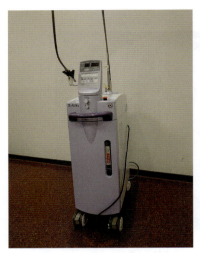

図 14-77　ハードレーザー

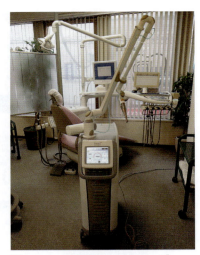

図 14-78　低反応レベルレーザー

## 3 レーザー療法

### A レーザーの語源と基礎的知識

　レーザー（LASER）とは Light Amplification by Stimulated Emission of Radiation の頭文字をとって命名された合成語であり，紫外線，可視光線，赤外線までの光の領域（波長 0.1 μm〜1 mm）において発振した電磁波をいう．1960 年に Maiman がルビーレーザーの発振に初めて成功した．

### B レーザーの特性と生体への影響

　レーザーは光束内の任意の 2 点における光波の位相関係が時間的に不変で一定に保たれ，単一波長で位相の揃ったいわゆるコヒーレント光である．単色性，指向性，集束性，干渉性など通常の光にはない特性を有する．レーザーの出力はワット（W）で表示されるが，生体組織に照射された時の影響を評価するには，照射出力密度（パワー密度）を使用する．照射エネルギー量として熱量（J）＝出力×照射時間（秒）により算出する．

　出力の違いによりハードレーザーとソフトレーザーに分けられている．ソフトレーザーは出力の小さい種類のもので，He-Ne（ヘリウムネオン）レーザーと半導体レーザーがある．

　ハードレーザーは高出力照射が可能で，Er：YAG（エルビウムヤグ）レーザー，$CO_2$（炭酸ガス）レーザー，Nd：YAG（ネオジウムヤグ）レーザー，半導体レーザーがある．

### C レーザー治療の適応

　ハードレーザーは口腔外科領域の手術で切開，気化・蒸散，凝固，止血などの目的に用いられ，これらのレーザー装置は数 W〜数十 W の発振出力条件を具備している（図 14-77）．ソフトレーザーは微弱なレーザー光を照射し，創傷治癒促進，血行の促進，帯状疱疹後神経痛など神経症状の緩和などを図ることを目的に用いられる．これらは低反応レベルレーザー治療（LLLT；low-level laser therapy）と呼ばれ，近年では LLLT の目的に LED などレーザー以外の光源装置を用いることもあり，それらも含めて LLLT と呼ばれている（図 14-78）．

　Nd：YAG レーザーは生体組織内の広い範囲に照射エネルギーが及ぶため，過剰照射による熱損傷をきたさないよう注意すること，$CO_2$ レーザー照射による熱影響は組織の比較的浅い範囲にとどまること，Er：YAG レーザーは軟組織の切開，止血，凝固，蒸散効果があるが，Nd：YAG レーザーや半導体レーザーより劣ることなど，使用にあたって各種レーザーの特性を理解して機器を選択することが重要である．

## D 口腔外科の臨床に用いられている代表的なレーザー

### 1 He-Ne レーザー

波長 $0.632\,\mu m$，出力 $6\sim10\,mW$ の低出力レーザー治療用の小型装置が普及している．疼痛緩和，創傷治癒の促進，骨の再生や骨癒合の促進に使用される．

### 2 半導体レーザー

半導体レーザーは可視光線や近赤外線領域に属するレーザーで，可視光線の波長だと赤く見え，近赤外線領域だと目に見えない．波長 $0.83\,\mu m$ の半導体レーザーが治療用機器として普及している．近赤外線波長領域のレーザーは血液中のヘモグロビンや水での吸収が少なく，生体に照射されると組織を深く透過する．この特性を応用し，出力数十～数百 $mW$ の照射条件で LLLT にも用いる．近年，高出力の発振も容易になりレーザーメスや組織凝固などの治療にも用いられている．

### 3 $CO_2$ レーザー

$CO_2$ レーザーは遠赤外線領域に属するレーザーで，レーザー光は無色で軟組織の切開，止血，凝固に優れている．波長 $10.6\,\mu m$ の $CO_2$ レーザーは生体組織の水分によく吸収されるので，照射エネルギーの大部分は組織表層 $0.1\sim0.2\,mm$ で吸収される．非焦点位では，血管腫や母斑など，皮膚，粘膜の表在性病変の気化蒸散や凝固に用いる．焦点位では，切開を目的にレーザーメスとして用い，その場合，炭化層，熱凝固層の少ないシャープな切開創を形成し，創の治癒経過も良好である．

### 4 Nd：YAG レーザー

Nd：YAG レーザーは近赤外線領域に属し無色で目には見えない．波長 $1.06\,\mu m$ の Nd：YAG レーザーは水に吸収されにくく，照射部位における組織深達性があり，強い凝固，止血能を有している．

### 5 Er：YAG レーザー

Er：YAG レーザーは中赤外線領域に属し，無色で目には見えない．水への吸収特性が高く $CO_2$ レーザーの約10倍の吸収率である．波長 $2.94\,\mu m$ の Er：YAG レーザーは水への吸収がきわめて大きいため，組織表面の水分に反応し一瞬で微小水蒸気を発生させ機械的に組織が破壊される．これを原理により歯や骨など硬組織の切削，歯石の破砕除去などで実用化されている．

## E レーザー使用時の安全性の確保

### 1 眼の保護と組織損傷の防止

眼と皮膚・表皮組織に対する障害対策としては，最大許容露光量（maximum permissible exposure；MPE）以上のレーザー光を照射しないことである．使用するレーザーに対応した保護眼鏡を患者，術者介補者に必ず装着させる．暗い治療室の環境下では，瞳孔が散大し眼へ入る光線量が増加し障害の危険性が高くなるので，診療室の照明はできるだけ明るくして使用する．照射部位の熱損傷や壊死を防止するため，指定された適正な照射条件下で使用する．

### 2 環境汚染対策

環境汚染対策として術者，介補者はキャップ・マスク・保護眼鏡を着用し，煙霧，焼煙は確実に吸引する．

### 3 全身麻酔中の事故防止

全身麻酔中は挿管チューブへの誤照射による混合ガスの引火，爆発を防止するためレーザー手術用の挿管チューブを使用するか，$CO_2$ レーザーを使用する場合には湿ったガーゼでチューブを覆い防護する．

### 4 管理区域の設置

レーザー治療を行う際には専用の区域を設定し，レーザー治療管理区域であることを警告表示する．また引火・爆発の可能性のある揮発性薬品や物品を周囲に常置しないように配慮する．

### 5 適切な治療対象への照射

癌，口腔潜在的悪性疾患（OPMDs）へのレーザーの照射は，癌細胞や上皮異形成を活性化させることがあるので照射は回避する．口腔外科の治療の中でレーザーを使用する場合，有病者や高齢者に対する使用についてはほかの口腔外科の治療と同様の配慮を行う．特に高齢者に使用する場合

は加齢による皮膚・粘膜の菲薄化・抗張力の低下などがあるため，出力と照射時間の調節も考慮する．

## 4 凍結療法
cryotherapy

凍結療法は，生体の一部を冷却媒体によって凍結させ局所に起こる凍結付着，凍結固形化，凍結炎症，凍結壊死などの効果を利用して病変を壊死脱落させる治療法である．口腔外科領域ではこのうちの凍結壊死効果を利用して病変部の除去を行う．

冷却媒体としては炭酸ガス，亜酸化窒素（笑気）ガス，液体窒素が用いられる．冷却方法には，冷却した端子を患部に圧着して組織を凍結させる圧接法，凍結した針を病変に刺入する方法，ノズルの先端から冷却媒体を組織に噴霧するスプレー法などがある．冷却機器は冷却媒体を本体で加圧して凍結子の先端に送り，そこで気化することにより冷却現象が起こり凍結する．炭酸ガスを用いる機器ではおよそ－60〜－70℃の低温が得られるが，液体窒素によるものでは冷却温度は－196℃までの十分な低温が得られる．

### A 適応症

口腔外科領域では，凍結範囲の調整が容易な表在性粘膜病変に対して圧接法が多く用いられる．また疣贅などの皮膚表在性疾患のほかに，最近では腎癌など深部腫瘍に対して凍結針を用いた方法が応用されている．

口唇や舌，頬粘膜に生じた血管腫などの粘膜表在性の良性腫瘍性病変では効果が確実で，切除手術と比較して術後瘢痕形成や組織欠損による変形も少なく有効な治療法といえる．血管腫は急速な増殖や悪性化の心配が少ないことから凍結療法が用いられる．また，高齢者や全身疾患を有するため全身麻酔ができない場合に，腫瘍の減量や発育抑制などの目的で利用されることがある．

### B 圧接法の実際

患部に凍結子を1〜2分程度圧接し，低温となって白く変化した部分（アイスボール）の大きさにより凍結範囲を確認する．病変が大きい場合にはこれを何回か繰り返して行う．凍結終了直後，凍結子は凍った病変の表面に固着しているが，時間が経つと温度が上がって除去できるようになる．処置後20分程度で患部は腫脹し始め，術後2〜3日目で壊死組織が表面から少しずつ分離脱落していく．凍結壊死部分の大きさにもよるが15〜40日程度で壊死した病変は自然脱落し，脱落後の患部は正常に上皮化していく．この経過中に出血や疼痛はほとんどなく，患者への侵襲は比較的少ない（図14-79）．

優れた利点を有する凍結療法であるが，適応が限定的であるため使用される割合は減ってきており，凍結機器の種類も数少ないのが現状である．また深部に広がる腫瘍では，どこまで凍結したかの判断が難しく，腫瘍が残存することがある．悪性腫瘍や口腔潜在性悪性病変では残存した腫瘍細胞が未分化や低分化の細胞に変化する可能性も指摘されており，ほかの治療法が選択できない場合の減量治療に限るなどの注意深い応用が必要である．

## 5 顎顔面補綴

### A 顎骨欠損状態と補綴学的対応

口腔癌治療後に生じる顎骨や軟組織の器質的欠損は，切除部位，範囲，再建の有無などによりさまざまな機能障害を生じさせる．これらの機能障害に対し，がん治療支持療法として摂食嚥下リハビリテーションや顎顔面補綴治療が存在する．ここでは欠損部位別に顎補綴治療の概要を述べる．

#### 1 上顎欠損

上顎欠損により鼻腔との交通路が存在する症例では，重篤な構音障害，嚥下障害が認められるが，支台歯となる残存歯が存在し，顎骨欠損が口蓋部に限局し，欠損部周縁がすべて非可動組織の場合は，顎補綴装置の製作は比較的容易である．通常の局部義歯製作方法に従い口蓋欠損部をレジン床で被覆すれば，機能障害はおおむね解消する．

一方，無歯顎上顎欠損症例（図14-80）では，補綴装置の維持，安定性を獲得することが困難となるため，鼻腔側のアンダーカットを利用して維持を求めることになる．咀嚼などの機能時における

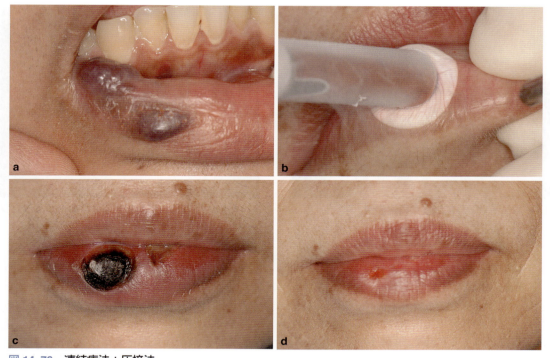

図 14-79　凍結療法：圧接法
a：右側下唇に生じた血管腫．b：凍結子を圧接するとアイスボールが徐々に拡大する．c：手術数日後から壊死組織が分離して痂皮を形成する．d：術後数種間で痂皮が脱落し上皮化する．

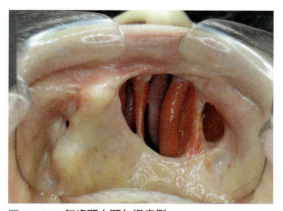

図 14-80　無歯顎上顎欠損症例

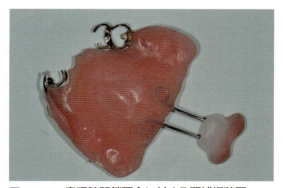

図 14-81　鼻咽腔閉鎖不全に対する顎補綴装置

義歯の可動性は残るものの，ある程度の機能回復が見込めることが多い．

軟口蓋欠損症例に対する顎補綴治療は，残存歯の有無にかかわらず難易度が高くなる．理由は欠損部周縁組織の可動性が，機能時に補綴装置と周囲組織に間隙を生じさせ，封鎖性を低下させることにある．特に軟口蓋後方部に欠損が及ぶ場合は咽頭後壁との接触が喪失もしくは減弱することにより，鼻咽腔閉鎖機能が障害され，嚥下や構音障害が生じる．この場合は顎義歯後縁を咽頭に向けて延長し，機能時に咽頭後壁に接触する軟口蓋の機能の代償を目的としたスピーチエイドや軟口蓋挙上装置といった顎補綴装置（図 14-81）の装着が必要となる．

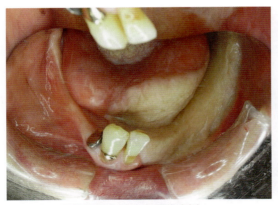

図 14-82 下顎辺縁切除皮弁再建症例

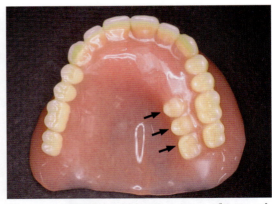

図 14-83 下顎偏位に対応するオクルーザルランプ

## 2 下顎欠損

### a 下顎骨辺縁切除症例

上顎と同様，支台歯となりうる残存歯が存在する場合，通常の部分床義歯製作方法に従い製作する．皮弁などによる再建症例（図 14-82）では，顎欠損部の被圧変位量が大きく，患側が遊離端の場合は機能時の顎義歯の動揺が大きくなり，顎欠損部に隣接する支台歯の荷重負担が著しく増加する．そのためローチ型クラスプの選択や，隣在歯との連結，歯軸方向に咬合力を伝えるためのコンポジットレジン築盛による舌面結節の付与，また，生活歯であっても根面板やスタッドアタッチメントへの変更などの前処置を施し，支台歯の負担軽減を図ることが重要となる．無歯顎症例では顎補綴装置の維持，安定性を確保することが困難であるため，インプラントを併用した広範囲顎骨支持型補綴装置を積極的に検討する．

### b 下顎骨区域切除症例

下顎区域切除，特に無歯顎の場合は，義歯の維持安定を得ることがきわめて困難であり，広範囲顎骨支持型補綴装置が第一選択となる．非再建症例では患側への著しい下顎偏位が認められるため，上顎にオクルーザルランプを付与した口腔内装置（図 14-83）を装着し，咀嚼機能の回復を図ることが必要となる．また，顎位とともに舌も患側に偏位していることに留意し，患側の上顎臼歯が欠如している場合は人工歯臼歯部舌側咬頭の削去などを行い，舌房の確保に努める．

### c 舌欠損

舌切除症例では切除部位，範囲により，機能障害が生じないものから重篤なものまで多岐にわたる．一般的には切除範囲が舌半側を超えるケースや舌根部を含むケース，また，舌部分切除であっても癒着などにより可動性が不良の場合は，嚥下や構音機能に重篤な障害をもたらすとされる．舌欠損による機能障害には舌接触補助床（PAP）が応用されるが，その診断，製作，評価には摂食嚥下リハビリテーションの専門医や言語聴覚士との連携が必要となる．

## B 顎顔面補綴治療の特徴

口腔・咽頭癌を含む頭頸部癌は，発症部位が摂食嚥下や発音・構音など，社会生活を送るにあたり重要な機能に直接関与する部位であること，衣服で覆うことができず術野が人目にさらされることから，重篤な術後機能・審美障害とともに，精神的な後遺症をもたらす．顎補綴治療は装置の装着による機能回復だけでなく，精神的苦痛の回復にも寄与すると考えられる．現在，わが国では毎年2万人弱の口腔・咽頭癌罹患者がいる一方，適切な顎補綴治療を提供できる医療機関は少なく，癌治療の均てん化の観点からも体制の整備が望まれている．

## 6 口腔健康・機能管理

### A 周術期等口腔機能管理

周術期とは，手術前，手術中，手術後の一連の期間のことをいう．がん対策基本法は，がんに対

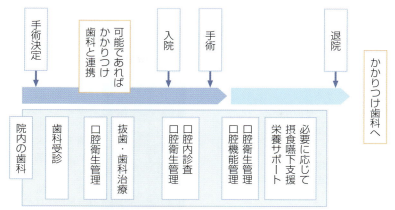

図 14-84　周術期口腔機能管理の流れ

する基本的施策，対策の推進に関する計画などを定めた法律であるが，がん対策基本法に基づき策定された，がん対策推進基本計画では「がん予防」，「がん医療」および「がんとの共生」の3つの構成を打ち出している．「がん医療」に関する施策の「チーム医療の推進」の中では，"がん患者に対する口腔の管理に，歯科医師や歯科衛生士等の口腔ケアチームと連携しつつ対応することが求められている"と明記されており，"医科歯科連携によるがん患者の口腔の管理の推進"が，取り組むべき施策として挙げられている．

このような背景のもと，2012年に歯科診療報酬に「周術期口腔機能管理」が導入され，周術期における口腔機能の管理が促進された．当初はがん患者が主な対象であったが，対象は心臓血管外科手術，脳卒中に対する手術，臓器移植手術，造血幹細胞移植，整形外科手術を受ける患者も含まれるようになり，歯科診療報酬の名称も「周術期等口腔機能管理」と変更された．

周術期等口腔機能管理は，口腔ケアのみではない．一次予防としての口腔衛生管理，二次予防としての口腔内の感染源を除去するための齲蝕治療，感染根管治療，抜歯，そして，入院加療中に生じる口腔領域の活動量の低下に対する口腔機能を維持するための機能療法，補綴治療や修復治療による口腔機能の回復を含んだ三次予防のすべてを含んだ口腔機能管理である．予定されている手術，治療に影響を及ぼしうる歯科的な疾患や口腔内の問題を予防し，適切な対応を行うことが求められる（図 14-84）．

## 1　手術前後の管理

手術を予定されている患者に対する周術期等口腔機能管理は，歯科疾患を有する患者や口腔衛生状態不良の患者における，①口腔内細菌による合併症（手術部位感染，病巣感染）の予防，②手術の外科的侵襲や薬剤投与などによる免疫力低下により生じる病巣感染の予防，③人工呼吸管理時の気管挿管による誤嚥性肺炎などの術後合併症の予防が主な目的である．

心臓血管外科の手術の中でも，人工弁置換や弁形成のために人工物を使用する症例では，感染性心内膜炎に罹患するリスクが高い．歯科治療や口腔衛生状態の不良により，血液中に侵入した細菌が引き起こす一過性の菌血症が感染性心内膜炎のリスクとなることが知られているため，感染源となりうる歯は術前に抜去し，術後も継続的な口腔衛生管理が必要である．また，人工弁置換術後の患者で抜歯が必要な場合は，ガイドラインに準じた抗菌薬の予防投薬（基本的には，アモキシシリン2gを術前1時間に1回内服する）が推奨されている．

脳卒中に対する手術患者においては，脳卒中により生じた摂食機能障害による誤嚥性肺炎の予防のための口腔衛生管理が重要となる．また，術後は活動量が低下しているため，口腔領域の廃用症候群の予防も重要となる．

臓器移植手術後は，移植された臓器に対する拒絶反応を抑制するために免疫抑制薬が使用される．移植後約半年までは使用する薬剤の量も多く易感染性となるため，感染源になりうる歯の治療

### 表14-4 口腔粘膜炎の評価（CTCAE Ver.5.0）

| 口内炎（口腔粘膜炎） | |
|---|---|
| Grade 1 | 症状がない，または軽度の症状：治療を要さない |
| Grade 2 | 経口摂取に支障がない中等度の疼痛または潰瘍：食事の変更を要する |
| Grade 3 | 高度の疼痛：経口摂取に支障がある |
| Grade 4 | 生命を脅かす：緊急処置を要する |
| Grade 5 | 死亡 |

口腔粘膜炎の定義：口腔粘膜の潰瘍または炎症
〔有害事象共通用語規準 v5.0 日本語訳 JCOG 版より〕

### 表14-5 医療チームの具体例

| | |
|---|---|
| 栄養サポートチーム（NST） | 医師，歯科医師，薬剤師，看護師，管理栄養士，歯科衛生士など |
| 摂食嚥下支援チーム | 医師，歯科医師，看護師，薬剤師，歯科衛生士，言語聴覚士，管理栄養士など |
| 緩和ケアチーム | 医師，薬剤師，看護師，理学療法士，医療ソーシャルワーカーなど |
| 周術期管理チーム | 医師，歯科医師，看護師，薬剤師，理学療法士，歯科衛生士など |
| 呼吸サポートチーム | 医師，薬剤師，看護師，理学療法士など |
| 褥瘡対策チーム | 医師，薬剤師，看護師，管理栄養士，理学療法士など |
| 感染対策チーム | 医師，薬剤師，看護師，管理栄養士，臨床検査技師など |

や抜歯を行う必要があるが，手術直前ではなく移植手術が立案されたらすみやかに計画的に行う必要がある．術後から永続的に口腔衛生管理が必要になる．

#### 2 化学療法時の管理

抗悪性腫瘍薬や分子標的薬を用いるため，全身に影響を及ぼす．抗がん薬により骨髄抑制が生じ，白血球の減少が生じ易感染性になり，血小板の減少により易出血性を示す．使用する薬剤によって異なるが，口腔粘膜炎がほぼ100％出現する薬剤もある．口腔粘膜炎は疼痛により食事形態の減能を余儀なくされることもあり，経口摂取量が減少し経管栄養を併用する場合もある．口腔粘膜炎などの重症度の評価には，Common Terminology Criteria for Adverse Events (CTCAE) Version 5.0 が用いられることが多い（表14-4）．口腔衛生状態が不良であると，粘膜炎や粘膜潰瘍に二次性の感染が加わり症状が遷延することもある．

#### 3 放射線治療時の管理

放射線治療は放射線を照射することにより，細胞内の DNA に障害を与えて癌細胞を死滅させる方法である．しかし，照射範囲に含まれたり，近接する部位にある正常細胞も放射線治療によりダメージを受けることで，粘膜炎などを生じる．放射線治療による口腔粘膜炎は総照射量が20～30 Gy になる頃に発症し，放射線が終了後 2～4 週間ほど続く．

口腔衛生管理の目的は，口腔衛生管理による生じた粘膜炎に対する二次的な感染の予防，痛みのコントロールなども含まれる．

### B 顎・口腔領域の腫瘍術後の機能障害

顎・口腔領域の腫瘍術後の機能障害は，筋，顎骨，神経の切除に伴う影響，切除後の瘢痕収縮や再建された皮弁などに伴う影響がある．具体的には，顎骨や歯が喪失した場合は咀嚼障害，上顎骨が切除され鼻腔と口腔が交通した場合には，食物や液体が鼻腔へ漏出することによる嚥下障害や構音障害，舌の切除を行った症例では，構音障害，嚥下障害，食塊形成が困難なことにより咀嚼障害が生じることが多い．術後の瘢痕に伴う開口障害は，摂取が可能な食事に制限が生じ，義歯や顎義歯の製作が困難になることもある．放射線治療を行った症例では，口腔乾燥が生じる．また，手術による顔貌の対称性の喪失や，顎骨の切除に伴う陥凹，瘢痕などによる審美的な障害も生じる．

顎骨欠損，歯の欠損に対しては顎義歯による機能回復がなされる．また，舌切除に伴う嚥下障害や構音障害の改善に対して，舌接触補助床が有効な症例もある．

### C 多職種と連携したチーム医療

チーム医療とは，「医療に従事する多種多様な医療スタッフが，各々の高い専門性を前提に，目的と情報を共有し，業務を分担しつつも互いに連携・補完し合い，患者の状況に的確に対応した医療を提供すること」である．特に高齢患者においては，複数の疾患を抱えていることが多く，生活の質の向上，介護，生活支援にあたっては，多種

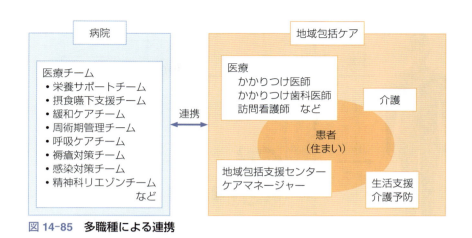

図14-85 多職種による連携

多様な医療スタッフ，つまり多職種の連携を進めていくことが不可欠である．

チーム医療がもたらす効果として，以下3点が期待される．
①疾病の早期発見・回復促進・重症化予防など医療・生活の質の向上
②医療の効率性の向上による医療従事者の負担の軽減
③医療の標準化・組織化を通じた医療安全の向上

病院や環境により必要とされる医療チームは異なるが，診療科や所属部署の枠を超えて病院内を横断的に構成され，医師や歯科医師を中心に複数の医療スタッフが連携して患者の治療にあたる医療チームが組織される（表14-5）．なかでも，歯科医師，歯科衛生士は，栄養サポートチーム（NST；Nutrition Support Team），摂食嚥下支援チームで活躍する機会が多い．栄養管理や摂食嚥下リハビリテーションにおいて，患者の歯や義歯，口腔機能の状態や問題をほかの職種に情報提供するとともに，必要とされる口腔機能の管理を担当する．

病院などの医療現場におけるチーム医療の推進のほかにも，各種医療機関の役割分担，連携の推進，医療と介護の連携も必要である．地域横断的な取り組みとして，病院（医師，歯科医師，看護師，管理栄養士，リハビリテーションスタッフ，薬剤師など），医科診療所（医師），歯科診療所（歯科医師），訪問看護ステーション（看護師），薬局（薬剤師），保健所（保健師など），介護保険事業所（ケアマネジャー）などが退院時カンファレンスに参加するなど，在宅医療・介護サービスにおける連携の推進も行われている（図14-85）．

##  再生医療

###  再生医療の概念

再生医療（regenerative medicine）とは，培養など加工した細胞を用いて生体組織・臓器の欠損や機能障害を修復・再生させるものである（図14-86）．ひとたび優れた細胞が少量でも採取でき保存できれば，必要に応じて，いつでもどれだけでもそれを使う再生医療が可能になる．理論的には既存の移植医療の問題は解決できてしまう（表14-6）．

再生医療の学術的基盤は再生医学であり，幹細胞生物学，組織工学（tissue engineering）の進歩に支えられてきた．

#### A 再生医学の進歩と学術的背景

**1 幹細胞生物学**

最も未分化な幹細胞は卵である．その核の遺伝情報が変えられれば，それに応じた個体になるはずと考えられ，試みられたのがクローンである．これはギリシャ語の「小枝」を意味し，もとは挿し木技術の呼称であった．この意味が動物に拡大し，同一遺伝情報をもつ個体集団を指すようになった．動物クローンを実証したのは英国の発生生物学者 Gurdon で，1960 年代の体細胞核移植

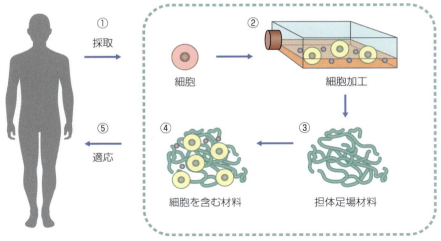

**図 14-86 再生医療の概念**
①自己体内から目的に合った細胞を採取する．
②細胞を体外で培養し，増殖，分化誘導，活性化させる．
③細胞を足場材料に棲みつかせる．
④細胞に指令する因子を混ぜる．
⑤組織欠損部や機能障害部に適用することで形態機能回復を図る．

**表 14-6　既存の移植医療と再生医療**

移植医療
・自家（自己）：必要量以上の供給源を要する
・他家（同種）：免疫抑制薬を要する
・他種（異種）：感染の危険性がある

再生医療
・供給源少量：低侵襲である
・適用可能量：無限である
・適用可能数：無限である

実験による（図 14-87）．核を除去したカエルの未受精卵にオタマジャクシの腸管上皮細胞の核を移植し，孵化した個体はオタマジャクシのクローンであることを示した．哺乳類で実証したのは英国の発生学者 Wilmut で，ヒツジの未受精卵に核除去と別のヒツジの乳腺細胞核移植をし，この卵をまた別のヒツジの子宮内で育て，生まれたのがクローンヒツジ Dolly だった．

未分化な細胞株として樹立されたのが胚性幹（embryonic stem；ES）細胞である．これは動物の受精後着床前の胚盤胞内細胞塊から分離，培養，株化された細胞群である．英国の生物学者 Evans がマウスで，後に米国の細胞生物学者 Thomson がヒトで樹立した．ES 細胞は再生医療用として期待されたが，受精卵を犠牲にする倫理的問題や免疫拒絶が課題となった．

課題を解決するとされたのが人工多能性幹（induced pluripotent stem；iPS）細胞である．ES 細胞と同等の能力が自己細胞でも得られる．手法は体細胞に特定の 4 種類の遺伝子を導入するだけである．日本の Yamanaka がマウスだけでなくヒトでも実証した．

以上の革新的な功績に対して，Evans は 2007 年に，Gurdon と Yamanaka は 2012 年にノーベル生理学・医学賞に輝いた．

**2　組織工学**

細胞が生活するには培養環境が重要である．それを整えるのがフィーダー（feeder）細胞で，さまざまな因子を放出するなどして目的とする細胞を育てる役を担う．その細胞層の上で表皮細胞を培養すれば表皮シートが大量に得られることを米国の生物学者 Green が示した．これはすでにわが国でも製品化され，重症熱傷などに用いられている．フィーダー細胞はさまざまな細胞株の樹立に貢献している．

組織工学の概念を広く知らしめたのは米国の化学者 Langer と医学者 Vacanti 兄弟である．大きな耳を背負って歩き回るマウス「Auriculosaurus」

D. 再生医療

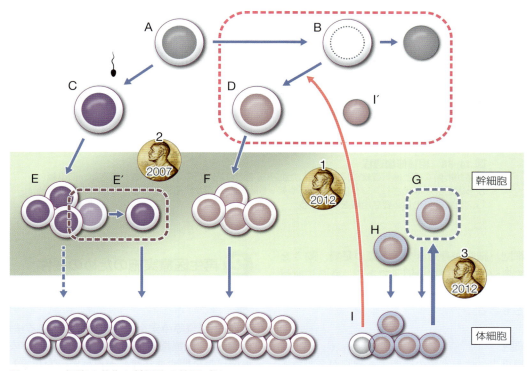

**図 14-87　細胞の分化と幹細胞の位置づけ**
下方ほど分化度が高い．A：卵，B：核が除去された卵，C：受精卵，D：核が移植された卵，E：胚盤胞期の内細胞塊の細胞群，E'：Eの1つを培養し樹立されるES細胞，F：クローンES細胞レベルの細胞群，G：iPS細胞，H：体性幹細胞，I：核が採取される体細胞，I'：移植される核，1：核移植，2：ES細胞の樹立，3：4種の遺伝子導入によるリプログラミング．1，2，3ともノーベル生理学・医学賞受賞研究．

を作製し注目された．このマウスは免疫能がなく，その背部皮下にあるのは耳に形づくった生分解性ポリマーにウシ培養軟骨細胞を棲みつかせたものであった．これにより3次元立体構成ができ，さらに形態付与の自由度が高いことも示した．

### 3　再生医療の展開と法規制

再生医療の研究が進み，2000年代にはその臨床応用が診療として広がりをみせた．しかし，なかには安全性や有効性が不確かなものがあり社会問題化した．一方で，ノーベル賞受賞報道により再生医療への期待が高まり，2013年に「再生医療を国民が迅速かつ安全に受けられるようにするための施策の総合的な推進に関する法律」が，2014年には後述する2法が制定され，再生医療の実施を規制している．

## B 組織再生のための要素

### 1　組織の修復と再生

生体には自然治癒能が備わり，創傷部位での修復過程に組織再生の一部がみられる（図14-88）．組織が損傷し血管が破綻すると，そこに血小板が凝集し粘着するとともにフィブリンが析出し，血小板を取り込んだフィブリン網となる．血小板からは因子群が放出され，マクロファージや幹・前駆細胞が導かれる．前者が不要なものを貪食する一方で，後者は増殖し分化して必要な組織を形成する．元の組織が再生するには条件があり，それが満たされなければ瘢痕のような代替組織で修復されるにとどまる．そのため条件に応じて能動的に介入し組織再生を図るのが再生医療の基本である．

### 2　組織再生の3要素

組織を再生させるのに必要な3要素は，組織を

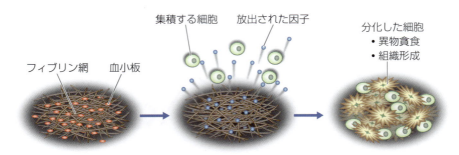

**図 14-88　組織修復過程**
組織が損傷すると血管破綻部には凝集した血小板を取り込んだフィブリン網ができる．血小板から因子群が放出され，マクロファージや幹・前駆細胞が導かれる．前者は不要なものを貪食し，後者は分化し必要な組織を形成する．

作る細胞，細胞が身動きをとる際の足場，動きを指示するシグナルになる因子である．さらに血行や力学的負荷が加わり4あるいは5要素とされることもある．

### 3 ● 細胞

組織再生には一定数の機能する細胞が必要である．これは幹細胞から増殖後に分化誘導される．幹細胞は自己複製能と分化能をもつ細胞である．これには，初期胚由来のES細胞と，体性組織由来の体性幹細胞がある．ほかに組織幹細胞，臓器幹細胞，生体幹細胞があるが，体性幹細胞とほぼ同義である．一般的に，細胞は未分化なほど，自己複製能，分化能，増殖能が高い（表 14-7）．

### 4 ● 足場

細胞の足場（scaffold）材料が備えるべき条件は，生体親和性がよい，細胞が接着できる，十分な酸素や栄養が届くなどである．これらを満たす生体由来あるいは人工合成の生分解性材料が多用されている．

### 5 ● シグナル因子

シグナル因子は，さまざまな生理活性物質などがあり，一連の伝達系を構成している．これらは時期や場所によって意義が異なるため，適切なものが適量に，適時適所になければならない．足場材料にはこれらを適切に含み必要分を徐放する性質も求められる．

## 2 再生医療実施のための要件

### A 関連法規

「再生医療等の安全性の確保等に関する法律」，「医薬品，医療機器等の品質，有効性及び安全性の確保等に関する法律」が再生医療を規定し，その実施を規制している．

### B 再生医療等の提供

再生医療等はリスクレベルにより3種に分類され，その提供のための手続きは厚生労働省令が定めている（図 14-89）．また，その施行状況や提供機関名などが公開されている．

### C 細胞培養加工施設

「加工」とは，細胞・組織の人為的な増殖・分化細胞の株化，細胞の活性化などを目的とした薬剤処理，生物学的特性改変，非細胞成分との組み合わせまたは遺伝子工学的改変などを施すことである．

加工をする施設が再生医療などを提供する医療機関内にある場合は，同様に厚生労働省に届出が必要である．加工を外部委託する場合は，特定細胞加工物製造許可を得た施設である必要がある．この施設についても情報公開されている．

### D 再生医療等製品

医薬品医療機器総合機構により承認されたもので，再生医療製品分野，遺伝子治療分野がある．再生医療製品分野では自己軟骨由来組織，自己あ

表 14-7 幹細胞の種類とその特性

| 種類 | 性質 | | 適用時の問題 | |
|---|---|---|---|---|
| | 自己複製能 | 分化能 | 免疫拒絶 | 倫理性 |
| 胚性幹（ES）細胞 | ＋ | ＋＋＋ | ＋ | ＋ |
| 体性幹細胞 | ＋ | ＋〜＋＋ | － | － |
| 人工多能性幹（iPS）細胞 | ＋ | ＋＋＋ | － | － |

分化能は，多い順に全能＞多能（＋＋＋）＞複能あるいは多分化能（＋＋）＞単能（＋）となる．ES 細胞は他家受精卵由来であるため免疫拒絶や倫理的問題がある．

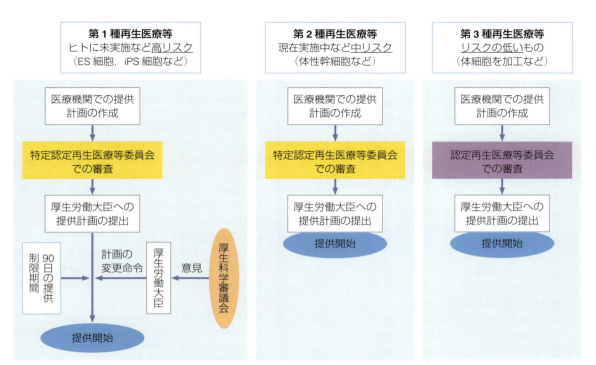

図 14-89 リスクに応じた再生医療等安全性確保法の手続き（厚生労働省資料より）

るいは同種骨髄由来間葉系幹細胞，自己骨格筋由来細胞シート，自己表皮由来細胞シート，B 細胞抗原を標的とする CAR-T 細胞，自己角膜輪部由来角膜上皮細胞シート，自己口腔粘膜由来上皮細胞シート，同種脂肪由来間葉系幹細胞，羊膜基質使用自己口腔粘膜由来上皮細胞シート，遺伝子治療分野ではプラスミドベクター，遺伝子不活化組換えウイルスなどがある．

## 3 歯科口腔外科における再生医療

### A 対象組織

顎顔面口腔領域では他領域と比べて対象の大きさに対して効果が高く見込める．臨床では骨や歯周組織，それに加えて研究では歯，唾液腺，筋などあらゆる組織が対象になっている．

### B 種類

歯科用に承認された再生医療等製品はない．再生医療の研究あるいは診療としてされているものの大半は，第 3 種再生医療等の範疇である多血小板血漿（platelet-rich plasma；PRP）などの血小板血漿濃縮物である．これは自己末梢血から遠心分離などによって調製でき，血小板濃度が 2〜7 倍ほどになる．構成成分の血小板，フィブリン，血小板由来成長因子が，それぞれ組織再生の 3 要素である細胞，足場，シグナル因子に該当してい

る．骨造成のほか，美容外科で皮膚に，整形外科で関節に用いられている．

## C 細胞種

骨髄や骨髄由来の細胞がある．骨髄間葉系細胞は骨や軟骨など中胚葉系組織の再生のほか，免疫寛容作用のために用いられる．歯髄幹細胞では中胚葉系のほか，神経外胚葉系の再生が得られるとして注目されている．

● 文献

[A. 口腔・顎顔面疾患の手術]
1) 下野正基：治癒の病理．pp296-307, 医歯薬出版, 2011.
2) 長谷川勝紀, 他：歯根完成歯の即時自家移植に関する臨床的検討．日本口腔科学会雑誌 58：135-146, 2009.
3) 月星光博：自家歯牙移植．pp49-51, クインテッセンス出版, 2014.
4) 月星光博：自家歯牙移植．pp98-111, クインテッセンス出版, 2014.
5) 日本外傷歯学会：歯の外傷治療ガイドライン．pp3-6, 2018. https://www.ja-dt.org/file/guidline.pdf(2024年2月閲覧)

[B. インプラント概論]
1) 日本口腔インプラント学会(編)：口腔インプラント治療指針2020．医歯薬出版, 2020.
2) 日本口腔インプラント学会(編)：口腔インプラント学学術用語集, 第4版．医歯薬出版, 2020.
3) 日本口腔インプラント学会(編)：口腔インプラント学実習書, 第2版．医歯薬出版, 2020
4) Zarb GA, Albrektsson T：Consensusreport：towards optimized treatment outcome for dental implants. J Prosthet Dent 80：641, 1998.
5) Zarb GA, Albrektsson T(赤川安正監訳)：インプラント評価基準の新しいコンセンサス―トロント会議の全容．QDI別冊．クインテッセンス出版, 2008.
6) 岡野友宏, 他：歯科放射線学, 第6版．pp131-133, 医歯薬出版, 158, 2018.
7) 日本顎顔面インプラント学会学術委員会トラブル調査作業部会：「インプラント手術関連の重篤な医療トラブルについて」調査報告書．顎顔面インプラント誌 11：31-39, 2012.
8) 臼田 慎, 他：インプラント手術関連の重篤な医療トラブルについて．第2回調査報告書．顎顔面インプラント誌 16：89-100, 2017.
9) 淵上 慧, 他：インプラント手術関連の重篤な医療トラブルについて．第3回調査報告書．顎顔面インプラント誌 19：111-121, 2020.

[C. 口腔・顎顔面疾患のその他の治療]
1) 戸苅彰史, 他：第Ⅰ部 薬理学総論．大浦 清, 戸苅彰史(監修)：ポイントがわかるシンプル歯科薬理学, 第3版．pp2-14, 永末書店, 2023.
2) 若森 実：4章 薬理作用の機序．大谷啓一(監修)：現在歯科薬理学, 第6版．pp31-35, 医歯薬出版, 2018.
3) 筑波隆幸：5章 薬物動態．大谷啓一(監修)：現在歯科薬理学, 第6版．pp44-55, 医歯薬出版, 2018.
4) 髙見正道：1章 薬物適応上の注意．安達一典(編集)：解る！歯科薬理学, 第3版．pp49-52, 学建書院, 2019.
5) 筒井健夫：薬物の相互作用．歯科薬物療法学, 第7版．pp52-58, 一世出版, 2020.
6) 庄本康治：エビデンスから身につける物理療法, 第2版．羊土社, 2023.
7) Harris EC, et al：Suicide as an outcome for medical disorders. Medicine 73：281-296, 1994.
8) Misono S, et al：Incidence of suicide in persons with cancer. J Clin Oncol 26：4731-4738, 2008.
9) 日本循環器学会ほか：感染性心内膜炎の予防と治療に関するガイドライン(2017年改訂版)．2019. https://www.j-circ.or.jp/cms/wp-content/uploads/2020/02/JCS2017_nakatani_h.pdf(2024年2月閲覧)
10) 東京医科歯科大学歯学部付属病院 脳卒中急性期における口腔機能管理法の開発に関する研究プロジェクトチーム(編)：多職種連携で行う脳卒中患者の口腔機能管理ポケットマニュアル. https://www.tmd.ac.jp/medhospital/topics/180905/manual.pdf(2024年2月閲覧)
11) Kawashita Y, et al：Oral management strategies for radiotherapy of head and neck cancer. Japanese dental Science Review 56：62-67, 2020.
12) 厚生労働省：チーム医療の推進について(チーム医療の推進に関する検討会 報告書)．2010. https://www.mhlw.go.jp/shingi/2010/03/dl/s0319-9a.pdf(2024年2月閲覧)
13) Gurdon JB：The developmental capacity of nuclei taken from intestinal epithelium cells of feeding tadpoles. J Embryol Exp Morph 10：622-640, 1962.
14) Campbell KHS, et al：Sheep cloned by nuclear transfer from a cultured cell line. Nature 380：64-66, 1996.
15) Evans M, Kaufman M：Establishment in culture of pluripotent cells from mouse embryos. Nature 292：154-156, 1981.
16) Thomson J, et al：Embryonic stem cell lines derived from human blastocysts. Science 282：1145-1147, 1998.
17) Takahashi K, Yamanaka S：Induction of pluripotent stem cells from mouse embryonic and adult fibroblast cultures by defined factors. Cell 126：663-676, 2006.
18) Green H：Serial cultivation of strains of human kerati-

nocytes : the formation of keratinizing colonies from single cells. Cell 6 : 331-343, 1975.
19) Langer R, Vacanti JP : Tissue engineering. Science 260 : 920-926, 1993.
20) 厚生労働省：再生医療について，2023．https://www.mhlw.go.jp/stf/seisakunitsuite/bunya/kenkou_iryou/iryou/saisei_iryou/index.html（2024年2月閲覧）
21) 医薬品医療機器総合機構：再生医療等製品，2023．https://www.pmda.go.jp/review-services/drug-reviews/about-reviews/ctp/0007.html（2024年2月閲覧）

# 第15章 口腔外科の歴史と展望

## A 口腔外科の歴史

　ラテン語で *chirurgia*（外科）という名称（用語）は"手の技"すなわち手術を意味する．医療の創生期においては外傷や体表面の病巣の手術が行われていたので，体内の疾患を診断し治療の指示を出す内科に対して外科と呼ばれた．19世紀以降，science に基づいて発展してきた現代医学においては，外科学は科学的に患者の病態を診断し，手の技術を使って治療を行う学問"science and art"を意味している．

　欧州では伝統的に口腔外科（Kiefer Chirurgie）は外科の一分野と考えられていたが，米国においては 19 世紀に歯科医学の教育機関として dental college が開設され，歯科・口腔外科（oral surgery）は独自の発展を遂げた．現代における日本の口腔外科学はこの両者の影響を受けて発展したものである．

### 1 世界の口腔外科の歴史

　口腔に関する手術は古代から行われていて，エジプトにおいては，B.C.1500 年頃のパピルスに歯肉膿瘍，顎骨骨折や口唇や頬部の損傷の外科的治療の記録が残されている．ギリシャ時代には Hippocrates（B.C.460〜377）が顎関節脱臼の整復法，顎骨骨折の固定法，歯肉膿瘍や歯性化膿性炎症の治療法，抜歯の適応症などを記載している．また parulis（歯間または歯肉膿瘍），epulis（歯肉腫），aphtha（アフタ）などの用語も生まれている．一方，同じ頃の中国の医学書『黄帝内経』の中に口腔の生理，病理と全身の関係についての記載がある．

　古代ローマ帝国時代には口腔に関する治療（歯科および口腔外科）は医師（内科）の指示で理髪師が抜歯などの手術を行い，金細工師が補綴物を作っていた．また炎症の四大徴候を提唱した Celsus（B.C.30〜A.D.50）は唇裂の手術や歯の再植を行っており，四大徴候に機能障害を加えて五大徴候とした Galenus（A.D.129〜201）は口腔潰瘍の外科的治療を行っている．

　中世時代はローマの医術が受け継がれ，医術は聖職者ないしは医師（内科）によって行われ，理髪師が手先の器用さを生かして，簡単な手術（体表部に限られる）や抜歯などを行っていた．この時代は宗教による圧迫は医学とて例外ではなく，医療に従事する僧侶も自身の手を血液や膿汁で汚すことを好まず，外科的治療はもっぱら理髪師の手に任されていた．

　13 世紀から 15 世紀（ルネッサンスの時期）にかけて外科手術を行っていた理髪師の間に外科医としての地位を獲得する動きが始まり，16 世紀になってフランスの Ambroise Paré が外科医として認められた．彼は血管結紮法や種々の手術術式，さらに包帯法や手術機器などを考案して外科学の基礎を築いたが，体表部の外科手術にとどまっていた．18 世紀になり，歯科口腔外科に関する書籍『歯科外科医，もしくは歯の概論』が 1728 年に Pierre Fauchard によって執筆，出版された．その後，19 世紀になって Morton（1846）による全身麻酔法，Semmelweis（1847）による手指消毒法，Lister（1884）などによる制腐消毒法，Schimmelbusch（1889）による手術機器の無菌法の確立によって外科手術は飛躍的に発展した．

　歯科領域においては，エックス線写真技術の進歩，歯科用エックス線撮影装置の開発により顎骨内の病変の診断が可能となり，また 1905 年の塩

酸プロカインの発見による局所麻酔の発展は，顎骨内囊胞摘出や歯根尖切除術など口腔外科小手術の開発と普及に貢献した．

ところで口腔外科の概念を初めて提唱したのはフランスのJourdain(1778)で，「口腔領域の外科(口腔外科)は一般外科よりも歯科と関連が深い」と述べているが，欧州では歯科医学の教育機関の設立が遅れたため，一般的に20世紀初頭まで口腔外科は外科の一部とみなされていた．

一方，米国においては世界初の歯科教育機関として1839年BaltimoreにCollege of Dental Surgeryが設立され，1869年にPennsylvania Dental CollegeのGarretsonが"A System of Oral Surgery"を出版し，初めて口腔外科医(oral surgeon)と名乗った．その後，多くのDental Collegeの教育カリキュラムの中で口腔外科は重要な位置を占めるようになった．またChicago Dental CollegeのBrophyは世界で初めて口蓋裂に対する早期手術の必要性を提唱し，口唇，口蓋裂に対する形成手術を口腔外科の一分野として確立した．

第一次世界大戦に従軍したKazanjianやIvyら米国の歯科医師が，一般外科医とともに多くの頭部・顎顔面戦傷の治療から得た経験に基づいて顎顔面骨骨折の整復固定法，骨移植や皮膚移植を口腔外科に導入した．またDomagk(1932)によるサルファ剤，Fleming(1929)によるペニシリンの発見は，その後の抗生物質の進歩の引き金になり，感染の危険性の高い口腔領域において，これらの手術を安全・確実に行うことを可能にした．なおKazanjianやIvyは形成外科学会創設の重要メンバーにもなっている．

欧州においても"口腔外科"の認識は高まったが，依然として口腔外科は医科の一分科であるStomatology(口腔病学)の一部であるとの考えが根強く，ドイツでは歯科医学教育機関として歯学部が設置されたのは第二次世界大戦後で，現在においても，医学部を出て歯科を専攻した医師が行う"Kiefer Chirurgie"と，歯学部を出た歯科医師が行う"Zahn Chirurgie"がある．

現在欧州には欧州口腔顎顔面外科学会(European Association of Oral and Maxillofacial Surgeons)があり，アジアには日本を中核としたAsian Association of Oral and Maxillofacial Surgeonsがある．また全世界的には国際口腔顎顔面外科学会(International Association of Oral and Maxillofacial Surgeons)があり，2年ごとに総会と学術大会を開催して口腔顎顔面外科診療の改善と研究の進歩を図っている．

## 2 日本の口腔外科の歴史

奈良時代，養老2(718)年に編纂された「養老律令」において内科，外科，耳目口歯科が制定され，後に口歯科が分科して「口中科」となった．これが朝廷の侍医や藩医により江戸末期から明治初期まで続いた．また江戸後期には華岡青洲の弟子の外科医が口腔の腫瘍切除を行ったり，巷においては「入れ歯」や「抜歯」を行う香具師仲間(長井一門や松井源水)が存在していた．

日本では医師，歯科医師という身分制度や医業，歯科医業との明確な区別はなく，明治7(1874)年に制定された医療制度では口中医も医師として認定されていたが(入歯・抜歯師は除外された)，明治8(1875)年の医術開業試験で米国人歯科医師Elliottに学んだ小幡英之助が，口中科ではなくて歯科として受験したいと出願し，それが認められたのを契機として，明治16(1883)年の医術開業試験規則で口中科が消え，歯科の試験科目が独立して設けられることになった．この頃，口腔外科の専門書として1885年(明治18年)にGarretsonの"A System of Oral Surgery"が河田鏻也と大月亀太郎によって翻訳されて『歯科全書』として出版され，また，明治26(1893)年，伊澤信平が第2回連合医学会総会において"歯科医術"という講演を行い，その中で日本で初めて口腔外科という名称が使われている．この頃から日本の近代口腔外科(歯科医学も含めて)の導入は二手に分かれて始まった．

1つは，伊澤信平の勧めで明治36(1903)年，東京帝国大学医学部佐藤外科に石原久を主任とする歯科教室が作られたことである．当時，東京帝国大学医学部(ほかの帝国大学も同じ)はドイツ医学派が主流で，「米国の流れを汲んだ歯科(口腔外科もその一部)などは一顧だに価しない」という空気があった．歯科は医科の一部であり，口腔外科手術は医師のみが行い歯科医師は傍観者というものであった．大正15(1915)年，歯科教室は講座に昇格し，ここで薫陶を受けた門下生達が全国の

大学医学部や医科大学（専門学校を含む），歯科医学専門学校に赴任して活躍した．また東京帝国大学医学部外科の歯科学講座を中心として発足した日本歯科口腔科学会（1947年日本口腔科学会と改称）は戦前，戦後を通じて日本の口腔外科ばかりでなく，歯科医学全体の向上と発展に寄与した．

もう1つの流れは，私立の歯科医学教育施設（機関）の誕生である．明治23（1890）年開設された高山歯科医学院（後の東京歯科大学）においては，早くも1900年に"口腔外科学"の講義科目が取り入れられた．その後，1907年に共立歯科医学専門学校（後の日本歯科大学），大阪歯科医学校（後の大阪歯科大学），九州歯科医学校（後の九州歯科大学），東洋歯科医学校（後の日本大学歯学部）などが相次いで開校し，卒業後ドイツや米国に留学して口腔外科を学んだ歯科医師によって口腔外科学は歯科医学の重要な1科目として定着した．大正12（1923）年には東京歯科医学専門学校に歯科医師のみの口腔外科学教室（主任：遠藤至六郎）が誕生した〔昭和6（1931）年に出版された『口腔外科通論及手術学』は当時の歯科医師数をはるかに超える部数が発行され，臨床医の座右の書として広く読まれた〕．昭和3（1928）年には国立の東京高等歯科医学校（現在の東京医科歯科大学）も開校し，東京を中心として口腔外科を志す若い有能な歯科医師が集まり，1933年の口腔外科集談会を経て昭和10（1935）年口腔外科学会が誕生した．この学会は第二次世界大戦により昭和14（1939）年に休会となったが，歯科医師が中心になって作った学会として歴史的にも重要な意味をもつ．

第二次世界大戦後は米国の歯科医学教育制度が導入され，4年制の歯科医学専門学校は医科と同じく6年制の歯科大学ならびに大学歯学部となり，「歯科教授要綱」が設定された．その中で，口腔外科は「口腔および隣接領域に現れる先天的ならびに後天的疾患についてその原因，病理，症候，診断および処置などを理解せしめ，これらの各種疾患の予防および治療を行う」ものとして歯科医学の重要な一分科に位置づけられた．

新しい教育制度のもとで，日本の口腔外科は診療内容においても研究の面においても著しい発展を遂げ，現在では世界の口腔外科を牽引している．戦時中，中断していた口腔外科学会は，1956年に全国的な学会を目指して再開され，1967年には日本口腔外科学会と名称を改め，1991年社団法人格を得た．2009年には口腔外科専門医制度が，2012年には公益社団法人の許認可を受け，現在は11,000名を超える会員を有する学会へと飛躍し現在に至っている．

## B 口腔外科医療の概念の変遷と今後の展望

医術の歴史は人類の歴史とともに歩んできたが，アカデミーとしての医学が成立したのは19世紀に入ってからとされている．歯学が医学から分離独立したのは米国Baltimore大学に初めて歯学部が設立された1839年とすると，医学と歯学の歴史の差はそれほど大きいものではない．わが国ではもともと歯科医療は医療の一分野として，千数百年前より「口中医」として定着していた伝統がある．「歯科医師」の概念を作ったのは明治9（1876）年，小幡英之助であるが，明治39（1906）年「歯科医師法」が「医師法」と同年に成立したことが決定的であった．その後，「医歯二元論」のもとで日本の歯科医療は官僚的にも医療から厳に区別され現在まで続いているが，その間に「口中医」の概念はほとんど消滅してしまった．

20世紀初頭は近代外科医療の勃興期にあって，その中で確実に除痛を図り，咀嚼機能回復が行える歯科医師は「医の華」であり，爆発的な需要の増加とともに大きく飛翔しえたことは想像に難くない．次第に社会的な地位が高まる中で「医」と「歯」の診療範囲などが折に触れて論議されていたが，歯学教育は専門学校のみで行われていることなどで微妙に医学と区別されていた．

やがて敗戦になり占領軍政下で歯学部が誕生し，医学部とならんで6年制をとり，医歯二元の理念が制度の中で明瞭に確立され，近代歯科医学は米国の主導で華々しいスタートを切った．多くの歯科医学の専門学会もこの頃に誕生し，15年間休会していた日本口腔外科学会も目が覚めた．反面1933年来続いていた「口腔外科（歯科外科）」の標榜科名も封印され「歯科」1本にまとめられた経緯がある．これを歯科医業の範疇の中で「歯科口腔外科」として復活させるのに48年間を要

した．このように米国の影響下で日本の「歯学」は医歯二元論を世界で最も徹底して行政主導で推進することとなった．

　欧州では 19 世紀後半，度重なる戦争経験から軍陣医学として歯口腔顎外科の概念が医学のほうから発生し，歯口腔顎治療学と歯科医学が輻輳するようになった．しかしこの領域は米国を中心とした世界のほとんどの地域で行われている「歯学教育」の中でカバーできるものではないとして，やがて医師，歯科医師ダブルライセンスに支えられた「口腔顎顔面外科学」の発想へ連なっていった．20 世紀前半の日本の医学界はこぞって欧州，特にドイツ語圏に学ぶ風潮があり，これは戦後になってもしばらく続き，志ある口腔外科医の多くは欧州に赴き，「口腔顎顔面外科学」を学びとって日本中に敷衍し，これを基盤として独自の発展を遂げていった．すなわち日本の口腔外科医は官僚的に区分された医歯二元論の中で「歯学」すなわち odontology の範疇にありながらも患者のために口腔顎顔面外科医療を発展させる努力を重ねてきている．

　わが国では 1996 年「歯科口腔外科」の標榜科名が認可された．昭和 8 年に取得した「口腔外科（歯科外科）」の標榜は医科からも歯科からも標榜できた．当初この仕組みを踏襲しようとしたが，多方面からの助言，干渉があり，結局は歯科医業に限局する「歯科口腔外科」に落ち着いて現在に至っている．標榜の認可に先立って，厚生省（当時），日本医師会，日本歯科医師会，日本耳鼻咽喉科学会，日本形成外科学会，日本口腔外科学会代表の間で歯科口腔外科の診療範囲について討論会が開かれ，結局「口腔外科の診療対象は，原則として口唇，頬粘膜，上下歯槽，顎骨（顎関節を含む），硬口蓋，軟口蓋，舌前 2/3，口底，唾液腺（耳下腺を除く）部位とする」とすることで同意がなされた．これは法律ではなく申し合わせ事項であるが，医科と歯科口腔外科との境界として歴史上初めて成文化されたものである．その後，医科と歯科の間でさまざまな取り決めを行う際に必ず参考にされており，これにより隣接領域との間の軋みも少なくなっている．

　その後，2003 年の日本口腔外科学会では歯科領域で初めて公的に口腔外科専門医の広告が認可され，2009 年 4 月に日本がん治療認定医機構に参入し，がん治療認定医（歯科口腔外科）が認定されている．

　わが国の歯科医師には死亡診断権があり，身体の中で最も生活に直結している口腔領域の機能と形態を守りきる義務と権利があり，それらを裏づける基礎医学とスキルの均衡が保たれている．口腔外科領域は医科ならびに歯科の叡智を吸収し，顎口腔領域に集中して医療と歯科医療の広がりを重ね合わせて次世代の臨床を創造することができる．

　また再生医療，機能再建，高度量子線治療，オーラルヘルスケア，摂食嚥下リハビリテーション，安全確実なインプラント外科など口腔外科領域には医科からも研究開発が切望されているテーマが内包されている．

## 主な先天異常症候群

| 症候群 | 疫学 | 病態 | 診断につながる主な所見 |
|---|---|---|---|
| 主として口腔に症状がみられる遺伝性疾患 | | | |
| Beckwith-Wiedemann症候群 | 出生頻度 1/13,700, 国内推定患者数は200人以上 | 常染色体顕性(優性)遺伝 原因遺伝子座は11番染色体短腕15.5領域(11p15.5)にあり,原因の約2/3はこの領域の刷り込み(imprinting)異常(メチル化異常) | 巨舌,腹壁欠損(臍帯ヘルニア,腹直筋離開,臍ヘルニア),胎生期からの過成長が3主徴 知的障害は通常認めない |
| Marfan症候群 | 出生頻度 1/5,000 | 常染色体顕性遺伝 原因遺伝子 *FBN1* の変異により発症 | 高身長で痩せ型,長くて細い指,漏斗胸,全身の結合組織が脆弱 重症歯周病,歯列不正を発症しやすい |
| Papillon-Lefèvre症候群 | 100万人に1～4人 | 常染色体潜性(劣性)遺伝性疾患 | 掌蹠を含む四肢末端の潮紅と過角化 若年性歯周囲炎,重症歯周病による無歯顎,など |
| 骨形成不全症 | 2～3万人に1人 | 常染色体顕性遺伝のものと常染色体潜性遺伝のものあり 症例の90%以上はI型コラーゲンの遺伝子(*COL1A1*, *COL1A2*)の変異 | 全身の骨脆弱性による易骨折性や進行性の骨変形 歯牙(象牙質)形成不全 |
| 先天性外胚葉形成不全〈先天性外胚葉異形成症〉 | 21家系の無汗性外胚葉形成不全症が確認 | X連鎖潜性遺伝,常染色体顕性遺伝,常染色体潜性遺伝の形式を示すものがあり,複数の責任遺伝子が同定されている | 粗な毛髪,爪,汗腺などの外胚葉組織の形成不全 歯牙の欠損,毛髪,歯牙,爪,汗腺などの外胚葉組織の形成不全 |
| 低ホスファターゼ症 | 国内患者数 100～200人 | 多くは常染色体潜性遺伝形式をとるが,常染色体顕性遺伝もある 組織非特異的アルカリホスファターゼの欠損 | 未分画血清アルカリホスファターゼ(ALP)活性の減少 重症齲蝕,乳歯の早期脱落による歯槽骨の消失,など |
| 主として頭蓋・顎顔面に症状がみられる遺伝性疾患 | | | |
| Crouzon症候群 | 国内年間発症数 20～30人 | 常染色体顕性遺伝疾患であるが,孤発例も少なくない 主に線維芽細胞増殖因子受容体2(FGFR2)の遺伝子である10q26の *FGFR2* の変異による | 症候群性頭蓋骨縫合早期癒合症の代表的疾患 眼球突出,中顔面低形成による上顎低形成,巨舌,など |
| Treacher Collins症候群 | 出生頻度 1/50,000 性差なし | 胎生初期の第一・第二鰓弓の形成不全.常染色体顕性遺伝形式.患者の60%は新規突然変異 原因遺伝子 5q32-33-1 の *TCOF1*(Treacher Colins症候群遺伝子)などの変異により発症 | 両側対称性の上下顎の形成異常 |
| 鎖骨頭蓋骨異形成症〈鎖骨頭蓋異骨症〉 | 出生頻度 100万人に1人 | 常染色体顕性遺伝形式 原因遺伝子は6q21の *RUNX2*(ラント関連遺伝子)で,変異により発症 | 鎖骨の欠損または低形成,乳歯が長期間脱落せず永久歯の萌出が著しく遅延した状態を示すエックス線写真,過剰歯,埋伏歯周囲の囊胞形成,歯列不正など 頭蓋骨縫合化遅延,鎖骨欠損または低形成,歯牙萌出遅延が3徴候 |
| 第一第二鰓弓症候群 眼球上類皮腫や脊椎異常を伴うものをGoldenhar症候群と呼ぶ場合がある | 19,500～26,550人に1人,軽症型第一第二鰓弓症候群を含めると出生3,500～5,600人に1人とされる 男女比は3:2でやや男性に多い | 詳細な原因については不明 | 下顎低形成による顔面非対称,耳介および/または眼の奇形,脊椎の異常を古典的3徴 第一鰓弓と第二鰓弓の発生異常 異常は片側性に発現 |

| 症候群 | 疫学 | 病態 | 診断につながる主な所見 |
|---|---|---|---|
| 軟骨無形成症 | 出生頻度 1/20,000 | 常染色体顕性遺伝形式をとるが，約90％以上は新規突然変異 | 出生時から四肢短縮を認め，低身長，脊柱管狭窄が成長とともに増強<br>特徴的な顔貌（大きな頭蓋・前額部の突出・鼻根部の陥凹・顔面中央部の低形成・相対的な下顎前突），咬合不全，歯列不正など |
| Apert 症候群 | 出生頻度 1/55,000 | 常染色体顕性遺伝形式をとるが多くは孤発性<br>原因遺伝子の1つに Crouzon 症候群と同様の10q26.13 の *FGFR2* の変異 | 左右対称性合指（趾）症<br>短頭蓋，頭囲拡大，中顔面骨低形成，眼窩間距離開大などが特徴 |
| Pierre Robin sequence〈Pierre Robin 症候群〉 | 出生頻度 1/30,000～1/8,500 | 胎生初期（7～11 週）の下顎の低形成に続発する一連の形態異常<br>原因遺伝子や遺伝形式は多様<br>単独例で *SOX9* またはその関連遺伝子の変異によるものは常染色体潜性遺伝 | 小下顎症に下顎後退が伴った特徴的な鳥貌を呈する<br>舌根沈下による上気道閉塞や呼吸障害<br>大多数に高口蓋もしくは特徴的な U 字型の口蓋裂 |
| 染色体異常 | | | |
| Down 症候群 | 約 1/700 | 21 番染色体の長腕 21q22 の過剰が原因<br>21 番染色体が1つ多いトリソミーが最も多い（全体の約 95％） | 知的障害，低身長，約 50％に先天的心疾患，約 60％に眼障害，大半に難聴<br>小頭症，大泉門開大，および特徴的顔貌，永久歯の萌出遅延，歯の先天的欠如，矮小歯，巨大舌，溝状舌，など |
| Turner 症候群〈XO 症候群〉 | 出生女児の1,000～2,000 人に1人<br>日本国内に約4万人 | X 染色体の数的・構造的異常 | 低身長，性腺発育不全，大動脈奇形（大動脈二尖弁），翼状頸<br>下顎骨発育不全，歯列不正 |
| Klinefelter 症候群〈XXY 症候群〉 | 出生男児の 660 人に1人発生する<br>日本国内に約 62,000 人 | X 染色体の数的・構造的異常 | 精巣（睾丸）が萎縮し男性ホルモンであるテストステロンの生成量が低下<br>四肢が細長く，高身長，思春期来初遅延<br>口唇裂・口蓋裂や歯牙の異常（タウロドント） |
| 口腔・顎顔面に異常をきたす骨系統疾患・症候群 | | | |
| Gardner 症候群 | 全人口における頻度 1/17,400 | 家族性腺腫性ポリポーシス（家族性大腸腺腫症，FAP）の亜型．常染色体顕性遺伝 | 軟部腫瘍，骨腫など<br>大腸の多発性腺腫を主徴とし，放置するとほぼ 100％の症例で大腸がんが発生<br>歯牙異常（過剰歯，埋伏歯），など |
| McCune-Albright 症候群 | 10 万～100 万人に1人<br>女性に多く，男性の2～3倍 | 常染色体顕性遺伝形式をとるが，体細胞突然変異の発生も（*GNAS1*） | 長管骨・頭蓋骨でエックス線写真のすりガラス像，体幹の片側に多い皮膚・粘膜のカフェオレ色素斑，さまざまな内分泌機能亢進症状（思春期早発症など）が3徴候<br>低身長，脊椎の側弯症や胸郭の変形，手足の変形，顎骨の膨隆や変形など<br>思春期早発症は女子のみ |
| Melkersson-Rosenthal 症候群 | 非常にまれ | 常染色体顕性遺伝形式をとるが，孤発例も多い | 反復性顔面麻痺，顔と口唇の腫脹，舌のヒダと溝の発達（皺襞舌，溝状舌） |
| Peutz-Jeghers 症候群 | 日本に600～2,400人 | 常染色体顕性遺伝形式をとるが，発症者の 50％は家族歴のない孤発例<br>原因遺伝子は *STK11/LKB1* | 消化管に多発するポリープによる腸重積や出血により，腹痛や血便<br>口唇，口腔，指趾などに 1～5 mm ほどの色素斑 |

| 症候群 | 疫学 | 病態 | 診断につながる主な所見 |
|---|---|---|---|
| Sturge-Weber症候群〈非遺伝性？〉 | 5万〜10万出生に1人 | 静脈発生障害による循環不全であり，脳，皮膚および眼の毛細血管奇形により診断する | 先天性皮膚神経症候群の1つであり，三叉神経第1枝，2枝領域の血管腫（顔面ポートワイン斑を含む）および同側の脳萎縮，脳の石灰化，てんかん，精神発達遅滞，緑内障<br>頭蓋骨・顎顔面の骨欠損，など |
| von Recklinghausen病〈神経線維腫症Ⅰ型〉 | 出生頻度約1/3,000，日本に約4万人の患者 | 常染色体顕性遺伝形式をとる遺伝性疾患であるが，20〜50%は生殖細胞系の新規突然変異<br>責任遺伝子は17q11.2にあるNF1（Schwann細胞，線維芽細胞の増殖） | カフェオレ斑と神経線維腫を主徴とし，その他，骨，眼，神経系，副腎，消化管などに多彩な症候を呈する母斑症 |
| 基底細胞母斑症候群〈母斑性基底細胞癌症候群〉〈Gorlin症候群〉 | 日本国内で300人超 | 常染色体顕性遺伝形式<br>責任遺伝子は9q22.3上のPTCH1 | 多発性顎嚢胞，二分肋骨，大脳鎌石灰化<br>10代での発症が多い多発性顎骨嚢胞，および20代以降に発症する基底細胞癌（BCCs）を特徴とする<br>約60%が巨頭症，前額部の突出，粗な顔貌，顔面の稗粒腫を伴う外観を有する |
| Hunt症候群〈Ramsay Hunt症候群〉先天異常ではない口腔症候群 | 年間発症率5/10万人（帯状疱疹患者の1%程度） | 帯状疱疹の合併症の1つ<br>水痘・帯状疱疹ウイルスが膝神経節に侵入し，顔面神経が障害されることによる | 一側の顔面の表情筋麻痺，障害側の聴覚過敏，障害側の舌前2/3の味覚障害，涙液の分泌低下や舌下腺・顎下腺の分泌障害，唾液の分泌障害，など<br>口腔内・外耳道・耳介周辺の帯状疱疹，めまい・難聴・耳鳴りを伴う場合あり |

監修：夏目長門

# 主な検査項目

- ★：基準値を理解すべき検査項目
- 基準値は各医療施設，各検査センターや使用試薬などで異なる．

| 分類 | 項目 | 基準値，意味等，特記事項 |
|---|---|---|
| 1. 一般臨床検査 | | |
| 尿検査 | 肉眼的所見 | |
| | 尿量 | 800〜1,600 mL/日 |
| | 比重 | 1.005〜1.030 |
| | 浸透圧〈U osm〉 | 50〜1,300 mOsm/kg H₂O |
| | pH | 4.5〜7.5 |
| | 尿タンパク | 陰性（−） |
| | 尿糖 | 陰性（−） |
| | ウロビリノゲン | 弱陽性（±） |
| | 尿ケトン体 | 陰性（−） |
| | ビリルビン | 陰性（−） |
| | アミラーゼ | 随時尿：50〜500 IU/L（Et-G7-pNP基質法） |
| | 尿潜血 | 陰性（−） |
| | 尿沈渣所見 | 赤血球：4個以下<br>白血球：4個以下（/HPF） |
| | 細菌検査 | |
| | 尿細胞診 | |
| | 白血球反応 | 陰性（−） |
| | 妊娠反応〈hCG定性〉 | 陰性（−） |
| | 微量アルブミン | 陰性（−） |
| | レジオネラ抗原 | 陰性（−） |
| | 肺炎球菌抗原 | 陰性（−） |
| 糞便検査 | 肉眼的所見 | |
| | 顕微鏡検査（虫卵など） | （−） |
| | 便潜血反応，免疫学的便潜血検査 | 20〜50 μg ヘモグロビン/g 便 |
| | 便細菌検査 | （−） |
| 喀痰検査 | 肉眼的所見 | |
| | 細胞診 | |
| | 細菌検査 | |
| 脳脊髄液検査 | 初圧 | 70〜180 mmH₂O |
| | 圧（Queckenstedt現象） | 100 mmH₂O以上の圧上昇 |
| | 肉眼的所見 | 水様無色透明 |
| | 細胞数（種類と比率） | 5個以下/μL |
| | タンパク定量 | 15〜45 mg/dL |
| | 糖定量 | 50〜75 mg/dL |
| | IgG% | 0.5〜4 mg/dL |
| | ミエリン塩基性タンパク〈MBP〉 | 102 pg/mL 以下 |
| | クロール定量 | 120〜130 mEq/L |
| | 細菌検査 | 陰性（−） |
| | 細胞診 | |
| | オリゴクローナルバンド | 等電点電気泳動法にて，多発性硬化症などで高率に出現 |
| 穿刺液検査 | 肉眼的所見 | |
| | 比重 | |
| | タンパク定量 | 滲出液　4以上 |
| | 細胞数（種類） | |
| | 細菌検査 | |
| 2. 血液学検査 | | |
| 赤沈 | 赤血球沈降速度〈赤沈〉 | 男：2〜10 mm/1時間<br>女：3〜15 mm/1時間 |
| 血液検査 | 赤血球〈RBC〉★ | 男：*435〜555 万/μL<br>女：*386〜492 万/μL |
| | ヘモグロビン〈Hb〉★ | 男：*13.7〜16.8 g/dL<br>女：*11.6〜14.8 g/dL |
| | ヘマトクリット〈Ht〉★ | 男性：*40.7〜50.1%<br>女性：*35.1〜44.1% |
| | 平均赤血球容積〈MCV〉 | *83.6〜98.2 fL |
| | 平均赤血球ヘモグロビン量〈MCH〉 | *27.5〜33.2 pg |
| | 平均赤血球ヘモグロビン濃度〈MCHC〉 | *31.7〜35.3 g/dL |
| | 網赤血球〈RET〉 | 2〜27% |
| | 白血球〈WBC〉★ | *3,300〜8,600/μL |
| | 白血球分画★<br>　桿状核好中球<br>　分葉核好中球〈Neut〉<br>　好酸球〈Eo〉<br>　単球〈Mo〉<br>　リンパ球〈Ly〉<br>　好塩基球〈Ba〉 | （日本検査血液学会）<br>0.5〜6.9%<br>38.0〜78.0%<br>0〜8.5%<br>2.0〜10.0%<br>16.5〜49.5%<br>0〜2.5% |
| | 血小板〈PLAT〉★ | *15.8〜34.8 万/μL |
| | 末梢血・骨髄血塗抹 | |
| 凝固・線溶・血小板機能検査 | 出血時間 | 2〜5分（Duke法） |
| | プロトロンビン時間★〈PT〉（PT-INRを含む） | 11〜13秒（0.9〜1.1） |
| | 活性化部分トロンボプラスチン時間〈APTT〉 | 25〜40秒 |
| | 血漿アンチトロンビン〈AT〉 | 80〜130% |
| | トロンビン・アンチトロンビン複合体〈TAT〉 | 3.0 ng/mL 以下 |
| | 血漿フィブリノゲン | 180〜400 mg/dL |
| | フィブリン/フィブリノゲン分解産物〈FDP〉 | 10 μg/mL 以下 |
| | Dダイマー | 1.0 μg/mL 以下 |
| | プラスミン・プラスミンインヒビター複合体〈PIC〉 | 0.8 μg/mL 以下 |
| | 血小板凝集能 | |
| 溶血に関する検査 | 赤血球浸透圧抵抗試験 | 赤血球の溶血亢進の有無を調べる |
| | Ham試験 | 発作性夜間血色素尿症のスクリーニングに用いる |

注）*日本臨床検査標準協議会（JCCLS）

| 分類 | 項目 | 基準値，意味等，特記事項 |
|---|---|---|
| 輸血検査関連 | 血液型 | ABO式，Rh式 |
| | 交差適合試験（クロスマッチ） | 輸血用血液製剤との適合性を判定 |

## 3. 生化学検査

| 分類 | 項目 | 基準値，意味等，特記事項 |
|---|---|---|
| タンパク・タンパク分画 | 総タンパク〈TP〉★ | *6.6〜8.1 g/dL |
| | タンパク分画<br>　アルブミン〈Alb〉<br>　$\alpha_1$-グロブリン<br>　$\alpha_2$-グロブリン<br>　$\beta$-グロブリン<br>　$\gamma$-グロブリン | 60.5〜73.2%<br>1.7〜2.9%<br>5.3〜8.8%<br>6.4〜10.4%<br>11〜21.1% |
| | アルブミン〈Alb〉★ | *4.1〜5.1 g/dL |
| | $\alpha_1 \cdot \beta_2$-マイクログロブリン | $\alpha_1$：血清中高値はIgA増加，ネフローゼ症候群，糸球体腎炎/低値は肝疾患<br>$\beta_2$：血清中高値はネフローゼ症候群，糸球体腎炎 |
| | IgG | 861〜1,747 mg/dL |
| | IgA | *93〜393 mg/dL |
| | IgM | 男：33〜183 mg/dL<br>女：50〜269 mg/dL |
| | IgE | 170 IU/mL以下 |
| | フェリチン | 男：39.4〜340 ng/mL<br>女：3.6〜114 ng/mL |
| | 心筋トロポニンT | 0.10 ng/mL以下（急性心筋梗塞のカットオフ値） |
| | 心筋トロポニンI | 26.2 pg/mL未満（急性心筋梗塞のカットオフ値） |
| 生体色素 | 総ビリルビン★ | *0.4〜1.5 mg/dL |
| | 直接ビリルビン★ | 0.4 mg/dL以下 |
| 酵素，アイソザイム | アスパラギン酸アミノトランスフェラーゼ〈AST〉★ | *13〜30 U/L |
| | アラニンアミノトランスフェラーゼ〈ALT〉★ | 男：*10〜42 U/L<br>女：*7〜23 U/L |
| | 乳酸化脱水素酵素（LD）〈LDH〉 | *124〜222 U/L |
| | アルカリフォスファターゼ〈ALP〉 | *106〜322 U/L |
| | $\gamma$-GT〈$\gamma$-GTP〉 | 男性：*13〜64 U/L<br>女性：*9〜32 U/L |
| | コリンエステラーゼ〈ChE〉 | 男：*240〜486 U/L<br>女：*201〜421 U/L |
| | アミラーゼ | *44〜132 U/L |
| | リパーゼ | 13〜53 U/L |
| | クレアチンキナーゼ〈CK〉 | 男：*59〜248 U/L<br>女：*41〜153 U/L |
| | CK-MB | 3.7 ng/mL以下 |
| | アンジオテンシン変換酵素〈ACE〉 | 8.3〜21.4 IU/L |
| | ペプシノゲン | 萎縮性胃炎の程度を調べる |
| 含窒素成分 | 尿素窒素〈BUN〉★ | *8〜20 mg/dL |
| | クレアチニン〈Cr〉★ | 男：*0.65〜1.07 mg/dL<br>女：*0.46〜0.79 mg/dL |
| | 尿酸〈UA〉 | 男：*3.7〜7.8 mg/dL<br>女：*2.6〜5.5 mg/dL |
| | アンモニア | 12〜66 μg/dL |

| 分類 | 項目 | 基準値，意味等，特記事項 |
|---|---|---|
| 糖代謝関連 | （随時）血糖★ | 73〜139 mg/dL |
| | 空腹時血糖〈FBS〉★ | *73〜109 mg/dL |
| | ブドウ糖負荷試験〈OGTT〉 | 負荷前血糖値：110 mg/dL未満<br>負荷後2時間血糖値：140 mg/dL未満 |
| | HbA1c★ | 4.9〜6.0% |
| 脂質代謝関連 | 総コレステロール〈TC〉★ | *142〜248 mg/dL |
| | トリグリセリド〈TG〉★ | 40〜149 mg/dL<br>男：*40〜234 mg/dL<br>女：*30〜117 mg/dL |
| | HDLコレステロール | 男：*38〜90 mg/dL<br>女：*48〜103 mg/dL |
| | LDLコレステロール | *65〜163 mg/dL |
| 電解質・酸塩基平衡 | ナトリウム〈Na〉★ | *138〜145 mmol/L |
| | カリウム〈K〉★ | *3.6〜4.8 mmol/L |
| | クロール〈Cl〉 | *101〜108 mmol/L |
| | カルシウム〈Ca〉 | *8.8〜10.1 mg/dL |
| | 無機リン〈P〉 | *2.4〜4.6 mg/dL |
| | マグネシウム〈Mg〉 | 1.8〜2.5 mg/dL |
| | 浸透圧 | 275〜290 mOsm/kgH$_2$O |
| 重金属，微量元素 | 銅〈Cu〉 | 70〜132 μg/dL |
| | 鉄〈Fe〉★ | *40〜188 μg/dL |
| | 亜鉛〈Zn〉 | 80〜130 μg/dL |
| | 総鉄結合能〈TIBC〉 | 男：231〜385 μg/dL<br>女：251〜398 μg/dL |
| | 不飽和鉄結合能〈UIBC〉 | 男：170〜250 μg/dL<br>女：180〜270 μg/dL |
| ビタミン | ビタミンB$_1$ | 24〜66 ng/mL |
| | ビタミンB$_{12}$ | 180〜914 pg/mL |
| | 葉酸 | 4.0 ng/mL以上 |

### ホルモン

| 分類 | 項目 | 基準値，意味等，特記事項 |
|---|---|---|
| 下垂体 | 甲状腺刺激ホルモン〈TSH〉 | 甲状腺機能異常の診断と評価 |
| | 成長ホルモン〈GH〉 | GH・ACTH分泌不全の診断と評価 |
| | 黄体化ホルモン〈LH〉 | 性腺機能異常の診断と評価 |
| | 副腎皮質刺激ホルモン〈ACTH〉 | 副腎皮質機能異常の診断と評価 |
| | 卵胞刺激ホルモン〈FSH〉 | 性腺機能異常の診断と評価 |
| | プロラクチン〈PRL〉 | PRL分泌異常症の診断と評価 |
| | 抗利尿ホルモン，バソプレシン〈ADH〉 | 尿崩症とバソプレシン分泌過剰症の診断と評価 |
| 甲状腺 | 遊離トリヨードサイロニン〈FT$_3$〉 | 甲状腺機能亢進症の診断 |
| | 遊離サイロキシン〈FT$_4$〉 | 甲状腺機能亢進症および低下症の診断 |
| | サイログロブリン | ①甲状腺腫瘍の診断，②甲状腺腫瘍の増大度の判定 |
| | カルシトニン | 甲状腺髄様癌の診断 |
| 副甲状腺（上皮小体） | 副甲状腺ホルモン〈PTH〉 | Ca代謝異常の診断，副甲状腺機能亢進症および低下症の診断 |

注）*日本臨床検査標準協議会（JCCLS）

| 分類 | 項目 | 基準値，意味等，特記事項 |
|---|---|---|
| 副腎 | コルチゾール | 副腎からの糖質コルチコイドの分泌量の評価 |
| 副腎 | アルドステロン | 副腎からの鉱質コルチコイドの分泌量の評価 |
| 副腎 | 17α-ヒドロキシプロゲステロン | 先天性副腎皮質過形成症の診断または治療効果判定 |
| 副腎 | アドレナリン | 褐色細胞腫と交感神経芽腫の診断 |
| 副腎 | ノルアドレナリン | 褐色細胞腫と交感神経芽腫の診断 |
| 消化管 | ガストリン | ① ガストリノーマの診断，② 胃カルチノイドの原因精査（萎縮，酸分泌状態を間接的に把握する），③ 自己免疫性胃炎，悪性貧血の診断 |
| 膵島 | インスリン | ① 内因性膵β細胞量と機能の検索，② 糖尿病の病型分類，③ 糖尿病の治療薬剤の選択 |
| 膵島 | グルカゴン | 糖代謝異常の病態の検索 |
| 膵島 | Cペプチド〈CPR〉 | ① 内因性膵β細胞機能の検索（特にインスリン治療患者に対して），② 糖尿病の病型分類，③ インスリノーマの診断 |
| 腎臓 | 血漿レニン活性〈PRA〉 | レニン-アンジオテンシン系の機能の評価 |
| 腎臓 | アンジオテンシンII | 高血圧，心不全などでの原因診断と病態の把握 |
| 腎臓 | エリスロポエチン | 貧血，多血症の鑑別診断 |
| 性腺・胎盤 | エストラジオール〈E₂〉 | 代表的な女性ホルモン検査．性腺，胎盤，下垂体機能の評価 |
| 性腺・胎盤 | エストリオール〈E₃〉 | 胎児・胎盤機能の評価 |
| 性腺・胎盤 | プロゲステロン | 黄体，胎盤，性腺，副腎機能の評価 |
| 性腺・胎盤 | テストステロン | 性腺，副腎機能の評価 |
| 性腺・胎盤 | 絨毛性ゴナドトロピン〈hCG〉 | ① 異常妊娠の診断，経過観察，② 妊娠の経過観察 |
| 心臓 | 心房性ナトリウム利尿ペプチド〈hANP〉 | 心房で合成されるホルモンで心不全，腎不全，高血圧症などで上昇する |
| 心臓 | 脳性ナトリウム利尿ペプチド〈BNP〉 | 18.4 pg/mL 以下（日本心不全学会）心室で合成されるホルモンで心不全の評価に用いられる |
| 尿中ホルモン | 5-ヒドロキシインドール酢酸〈5-HIAA〉 | セロトニン代謝の評価．Parkinson症候群やWilson病，先天性舞踏病，痙性斜頸などで低下 |
| 尿中ホルモン | 遊離コルチゾール | 副腎皮質機能を評価 |
| 尿中ホルモン | カテコラミン | CA産生腫瘍：褐色細胞腫と交感神経芽腫の診断に用いる |
| 尿中ホルモン | メタネフリン ノルメタネフリン | 褐色細胞腫，交感神経芽腫の診断，治療効果の判定，経過観察 |
| 尿中ホルモン | バニリルマンデル酸〈VMA〉 | 小児期では神経芽細胞腫，青年期では褐色細胞腫の診断 |
| 腫瘍マーカー | αフェトプロテイン〈AFP〉 | 肝細胞癌のマーカー |
| 腫瘍マーカー | 癌胎児性抗原（CEA） | 大腸癌などの腺癌のマーカー |
| 腫瘍マーカー | CA19-9 | 各種消化器悪性腫瘍の腫瘍マーカー |
| 腫瘍マーカー | CA125 | 卵巣癌，子宮癌の腫瘍マーカー |
| 腫瘍マーカー | SCC | 扁平上皮癌の腫瘍マーカー |
| 腫瘍マーカー | 前立腺特異抗原（PSA） | 前立腺癌の腫瘍マーカー |
| 線維化マーカー | シアル化糖鎖抗原（KL-6） | 間質性肺炎の指標 |

### 4. 免疫血清学検査

| 分類 | 項目 | 基準値，意味等，特記事項 |
|---|---|---|
| 炎症マーカー | C反応性タンパク〈CRP〉★ | *0.14 mg/dL 以下 |
| 感染マーカー | プロカルシトニン | 0.05 ng/mL 未満 |
| 感染の抗原・抗体 | 梅毒血清反応 | 陰性（−） |
| 感染の抗原・抗体 | Weil-Felix反応 | リケッチア感染症のスクリーニング |
| 感染の抗原・抗体 | 抗ストレプトリジンO抗体〈ASO〉 | 239 IU/mL 以下 |
| 感染の抗原・抗体 | トキソプラズマ抗体 | IgG抗体 ELISA：陰性（6 IU/mL 未満）<br>IgM抗体 ELISA：陰性（0.8 未満） |
| 感染の抗原・抗体 | 寒冷凝集反応 | マイコプラズマ，自己免疫性溶解性貧血などの鑑別 |
| 感染の抗原・抗体 | マイコプラズマ抗体 | 補体結合反応（CF法）：4倍未満<br>粒子凝集反応（PA法）：40倍未満 |
| 感染の抗原・抗体 | ウイルス血清反応 | ウイルス感染のスクリーニング |
| 感染の抗原・抗体 | β-D-グルカン | 真菌感染症のスクリーニング |
| 感染の抗原・抗体 | HTLV-1抗体 | 陰性（−）ヒトT細胞白血病ウイルス感染のスクリーニング |
| 感染の抗原・抗体 | HIV抗体 | 陰性（−）ヒト免疫不全ウイルス感染のスクリーニング |
| 感染の抗原・抗体 | B型肝炎ウイルス（HBs）抗原，HBs抗体，HBc抗体 | ワクチン接種後はHBs抗体陽性 |
| 自己抗体 | リウマトイド因子〈RF〉 | 関節リウマチの診断 |
| 自己抗体 | 抗CCP抗体 | 関節リウマチの（早期）診断 |
| 自己抗体 | MPO-ANCA | ANCA関連血管炎の診断と活動性の評価 |
| 自己抗体 | PR3-ANCA | 多発血管炎性肉芽腫症の診断と活動性の評価 |
| 自己抗体 | 抗核抗体 | 膠原病のスクリーニング |
| 自己抗体 | 抗ssDNA抗体 | 全身性エリテマトーデスの診断と活動性の判定 |
| 自己抗体 | 抗dsDNA抗体 | 全身性エリテマトーデスの診断と活動性の判定 |
| 自己抗体 | 抗セントロメア抗体 | 全身性強皮症，Sjögren症候群の診断 |
| 自己抗体 | 抗アミノアシルtRNA合成酵素抗体〈抗ARS抗体〉 | 多発性筋炎・皮膚筋炎の診断の補助 |
| 自己抗体 | 抗RNP抗体 | ① 混合性結合組織病，② 全身性エリテマトーデス，③ 全身性強皮症の判定 |
| 自己抗体 | 抗Sm抗体 | 全身性エリテマトーデスの診断と病型の把握 |
| 自己抗体 | 抗SS-A抗体 | Sjögren症候群の診断 |
| 自己抗体 | 抗SS-B抗体 | Sjögren症候群の診断 |
| 自己抗体 | 抗Jo-1抗体 | 多発性筋炎・皮膚筋炎の診断と病型予測 |
| 自己抗体 | 抗Scl-70抗体 | 全身性強皮症の診断と病型予測（抗トポイソメラーゼI抗体） |
| 自己抗体 | 抗ミトコンドリア抗体 | 原発性胆汁性胆管炎の診断 |
| 自己抗体 | 抗RNAポリメラーゼIII抗体 | 全身性硬化症（強皮症）の診断補助 |
| 自己抗体 | 抗平滑筋抗体 | 自己免疫性肝炎の診断 |

注）*日本臨床検査標準協議会（JCCLS）

| 分類 | 項目 | 基準値，意味等，特記事項 |
|---|---|---|
| 自己抗体 | 抗サイログロブリン抗体 | 慢性甲状腺炎（橋本病）の診断 |
| | 抗甲状腺ペルオキシダーゼ〈TPO〉抗体 | 慢性甲状腺炎（橋本病）の診断 |
| | 抗TSH受容体抗体〈TRAb〉 | ① Basedow病の診断，② 抗甲状腺薬治療の中止時期の判定 |
| | 抗GAD抗体 | 1型糖尿病の診断 |
| | 抗インスリン抗体 | インスリン治療中の糖尿病患者，インスリン自己免疫症候群が疑われる低血糖症の患者，1型糖尿病の補助診断 |
| | 直接・間接Coombs試験 | 直接：溶血の鑑別診断<br>間接：血液型不適合輸血，血液型不適合妊娠など，輸血検査関連など，他人の赤血球と反応する同種抗体の検出 |
| | 抗アクアポリン4抗体 | 視神経脊髄炎の診断 |
| | 抗アセチルコリン受容体抗体 | 重症筋無力症の診断，診断後の経過観察・病勢把握 |
| | 抗デスモグレイン1抗体，抗デスモグレイン3抗体 | 天疱瘡抗原であるDsg1に対するIgG自己抗体の検出<br>天疱瘡抗原であるDsg3に対するIgG自己抗体の検出 |
| | 抗BP180抗体 | 水疱性類天疱瘡の診断 |
| 免疫タンパク | 免疫電気泳動 | MタンパクのクラスおよびL鎖の型判定 |
| | Bence Jonesタンパク | 尿検体にて検査．陽性で多発性骨髄腫を診断 |
| アレルギーに関する検査 | アレルゲン検査 | IgE抗体価の検索 |
| | IgE，特異的IgE，好塩基球活性化試験 | アレルギー性疾患が疑われた場合の判定 |
| | 皮膚反応（パッチテスト，プリックテスト，皮内反応） | 皮膚反応によるアレルギーテスト |
| 補体 | 血清補体価（CH₅₀），C3，C4 | $CH_{50}$：30〜45 U/L<br>C3：*73〜138 mg/dL<br>C4：*11〜31 mg/dL |
| | 免疫複合体 | 陰性（−） |
| 細胞免疫・食菌能検査 | リンパ球表面抗原検査 | 生体内の免疫状態の把握，疾患の病型分類や微小病変の検索 |
| | CD4/8比 | 0.5〜2.3 |
| | 好中球機能検査 | 遊走能，食食能を検索 |
| | リンパ球刺激検査 | |
| | ツベルクリン反応 | 陰性　発赤の長径9 mm以下<br>陽性<br>・弱陽性：発赤の長径10 mm以上<br>・中等度陽性：発赤の長径10 mm以上で硬結を伴うもの<br>・強陽性：発赤の長径10 mm以上で硬結に二重発赤，水疱，壊死などを伴うもの |
| 組織適合検査 | HLA検査 | 骨髄移植，臓器移植などにおけるHLA抗原不一致による副作用の防止 |

5. 微生物検査

| 分類 | 項目 | 基準値，意味等，特記事項 |
|---|---|---|
| 病原体検査 | 細菌検査（塗抹，培養，同定，薬剤感受性） | |
| | 結核・抗酸化検査（塗抹，Gaffky号数，培養，感受性検査，拡散検査） | |
| | スピロヘータ | 梅毒の診断 |
| | リケッチア | リケッチア感染症の診断 |
| | クラミジア | クラミジア・トラコマチス感染症の診断 |
| | マイコプラズマ | マイコプラズマ感染の診断の補助 |
| | ウイルス | |
| | 真菌 | 病原真菌の検出 |
| | 原虫 | 感染原虫の検索 |
| | 寄生虫 | 寄生虫感染の検索 |
| | 核酸検査 | |

6. 病理学検査

| 分類 | 項目 | 基準値，意味等，特記事項 |
|---|---|---|
| 光顕標本 | Hematoxylin-eosin染色〈H-E染色〉 | 細胞核がヘマトキシリンで青紫色に，細胞質や細胞間質（特に膠原線維）はエオシンでピンク色に染まる |
| | PAS染色 | 唾液腺腫瘍，真菌，放線菌症など |
| | PAM染色 | 糸球体腎炎などの基底膜の変化 |
| | SudanⅢ染色 | 脂肪肉腫，腎細胞癌，卵巣莢膜細胞腫などの組織診断 |
| | Congo-Red染色 | アミロイドの診断 |
| | Mucicarmine染色 | 粘液，特に上皮性粘液を赤色から桃色に染める染色法 |
| | Gram染色 | 最も一般的に用いられている細菌染色法 |
| | Ziehl-Neelsen染色 | 結核菌（Mycobacterium tuberculosis）など抗酸菌の最も代表的な染色法 |
| | Grocott染色 | 真菌壁の染色 |
| | May-Giemsa染色 | 末梢血や骨髄の細胞を観察する染色 |
| | Papanicolaou染色 | 細胞診の塗抹細胞の染色 |
| | 免疫組織化学染色 | 抗体を用いて組織内の抗原を検出する染色 |

7. 生体機能検査

| 分類 | 項目 | 基準値，意味等，特記事項 |
|---|---|---|
| 動脈血ガス分析 | pH ★ | 7.35〜7.45 |
| | $PaCO_2$（動脈血$CO_2$分圧）★ | 36〜44 mmHg<br>身長および年齢に伴って基準値は軽度変動する |
| | $PaO_2$（動脈血$O_2$分圧）★ | 成人男性では95±7 mmHgであり，約100 mmHgとしてよい．<br>年齢依存性．日本呼吸器学会による予測式<br>$PaO_2(mmHg) = 109 - 0.43 \times$年齢（安静臥位，室内気） |
| | $HCO_3^-$ | 24±2 mEq/L |
| | BE（ベースエクセス） | 0±2 mEq/L |
| 呼吸機能 | %VC（%肺活量） | 80%以上 |
| | $FEV_1$%（1秒率） | 70%以上 |
| | 経皮的動脈血酸素飽和度〈$SpO_2$〉★ | 96%以上（96〜99%） |
| 心機能 | （12誘導）心電図検査 | 肢誘導と胸部誘導があり，それぞれ4つの電極と6つの電極を使って記録する |
| | Holter心電図検査 | 日常生活中の心電図を長時間記録するためのシステム |
| | 運動負荷心電図検査 | 運動して心臓に負荷をかけたときの心電図変化をみる検査 |

注）*日本臨床検査標準協議会（JCCLS）

| 分類 | 項目 | 基準値，意味等，特記事項 |
|---|---|---|
| 心機能 | 心臓カテーテル検査 | カテーテルを腕や脚の動脈や静脈から入れ，心臓や血管の圧測定や造影．狭心症や心筋梗塞，弁膜症，心筋症，先天性心疾患など |
| 消化器系 | 唾液分泌検査 | 唾液の正常分泌量は1日0.5～3.0 L．ガム試験では10分間の唾液分泌が10 mL以下である時に機能低下 |
| | 胃液検査 | 経鼻胃管を挿入して胃液を採取し，分泌能を調べるための検査 |
| | 食道・胃24時間pHモニタリング検査 | 胃食道逆流の程度を評価 |
| | 食道内圧検査 | 食道の機能的障害の診断に用いる検査 |
| | 肛門内圧検査 | 失禁または便秘がみられる患者の肛門直腸括約筋機構と直腸感覚を評価 |
| | BT-PABA試験 | 膵外分泌能の評価．71%以上 |
| 内分泌・代謝機能 | インスリン負荷試験 | 糖尿病診断 |
| | グルカゴン負荷試験 | インスリンを分泌する能力，成人の成長ホルモン分泌不全症の診断目的 |
| | ブドウ糖負荷試験 | 糖尿病診断 |
| | 絶食試験 | 24～72時間水分のみを投与して低血糖が起きるかをみる．インスリノーマ診断 |
| | 甲状腺刺激ホルモン放出ホルモン負荷試験 | 健常者：TRHはすみやかにTSHとPRLの分泌を促進する．下垂体TSH分泌細胞の障害やPRL分泌腫瘍の診断 |
| | CRH負荷試験 | ACTH頂値が前値の1.5倍以上，もしくは30 pg/mL以上<br>コルチゾールの頂値が15 μg/dL以上 |
| | GHRH負荷試験 | GH頂値6 ng/mL以上 |
| | LHRH負荷試験 | LH：基礎値の5～10倍の増加<br>FSH：基礎値の1.5～2.5倍の増加 |
| | デキサメタゾン抑制試験 | Cushing症候群疑い |
| | 水制限試験 | 中枢性尿崩症の診断 |
| | 高張食塩水負荷試験 | 中枢性尿崩症の診断：0.05 mL/kg/分で120分間点滴投与 |
| | ACTH試験 | 副腎皮質の予備能 |
| | 甲状腺$^{123}$I摂取率 | 甲状腺の機能でヨード甲状腺摂取率を算出する検査 |
| | フロセミド負荷試験 | 原発性アルドステロン症を診断 |
| | PTH負荷試験〈Ellsworth-Howard試験〉 | 副甲状腺機能低下症のタイプを鑑別 |
| | プロゲステロン負荷試験 | 無月経患者の重症度 |
| | エストロゲン・プロゲステロン負荷試験 | 無月経患者の重症度 |
| | ゴナドトロピン負荷試験 | 無月経や無排卵の症例に |
| 腎機能 | クレアチニンクリアランス〈CCr〉 | 91～130 mL/分<br>男：(140－年齢)×体重/(72×血清クレアチニン値)<br>女：0.85×(140－年齢)×体重/(72×血清クレアチニン値) |
| | 推算糸球体濾過量〈eGFR〉★ | 60 mL/分/1.73 m² 以上（日本腎臓学会）<br>194×血清Cr－1.094×年齢－0.287<br>（女性の場合は×0.739） |
| | レノグラム | 腎動態シンチグラム：アイソトープを静注し，注射と同時に30分間撮影 |

| 分類 | 項目 | 基準値，意味等，特記事項 |
|---|---|---|
| 神経 | 脳波検査 | 脳細胞（神経細胞）からの微弱な電気活動を記録する．波形の状態から異常部位を判断 |
| | 針筋電図検査 | 神経や筋肉の状態を調べる検査で，主に末梢神経の運動障害の評価・診断 |
| | 末梢神経伝導検査 | 末梢神経を皮膚上で電気刺激し，誘発電位を記録．末梢神経疾患，脊髄疾患の診断，病態の把握に活用する |

### 8．栄養学検査

| 分類 | 項目 | 基準値，意味等，特記事項 |
|---|---|---|
| 身体計測 | 身長 | |
| | 体重 | |
| | Body Mass Index〈BMI〉 | 標準：22<br>計算式＝[体重(kg)]÷[身長(m)]²<br>体重と身長から算出される肥満度を表す体格指数 |
| 生化学検査 血液 | 総タンパク〈TP〉★ | *6.6～8.1 g/dL |
| | アルブミン〈Alb〉★ | *4.1～5.1 g/dL |
| 包括的栄養評価 | SGA（Subjective Global Assessment） | 低栄養状態を評価 |
| | MNA（Mini Nutritional Assessment） | 高齢者に特化した栄養スクリーニングツール |

注）*日本臨床検査標準協議会（JCCLS）

監修：松坂賢一

① 50音順配列とした．
② ── でつないだ言葉はそのすぐ上の見出し語につなぐものである．また ── のあとに，（カンマ）をつけてつないだ言葉は逆引きである．
③ 頭がアルファベットではじまるものは欧文索引に配列し，ギリシャ文字・数字ではじまるものは欧文索引の冒頭に並べた．
④（頁が重複する場合）主要な説明および重要な語のある頁については太字で示した．

## あ

アイシング　507
アイスパック法　507
アウエル小体　421
亜急性炎症　195
悪液質　259
アクシデント　80
悪性黒色腫　292
悪性腫瘍　243, 257, **279**
悪性上皮性腫瘍　251
悪性新生物　243
悪性リンパ腫　419, **421**
アクネ菌　220
アクロメガリー　397
アザチオプリン　389
アシクロビル　380, 456, 506
アジソン病　66, 399, 403
足場，細胞　520
足場構造　491
亜硝酸　26
アスパラギン酸アミノトランスフェラーゼ（AST）　21
アスピリン　413, 428, 459
アスペルギルス　211
アズレンスルホン酸ナトリウム水和物　318
アセチル化　245
アセトアミノフェン　385, 400, 506
アセトアルデヒド　254
アゾール系，抗真菌薬　506
亜脱臼　161, 474
アッシュ鉗子　172
圧接法　512
アッパーフラクチャー　140
圧迫法，止血　48
アッベ法　304
アデノシン三リン酸（ATP）持続静注　443
アデノシン三リン酸（ATP）製剤　506
アデノシン三リン酸二ナトリウム水和物，神経疾患　437
アデノシン二リン酸（ADP）　409
アドソンピンセット　40
アドバンス・ケア・プランニング（ACP：人生会議）　296
アドレナリン　50, 57, 466, 507
アナフィラキシー型アレルギー　200
アナフィラキシーショック　466
アナフィラトキシン　193
アバットメント　488
アピキサバン　62, 414, 428
アフタ　12
アフタ性潰瘍　12

アプライアンス療法　344
アペール症候群　90, **126**
アポトーシス　244
アミトリプチリン（塩酸塩）　344, 443, 455
アミノグリコシド系　506
アミラーゼ（AMY）　22
アミロイド　399
アミロイドーシス　399
アムホテリシンB　369, 377, 401, 506
アモキシシリン（AMPC）　216, 515
アラキドン酸代謝産物　194
アラニンアミノトランスフェラーゼ　21
アリルイソプロピルアセチル尿素　400
アルギン酸ナトリウム　506
アルスロセンテーシス　347
アルチュス型アレルギー　201
アルブミン　21
アレルギー　200
アレルギー性紫斑病　424
アレルギー反応　200
アロディニア　443
安全域　297
安全対策管理　81
鞍鼻　219
アンピシリン・スルバクタム（ABPC/SBT）　216
アンモニア　23

## い

イカチバント酢酸塩　394
易感染宿主　200
医原性感染　200
医原的損傷　56
移行部唾石　359
意識障害　3
意識レベル　72
萎縮　12, 346
異種骨　492
異常感覚　443
異常結節　95
異常高血圧　68
異常出血　467, 502
移植菌　472
移植片対宿主病（GVHD）　402, 420
移植片対白血病/腫瘍効果　420
異所性エナメル質　98
異所性甲状腺　103
異所性唾液腺　353
異所萌出　99
イスムス　471
イソニアジド（INH）　218
痛みの定義　6

痛みの分類　7
いちご状血管腫　275
一次救命処置（BLS）　73
一次口蓋　88
一次止血　409, 410
一次止血機能検査　25
一次治癒　50, 158
一次的骨折治癒　158
一時的止血法　47
一部無菌症　94
異痛症　433, 443
一過性局在性伝導障害　435
遺伝性血管性浮腫　393
遺伝性出血性毛細血管拡張症　423
糸結び　51
イトラコナゾール　369, 377, 401
イニシエーション　245, 255
一般内臓遠心性線維　132
異物迷入，小児　189
異味症　399
イミダゾール系抗真菌薬　377
医薬品，医療機器等の品質，有効性及び安全性の確保等に関する法律　520
医療安全　80
医療安全管理　82
医療安全対策　81
医療事故　80
医療事故防止　82
医療事故防止マニュアル　82
医療面接　1, 2
医療用BLSアルゴリズム　74
インシデント　80
飲酒，発癌　254
インターロイキン　58, 193
因陳蒿湯　507
咽頭枝　431, 432
咽頭弁移植術　116
院内感染　30
院内感染防止対策　30
インフェクション・コントロール　30
インフォームド・コンセント　4
インプラント　488
インプラント関連手術　491
インプラント体　488
インプラント体埋入手術　490
インプラント迷入，上顎洞内　502
インフルエンザ治療薬　506

## う

ヴァレーの圧痛点　442
ウイルス感染症　200, 379
ウイルス性唾液腺炎　358
ウォーターレス法（ラビング法）　32

ウロビリノゲン　26
ヴンダラー法　140
運動チック　451
運動麻痺　10, 433
運動療法　508

## え

永久歯　89
　　――の外傷，小児　189
永久的止血法　48
衛生的手洗い　31
栄養管理　70
栄養剤投与経路の選択　71
栄養サポートチーム　517
栄養障害　399
栄養障害型表皮水疱症　390
栄養状態の評価法　71
栄養の補給法　71
エオジン親和性　409
液状化細胞診　27
エコーウイルス　381
エコーガイド下 SGB　439
壊死　12
壊死性炎　198
壊死性潰瘍性歯周炎　205
壊死性筋膜炎　213
壊死性唾液腺化生　371
壊疽　12
壊疽性炎　198
エタンブトール(EB)　218
エックス線撮影　14
エテンザミド　400
エドキサバン　414, 428
エナメル質　89
エナメル質・象牙質破折　160
エナメル質形成不全　98
エナメル質減形成症　98
エナメル質破折　160
エナメル上皮癌　271
エナメル上皮腫　246, 248, 261
　　――，骨外型/周辺型　246, 263
　　――，石鹸泡状　262
　　――，叢状型　263
　　――，多房性　262
　　――，単嚢胞型　246, 263
　　――，単胞性　262
　　――，通常型　246, 263
　　――，内腔型　263
　　――，内腔増殖型　263
　　――，壁在型　263
　　――，蜂巣状　262
　　――，濾胞型　263
エナメル上皮線維腫　265
エナメル滴(異所性エナメル質)　98
エナメル突起　98
エネルギー代謝　58
エピジェネティクス　245, 255
エピトープスプレッディング　202
エピリグリン　389
エファプス　442
エプーリス　318
エフェクター T 細胞　256
エフェクター機能　256

エプスタインバール・ウイルス(EBV)
　　　358, 383, 400
エプスタイン・バール・ウイルス感染
　　　221
エプスタイン真珠　104, 227, 376
エブネル腺　353
エラストグラフィ　19
遠隔転移　252, 280
炎症　25, 58, 192
　　――の5大徴候　192, 199
　　――の化学伝達物質　193
　　――の経過　194
　　――の原因　192
　　――の治療　203
　　――の分類　195
炎症期，外傷　157
炎症期，骨折　158
炎症細胞　192
炎症性開口障害　13
炎症性サイトカイン　58, 194
炎症性嚢胞　224, 229
炎症性閉口障害　14
炎症性傍側性嚢胞(歯周嚢胞)　230
炎症メディエーター　193
円刃刀　37
円錐歯　96
エンテロウイルス 71　221, 382
円板状エリテマトーデス　392

## お

横顔裂　120
横骨折　187
横転皮弁　485
横紋筋肉腫　289
黄連湯　507
オートショック AED　77
オーバーデンチャー形態　498
オーラルアプライアンス　348
オールトランス型レチノイン酸(ATRA)
　　　428
オキシコドン　446
オクルーザルスプリント　175
オクルーザルランプ　514
オスラー病　410, 411, 423
おたふくかぜ　221, 359
オッセオインテグレーション　490
オトガイ下隙の炎症　212
オトガイ形成術　148
オトガイ神経麻痺　434
男結び(こま結び)　51
オニオンピール　292
オピオイド鎮痛薬　446
オンコサイト　364
温湿布　507
温度覚　436
温度の損傷　155
女結び(たて結び)　51
温熱療法　438, 507
オンレーグラフト　475, 494
オンレーブロック骨移植　494

## か

ガーゼタンポン法　174

カーテン徴候　449
ガードナー症候群　129, 277
外因系凝固経路　411
外因性感染　200
外因性色素沈着　396
下位運動ニューロン障害　10
外仮骨　159
開花状骨性異形成症　321
回帰発症　379
壊血病　399, 410
開口器　44
開口訓練　508
開口時クリック　342
開咬症　136
開口障害　13, 452
介護サービス　517
外骨腫　277
外骨症　320
外骨症切除術　475
介在部導管　352
外傷　155
　　――による創傷の治癒過程　157
　　――の ABCD アプローチ　174
外傷後，インプラント　498
外照射　311
外傷初期診療ガイドライン　184
外傷性開口障害　13
外傷性顎関節炎　333
外傷性ジストニア　453
外傷性神経障害　441
外傷性神経障害性疼痛　454
外傷性脳脊髄液漏　185
外傷性閉口障害　14
外傷性有痛性三叉神経ニューロパチー
　　　446
外歯瘻　13
外側靱帯　328
外側鼻隆起　86
外唾液瘻　354
介達骨折　165
回転-滑走関節　326
回転皮弁　485
外胚葉形成不全症　123
外反膝　399
外表奇形　89
回復体位　75
開放創の分類　157
海綿骨腫　277
海綿骨片　491
海綿状血管腫　275
海綿状リンパ管腫　276
潰瘍　12
解離症状　452
解離性(転換性)障害　452
解離性けいれん　452
カウザルギー　444
ガウンテクニック　32
過栄養状態　71
下顎亜全摘術　300
下顎窩　326
過角化症　315
下顎管分類　300
下顎頬側分岐部嚢胞　230

下顎区域切除術　300
下顎後退症　134
下顎骨延長術　150
下顎骨関節突起欠損　330
下顎骨関節突起発育不全　330
下顎骨関節突起肥大　330
下顎骨骨折　162
下顎骨正中部・傍正中部骨折　163
下顎骨体部・下顎角部骨折　164
下顎骨体部分切除術　148
下顎膜下膿瘍　207
下顎再建　479
下顎枝逆L字型骨切り術　147
下顎枝骨折・筋突起骨折　164
下顎枝矢状分割術　145
下顎枝垂直骨切り術　147
下顎歯肉癌　282
——, 治療　300
下顎神経　430, 447
下顎全摘術　300
下顎前突症　133, 134
下顎前方歯槽部骨切り術　144
化学的損傷　156
下顎頭　326
下顎頭骨硬化　342
下顎頭肥大　330
下顎隆起　86
下顎半側切除術　300
下顎辺縁切除術　300
化学放射線療法　308
下顎埋伏智歯　465
下顎隆起(外骨症)切除術　476
化学療法, 癌治療　260
化学療法時の管理　516
牙関緊急　216, 452
花冠状構造　265
下関節腔　326
核医学検査　19
角化異常症　383
角化上皮　374
角化層　374
角化嚢胞性歯原性腫瘍　224
顎間ゴム牽引　166
顎関節　326
顎関節運動　328
顎関節円板障害(Ⅲ型)　341
顎関節開放手術　350
顎関節可動化訓練(モビライゼーション)
　　　　　　345, 348
顎関節鏡視下手術　349
顎関節鏡視下剥離授動術　347
顎関節強直症　335
顎関節周辺の動脈分布　329
顎関節症　338
—— に対する運動療法　348
—— の診断基準　343
—— の治療　342
—— の病態分類　342
—— のリスク因子　338
顎関節人工関節全置換術　335, 350
顎関節脱臼　331
顎関節痛障害(Ⅱ型)　340
顎関節パノラマ4分割撮影　15

顎関節リウマチ　336
顎顔面補綴　512
顎矯正手術　118, 140
——, 異常骨折　152
——, 異常出血　151
——, 顎関節症　153
——, 顎関節脱臼　152
——, 気道閉塞　152
——, 神経障害　152
——, 創部感染　152
顎骨延長術　148
顎骨骨髄炎　207
顎骨骨膜炎　207
顎骨再建術　480
顎骨中心性癌　284
顎骨中心性血管腫　275
顎骨囊胞　224
顎骨の炎症　206
顎骨の肉腫　291
核小体　243
隔絶抗原　202
拡大上顎全摘術　302
獲得免疫系　199
核の細胞質比　243
核の濃染性　243
角針　40
顎変形症　133
——, 口腔機能の障害　134
——, 咬合と歯列の異常　133
——, 呼吸機能の障害　134
——, 社会的障害　134
——, 醜形恐怖症　134
——, 先天異常に伴う　133
—— の診断　136
—— の分類　134
顎補綴装置　513
顎裂部骨移植術　117
鵞口瘡　377
過誤腫　243
過誤腫性腸ポリポーシス　130
仮骨延長術　475, 495
仮骨期, 抜歯　160
仮骨形成期, 骨折　159
化骨性線維腫　278
過錯角化症　315
下歯槽神経移動術　497
下歯槽神経損傷　467, 501
下歯槽神経麻痺　434
過剰歯　94
下唇小帯付着異常　105
下唇腺　352
下垂体性巨人症　397
カストロビューホ持針器　41
過正角化症　315
画像検査　14
家族性巨大型セメント質腫　321
家族性腺腫性ポリポーシス(家族性大腸腺腫症：FAP)　129
家族歴　2
カタル性炎　382
顎下型ラヌーラ　361
顎下隙の炎症　212
顎下三角部　211

顎下腺　351, 352
顎下腺管　351
顎下腺癌　286
顎下腺管損傷　188
顎下腺体内唾石　360
顎下腺唾石症　359
顎下腺摘出術　360
顎下リンパ節　258
顎骨延長術　118
顎骨周囲軟組織の炎症　211
活性化部分トロンボプラスチン時間　413
活性酸素　193
割創　157
滑膜(性)骨軟骨腫症　334
括約結紮法(周囲結紮法)　49
家庭血圧　73
カテプシンC(CTSC)　122
加熱式タバコ　253
化膿性炎　196
化膿性歯髄炎　196
化膿性唾液腺炎　358
化膿性リンパ節炎　214
ガバペンチン　455
カフェオレ斑　131
花粉-食物アレルギー症候群　385
カポジ肉腫　221, 290
ガマ腫　238, 360
鎌状赤血球症　417
紙巻きタバコ　253
ガム試験　357
可溶性インターロイキン2(IL-2)受容体濃度(sIL-2R)　410
カリクレイン・キニン系　193
顆粒球　21, 407, **408**
顆粒球コロニー刺激因子製剤　418
顆粒状人工骨　480
顆粒層　374
カルシウムチャンネル$\alpha_2\sigma$リガンド　446
カルジオリピン　219
カルシニューリン阻害薬　403
カルテ　5
カルナンの3徴候　106
カルバゾクロム　507
カルバマゼピン　381, 385, 445, 447
カルボシステイン　400
カルボプラチン(CBDCA)　308
ガレー骨髄炎　208
癌　243
—— の周囲組織に対する浸潤様式(INF)　296
癌遺伝子　245
癌温熱療法　507
感覚トラップ　451
感覚鈍麻　443
感覚麻痺　433
眼型粘膜類天疱瘡　389
眼窩底骨折(吹き抜け骨折)　171
肝機能検査　63
間隙囊胞説　234
間欠性けいれん　452
間欠的空気圧迫法　69
観血的整復固定術　175
間欠ロック　342

眼瞼けいれん　451
眼瞼ミオキミア　451
幹細胞　520
癌細胞　244
幹細胞生物学　517
鉗子　43
含歯性囊胞　226
カンジダ・アルビカンス　199, 377, 400
カンジダ菌　400
鉗子抜歯　462
患者影響度分類　83
癌腫　245, 279
桿状核球　409
眼神経　430, 447
癌性潰瘍　258
関節円板　326, 327
関節腔洗浄療法　347
間接蛍光抗体法　387
間接骨折治癒　158
関節雑音　342
関節性開口障害　13
関節突起基底部骨折　165
関節突起頸部骨折　165
関節突起骨折　165
間接ビリルビン　23
関節部抜歯鉗子　460
関節包（関節包靱帯）　328
関節包内骨折（下顎頭骨折）　165
関節隆起形成法　332
感染　198
感染経路　200
完全口蓋裂　106
感染症　198
乾癬性顎関節炎　336
感染性心内膜炎(IE)　215
完全脱臼　161, 189, 474
感染防御機構　199
完全無歯症　94
感染予防対策　30
含嗽剤　357
がん対策基本法　514
がん対策推進基本計画　515
癌胎児性抗原　260
間代性けいれん　10, 435
癌治療
　——, 化学療法　260
　——, 放射線療法　261
　——, ホルモン療法　260
　——, 免疫療法　261
貫通ネジによる固定　175
陥入　161, 474
肝排泄型　506
漢方薬　357, 507
ガンマグロブリン　422
顔面インプラント治療　498
顔面骨の buttress　167
顔面神経　86, 133, 187, 307, 329, 430, 448
顔面神経けいれん　451
顔面神経麻痺　448
顔面多発骨折　172
顔面チック　10, 435, 451
顔面頭蓋部エックス線撮影　14
顔面非対称症　135

顔面皮膚損傷　182
顔面ポートワイン斑　131
顔面裂　120
　——の分類　120
間葉系組織　193
間葉成分　362
癌抑制遺伝子　245
癌抑制タンパク　255
肝予備能評価　66
寒冷療法　507
関連痛　7

## き

奇異呼吸　67
既往歴　2
機械的損傷　155, 176
器械縫合　51
気管支喘息　65
気管切開術　298
気管タグ　67
義歯性線維腫　273, 319, 477
偽性副甲状腺機能低下症　398
偽痛風　337
喫煙, 発癌　253
基底細胞母斑症候群(NBCCS)　132, 225
基底層　374
基底膜　374
気道確保　174
気道粘液調整・粘膜正常化剤　400
気道閉塞　67
キトサン　50
偽囊胞　231
偽膜性カンジダ症　400
キメラ抗原受容体遺伝子改変 T 細胞療法
　　　420
逆性歯　99
キャンサーボード　297
キャンディン系　506
救急蘇生法　72
臼後結節　96
臼歯腺　353
臼歯の異常結節　96
吸収　504
吸収糸　42
吸収性ゼラチンスポンジ　50
嗅診　4
丘疹　11
急性萎縮性カンジダ症　378
急性移植片対宿主病　402
急性炎症　195
急性外傷　155
急性潰瘍　12
急性顎骨骨髄炎　207
　——, 第1期（初期）　207
　——, 第2期（進行期）　207
　——, 第3期（腐骨形成期）　208
　——, 第4期（腐骨分離期）　208
急性顎骨骨膜炎　207
急性化膿性顎関節炎　333
急性化膿性唾液腺炎　359
急性偽膜性カンジダ症　377
急性呼吸窮迫症候群(ARDS)　67
急性骨髄性白血病　420

急性根尖性歯周炎　206
急性歯性上顎洞炎　197, 210
急性歯槽骨炎　206
急性腎障害(AKI)　66
急性相反応タンパク　58
急性相反応物質　58
急性唾液腺炎　358
急性智歯周囲炎　206
急性痛　7
急性リンパ性白血病　420
臼傍結節　96
キュットネル（キュットナー）腫瘍　369
凝固異常のスクリーニング検査　63
凝固因子　411
凝固因子異常　411
凝固因子カスケード　411
凝固線溶系　193
胸骨圧迫　75
頰骨弓骨折　170
頰骨骨折　169
頰骨体部骨折　170
頰骨突起形成法　332
胸鎖乳突筋に対する運動療法　509
胸三角皮弁　485
頰脂肪体移植　304
頰小帯付着異常　105
頰神経麻痺　435
狭心症の重症度　64
頰腺　352
頰側骨移植術　475
強直性開口障害　13
強直性けいれん　10, 435
強直性咀嚼筋けいれん　452
強度変調放射線治療　311
頰粘膜癌　253, 284, 304
　——, 潰瘍型　284
　——, 乳頭型　284
　——, 表在型　284
頰粘膜再建　480
頰粘膜損傷　182
胸部エックス線写真　62
頰部囊腫　234
強彎針(1/2円針)　40
巨核球　409
局在性麻痺　10
旭日像　291
局所止血材　459
局所ジストニア　451
局所(的)止血剤(薬)　47, 50, 467
局所皮弁　479, 485
局所皮弁形成術　52
局所防御機構　199
局所麻酔　47
局所麻酔薬中毒　466
局所麻酔用注射器　37
局所麻酔用注射筒　38
棘融解　387
棘融解細胞　387
虚血性心疾患　64
巨細胞腫　278
巨細胞修復性肉芽腫　278
巨細胞性エプーリス　279, 319
巨細胞肉芽腫　278

巨細胞性病変　278
巨赤芽球性貧血　401, 416
巨舌症　102
巨大歯　97
巨大唇　101
亀裂骨折　165
筋萎縮性側索硬化症(ALS)　453
菌塊　216
金冠バサミ　39
緊急気道確保　78
緊急通報　75
菌血症　202, 214
菌交代症　200
筋上皮細胞　352, 362
筋伸展訓練(ストレッチング, 筋ストレッチ)　348, 508
筋性巨舌症　103
近赤外線照射治療　438
近赤外線療法　508
筋突起切除術　338
キンドラー症候群　390
緊縛法(ターニケット法)　48

## く

クインケ浮腫　101, 393
空気感染　199
クーパー剪刀　39
偶発症　466
空腹時血糖値(FBS)　22
クッシング症候群　66, 398
クラインフェルター症候群　129
クリック(音)　342
グリップ　460
クリニカルパス　82
クリンダマイシン(CLDM)　152, 216
グルココルチコイド　57
クルーゾン症候群　124
くる病　399
クレアチニンクリアランス(CCr)　24
クレアチンキナーゼ(CK)　22
クレピタス　342
クレブシエラ・オキシトカ　199
クローズドロック　342
クローン　517
クロピドグレル　413, 428
クロファジミン(CLF)　221
グロブリン　21

## け

蛍光観察装置　297
経口感染　200
経口摂取　71
経口ビスホスホネート製剤による口腔粘膜潰瘍　400
形質細胞　193
傾斜歯　99
痙笑　222, 435
経静脈栄養　71
頸神経わな　433
痙性麻痺　10
形態異常　95
経腸栄養　71
経腸栄養剤　71

茎突下顎靱帯　328
経鼻胃管栄養　71
経皮的電気刺激療法(TENS)　508
頸部郭清術　305
頸部リンパ節　214, 258
頸部リンパ節腫脹　217
頸部リンパ節(転移)のレベル分類　259, 305
頸部リンパ節転移　252, 282-284, 306, 311, 365
──, 診断　280
──, 治療　305
頸部リンパ節病変, 悪性リンパ腫　422
傾眠鎮静薬　400
けいれん　10, 433, 435
ゲートコントロール理論　508
ケーレ法　144
外科的侵襲　56
──に対する生体反応　57
外科結び　51
血圧　72
血圧上昇　68
血圧低下　68
血液学的検査　20
血液凝固因子製剤　427
血液凝固機能検査　63
血液系細胞　192
血液検査　61
血液細胞成分　407
血液疾患　407
血液尿素窒素(BUN)　24
血液の液性成分　407
結核　217
結核菌　217
結核結節　217
結核性リンパ節炎　217
血管圧挫法　49
血管強化薬　50, 507
血管強度の脆弱化　410
血管結紮法　49
血管作動性アミン　194
血管脂肪腫　274
血管腫　257, 274
血管腫性エプーリス　318
血管性浮腫　393
──, アンジオテンシン変換酵素阻害薬　394
血管内皮細胞　58
血管肉腫　289
血管反応　192
血管柄付き肩甲骨移植　482
血管柄付き骨移植　479, 480, 481, 488
血管柄付き腸骨移植　482
血管柄付き腓骨移植　482
血管柄付き遊離皮弁移植　479, 485
血管迷走神経反射　453, 466
血管迷走神経反射性失神　453
血球　407
血行感染　200
血行性転移　258
結合組織性結合　159
結合組織層　374
結合組織乳頭　374

結紮法　51
血色素　408
欠失　245
──, 染色体異常　90
血腫　11
血漿　407
血漿交換療法　388, 393
血小板　193, 407, 409
──, 寿命　413
血小板異常　410
血小板活性化因子(PAF)　193, 194
血小板機能　410, 411
血小板凝集能　410
血小板血漿濃縮物　521
血小板検査　21
血小板数　410, 411
血小板粘着能　410
血小板膜タンパク　424
血小板無力症　425
血小板輸血　425
血漿フィブリノゲン　62
血清　407
血清クレアチニン(Cr)　24
血清酵素　21
血清総タンパク(TP)　21
血清タンパク　21
血清鉄　415
血清フェリチン　24
結節　11
結節状骨腫　277
血栓形成　410
血栓溶解薬　428, 459
欠損　12
血中ビリルビン濃度　23
血沈　20
血餅　159, 407
血餅期, 抜歯　160
血疱　11
血友病　426, 427
血友病A　90, 411, 426
血友病B　90, 411, 426
ケトン体　26
解熱性鎮痛薬　506
解熱鎮痛薬　400
ゲフリール　28
ケミカルメディエーター　409
ケラチン4　390
ケラチン5　390
ケラトヒアリン顆粒　374
ケリー鉗子　43
ケルビズム　279
幻影細胞　266
限局性アミロイドーシス　399
限局性けいれん　435
限局性骨性異形成症　321
肩甲舌骨筋上頸部郭清術(SOHND)　305, 307
幻歯痛　442
顕性感染　199
減張切開　52
原発疹　11
原発巣(T因子)　252
原発不明癌　293

顕微鏡視下歯根尖切除術　471
現病歴　2

## こ

鉤　44
抗 CCP 抗体　336
抗 DNA ウイルス薬　506
抗 La/SS-B 抗体　368
抗 RNA ウイルス薬　506
抗 Ro/SS-A 抗体　368
抗 SS-A/Ro 抗体　25
抗 SS-B/La 抗体　25
高位歯　100
抗ウイルス薬　380, 506
好塩基球　193, **409**
好塩基性赤芽球　408
抗炎症薬　506
口蓋・咽頭損傷　183
口蓋化構音　116
口蓋癌　284
　——, 潰瘍型　284
　——, 表在型　284
口蓋形成術　114
口蓋口唇小帯　89
口蓋後方移動術　114
口蓋垂裂　106
口蓋腺　353
口蓋の発生　88
口蓋隆起切除術　475
口蓋裂　89, 92, 94, **106**, 108
　—— の障害　109
　—— の治療　110
　—— の発症　92
　—— の発症機序　94
　—— の発症頻度　107
　—— の分類　106
　—— の臨床症状　109
口蓋裂一次手術(口蓋形成術)　114
口蓋裂患者の異常構音　116
口蓋裂言語　110
口角炎　378, 401
抗核抗体　25
口顎ジストニア　452
口角びらん　357
硬化療法　276
交感神経節　439
抗凝固薬　61, 413, **428**, 459
咬筋のマッサージ　348
咬筋肥大症　102
抗菌薬　400, 506
　—— の予防投薬　515
口腔・顔面軟組織の損傷　176
口腔アレルギー症候群　385
口腔衛生管理　515
口腔外膿瘍切開　54
口腔顎顔面外傷　185
口腔顎顔面の軟部組織外傷治療のアルゴリズム　179
口腔顎ジストニア　444
口腔癌　**279**
　——, 外向型　252
　——, 支持療法　305
　——, 内向型　252
　——, 表在型　252
　—— の疫学　250
　—— の治療　294
　—— の肉眼分類　253
　—— の病期分類(staging)　252
　—— の病理診断　280
　—— の臨床分類　252
口腔カンジダ症　318, 357, **377**, 400
口腔癌診療ガイドライン　294
口腔乾燥症　354
口腔機能管理　61, 515
口腔外科通論及手術学　526
口腔結核　217
口腔健康・機能管理　514
口腔健康管理　61, 377
口腔常在菌　199
口腔上皮　374
口腔潜在的悪性疾患　256, **314**
口腔前庭形成術　476
口腔内灼熱症候群　447
口腔内膿瘍切開　55
口腔軟組織損傷　469
口腔粘膜　**374**
　—— の構造　374
口腔粘膜・側頭筋腱縫縮法　332
口腔粘膜悪性黒色腫　**292**
口腔粘膜異常, アレルギー　384
口腔粘膜異常, 自己免疫　386
口腔粘膜炎の評価　516
口腔粘膜外傷　189
口腔粘膜下線維症　318
口腔粘膜固有層　374
口腔粘膜上皮　374
口腔の評価　60
口腔梅毒　218
口腔扁平苔癬　**316**
　——, 萎縮型　317
　——, 丘疹型　317
　——, 水疱型　317
　——, 白斑型　317
　——, びらん・潰瘍型　317
　——, 網状型　317
口腔毛状(様)白板症　221, 383
口腔瘻閉鎖術　469
抗けいれん薬　104, 381, 445, 447
高血圧症　64
抗血小板薬　61, 413, **428**, 459
抗血栓薬　61, 413
抗血栓療法　428
高口蓋　104
硬口蓋癌　284
　——, 治療　302
硬口蓋形成術(粘膜骨膜弁法)　115
抗甲状腺抗体　25
抗甲状腺ペルオキシダーゼ抗体　398
咬合法　14
後骨髄球　409
高サイトカイン血症　59
抗サイログロブリン抗体　398
交叉唇弁　480
交差適合試験(クロスマッチ)　26
好酸球　193, 409
好酸球増多症　419
後出血　70, 467
恒常性　56
溝(状)舌　367, 376
甲状舌管嚢胞　241
甲状腺機能検査　63
甲状腺機能亢進症　66, **398**
甲状腺機能低下症　66, **398**
甲状腺クリーゼ　66, 398
甲状腺刺激ホルモン　398
紅色肥厚症　316
口唇炎　379
口唇癌　252, **285**, 304
　——, 外向型　286
　——, 肉芽型　286
　—— の手術　304
　—— の病期分類(staging)　252
　—— の臨床分類　252
抗真菌薬　401, 506
口唇形成術　112
口唇再建　480
口唇腺　352
口唇粘膜弁　118
口唇ヘルペス　379, **380**
口唇裂(唇裂)　89, 92, **106**
　—— の一次手術　112
　—— の障害　109
　—— の治療　110
　—— の発症　92
　—— の発症機序　94
　—— の発症頻度　107
　—— の分類　106
　—— の臨床症状　108
高水準消毒薬　36
硬性開口障害　13
口舌(口唇)ジスキネジア　444
抗赤血球抗体　25
口舌ジストニア　453
後舌腺　353
抗線溶薬　507
光線療法　**438**, 508
咬創　157
硬組織の形成　278
高炭酸ガス血症　67
口中科　525
好中球　22, 192, 201, 409
好中球減少症　418
好中球増多症　419
口底癌　**283**, 302
　——, 潰瘍型　283
　——, 正中型　283
　——, 側方型　283
　——, 乳頭型　283
　——, 白斑型　283
　——, 表在型　283
口底再建　480
口底損傷　183
後天性 von Willebrand 病　427
後天性血友病　426
後天性表皮水疱症　388
後天性免疫不全症候群(AIDS)　221, 418
後天性瘻　13
後天的巨舌症　103
後天梅毒　218, 219

後頭蓋底骨折　173
喉頭けいれん　452
喉頭ジストニア　452
口内法エックス線撮影　14
硬軟口蓋裂　106
広背筋皮弁　486
後発転移，口腔癌　305
紅斑　11
紅板症　256, 316
紅斑性梅毒疹　219
紅板白板症　314, 315
抗微生物薬　506
抗プラスミン薬　50
咬翼法　14
抗ラミニン332型粘膜類天疱瘡　389
抗リウマチ薬　336
高齢者機能評価スクリーニング(G8)　296
誤嚥性肺炎　67
ゴーリン症候群　132, 225
ゴールデンハー症候群　103, 125, 330
コールドウェル・リューク法　235
呼気鼻漏出検査　116
呼吸管理　174
呼吸機能検査曲線　63
呼吸機能評価　65
呼吸検査　63
呼吸性アルカローシス　67
呼吸リズム　73
国際対がん連合　252
コクサッキーウイルス　221, 381
黒毛舌　397
鼓室神経　431
個人用防護服　30
骨移植材　491
骨移植術　494
骨吸収
　──，中間型　280
　──，平滑型　280
　──，虫喰い型　280
骨吸収マーカー　23
骨吸収抑制薬　423
骨吸収抑制薬関連顎骨壊死(ARONJ)　208
骨棘　342
骨形成性エプーリス　318
骨形成線維腫　248, 250, 278
骨形成能　491
骨形成不全症　122
骨形成マーカー　24
骨硬化期，骨折　159
骨好酸球肉芽腫　323
骨再生誘導法　493, 494
骨腫　246, 277
骨髄　407
骨髄異形成症候群　419, 423
骨髄海綿骨細片(PCBM)移植　481
骨髄芽球　409
骨髄間葉系細胞　522
骨髄球　409
骨髄系幹細胞　407
骨髄腫細胞　422
骨髄由来抑制細胞(MDSC)　256
骨性異形成症　320
骨切削器具　44

骨折　162
　──の治癒　158
骨線維腫性エプーリス　319
骨増生　320
骨造成法　493
骨代謝　23
骨代謝マーカー　23
骨伝導能　491
骨軟骨腫　334
骨肉腫　291
骨ノミ　44
骨びらん　342
コッヘル鉗子　43
骨誘導能　491
骨隆起切除術　475
固定薬価　385, 400
古典的3徴　126
ゴニアルアングル　338
誤抜歯　467
コヒーシン　128
コヒーレント光　510
コプリック斑　382
こま結び(男結び)　51
ゴム腫　219
コラーゲン　506
孤立性筋麻痺　10
コルヒチン　405
五苓散　507
コレステロール　23
混合感染　200
混合腺　353
根尖性骨形成異形成症　320
根尖性歯周炎　204, 205
根尖性周囲炎　196
根治的頸部郭清術(RND)　306
根治的頸部郭清術変法(MRND)　305, 307
コンピュータ断層撮影　17

## さ

再帰感染　379
催奇形性　91
鰓弓　86
細菌感染症　200, 377
再建法の選択　488
再建(用)プレート　302, 480
再生医療　517
再生医療等製品　520
再生医療等の安全性の確保等に関する法律　520
再生不良性貧血　417
最大許容露光量　511
在宅医療　517
サイトカイン　193
サイトカインストーム　59
サイトカイン誘発反応　58
サイトメガロウイルス　358
サイナスリフト　495
鰓嚢胞　241
再発性潰瘍　12
再発防止　83
細片骨　491
細片骨移植　475
細胞異型性　243

細胞死　244
細胞遮断膜　494
細胞傷害型アレルギー　201
細胞傷害性T細胞　409
細胞診　26, 260
細胞培養加工施設　520
細胞配列の規則性　243
鰓裂嚢胞　241
逆手グリップ　460
錯味症　399
鎖骨頭蓋異骨症　125
鎖骨頭蓋骨異形成症　125
匙状爪　401, 415
挫創　157, 189
錯角化　374
擦過細胞診　27
擦過創　157
殺菌作用　506
サドルグラフト　475, 494
皿状顔貌　169
サラセミア　417
サルコイドーシス　219, 322
サルコイド結節　322
三角弁法　113
酸化セルロース　50, 459, 467, 506
三環系抗うつ薬(TCA)　446, 455
三脚骨折　170
残根抜歯　463
三叉神経　6, 430
三叉神経けいれん　452
三叉神経節　430
三叉神経痛　433, 442, 444
三叉神経ニューロパチー　441
三叉神経麻痺　447
三叉迷走神経反射　453
三次治癒　158
三重結び　51
サンドウィッチグラフト　494
三内式シーネ　175
残留嚢胞　229

## し

指圧法，止血　48
ジアフェニルスルホン(DDS)　221
シェーグレン症候群　357, 367
ジェネティクス　245, 255
歯科医師法第23条　5
耳介側頭神経　329
歯科医療事故　81
視覚器・眼球付属器損傷　185
自覚症状　6
自覚的アナログ尺度(VAS)　8
四角弁法　113
自家骨ブロック　332
自家歯牙移植(移植術)　471
歯牙腫　266
耳下腺　184, 351
耳下腺管　351, 432
耳下腺癌　286
耳下腺管損傷　188
耳下腺唾液瘻　354
自家組織移植　479
歯科用鋭匙　460

歯科用コーンビームCT(CBCT) 16
歯牙様不透過像 266
時間依存性薬物 504
歯冠歯根破折 161
歯冠周囲炎 206
弛緩性麻痺 10
歯冠破折 160
磁気共鳴画像検査(診断) 17
色素失調症 90
色素性母斑 396
色素沈着 11
　──, 歯科用充填物・補綴物による 396
色素斑 11
軸索断裂 435
シグナル因子 520
シクロオキシゲナーゼ(COX) 413
シクロスポリン 403
シクロホスファミド 389
止血 47, 174
止血機構の障害 423
止血機序 410
止血機能検査 24
止血困難 409
止血剤(薬) 50, 506
止血シーネ 48
歯原性悪性腫瘍 271
歯原性角化嚢胞 132, 224, 225
歯原性癌腫 271
歯原性癌肉腫 272
歯原性腫瘍 246, 248, 261
　──のWHO分類 246, 248
歯原性上皮 268
歯原性線維腫 267
　──, 周辺性 268
　──, 中心性 268
歯原性肉腫 272
歯原性粘液腫 268
歯原性良性腫瘍 261
試験穿刺 54
自己血注射療法 332
自己咬傷 180
自己抗体 25
自己複製能 520
自己免疫 200, 202
自己免疫疾患 202
自己免疫性溶血性貧血 417
歯根尖切除術 469
歯根嚢胞 229
歯根破折 161
歯根肥大 97
歯根迷入 469
歯根彎曲 97
脂質代謝 23
歯周炎 205
　──, 遺伝疾患に伴う 205
歯周基本治療 205
歯周組織 204
　──の炎症 204
歯周ポケット 205
視診 3
持針器 40
視神経管損傷(外傷) 185
ジスキネジア 444, 453

ジストニア 453
シスプラチン(CDDP) 308
歯性化膿性炎症 196
歯性感染症 204
歯性全身感染症 214
歯性病巣感染 203, 215
歯性補償 133
ジセスセジア 443
刺創 157
歯槽骨炎 196, 206
歯槽骨整形術 474
歯槽骨膜下膿瘍 196
歯槽頂頬側骨移植術 475
歯槽頂上骨移植術 475
歯槽堤形成術 475
歯槽部骨折 162
持続陰圧ドレーン 50
持続吸引ドレーン 70
持続性特発性顔面痛 447
支台部(アバットメント) 488
実質性腫脹 8
湿潤閉鎖療法 53
歯堤嚢胞 104
自動体外式除細動器(AED) 75, 77
歯内歯 96
歯肉癌 282
歯肉骨膜形成術 117
歯肉切除術 300
歯肉線維腫症 104
歯肉増殖 104
歯肉損傷 182
歯肉嚢胞 104, 227
　──, 成人 228
　──, 幼児 227
歯肉膿瘍 196
歯肉肥厚 104
歯胚(帽状期) 247
　──と歯原性腫瘍との相関図 247
自発異常味覚 399
シバリング 67
紫斑 11
嘴部抜歯鉗子 460
脂肪移植 487
脂肪腫 274
脂肪肉腫 289
脂肪抑制法 18
死亡率 251
斜顔裂 121
弱オピオイド 446
弱彎針(3/8円針) 40
周囲結紮法(括約結紮法, 集束結紮法) 49
習慣性顎関節脱臼 332
集合型歯牙腫 266
縦骨折 165, 169, 187
周術期管理 64
周術期口腔機能管理 514
修正Duke診断基準 215
重層扁平上皮 374
重複, 染色体異常 90
修復期 192
周辺性巨細胞肉芽腫 279
周辺性歯肉腫 277
主作用 505

手指消毒 31
樹枝状不透過像 268
手術後頬部嚢腫 234
手術材料診断 28
手術支援急速口蓋拡大術(SARPE) 151
手術時手洗い 31
手術侵襲に対する生体反応 58
手術前後の管理 515
手術刀 37
手術部位感染(SSI) 70
主訴 2
腫脹 8
出血傾向 409, 410
出血時間 411
出血性炎 198
出血性素因 410
術後管理 67
術後血糖管理 70
術後呼吸器合併症 67
術後性頬部嚢胞 234
術後性上顎嚢胞 234
術後認知機能障害(POCD) 68
術後の震え 67
術前顎矯正 111
術前鼻歯槽形成 111
術中迅速病理診断 28
シュハルト法 140
腫瘍 243
腫瘍壊死因子(TNF)-α 193, 194
腫瘍関連マクロファージ(TAM) 256
腫瘍術後の機能障害 516
腫瘍随伴性天疱瘡 388
腫瘍性開口障害 13
腫瘍性閉口障害 14
腫瘍切除後, インプラント 498
腫瘍微小環境 256
腫瘍マーカー 25
腫瘍免疫 256
腫瘍類似疾患 318
腫瘤 8, 11
シュワン細胞 276
準悪性腫瘍 243
循環管理 174
上位運動ニューロン障害 10
漿液細胞 352
漿液性炎 195
漿液腺 353
小円形潰瘍 12
生涯喫煙量 253
上顎swing法 302
上顎亜全摘術 302
上顎口腔前庭切開 170
上顎後退症 135
上顎後方歯槽部骨切り術 140
上顎骨延長術 149
上顎骨骨折 167
上顎骨前方部延長術(MASDO) 118, 150
上顎骨の水平骨折 168
上顎再建 479
上顎歯肉癌 253, 282, 283, 304
　──, 潰瘍型 283
　──, 治療 302
　──, 肉芽型 283

――, 白斑型 283
上顎神経 430, 447
上顎正中埋伏過剰歯 463
上顎全摘術 302
上顎前突症 135
上顎前方歯槽部骨切り術 140
上顎洞アスペルギルス症 211
――, 浸潤型 211
――, 電撃型 211
――, 非浸潤型 211
上顎洞炎 210, 502
上顎洞癌 286
上顎洞穿孔 469
上顎洞貯留囊胞 236
上顎洞底挙上術 495
上顎洞粘液囊胞 236
上顎洞の囊胞 234
上顎洞への歯根迷入 469
上顎隆起 86
上顎部分切除術 302
上顎埋伏智歯 463
消化態栄養剤 71
上関節腔 326
小奇形 91
上下顎非対称症 135
上下唇損傷 182
症候 5
小口症 102
症候性三叉神経痛 433
症候性流涎症 357
上喉頭神経 432
小手術 59
上唇小帯付着異常 105
上唇腺 352
脂溶性ビタミン 506
小舌下腺管 351
小舌症 103
小線源治療 261, 312
常染色体顕性(優性)遺伝病 90
常染色体潜性(劣性)遺伝病 90
小帯異常の手術 477
小帯伸展術 477
小帯付着位置修正術 477
小唾液腺 238, 351, 352
小唾液腺癌 286
小唾液腺腫瘍 247, 362
小唾液腺損傷 184
消毒 36
消毒法 31
消毒薬 506
――の選択, Spauldingの分類に基づいた 36
――の分類, Spauldingの分類に基づいた 37
上内頸静脈リンパ節 258
小児顎骨骨折 189
上皮-間葉相互誘導 246
上皮間葉移行 255
上皮真珠 104, 227, 376
上皮性悪性腫瘍 245
上皮異形成 315
上皮成長因子受容体(EGFR) 255, 310
上皮性粘液産生腫瘍 364

上皮内癌 315
床副子 175
床副子固定法 190
静脈奇形 275
静脈血栓塞栓症(VTE) 69
静脈性出血 47
触圧覚検査 436
触診 3
褥瘡性潰瘍 101
植皮法 477
植皮縫合 484
除細動器 75
所属リンパ節(N因子) 252
除痛薬, 神経障害性疼痛発生時 438
ショック状態 73
歯蕾 89
自律神経系 439
シルマー試験 368
シロスタゾール 413, 428
侵害刺激インパルス 7
侵害刺激の入力経路 7
侵害受容性疼痛 7, 441, 454
唇顎口蓋裂(完全口蓋裂) 106
――, インプラント 498
唇顎裂 106
心機能検査 63
腎機能検査 24, 63
腎機能評価 66
真菌 200, 377
心筋虚血 68
心筋梗塞 64
心筋ストレスマーカー 24
心筋マーカー 24
神経移植(術) 437, 487
神経炎 433
神経幹断裂 435
神経けいれん 451
神経血管減圧術 437
神経減圧術 436
神経原性ショック 453
神経再生誘導チューブ 437
神経遮断療法 447
神経修復術 468
神経周膜縫合 487
神経障害性歯痛 442
神経障害性疼痛 7, 433, 441, 454
神経障害性疼痛治療薬 381
神経鞘腫 276
神経上膜周膜縫合 487
神経上膜縫合 487
神経性開口障害 14
神経性閉口障害 14
神経線維腫 276
神経線維腫症Ⅰ型(von Recklinghausen病) 131, 277
神経損傷 187, 435, 467
神経痛 433
神経内分泌反応 56
神経の混線 442
神経梅毒 219
神経剝離術 437
神経縫合術 437
心血管梅毒 219

人工合成骨 493
人工呼吸(CPR) 75
人工骨 480
人工歯 488
人工歯根(インプラント体) 488
人工真皮移植 485
進行性壊疽性口内炎 198
進行性(特発性)下顎頭吸収(PCR) 153, 338
人工唾液 357
人工多能性幹細胞 518
診察 1
診察法 2
心室細動(VF) 77
侵襲 56
侵襲性歯周炎 205
滲出性紅斑 11
滲出反応 192
浸潤 255, 258
浸潤性増殖 257
浸潤破壊 257
浸潤様式評価 296
尋常性天疱瘡 386
心身医学的障害 502
新生抗原 202
新生児歯 101
新生物 243
新鮮外傷 155
新鮮脱臼 331
真剪刀 39
心臓超音波検査 63
心臓弁膜症 65
身体所見 2, 61
診断 1
心停止の評価 75
心電図 63
心電図解析 75
心電図検査 62
伸展皮弁 485
震盪 161
振盪 474
腎排泄型抗菌薬 506
心拍出量 73
深部静脈血栓症(DVT) 69
心不全の評価 64
深部痛 7
新報告様式 27
深葉 351
診療室血圧 73
診療情報提供書 5
診療録 5

## す

髄液鼻漏 185
水癌(noma) 198
推算クレアチニンクリアランス 24
推算糸球体濾過量(値)(eGFR) 24, 66
膵傷害マーカー 22
垂直感染 200
垂直的骨造成 493
垂直マットレス縫合 51
水痘 380

水痘・帯状疱疹ウイルス(VZV)感染症 380
水痘ワクチン 380
水平感染 200
水平的骨造成 493
水平マットレス縫合 51
水疱 11
水疱性類天疱瘡 388, 389
髄膜刺激症状 185
水溶性ビタミン 506
スーパーレーザー 438
スクエアマンディブル顔貌 338
スクリーニング検査 61
スタージ・ウェーバー症候群 131, 276
スタビライゼーションアプライアンス 344
スタンダードプレコーション 30
ステイプラー 54
ステロイド性抗炎症薬 506
ステロイドパルス療法 389, 393
ステンセン管 351
ストレスマーカー 24
ストレプトコッカス属 199
ストレプトマイシン(SM) 218
スパイロメトリ 63
スピーチエイド 116
スプーンネイル 401, 415
スプリットクレスト 475, 495
スペーサー 314
スポルディングの分類 36

## せ

正角化 374
正角化性歯原性嚢胞 225
生活歴 2
制御性T細胞(Treg) 256
静菌作用 506
生検(法) 28, 260
静止性骨空洞 233
成熟(組織再構築)期, 外傷 158
成熟赤血球 408
星状神経節 439
星状神経節ブロック(SGB)療法 381, 438, 443
成人T細胞白血病 420
成人T細胞白血病ウイルスI型 420
正染性赤芽球 408
生体恒常性 56
生体反応 56
正中頸嚢胞 241
正中上唇裂 121
正中菱形舌炎 378
成長ホルモン分泌不全性低身長 398
整復・固定 175
生物学的製剤 336
成分栄養剤 72
精密触覚機能検査 435
声門上デバイス 78
声門破裂音 116
赤沈 20
舌(亜)全摘術 298
舌圧子 44
舌咽神経 86, 431, 446

舌咽神経痛 433, 442, 446
舌咽神経麻痺 449
切開 45, 470
―― のデザイン 46
切開法 478
石灰化歯原性嚢胞 229
石灰化上皮性歯原性腫瘍 264
石灰化嚢胞性歯原性腫瘍 224
節外浸潤 252
舌下型ラヌーラ 361
舌下型ラヌーラ開窓術 362
舌下隙の炎症 211
舌下神経 433, 453
舌下神経けいれん 453
舌下神経麻痺 449
舌下腺 351, 352
舌下腺癌 286
舌下腺摘出術 362
舌可動部(亜)全摘術 297
舌可動部半側切除術 297
舌癌 253, 258, 280
――, 治療 297
セツキシマブ 308
舌強直症 105
赤血球検査 21
赤血球減少症 414
赤血球恒数(MCV, MCH, MCHC) 410
赤血球増多症 21, 417
赤血球沈降速度 20
舌咬傷 181
舌甲状腺(結節) 103
接合部型表皮水疱症 390
舌根 87
舌根沈下 127
舌再建 480
摂子 39
舌枝 431
切歯管嚢胞 233
舌ジストニア 453
舌小帯伸展術 478
舌小帯の発生 87
舌小帯付着異常 105
舌小胞 376
摂食嚥下支援チーム 517
接触感染 199
接触性口唇炎 395
接触性転移 258
接触法 508
舌神経損傷 467
舌神経麻痺 435
舌腺 353
舌線維腫 257
節前線維, 交感神経の 352
節前線維, 副交感神経の 352
切創 157
絶対過敏期 91
舌乳頭の萎縮 367
舌の損傷 180
舌の発生 87
舌半側切除術 297
舌部分切除術 297
舌扁桃 376
舌扁桃肥大 376

切離 45
舌裂 103
セビメリン塩酸塩 369
セファランチン 317
セフェム系 506
セフトリアキソン(CTRX) 216
セメント芽細胞腫 268
セメント質形成線維腫 269
セラチア・マルセセンス 199
ゼラチン 48, 506
ゼラチンスポンジ 50, 459, 467
セロトニン 193
セロトニン・ノルアドレナリン再取り込み阻害薬(SNRI) 446, 455
線維腫 273
線維腫性エプーリス 319
線維性異形成症 250, 321
線維性エプーリス 318
線維性過形成 273
線維性骨 159
線維性骨異形成症 130
線維素性炎 195
線維素性唾液管炎 358
線維素溶解系の検査 25
線維素溶解現象(線溶) 410
前外側大腿皮弁 486
腺管様構造 265
前巨核球 409
潜血 26
全血球計算 21
全国がん登録制度 251
前骨髄球 409
穿刺吸引細胞診 27, 260
腺腫様歯原性腫瘍 264
線状IgA水疱性皮膚症 388
腺上皮細胞 364
線条部導管 352
染色体異常症 89
染色体構造異常 89
染色体数の異常 89
全身性アミロイドーシス 399
全身性エリテマトーデス(SLE) 25, 390
全身性炎症反応症候群(SIRS) 59, 203, 214
全身代謝性障害 356
全身の偶発症 466
全身の止血剤 50
尖刃刀 37
腺性歯原性嚢胞 228
前赤芽球 408
前舌腺 184, 238, 353
前舌腺嚢胞 361
全前脳胞症 121
全層植皮術 484
腺体内唾石 359
先端巨大症 397
センチネルリンパ節 305
先天異常 89
先天異常症候群 89
先天奇形 89
―― の分類 91
先天欠如 94
先天歯 101

先天性エプーリス 319
先天性外胚葉形成不全(先天性外胚葉異形成症) 123
先天性下唇瘻 354, 375
先天性血管腫 275
先天性血友病A・B 426
先天性口角瘻 354
先天性口唇瘻 354
先天性唾液腺瘻 354
先天性表皮水疱症 390
先天性無歯症,インプラント 498
先天性瘻 13
先天的 von Willebrand 病 427
先天的巨舌症 103
先天梅毒 218
剪刀 39
前頭蓋底骨折 173
前頭鼻隆起 86
線副子 175
全部性無歯症 94
腺房 352
腺房細胞癌 288, 367
せん妄 68
浅葉 351
線溶均衡型 DIC 427
線溶亢進型 DIC 427
腺様嚢胞癌 287, 366
　——, 管状型 287, 366
　——, 篩状型 287, 366
　——, 充実型 287, 366
線溶抑制型 DIC 427
前腕皮弁 486

## そ

造影 T1 強調像 18
造影検査 20
創縁縫合法 49
創外型延長装置 150
早期先天梅毒 218
早期反応組織 311
早期萌出乳歯 101
爪型鉤 44
象牙質 89
象牙質形成性幻影細胞腫 266
象牙質形成不全(象牙質異形成症) 98
造血幹細胞 407
造血幹細胞移植 419
造血器(造血系)腫瘍 419
相互作用,薬物 505
相互転座,染色体異常 90
双指診 10
桑実状臼歯 97, 219
創傷 157
創傷感染 200
創傷治癒 158
創傷被覆材 53
増殖(組織修復)期,外傷 157
増殖性疣贅状白板症 315
双生歯 95
総鉄結合能(TIBC) 24
創内型延長装置 150
挿入,染色体異常 90
相反性クリック 342

側音化構音 116
側頸嚢胞 241
即時型アレルギー 200
側舌腺 353
塞栓法,止血 48
側頭下顎靱帯 328
続発疹 11
続発性ジストニア 453
続発性副甲状腺機能亢進症 398
続発性副甲状腺機能低下症 398
側壁結紮法 49
側方歯周(歯根膜)嚢胞 228
側方歯肉弁 118
側方脱臼 161, 474
ソケットプリザベーション 497
ソケットリフト 495
組織工学 518
組織再生 519
組織修復 520
組織診 26
組織深達度 252, 296
咀嚼筋腱・腱膜過形成症 338
咀嚼筋痛障害(Ⅰ型) 340
咀嚼筋に対する運動療法 508
咀嚼粘膜 374
ソフトレーザー 510
損傷 155

## た

ターナー症候群 129
ターナーの歯 98
ターニケット法(緊縛法) 48
タール 253
第6頸椎ブロック(C6-SGB) 439
第7頸椎ブロック(C7-SGB) 439
第Ⅹa因子阻害薬 414
第一鰓弓 86, 125, 239
第一第二鰓弓症候群 105, 125, 330, 353
体温 73
胎芽 86
大奇形 91
待機埋入 495
大球性正色素性貧血 401
大胸筋皮弁 485
体腔内転移 258
対合歯 472
第三鰓弓 86
胎児毒性 92
代謝 504
代謝改善薬 506
大手術 59
帯状疱疹 380
帯状疱疹後三叉神経痛 446
帯状疱疹後神経痛 381, 433, 439, 441, 456
大唇症 275
体性幹細胞 520
体性痛 7
大舌下腺管 351
大舌症 275
大唾液腺 351
大唾液腺腫瘍 247
大唾液腺損傷 184
第二鰓弓 86, 125, 239

代用骨 493
第四鰓弓 86
多因子遺伝病 90
タウロドント 97
ダウン症候群 128
ダウンフラクチャー 141
唾液 352
唾液管炎 358
唾液管嚢胞 238
唾液腺 351
　——, 減形成 353
　——, 無形成 353
　——の機能 352
　——の構造 352
　——の神経支配 352
　——の損傷 184
　——の発育異常 353
　——の発生 89
唾液腺癌 286
唾液腺管損傷 188
唾液腺機能障害性口腔乾燥症 354
唾液腺梗塞 371
唾液腺実質障害 354
唾液腺腫脹 358
唾液腺腫瘍 247, 362
　——の WHO 分類 251
唾液腺症 353, 371
　——, 耳下腺腫脹 372
唾液腺シンチグラフィ 357
唾液腺損傷 184
唾液腺ゾンデ 359
唾液腺肥大 353
唾液分泌過多症 357
唾液分泌促進薬 357, 369
唾液分泌刺激障害 356
唾液分泌能検査 357
唾液分泌能の診断 357
唾液分泌量測定 368
唾液瘻 354
他覚症状 6
他家骨 492
タキサン系薬剤 308
タクロリムス 392, 403
多形紅斑 392
多形滲出性紅斑 385, 392
多形腺腫 362
多形腺腫由来癌 287, 367
多血症 21
多血小板血漿 521
多骨性線維性骨異形成症 130
多剤併用 505
唾腫 359
多職種連携 516
打診 3
唾石症 359
多染性赤芽球 408
唾疝痛 359
多段階(的)発癌 245, 255
脱灰凍結乾燥骨 492
脱臼骨折 165
脱メチル化 255
たて結び(女結び) 51
多発性骨髄腫 419, 422

多発性神経炎　433
ダビガトラン　414, 428
ダブルY字切開　306
ダブルリングサイン　175
単一遺伝子病　90
単球　193, 407, 409
単球/マクロファージ　409
丹下持針器　41
胆汁排泄関連検査　23
単純性血管腫　275
単純性骨嚢胞　231, 234
単純性表皮水疱症　390
単純性リンパ節炎　214
単純ヘルペスウイルス感染症　379
単純縫合　51
単純疱疹　379
単純連続縫合　51
単発性神経炎　433
単麻痺　10

## ち

チーム医療　516
　──の推進　515
遅延型アレルギー　201
遅延性一次治癒　158
知覚神経活動電位導出法　435
知覚脱失　433
知覚低下　433
知覚麻痺　11
チカグレロル　428
蓄膿症　196
チクロピジン　413, 428
智歯周囲炎　99, 204, 206
致死性不整脈　77
地図状舌　384
チタンミニプレート固定　332
チック　451
窒素化合物　23
窒息　79
　──のサイン(チョークサイン)　80
チップ付ドベイキーピンセット　40
チトクローム P450 酵素　253
遅発性薬剤性ジストニア　453
チャイルド・ピュー分類　66
注射針　37
中心結節　95
中心性巨細胞性肉芽腫　279
中心性巨細胞病変　279
中心性骨腫　277
中水準消毒薬　36
中枢神経系麻痺　434
中枢神経障害　434
中枢性感作　442
中枢性顔面神経麻痺　448
中枢性神経障害性疼痛　447
中枢性麻痺　11
中頭蓋底骨折　173
中毒性表皮壊死症　384
治癒期，抜歯　160
超音波検査　19
蝶下顎靱帯　328
聴覚器損傷　187
蝶型紅斑　391

腸骨骨髄海綿骨細片移植　482
聴診　4
超選択的動注化学療法　20
チョークサイン　80
直接経口抗凝固薬(DOAC)　411, 414, 459
直接骨折治癒　158
直接トロンビン阻害薬　414
直接ビリルビン　23
直接免疫蛍光法　387
貯留性腫脹　8
治療係数(安全域)　505
治療薬物モニタリング　505
陳旧性外傷　155
陳旧性脱臼　331
鎮痛薬　506

## つ

ツァンク細胞　387
対麻痺　10
痛覚過敏　433, 443, 454
痛覚検査　436
痛覚変調性疼痛　7, 454
ツーステージ法　32
通性嫌気性菌　199
痛風性顎関節炎　337
ツベルクリン型アレルギー　201

## て

手足口病　221, 382
低リン血症　399
低亜鉛血症　399
低位歯　100
低換気　67
低汗性外胚葉形成不全症(HED)　123
低酸素血症　67
挺子抜歯　462
挺出　161, 474
低出力レーザー治療　438
低水準消毒薬　36
ディスポーザブルメス　38
低反応レベルレーザー治療　510
低ホスファターゼ症　123
定量型知覚計　436
ディングマン式開口器　44
テーブルナイフ式把持法(卓刀把持法)　38
テガフール　308
テガフール・ウラシル配合剤(UFT)　308
テガフール・ギメラシル・オテラシルカリウム配合剤(S-1)　308
デキサメタゾン　388
テシエの分類　120
テストステロン　129
テストステロン補充療法　129
デスモグレイン(Dsg)　386
鉄欠乏性貧血　414, 415
鉄代謝　24
テトラサイクリン　389
テトラサイクリン系　506
テニスラケット状不透過像　268
テニソン法　113
デュロキセチン　455
転移　255, 258
転移骨折　165

転位歯　99
転移性エナメル上皮腫　263
転移リンパ節　305
伝音性難聴　187
電解質検査　24
てんかん　10, 452
転換症状　452
電気凝固法　49
電気刺激療法　507
電気メス　38
　──による切開　45
典型的三叉神経痛　444
典型的舌咽神経痛　446
電撃傷　156, 182
点状出血　11
　──，ITP　425
デンタルショック　453
デンタルピンセット　39
天疱瘡　386
　──，腫瘍随伴性　386
　──，増殖性　386
　──，薬剤誘発性　386
　──の分類　386
天疱瘡抗体　386

## と

頭蓋底骨折　172
頭蓋内評価　174, 175
導管　352
導管内唾石　359
導管内唾石摘出術　359
凍結壊死効果　512
凍結療法　512
糖質コルチコイド　57, 506
同種骨　492
凍傷　156
動静脈奇形　275
糖代謝　22
糖代謝機能検査　63
動注化学放射線療法　310
疼痛　6
　──の伝導路　6
疼痛閾値　8
疼痛性ショック　453
導入化学療法　310
糖尿病　66, 69
頭部エックス線規格撮影　15
頭部後前方向エックス線撮影　14
動脈性出血　47
動脈瘤様骨嚢胞　231, 234
特異的免疫機構　199
特殊内臓遠心性線維　132
特殊内臓求心性線維　132
特殊粘膜　374
特発性下顎頭吸収　338
特発性血小板減少性紫斑病(ITP)　424
特発性口腔乾燥症　356
特発性三叉神経痛　433, 445
特発性舌咽神経痛　447
特発性副甲状腺機能低下症　398
特発性有痛性三叉神経ニューロパチー
　　　　　　　　　　446

徒手的顎関節授動術（マニピュレーション）
　　　　　　　　　346, 347, 348
ドセタキセル　308
吐唾法　357
ドプラモード　19
ドベイキーピンセット　40
ドライソケット　469
トラキアルタグ　67
トラネキサム酸　50, 507
トラマドール　446, 455
トランスフェリン　24
トリアゾール系抗真菌薬　377
トリアムシノロンアセトニド　388
トリチャー・コリンズ症候群
　　　　　　　　　124, 133, 330
トリグリセリド（TG）　23
トリソミー　128
──，染色体異常　90
ドレッシング　53
ドレナージ　54
トレポネーマ　219
トロンビン　411, 506
トロンビン製剤　50
トロンボキサン A2（TXA2）　409, 410, 413
鈍麻　11

## な

内因系凝固経路　411
内因性エネルギー源　58
内因性感染　200
内因性色素沈着　396
内仮骨　159
内骨腫　277
内歯瘻　13
内臓奇形　89
内側鼻隆起　86
内唾液瘻　354
内反膝　399
ナイフカット状吸収，歯根　262
捺印細胞診　27
ナム・チン症候群　435, 450
軟口蓋・咽頭損傷　184
軟口蓋形成術　115
軟口蓋形成不全　105
軟口蓋裂　106
軟骨移植　487
軟骨下嚢胞　342
軟骨腫　248, 250, 278
軟骨無形成症　90, 126
軟性開口障害　13
軟組織の治癒様式　158
軟組織の肉腫　289
難抜歯　463
軟部組織再建術　483

## に

肉芽組織期，抜歯　160
肉芽腫性エプーリス　318
肉芽腫性炎　195, 198, 216, 323, 433
肉芽腫性口唇炎　395
肉腫　245, 288
二形成真菌　377
ニコチン　253

ニコチン酸アミド併用内服療法　389
ニコルスキー現象　387
二次感染　200
二次口蓋　88
二次止血　410
二次止血機能検査　25
二次性顔面神経けいれん　451
二次性三叉神経痛　444
二次性舌咽神経痛　446
二次治癒　50, 158
二次の骨折治癒　158
二次の上皮化法　476
二重オトガイ　211
二重唇　102
二重舌　211
日常手洗い　31
二等分法　14
ニトロソアミン　253
ニボルマブ　308
入院時診療計画　82
ニューキノロン系　506
乳酸脱水素酵素（LDH）　21, 62, 410
乳歯　89
──の外傷　189
乳児血管腫　275
乳頭　374
乳頭腫　272
乳頭腫症　273
乳頭状過形成　273
ニューロフィブロミン　131
尿 pH　26
尿検査　26, 62
尿酸（UA）　23
尿タンパク　26
尿糖　26
尿比重　26
妊娠性エプーリス　319
妊娠性類天疱瘡　389

## ぬ・ね

布鉗子　43
ネダプラチン　308
熱傷　155
熱性けいれん（ひきつけ）　452
粘液細胞　352
粘液腺　353
粘液嚢胞　12, 237
粘液瘤　237
──，溢出型　238
──，停滞型　237
捻転歯　99
捻髪音　469
粘表皮癌　286, 287, 364
──，高悪性（低分化）型　287
──，低悪性（高分化）型　287
粘膜下口蓋裂　106
粘膜口蓋裂　106
粘膜残存説　234
粘膜上皮下水疱　389
粘膜疹　11
粘膜性骨膜　374
粘膜皮膚型　387
粘膜弁法　114, 115

粘膜優位型　387
粘膜類天疱瘡　388

## の

ノイマン切開　141, 470
脳血管障害　68
膿性カタル　196
脳脊髄液漏　185
濃度依存性薬物　504
能動ドレーン　70
脳ベラ　44
膿疱　12
嚢胞　12, 224
──の分類　224
嚢胞状リンパ管腫　276
膿瘍　13, 196
ノルアドレナリン　57

## は

歯
──の異常　94
──の移植術　471
──の外傷　160
──の再植術（外傷による脱臼歯）　474
──の脱臼　161
──の抜歯と移植　473
──の発生　89
──のフッ素症　98
ハードレーザー　510
バイオアベイラビリティ　505
バイオリン弓式把持法（胡弓把持法）　38
媒介動物感染　200
肺気量分画　63
敗血症　59, 202, 214
敗血症性ショック　214
肺血栓塞栓症（PTE）　69
バイコルチカル固定　176
胚子期　86
ハイステル開口器　44
胚性幹細胞　518
排泄　504
排泄管膿漏　359
排泄導管　352
──の異常　354
バイタルサイン　3, 72
梅毒疹　219
ハイドロキシアパタイト　480, 493
排膿　55
排膿散及湯　507
背部叩打法　79
バイポーラ型電気メス　38
培養瓶　54
白斑　11
白板症　243, 249, 314
──，均一型　315
──，非均一型　315
──，平坦　315
──，疣贅状　315
剥離細胞の塗抹標本　260
剥離性口唇炎　379
パクリタキセル　308
麦粒鉗子　43
ハサミ　39

橋本病 398
播種性血管内凝固症候群(DIC) 393, 427
破傷風 10, 222, 452
破傷風菌 452
破傷風トキソイドワクチン 182
把針器 40
破折根除去用挺子 460
バセドウ病 66, 398
発育異常 89, 375
発育性囊胞 224, 225
発癌因子 253
発癌のメカニズム 255
発癌物質 245, 253
バッグバルブマスク(BVM) 75
白血球 21, 26, 60, 408, 418
白血球検査 21
白血球減少症 418
白血球数 21
白血球増多症 419
白血球分画 21, 409, 410
白血病 22, 408, 419, 420
抜糸 42, 52
抜歯運動 462
抜歯窩 458
── の治癒 160
抜歯鉗子 460
抜歯術 458
抜歯挺子 460
抜糸バサミ 39
ハッチンソン3徴候 97
ハッチンソン歯 97, 219
発痛物質 193
発熱性好中球減少症 418
馬蹄形骨切り術 143
波動 10
バトル徴候 173
パノラマエックス線撮影 14
パパニコロウのClass分類 27
パピヨン・ルフェーブル症候群 122
ハプテン 395
把柄部抜歯鉗子 460
バラシクロビル塩酸塩 380, 506
バラ疹 219
パラタルリフト 116
パラフィン浴 507
バリアメンブレン 494
パルチ切開 470
バルトリン管 351
斑 11
反回神経 432
晩期先天梅毒 219
晩期梅毒 219
晩期反応組織 311
半夏瀉心湯 317, 507
瘢痕拘縮形成術 478
瘢痕性閉口障害 14
反射性交感神経萎縮症 444
半消化態栄養剤 71
斑状歯 98
斑状出血 11
ハンセン病 220
ハンター舌炎 401, 417

ハンド・シューラー・クリスチャン病 323
半導体レーザー 38, 438, 508, 510
ハント症候群 132, 381, 449
万能開口器 44
反応性骨形成 292
反応性腫脹 8
パンピング操作 347
パンピングマニピュレーション 347

## ひ

鼻咽腔閉鎖不全 110
鼻咽腔閉鎖機能訓練 116
ピエール・ロバン症候群 127
皮下気腫 469
非角化性上皮 374
非観血的整復固定術 175
非関節性開口障害 13
ひきつけ 452
ひきつけ笑い 435
非吸収性糸 42
鼻口蓋管囊胞(切歯管囊胞) 233
鼻口腔瘻 109
鼻骨骨折 172
鼻骨骨折整復法 173
鼻骨整復鉗子 172
非細菌性血栓性心内膜炎 215
非歯原性腫瘍 246
── のWHO分類 249
非歯原性囊胞 224, 233
鼻篩骨眼窩骨折 172
鼻歯槽囊胞(鼻唇囊胞) 237
皮質下囊胞 342
ピシバニール®(OK-432) 276, 362
微弱電流療法 508
微小血管減圧術 445, 451
非上皮性悪性腫瘍 245
鼻唇囊胞 237
ヒスタミン 193, 409
ヒステリー 452
非ステロイド性抗炎症薬 506
ヒストンの修飾 245
ビスホスホネート 400
ビスホスホネート関連顎骨壊死(BRONJ) 208
非接触法 508
非唾液腺機能障害性口腔乾燥症 356
非脱灰凍結乾燥骨 492
非脱臼骨折 165
ビタミン(製剤) 506
ビタミン$B_2$製剤 506
ビタミン$B_{12}$製剤, 神経疾患 437
ビタミンD欠乏 399
ビタミンD抵抗性くる病 90
ビタミンK欠乏症 411
ビダラビン 380
非定型顔面痛 442
非定型歯痛 442
脾摘 425
ヒトトロンビン 506
ヒト白血球抗原(HLA) 26, 420
ヒトパピローマウイルス(HPV) 16, 255
ヒトヘルペスウイルス4型 383

ヒト免疫不全ウイルス(HIV) 409, 418
ヒドロコルチゾン 404
被曝 17
ピヒラー切開 470
非復位性顎関節円板障害(Ⅲb型) 342
被覆粘膜 374
皮膚切開 45
皮膚接合用テープ 53
皮膚の菌層 31
皮膚ルーペ 391
ヒポクラテス法 332
非ホジキンリンパ腫 421
飛沫核感染 199
飛沫感染 199
非麻薬性鎮痛薬 506
肥満細胞 193
ビメンチン 255
非メンデル遺伝 90
白虎加人参湯 507
ヒヤリ・ハット 80
ヒューブリンガー変法(ブラシ法) 31
ヒューマンエラー 81
病原性カンジダ属 377
表在性穿掘性潰瘍 217
表在痛 7
標準予防策 30
表情筋に対する運動療法 509
病変境界 11
表面の隆起 11
病理検査 26
病歴 2, 61
日和見感染 199, 200
ピラジナミド(PZA) 218
びらん 12
ビリルビン 26
鼻涙管損傷 187
ピロカルピン塩酸塩 369
ピロリン酸カルシウム結晶沈着症 337
貧血 414
ピンセット 39
ピンドボルグ腫瘍 264
ビンロウジュ 250, 318

## ふ

ファーロー法 114
ファムシクロビル 380
ファンコニ貧血 417
フィーダー細胞 518
フィブリノゲン 20, 50, 194, 407, 411, 413, 506
フィブリノペプチド 193
フィブリリン1(FBN1) 122
フィブリン 411, 413, 506
フィブリン・フィブリノゲン分解産物(FDP) 413
フィブリン製剤 50
フィブリン糊 50
フィブリンポリマー 411
フィブリン網 411, 519, 520
フィブリンモノマー 411
フィルムドレッシング 53
風疹 222
風疹ウイルス 222

フェニルケトン尿症 90
フェリチン 24, 415
フェンタニル 446
フォーダイス斑 376
不穏 68
フォン・ウィルブランド因子
　　　　　　　409, 410, 427
フォン・ウィルブランド病 411, 427
フォン・レックリングハウゼン病
　　　　　　　　　　131, 277
不完全口蓋裂 106
不完全脱臼 161
不完全破折 160
不規則抗体 26
吹き抜け骨折 171
復位性顎関節円板障害（Ⅲa型） 342
副甲状腺機能亢進症 398
副甲状腺機能低下症 398
副甲状腺ホルモン（PTH） 398
複合性局所疼痛症候群（CRPS） 7, 444
複雑型歯牙腫 266
副作用 505
副耳下腺 351
副腎クリーゼ 57
副腎皮質機能亢進症 398
副腎皮質機能障害 66
副腎皮質機能低下症 399
副腎皮質刺激ホルモン（ACTH） 403
副腎皮質刺激ホルモン（ACTH）産生下垂体腺腫 398
副腎皮質ステロイド 318, 425
副腎皮質ステロイドホルモン 404
副腎皮質ステロイド薬 388, 389, 391, 403
　──，神経疾患 437
　──による口腔カンジダ症 400
副唾液腺 353
腹直筋皮弁 486
副反応 505
腹部突き上げ法 79
不顕性感染 199
浮腫性紅斑 11
プチアリン検査 239
普通抜歯 462
フッ化ピリミジン系薬剤 308
フットポンプ 69
物理的損傷 155, 178
物理療法 507
不適合輸血 417
ブドウ状歯原性囊胞 228
浮動粘膜切除術 477
部分無歯症 94
不飽和鉄結合能（UIBC） 24, 415
プラーク性歯肉炎（単純性歯肉炎） 204
プラークリテンションファクター 205
ブラジキニン 193
プラスグレル 428
プラスミン 193
ブラックアイ 173
ブランディン・ヌーン腺 184, 353
ブランディン・ヌーン囊胞 238, 360
プランマー・ビンソン症候群 401, 415
フリーラジカル 58, 193, 194
ブリッジ形態 498

プリロカイン 408
フルオロウラシル（5-FU） 308
フルニエ菌 97
ブレイドタイプ（編糸） 42
プレート固定 175
プレート配置 178
プレガバリン 381, 443, 455
プレクチン 390
プレドニゾロン（PSL） 388, 391, 437
プレボテラ属 199
ブローイング（吹き出し） 116
プロービングデプス 205
プロカルシトニン 25
プログレッション 255
プロスタグランジン 193
プロスタノイド 193
ブロック骨移植 493
ブロック状人工骨 480
ブロック状遊離自家骨移植 481
プロトロンビン 411
プロトロンビン時間（PT） 411
プロピトカイン 408
プロモーション 245, 255
分割照射 311
分割抜歯 464
分化能 520
分化誘導 520
分子相同性 202
分子標的（治療）薬 245, 308
分層植皮術 484
分泌終末部 352
噴霧薬 388
分葉核球 409
分葉舌 103
分裂舌 103

## へ

ペアン鉗子 43
平滑筋肉腫 289
平滑舌 367
平均赤血球ヘモグロビン濃度（MCHC）
　　　　　　　　　　　　21
平均赤血球ヘモグロビン量（MCH） 21
平均赤血球容積（MCV） 21
平行横切開 306
閉口障害 14, 452
平行法 14
閉鎖ウェットドレッシング 53
閉鎖腔説 235
ペースメーカー 65
ベーチェット病 404
ヘールフォルト症候群 220
ヘガール型持針器 40
ベクロメタゾンプロピオン酸エステル
　　　　　　　　　　　　388
ベックウィズ・ウイーデマン症候群 121
ベドナーアフタ 104
ベニアグラフト 475, 494
ベニアブロック 491
ペニシリン系 506
ペネム系 506
ヘノッホ・シェーライン紫斑病 424
ペプトストレプトコッカス属 199

ヘマトクリット（Ht） 410
ヘミデスモゾーム 388
ペムブロリズマブ 308
ヘモグロビン 408
ヘモグロビンA1c（HbA1c，グリコヘモグロビン，糖化ヘモグロビン） 22
ヘモグロビン濃度（Hb） 410
ヘリウムネオンレーザー 38, 510
ペルコ法 114
ヘルパーT細胞 409
ヘルパンギーナ 222, 381
ヘルペスウイルス（HSV） 379
ヘルペス性歯肉口内炎 379
ベル麻痺 434
ベロックタンポン 174
変異 245
偏位骨折 165
辺縁性歯周炎 204
変形性顎関節症（Ⅳ型） 342
　──の画像診断基準 346
ベンジルペニシリンベンザチン筋注製剤
　　　　　　　　　　　　219
偏性嫌気性菌 199
片側口唇裂 108
片側性顔面けいれん 451
片側性口唇裂一次手術 113
ペンタゾシン 506
ベンツピレン 253
扁平鉤 44
扁平コンジローマ 219
扁平上皮癌 250, 256, 258, 281, 282, 363
　──，Grade分類 281
　──，高分化型 281
　──，中分化型 281
　──，低分化型 281
ペンホルダー式把持法（執筆法） 38
片麻痺 10

## ほ

ポイツ・ジェガース症候群 130
蜂窩織炎 196, 212
縫合 50
縫合糸 42
縫合針 40
縫合創 53
縫合法 478
放射状瘢痕 219
放射性同位元素 19
放射線性顎骨壊死（ORNJ） 210
放射線性味覚障害 400
放射線損傷 156
放射線治療時の管理 516
放射線療法，癌治療 261
萌出血腫 104
萌出遅延 101
萌出の異常 99
萌出囊胞 104, 227
疱疹 389
疱疹性歯肉口内炎 379
放線菌 216
放線菌症 216
膨張性増殖 257
ポートワイン母斑 275

ボーン結節　104, 227
ポケットマスク　75
ホジキンリンパ腫　421
ポジトロンエミッション断層撮影　19
ホスホジエステラーゼ(cAMP分解酵素)
　　　413
補体系　193
補体第1成分阻止因子　393
発作性電撃様疼痛　433
発作性夜間ヘモグロビン尿症　417
発疹　11
ホッツ床　111
ホットパック　438, 507
ボツリヌストキシン　451
補綴　474
哺乳管理　111
哺乳障害　109
母斑性基底細胞癌症候群　132
ホフラートの歯周嚢胞　230
ホメオスタシス　56
ポリエン系　506
ポリエンマクロライド系抗真菌薬　377
ポリファーマシー　505
ポリペプチド系　506
ホルネル徴候　439
ボルヘルス法　332
ホルモン療法, 癌治療　260
本態性流涎症　357

## ま
マーキング　47
マーティン切開　306
マイオモニター　508
マイクロカレント療法　508
マイクロサージェリー用歯肉剪刀　39
埋伏歯　99
　──のPell-Gregory分類　467
埋伏歯抜歯　463
埋伏歯抜歯器具　464
マギル鉗子　43
マクロファージ　193, 409
マクロライド系　506
麻疹　382
麻疹風疹混合ワクチン(MRワクチン)
　　　383
麻酔法　54
マッカンド無鉤ピンセット　40
マッカンド有鉤ピンセット　40
マッキューン・オルブライト症候群　129
末梢神経障害　434
末梢神経節　6
末梢神経麻痺　11
末梢性感作　442
末梢性顔面神経麻痺　434, 448
末梢性三叉神経損傷後神経痛　433
末梢性三叉神経麻痺　434
末梢性唾液分泌刺激障害　356
マットレス縫合　51
マニピュレーション　346, 347, 348
麻痺　10
麻薬拮抗性鎮痛薬　506
麻薬性鎮痛薬　506
マルチリーフコリメータ(MLC)　311

丸針　40
マルファン症候群　90, 122
マレット　45
慢性萎縮性カンジダ症　367, 378
慢性移植片対宿主病　403
慢性炎症　192, **195**
慢性外傷　155
慢性潰瘍　12
慢性下顎骨骨髄炎　208
慢性顎骨骨膜炎　207
慢性限局性炎症　215
慢性硬化性顎下腺炎　369
慢性甲状腺炎　398
慢性紅斑性カンジダ症　367, 378
慢性骨髄性白血病　420
慢性根尖性歯周炎　206
慢性歯周炎　205
慢性歯性上顎洞炎　210
慢性歯槽骨炎　206
慢性腎臓病(CKD)　66
慢性増殖性炎　198
慢性唾液腺炎　358
慢性智歯周囲炎　206
慢性痛　7
慢性肥厚性カンジダ症　378
慢性閉塞性肺疾患(COPD)　65
慢性リンパ性白血病　420
慢性リンパ節炎　214

## み
味覚異常　399
味覚減退　399
ミカファンギンナトリウム　506
ミクリッツ病　369
ミコナゾール　369, 377, 401, 506
水・電解質代謝　58
密骨腫　277
ミノサイクリン　389, 400
脈拍　72
脈瘤性骨嚢胞　231, 234
脈管奇形　275
脈管系腫瘍　275
ミラード法　113
味蕾　374
ミロガバリン　443

## む
無顆粒球　21
無顆粒球症　418
無菌法　31
無鉤型ピンセット　39
無軸皮弁　485
無舌症　103
ムンプスウイルス　221, 358

## め
迷走神経　431
迷走神経けいれん　452
迷走神経麻痺　449
迷入唾液腺　353
メイヨー剪刀　39
メージュ症候群　451
メス(手術刀)　37, 460

メチル化　245
メチルプレドニゾロンパルス療法　425
滅菌　36
滅菌ゴム手袋　32
　──選択　32
滅菌法　31
滅菌方法　36
メッケル軟骨　87
メッシュプレート　480
メッツェンバウム剪刀(メッツェン)　39
メトトレキサート　403
　──による口内炎　400
メトトレキサート関連リンパ増殖性疾患
　　　400
メトヘモグロビン血症　408
メフェナム酸　400
メラニン　374
メラニン色素沈着症　396
メラノサイト　374
メラノゾーム　374
メルカーソン・ロゼンタール症候群
　　　101, 130, 395
メルケル細胞　374
メルゼブルクの3徴候　66
免疫グロブリン大量療法(IVIG)
　　　389, 393, 425
免疫血清学的検査　25
免疫性血小板減少性紫斑病(ITP)　424
免疫チェックポイント阻害薬　256, 308
免疫チェックポイント分子　256
免疫複合体型アレルギー　201
免疫抑制薬　388, 389, 392
免疫療法, 癌治療　261
メンデル遺伝病　90
メンデルソン症候群　67

## も
毛細血管奇形　275
毛細血管性出血　47
毛細リンパ管腫　276
毛舌　397
網赤血球　408
モールド療法　314
模型手術(モデルサージェリー)　139
モスキート鉗子　43
モノコルチカル固定　176
モノフィラメント(単糸)　42
モノポーラ型電気メス　38
モビライゼーション　345
モルヒネ　506
問題志向型診療記録(SOAP)　5

## や
薬剤関連顎骨壊死(MRONJ)　208, 459
薬剤性歯肉増殖症　319
薬剤性歯肉肥大　319
薬物性味覚障害　399
薬物動態学　504
薬物動態学的相互作用　506
薬物の副作用　505
薬物の有害事象　505
薬力学　504
薬力学的相互作用　506

## や

山本・小浜分類（YK 分類） 281

## ゆ

ユーイング肉腫 292
有棘細胞層 374
有茎性骨腫 277
有茎皮弁移植 485
有鉤型ピンセット 40
有軸皮弁 485
有痛性三叉神経ニューロパチー 445
── , 帯状疱疹による 445
遊離自家骨移植 481
遊離植皮術 479, 483
遊離粘膜移植法 477, 484
遊離皮弁 479, 485
輸血 25
癒合歯 95
癒着歯 95
弓倉結節 95

## よ

溶血性貧血 417
葉酸代謝拮抗薬 400
用手結紮 51
羊皮紙様感 10
用量-反応曲線 505
ヨード生体染色 297
翼状捻転 99
抑制性免疫細胞 256
予防的頸部郭清術 305

## ら

蕾状歯 97
ラテラルウィンドウアプローチ 495
ラヌーラ 238, 360
── , 顎下型 238
── , 舌下顎下型 238
── , 舌下型 238
ラミニン 332 389
ラミニン 5 389, 390
ラムゼイハント症候群 132, 381, 434, 449
ランガー線 46
ランゲルハンス細胞 374
ランゲルハンス細胞組織球症 323
ランダル法 113

## り

リード・シュテルンベルク細胞 422
リヴィヌス管 351
リウマチ性顎関節炎 336
リウマトイド因子（RF） 25, 336
リガ・フェーデ病 102
理学療法 507
── , 神経疾患 438
罹患率 251
リスクマネージャー 82
リスクマネジメント 80
リスクマネジメント委員会 82
リソソーム酵素 192, 193, 194
リツキシマブ 425
立効散 507
リッジエクスパンジョン 475, 494, 495
リドカインゼリー 456
リバースプランニング 311
リバーロキサバン 414, 428
リハビリテーション 507
リファブチン（RBT） 218
リファンピシン（RFP） 218, 221
リポ多糖体（LPS）結合タンパク 194
リポタンパク 23
リモデリング 491
リモデリング期, 骨折 159
流行性耳下腺炎 221, 358
流涎症 357
菱形麻痺 54
良性間葉性歯原性腫瘍 246, 267
良性腫瘍 243, 257, 272
良性上皮間葉混合性歯原性腫瘍 246, 265
良性上皮性歯原性腫瘍 246, 261
良性上皮性腫瘍 251, 272
良性線維骨性病変 278
良性非上皮性腫瘍 257, 273
両側口唇裂 108
両側性口唇裂一次手術 113
両（側）麻痺 10
臨界期 91
リン酸カルシウム系セラミックス 493
リン酸三カルシウム 493
臨床検査 61
輪状甲状膜 78
輪状甲状膜穿刺 78
輪状甲状膜穿刺キット 79
臨床推論 2, 4
隣接粘膜利用法 476
リンパ管奇形 275
リンパ管腫 274, 276
リンパ球 193, 408
── の帯状浸潤 317
リンパ球増多症 419
リンパ系幹細胞 407
リンパ行性転移 258
リンパ上皮性嚢胞 241

## る

ル・ムズリエ法 113
涙液量測定 368
涙管ブジー 359
涙小管（上下涙小管）損傷 187
類象牙質 266
類天疱瘡 388
── の分類 389
涙道損傷 187
類皮嚢胞 239
── , オトガイ下型 240
── , 舌下オトガイ下型 240
── , 舌下型 240
類表皮嚢胞 239
るいれき（瘰癧） 217
ルーツェ型ピンセット 39
ループス 391
ループス腎炎 391
ルフォーⅠ型骨切り術 141
ルフォーⅠ型骨折 168
ルフォーⅡ型骨切り術 143
ルフォーⅡ型骨折 169
ルフォーⅢ型骨切り術 144
ルフォーⅢ型骨折 169
ルフォー骨折分類 168

## れ

レーザー療法 508, 510
レクチゾール 389
裂奇形 92
裂創 157, 189
レテラー（レットレル）・ジーベ病 323
レベルダン針 177
レボフロキサシン水和物 400
連続かがり縫合 52
連続性けいれん 452
連続縫合 51
連続埋没縫合 52

## ろ

ロイコトリエン 193, 409
瘻 13
瘻孔閉鎖術（口蓋弁） 110
弄唇癖 395
ロードシェアリング固定 176
ロードベアリング固定 176
ロンベルグ徴候 402

## わ

矮小歯 96
若木骨折 189
和漢薬（漢方薬） 507
ワクシニアウイルス接種家兎炎症皮膚抽出液 455
ワズムンド切開 141
ワズムンド法 140
ワルシャム鉗子 172
ワルダイエル咽頭輪 376
ワルチン腫瘍 364
ワルトン管 351
ワルファリンカリウム 411, 413, 428, 459
腕間逆位, 染色体異常 90
ワンサン症状 207
彎刃刀 38
彎剪刀 39

# 欧文索引

## ギリシャ文字・数字

α6β4インテグリン　390
α作用　58
αフェトプロテイン（AFP）　25, 260
β-TCP（β-tricalcium phosphate）　480, 493
β-ラクタム系　506
β作用　58
γ-GTP　22
γ-グロブリン（Mタンパク）濃度　410
1回法, 口唇裂一次手術　113
1型糖尿病　69
Ⅰ型アレルギー　200, 409
Ⅰ度熱傷　155
2回法, 口唇裂一次手術　113
2型アルデヒド脱水素酵素（ALDH2）　254
2型糖尿病　69
2段階口蓋形成術　114
2点識別閾検査　436
Ⅱ型アレルギー　201
Ⅱ度熱傷　155
3-3-9度方式　72
3次元原体照射　311
3次元シミュレーション, CT　137
3D-CRT（3D-conformal radiotherapy）　311
3Dプリンター　138
Ⅲ型アレルギー　201
Ⅲ度熱傷　155
Ⅳ型アレルギー　201
5-FU（フルオロウラシル）　308
Ⅶ型コラーゲン　390
$^{18}$F-フルオロデオキシグルコース（FDG）　19
21トリソミー　128
75g経口ブドウ糖負荷試験（75g OGTT）　22

## A

A/G比　21
A-δ線維　7
Abbe-Estlander法　305
Abbé皮弁　480
Abbe法　304
ABCDEアプローチ　184
ABO式　25
ABPC/SBT（アンピシリン・スルバクタム）　216
abscess　13
acantholysis　387
ACE（angiotensin converting enzyme）　394
ACHNSO（Academy's Committee for Head and Neck Surgery and Oncology）の分類　305
acinic cell carcinoma　367
acromegaly　397
ACTH-グルココルチコイド系　57
*Actinomyces*属細菌　216
*Actinomyces israelii*　216
actinomycetes　216
acute alveolar osteitis　206
acute apical periodontitis　206
acute atrophic candidiasis　378
acute odontogenic maxillary sinusitis　210
acute osteomyelitis of the jaw　207
acute pain　7
acute pericoronitis of wisdom tooth　206
acute periosteitis of the jaw　207
acute pseudomembranous candidiasis　377
acute suppurative arthritis of TMJ　333
*ACVRL-1*, *ALK-1*（activin A receptor type like kinase 1）　423
Addison病　66, 399, 403
adenoid cystic carcinoma　366
adjuvant therapy　260
ADME（アドメ）　504
ADP（アデノシン二リン酸）　409
Adsonピンセット　40
adverse event　505
AE（angioedema）　393
AED（automated external defibrillator）　75, 77
aggressive periodontitis　205
agranulocytosis　418
AIDS（後天性免疫不全症候群）　221, 418
airway　174
ALDH2（2型アルデヒド脱水素酵素）　254
allergic purpura　424
allodynia　433, 443
ALS（amyotrophic lateral sclerosis）　453
ALT　21
alveolar bone fracture　162
alveolar osteitis　206
alveoloplasty　475
AMPC（アモキシシリン）　216, 515
amyloidosis　399
anemia　414
anesthesia　433
aneurysmal bone cyst　231, 234
angular cheilitis　378
ankylosis of TMJ　335
Ann Arbor分類　421

Anneroth分類　281
anticoagulant agent　413
antiplatelet agent　413
Antoni A型（束状型）　276
Antoni B型（網状型）　276
Apert症候群　90, **126**
aphtha　12
apical periodontitis　205
apicoectomy　469
aplasia　353
 ── of the condylar process　330
aplastic anemia　417
APTT（activated partial thromboplastin time）　413
ARDS（acute respiratory distress syndrome）　67
ARONJ（anti-resorptive agents-related osteonecrosis of the jaw）　208
arteriovenous malformation　275
arthrocentesis　347
articular meniscus disc　327
Asch鉗子　172
AST　21
ATP（アデノシン三リン酸）製剤　506
atrophy　12, 342
atypical facial pain　442
atypical odontalgia　442
Au-198　312
auscultation　4
axial pattern flap　485
axonotmesis　435

## B

B細胞　409, 422
bacteremia　214
Band　409
Bartholin管　351
basal layer　374
Basedow病　66, 398
basement membrane　374
basophil　409
Battle sign　173
Beckwith-Wiedemann症候群　121
Bednarアフタ　104
Behçet病　404
Bell麻痺　434
Bence Jonesタンパク（BJP）　410, 422
benign epithelial odontogenic tumor　261
benign epithelial tumor　251, 272
benign mesenchymal odontogenic tumor　267
benign mixed epithelial and mesenchymal odontogenic tumors　265

benign tumor 243
biopsy 28, 260
black eyes 173
black hairy tongue 397
Blandin-Nuhn 腺 184, 353
Blandin-Nuhn 囊胞 238, 360
bleeding time 411
blood cell 407
blowout fracture 171
BLS(basic life support) 73
Bohn 結節 104, 227
bone marrow 407
Borchers 法 332
botryoid odontogenic cyst 228
BP180 389, 390
BP180 型粘膜類天疱瘡 389
BP230 389, 390
brachytherapy 312
branchial cyst 241
BRONJ(bisphosphonate-related osteonecrosis of the jaw) 208
buccal gland 352
bulla 11
bullous pemphigoid 388, 389
BUN/Cr 比 24
Burian flap 118
burn 155
burning mouth syndrome 447
buttress(柱，梁構造) 167
BVM(バッグバルブマスク) 75

## C

C 線維 7
C 反応性タンパク(CRP) 25, 194
C1-INH(C1-inhibitor) 393
C6-SGB 439
C7-SGB 439
CA19-9 25
CA125 25
$Ca^{2+}$ チャネル $α2δ$ リガンド 455
cachexia 259
calcifying odontogenic cyst 229
calcium pyrophosphate Deposition Disease of TMJ 337
Caldwell-Luc 法 235
Calnan の 3 徴候 106
*Candida albicans* 199, 377, 400
*Candida glabrata* 377
*Candida guilliermondii* 377
*Candida kefyr* 377
*Candida krusei* 377
*Candida parapsilosis* 377
*Candida tropicalis* 377
capillary malformation 275
CAR-T(chimeric antigen receptor-T cell)療法 420, 423
Carabelli 結節 96
carcinoma 245
―― of lip 285
―― of maxillary sinus 286
―― of salivary gland 286
Castroviejo 持針器 41
cavernous hemangioma 275

cavity(腔) 167
CBDCA(カルボプラチン) 308
CCr 24
CCS(Canadian Cardiovascular Society) 64
CD4/CB8 細胞数比(CD4/8 比) 410
CD4 陽性細胞数 410
CDDP(シスプラチン) 308
CEA(carcinoembryonic antigen) 25, 260
cellulitis 212
central giant cell granuloma 279
central giant lesion 279
central neuropathic pain 447
central sensitization 442
Champy の ideal line 164
cheilitis 379
cheilitis granulomatosa 395
chemical injury 156
cherubism 279
chickenpox 380
Child-Pugh 分類 66
*chirurgia*(外科) 524
chondroma 278
CHOP(Cyclophosphamide, Hydroxydaunorubicin, Oncovin, Prednisone)療法 422
chromosome abnormality 89
chronic alveolar osteitis 206
chronic apical periodontitis 206
chronic atrophic (erythematous) candidiasis 367
chronic atrophic candidiasis 378
chronic hypertrophic candidiasis 378
chronic lymphadenitis 214
chronic odontogenic maxillary sinusitis 210
chronic osteomyelitis of the jaw 208
chronic pain 7
chronic pericoronitis of wisdom tooth 206
chronic periodontitis 205
chronic periosteitis of the jaw 207
circulation 174
CIS(carcinoma *in situ*) 315
CK-BB 22
CK-MB 22
CK-MM 22
clamp 43
CLDM(クリンダマイシン) 152, 216
CLF(クロファジミン) 221
*Clostridium tetani* 452
Cmab-RT 310
CMZ 152
$CO_2$(炭酸ガス)レーザー 38, 510
$CO_2$ ナルコーシス 67
cohesin 128
compromised host 200
concave 型(凹面型) 133
congenital anomaly 89
congenital fistula of lower lip 375
congenital hemangioma 275
congenital malformation 89
congenital syphilis 218

Congo-Red 染色 399
connective tissue papillae 374
contact cheilitis 395
contrast examination 20
convex 型(凸面型) 133
convulsion 10, 435
Coombs 検査 25
Cooper 剪刀 39
COPD(chronic obstructive pulmonary disease) 65
Coxsackie virus 221, 381
CPR(人工呼吸) 75
cranial base fracture 172
critical period 91
Cronin 法 113
Crouzon 症候群 124
CRP(C 反応性タンパク) 25, 194
CRPS(complex regional pain syndrome, 複合性局所疼痛症候群) 7, 444
CRT(chemoradiotherapy) 308
*CRTC1/3-MAML2* 融合遺伝子 366
cryotherapy 512
CSI(central sensitization inventory) 443
CT(computed tomography) 17
CTCAE (Common Terminology Criteria for Adverse Events) Version 5 516
CTRX(セフトリアキソン) 216
Cushing 症候群(病) 66, 398
*Cutibacterium acnes* 220
cytology 260

## D

D-dimer(D ダイマー) 413
Dautrey 法 333
DDS(ジアフェニルスルホン) 221
de novo 癌 245
DeBakey ピンセット 40
deep pain 7
dental compensation 133
dental focal infection 215
dentigerous cyst 226
denture fibroma 273, 319
dermoid cyst 239
developmental anomaly 89
DFDB(demineralized freeze-dried bone) 492
diagnostic imaging 14
DIC(disseminated intravascular coagulation) 393, **427**
DIF(direct immunofluorescence) 387
Dingman 式開口器 44
dish face 169
DLE(discoid lupus erythematosus) 392
DNA 合成障害 416
DNA 付加体 253
DNA メチル化 255
DOAC(direct oral anticoagulant) 411, 414, 459
DOI(depth of index) **252**, 296
Down 症候群 128
DP 皮弁 485
drug-induced taste disturbance 399
druse 216

dry mouth 354
Dsg(デスモグレイン) 386
Duke 法 411
dysesthesia 443
dysfunction of central nerve system 174

# E

E-カドヘリン 255
EB(エタンブトール) 218
EB ウイルス 358, 383, 400
EBV(Epstein-Barr virus) 358, 383, 400
echovirus 381
ECOG のパフォーマンスステータス 296
ectodermal dysplasia 123
ectopic salivary gland 353
$ED_{50}$(effective dose 50%) 505
EEM(erythema exudativum multiforme) 392
EGFR(epidermal growth factor receptor) 225, 310
eGFR(estimated glomerular filtration rate) 24, 66
electric injury 156
ELISA 法 387
EM(erythema multiforme) 392
EMS 508
enanthem 11
endodontic microsurgery 471
endophytic type 252
ENE(extranodal extension) 252
*ENG*(endoglin) 423
enterovirus 71 382
enzyme-linked immunosorbent assay 387
eosinophil 409
ephapse 442
epidemic parotitis 358
epidermoid cyst 239
epidermolysis bullosa acquisita 388
epithelial dysplasia 315
epithelial pearl 376
epithelial pearls 227
Epstein-Barr ウイルス感染 221
Epstein pearls(真珠) 104, 227, 376
epulis 318
Er：YAG(エルビウムヤグ)レーザー 510
erosion 12, 342
eruption 11
eruption cyst 227
erythema 11
erythrocyte 408
erythroleukoplakia 315
erythropenia 414
erythroplakia 316
ES(embryonic stem)細胞 518
EULAR/ACR(European League Against Rheumatism/American College of Rheumatology)の診断基準 390
Ewing 肉腫 292
EWS-FLI1 融合遺伝子 292
exogenous pigmentation, metal tattoo 396
exophytic type 252
exostosis 320
expansive growth 257
extraction 458

# F

facial cleft 120
facial nerve 430
facial nerve palsy 448
family history 2
Fanconi 貧血 417
Fc 受容体 409
FDB(freeze-dried bone) 492
feeder 細胞 518
fibroma 273
fibrous dysplasia 321
fibrous over-growth 273
field cancerization 251
Fisher 法 113
fissured tongue 376
fistula 13
fixed drug eruption 385, 400
floating maxilla 168
fluctuation 10
FN(febrile neutropenia) 418
follicular pattern 263
forceps 39, 43
Fordyce 斑(spot), 顆粒 376
Fournier 壊 97
fracture of mandible 162
fracture of maxilla 167
fracture of nasal bone 172
frostbite 156
fungus ball 211
Furlow 法(double opposing Z-plasty) 114

# G

G-CSF(granulocyte-colony stimulating factor)製剤 418
G8(スクリーニングツール) 297
gangrene 12
Gardner 症候群 129, **277**
Garré 骨髄炎(osteomyelitis) 208
GCS(Glasgow Coma Scale) 175
Gell と Coombs アレルギー分類 201, 385
generalized sclerosis 342
genioplasty 148
geographic tongue 384
giant cell granuloma 278
giant cell lesion 278
giant cell reparative granuloma 278
giant cell tumor 278
Gillies のアプローチ 170
gingival cyst 227
—— of adult 228
—— of infant 227
glandular odontogenic cyst 228
Glanzmann 病 425
glenoid(articular) fossa 326
glossopharyngeal nerve 431
glossopharyngeal neuralgia 446
*GNAQ* 遺伝子変異 131
Goldenhar 症候群 103, **125**, 330

Gorlin 症候群 132, 225
gouty arthritis of TMJ 337
GPP(gingivoperiostplasty) 117
granular layer 374
green stick fracture 189
growth hormone deficiency dwarfism 398
GVHD(graft-versus-host disease) **402**, 420
GVL/T(graft-versus-leukemia/tumor) 420

# H

HA(hydroxyapatite) 493
HAE(hereditary angioedema) 393
hand-foot and mouth disease 221, **382**
Hand-Schüller-Christian 病 323
Hansen 病 220
hapten 395
Hb(hemoglobin) 408
HbA1c 22
HDL コレステロール 23
He-Ne(ヘリウムネオン)レーザー 38, 510
HED(hypohidrotic ectodermal dysplasia) 123
Heerfordt 症候群 220
Hegar 型持針器 40
Heister 開口器 44
hemangioma 274
hematology test 20
hematopoietic stem cell 407
hemiglossectomy 298
——, oral tongue 297
hemolytic anemia 417
hemophilia 426
Henoch-Schönlein 紫斑病 424
hereditary bullous epidermolysis 390
herpes labialis 380
herpes zoster 380
herpetic gingivostomatitis 379
Herrmann 法 332
Hertwig の上皮鞘遺残 229
Hippocrates 524
Hippocrates 法 332
history of present illness 2
HIV(ヒト免疫不全ウイルス) 409, 418
HLA(human leukocyte antigen) 26, 220, 420
HLA-A26 404
HLA-B51 404
Hodgkin リンパ腫 421
Hofrath の歯周嚢胞 230
Horner 徴候 439
horse shoe osteotomy 143
Hotz 床 111
HPV16 255
HSIL(OHSIL) 28
HSV(herpes simplex virus) infection 379
HTLV-1(human T-cell leukemia virus type 1) 420

HTT(hereditary hemorrhagic telangiectasia) 423
Hunt 症候群 132, 381, 449
Hunter 舌炎 401, 417
Hutchinson 3 徴候 97
Hutchinson 歯 97, 219
hyperalgesia 433, 443
hypercorticosteroidism 398
hypercytokinemia 59
hyperkeratosis 315
hyperorthokeratosis 315
hyperparakeratosis 315
hyperparathyroidism 398
hyperplasia of the condylar process 330
hyperthyroidism 398
hypertrophy of lingual tonsil 376
hypertrophy of salivary gland 353
hypoadrenocorticism 399
hypoesthesia 433, 443
hypoglossal nerve 433
hypoparathyroidism 398
hypoplasia 353
—— of the condylar process 330
hypothyroidism 398
Hyrax 型拡大装置 151

## I

IC(informed consent) 4
ICT(induction chemotherapy) 310
idiopathic condylar resorption 338
IE(infective endocarditis) 215
IgA 血管炎(アレルギー性紫斑病) 424
IgA vasculitis(IgA 血管炎) 424
IgA 天疱瘡 386
IgG4-related disease 369
IgG4-related sialadenitis 369
IgG4 関連疾患 369
IgG4 関連疾患包括診断基準 370
IgG4 関連唾液腺炎 369
IgG4 関連涙腺・唾液腺炎診断基準 370
IgG 抗体 387
IIF(indirect immunofluorescence) 387
IL-1 58, 194
IL-6 58, 194
ILRO(inverted L shape ramus osteotomy) 147
implant 488
IMRT(intensity modulated radiation therapy) 311
incidence 251
INF 28
infantile hemangioma 275
inflammation of jaw bone 206
inflammatory collateral cyst(paradental cyst) 230
INH(イソニアジド) 218
injection syringe 37
injury 155
inspection 3
intraluminal type 263
intraoral radiography 14
intrinsic pigmentation 396
invasion 258

invasive growth 257
iPS(induced pluripotent stem)細胞 518
Ir-192 312
iron-deficiency anemia 415
isthmus 471
ITP(idiopathic thrombocytopenic purpura) 424
IVR(interventional radiology) 20
IVRO(intraoral vertical ramus osteotomy) 147

## J

J グラフト 475, 494
JAK 阻害薬 336
Jakobsson 分類 281
Jannetta 手術 437
jaw closing spasm 452
jaw opening spasm 452
JCS(Japan Coma Scale) 72, 175
Jennings 鉗子 44
joint capsule 328

## K

Küttner 腫瘍 369
Kaposi 肉腫 221, 290
Keen のアプローチ 170
Kelly 鉗子 43
keratinized layer 374
keratohyalin granule 374
Kiefer Chirurgie 524
Kindler 症候群 390
*Klebsiella oxytoca* 199
Klestadt 囊胞 237
Klinefelter 症候群 129
Knight & North 分類 169
Knudson の 2 hit セオリー 245
Kocher 鉗子 43
Köle 法 144
Koplik 斑 382
Kufner 法 140

## L

labial gland 352
lamina propria 374
laminin 332, 389
laminin5 389
Langenbeck 扁平鉤 44
Langer 線 46
Langerhans 細胞 374
LASER(Light Amplification by Stimulated Emission of Radiation) 510
lateral cervical cyst 241
Lateral gingival flap 118
lateral periodontal cyst 228
LBC(liquid based cytology) 27
LCH(Langerhans cell histiocytosis) 323
LD(LDH) 21
$LD_{50}/ED_{50}$ 505
$LD_{50}$(lethal dose 50%) 505
LDL コレステロール 23
Le Fort Ⅰ型骨切り術 141
Le Fort Ⅰ型骨折 168
Le Fort Ⅱ型骨切り術 143

Le Fort Ⅱ型骨折 169
Le Fort Ⅲ型骨切り術 144
Le Fort Ⅲ型骨折 169
Le Fort 骨折分類 168
Le Mesurier 法 113
Le Clerc 法 333
Letterer-Siwe 病 323
leukocytosis 419
leukopenia 418
leukoplakia 314
Lindahl 分類 166
linear IgA bullous dermatosis 388
lingual gland 353
lining mucosa 374
lipoma 274
LLLT(low-level laser therapy) 510
LRINEC(Laboratory Risk Indicator for Necrotizing Fasciitis)スコア 213
LSIL(OLSIL) 27
Lucae 型ピンセット 39
luminal variant 263
lupus 391
luxation of TMJ 331
lymphatic malformation 275
lymphocyte 409
lymphoepithelial cyst 241

## M

M タンパク 422
MacFee 切開 306
Mac Lennan の分類 166
macrocheilia 275
macroglossia 275
macrophage 409
macule 11
Magill 鉗子 43
major anomaly 91
major salivary gland 351
Malassez の上皮遺残 228
malformation syndrome 89
malignant epithelial tumours 251
malignant lymphoma 421
Manchester 法 113
mandibular anterior alveolar osteotomy 144
mandibular body osteotomy 148
mandibular condyle 326
mandibular nerve 430
mandibular swing approach 302
Marfan 症候群 90, 122
Martin 切開 306
MASDO(maxillary anterior segmental distraction osteogenesis) 118, 150
mass 8, 11
masticatory mucosa 374
masticatory muscle tendon-aponeurosis hyperplasia 338
Mathew 型持針器 40
maxillary anterior alveolar osteotomy 140
maxillary lateral alveolar osteotomy 140
maxillary nerve 430
maxillary sinus aspergillosis 211

maxillary sinusitis 210
Mayo 剪刀 39
McCune-Albright 症候群 129
MCH（平均赤血球ヘモグロビン量） 21
MCHC（平均赤血球ヘモグロビン濃度） 21
McIndoe 無鉤ピンセット 40
McIndoe 有鉤ピンセット 40
MCV（平均赤血球容積） 21
MDS（myelodysplastic syndrome） 423
MDSC（骨髄由来抑制細胞） 256
measles 382
mechanical injury 155
median cervical cyst 241
median cleft of the upper lip 121
median rhomboid glossitis 378
megaloblastic anemia 416
Meige 症候群 451
meiotic cohesin 128
melanin 374
melanin pigmentation 396
melanocyte 374
melanosome 374
Melkersson-Rosenthal 症候群 101, 130, 395
Mendelson 症候群 67
Merkel cell 374
Merseburg の 3 徴候 66
metabolism 504
metastasis 258
Metzenbaum 剪刀 39
Mikuliçz 病 369
Millard 変法 113
Millard 法 113
Miller 分類 205
minor anomaly 91
minor salivary gland 352
MLC（マルチリーフコリメータ） 311
MM シーネ 175
molar gland 353
monocyte 409
Moon 歯 97
mortality 251
motor nerve 433
motor paralysis 10
mouth cancer 279
mouth gag 44
mouth opener 44
mouth speculum 44
MPE（maximum permissible exposure） 511
MRI（magnetic resonance imaging） 17
MRND（modified radical neck dissection） 305, 307
MRONJ（medication-related osteonecrosis of the jaw） 208, 459
mucocele 237
—— of maxillary sinus 235
mucoepidermoid carcinoma 364
mucoperiosteum 374
mucous cyst 237
mucous membrane pemphigoid 388
Mulliken 法 113

multifactorial disorders 90
multiple fracture of facial bones 172
multiple myeloma 422
mural variant 263
mutation 245
MVD（microvascular decompression） 451
*MYB-NFIB* 融合遺伝子 366
*Mycobacterium leprae* 220
*Mycobacterium tuberculosis* 217

# N

N-ニトロソ化合物 253
naevus pigmentosus 396
nasoalveolar cyst（nasolabial cyst） 237
nasopalatine duct cyst（incisive canal cyst） 233
NBTE（nonbacterial thrombotic endocarditis） 215
NCCN（National Comprehensive Cancer Network）ガイドライン 294
Nd：YAG（ネオジウムヤグ）レーザー 38, 510
necrosis 12
necrotising fasciitis 213
necrotizing sialometaplasia 371
necrotizing ulcerative periodontitis 205
needle 37
neoplasm 243
nerve injury 435
Neumann 切開 141, 470
Neumann 法 332
neuralgia 433
neurapraxia 435
neurilemmoma 276
neuritis 433
neurofibroma 276
neurofibromin 131
neuropathic pain 7
neurotmesis 435, 437
neutrophil 409
Nikolsky 現象 387
NILM 27
NK 細胞 256, 409
NO（一酸化窒素） 193
nociceptive pain 7
nociplastic pain 7
node 11
NOE（nasoorbitoethmoidal）fracture 172
non-HDL コレステロール 23
non-Hodgkin リンパ腫 421
non-odontogenic tumor 246
NSAIDs（non-steroidal anti-inflammatory drugs） 506
NST（Nutrition Support Team） 517
nuclear medicine examination 19
numb chin 症候群 435, 450
NYHA（New York Heart Association） 64

# O

O 脚 399

O'Leary のプラークコントロールレコード 205
oblique facial cleft 121
obtundation 11
Obwegeser-Dal Pont 法 145
Obwegeser 原法 145
Obwegeser 法 476
odontogenic carcinoma 271
odontogenic carcinosarcoma 272
odontogenic keratocyst 225
odontogenic malignant tumor 271
odontogenic sarcoma 272
odontogenic systemic infection 214
odontogenic tumor 246
OK-432（ピシバニール®） 276, 362
OLP（oral lichen planus） 316
ophthalmic nerve 430
OPMDs（oral potentially malignant disorders） 256, **314**
oral allergy syndrome 385
oral candidiasis 377
oral dyskinesia 444
oral epithelium 374
oral hairy leukoplakia 383
oral mucosa 374
oral mucosa malignant melanoma 292
oral submucous fibrosis 318
oral tuberculosis 217
ORNJ（osteoradionecrosis of the jaw） 210
oromandibular dystonia 444
orthokeratinization 374
orthokeratinized odontogenic cyst 225
orthopedic surgery of alveolar ride 474
Osler 病 410, 411, **423**
osseous dysplasia 320
osseous metaplasia 278
ossifying fibroma 278
osteochondroma 334
osteoconduction 491
osteogenesis 320, 491
osteoinduction 491
osteoma 277
osteomyelitis of the jaw 207
osteophyte 342

# P

P-A 投影法（postero-anterior projection） 14
pack year/喫煙指数 253
Pain Detect 443
pain threshold 8
palatal gland 353
palpation 3
palsy 10
panda eyes 173
panoramic radiography 14
Papanicolaou の Class 分類 27
papilla 374
papillary hyperplasia 273
papilloma 272
papillomatosis 273
Papillon-Lefèvre 症候群 122

papule 11
parakeratinization 374
paralysis 10, 433
—— of glossopharyngeal nerve 449
—— of hypoglossal nerve 449
—— of the sensory 433
—— of the vagal nerve 449
—— of trigeminal nerve 447
parchment crackling 10
parotid gland 351
Parrot 凹溝 219
partial glossectomy 297
Partsch 切開 470
past medical history 2
Patrick の発痛帯 442
PCBM（particulate cancellous bone and marrow） 491
PCR（progressive condylar resorption） 153, 338
PD（pharmacodynamics） 504
Péan 鉗子 43
Pell-Gregory 分類 100, 465
pemphigoid 388
pemphigoid gestationis 389
pemphigus 386
pemphigus vulgaris 386
Peptostreptococcus 属 199
percussion 3
pericoronitis 99
—— of wisdom tooth 206
perimandibular soft tissue inflammation 211
periodontal inflammation 204
periodontitis 205
—— associated with genetic disorders 205
periosteitis of the jaw 207
peripheral sensitization 442
Perko 法 114
PESA（periodontal epithelial surface area） 205
PET（positron emission tomography） 19
Peutz-Jeghers 症候群 130
phantom tooth pain 442
PHN（postherpetic neuralgia） 381, 456
physical injury 155
Pichler 切開 470
Pierre Robin 症候群 127
PIFP（persistent idiopathic facial pain） 447
pigmented macule 11
pigmented nevus 396
Pindborg 腫瘍 264
PISA（periodontal inflamed surface area） 205
PK（pharmacokinetics） 504
PK/PD 理論 504
plaque-induced gingivitis（simple gingivitis） 204
plasma 407
platelet 409
pleomorphic adenoma 362
plexiform pattern 263

Plummer-Vinson 症候群 401, 415
PNAM（presurgical nasoalveolar molding） 112
PNP（paraneoplastic pemphigus） 388
POCD（postoperative cognitive dysfunction） 68
pollen-associated food allergy syndrome 385
polycythemia 417
postherpetic neuralgia 441
postoperative maxillary cyst（POMC） 234
PPE（personal protective equipment） 30
Prevotella 属 199
prickle cell layer 374
primary immune thrombocytopenia 424
primary survey 184
PRP（platelet-rich plasma） 521
PS（performance status） 296
PSA 25
Pseudogout 337
PSL（プレドニゾロン） 388
psoriatic arthritis of TMJ 336
PT-INR（prothrombin time-international normalized ratio；国際標準比） 411
ptyalism 357
ptyalolithiasis 359
purpura 11
purulent lymphadenitis 214
purulent sialoadenitis 358
push back 法 114
pustule 12
PVL（proliferative verrucous leukoplakia） 315
pyramidal osteotomy 143
PZA（ピラジナミド） 218

## Q

quadrangular osteotomy 143
quick SOFA スコア 214
Quincke 浮腫 101, 393

## R

racoon eyes 173
radiation-induced taste disturbance 400
radiation damage 156
radicular cyst 229
Ramsay Hunt 症候群 132, 381, 434, 449
Randall 法 113
random pattern flap 485
ranula 238, 360
raw surface 304
RBT（リファブチン） 218
red blood cell 408
Reed-Sternberg 細胞 422
referred pain 7
regenerative medicine 517
rehabilitation 507
residual radicular cyst 229
retention cyst of maxillary sinus 236
reticulocyte 408
retractor 44
RF（リウマトイド因子） 336

RFP（リファンピシン） 218, 221
Rh 式 26
rheumatoid arthritis of TMJ 336
RI（radioactive isotope） 19
rickets 399
Riga-Fede 病 102
Rigid External Distraction システム 150
Rivinus 管 351
Romberg 徴候 402
RSTL（relaxed skin tension line） 46

## S

S-1（テガフール・ギメラシル・オテラシルカリウム配合剤） 308
safety margin 297
salivary duct cyst 238
salivary fistula 354
salivary gland infarction 371
sarcoidosis 219, 322
sarcoma 245, 288
SARPE（surgical assisited rapid palatal expansion） 151
Saxon テスト 357
SBT/ABPC 152
scaffold 491, 520
scalpel 37
SCC 25, 28
SCC 抗原 260
Schirmer 試験 368
Schuchardt 法 140
Schwann 細胞 276
science and art 524
scurvy 399
secondary survey 184
Seg 409
sensory nerve action potential 導出法 435
sensory paralysis 11
sepsis 59, 214
SERPING1 遺伝子 393
Serratia marcescens 199
serum 407
SGB（stellate ganglion block） 381, 438
—— の偶発症 440
sialadenosis 371
sialoadenosis 353
sialodochitis 358
side effect 505
sign 2, 6
simple bone cyst 231, 234
simple hemangioma 275
simple lymphadenitis 214
single gene disorders 90
SIRS（systemic inflammatory response syndrome, 全身性炎症反応症候群） 59, 203, 214
—— の診断基準 60
—— の病態 60
SIRS 患者の管理 60
Sjögren 症候群 357, 367
——, 診断基準 368
SJS（Stevens-Johnson syndrome） 384

SLE（systemic lupus erythematosus）
　　25, **390**
SLICC（Systemic Lupus International
　　Collaborating Clinics）の診断基準　390
SM（ストレプトマイシン）　218
*SMAD4*　423
smelling test　4
SOAP（問題志向型診療記録）　5
social history　2
SOFA（sequential organ failure
　　assessment）スコア　214
SOHND（supraomohyoid neck dissection）
　　305, 307
somatic pain　7
spasm
　── of facial nerve　451
　── of hypoglossal nerve　453
　── of trigeminal nerve　452
　── of vagal nerve　452
Spaulding の分類　36
specialized mucosa　374
sphenomandibular ligament　328
spot　11
SSI（surgical site infection）　70
SSRO（sagittal splitting ramus osteotomy）
　　145
standard precautions　30
static bone cavity　233
Stenon 管損傷　188
Stensen（Stenon）管　351
Stevens-Johnson 症候群　384
*Streptococcus* 属　199
Sturge-Weber 症候群　131, 276
stylomandibular ligament　328
subchondral cyst　342
sublingual gland　351
submandibular gland　351
subtotal-total glossectomy　298
　──, oral tongue　297
sunray appearance　291
superficial pain　7
superficial type　252
superselective intra-arterial infusion　20
suture　42
suture needle　40
SW（Semmes-Weinstein）フィラメント
　　436
swelling　8
symptom　2, 6
synovial osteochondromatosis　334
syphilis　218

# T

T 細胞　409
T1 強調像　18
T2 強調像　18

TAM（腫瘍関連マクロファージ）　256
taste bud　374
TDM（therapeutic drug monitoring）　505
temporomandibular ligament　328
TEN（toxic epidermal necrolysis）　384
Tennison 法　113
TENS（経皮的電気刺激療法）　508
Tessier の分類　120
TGF-β シグナル伝達系　423
thrombasthenia　425
thyroglossal duct cyst　241
tie over 固定　477, **484**
TMJ（temporomandibular joint）　326
　── arthrosis　338
TNF-α　193
TNM 分類　252
TORCH 症候群　93
TPO-受容体作動薬　425
transverse or lateral facial cleft　120
trauma　155
traumatic arthritis　333
traumatic nerve injury　441
Trauner-Obwegeser 法　145
Treacher Collins 症候群　**124**, 130, 330
Treg（制御性 T 細胞）　256
*Treponema pallidum*　218, 219
trigeminal nerve　430
trigeminal neuralgia　444
trigeminal neuropathy　441, 447
trigger zone　433
tripod fracture　170
trismus　13
TSH（thyroid stimulating hormone）　398
TSH 受容体抗体　398
tuberculosis　217
tuberculous lymphadenitis　217
tumor　243
Turner 症候群　129
Turner の歯　98
tweezers　39
Tzanck 細胞　387

# U

UFT（テガフール・ウラシル配合剤）　308
UICC（Union for International Cancer
　　Control）　252
ulcer　12
universal choking sign　79
US（ultrasonography）　19

# V

V-Y 形成術　53
vagus nerve　431
Valleix の（3）圧痛点　442, 444
VAS（visual analogue scale）　8
venous malformation　275

vesicle　11
vestibuloplasty　476
VF（ventricular fibrillation）　77
Vincent 症状　207
viral sialoadenitis　358
vital signs　72
von Ebner 腺　353
von Recklinghausen 病（神経線維腫症 I
　　型）　131, 277
von Willebrand 因子（VWF）
　　409, 410, 427
von Willebrand 病　411, 427
VVR（vasovagal reflex）　**453**, 466
VZV（varicella-zoster virus）infection
　　380

# W

W 形成術　478
Waldeyer 咽頭輪　376
Walsham 鉗子　172
Warthin 腫瘍　364
Wassmund 切開　141
Wassmund 法　140, 476
Waters' projection　15
Waters 法エックス線撮影　15
Weber-Ferguson 切開　302
Wharton 管　188, 351
white spot　11
WHO classification of tumors of
　　maxillofacial bone tumor　247
WHO classification of tumors of the oral
　　cavity and mobile tongue　246
WHO 分類，唾液腺腫瘍の　251
WHO 分類，非歯原性腫瘍の　249
Winter 分類　100
wound　157
WPOI（worst pattern of invasion）　296
Wunderer 法　140

# X

X 脚　399
X 連鎖顕性（優性）遺伝病　90
X 連鎖潜性（劣性）遺伝病　90
X 連鎖低汗性外胚葉形成不全症（XLHED）
　　123
XLHED（X-linked hypohidrotic
　　ectodermal dysplasia）　123

# Y

Y 染色体による不妊症　90
Y 連鎖遺伝病　90

# Z

Z 形成術　52, 478